Sadlier WE BELIEVE

CREEMOS™

Con Cristo en los sacramentos

We Meet Jesus in the Sacraments

Guía • Quinto curso

Guide • Grade Five

Sadlier

Una división de William H. Sadlier, Inc.

La aprobación esclesiástica de esta primera publicación de la guía para quinto curso del programa de Sadlier *Creemos/We Believe*, está pendiente.

This advance publication copy of the Sadlier *Creemos/We Believe* Grade 5 Catechist Guide has been printed prior to final publication and pending ecclesiastical approval.

El Ad Hoc Committee to Oversee the Use of the Catechism, de la United States Conference of Catholic Bishops, encontró conforme con el *Catecismo de la Iglesia Católica*, el texto para el estudiante de quinto curso, copyright 2005, del programa de Sadlier *Creemos/We Believe* y que se incluye en esta guía.

The Sadlier *Creemos/We Believe* Grade 5 student text, copyright 2005, included in this Catechist Guide has been judged to be in conformity with the *Catechism of the Catholic Church* by the Ad Hoc Committee to Oversee the Use of the Catechism.

Printed in the United States of America.

s® is a registered trademark of William H. Sadlier, Inc.
CREEMOS™ is a registered trademark of William H. Sadlier, Inc.

William H. Sadlier, Inc.
9 Pine Street
New York, NY 10005-1002

ISBN: 0-8215-5215-5
123456789/08 07 06 05 04

El programa *Creemos/We Believe* de Sadlier fue desarrollado por un reconocido equipo de expertos en catequesis, desarrollo del niño y currículo a nivel nacional. Estos maestros y practicantes de la fe nos ayudaron a conformar cada lección a la edad de los niños. Además, un equipo de respetados liturgistas, catequistas, teólogos y ministros pastorales compartieron sus ideas e inspiraron el desarrollo del programa.

El programa está basado en la sabiduría de la comunidad e incluye personalidades tales como:

Gerard F. Baumbach, Ed.D.
Director, Centro de Iniciativas Catequéticas
Profesor de teología University of Notre Dame

Carole M. Eipers, D.Min.
Directora Ejecutiva de Catequesis
William H. Sadlier, Inc.

Consultores en liturgia y catequesis

Reverendo Monseñor John F. Barry
Párroco, Parroquia American Martyrs
Manhattan Beach, CA

Hermana Linda Gaupin, CDP, Ph.D.
Directora de Educación Religiosa
Diócesis de Orlando

Mary Jo Tully
Canciller, Arquidiócesis de Portland

Reverendo Monseñor John M. Unger
Superintendente Asociado
de Educación Religiosa
Arquidiócesis de San Luis

Consultores en currículo y desarrollo del niño

Hermano Robert R. Bimonte, FSC
Ex Superintendente de Educación Católica
Diócesis de Buffalo

Gini Shimabukuro, Ed.D.
Profesora Asociada
Institute for Catholic Educational Leadership
Escuela de Educación
Universidad de San Francisco

Consultores en la Escritura

Reverendo Donald Senior, CP, Ph.D., S.T.D.
Miembro, Comisión Bíblica Pontificia
Presidente, Catholic Theological Union
Chicago, IL

Consultores en multicultura

Reverendo Allan Figueroa Deck, SJ, Ph.D.
Director Ejecutivo
Loyola Institute for Spirituality
Orange, CA

Kirk Gaddy
Director, St. Katharine School
Baltimore, MD

Reverendo Nguyễn Việt Hưng
Comité Catequético Vietnamita

Doctrina social de la Iglesia

John Carr
Secretario, Departamento de Desarrollo
Social y Paz Mundial, USCCB

Joan Rosenhauer
Coordinadora, Proyectos Especiales
Departamento de Desarrollo Social
y Paz Mundial, USCCB

Consultores en medio y tecnología

Hermana Caroline Cerveny, SSJ, D.Min.
Directora Asociada, Tecnología Académica
St. Leo University, Florida

Hermana Judith Dieterle, SSL
Ex Presidenta, Asociación Nacional de
Profesionales en Catequesis y Medios

Hermana Jane Keegan, RDC
Editora del Internet
William H. Sadlier, Inc.

Consultores en teología

Reverendísimo Edward K. Braxton, Ph.D., S.T.D.
Consultor Teólogo Oficial
Obispo de Lake Charles

Norman F. Josaitis, S.T.D.
Equipo Teológico, William H. Sadlier, Inc.

Reverendo Joseph A. Komonchak, Ph.D.
Profesor, Escuela de Estudios Religiosos
Catholic University of America

Reverendísimo Richard J. Malone, Th.D.
Obispo de Portland

Hermana Maureen Sullivan, OP, Ph.D.
Profesora Asistente de Teología
St. Anselm College, Manchester, NH

Consultores en mariología

Hermana M. Jean Frisk, ISSM, S.T.L.
International Marian Research Institute
Dayton, OH

Consultores en catequesis bilingüe

Rosa Monique Peña O.P.
Arquidiócesis de Miami

Reverendísimo James Tamayo D.D.
Obispo de Laredo

Maruja Sedano
Directora, Educación Religiosa
Arquidiócesis de Chicago

Timoteo Matovina
Director, Cushwa Center para
el Estudio del Catolicismo en Estados Unidos
University of Notre Dame

Hermana María Luz Ortiz, MHSH
Educación Religiosa para Hispanos
Arquidiócesis de Washington

Reverendo José J. Bautista
Director, Oficina del Ministerio Hispano
Diócesis de Orlando

Traducción y adaptación

Dulce M. Jiménez-Abreu
Directora de Programas en Español
William H. Sadlier, Inc.

Indice

Contents

UNIDAD 3 Los sacramentos de sanación nos reparan

UNIDAD 4 Amamos y servimos como Jesús lo hizo

UNIT 3 The Sacraments of Healing Restore Us

UNIT 4 We Love and Serve as Jesus Did

Sadlier

Creemos—We Believe

Un vistazo al programa

Jesús llama a cada joven a quien enseñamos: "Sígueme" (Lucas 9:23). Cada joven busca ayuda en la Iglesia para decir "sí" a Jesús. Su vocación de enseñarles sobre Jesús es maravillosa. El programa *Creemos/We Believe* está diseñado para usted.

Creemos/We Believe integra:

- Un contenido fiel a las enseñanzas de la Iglesia Católica y que abarca, en su totalidad, los cuatro pilares del *Catecismo de la Iglesia Católica:* credo, liturgia y sacramentos; y vida moral y de oración
- Basado en la Escritura, la doctrina social de la Iglesia, e inculca conciencia vocacional y de misión
- Música y oración que anticipan y repiten las celebraciones litúrgicas
- Reflexiones y actividades que integran la catequesis, la liturgia y la vida
- Tecnología y medios puestos al servicio de la fe y en conexión con la familia
- Metodología que emplea la experiencia del joven, modelada en la "pedagogía de fe" de Jesús (*Directorio General de la Catequesis,* 137, 140)
- Repasos y pruebas que refuerzan el contenido básico de la lección
- Actividades y reflexiones que involucran a los jóvenes y sus familias en catequesis, oración y vida de fe

Bases teológicas y catequéticas

Jesús envió a los apóstoles: "Vayan . . . hagan discípulos en todas las naciones". (Mateo 28:19)

La Iglesia en todas las épocas ha abrazado su misión de evangelizar y proclamar el evangelio de Jesús como su ministerio catequético.

Al llevar la misión de Jesús podemos contar con *Creemos/We Believe* porque:

- Está basado en la Escritura
- Es fiel a la Tradición de la Iglesia Católica
- Está basado en el espíritu del *Directorio General para la Catequesis*

✠ **Cristocéntrico**, centrado en la persona de Jesucristo

✠ **Trinitario**, invita a una relación con Dios el Padre, Dios el Hijo y Dios el Espíritu Santo

✠ **Eclesiástico**, apoya la fe vivida en la iglesia doméstica y la Iglesia universal.

La página del joven

Juntos siguiendo las huellas de Jesús

Para ayudarle a usted, catequista, a alimentar la relación de cada joven con Jesús y para facilitar la respuesta de fe de cada joven, este programa emplea un proceso catequético fácil para impartir cada lección: *Nos congregamos, Creemos, Respondemos.* Estas tres partes del proceso imitan la "pedagogía de fe" modelada en Jesús mismo.

NOS CONGREGAMOS

Los jóvenes se reúnen para rezar al inicio de cada capítulo. Rezan y piensan en sus vidas. Responden al llamado de Dios en su gracia por medio de la oración y la reflexión en sus experiencias. Rezan, cantan y exploran formas en que la fe habla en sus vidas.

CREEMOS

Cada capítulo presenta las verdades de la fe católica como aparecen en la Sagrada Escritura y la Tradición y de acuerdo con el Magisterio de la Iglesia. En cada capítulo las afirmaciones de fe más importantes son subrayadas. El contenido de la fe es presentado en formas variadas, apropiadas a la edad y cultura.

1 Jesús comparte la vida de Dios con nosotros

Jesus Shares God's Life with Us 1

Como católicos...

As Catholics...

RESPONDEMOS

A lo largo de cada capítulo los jóvenes son animados a responder en oración, fe y vida. Se les invita a responder al mensaje de la lección. Por medio de la oración, canciones y acciones que expresan sus creencias, los jóvenes son llamados a vivir su discipulado en medio de sus compañeros, familiares, escuela y comunidad parroquial.

Como católicos...

As Catholics...

Sadlier

CREEMOS—WE BELIEVE

Un vistazo al programa

La página del joven

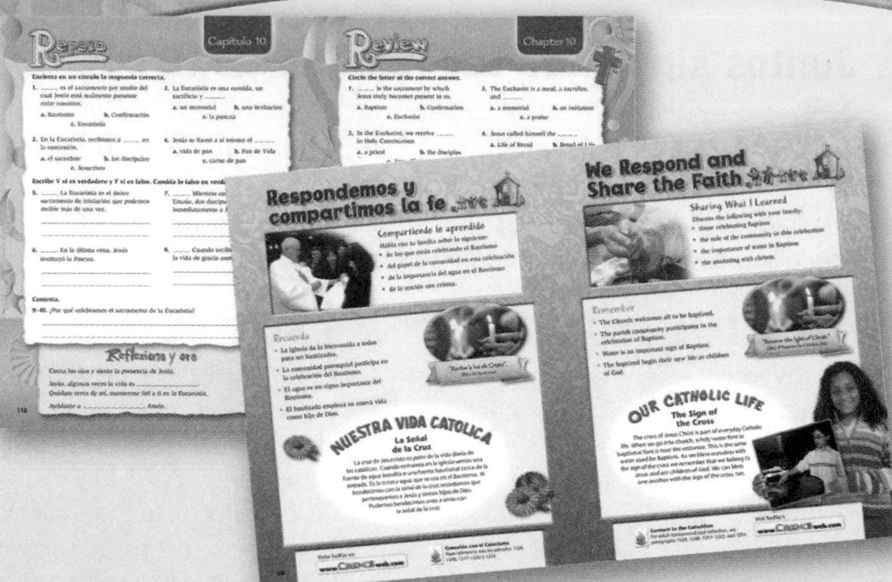

Además . . .

Cada capítulo concluye con un *Repaso* para evaluación. Ofrece oportunidades para los jóvenes demostrar lo que aprendieron y a expresar su fe. Además, la página *Respondemos y compartimos la fe*, invita a los jóvenes a tomar tiempo para reflexionar y rezar. Recuerdan las cuatro afirmaciones de fe principales, el vocabulario, obtienen inspiración de historias reales de católicos que viven su fe en el mundo. Las actividades en esta página invitan al joven a compartir con su familia lo aprendido.

Los tiempos litúrgicos y la página Web de Creemos/We Believe

No es algo más . . . está completamente integrada al texto.

Creemos/We Believe integra la liturgia y la catequesis, enriquecida con la cultura y diferentes experiencias de oración, celebraciones litúrgicas y lecciones especiales sobre el año litúrgico. Los CD de *Creemos/We Believe* también incorporan música litúrgica para fomentar la participación de los niños en la adoración y prácticas devocionales de la parroquia.

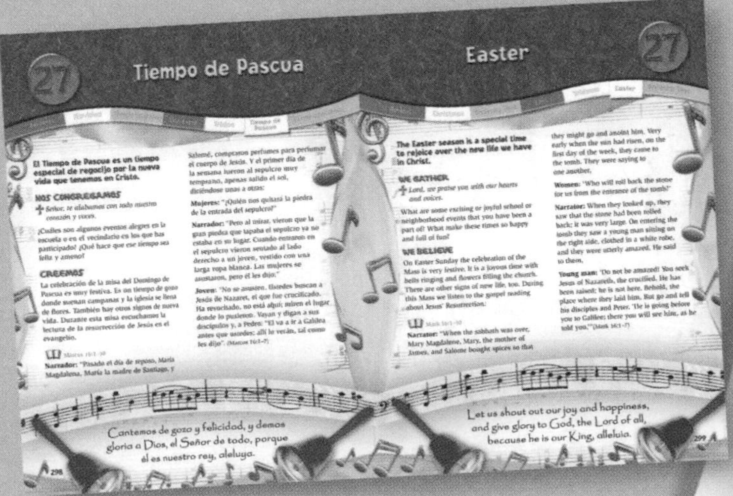

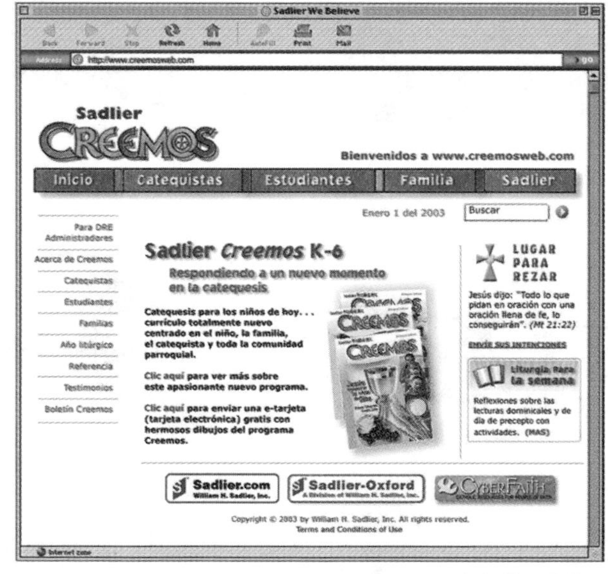

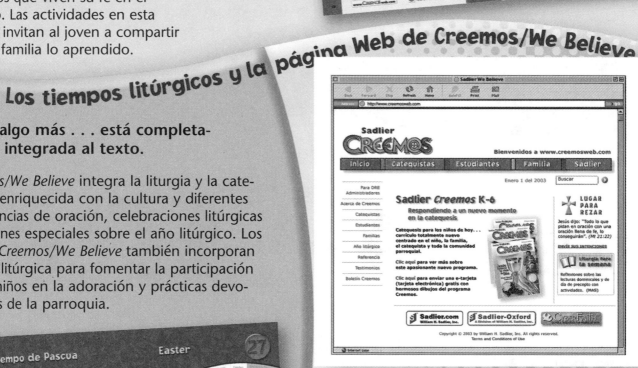

www.CREEMOSweb.com

lo conecta a usted catequista, así como a los jóvenes y sus familias con un sitio web que es un sistema de apoyo. Experimente una variedad de actividades educativas, complementarias para las lecciones, fuentes de oración, liturgia, retiro y proyectos. Goce de un aprendizaje en un ambiente seguro con actividades de fe que motivan y son divertidas para los jóvenes y las familias.

La página del catequista

La guía es clara, concisa y completa

Use las páginas de referencia y planificación

Referencia y preparación para la lección ofrecen una estructura rica para el catequista.

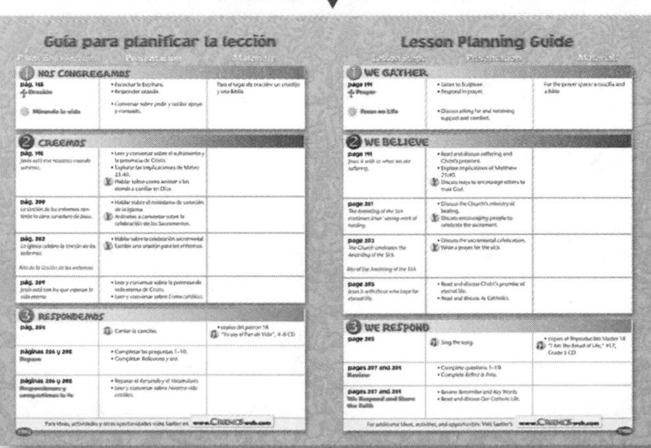

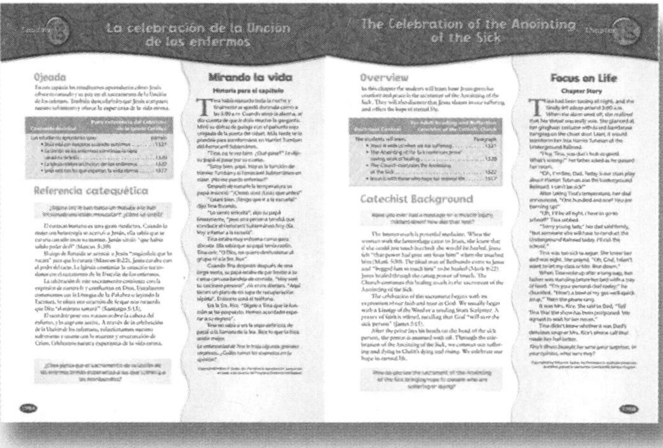

Después, use las páginas de recursos adicionales

La guía incluye conexiones y páginas que se pueden reproducir.

Familia

En este capítulo los niños aprenderán que la familia de Jesús le ayudó a crecer. Ayude a los niños a apreciar a sus familias como regalos de Dios. Señale que ellos son regalos de Dios a sus familias. Ayude a los niños a entender que todos los miembros de las familias tiene la responsabilidad de ayudar. Hable sobre algunas formas en que los niños pueden participar en las responsabi...

To Family

In this chapter the children will learn that Jesus' family helped him to grow. Help the children appreciate their families as gifts from God. Point out that they are gifts to their families. Help the children understand that it is every family member's responsibility to help one another. Talk about ways the children can participate in family responsibilities and activities.

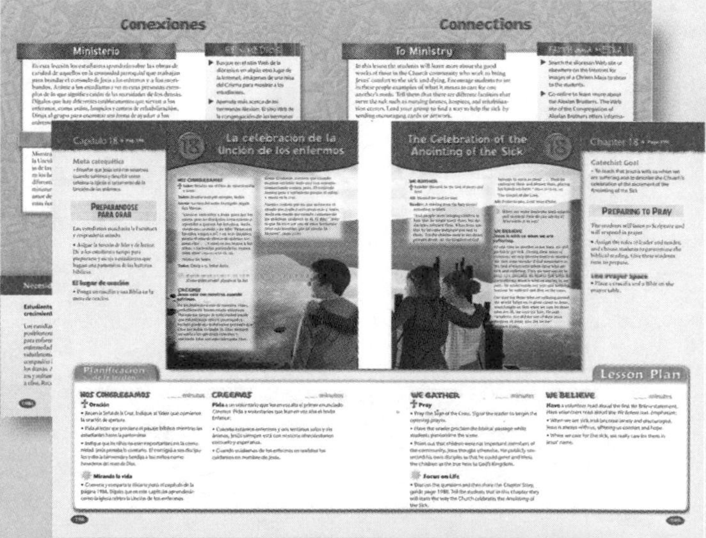

Finalmente, use las páginas para planificar la lección

La meta del catequista y nuestra respuesta a la fe reflejan la dirección de cada lección.

Todo lo que necesita para empezar es

1. **Libro de texto del programa *Creemos/We Believe* para cada uno de los jóvenes en su grupo**
2. **Guía correspondiente al nivel en que enseña**
3. **CD de la música del nivel en que enseña.**

Sadlier

Creemos—We Believe

Program Overview

Across the ages, Jesus calls to each student we teach: *"Follow me"* (Luke 9:23). Each student looks to the Church for help in answering "yes" to Jesus. Your vocation to teach young people about Jesus is an awesome one. The *creemos/We Believe* program is designed for you.

The program integrates:

- Content that is faithful to the teachings of the Catholic Church and that holistically embraces the four pillars of the *Catechism of the Catholic Church*: Creed, Liturgy and Sacraments, Moral Life, Prayer
- Reliance on Scripture, Catholic social teaching, vocation awareness, and mission
- Music and prayer that echo and anticipate liturgical celebrations
- Reflection and activities that integrate catechesis, liturgy and life
- Media and technology used in service to faith and in the context of family
- Methodologies that engage the experience of the student, modeled on Jesus' "pedagogy of faith" (cf. *General Directory for Catechesis*, 137, 140)
- Review and assessment that reinforce the essential content of the lesson
- Activities and reflections that involves the students and their families in catechesis, prayer, and living their faith

The Theological and Catechetical Foundations

Jesus sent the apostles to "Go . . . make disciples of all nations". (Matthew 28:19).

The Church in every age has embraced this mission of evangelization and proclaimed the gospel of Jesus through its catechetical ministry.

As you carry on Jesus' mission, you can rely on *Creemos/We Believe* because it is:

- Rooted in Scripture
- Faithful to the Tradition of the Catholic Church
- Spirited by the *General Directory for Catechesis*
- ✠ **Christocentric,** centering on the Person of Jesus Christ
- ✠ **Trinitarian,** inviting relationship with God the Father, God the Son, and God the Holy Spirit
- ✠ **Ecclesial,** supporting faith that is lived in the domestic church and the universal Church.

The Student's Pages

Together in the footsteps of Jesus

To help you, the catechist, to nurture each student's relationship with Jesus and to facilitate each student's faith response, this program employs an easy-to-use catechetical process for each lesson: *We Gather, We Believe, We Respond.* This three-part process echoes the "pedagogy of the faith" which Jesus himself modeled.

WE GATHER

Students gather in prayer at the beginning of every chapter. They gather to pray and focus on their life. They respond to God's call and his grace through prayer and reflection on their experience. They pray, sing, and explore he ways teh faith speaks to their lives.

WE BELIEVE

Each chapter presents the truths of the Catholic faith found in Sacred Scripture and Tradition, and in accordance with the Magisterium of the Church. The main faith statements of each chapter are highlighted. The content of faith is present in ways that are age-appropriate, culturally sensitive, and varied.

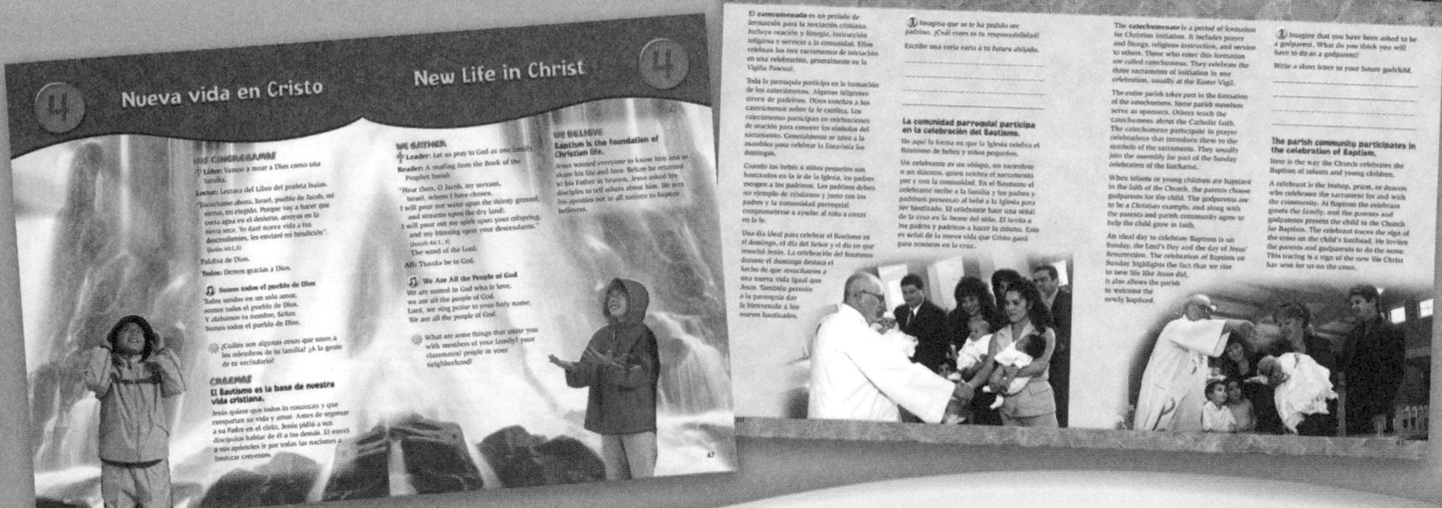

WE RESPOND

Throughout each chapter students are encouraged to respond in prayer, faith, and life. They are invited to respond to the message of the lesson. Through prayer, song, and actions that express their beliefs, students are called to live out their discipleship among their peers, their families, and their school and parish communities.

Plus . . .

The chapter concludes with a *Review* page that offers standard assessment. It provides opportunities for the students to demonstrate learning and invites the students to take time to reflect and pray. In addition, on the *We Respond and Share the Faith* page they remember what they learned, including the four main doctrinal statements and gain inspiration from a true story of Catholics living out their faith in the world.

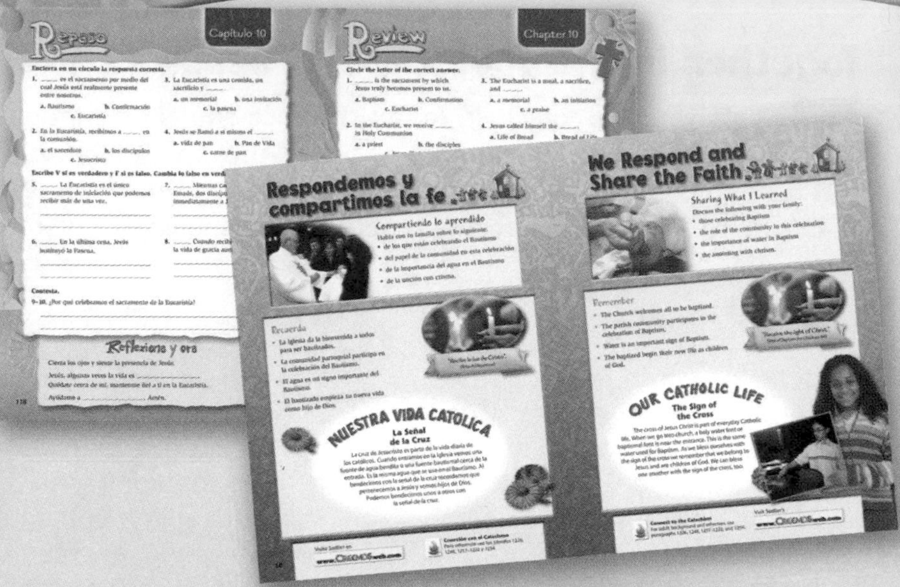

The Seasonal Chapter and the Web site for Creemos/We Believe

Not Just Added On... But Completely Integrated Within the Text..

Sadlier *Creemos/Believe* integrates liturgy and catechesis through culturally-rich and diverse prayer experiences, ritual celebrations, and special lessons on the liturgical year and seasons. *Creemos/We Believe* Music CDs also incorporate liturgical music to foster the students's participation in parish worship and devotional practices.

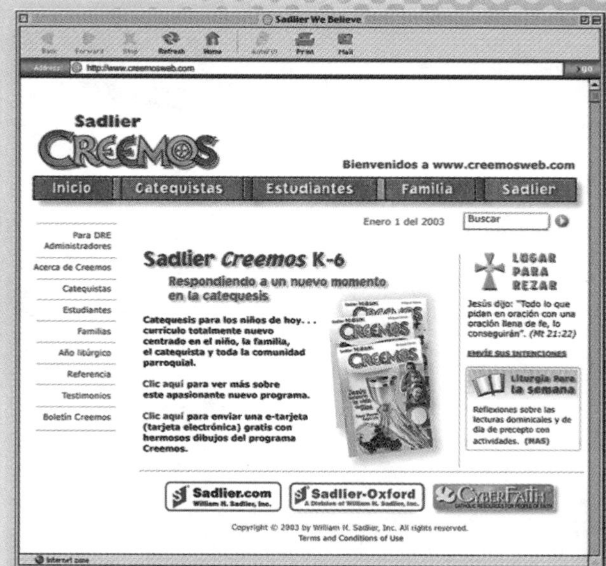

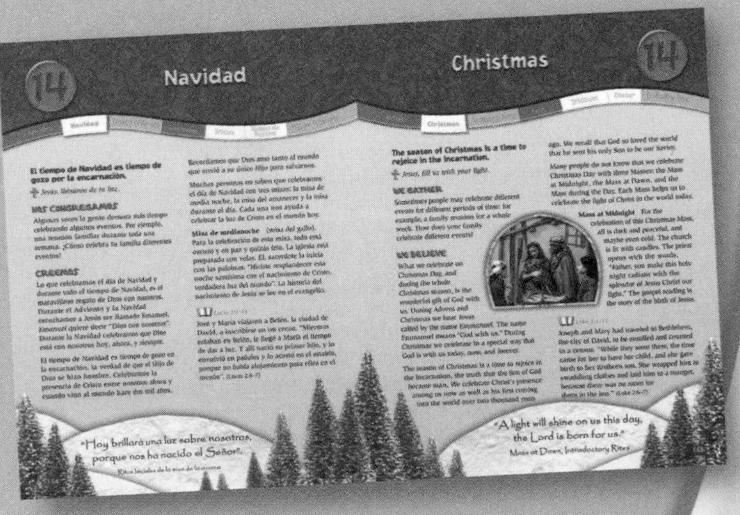

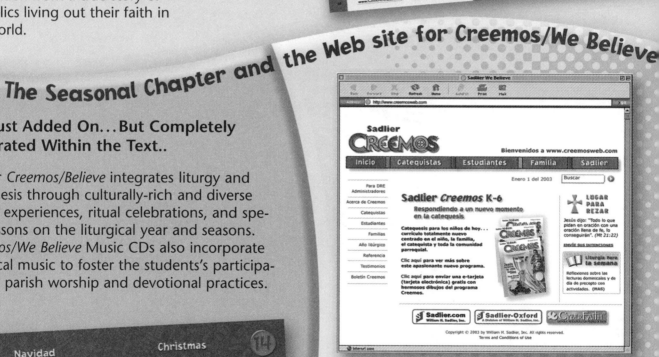

www.CREEMOSweb.com connects you, the catechist, as well as the students and their families to a Web-based support system. Explore an of educational activities to complement your lessons, prayer, liturgy, retreats, and projects. Enjoy a safe learning environment with faith activities that are motivating and fun for students and their families.

The Catechist's Pages

Your Guide—Clear, Concise, Complete !

First, Use the Overview and Planning Pages

Background and Lessonpreparation Planning Guide provide enrichment and structure for the catechist.

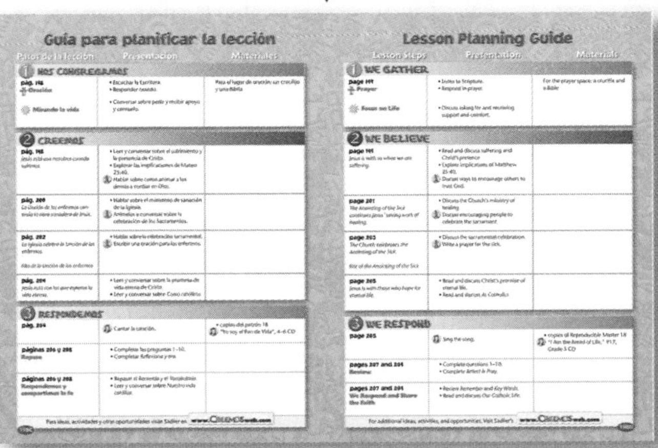
Guía para planificar la lección

Lesson Planning Guide

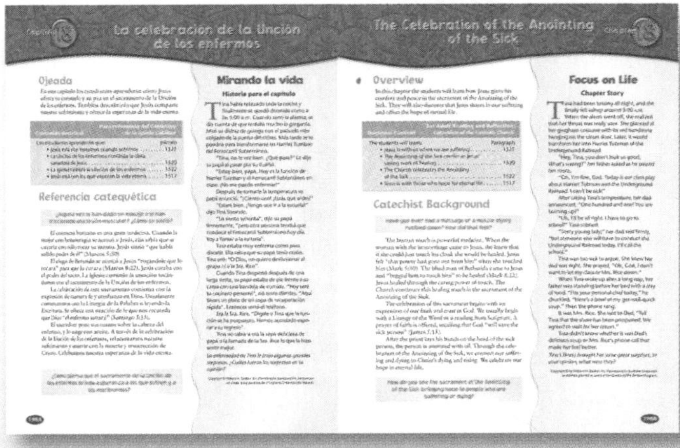
La celebración de la Unción de los enfermos

The Celebration of the Anointing of the Sick

Then, Use the Additional Resource Pages

Connections, Catechist Development, and Reproducible Master pages are all in your Guide.

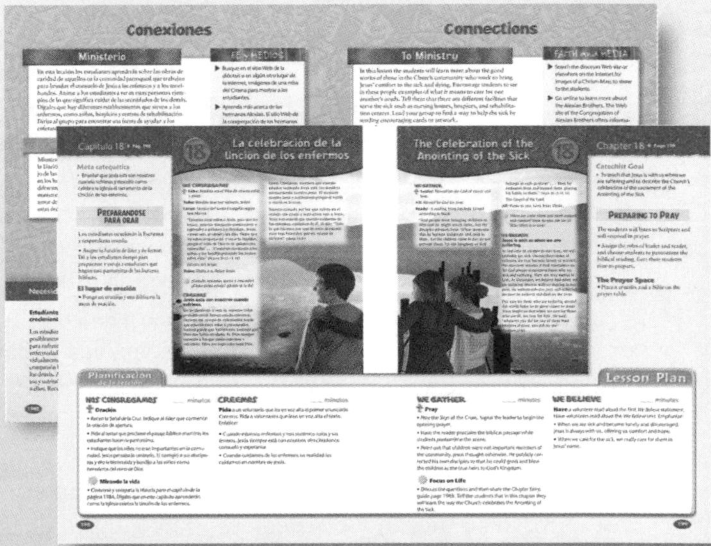
Conexiones

Connections

Familia

En este capítulo los niños aprenderán que la familia de Jesús le ayudó a crecer. Ayude a los niños a apreciar a sus familias como regalos de Dios. Señale que ellos son regalos de Dios a sus familias. Ayude a los niños a entender que todos los miembros de las familias tiene la responsabilidad de ayudar. Hable sobre algunas formas en que los niños pueden participar en las responsabi...

To Family

In this chapter the children will learn that Jesus' family helped him to grow. Help the children appreciate their families as gifts from God. Point out that they are gifts to their families. Help the children understand that it is every family member's responsibility to help one another. Talk about ways the children can participate in family responsibilities and activities.

Finally, Use the Lesson Plan Pages

The Catechist Goal and Our Faith Response reflect the direction of each lesson.

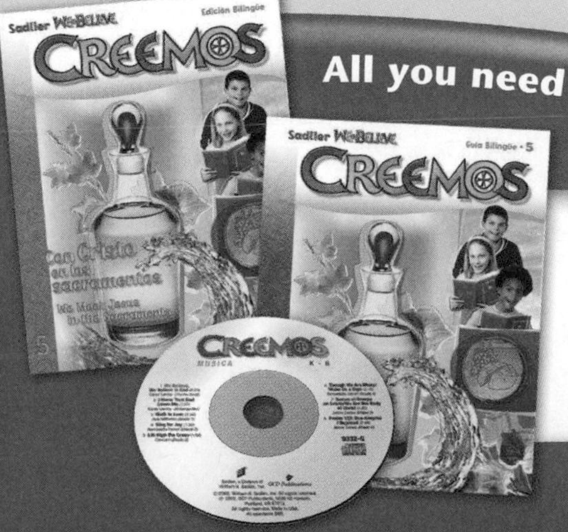

All you need to get started is

1. **your grade level Sadlier *Creemos/We Believe* text for each child in your class**
2. **your grade level *Creemos/We Believe* guide**
3. **your grade level *Creemos/We Believe* Music CD.**

Jesús comparte la vida de Dios con nosotros

Ojeada

En este capítulo los estudiantes aprenderán más sobre Jesús, que él es el Hijo de Dios y que debemos seguirlo.

Contenido doctrinal	Referencia del *Catecismo de la Iglesia Católica*
Los estudiantes aprenderán que:	párrafo
• Jesús es el Hijo de Dios que:	535
• Jesús nos muestra el amor de Dios	543
• Jesús invita a la gente a seguirle	546
• Los discípulos de Jesús continúan su trabajo	737

Referencia catequética

¿Quién es Jesús para ud?

Jesucristo es el Hijo de Dios, la segunda Persona de la Santísima Trinidad que se hizo hombre. Se hizo uno de nosotros para salvarnos del pecado. El nombre de Jesús expresa tanto su identidad como su misión (*CIC* 430). Jesús significa "Dios salva". *Cristo* es una palabra griega que quiere decir *Mesías* y significa "ungido". Jesús es el Hijo de Dios, ungido para salvarnos del pecado y la muerte.

Durante su vida pública, Jesús mostró al pueblo quien era él y como era Dios. Sus enseñanzas, mediante parábolas, a menudo basadas en el Reino de Dios, el poder del amor de Dios presente en nuestras vidas y en el mundo.

Jesús no sólo predicaba el Reino de Dios, sino que también llamó a las personas para que le entregaran su corazón, lo siguieran y obedecieran la voluntad de Dios. A estas personas se les llamó *discípulos,* aquéllos que siguen. Algunos fueron también escogidos para guiar al pueblo de Dios una vez que Jesús hubiera ascendido y regresado al Padre. A estos hombres se les llamó apóstoles, los que tienen una misión. Jesús escogió a doce hombres al inicio de su ministerio para que fueran sus *apóstoles* y compartieran su misión de una manera especial.

Nosotros somos llamados a seguir a Jesús y a servir al Reino de Dios. Nosotros somos la *Iglesia:* personas que creen en Jesucristo, se bautizan en su nombre, siguen sus enseñanzas y comparten sus sacramentos. Con Cristo como cabeza, la Iglesia continúa el trabajo de Jesús predicando y construyendo el Reino de Dios.

¿Dónde ve que el Reino de Dios está vivo en el mundo?

Mirando la vida

Historia para el capítulo

Marisol no podía creer lo que oía. En su camino a la clase de ciencias, oyó que Julia le decía a otras dos niñas que su papá había perdido el trabajo la semana anterior. Ella le acababa de contar a Julia lo que le había sucedido a su papá y le había pedido que no se lo dijera a nadie. Marisol corrió al aula y trató de no llorar.

Julia y las otras dos niñas entraron justo cuando sonaba la campana. Cuando Julia saludó a Marisol, Marisol desvió la mirada. Cuando la Sra. Carter le pidió a los estudiantes que trabajaran con sus parejas de laboratorio, Julia se dirigió al escritorio de Marisol, pero Marisol abrió su libro de ciencias y no dijo nada.

"¿Qué pasa? ¿Por qué no me hablas?", preguntó Julia.

Marisol no dijo nada y clavó la mirada en su libro. Comenzó a pensar en los secretos que Julia había compartido con ella. Quizás a la hora del recreo podría contarle a las otras niñas los secretos que Julia le había confiado.

En el almuerzo, Julia se sentó al lado de Marisol. "Quiero saber por qué no me hablas", insistió Julia. Marisol contuvo las lágrimas y dijo: "Te oí decir a las niñas lo de mi papá. ¿Por qué lo hiciste?"

"Lo siento Marisol, sé que te prometí no decírselo a nadie. Por favor perdóname", imploró Julia.

Marisol miró a Julia y vio que en realidad se arrepentía de lo que había hecho. El dolor que Marisol sentía desapareció y antes de darse cuenta dijo: "Te perdono". Julia y Marisol se miraron sonriendo.

¿Qué nos dicen las acciones de Julia y Marisol sobre ellas?

Jesus Shares God's Life with Us

Overview

In this chapter the students will continue to learn more about Jesus. They will begin to understand that He is the Son of God and that we are called to follow him.

Doctrinal Content	For Adult Reading and Reflection *Catechism of the Catholic Church*
The students will learn:	Paragraph
• Jesus is the Son of God.	535
• Jesus shows us God's love.	543
• Jesus invites people to follow him.	546
• Jesus' disciples continue his work.	737

Catechist Background

Who is Jesus to you?

Jesus Christ is the Son of God. He is the second Person of the Blessed Trinity, who became man. He became one of us to save us from sin. Jesus' name expresses both his identity and his mission (CCC 430). Jesus means "God saves." The title *Christ,* a Greek word for the Hebrew word *Messiah,* means "anointed one." Jesus is the Son of God, the one anointed to save us from sin and death.

During his life and public ministry, Jesus showed people who he was and what God was like. His teachings, especially through parables, often focused on the Kingdom of God, the power of God's love active in our lives and in the world.

Not only did Jesus preach about the Kingdom of God, but he also called people to become *disciples*, to change their hearts, follow him, and obey God's will. Jesus also chose *apostles* to lead God's people once the risen Jesus had returned to the Father. These twelve men, his apostles, shared his mission in a special way.

All of us are called to follow Jesus and serve the Kingdom of God. We are the *Church:* those people who are called together, believe in Jesus Christ, are baptized in his name, follow his teachings, and share the sacraments. With Christ as our head, the Church continues Jesus' work of preaching and bringing to fruition the Kingdom of God.

Where do you see the Kingdom of God alive in the world?

Focus on Life

Chapter Story

Marisol couldn't believe her ears. On her way to science class, she overheard Julia telling two other girls that Marisol's dad had lost his job last week. She had just told Julia about her dad and had asked her not to tell anyone else. Marisol ran into the classroom and tried hard not to cry.

Julia and the other two girls walked in just as the bell rang. Marisol looked the other way when Julia said hello to her. When Ms. Carter asked the students to work with their lab partners, Julia walked over to Marisol's desk. Marisol opened her science book and didn't say anything.

"What's wrong? Why won't you talk to me?" Julia asked.

Marisol didn't say anything. She stared blankly at her book. She started thinking about the secrets Julia had shared with her. Maybe at recess she could tell the other girls the secrets Julia had confided in her.

At lunch Julia sat next to Marisol. "I want to know why you won't talk to me," Julia insisted. Marisol blinked back tears and said, "I heard you telling those other girls about my dad. Why did you do that?"

"Oh, Marisol. I'm sorry. I know I promised not to tell anyone. Please forgive me," Julia pleaded.

Marisol looked at Julia and could see that she really was sorry for what she had done. Marisol's hurt feelings slipped away and before she knew it, the words came out: "I forgive you." Julia and Marisol smiled at each other.

What do Julia's and Marisol's actions teach us about them?

Guía para planificar la lección

1 NOS CONGREGAMOS

Pasos de la lección	Presentación	Materiales
pág. 10 **Oración**	• Escuchar la lectura de la Escritura. Responder cantando.	• Para el lugar de oración: crucifijo, "Cerca está el Señor", 4–6 CD
 **Mirando la vida**	• Conversar sobre la manera de mostrar a las personas lo que es importante.	

2 CREEMOS

Pasos de la lección	Presentación	Materiales
pág. 10 *Jesús es el Hijo de Dios.*	• Leer y conversar sobre la venida de Jesús y su ministerio público. Completar la actividad sobre seguir el ejemplo de Jesús.	
pág. 12 *Jesús nos muestra el amor de Dios.*  *Lucas 18: 35–43*	• Usar la *Historia para el capítulo* sobre la amistad y el perdón. • Leer y conversar sobre el texto del ministerio de curación de Jesús. Completar la actividad de escenificación de los seguidores de Jesús.	
pág. 14 *Jesús invita a la gente a seguirle.*  *Mateo 13: 31–32*	• Leer y conversar sobre la misión de Jesús y el reino de Dios. Completar la actividad de describir el reino de Dios. • Conversar sobre los apóstoles en *Como católicos.*	
pág. 16 *Los discípulos de Jesús continúan su trabajo.*	• Leer y conversar sobre los apóstoles como líderes de la Iglesia.	

3 RESPONDEMOS

Pasos de la lección	Presentación	Materiales
pág. 16	Conversar y escenificar formas de contribuir al crecimiento del reino.	• copias del patrón 1
páginas 18 y 20 **Repaso**	Pedir a los estudiantes que completen las preguntas 1–10. • Completar *Reflexiona y ora.*	
páginas 18 y 20 **Respondemos y compartimos la fe**	• Repasar *Recuerda* y el *Vocabulario.* • Leer y conversar sobre *Nuestra vida católica.*	

Para ideas, actividades y otras oportunidades visite Sadlier en **www.CREEMOSweb.com**

Lesson Planning Guide

Lesson Steps	Presentation	Materials
1 WE GATHER		
page 11 **Prayer**	• Listen and respond to the reading. Respond in song.	For prayer space: crucifix, Bible "The Lord Is Near," 4–6 CD
Focus on Life	• Discuss the question about ways to show people what is important.	
2 WE BELIEVE		
page 11 *Jesus is the Son of God.*	• Read and discuss Jesus' coming and public ministry. Complete the activity about following Jesus' example.	
page 13 *Jesus shows us God's love.*  *Luke 18: 35–43*	• Use the *Chapter Story* about friendship and forgiveness. • Read and discuss Jesus' healing ministry. Complete the role-play activity about being followers of Jesus.	
page 15 *Jesus invites people to follow him.* *Matthew 13: 31–32*	• Read and discuss Jesus' mission and the Kingdom of God. Complete the activity to describe God's Kingdom. • Discuss apostles in *As Catholics.*	
page 17 *Jesus' disciples continue his work.*	• Read and discuss the apostles as the Church's leaders.	
3 WE RESPOND		
page 17	Discuss and act out ways to help God's Kingdom grow.	• copies of Reproducible Master 1
pages 19 and 21 **Review**	Have the students complete questions 1–10. • Complete *Reflect & Pray.*	
pages 19 and 21 **We Respond and Share the Faith**	• Review *Remember* and *Key Words.* • Read and discuss *Our Catholic Life.*	

For additional ideas, activities, and opportunities: Visit Sadlier's **www.CREEMOSweb.com**

Conexiones

Familia

Converse con los estudiantes sobre cómo tratar a sus hermanos, hermanas, padres, tutores y demás con amor, respeto y misericordia. Pídales que piensen en una manera de mostrar respeto por sus familiares durante la semana.

Mayordomía

Explique que Jesús nos llama a servir a otros seres humanos. Toda la vida y el ministerio público de Jesús fueron un ejemplo de cómo obedecer la voluntad de Dios. Enfatice que nosotros, como sus discípulos, continuamos su trabajo de amor, misericordia y justicia en el mundo. Anime a los estudiantes a pensar en una manera con la que pueden servir a Dios y a otros en sus rutinas diarias del hogar y la escuela.

FE y MEDIOS

- El final del texto *Como católicos* pregunta: "¿Qué más puedes averiguar sobre estos apóstoles?" La primera y mejor respuesta, por supuesto, es "Leyendo el Nuevo Testamento". Diga a los estudiantes que toda la Biblia, tanto el Antiguo como el Nuevo Testamento, se puede encontrar en la Internet, en el sitio Web de la Conferencia de Obispos Católicos de Estados Unidos.

Liturgia para la semana

Visite **www.creemosweb.com** para las lecturas bíblicas de esta semana y otros materiales propios del tiempo.

Necesidades individuales

Estudiantes con necesidades para el desarrollo

Los estudiantes con necesidades específicas para el desarrollo pueden tener dificultades en leer e interpretar la información. Converse sobre el contenido de cada lección. Anime a los estudiantes a ayudarse los unos a los otros a comprender el capítulo a través de actividades en grupo o en pareja. Esta estrategia de aprendizaje cooperativa ayudará a que los estudiantes con necesidades para el desarrollo se involucren más en el proceso de aprendizaje.

RECURSOS ADICIONALES

Libro *El poder de Dios*, Tardiff Cantalamessa y Prado Flores, Editorial Paulinas.

Para ideas visite Sadlier en

www.CREEMOSweb.com

Connections

To Family

Discuss with the students how they can treat their brothers, sisters, parents, guardians, and so on with love, respect, and mercy. Have them think of one way that they can show respect for family members during the week.

To Stewardship

Explain that Jesus calls us to serve other human beings. Jesus' entire life and public ministry was the example of following the will of God. Emphasize that as his disciples we continue his work of love, mercy, and justice in the world. Encourage the students to think of one way they can serve God and others in their daily routine at home or in school.

FAITH and MEDIA

▶ The end of the *As Catholics* text asks, "How can you find out more about the apostles?" The first and best answer, of course, is "by reading the New Testament." Tell the students that the entire Bible, Old Testament and New Testament, can be found on the Internet at the Web site of the United States Conference of Catholic Bishops.

This Week's Liturgy

Visit **www.creemosweb.com** for this week's liturgical readings and other seasonal material.

Meeting Individual Needs

Students with Developmental Needs

Students with specific developmental needs may have a difficult time reading and interpreting information. Discuss the content material in each lesson. Encourage the students to help one another understand the chapter through group and partner activities. This cooperative learning strategy will help students with developmental needs share more fully in the learning process.

ADDITIONAL RESOURCES

Book *Saint Elizabeth Ann Seton, Daughter of America,* Jeanne Marie Grunwell, Pauline Books and Media, 1999. Tells the story of this saint's dedication to Jesus' work.

Video *The Kingdom of Heaven,* Nest Entertainment, 1991. From the *Animated Stories of the New Testament* series, this collection of stories teaches of the Kingdom of God in daily life. (30 minutes)

To find more ideas for books, videos, and other learning material, visit Sadlier's

www.CREEMOSweb.com

Meta catequética

• Enseñar que Jesús, el Hijo de Dios, nos muestra el amor de Dios

PREPARANDOSE PARA ORAR

En esta reunión de oración los estudiantes aprenderán que Jesús vino para enseñar y curar. Ellos responderán con una canción.

• Ponga "Cerca está el Señor", 4–6 CD.

• Escoja a un voluntario para que lea la Escritura.

• Invite a voluntarios para poner los materiales en la mesa de oración a la hora indicada.

El lugar de oración

• Ponga un crucifijo y la Biblia en el lugar de oración para recordar por qué Jesús vino a salvarnos.

1 Jesús comparte la vida de Dios con nosotros

NOS CONGREGAMOS

Líder: ¡El Señor! ¡Dios tierno y compasivo, paciente y grande en amor y verdad! (Cf. Exodo 34:6)

Todos: Ahora y siempre.

Líder: Padre, enviaste a tu Hijo para que pudiéramos conocer tu amor y tu misericordia. Que todos los que siguen a Cristo sean signos de tu amor.

Todos: Amén.

Cerca está el Señor

Cerca está el Señor de los que lo invocan.
Cerca está el Señor de los que lo invocan.

¿Cómo muestras lo que es importante para ti?

CREEMOS

Jesús es el Hijo de Dios.

En el Nuevo Testamento leemos sobre Juan el Bautista. Juan era primo Jesús. Juan habló a la gente sobre el arrepentimiento y les pidió cambiar sus vidas. El estaba preparando al pueblo para el Mesías, el Ungido. *Mesías* es otro nombre para "Cristo". Jesucristo es el Ungido quien trae nueva vida.

Juan bautizó a la gente como un signo de su deseo de cambiar. Juan dijo: "Yo, en verdad los bautizo con agua para invitarlos a que se vuelvan a Dios; pero el que viene después de mí los bautizará con el Espíritu Santo y con fuego. El es más poderoso que yo, que ni siquiera merezco llevarle sus sandalias" (Mateo 3:11).

10

Planificación de la lección

NOS CONGREGAMOS ____ minutos

Oración

• Pida a los estudiantes que se reúnan en el lugar de oración e invítelos a orar el Signo de la Cruz. Déles un momento para que oren en silencio y luego comience con la oración de apertura.

• Pida a un estudiante que lea el pasaje de la escritura. Luego, haga una pausa breve. Canten la canción como respuesta a la lectura.

Mirando la vida

• Pida a un voluntario que lea en voz alta la pregunta. Anime a los estudiantes a pensar en formas en las que ellos o sus familiares les muestran a las personas lo que es importante para ellos.

CREEMOS ____ minutos

Pida a un voluntario que lea en voz alta la primera afirmación de fe. Luego pida a voluntarios que se turnen para leer en voz alta los primeros cuatro párrafos de *Creemos*. Señale que la Santísima Trinidad se reveló durante el bautismo de Jesús en el río Jordán.

Explique el misterio de la Santísima Trinidad: tres personas en un Dios—Dios el Padre, Dios el Hijo y Dios el Espíritu Santo. La Santísima Trinidad expresa la relación entre Dios como Padre, Hijo y Espíritu Santo. Es el misterio central de nuestra fe católica.

Pida a los estudiantes que nombren algunos símbolos que podrían representarles a la Santísima Trinidad (tres círculos interconectados; la mente, el cuerpo y el alma del ser humano; el trébol tradicional).

Jesus Shares God's Life with Us

WE GATHER

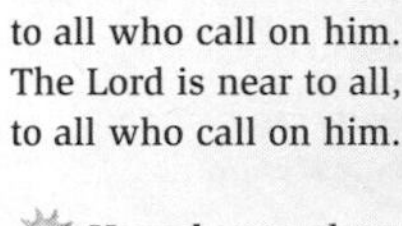

✝ **Leader:** Blessed are you, Lord, God of tenderness and compassion, rich in kindness and faithfulness. (Cf. Exodus 34:6)

All: Now and for ever.

Leader: Father, you sent your Son to us so that we could know your love and feel your mercy. May all who follow Christ be a sign of your love.

All: Amen.

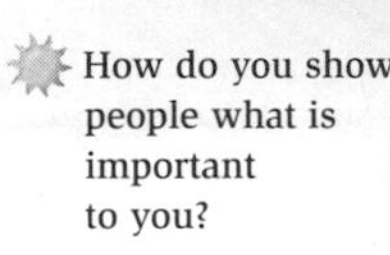

The Lord Is Near

The Lord is near to all,
to all who call on him.
The Lord is near to all,
to all who call on him.

How do you show people what is important to you?

WE BELIEVE

Jesus is the Son of God.

In the New Testament we read about John the Baptist. John was Jesus' cousin. John talked to people about repentance and asked them to change their lives. He was preparing the people for the Messiah, the Anointed One. *Messiah* is another word for "Christ." Jesus Christ is the Anointed One who would bring new life.

John baptized people as a sign of their desire to change. John said, "I am baptizing you with water, for repentance, but the one who is coming after me is mightier than I. I am not worthy to carry his sandals. He will baptize you with the holy Spirit and fire" (Matthew 3:11).

11

Catechist Goal

• To teach that Jesus, the Son of God, shows us God's love

Preparing to Pray

For this gathering prayer the students will learn that Jesus came to teach and heal. They will respond in song.

• Play "The Lord Is Near," 4–6 CD.

• Choose a volunteer to read the Scripture.

• Invite volunteers to place the items on the prayer table at the appointed time.

The Prayer Space

• In the prayer space place a crucifix and a Bible to recall why Jesus came to save us.

Lesson Plan

WE GATHER ____ minutes

✝ Pray

• Ask the students to gather in the prayer space and invite them to pray the Sign of the Cross. Give them a moment for silent prayer, and then begin with the opening prayer.

• Have a student read the Scripture passage. Sing the song as a response to the reading.

Focus on Life

• Ask a volunteer to read aloud the question. Encourage the students to think of ways that they or members of their families show people what is important to them.

WE BELIEVE ____ minutes

Ask a volunteer to read aloud the first *We Believe* statement. Then have volunteers take turns reading aloud the first four *We Believe* paragraphs. Point out that during Jesus' baptism at the River Jordan, the Blessed Trinity is revealed.

Discuss the mystery of the Blessed Trinity: three Persons in one God—God the Father, God the Son, and God the Holy Spirit. It expresses the relationship between God as Father, Son, and Holy Spirit. It is the central mystery of our Catholic faith.

Ask the students to name some symbols that might illustrate the Blessed Trinity for them (three interconnected circles; the human person's mind, body, and soul; the traditional shamrock).

Capítulo 1 • Pág. 12

Nuestra respuesta en la fe

• Seguir los ejemplos de Jesús de atención, perdón y justicia hacia los demás

Santísima Trinidad
la misión de Jesús
reino de Dios
apóstoles
Iglesia

Materiales

• 4–6 CD
• copias del patrón 1

Conexión con el hogar

Anime a los estudiantes a compartir los momentos especiales que pasaron con sus amigos y familiares durante el verano. Pregunte: *¿Qué incidente o acontecimiento recuerdan más? ¿Por qué?*

Jesús creció en Nazaret con María, su madre, José, su padre adoptivo y muchos amigos y familiares. Cuando Jesús tenía treinta años fue al río Jordán y pidió a Juan que lo bautizara. Juan le dijo: "Yo debería ser bautizado por ti, ¿y tú vienes a mí? (Mateo 3:14). Sin embargo, Jesús convenció a Juan de que lo bautizara. Cuando Jesús salió del agua, los cielos se abrieron. El Espíritu Santo en forma de paloma descendió sobre él y se oyó una voz del cielo que decía, "Este es mi hijo muy amado en quien me he complacido" (Mateo 3:17).

Jesucristo es el Hijo de Dios. El es la segunda Persona de la Santísima Trinidad que se hizo hombre. La **Santísima Trinidad** es tres Personas en un Dios: Dios el Padre, Dios el Hijo y Dios el Espíritu Santo.

Después de su bautismo Jesús regresó a Nazaret. En la sinagoga leyó el siguiente pasaje del libro del profeta Isaías:

"El Espíritu del Señor está sobre mí, porque me ha consagrado para llevar la buena noticia a los pobres; me ha enviado a anunciar libertad a los presos, y dar vista a los ciegos; a poner en libertad a los oprimidos; a anunciar el año favorable del Señor" (Lucas 4:18–19).

¿Qué puedes hacer hoy para seguir el ejemplo de Jesús y vivir una vida buena ante los ojos del Señor?

Jesús nos muestra el amor de Dios. En su ministerio Jesús acercó el pueblo a Dios, su Padre. Jesús:

• enseñó acerca del amor de Dios, su Padre
• acogió al pueblo en su vida
• dio de comer a los que tenían hambre y compartió comida con los ignorados
• perdonó los pecados de quienes estaban verdaderamente arrepentidos
• sanó a los enfermos.

En los evangelios leemos que Jesús viajó de pueblo en pueblo. Una vez una multitud lo estaba siguiendo mientras enseñaba. El dijo "Siento compasión de esta gente, porque ya hace tres días que están aquí conmigo y no tienen nada que comer" (Marcos 8:2). Jesús dio de comer a todos. La preocupación de Jesús por ellos nos muestra que Dios nos cuida.

12

Planificación de la lección

CREEMOS (continuación)

Pida a un voluntario que lea en voz alta el siguiente párrafo y el pasaje de Lucas 4:18–19. También podría compartir con los estudiantes los pasajes de Lucas 4:16–17, 20–22.

Mencione que los siguientes pasajes de la Escritura también se relacionan con este capítulo. Mateo 7:1–2; Mateo 9:36.

Enfatice que Jesús proclamó y cumplió las palabras del profeta Isaías.

Dé ideas sobre formas en que los estudiantes pueden seguir el ejemplo de Jesús para vivir una vida que sea aceptable para el Señor. Escriba los ejemplos en la pizarra.

Lea la *Historia para el capítulo*, página 10A de la guía.

Pida a un voluntario que lea en voz alta la segunda afirmación de fe. Invite a otros voluntarios para que lean en voz alta la sección *Creemos*.

Enfatice que:

• En su ministerio, Jesús acercó a la gente a Dios el Padre, mostrándoles el amor y la misericordia de Dios.
• En los evangelios leemos acerca de la vida diaria y el ministerio de Jesús.

Pida a los estudiantes que formen grupos y presenten una escenificación para la situación dada.

Jesus had grown up in Nazareth with Mary, his mother, Joseph, his foster father, and many relatives and friends. When Jesus was about thirty, he went to the Jordan River and asked John to baptize him. But John said to Jesus, "I need to be baptized by you, and yet you are coming to me?" (Matthew 3:14). However, Jesus convinced John to baptize him. As Jesus came up from the water, the heavens opened. The Holy Spirit in the form of a dove descended upon Jesus, and a voice from the heavens said, "This is my beloved Son, with whom I am well pleased" (Matthew 3:17).

Jesus Christ is the Son of God. He is the second Person of the Blessed Trinity who became man. The **Blessed Trinity** is the three Persons in one God: God the Father, God the Son, and God the Holy Spirit.

After his baptism Jesus returned to Nazareth. In the synagogue he read the following passage from the prophet Isaiah:

"The Spirit of the Lord is upon me,
because he has anointed me
to bring glad tidings to the poor.
He has sent me to proclaim liberty
to captives
and recovery of sight to the blind,
to let the oppressed go free,
and to proclaim a year acceptable to
the Lord" (Luke 4:18–19)

What can we do today to follow Jesus' example and live a life acceptable to the Lord?

Jesus shows us God's love.

In his ministry Jesus brought people closer to God his Father. Jesus:

- taught about the love of God his Father
- welcomed all people into his life
- fed the hungry and shared meals with people whom others ignored
- forgave those who were truly sorry
- healed those who were sick.

In the gospels we read that Jesus traveled from town to town. Once a crowd was following Jesus while he taught. He said, "My heart is moved with pity for the crowd, because they have been with me now for three days and have nothing to eat" (Mark 8:2). Jesus then fed the people. Jesus' concern for them shows us that God cares for us.

Our Faith Response

- To follow Jesus' example in caring, forgiving, and being just to others

Blessed Trinity
Jesus' mission
Kingdom of God
apostles
Church

Materials

- 4–6 CD
- copies of Reproducible Master 1

Home Connection Update

Encourage the students to share special times that they spent with their friends and families this summer. Ask: *What incident or event do you remember best? Why?*

Lesson Plan

WE BELIEVE (continued)

Invite a volunteer to read aloud the next paragraph and the passage from Luke 4:18–19. You also may want to share Luke 4:16–17, 20–22 with the students.

Note that the following Scripture passages also relate to this chapter. You may want to share them with the students: Matthew 7:1–2; Matthew 9:36.

Emphasize that Jesus proclaimed and fulfilled the words of the prophet Isaiah.

Brainstorm ways the students can follow Jesus' example to live a life acceptable to the Lord. Have a volunteer list the examples on the board.

Read the *Chapter Story* about forgiveness, guide page 10B.

Ask a volunteer to read aloud the second *We Believe* statement. Invite volunteers to read aloud the *We Believe* section.

Emphasize:

- In his ministry Jesus brought people closer to God the Father by showing them God's love and mercy.
- In the gospels we read about Jesus' daily life and ministry.

Ask the students to form groups and to present role-plays for the given situation.

Banco de actividades

Informe de verano

Actividades y experiencias

Materiales: papel de construcción, marcadores, creyones

Explique que la transición de las vacaciones al colegio y otras actividades a veces es difícil. Dígales que compartir algunas experiencias del verano con los demás les ayudará a restablecer sus relaciones. Anime a los estudiantes a escribir o dibujar sobre cualquier actividad religiosa en la que hayan participado durante el verano.

Como católicos...

Los apóstoles

Pida a voluntarios leer el texto en voz alta. Pida a un estudiante explicar el significado de la palabra *apóstol*. Pregunte a los estudiantes cómo pueden saber más sobre los apóstoles. Explíque que los evangelios y los Hechos de los apóstoles describen la relación entre Jesús y sus apóstoles y su función en los inicios de la Iglesia.

Jesús fue justo con los pecadores, los extranjeros, los ignorados y los pobres. El tratamiento de Jesús a la gente nos muestra que Dios es justo.

Una vez los líderes religiosos criticaron a Jesús por perdonar a un pecador. Jesús les dijo que los perdonados aman más. Las acciones de Jesús nos muestran que Dios es misericordioso.

Lucas 18:35–43

Una vez un ciego limosnero trataba de atraer la atención de Jesús. La gente le decía al hombre que se callara, pero él no se callaba. Jesús se detuvo a hablar con él, el hombre le dijo: "Señor, quiero recobrar la vista. Jesús le dijo: ¡Recóbrala! Por tu fe has sido sanado" (Lucas 18:41–42). Inmediatamente el hombre vio.

En todas estas formas Jesús mostró el amor de Dios a otros. En Jesús vemos a Dios cuidar de nosotros, su misericordia y su justicia para con todos.

Lee la siguiente situación. En grupo, escenifiquen lo que pueden hacer como seguidores de Jesús.

Necesitas pasar el examen final de matemáticas o irás a la escuela de verano. Tu amigo Roberto es un estudiante de "A". Durante el examen está sentado a tu lado.

Jesús invita a la gente a seguirle.

Jesús invita a la gente a seguirle. Los que lo siguieron se convirtieron en sus discípulos. Jesús quiso que ellos vivieran como él. El les enseñó a obedecer la ley de Dios y a confiar en Dios, no en el dinero, el poder o las posesiones. El invitó a todo el mundo a confiar en Dios y buscar su perdón. Esta fue la **misión de Jesús**, compartir la vida de Dios con todo el mundo y salvarlo del pecado.

Jesús llamó al pueblo a cambiar la forma en que vivía y a amar a Dios y a los demás. El les dijo: "Ha llegado el tiempo, y el reino de Dios está cerca. Vuélvanse a Dios y acepten con fe sus buenas noticias" (Marcos 1:15). El **reino de Dios** es el poder del amor de Dios activo en nuestras vidas y en el mundo. El reino de Dios está entre nosotros por medio del amor y la vida de Jesús.

En sus enseñanzas Jesús usó parábolas, historias cortas sobre la vida diaria. En sus parábolas él usó ejemplos de la naturaleza, las granjas, las fiestas y el trabajo diario para describir el reino de Dios.

Como católicos...

"Estos son los nombres de los doce apóstoles: primero Simón, llamado también Pedro, y su hermano Andrés; Santiago y su hermano Juan, hijos de Zebedeo; Felipe y Bartolomé; Tomás y Mateo, el que cobraba impuestos para Roma; Santiago, hijo de Alfeo, Tadeo; Simón el celote y Judas Iscariote, que después traicionó a Jesús". (Mateo 10:2-4)

¿Qué más puedes averiguar sobre estos apóstoles?

14

Planificación de la lección

CREEMOS (continuación) _____ minutos

Cotejo rápido

✔ *¿Qué es la Santísima Trinidad?* (Las tres Personas en un Dios: Dios el Padre, Dios el Hijo y Dios el Espíritu Santo.)

✔ *¿Cómo le muestra Jesús a los demás el amor de Dios?* (Mediante sus enseñanzas, aceptando a todos, alimentando a los hambrientos, perdonando a los arrepentidos y curando a los enfermos.)

Pida a un voluntario que lea en voz alta la tercera afirmación de fe. Pida a los estudiantes que lean el texto *Creemos*. Enfatice lo siguiente:

- Jesús llamó a los discípulos para que lo siguieran y obedecieran los mandamientos de Dios.
- La misión de Jesús fue traer la buena nueva del reino de Dios y mostrar que el amor de Dios está presente y activo en la vida de las personas.
- Jesús usó las parábolas para explicar el reino de Dios.

Invite a los estudiantes a estudiar las parábolas y conversar sobre ellas. Pregunte: *¿Qué tipos de imágenes utiliza Jesús en sus parábolas?* (Experiencias de todos los días y acontecimientos naturales.) *¿Qué aclaran las parábolas sobre el reino de Dios?* (Las respuestas variarán. Destaque que la parábola pide a sus oyentes que piensen en el reino de Dios que ya vive en nosotros.) Invite a los estudiantes a reflexionar sobre la parábola de la semilla de mostaza. ¿Alguna vez creció mucho y los sorprendió algo que parecía pequeño o insignificante?

As Catholics...

"The names of the twelve apostles are these: first, Simon called Peter, and his brother Andrew; James, the son of Zebedee, and his brother John; Philip and Bartholomew, Thomas and Matthew the tax collector; James, the son of Alphaeus, and Thaddeus; Simon the Cananean, and Judas Iscariot who betrayed him." (Matthew 10:2–4)

How can you find out about the apostles?

Jesus was fair to sinners, strangers, those who were ignored, and those who were poor. Jesus' treatment of people shows that God is just.

A religious leader once criticized Jesus for forgiving a sinner. Jesus told the leader that the one who is forgiven more loves more. Jesus' actions also show us that God is merciful.

Luke 18:35–43

Once a blind beggar was trying to get Jesus' attention. People told the man to be quiet, but he would not. When Jesus stopped to talk to him, the man said, "Lord, please let me see." Jesus then said to the man, "Have sight; your faith has saved you" (Luke 18:41, 42). Immediately the man could see.

In all these ways Jesus showed others God's love. In Jesus we see a God who cares for us, has mercy on us, and is just to everyone.

Read the following situation. In groups role-play what you could do as followers of Jesus.

You need a passing grade on the math final exam or you will go to summer school. Your friend is an "A" student. He is sitting next to you during the test.

Jesus invites people to follow him.

Jesus invited people to follow him. These people became his disciples. Jesus wanted them to live as he did. He taught them to obey God's law and to rely on God, not money, power, or possessions. He invited all people to trust in God and seek God's forgiveness. This was **Jesus' mission**, to share the life of God with all people and to save them from sin.

Jesus called people to change the way they lived and to love God and others. He told them, "The kingdom of God is at hand. Repent, and believe in the gospel" (Mark 1:15). The **Kingdom of God** is the power of God's love active in our lives and in the world. The Kingdom of God is here among us through the life and love of Jesus.

In his teaching Jesus used parables, short stories about everyday life. In his parables, Jesus used examples from nature, farming, feasts, and everyday work to describe the Kingdom of God.

15

ACTIVITY BANK

Summer Report

Activities and Experiences

Activity Materials: construction paper, markers, crayons

Explain that making the transition from summer vacation to school and other activities is sometimes difficult. Tell them that it helps to reconnect with one another by sharing some of our summer experiences. Encourage the students to write about or illustrate any religious activities over the summer.

As Catholics...

The Apostles

Have volunteers read aloud the text. Ask for a volunteer to explain the meaning of the word *apostle*. (Apostles were the twelve men chosen by Jesus to share in his mission.) Ask the students how they can find out more about the apostles. Explain to them that the gospels and the Acts of the Apostles describe the relationship between Jesus and his apostles and the latter's role in the early Church.

Lesson Plan

WE BELIEVE (continued) _____ minutes

Quick Check

✔ *What is the Blessed Trinity?* (The three Persons in one God: God the Father, God the Son, and God the Holy Spirit.)

✔ *How does Jesus show others God's love?* (Through his teachings, acceptance of all people, feeding the hungry, forgiving those who were sorry, and healing the sick.)

Ask a volunteer to read aloud the third *We Believe* statement. Have the students read the *We Believe* text. Emphasize the following:

- Jesus called the disciples to follow him and to obey God's commandments.
- Jesus' mission was to bring the good news of the Kingdom of God and to show that God's love is present and active in people's lives.
- Jesus used the parables to explain the Kingdom of God.

Invite the students to study and discuss parables. Ask: *What kinds of images does Jesus use in his parables?* (Everyday experiences and natural occurrences.) *What do the parables make clear about the Kingdom of God?* (Answers will vary. Stress that the parable asks its listeners to think about God's kingdom as already active in our lives.) Invite the students to reflect on the parable of the mustard seed. Did something small or insignificant ever grow big and surprise them?

Ideas

Escenificación

En la escenificación, es importante mantener un ambiente seguro y de cooperación. Las escenas pueden ser una experiencia de aprendizaje efectiva. Recuerde a los estudiantes que deben ser respetuosos y cuidadosos. Anímelos a disfrutar de sus escenas y a pensar en el significado de sus escenificaciones.

Mateo 13:31–32
Jesús comparó el reino de Dios con una semilla de mostaza: "Es, por cierto, la más pequeña de todas las semillas; pero cuando crece, se hace más grande que las otras plantas del huerto, y llega a ser como un árbol, tan grande que las aves van y hacen nidos en sus ramas" (Mateo 13:32).

Igual que la semilla de mostaza, el reino de Dios puede crecer y extenderse. Jesús animó a sus discípulos a responder al amor de Dios y a predicar el mensaje del reino de Dios.

El reino de Dios no está completo. Seguirá creciendo hasta que Jesús regrese en gloria al final de los tiempos.

Si tuvieras que explicar el reino de Dios, ¿qué imagen usarías?

Los discípulos de Jesús continúan su trabajo.

Entre sus discípulos Jesús escogió a doce hombre para ser sus apóstoles. Los **apóstoles** compartieron la misión de Jesús de manera especial. Ellos pudieron continuar el trabajo salvador de Jesús cuando Jesús regresó a su Padre. Jesús les dijo a los apóstoles que el Espíritu Santo vendría a ellos para ayudarlos a recordar todo lo que él había dicho y hecho.

Después de la resurrección, Jesús dijo a los apóstoles: "Dios me ha dado toda autoridad en el cielo y en la tierra. Vayan, pues, a las gentes de todas las naciones, y háganlas mis discípulos; bautícenlas en el nombre del Padre, y del Hijo y del Espíritu Santo, y enséñenles a obedecer todo lo que les he mandado a ustedes" (Mateo 28:18–20).

Cuando el Espíritu Santo vino en Pentecostés, los apóstoles fueron fortalecidos. Ellos salieron a compartir la buena nueva de Jesucristo. Este fue el inicio de la Iglesia. La palabra *iglesia* significa "grupo que es llamado a estar junto". La **Iglesia** es el grupo de todos los que creen en Jesucristo, han sido bautizados en él y siguen sus enseñanzas.

Con cristo como cabeza, la Iglesia es la semilla del reino de Dios en la tierra. Por medio de la Iglesia, el poder de la vida de Dios en el mundo aumenta. El reino de Dios crece cuando:

- tenemos fe en Jesucristo y la compartimos
- vivimos como Jesús vivió y cumplimos la voluntad de Dios
- buscamos construir una comunidad mejor, una nación más justa y un mundo más pacífico.

RESPONDEMOS

Junto con un compañero habla sobre algunas señales del reino de Dios. Después escenifiquen una forma en que pueden ayudar al reino de Dios a crecer.

Vocabulario

Santísima Trinidad (pp 333)
misión de Jesús (pp 332)
reino de Dios (pp 333)
apóstoles (pp 331)
Iglesia (pp 332)

16

Planificación de la lección

CREEMOS (continuación)

Pida a un voluntario que lea en voz alta la cuarta afirmación de fe. Pida a los estudiantes que lean el texto de *Creemos*. Enfatice:

- Los apóstoles fueron doce hombres escogidos por Jesús para continuar su misión de una manera especial.
- El Espíritu Santo vino en Pentecostés para fortalecer a los apóstoles y les permitió enseñar y bautizar.
- El reino de Dios crece cuando tenemos fe en Jesús, vivimos como vivió Jesús y buscamos construir un mundo con más paz y justicia.

Lea en voz alta Mateo 28:18–20. Pregunte: *¿De qué formas respondieron los apóstoles al llamado de Jesús?* (Respuestas posibles: Ellos hicieron lo que hizo Jesús. Alimentaron a los pobres, curaron a los enfermos y proclamaron la buena nueva sobre la salvación de todos los pueblos.)

Vocabulario Haga una red de palabras en la pizarra. Escriba la palabra del vocabulario en el centro de la red. Pida a los estudiantes que escriban sinónimos o palabras relacionadas en cada línea que sale desde el centro del círculo.

RESPONDEMOS

_____ minutos

Invite a los estudiantes a conversar en parejas sobre algunas de las señales del reino de Dios. Pídales dramatizar una forma con la que pueden contribuir al crecimiento del reino de Dios. Explique que el reino de Dios crece cuando tenemos fe en Jesús y compartimos nuestra creencia, vivimos como lo hizo Jesús y seguimos la voluntad de Dios al tratar de construir una comunidad mejor, una nación más justa y un mundo de paz. Pregúnteles qué pueden hacer para ayudar a servir al reino de Dios.

Matthew 13:31–32

Jesus compared the Kingdom of God to a mustard seed. "It is the smallest of all the seeds, yet when full-grown it is the largest of plants. It becomes a large bush, and the 'birds of the sky come and dwell in its branches'" (Matthew 13:32).

Like the mustard seed, the Kingdom of God can grow and spread. Jesus encouraged his disciples to respond to God's love and to spread the message of the Kingdom of God.

The Kingdom of God is not complete. It will continue to grow until Jesus returns in glory at the end of time.

If you were to explain God's Kingdom, what image would you use?

Jesus' disciples continue his work.

From among his disciples Jesus chose twelve men to be his apostles. The **apostles** shared in Jesus' mission in a special way. They would continue Jesus' saving work when Jesus returned to his Father. Jesus told the apostles that the Holy Spirit would come to them and help them remember all that he had said and done.

After his Resurrection, Jesus told his apostles, "All power in heaven and on earth has been given to me. Go, therefore, and make disciples of all nations, baptizing them in the name of the Father, and of the Son, and of the holy Spirit, teaching them to observe all that I have commanded you" (Matthew 28:18–20).

When the Holy Spirit came at Pentecost, the apostles were strengthened. They went out to share the good news of Jesus Christ. This was the beginning of the Church. The word *church* means "a group that is called together." The **Church** is all those who believe in Jesus Christ, have been baptized in him, and follow his teachings.

With Christ as its head, the Church is the seed of the Kingdom of God on earth. Through the Church, the power of God's life in the world increases. The Kingdom of God grows when we:

- have faith in Jesus Christ and share our belief
- live as Jesus did and follow God's will for us
- seek to build a better community, a more just nation, and a peaceful world.

WE RESPOND

With a partner discuss some signs of God's Kingdom. Then act out one way you can help God's Kingdom to grow.

Mustard Seeds

Key Words

Blessed Trinity (p. 334)
Jesus' mission (p. 335)
Kingdom of God (p. 335)
apostles (p. 334)
Church (p. 334)

17

Teaching Tip

Role-Playing

In role-playing, it is important to maintain a safe and supportive environment. Skits can be an effective learning experience. Remind the students to be respectful and conscientious. Encourage them to enjoy their skits and to think about the meaning of their role-play.

Lesson Plan

WE BELIEVE (continued)

Have a volunteer read aloud the fourth *We Believe* statement. Have the students read the *We Believe* text. Emphasize:

- The apostles were twelve men chosen by Jesus to continue his mission in a special way.
- The Holy Spirit came at Pentecost to strengthen the apostles and enabled them to teach and baptize.
- The Kingdom of God grows when we have faith in Jesus, live as Jesus did, and seek to build a more peaceful and just world.

Read aloud Matthew 28:18–20. Ask: *In what ways did the apostles respond to Jesus' call?* (Possible answers: They did what Jesus did: fed the poor, healed the sick, and proclaimed the good news of salvation to all peoples.)

Key Words Make a word web on the board for each word. Write the *Key Word* in the center of the word web. Ask the students to write synonyms or related words on each line projecting from the circle's center.

WE RESPOND ____ minutes

Invite the students to discuss in pairs some of the signs of God's Kingdom. Ask them to act out ways they can help the Kingdom of God grow on earth. Explain that the Kingdom of God grows when we have faith in Jesus and share our belief, live as Jesus did, and follow God's will by seeking to build a better community, a more just nation, and a peaceful world. Ask them what they can do to help serve the Kingdom of God.

BANCO DE ACTIVIDADES

Doctrina social de la Iglesia

Opción para los pobres y vulnerables

La doctrina social de la Iglesia destaca que lo que hacemos por los demás, lo hacemos en nombre de Jesús. (Vea Mateo 25.) Invite a los estudiantes a planificar un día de servicio con la supervisión de adultos, tal como una visita a una cocina popular, un hogar para los desamparados o de ancianos. Anímelos a ver en esta oportunidad de servicio una forma de seguir el ejemplo de Jesús para servir a los necesitados.

Misión

Publicidad para el discipulado

Materiales: cartulina, marcadores

Explique que Jesús llamó a los discípulos para continuar su trabajo y establecer la Iglesia. Invítelos a trabajar en grupos de a cuatro para hacer un cartel para atraer a las personas que quieran ser discípulos de Jesús. Comparta los resultados. Muestre sus trabajos en un lugar notable.

CONEXION CON EL HOGAR

Compartiendo lo aprendido

Anime a los estudiantes a compartir con sus familias lo aprendido.

Para más información y actividades adicionales visite Sadlier en

www.CREEMOSweb.com

Planifique por adelantado

Lugar de oración: Biblia, crucifijo, vela

Materiales para la lección: 4–6 CD, marcadores o lápices de colores, tijeras, copias del patrón 2

___ minutos

Repaso del capítulo Presente el *Repaso* diciendo a los estudiantes que ahora van a comprobar su comprensión de lo que han aprendido. Pídales que respondan las preguntas 1–8 de la página 18 de sus libros y que digan las respuestas correctas en voz alta. Aclare cualquier mala interpretación. Pídales que completen las preguntas 9–10 y que compartan sus respuestas.

Reflexiona y ora Invite a los estudiantes a escribir una carta de oración a Jesús en la que le pidan su ayuda y guía.

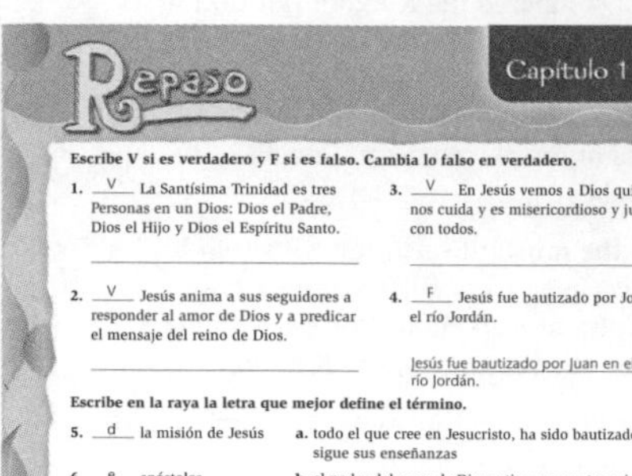

Repaso — Capítulo 1

Escribe V si es verdadero y F si es falso. Cambia lo falso en verdadero.

1. __V__ La Santísima Trinidad es tres Personas en un Dios: Dios el Padre, Dios el Hijo y Dios el Espíritu Santo.
2. __V__ Jesús anima a sus seguidores a responder al amor de Dios y a predicar el mensaje del reino de Dios.
3. __V__ En Jesús vemos a Dios quien nos cuida y es misericordioso y justo con todos.
4. __F__ Jesús fue bautizado por José en el río Jordán.
   Jesús fue bautizado por Juan en el río Jordán.

Escribe en la raya la letra que mejor define el término.

5. __d__ la misión de Jesús
6. __e__ apóstoles
7. __b__ reino de Dios
8. __a__ Iglesia

a. todo el que cree en Jesucristo, ha sido bautizado y sigue sus enseñanzas
b. el poder del amor de Dios activo en nuestras vidas y en el mundo
c. historias cortas sobre la vida diaria
d. compartir la vida de Dios con todo el mundo y salvarlos del pecado
e. hombres escogidos por Jesús para compartir su misión de manera especial

Contesta.

9–10. ¿En qué formas podemos ayudar a propagar el reino de Dios?
Vea la página 16.

Jesús dice: "Vengan a mí todos ustedes que están cansados de sus trabajos y cargas y yo los haré descansar". (Mateo 11:28)
Querido Jesús, algunas veces necesito tu ayuda, especialmente cuando

Dame el valor de ______.
Amén.

18

PAGINA DEL ALUMNO 18

Respondemos y compartimos la fe

___ minutos

Recuerde Repase las ideas importantes del capítulo conversando sobre los cuatro enunciados. Forme cuatro grupos y asigne un enunciado a cada uno. Pida a cada grupo que diseñe un símbolo que represente su enunciado. Invite a los grupos a exponer sus representaciones.

Nuestra vida católica Lea en voz alta el texto. Converse sobre la confianza de Santa Isabel Ann Seton en la ayuda de Dios y la manera en que su lectura de la Biblia la condujo a seguir a Jesús. Invite a los estudiantes a compartir lo que piensan y sus experiencias al leer la Biblia.

Respondemos y compartimos la fe

Compartiendo lo aprendido

Habla con tu familia sobre lo siguiente:
- Juan el Bautista y Jesús en el río Jordán
- los discípulos de Jesús y los apóstoles
- la misión de Jesús
- el reino de Dios.

Recuerda
- Jesús es el Hijo de Dios.
- Jesús nos muestra el amor de Dios.
- Jesús invita a la gente a seguirle.
- Los discípulos de Jesús continúan su trabajo.

"Este es mi Hijo amado, a quien he elegido". (Mateo 3:17)

NUESTRA VIDA CATOLICA

Santa Isabel Ana Seton

Santa Isabel Ana Seton nació en New York en el 1774. A ella le gustaba leer la Biblia y aprender sobre el gran amor de Dios por su pueblo. Se casó, tuvo hijos y fue muy feliz. Se hizo católica cuando murió su esposo y empezó a educar niños en el evangelio. Estableció las Hermanas de la Caridad en los Estados Unidos. Esta comunidad religiosa trabaja en escuelas y hogares para niños huérfanos. Ella es la primera persona canonizada nacida en Estados Unidos. Celebramos su fiesta el 4 de enero.

Visita Sadlier en www.CREEMOSweb.com

Conexión con el Catecismo
Para referencia vea los párrafos 535, 543, 546 y 737.

20

PAGINA DEL ALUMNO 20

_______ minutes

Chapter Review Introduce the *Review* by telling the students that they are now going to check their understanding of what they have learned. Have the students complete questions 1–8 on page 19 of their texts. Ask them to say aloud each of the correct answers. Clarify any misconceptions. Have them complete question 9–10. Ask them to share their answers.

Reflect & Pray Invite the students to write a prayer-letter to Jesus asking for his help and guidance.

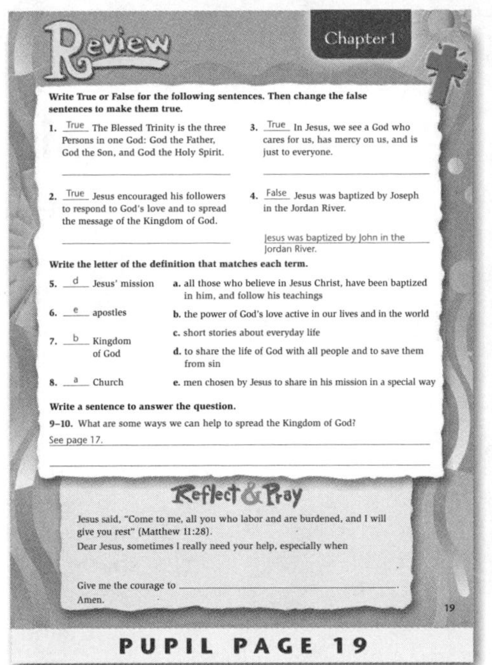
Review

Chapter 1

Write True or False for the following sentences. Then change the false sentences to make them true.

1. True The Blessed Trinity is the three Persons in one God: God the Father, God the Son, and God the Holy Spirit.
2. True Jesus encouraged his followers to respond to God's love and to spread the message of the Kingdom of God.
3. True In Jesus, we see a God who cares for us, has mercy on us, and is just to everyone.
4. False Jesus was baptized by Joseph in the Jordan River.
Jesus was baptized by John in the Jordan River.

Write the letter of the definition that matches each term.

5. d Jesus' mission
6. e apostles
7. b Kingdom of God
8. a Church

a. all those who believe in Jesus Christ, have been baptized in him, and follow his teachings
b. the power of God's love active in our lives and in the world
c. short stories about everyday life
d. to share the life of God with all people and to save them from sin
e. men chosen by Jesus to share in his mission in a special way

Write a sentence to answer the question.

9–10. What are some ways we can help to spread the Kingdom of God?
See page 17.

Reflect & Pray

Jesus said, "Come to me, all you who labor and are burdened, and I will give you rest" (Matthew 11:28).
Dear Jesus, sometimes I really need your help, especially when

Give me the courage to ______.
Amen.

19

PUPIL PAGE 19

We Respond and Share the Faith

_____ minutes

Remember Review the important ideas of the chapter by discussing the four statements. Form four groups and assign each group a statement. Ask each group to design a symbol that represents the statement. Invite the groups to present their representations.

Our Catholic Life Read aloud the text. Discuss Saint Elizabeth Ann Seton's trust in God's help and the way her reading the Bible influenced her to follow Jesus. Invite the students to share their thoughts and experiences in reading the Bible.

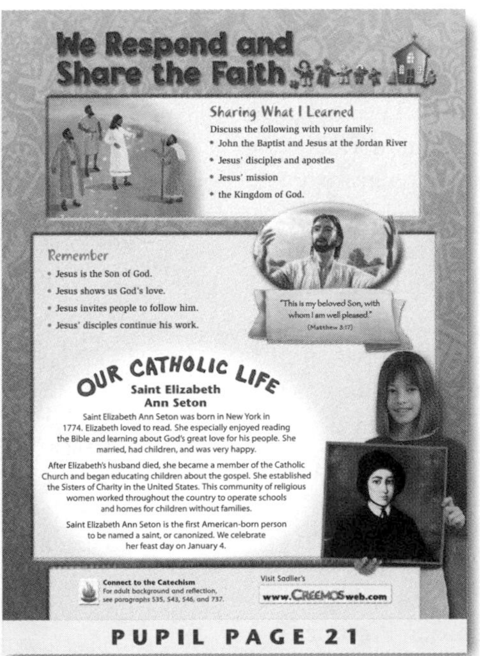
We Respond and Share the Faith

Sharing What I Learned

Discuss the following with your family:
- John the Baptist and Jesus at the Jordan River
- Jesus' disciples and apostles
- Jesus' mission
- the Kingdom of God.

Remember
- Jesus is the Son of God.
- Jesus shows us God's love.
- Jesus invites people to follow him.
- Jesus' disciples continue his work.

"This is my beloved Son, with whom I am well pleased." (Matthew 3:17)

OUR CATHOLIC LIFE

Saint Elizabeth Ann Seton

Saint Elizabeth Ann Seton was born in New York in 1774. Elizabeth loved to read. She especially enjoyed reading the Bible and learning about God's great love for his people. She married, had children, and was very happy.

After Elizabeth's husband died, she became a member of the Catholic Church and began educating children about the gospel. She established the Sisters of Charity in the United States. This community of religious women worked throughout the country to operate schools and homes for children without families.

Saint Elizabeth Ann Seton is the first American-born person to be named a saint, or canonized. We celebrate her feast day on January 4.

Connect to the Catechism
For adult background and reflection, see paragraphs 535, 543, 546, and 737.

Visit Sadlier's
www.CREEMOSweb.com

PUPIL PAGE 21

Activity Bank

Catholic Social Teaching

Option for the Poor and Vulnerable

Catholic social teaching emphasizes that what we do for others we do in Jesus' name and for his sake. (See Matthew 25.) Invite the students to plan a service day with adult supervision, such as a trip to a local soup kitchen, shelter for the homeless, or center for seniors. Encourage them to see in this service a way of following Jesus in serving those in need.

Mission

Advertisement for Discipleship

Activity Materials: poster board, markers

Explain that Jesus called the disciples to continue his work and establish the Church as the seed of the Kingdom of God on earth. Invite the students to work in groups of four to make a billboard advertisement, calling people to become disciples of Jesus. Encourage them to be imaginative. Share results. Display their work.

Home Connection

Sharing What I Learned

Make sure to tell students to share what they learned in the lesson with their families.

For additional information and activities, encourage families to visit Sadlier's

www.CREEMOSweb.com

Plan Ahead for Chapter 2

Prayer Space: Bible, crucifix, candle

Lesson Materials: Grade 5 CD, markers or colored pencils, scissors, copies of Reproducible Master 2

Jesús comparte su misión con la Iglesia

Ojeada

En este capítulo los estudiantes aprenderán que participamos en la misión de la Iglesia y somos testigos de Cristo.

Contenido doctrinal	Referencia del *Catecismo de la Iglesia Católica*
Los estudiantes aprenderán que:	párrafo
• Estamos unidos a Cristo y a los demás	787
• Proclamamos la buena nueva de Cristo con palabras y obras	863
• En la liturgia celebramos el misterio pascual de Cristo	1067
• Cuando nos servimos unos a otros damos testimonio de Cristo	2449

Referencia catequética

¿Cómo tener una misión influye en sus ideas y obras?

Jesucristo vino a revelarnos como era Dios y lo que significa ser humano. El bautismo nos une a Jesucristo y nos hace miembros de la Iglesia. Como parte del cuerpo de Cristo, compartimos su misión. La misión de la Iglesia es compartir la buena nueva de Cristo y predicar el reino de Dios.

Proclamamos la buena nueva de muchas maneras. Evangelizar es proclamar la buena nueva con palabras y obras. "Los laicos incluso cuando se ocupan de las cosas temporales, pueden y deben realizar una acción preciosa en orden a la evangilización del mundo". (Lumen Gentiun, 35)

También proclamamos la buena nueva en nuestra liturgia. En la misa nos unimos al misterio pascual: la pasión, muerte, resurrección y ascensión de Cristo. Recordamos lo que Jesús hizo por nosotros y lo que debemos hacer unos por otros. La Eucaristía nos fortalece y nos da la gracia para construir el reino de Dios.

Construimos el reino viviendo una vida de servicio. Siguiendo el ejemplo de Jesús, ayudamos a la gente necesitada. La Iglesia ha separado los servicios en dos categorías: obras corporales y espirituales de misericordia. Por nuestras obras y disciplina, nos convertimos en personas cuyas vidas dan testimonio de Jesucristo.

¿Cuál es su papel en el trabajo de la Iglesia de llevar a cabo la misión de Jesús?

Mirando la vida

Historia para el capítulo

Kyle estaba preocupado. Su profesor le había pedido a la clase que completara diez horas de servicio, y él no sabía qué hacer para cumplir con esa tarea. Ya había ayudado a servir sopa en la cocina popular y había donado su ropa vieja. ¿De qué otra forma podría ayudar a las personas?

La mamá de Kyle lo llamó desde el primer piso. Se iba al hogar de ancianos a visitar al abuelo de Kyle. Kyle se puso su chaqueta. ¡Le encantaba visitar al abuelo!

Cuando llegaron, Kyle se dio cuenta de que su mamá y su abuelo querían hablar a solas unos minutos. El se fue a la antesala para esperarlos. Cuando llegó allí, notó que un señor estaba sentado solo en la mesa con un tablero de damas. "Me encantan las damas", dijo, "pero nadie quiere jugar conmigo".

Kyle se sentó en la mesa y comenzó a jugar con él. Al principio, pensó que debía dejar que el señor ganara. El señor resultó ser un profesional de las damas. Se llamaba Jenkins. El le contó a Kyle todo sobre su familia y lo que solía hacer. Kyle la estaba pasando tan bien que no se dio cuenta de que su mamá se le acercaba. "¿Por qué no te despides del abuelo ahora? Perdona que nos hayamos demorado tanto".

Kyle vio su reloj. Había pasado una hora. Se despidió del Sr. Jenkins y luego de su abuelo. En el camino a casa, le contó a su mamá sobre el Sr. Jenkins. Su mamá lo miró y sonrió. "Si la pasaste tan bien, ¿por qué no regresas el próximo fin de semana y te ganas tus horas de servicio?"

Kyle la miró y se dio cuenta de que jugando habia ayudado a un necesitado. Cumplir con las horas de servicio iba a ser más fácil de lo que había imaginado.

¿Qué le enseñó el Sr. Jenkins a Kyle durante su visita?

Jesus Shares His Mission with the Church

Overview

In this chapter the students will learn that we participate in the mission of the Church and witness to Christ.

Doctrinal Content	For Adult Reading and Reflection *Catechism of the Catholic Church*
The students will learn:	Paragraph
• We are joined to Jesus Christ and to one another.	787
• We proclaim the good news of Christ by what we say and do.	863
• In the liturgy we celebrate Christ's Paschal Mystery.	1067
• When we serve others we give witness to Christ.	2449

Catechist Background

What difference does having a mission make for your thoughts and actions?

Jesus Christ came to show us what God was like and who we were meant to be as human beings. When we are baptized we are joined to Jesus Christ as we become members of the Church. As part of the Body of Christ, we share his mission. The mission of the Church, then, is to share the good news of Christ and to spread the Kingdom of God.

We proclaim the good news in many ways. Evangelization is to proclaim the good news by what we say and do. "Therefore, even when occupied by temporal affairs, the laity can, and must, do valuable work for the evangelization of the world" (*Dogmatic Constitution on the Church*, #35).

We also proclaim the good news in our liturgy. Through the Mass we are connected to the Paschal Mystery: Christ's passion, death, Resurrection, and Ascension. We are reminded of what Jesus has done for us, and what we are called to do for one another. We are strengthened through the Eucharist and given the grace to build up the Kingdom of God.

We build up the Kingdom living a life of service. Following Jesus' example, we reach out to people in need. The Church has listed types of service in two categories: Corporal Works of Mercy and Spiritual Works of Mercy.

What role do you play in the Church's work of carrying on Jesus' mission?

Focus on Life

Chapter Story

Kyle was worried. His teacher had asked the class to complete ten service hours, and he didn't know what he could do to fulfill the requirement. He had already gone to help give soup to people who were hungry and donated his old clothes to charity. How else could he help people?

Kyle's mother called to him from downstairs. She was going to the nursing home to visit Kyle's grandfather. Kyle put on his jacket. He loved visiting with his grandpa!

When they got to the nursing home, Kyle found out that his mom and grandpa wanted to talk privately for a few minutes. He went out into the lounge to wait for them. When he got there, he noticed one man sitting alone at a table. The man had set up a checkerboard. "I love checkers," he said, "but no one wants to play with me."

Kyle sat down at the table and began to play checkers with the man. At first, he thought he should let the older man win. As it turned out, the man was a checkers pro! His name was Mr. Jenkins. He told Kyle all about his family and what he used to do. Kyle was having such a great time that he didn't notice his mom come up behind him. "Why don't you say good-bye to grandpa now? I'm sorry we took so long."

Kyle looked at his watch. An hour had passed! He said good-bye to Mr. Jenkins and then his grandfather. On the way home, he told his mother about Mr. Jenkins. His mother looked at him and smiled. "If you liked it so much, why don't you go back next weekend to earn your service hours?"

Kyle looked at her. Then it dawned on him. In playing checkers and talking with Mr. Jenkins, he had been helping someone in need. These service hours were going to be easier than he had thought!

What did Mr. Jenkins teach Kyle during the visit?

Guía para planificar la lección

NOS CONGREGAMOS

Pasos de la lección	Presentación	Materiales
pág. 22 **Oración**	• Escuchar la Escritura. • Responder en oración.	Para el lugar de oración: Biblia, crucifijo, vela
Mirando la vida	• Conversar sobre la pregunta de un miembro de la familia o un amigo.	

2 CREEMOS

Pasos de la lección	Presentación	Materiales
pág. 22 *Estamos unidos a Cristo y a los demás.*	• Leer y conversar sobre el texto y la relación con Jesucristo. Nombrar algunas formas en las que la Iglesia comparte la buena nueva de Cristo.	
pág. 24 *Proclamamos la buena nueva de Cristo con palabras y obras.*	• Leer sobre la evangelización y conversar sobre las maneras de compartir nuestra fe y dar testimonio de ella. Identificar a personas que comparten la buena nueva e indicar las formas de hacerlo.	
pág. 26 *En la liturgia celebramos el misterio pascual de Cristo.*	• Leer y conversar sobre el misterio pascual y la liturgia de la Iglesia.	"Somos el Cuerpo de Cristo /We Are the Body of Christ," 4–6 CD
pág. 26 *Cuando nos servimos unos a otros damos testimonio de Cristo.* *Mateo 25:31–40*	• Aprender sobre el Juicio final y las obras de misericordia del texto *Creemos*.	• tijeras • marcadores, creyones o lápices de colores • copias del patrón 2

RESPONDEMOS

Pasos de la lección	Presentación	Materiales
pág. 28	Planificar un comercial de televisión para la actividad.	• marcadores o lápices de colores
páginas 30 y 32 **Repaso**	• Completar las preguntas 1–10. • Completar la actividad de *Reflexiona y ora*.	• fichas
páginas 30 y 32 **Respondemos y compartimos la fe**	• Repasar *Recuerda* y el *Vocabulario*. • Leer y conversar sobre *Nuestra vida católica*.	

Para ideas, actividades y otras oportunidades visite Sadlier en **www.CREEMOSweb.com**

Lesson Planning Guide

Lesson Steps	Presentation	Materials
1 WE GATHER		
page 23 **Prayer**	• Listen to the Scripture. • Respond in prayer.	For prayer space: Bible, crucifix, candle
Focus on Life	• Discuss the question about a family member or friend.	
2 WE BELIEVE		
page 23 *We are joined to Jesus Christ and to one another.*	• Read and discuss the text about relationship with Jesus Christ. Name ways the Church shares the good news of Jesus.	
page 25 *We proclaim the good news of Christ by what we say and do.*	• Read about evangelization and discuss ways to share and give to witness to our faith. Identify people who share the good news and list ways to do the same.	
page 27 *In the liturgy we celebrate Christ's Paschal Mystery.*	• Read and discuss the Paschal Mystery and the Church's liturgy.	"Somos el Cuerpo de Cristo/We Are the Body of Christ," 4–6 CD
page 27 *When we serve others we give witness to Christ.* *Matthew 25:31–40*	• Learn about the Last Judgment and the Works of Mercy in the *We Believe* text.	• scissors • markers, crayons, or colored pencils • copies of Reproducible Master 2
3 WE RESPOND		
page 29	In the activity, plan a TV commercial.	• markers or colored pencils
pages 31 and 33 **Review**	• Complete questions 1–10. Complete *Reflect & Pray.*	• index cards
pages 31 and 33 **We Respond and Share the Faith**	• Review *Remember* and *Key Words.* • Read and discuss *Our Catholic Life.*	

For additional ideas, activities, and opportunities: Visit Sadlier's **www.CREEMOSweb.com**

Conexiones

Vocaciones

Con el Bautismo somos llamados a ayudar y a servir a los demás. Pida a los estudiantes que piensen en carreras que se centren en servir a los demás. Explíqueles que cualquiera que sea la carrera que escojan, el servicio a los demás puede ser uno de los enfoques de su trabajo.

Parroquia

Los miembros de la Iglesia se unen y constituyen el cuerpo de Cristo. Explique a los estudiantes que muchas personas dedican su tiempo a mantener los programas de servicios de la parroquia. Nombre algunas de estas personas. En grupos, hagan tarjetas de agradecimiento para algunas de las personas que se identificaron como servidores verdaderos de la comunidad parroquial.

FE y MEDIOS

- Converse con los estudiantes acerca del propósito de los periódicos. Ayúdelos a entender que los periódicos divulgan las noticias mundialmente. Pida a cada estudiante que diseñe la primera plana de un periódico que comparte con los demás la buena nueva de Jesús. Enséñeles algunos periódicos que sirvan de ejemplo. Deberán escribir titulares en sus periódicos e incluir artículos y fotos. Exhiba sus trabajos en un lugar notable.

Liturgia para la semana

Visite **www.creemosweb.com** para las lecturas bíblicas de esta semana y otros materiales propios del tiempo.

Necesidades individuales

Estudiantes con necesidades auditivas

Ofrezca muchas actividades manuales y visuales para los estudiantes con necesidades auditivas, con el fin de ayudarlos a entender la lección. Busque formas de adaptar la lección para atender a las necesidades de estos estudiantes, por ejemplo, conversación en grupos pequeños en vez de conversación general.

RECURSOS ADICIONALES

Libro *Hablar con Dios,* Francisco F. Carvajal, Editorial Paulinas.

Para ideas visite Sadlier en

www.CREEMOSweb.com

Connections

To Vocations

We are called by our Baptism to help and serve others. Ask the students to think of careers that are geared toward serving others. Point out to them that whatever careers they might choose, service to others could be one of the focuses of their work.

To Parish

The members of the Church are joined together as the Body of Christ. Explain to the students that there are many people who devote their time to maintain the parish's services and outreach programs. Name some of these people. As a group, make thank-you cards for some of the people who were mentioned as real servants of the parish community.

FAITH and MEDIA

▶ Discuss with the students the purpose of newspapers. Help them to realize that newspapers spread news worldwide. Have each student design the front page of a newspaper that shares with others the good news of Jesus. Allow them to look at real newspapers for examples. They should write titles for the newspapers and include articles and pictures. Display their work in a prominent place.

This Week's Liturgy

Visit **www.creemosweb.com** for this week's liturgical readings and other seasonal material.

Meeting Individual Needs

Students with Auditory Needs

For students with auditory needs, provide many hands-on and visual activities to help them to understand the lesson. Look for ways to adapt the lesson to suit these students, such as small group discussion rather than entire group discussion.

ADDITIONAL RESOURCES

Book *Knowing My Church: What Makes Us Catholic,* Susan C. Benson, Hi-Time Pflaum, 2001. The first six interactive activities reinforce Church as Body of Christ, apostolic, missionary, and so forth.

Video *Mass for Older Children,* Ikonographics, St. Anthony Messenger Press, 1999. This video explains how we gather, tell stories, remember, break bread, and go forth to those in need. (15 minutes)

To find more ideas for books, videos, and other learning material, visit Sadlier's

www.CREEMOSweb.com

Jesús comparte su misión con la Iglesia

Meta catequética

• Explorar las formas en que la Iglesia continúa con la misión de Jesús

Preparandose para orar

Los estudiantes escucharán la orden de Jesús de ir a bautizar. Responderán con una oración.

• Dirija la oración.
• Pida a un niño que lea la Escritura.

El lugar de oración

• Marque la Biblia en Mateo 18:20, para la oración en *Nos congregamos*.

• Biblia, crucifijo y una vela

Nos congregamos

Líder: Jesús está con nosotros. El dijo: "Porque donde dos o tres se reúnen en mi nombre, allí estoy yo en medio de ellos" (Mateo 18:20).

Todos: Jesús, quédate con nosotros mientras rezamos en tu nombre.

Piensa en un miembro de tu familia o en un amigo a quien quieres mucho. ¿Cómo describes esa relación?

Creemos

Estamos unidos a Cristo y a los demás.

Jesús, con frecuencia, habló de su relación con Dios, su Padre. Una vez dijo que él era la vid y su padre el viñador. Jesús también dijo a sus discípulos: "Una rama no puede dar uvas de sí misma, si no está unida a la vid; de igual manera, ustedes no pueden dar fruto, si no permanecen unidos a mí. Yo soy la vid, y ustedes son las ramas. El que permanece unido a mí, y yo unido a él, da mucho frutos; pues sin mí no pueden ustedes hacer nada". (Juan 15:4–5)

Jesucristo es la vid, nosotros las ramas. Estamos unidos a Jesús y unos con otros. Como miembros de la Iglesia, necesitamos a Jesús para crecer en fe y amor.

El trabajo, la misión, de la Iglesia es compartir la buena nueva de Cristo y predicar el reino de Dios. Somos la Iglesia. Esta es la buena nueva que compartimos:

- Dios ama y cuida de todo el mundo porque somos creados a su imagen y semejanza.
- Dios amó tanto al mundo que envió a su único Hijo a mostrarnos como vivir y a salvarnos del pecado.
- Jesús comparte la vida de Dios con nosotros y nos da la esperanza de vivir por siempre con Dios.
- Todo el mundo es invitado a creer en Jesús y a ser bautizado en la fe de la Iglesia.

Escribe una forma en que ves a la Iglesia compartir la buena nueva de Cristo.

____

22

Planificación de la lección

Nos congregamos ____ minutos

Oración

• Pida a los estudiantes que se reúnan en el lugar de oración.

• Después de orar el Signo de la Cruz, dirija la oración de apertura.

• Pida a un estudiante que lea la Escritura.

• Para concluir, podría invitar al grupo a intercambiar la señal de la paz diciendo: "Paz, Jesús está siempre con ustedes".

Mirando la vida

• Pida a los estudiantes que lean y conversen sobre la pregunta. Dígales que en esta lección examinarán su relación con Jesús y con los demás.

Creemos ____ minutos

Pida a un voluntario que lea en voz alta la primera afirmación de fe. Pida a los estudiantes que lean los primeros dos párrafos de *Creemos*. Señale que en la parábola Jesús habló con sus discípulos sobre la relación especial que tenía con su Padre y con ellos. Enfatice que:

• Jesús tenía una relación especial con su Padre.

• En una parábola, Jesús dijo a sus discípulos que ellos eran las ramas que crecían de él, la verdadera vid. Necesitamos a Jesús para crecer y dar fruto en fe y amor.

• Como discípulos de Jesús, debemos seguir su ejemplo de amarnos los unos a los otros.

Jesus Shares His Mission with the Church

2

Catechist Goal

• To explore the ways the Church carries on the mission of Jesus

Preparing to Pray

The students will hear Jesus' command to go and baptize all people. They will respond in prayer.

• Be the leader of the prayer.

• Have one student read the Scripture.

The Prayer Space

• Bookmark the Bible reading from the *We Gather* prayer, Matthew 18:20.

• Bible, crucifix, and a candle

WE GATHER

Leader: Jesus is with us. He said, "For where two or three are gathered together in my name, there am I in the midst of them" (Matthew 18:20).

All: Jesus be with us as we pray in your name.

Think of a family member or friend with whom you are very close. How would you describe that relationship?

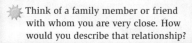

WE BELIEVE

We are joined to Jesus Christ and to one another.

Jesus often spoke of his relationship with God his Father. He once said that he was the vine and his Father was the vine grower. Jesus also told his disciples "Just as a branch cannot bear fruit on its own unless it remains on the vine, so neither can you unless you remain in me. I am the vine, you are the branches. Whoever remains in me and I in him will bear much fruit, because without me you can do nothing" (John 15:4–5).

Jesus Christ is the vine; we are the branches. We are joined to Jesus and to one another. As members of the Church, we need Jesus so that we can grow in faith and love.

The work, or mission, of the Church is to share the good news of Christ and to spread the Kingdom of God. We are the Church. This is the good news that we share:

- God loves and cares for all people because we are created in his image and likeness.
- God so loved the world that he sent his only Son to show us how to live and to save us from sin.
- Jesus shares the life of God with us and gives us the hope of life forever with God.
- All people are invited to believe in Jesus and to be baptized in the faith of the Church.

Write one way that you see the Church sharing the good news of Christ.

____

23

Lesson Plan

WE GATHER

____ minutes

Pray

• Ask the group to gather in the prayer space.

• After praying the Sign of the Cross, lead the opening prayer.

• As the conclusion, you may want to invite the group to exchange the sign of peace while saying, "Peace. Jesus is with you always."

Focus on Life

• Have the students read and discuss the question. Tell the students that in this lesson they will examine their relationship with Jesus and with each other.

WE BELIEVE

____ minutes

Ask a volunteer to read aloud the first *We Believe* statement. Have the students read the first two *We Believe* paragraphs. Stress that in a parable Jesus told his disciples about his special relationship with his Father and with them. Emphasize:

• Jesus had a special relationship with his Father.

• In a parable, Jesus told his disciples that they were the branches that grew from him, the true vine. We need Jesus to grow and bear fruit in faith and love.

• As disciples of Jesus, we must follow his example and love one another.

Nuestra respuesta en la fe

- Identificar las formas en que podemos participar en la proclamación de la buena nueva de Jesús

evangelización
liturgia
misterio pascual
Juicio final
obras corporales de misericordia
obras espirituales de misericordia

Materiales

- CD del 5to curso, tijeras
- marcadores, creyones o lápices de colores, copias del patrón 2, fichas

Conexión con el hogar

Pregunte: *¿Cuáles son algunas de las ideas que tiene tu familia para vivir como lo hizo Jesús, trabajando dentro de su parroquia?*

Proclamamos la buena nueva de Cristo con palabras y obras.

Compartimos la misión de la Iglesia. Somos llamados a proclamar la buena nueva de Cristo con lo que hacemos y decimos. Esto es la **evangelización**. La evangelización tiene lugar en nuestra vida diaria. Evangelizamos a los que todavía no han escuchado el mensaje de Jesucristo. También evangelizamos a los que han escuchado el mensaje pero necesitan valor para vivir el don de la fe.

Proclamar la buena nueva es muy importante. La gente necesita escuchar el mensaje de Jesucristo para poder creerlo. Así que hablamos a otros sobre las cosas maravillosas que Cristo ha hecho. Los animamos a descubrir más sobre su gran amor.

También proclamamos la buena nueva de Jesucristo por medio de oración comunitaria y personal. Rezamos pensando y hablando con Dios en nuestras mentes y corazones. La **liturgia** es la oración pública y oficial de la Iglesia. En la liturgia nos reunimos como comunidad unida a Cristo para celebrar nuestra fe.

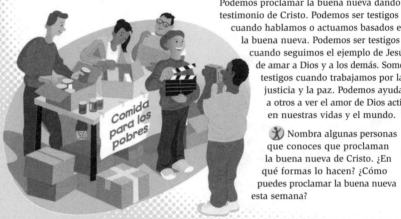

Enseñar la historia y la fe de la Iglesia es una parte importante de la evangelización. Estamos involucrados en esta ahora mismo mientras aprendemos más sobre Jesús y la Iglesia. Al aprender crecemos en la fe y podemos compartir lo que creemos. Podemos decir a otros lo que significa ser discípulo de Jesús.

La gente de todas partes del mundo puede predicar el mensaje de Jesucristo. Cada uno de nosotros tiene algo que compartir y que dar a la Iglesia y al mundo.

Podemos proclamar la buena nueva dando testimonio de Cristo. Podemos ser testigos cuando hablamos o actuamos basados en la buena nueva. Podemos ser testigos cuando seguimos el ejemplo de Jesús de amar a Dios y a los demás. Somos testigos cuando trabajamos por la justicia y la paz. Podemos ayudar a otros a ver el amor de Dios activo en nuestras vidas y el mundo.

Nombra algunas personas que conoces que proclaman la buena nueva de Cristo. ¿En qué formas lo hacen? ¿Cómo puedes proclamar la buena nueva esta semana?

24

Planificación de la lección

CREEMOS (continuación)

Invite a un estudiante a leer en voz alta el siguiente párrafo sobre la misión de la Iglesia. Indique que podemos ayudar a que el reino de Dios crezca al trabajar por la paz y la justicia y al compartir la buena nueva con otros. Podría compartir con los estudiantes Juan 15:9.

Pida a los estudiantes que identifiquen las formas en que la Iglesia comparte la buena nueva de Cristo.

Pida a un voluntario que lea en voz alta la segunda afirmación de fe. Lea en voz alta el primer párrafo del texto *Creemos*. Señale que nosotros debemos evangelizar a aquellos que no han oído la buena nueva y a aquellos que puedan necesitar ayuda y ánimo. Invite a los estudiantes a nombrar personas que podrían necesitar oír la buena nueva de Cristo. Luego lea los siguientes dos párrafos. Pregunte: *¿De qué formas podemos compartir nuestras creencias?* (hable con otros acerca de Jesús, participe en la liturgia y la vida de oración de la Iglesia).

Invite a voluntarios a leer en voz alta el resto del texto *Creemos*. Enfatice que:

- Aprender y enseñar la historia y creencias de la Iglesia son partes importantes de la evangelización.
- Las palabras y acciones de cada persona pueden dar testimonio de Cristo.

Pida a los estudiantes que identifiquen personas conocidas que proclaman la buena nueva y lo que ellos mismos harán esta semana para proclamar la buena nueva.

We proclaim the good news of Christ by what we say and do.

We all share in the mission of the Church. We are called to proclaim the good news of Christ by what we say and do. This is known as **evangelization**. Evangelization takes place in our everyday lives. We evangelize those who have not yet heard the message of Jesus Christ. We also evangelize those who have heard the message but need encouragement to live out the gift of faith.

Proclaiming the good news is very important. People need to hear the message of Jesus Christ in order to believe it. So we tell others about the wonderful things that Christ has done. We encourage them to find out more about his great love.

We also proclaim the good news of Jesus Christ through personal and communal prayer. We pray by listening and talking to God with our minds and hearts. The **liturgy** is the official public prayer of the Church. In the liturgy we gather as a community joined to Christ to celebrate what we believe.

Teaching the history and beliefs of the Church is an important part of evangelization. We are involved in this right now as we learn more about Jesus and the Church. As we learn, we grow in faith and can share what we believe. We can tell others what it means to be a disciple of Jesus.

People from all parts of the world can work together to spread the message of Jesus Christ. Each of us has something to share and bring to the Church and to the world.

We can proclaim the good news by giving witness to Christ. We give witness when we speak and act based upon the good news. We give witness when we follow Jesus' example of loving God and others. We give witness when we work for justice and peace. We can help others to see God's love active in their lives and in the world.

Name some people you know who proclaim the good news of Jesus Christ. In what ways do they do this? How can you proclaim the good news this week?

25

Our Faith Response

- To identify the ways we can participate in proclaiming the good news of Jesus

evangelization
liturgy
Paschal Mystery
last judgment
Corporal Works of Mercy
Spiritual Works of Mercy

Materials

- Grade 5 CD, scissors
- markers, crayons, or colored pencils, copies of Reproducible Master 2, index cards

Home Connection Update

Ask: What are some of your family's ideas to live as Jesus did while working within the parish?

Lesson Plan

WE BELIEVE (continued)

Invite a student to read aloud the next paragraph about the mission of the Church. Point out that we can help the Kingdom of God grow by working for peace and justice and by sharing the good news with others. You may want to share John 15:9 with the students.

Have the students identify ways they see the Church sharing the good news of Christ.

Ask a volunteer to read aloud the second *We Believe* statement. Read aloud the first paragraph in the *We Believe* text. Stress that we are to evangelize those who have not heard the good news and those who might need help and encouragement. Invite the students to name people who may need to hear the good news of Christ. Then read the next two paragraphs. Ask: *In what ways can we share our beliefs?* (speak about Jesus to others; participate in the liturgy and prayer life of the Church).

Invite volunteers to read aloud the remaining *We Believe* text. Emphasize:

- Learning and teaching the history and beliefs of the Church are important parts of evangelization.
- Each person's words and actions can give witness to Christ.

Ask students to identify people they know who proclaim the good news and what they themselves will do this week to proclaim the good news.

Banco de actividades

Inteligencia múltiple

Interpersonal

Materiales: objetos para una pista de obstáculos

Coloque a los estudiantes en parejas y dirija una "caminata de fe". Vacíe el área del aula. Haga un camino de obstáculos simple y seguro para que los estudiantes salten. Pida a un estudiante que le tape los ojos a otro y que lo dirija por el camino. Al terminar, las parejas deberán cambiar de función. Hable sobre el sentimiento de confiar en alguien. Compare las ventajas y desventajas de cada función. Explique que debemos tener fe y confiar en Dios.

Como católicos...

Doctrina social de la Iglesia

Invite a un voluntario a leer el texto. Hable sobre como se puede actuar de acuerdo con la Doctrina. Pida a los jóvenes identificar formas con las que la escuela puede promover la justicia y la paz.

En la liturgia celebramos el misterio pascual de Cristo.

En la liturgia nos reunimos a alabar y a adorar a Dios: Padre, Hijo y Espíritu Santo. Proclamamos la buena nueva de Jesucristo y celebramos su **misterio pascual**. El misterio pascual es la pasión, muerte, resurrección y ascensión al cielo de Cristo. Por su misterio pascual Jesús nos salva del pecado y nos da vida.

La liturgia incluye la celebración de la Eucaristía, llamada misa, y los demás sacramentos. Incluye oraciones llamadas Liturgia de las Horas. La Iglesia reza la Liturgia de las Horas a diferentes hora del día. En estas oraciones celebramos el trabajo de Dios en la creación y en nuestras vidas.

La comunidad de fe se reúne los domingos para la celebración de la misa. En esta reunión nuestra relación con Cristo y con los demás se fortalece.

En el Nuevo Testamento leemos: "Aunque somos muchos, formamos un solo cuerpo en Cristo y estamos unidos unos a otros" (Romanos 12:5). Estamos unidos a Cristo y "Cristo es la cabeza del cuerpo, que es la Iglesia" (Colosenses 1:18). Llamamos a la Iglesia el cuerpo de Cristo. El cuerpo de Cristo está formado por todos los miembros de la Iglesia, con Cristo como su cabeza. Todo el cuerpo de Cristo celebra la liturgia.

♫ **Somos el Cuerpo de Cristo**

Somos el cuerpo de Cristo.
Traemos su santo mensaje.

Cuando nos servimos unos a otros damos testimonio de Cristo.

Cuando servimos a otros mostramos nuestro amor y cuidado por ellos. Jesús es nuestro gran ejemplo de servicio. El cuidó de las necesidades de otros, especialmente de los rechazados. El los acogió y se aseguró de que tuvieran lo que necesitaban. Jesús rezó por los necesitados, visitó a los enfermos y ofreció comida a los que tenían hambre.

Como católicos...

La doctrina social de la Iglesia nos recuerda amar y cuidar de los demás como lo hizo Jesús. Esta doctrina es la forma en que la Iglesia pone la buena nueva de Cristo en acción.

La doctrina social de la Iglesia está basada en la creencia de que toda persona tiene dignidad humana. Dignidad humana es el valor que viene de ser creado a imagen y semejanza de Dios. Los siete temas de la doctrina social de la Iglesia están en la página 316.

¿Cómo tu parroquia promueve la justicia y la paz?

26

Planificación de la lección

CREEMOS (continuación)

Cotejo rápido

✔ *¿Cómo describió Jesús la relación entre él mismo, su Padre y sus discípulos?* (El describió a su Padre como el viñador, a él mismo como la vid, y a sus discípulos como las ramas.)

✔ *¿De qué formas podemos dar testimonio de Cristo?* (Nosotros damos testimonio cuando hablamos y actuamos de acuerdo con la buena nueva; cuando trabajamos por la paz y la justicia; cuando respetamos a los demás y tratamos a las personas de manera justa.)

Lea en voz alta la tercera afirmación de fe. Pida a voluntarios que lean en voz alta los párrafos de *Creemos*. Señale que en la liturgia de la Iglesia celebramos el misterio pascual de Cristo. Al recordar este misterio activamente fortalecemos nuestra relación con Cristo resucitado y con los demás. Durante las celebraciones de la Eucaristía y los demás sacramentos, así como la Liturgia de las Horas, el poder y la presencia de Cristo nos permiten la adoración en su nombre.

♫ **Pida** a los estudiantes que escuchen "Somos el Cuerpo de Cristo/We Are the Body of Christ." Pídales que lean la letra de la página y que canten con la música.

In the liturgy we celebrate Christ's Paschal Mystery.

In the liturgy we gather to praise and worship God: Father, Son, and Holy Spirit. We proclaim the good news of Jesus Christ and celebrate his Paschal Mystery. The **Paschal Mystery** is Christ's passion, death, Resurrection from the dead, and Ascension into heaven. By his Paschal Mystery Jesus saves us from sin and gives us life.

The liturgy includes the celebration of the Eucharist, also called the Mass, and the other sacraments. It includes prayers called the Liturgy of the Hours. The Church prays the Liturgy of the Hours at different times during the day. In these prayers we celebrate God's work in creation and in our lives.

The community of faith gathers on Sundays for the celebration of the Mass. In this gathering our relationship with Christ and one another is strengthened.

We read in the New Testament that "we, though many, are one body in Christ and individually parts of one another" (Romans 12:5). We are joined to Christ who "is the head of the body, the church" (Colossians 1:18).

So we call the Church the Body of Christ. The Body of Christ is all the members of the Church, with Christ as its head. The whole Body of Christ celebrates the liturgy.

We Are the Body of Christ

We are the body of Christ.
We come to bring the good news to the world.

When we serve others we give witness to Christ.

When we serve others we show our love and care for them. Jesus is our greatest example of service. He cared for the needs of others, especially those who were neglected. He welcomed them and made sure that they had what they needed. Jesus prayed for those in need, visited those who were sick, and provided food for the hungry.

As Catholics...

Catholic social teaching reminds us to love and care for others as Jesus did. This teaching is the Church's way of putting the good news of Christ into action.

Catholic social teaching is based on the belief that every person has human dignity. Human dignity is the value and worth that come from being created in God's image and likeness. The seven themes of Catholic social teaching are found on page 328.

How does your school promote justice and peace?

27

Activity Bank

Multiple Intelligences

Interpersonal

Materials: objects to place in a simple obstacle course

With the students in pairs, conduct a "trust walk." Clear the room area. Set up a simple and safe obstacle course that the students must navigate. Have one student cover the other student's eyes and lead him or her through the course. When finished, the partners should reverse roles. Discuss the feeling of trusting someone. Compare advantages and disadvantages to each role. Explain that we must put our faith and trust in God.

As Catholics...

Catholic Social Teaching

Invite a volunteer to read the text. Discuss ways we can act according to Catholic social teaching. Ask the students to identify some ways that their school might promote justice and peace.

Lesson Plan

WE BELIEVE (continued)

Quick Check

✔ *How did Jesus describe the relationship between himself, his Father, and his disciples?* (He described his Father as the vine grower, himself as the vine, and his disciples as the branches.)

✔ *What are some ways that we can give witness to Christ?* (We give witness when we speak and act based upon the good news; when we work for justice and peace; when we respect others and treat people fairly.)

Read aloud the third *We Believe* statement. Have volunteers read aloud the *We Believe* paragraphs. Stress that in the Church's liturgy we celebrate Christ's Paschal Mystery. By actively recalling this mystery, we strengthen our relationship to the risen Christ and to one another. During the celebrations of the Eucharist and the other sacraments, as well as the Liturgy of the Hours, Christ's power and presence enables us to worship in his name.

Have the students listen to "Somos el Cuerpo de Cristo/We Are the Body of Christ," #4 on the Grade 5 CD. Have them read the on-page lyrics and sing along with the music.

Ideas

Música en el aula

Cuando ponga música, recuerde a los estudiantes alabar a Dios con sus voces. Antes de poner la música, lea las palabras para asegurarse de que los alumnos sepan pronunciarlas todas. Léalas en voz alta dos o tres veces si es necesario y ayude a los estudiantes con cualquier problema que tengan.

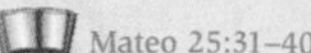

Mateo 25:31–40

Jesús nos dice que cuando cuidamos de otros, estamos sirviéndolo a él. El nos dice que cuando él regrese en gloria al final de los tiempos, seremos juzgados por la forma en que tratamos a los demás. La venida de Jesucristo al final de los tiempos a juzgar a todo el mundo es el **juicio final**. En ese momento todo el mundo estará frente a él. El dirá a los que actuaron con justicia: "Pues tuve hambre, y ustedes me dieron de comer; tuve sed, y me dieron de beber; anduve como forastero, y me dieron alojamiento. Me faltó ropa, y ustedes me la dieron; estuve enfermo, y me visitaron; estuve en la cárcel, y vinieron a verme" (Mateo 25: 35–36).

Los justos le preguntarán cuando cuidaron de él. Y él les dirá: "Les aseguro que todo lo que hicieron por uno de estos hermanos míos más humildes, por mí mismo lo hicieron" (Mateo 25:40).

Damos testimonio de Jesús cuando hacemos obras de misericordia. Las obras de misericordia son actos de amor que nos ayudan a cuidar de las necesidades de los demás. Las **obras corporales de misericordia** tratan de las necesidades físicas y materiales de los demás. Las **obras espirituales de misericordia** tratan de las necesidades de los corazones, las mentes y las almas de los demás.

Vocabulario

- **evangelización** (pp 331)
- **liturgia** (pp 332)
- **misterio pascual** (pp 332)
- **juicio final** (pp 332)
- **obras corporales de misericordia** (pp 332)
- **obras espirituales de misericordia** (pp 332)

RESPONDEMOS

Diseña un comercial para la televisión, de 30 segundos, para interesar a la gente en la buena nueva de Jesucristo. Usa estos cuadros para planificar tu comercial.

28

Planificación de la lección

CREEMOS (continuación)

Comparta la *Historia para el capítulo* de la página 22A de la guía. Pida a un voluntario que lea en voz alta el cuarto enunciado de *Creemos*. Pida a los estudiantes que lean en silencio los párrafos de la cuarta afirmación de fe. Enfatice que:

- Jesús cuidó de las personas durante su vida, especialmente los abandonados.
- Cuando practicamos las obras espirituales y corporales de misericordia, nos preocupamos por las necesidades espirituales y físicas de los demás.

Vocabulario Distribuya fichas a los estudiantes. En un lado de las fichas, los estudiantes deberán escribir las *palabras del vocabulario.* Al reverso, dígales que escriban unas cuantas palabras relacionadas con cada palabra. Pídales que comparen los sinónimos con las definiciones de sus libros. Luego pídales que se hagan pruebas en pareja.

RESPONDEMOS ____ minutos

Pida a los estudiantes que completen la actividad en *Respondemos*. Forme grupos pequeños y pida a los estudiantes que completen el guión gráfico de sus comerciales. También podría grabar los comerciales.

Matthew 25:31–40

Jesus tells us that when we care for others, we are serving him, too. He tells us that when he comes again in glory at the end of time, we will be judged by the way we have treated others. Jesus Christ coming at the end of time to judge all people is called the **last judgment**. At that time all people will be brought before him. He will say to those who acted justly, "For I was hungry and you gave me food, I was thirsty and you gave me drink, a stranger and you welcomed me, naked and you clothed me, ill and you cared for me, in prison and you visited me" (Matthew 25:35–36).

Then those who were just will ask him when they had cared for him. And he will say, "Amen, I say to you, whatever you did for one of these least brothers of mine, you did for me" (Matthew 25:40).

We give witness to Jesus when we perform the Works of Mercy. The Works of Mercy are acts of love that help us care for the needs of others. The **Corporal Works of Mercy** deal with the physical and material needs of others. The **Spiritual Works of Mercy** deal with the needs of people's hearts, minds, and souls.

Key Words

- **evangelization** (p. 335)
- **liturgy** (p. 335)
- **Paschal Mystery** (p. 336)
- **last judgment** (p. 335)
- **Corporal Works of Mercy** (p. 334)
- **Spiritual Works of Mercy** (p. 336)

WE RESPOND

Design a thirty-second TV commercial to get people interested in the good news of Jesus Christ. Use this storyboard to plan your commercial.

Teaching Tip

Music in the Classroom

When using music remind the students to use their voices to praise God. Before playing the music, read through the words to make sure the students know how to pronounce them all. Read them aloud two or three times if necessary, and help students with any problems they may have.

Lesson Plan

WE BELIEVE (continued)

Share the *Chapter Story* on Guide page 22B. Ask a volunteer to read aloud the fourth *We Believe* statement. Have the students read silently the *We Believe* paragraphs. Emphasize:

- Jesus cared for people during his life, especially those who were neglected.
- When we practice the Spiritual and Corporal Works of Mercy, we care for the spiritual and physical needs of one another.

Key Words Distribute index cards to the students. On one side of each card, the students should write a *Key Word.* On the reverse side, have them write a few words related to this word. Have them compare these synonyms to the definitions in their book. Then with a partner, have them quiz each other.

WE RESPOND ____ minutes

Have the students complete the *We Respond* activity. Working in small groups, have students complete the storyboard for their commercials. You could also videotape their commercials.

Banco de actividades

Doctrina social de la Iglesia

Vida y dignidad de la persona humana

Materiales: boletines de la parroquia, periódicos de la comunidad, papel de construcción rojo y azul, tijeras, goma

Recuerde a los estudiantes que la Doctrina social de la Iglesia nos llama a respetar la dignidad de los demás. Explique que cuando hacemos obras de misericordia estamos cumpliendo. Distribuya copias de los boletines de la parroquia y periódicos de la comunidad a los estudiantes. Pídales que busquen en ambas fuentes ejemplos de personas de su comunidad o parroquia que sirven o han servido a los demás. Pídales recortar y pegar en el papel azul las fotos que representan obras corporales de misericordia. Los ejemplos de las obras espirituales de misericordia los deberán pegar en el papel rojo.

Conexion con el hogar

Compartiendo lo aprendido

Asegúrese de recordar a los estudiantes conversar con sus familias sobre lo aprendido en este capítulo.

Para más información y actividades adicionales visite Sadlier en

www.CREEMOSweb.com

Planifique por adelantado

Lugar de oración: Biblia, letras recortadas, mantel de papel o tela, globo terrestre.

Materiales: diccionario, marcadores o lápices de colores, fichas, recuerdos de los sacramentos, copias del patrón 3

_____ minutos

Repaso del capítulo Lea en voz alta las instrucciones de las preguntas 1–4. Cuando los estudiantes hayan terminado, pídales que completen las preguntas 5–8. Recuérdeles que una de las palabras *no* se usará. Invite a voluntarios a leer las respuestas correctas. Dirija la atención de los estudiantes a las preguntas 9–10. Pídales que piensen en por lo menos dos formas en que la Iglesia continúa la misión de Jesús. Pida a voluntarios que compartan sus respuestas.

Reflexiona y ora Explique a los estudiantes que van a escribir una oración personal. Lea la oración en voz alta. Luego pídales llenar los espacios en blanco con sus intenciones o peticiones personales.

Repaso — Capítulo 2

Encierra en un círculo la letra de la respuesta correcta.

1. Estamos unidos a Cristo y a los demás. El es la vid, nosotros _____.
   a. el viñador b. la fruta (c) las ramas
2. Perdonar a los que nos ofenden es un ejemplo de obra _____ de misericordia.
   a. corporal (b) espiritual c. personal
3. La _____ de la Iglesia es compartir la buena nueva de Cristo y predicar el reino de Dios.
   (a) misión b. celebración c. la liturgia
4. Cuando _____ a los demás, somos testigos de Cristo.
   (a) servimos b. celebramos c. liturgia

Escoge las palabras en el cuadro que completen la oración.

espiritual	liturgia	misterio pascual	corporal	evangelizacíon

5. Las obras corporales de misericordia tienen que ver con las necesidades físicas y materiales de los demás.
6. El misterio pascual se refiere a la resurrección, y la ascensión de Cristo al cielo.
7. Evangelización es proclamar la buena nueva de Jesucristo con nuestras palabras y obras.
8. La liturgia es la oración pública oficial de la Iglesia.

Escribe una oración para contestar esta pregunta.

9–10 ¿Cómo continúa la Iglesia la misión de Cristo?
Vea las páginas 22, 24, 26–28.

Reflexiona y ora

Querido Padre, soy tu hijo. Dame la fuerza y el valor para vivir mi vida como Cristo vivió. Ayúdame esta semana a

____

30

PAGINA DEL ALUMNO 30

Respondemos y compartimos la fe

_____ minutos

Recuerda Forme cuatro grupos y asigne un enunciado a cada grupo. Pida a cada grupo hacer un cartel para su enunciado. En la parte inferior de su trabajo deberán escribir la oración completa. Pueden usar palabras, símbolos o imágenes para representar el enunciado. Pida a los estudiantes que compartan sus trabajos y exhíbalos en un lugar visible.

Nuestra vida católica Invite a un voluntario para leer en voz alta el texto. Explique que los voluntarios jesuitas ofrecen un año o más de ayuda a los necesitados. Señale que a cambio de su trabajo reciben como recompensa amistades duraderas y una satisfacción profunda.

Respondemos y compartimos la fe

Compartiendo lo aprendido
Habla con tu familia sobre lo siguiente:
- las ramas y la vid
- evangelización
- el misterio pascual y la liturgia
- las obras de misericordia.

Recuerda
- Estamos unidos a Cristo y a los demás.
- Proclamamos la buena nueva de Cristo con palabras y obras.
- En la liturgia celebramos el misterio pascual de Cristo.
- Cuando nos servimos unos a otros damos testimonio de Cristo.

"Con alegría adoren al Señor; ¡con gritos de alegría vengan a su presencia!" (Salmo 100:2)

Nuestra vida catolica
Cuerpo Voluntario Jesuita
El Cuerpo Voluntario Jesuita es un grupo de jóvenes que donan su tiempo para ayudar a los necesitados. Con frecuencia retardan su educación universitaria o declinan ofertas de trabajo para servir a otros. Desde 1956 más de 7,000 voluntarios han servido a personas en necesidad. Este se ha convertido en el programa católico voluntario más grande de los Estados Unidos. Ellos nos dicen que vivir el compromiso de la doctrina social de la Iglesia es una experiencia extraordinaria.

Visita Sadlier en www.CREEMOSweb.com

Conexión con el Catecismo
Para referencia vea los párrafos 787, 863, 1067 y 2449.

32

PAGINA DEL ALUMNO 32

_____ minutes

Chapter Review Have the students complete questions 1–4. When they have finished, have them complete questions 5–8. Remind the students that one of the words will not be used. Invite volunteers to read the correct answers. Direct the students' attention to question 9–10. Ask them to think of at least two ways that the Church continues Jesus' mission. Ask volunteers to share their answers.

Reflect & Pray Explain to the students that they are going to complete a prayer that is personal to each of them. Read the prayer aloud. Then ask the students to fill in the blanks with their own personal intentions or petitions.

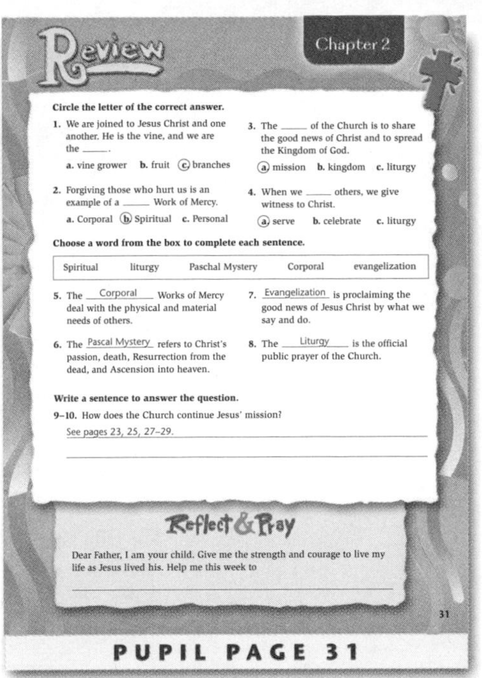

Review — Chapter 2

Circle the letter of the correct answer.

1. We are joined to Jesus Christ and one another. He is the vine, and we are the _____.
   a. vine grower b. fruit (c) branches
2. Forgiving those who hurt us is an example of a _____ Work of Mercy.
   a. Corporal (b) Spiritual c. Personal
3. The _____ of the Church is to share the good news of Christ and to spread the Kingdom of God.
   (a) mission b. kingdom c. liturgy
4. When we _____ others, we give witness to Christ.
   (a) serve b. celebrate c. liturgy

Choose a word from the box to complete each sentence.

Spiritual	liturgy	Paschal Mystery	Corporal	evangelization

5. The Corporal Works of Mercy deal with the physical and material needs of others.
6. The Pascal Mystery refers to Christ's passion, death, Resurrection from the dead, and Ascension into heaven.
7. Evangelization is proclaiming the good news of Jesus Christ by what we say and do.
8. The Liturgy is the official public prayer of the Church.

Write a sentence to answer the question.

9–10. How does the Church continue Jesus' mission?

See pages 23, 25, 27–29.

Reflect & Pray

Dear Father, I am your child. Give me the strength and courage to live my life as Jesus lived his. Help me this week to

31

PUPIL PAGE 31

We Respond and Share the Faith

_____ minutes

Remember Form four groups and assign one of the statements to each group. Ask each group to make a banner or poster for its statement. At the bottom of the work, each group should write out the entire statement. The students can use words, symbols, or pictures to represent the statement. Have the students share their work and display it in a prominent place.

Our Catholic Life Invite a volunteer to read aloud the text. Explain to the students that Jesuit volunteers offer one or more years to help those in need. Stress that these volunteers are often rewarded for their work by the lasting friendships they make and by a feeling of deep satisfaction.

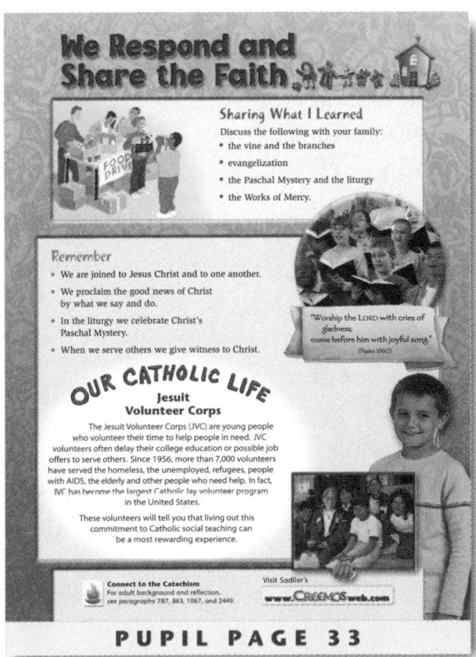

We Respond and Share the Faith

Sharing What I Learned

Discuss the following with your family:

- the vine and the branches
- evangelization
- the Paschal Mystery and the liturgy
- the Works of Mercy.

Remember

- We are joined to Jesus Christ and to one another.
- We proclaim the good news of Christ by what we say and do.
- In the liturgy we celebrate Christ's Paschal Mystery.
- When we serve others we give witness to Christ.

"Worship the LORD with cries of gladness; come before him with joyful song." (Psalm 100:2)

OUR CATHOLIC LIFE

Jesuit Volunteer Corps

The Jesuit Volunteer Corps (JVC) are young people who volunteer their time to help people in need. JVC volunteers often delay their college education or possible job offers to serve others. Since 1956, more than 7,000 volunteers have served the homeless, the unemployed, refugees, people with AIDS, the elderly and other people who need help. In fact, JVC has become the largest Catholic lay volunteer program in the United States.

These volunteers will tell you that living out this commitment to Catholic social teaching can be a most rewarding experience.

Connect to the Catechism
For adult background and reflection, see paragraphs 787, 863, 1067, and 2449.

Visit Sadlier's www.CREEMOSweb.com

PUPIL PAGE 33

Activity Bank

Catholic Social Teaching

Life and Dignity of the Human Person

Materials: parish bulletins, community newspapers, red and blue construction paper, scissors, glue

Remind the students that Catholic social teaching calls us to respect the dignity of others. Explain that when we perform the Works of Mercy, we are trying to fulfill Catholic social teaching. Distribute copies of the parish bulletins and community newspapers to the students. Ask them to look in these two sources for examples of ways in which people in their own community or parish serve or have served others. Have them cut out the photos that they find and glue those that are Corporal Works of Mercy on blue paper backing. For the examples of the Spiritual Works of Mercy, have them use red paper backing.

Home Connection

Sharing What I Learned

Ask the students to talk with their families about what they learned this week.

For additional information and activities, encourage families to visit Sadlier's

www.CREEMOSweb.com

Plan Ahead for Chapter 3

Prayer Space: Bible, cut-out letters, paper or cloth covering, globe

Lesson Materials: dictionary, sheets of paper, markers or pencils, index cards, mementos from the sacraments, copies of Reproducible Master 3

La Iglesia celebra siete sacramentos

Ojeada

En este capítulo los estudiantes aprenderán que la Iglesia celebra siete sacramentos, los signos del amor de Jesús.

Contenido doctrinal	Referencia del *Catecismo de la Iglesia Católica*
Los estudiantes aprenderán que:	párrafo
• Jesús dio siete sacramentos a la Iglesia	1210
• Los sacramentos de iniciación cristiana son Bautismo, Confirmación y Eucaristía	1212
• Los sacramentos de sanación son Reconciliación y Unción de los Enfermos	1421
• Orden Sagrado y Matrimonio son los sacramentos de servicio a los demás	1534

Referencia catequética

¿Sabe cómo es Dios?

La razón por la que Dios Padre envió a Dios Hijo fue para demostrarnos su amor. En la encarnación, el Hijo de Dios se hizo hombre en Jesús. Jesús es el signo del amor de Dios, signo visible y tangible de un Dios invisible.

Cuando Jesús regresó a su Padre dejó a un grupo de seguidores para ser fortalecidos por el Espíritu Santo para fundar la Iglesia. Así, la Iglesia se convirtió en el sacramento, un signo material de Cristo. Como católicos, creemos en la naturaleza sacramental de la vida—la creación y la vida están llenas de signos que señalan la presencia de Dios.

Los católicos creemos que los sacramentos, son signos efectivos, es decir, ofrecen lo que significan. Se nos brindan para que a través de ellos podamos compartir la vida de Dios. Los agrupamos así: sacramentos de iniciación (Bautismo, Confirmación y Eucaristía); sacramentos de sanación (Reconciliación y Unción de los Enfermos); sacramentos de servicio (Orden Sagrado y el Matrimonio).

Los sacramentos nos ayudan a responder a nuestro llamado a la santidad y a convertirnos en las personas que Dios quiere que seamos. También nos dan el don de gracia, el regalo de compartir la vida de Dios y la capacidad de llevar una vida digna a la que Dios nos llama.

¿Cómo los sacramentos han sido signos del amor de Dios en su vida?

Mirando la vida

Historia para el capítulo

Jon había estado mirando el reloj durante los últimos veinte minutos. Generalmente disfrutaba de la clase de ciencias de la Sra. Tsang. Algunos días soñaba con ser astrónomo. Pero hoy después de la escuela, se iba a encontrar con su mamá en el hospital donde ella trabaja.

Mientras esperaba en el vestíbulo del hospital, Jon hizo su tarea de matemáticas. Luego miró hacia arriba y ¡vio al Padre O'Brien!

"¿Qué hace aquí, Padre? Pensé que usted trabajaba en otra parroquia".

"Pues no exactamente, Jon" le explicó, "me imagino que podrías decir que Dios quiere que viva mi vocación aquí en el hospital".

"Padre, ¿qué es una vocación?" preguntó Jon.

El Padre O'Brien le explicó que una vocación es un llamado de Dios. El sacerdote continuó "Dios llama a todos para que traten de vivir como vivió Jesús. Algunas personas se casan. Otras personas son sacerdotes, diáconos permanentes o religiosos".

Jon se quedó impresionado y preguntó, "¿Y yo?" El Padre O'Brien le respondió, "Dios también tiene un llamado para ti. Sólo tienes que escuchar con el corazón y sabrás lo que Dios quiere que hagas".

"Hoy tengo una prueba de aptitud de hockey" dijo Jon. "¿Usted cree que Dios quiere que sea un jugador de hockey? Además me gusta mucho la astronomía".

"Pues no lo sé, Jon. El hockey y la astronomía son profesiones de mérito, pero una vocación es algo más grande..." El Padre O'Brien no tuvo oportunidad de terminar la oración. Jon había visto a su mamá.

"Mire, Padre, allí está mi mamá. Ella ayuda a los niños aquí en el hospital y se ocupa de su familia. Me imagino que esa es su vocación".

El Padre O'Brien asintió con la cabeza y saludó a la mamá de Jon.

¿Quién nos ayuda a saber cuál es nuestra vocación?

The Church Celebrates Seven Sacraments

Overview

In this chapter the students will learn that the Church celebrates seven sacraments, the signs of Jesus' love.

Doctrinal Content	For Adult Reading and Reflection *Catechism of the Catholic Church*
The students will learn:	Paragraph
• Jesus gave the Church seven sacraments.	1210
• The sacraments of Christian initiation are Baptism, Confirmation, and Eucharist.	1212
• The sacraments of healing are Reconciliation and Anointing of the Sick.	1421
• Holy Orders and Matrimony are sacraments of service to others.	1534

Catechist Background

How do you know what God is like?

The reason why God the Father sent God the Son to us was to show us his love. In the Incarnation, the Son of God became one of us in Jesus. Jesus is the sign of God's love, a visible, tangible sign of an invisible God.

When the risen Jesus returned to his Father and ascended to heaven, he left a group of followers who were empowered by the Holy Spirit to form the Church. Thus the Church became the sacrament, or outward sign, of the risen Christ. As Catholics, we believe in the sacramentality of life—that creation and life are full of signs that point us to God's presence.

As Catholics we also believe that the sacraments, or seven special signs, are effective signs; that is, they bring about what they signify. They are given to us so that through them we can share in God's life. The seven sacraments are grouped: sacraments of initiation (Baptism, Confirmation, and Eucharist); sacraments of healing (Reconciliation and Anointing of the Sick); sacraments of service (Holy Orders and Matrimony).

The sacraments help us respond to our common vocation: our call to holiness. They help us become the people God intended us to be. The sacraments also give us grace, the gift of sharing in God's life, and the ability to lead a life worthy of the God who calls us.

How have the sacraments been signs of God's love in your life?

Focus on Life

Chapter Story

Jon had been watching the clock for the last twenty minutes. Usually he really enjoyed Ms. Tsang's science class. Some days he dreamt about being an astronomer. But after school today he was going to meet his mom at the hospital where she worked.

While waiting in the hospital lobby, Jon did his math homework. Then he glanced up and saw Father O'Brien!

"What are you doing here, Father? I thought you went to work at another parish."

"Well, not exactly, Jon," the priest explained. "I guess you could say that God wants me to live my vocation here at the hospital."

"Father, what's a vocation?" Jon asked.

Father O'Brien explained that a vocation is a call from God. The priest continued, "God calls everyone to try and live the way Jesus lived. Some people are married. Other people are priests, permanent deacons, or religious."

Jon was impressed. He asked, "What about me?" Father O'Brien responded, "God has a calling for you, too. You just have to listen with your heart and you will know what God wants you to do."

"I have hockey tryouts today," Jon said. "Do you think God wants me to be a hockey player? And I really like astronomy."

"Well, I don't know, Jon. Hockey and astronomy are worthwhile professions. A vocation is something bigger . . . ." Father O' Brien did not get an opportunity to finish his sentence. Jon had spotted his mom.

"Look, Father, there's my mom. She helps kids here at the hospital and she takes care of her family. I guess that's her vocation."

Father O'Brien nodded in agreement and greeted Jon's mother.

Who helps us to find out to which vocation we are called?

Guía para planificar la lección

NOS CONGREGAMOS

Pasos de la lección	Presentación	Materiales
pág. 34 **Oración**	• Escuchar la Escritura. • Responder con una letanía.	• Para el lugar de oración: Biblia, letras recortadas, mantel de papel o tela, globo terrestre
 **Mirando la vida**	• Conversar acerca de las preguntas sobre signos.	

CREEMOS

Pasos de la lección	Presentación	Materiales
pág. 34 *Jesús dio siete sacramentos a la Iglesia.*	• Leer y conversar sobre los sacramentos como signos. Hablar sobre los signos del amor de Dios. • Definir las palabras *sacramento* y *gracia santificante* y conversar sobre ellas.	
pág. 36 *Los sacramentos de iniciación cristiana son Bautismo, Confirmación y Eucaristía.*	• Conversar sobre los sacramentos de iniciación. • Conversar sobre la *iniciación cristiana.* Escribir una forma de responder al amor de Dios.	• diccionario
pág. 38 *Los sacramentos de sanación son Reconciliación y Unción de los Enfermos.*	• Leer y conversar sobre los sacramentos de sanación. Orar por los que necesitan la reconciliación o sanación.	
pág. 40 *Orden Sagrado y Matrimonio son los sacramentos de servicio a los demás.*	• Leer y conversar sobre los sacramentos de servicio. • Leer y conversar sobre las vocaciones en *Como católicos.*	• copias del patrón 3

RESPONDEMOS

Pasos de la lección	Presentación	Materiales
pág. 40	Escribir formas en las que los sacramentos ayudan a acercarse a Dios.	• recuerdos de los sacramentos (opcional)
páginas 42 y 44 **Repaso**	Completar las preguntas 1–10. • Completar la actividad de *Reflexiona y ora.*	• fichas
páginas 42 y 44 **Respondemos y compartimos la fe**	• Repasar *Recuerda* y el *Vocabulario.* • Leer y conversar sobre *Nuestra vida católica.*	

Para ideas, actividades y otras oportunidades visite Sadlier en **www.CREEMOSweb.com**

Lesson Planning Guide

Lesson Steps	Presentation	Materials
1 WE GATHER		
page 35 **Prayer**	• Listen to Scripture. • Respond in prayer.	For prayer space: Bible, cutout paper letters, paper or cloth covering, globe
Focus on Life	• Discuss the questions about signs.	
2 WE BELIEVE		
page 35 *Jesus gave the Church seven sacraments.*	• Read about and discuss the sacraments as signs. Talk about signs of God's love. • Define and discuss the words *sacrament* and *sanctifying grace.*	
page 37 *The sacraments of Christian initiation are Baptism, Confirmation, and Eucharist.*	• Discuss the sacraments of initiation. • Discuss *Christian initiation.* Write one way to respond to God's love.	• dictionary
page 39 *The sacraments of healing are Reconciliation and Anointing of the Sick.*	• Read about and discuss the sacraments of healing. Pray for those in need of reconciliation or healing.	
page 41 *Holy Orders and Matrimony are sacraments of service to others.*	• Read and discuss sacraments of service. • Read and discuss the *As Catholics* text about vocations.	• copies of Reproducible Master 3
3 WE RESPOND		
page 41	Write ways the sacraments have helped you grow closer to God.	• mementos from the sacraments (optional)
pages 43 and 45 **Review**	• Complete questions 1–10. • Complete *Reflect & Pray.*	• index cards
pages 43 and 45 **We Respond and Share the Faith**	• Review *Remember* and *Key Words.* • Read and discuss *Our Catholic Life.*	

For additional ideas, activities, and opportunities: Visit Sadlier's **www.CREEMOSweb.com**

Conexiones

Mayordomía

La vocación común que compartimos desde nuestro Bautismo es proclamar la buena nueva, dar testimonio de nuestra fe y crecer en santidad. Ayude a los estudiantes a entender que podemos hacerlo compartiendo nuestros dones y talentos. Organice proyectos de servicio como recolectar comida, ropa y dinero para las misiones como una manera de cumplir con nuestra vocación común.

Vocaciones

Conforme los estudiantes aprenden sobre el sacramento del Matrimonio, el sacramento del Orden y la vocación a la vida religiosa, dígales que éstas son formas de amar y servir a Dios y a su pueblo. Ayúdelos a aprender sobre la importancia de cada vocación a través de revistas, sitios Web, videos y oradores invitados. Enfatice que todas las vocaciones provienen de nuestro llamado bautismal a la santidad y conversión.

FE y MEDIOS

▶ Este capítulo trata de los sacramentos de Orden Sagrado y el Matrimonio. Después que los estudiantes lean el texto sobre los claretianos de *Nuestra vida católica*, se les invitará a visitar el sitio Web de esa orden religiosa. Sugiera que visiten los sitios Web de otras órdenes de sacerdotes, hermanos y hermanas, así como el área de la oficina de vocaciones del sitio Web diocesano. Para información sobre el sacramento del Matrimonio, sugiera una visita al área de vida familiar o preparación para el matrimonio del sitio Web diocesano.

Liturgia para la semana

Visite **www.creemosweb.com** para las lecturas bíblicas de esta semana y otros materiales propios del tiempo.

Necesidades individuales

Estudiantes con necesidades motrices

Cuando organice celebraciones sacramentales, planifique con anticipación cómo acomodar a los estudiantes que usan sillas de ruedas. Ayúdelos para que participen plenamente de las celebraciones de la Eucaristía y la Reconciliación. Reúnase con el sacerdote o director de educación religiosa antes del servicio para planificar como incluir a estos estudiantes. Fomente su independencia y enfatice que son parte importante del grupo.

RECURSOS ADICIONALES

Video *Los sacramentos* (44 minutos), Editorial Paulinas.

Para ideas visite Sadlier en

www.CREEMOSweb.com

Connections

To Stewardship

The common vocation we share from the time of our Baptism is to proclaim the good news, witness the faith, and grow in holiness. Help the students understand that sharing personal gifts and talents is one way to do this. Organize service projects such as collecting food, clothing, and money for the missions as ways of fulfilling our common vocation.

To Vocations

As the students learn about the sacrament of Matrimony, the sacrament of Holy Orders, and the vocation to the religious life, tell them these are ways to love and serve God and his people. Through magazines, Web sites, videos, and invited speakers, help them learn about the importance of each vocation. Emphasize that all vocations flow from our baptismal call to holiness and conversion.

FAITH and MEDIA

▶ This chapter addresses the sacraments of Holy Orders and Matrimony. After they have read the *Our Catholic Life* text about the Claretians, the students will be invited to visit that order's Web site. Suggest that they visit the sites of other orders of priests, brothers, and sisters, as well as the office of vocations area of your diocesan Web site. For information about the sacrament of Matrimony, suggest a visit to the Family Life or Marriage Preparation area of the diocesan Web site.

This Week's Liturgy

Visit **www.creemosweb.com** for this week's liturgical readings and other seasonal material.

Meeting Individual Needs

Students with Mobility Needs

When arranging for sacramental celebrations, plan ahead to accommodate students using wheelchairs. Do everything possible to help these students fully participate at the celebrations of Eucharist and Reconciliation. Meet with the celebrant or director of religious education prior to the service to plan how to include these students. Foster their independence and stress that they are an important part of the group.

ADDITIONAL RESOURCES

Book *Exploring the Sacraments: Celebrating with Jesus,* Hi-Time Pflaum, 2000. The two-page "Sacraments Spinner Game" offers an overview of facts about the seven sacraments.

Video *Close Encounters with the Sacraments,* Oblate Media and Communication, 2000. Helps the viewer to understand the history and meaning of the sacraments for an adolescent's life. (15 minutes)

To find more ideas for books, videos, and other learning material, visit Sadlier's

www.CREEMOSweb.com

Meta catequética

• Presentar los sacramentos como signos especiales del amor de Dios

PREPARANDOSE PARA ORAR

En la lectura de la Escritura los estudiantes oirán el mandamiento de Jesús de amarse los unos a los otros.

• Asigne a estudiantes que dirijan la oración y la lean. Pídales que practiquen sus partes.

El lugar de oración

• Cubra la mesa de oración con un colorido papel o mantel. Fije letras hechas de papel de construcción en la parte frontal del mantel que digan *vocación común.*

• Ponga un globo terrestre en la mesa de oración.

• Exhiba una Biblia.

3 La Iglesia celebra siete sacramentos

NOS CONGREGAMOS

Líder: Recordemos que Jesús está presente en nuestras vidas.

Lector: Lectura del santo Evangelio según San Juan.

"Yo los amo a ustedes como el Padre me ama a mí; permanezcan, pues, en el amor que les tengo. Si obedecen mis mandamientos, permanecerán en mi amor, así como yo obedezco los mandamientos de mi Padre y permanezco en su amor.

Les hablo así para que se alegren conmigo y su alegría sea completa. Mi mandamiento es este: Que se amen unos a otros como yo los he amado a ustedes". (Juan 15:9–12)

Palabra del Señor.

Todos: Gloria a ti, Señor Jesús.

¿Cuáles son algunos signos que ves todos los días? ¿Por qué son importantes para ti?

CREEMOS

Jesús dio siete sacramentos a la Iglesia.

Un signo es algo que nos señala alguna cosa. Un signo puede ser algo que vemos, por ejemplo una señal de pare. Un signo puede ser algo que hacemos, como por ejemplo darnos las manos o abrazar a alguien. Un evento o una persona puede también ser signo. El mundo está lleno de signos del amor de Dios. Pero Jesucristo es el signo más grande del amor de Dios. Todo lo que Jesús dijo e hizo señala el amor de Dios por nosotros. Jesús trató a todos con justicia. El acogió a los que eran despreciados. El dio de comer a los que tenían hambre y perdonó a los pecadores. Jesús es el signo mas grande del amor de Dios Padre, porque él es Hijo de Dios.

Habla de algunos signos del amor y la presencia de Dios en el mundo.

34

Planificación de la lección

NOS CONGREGAMOS ____ minutos

Oración

• Invite a los estudiantes a congregarse en el lugar de oración. Recuérdeles que Jesús siempre está con nosotros.

• Recen la Señal de la Cruz y pida a los estudiantes que abran sus libros a la oración inicial. Indique al líder que comience con el servicio de oración.

• Pida al lector que proclame la Escritura.

Mirando la vida

• Pida a voluntarios que nombren diferentes tipos de signos, por ejemplo, señales de tránsito o de dirección. Converse acerca de los signos que se ven en una familia, como una sonrisa o un abrazo. Invite a los estudiantes a dar razones de porque los signos cotidianos son importantes. Explique que en esta lección aprenderán que Jesús dio a la Iglesia siete sacramentos como signos del amor y la presencia de Dios.

CREEMOS ____ minutos

Lea en voz alta la primera afirmación de fe. Pida a parejas que lean juntos los párrafos de *Creemos*. Enfatice que:

• El mundo está lleno de signos del amor de Dios. La Iglesia es un signo del amor y cuidado de Dios.

• Dios envió a su único Hijo, Jesús, quien es el signo más grande del amor que Dios nos tiene.

• Cada sacramento es un signo especial del amor de Dios.

The Church Celebrates Seven Sacraments

WE GATHER

 **Leader:** Let us remember that Jesus is present in our lives.

Reader: A reading from the holy Gospel according to John

"As the Father loves me, so I also love you. Remain in my love. If you keep my commandments, you will remain in my love, just as I have kept my Father's commandments and remain in his love.

I have told you this so that my joy might be in you and your joy might be complete. This is my commandment: love one another as I love you." (John 15:9–12)

The Gospel of the Lord.

All: Praise to you, Lord Jesus Christ.

What are some signs that you see every day? Why are they important to you?

WE BELIEVE

Jesus gave the Church seven sacraments.

A sign stands for or tells us about something. A sign can be something that we see, such as a stop sign. A sign can be something that we do, such as shaking hands or hugging someone. An event or a person can also be a sign. The world is filled with signs of God's love. But Jesus Christ is the greatest sign of God's love. Everything that Jesus said or did pointed to God's love for us. Jesus treated all people fairly. He welcomed people whom others neglected. He fed those who were hungry and forgave sinners. Jesus is the greatest sign of God the Father's love because he is the Son of God.

Talk about some of the signs of God's love and presence in the world.

35

Catechist Goal

• To present the sacraments as special signs of God's love

Preparing to Pray

In the Scripture reading, the students will hear Jesus' command to love one another.

• Assign students to be leader of the prayer and reader. Have them practice their parts.

The Prayer Space

• Cover the prayer table with colorful paper or cloth covering. Fasten construction-paper letters to the front of the table cover that spell out *Common Vocation*.

• Place a globe on the prayer table.

• Display a Bible.

Lesson Plan

WE GATHER ___ minutes

Pray

• Invite the students to gather at the prayer space. Remind the students that Jesus is always present to us.

• Pray the Sign of the Cross and have the students open their books to the opening prayer. Signal the leader to begin the prayer service.

• Have the reader proclaim the Scripture.

Focus on Life

• Ask volunteers to name different kinds of signs, such as traffic signs or directional signs. Discuss signs seen in a family, including a smile or a hug. Invite students to give reasons why everyday signs are important. Explain that in this lesson they will learn that Jesus gave the Church the seven sacraments as signs of God's love and presence.

WE BELIEVE ___ minutes

Read aloud the first *We Believe* statement. Have partners read the *We Believe* paragraphs together. Emphasize:

• The world is filled with signs of God's love. The Church is a sign of God's love and care.

• God sent his only Son, Jesus, who is the greatest sign of God's love for us.

• Each sacrament is a special sign of God's love.

Nuestra respuesta en la fe

- Agradecer a Dios por el regalo de los sacramentos

sacramento
gracia santificante
iniciación cristiana
vocación común
santidad

Materiales

- diccionario
- copias del patrón 3
- recuerdos de los sacramentos (opcional)
- fichas

Conexión con el hogar

Pregunte: *¿Cómo decidieron tú y tu familia servir a los demás para llevar a cabo la misión de Jesús?*

El Espíritu Santo nos ayuda a ser signos de Jesús. Al continuar el trabajo de Jesús, la Iglesia misma es un signo del amor y cuidado de Dios.

La Iglesia tiene siete celebraciones que son signos especiales del amor y la presencia de Dios. Llamamos a estos signos, sacramentos. Jesús instituyó, o empezó, los sacramentos para que su trabajo de salvación continuara siempre.

Los sacramentos son diferentes a cualquier otro signo. Los sacramentos verdaderamente ofrecen lo que representan. Por ejemplo, en el Bautismo no solo celebramos ser hijos de Dios sino que verdaderamente nos convertimos en hijos de Dios. Es por eso que decimos que un **sacramento** es un signo efectivo dado por Jesús por medio del cual compartimos la vida de Dios.

El don de compartir la vida de Dios, que recibimos en los sacramentos, es la **gracia santificante**. Esta gracia nos ayuda a confiar y a creer en Dios. Nos fortalece para vivir como vivió Jesús.

Los sacramentos son las celebraciones más importantes de la Iglesia. Los sacramentos unen a los católicos de todo el mundo a Jesús y a unos con otros. Nos unen como cuerpo de Cristo.

Los sacramentos de iniciación cristiana son Bautismo, Confirmación y Eucaristía.

Iniciación cristiana es el proceso de convertirse en miembro de la Iglesia. Los sacramentos del Bautismo, la Confirmación y la Eucaristía nos inician en la Iglesia.

En el Bautismo nos unimos a Cristo y nos hacemos parte del cuerpo de Cristo y del pueblo de Dios. La celebración de este primer sacramento de iniciación es muy importante. Es nuestra bienvenida a la Iglesia.

En la Confirmación somos sellados con el don del Espíritu Santo. La Confirmación continúa lo iniciado por el Bautismo. Somos fortalecidos para vivir como seguidores de Cristo.

La Eucaristía es el sacramento del Cuerpo y la Sangre de Cristo. La Eucaristía está relacionada con nuestro Bautismo. Cada vez que recibimos la comunión, nuestros lazos como cuerpo de Cristo se fortalecen. Nuestra comunidad de fe es alimentada por la vida de Dios.

LOS SIETE SACRAMENTOS
Bautismo
Confirmación
Eucaristía
Penitencia y Reconciliación
Unción de los Enfermos
Orden Sagrado
Matrimonio

36

Planificación de la lección

CREEMOS (continuación)

Dirija una conversación para identificar algunos signos del amor de Dios y de su presencia en el mundo.

Pida a un estudiante que lea en voz alta las definiciones de *sacramento* y *gracia santificante*. Pida a voluntarios que expliquen como los sacramentos nos permiten participar en la vida de Dios.

Cuente a los estudiantes de un grupo al que usted perteneció cuando tenía su edad. Explique lo que tuvo que hacer para hacerse miembro. Lea en voz alta la segunda afirmación de fe. Pida a los estudiantes que lean y resalten los puntos importantes del texto *Creemos.*

Pida a un voluntario que lea en voz alta la definición de la palabra *iniciación* en el diccionario. Luego pida a un voluntario que lea en voz alta la definición de *iniciación cristiana.* Señale que la iniciación cristiana es el proceso de una unión más profunda con Cristo y su Iglesia. Pregunte: *¿Qué vocación compartimos como personas iniciadas en Cristo y en su Iglesia?* (La vocación común que compartimos es el llamado a la santidad y a la evangelización.) *¿Qué nos ayuda a crecer en santidad?* (La gracia de Dios que recibimos con los sacramentos.)

The Holy Spirit helps us to be signs of Jesus. By continuing Jesus' work, the Church itself is a sign of God's love and care.

The Church has seven celebrations that are special signs of God's love and presence. We call these special signs sacraments. Jesus instituted, or began, the sacraments so that his saving work would continue for all time.

The sacraments are different from all other signs. Sacraments truly bring about what they represent. For example, in Baptism we not only celebrate being children of God, we actually become children of God. This is why we say that a **sacrament** is an effective sign given to us by Jesus through which we share in God's life.

The gift of sharing in God's life that we receive in the sacraments is **sanctifying grace**. This grace helps us to trust and believe in God. It strengthens us to live as Jesus did.

The sacraments are the most important celebrations of the Church. The sacraments join Catholics all over the world with Jesus and with one another. They unite us as the Body of Christ.

The sacraments of Christian initiation are Baptism, Confirmation, and Eucharist.

Christian initiation is the process of becoming a member of the Church. The sacraments of Baptism, Confirmation, and Eucharist initiate us into the Church.

In Baptism we are united to Christ and become part of the Body of Christ and the People of God. The celebration of this first sacrament of initiation is very important. It is our welcome into the Church.

In Confirmation we are sealed with the Gift of the Holy Spirit. Confirmation continues what Baptism has begun. We are strengthened to live as Christ's followers.

The Eucharist is the sacrament of the Body and Blood of Christ. The Eucharist is connected to our Baptism, too. Each time we receive Holy Communion, our bonds as the Body of Christ are made stronger. Our community of faith is nourished by God's life.

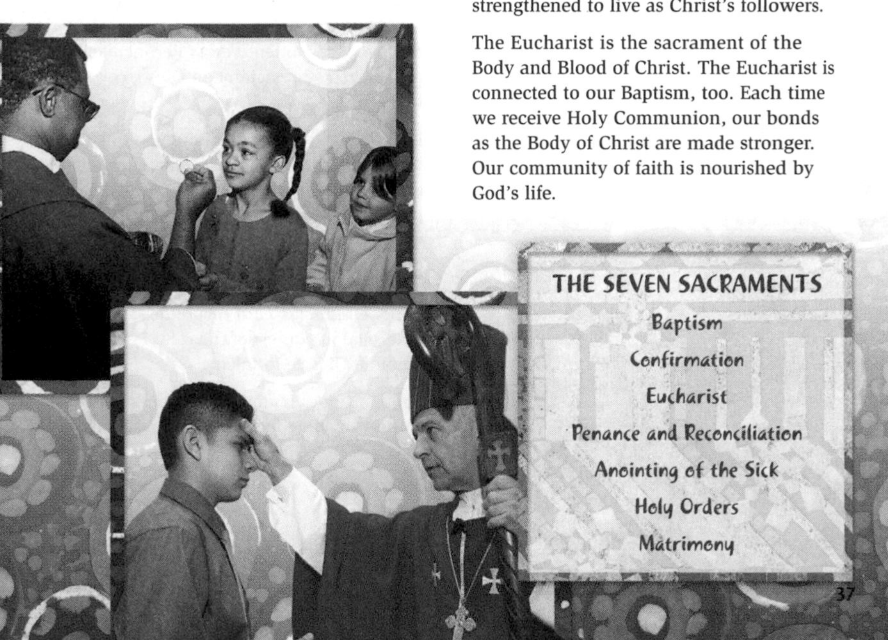

THE SEVEN SACRAMENTS
Baptism
Confirmation
Eucharist
Penance and Reconciliation
Anointing of the Sick
Holy Orders
Matrimony
37

Our Faith Response

- To thank God for the gift of the sacraments

sacrament
sanctifying grace
Christian initiation
common vocation
holiness

Lesson Materials

- dictionary
- copies of Reproducible Master 3
- mementos from the sacraments (optional)
- index cards

Home Connection Update

Ask: *What service to others did you and your family decide upon to carry out Jesus' mission?*

Lesson Plan

WE BELIEVE (continued)

Facilitate a discussion to identify some of the signs of God's love and presence in the world.

Have a student read aloud the definitions of *sacrament* and *sanctifying grace*. Ask volunteers to explain the way the sacraments enable us to share in God's life.

Tell the students about one group that you belonged to when you were their age. Explain what you had to do to become a member. Read aloud the second *We Believe* statement. Have the students read and highlight important points in the *We Believe* text.

Have a volunteer read aloud the definition of the word *initiation* in the dictionary. Then have a volunteer read aloud the definition of *Christian initiation.* Stress that Christian initiation is a process of becoming more deeply united to Christ and his Church. Ask: *What vocation do we share as those initiated into Christ and the Church?* (The common vocation we share is the call to holiness and evangelization.) *What helps us grow in holiness?* (God's grace that we receive in the sacraments.)

Banco de actividades

Inteligencia múltiple

Interpersonal

Materiales: botellas vacías de gaseosa de un litro con la parte inferior cortada (guarde las partes inferiores de las botellas), cinta adhesiva, marcadores, cosas personales que los estudiantes traigan de casa.

Pida a los estudiantes obtener 5 artículos de casa que sean signos del amor de Dios. Por ejemplo, fotografías de sus familiares, tarjetas de parientes, cartas de amigos. Pida a cada estudiante que ponga sus cosas en una botella. Use cinta adhesiva para pegar la parte inferior. Sugiera a los estudiantes que decoren las botellas con leyendas como *Signos del amor de Dios.* Escriba la fecha en la botella. Invite a algunos a exponer sus artículos y explicar como cada uno es un signo del amor de Dios antes de ponerlos en la botella. Diga a los estudiantes que pueden guardar sus botellas como cápsulas de tiempo de sus vidas en el quinto curso.

Todos los que reciben los sacramentos de iniciación cristiana comparten una **vocación común**, un llamado a la santidad y a la evangelización. Dios nos llama a cada uno a:

- proclamar la buena nueva de Cristo
- compartir y dar testimonio de nuestra fe
- crecer en santidad.

Sólo Dios es santo, pero él comparte su santidad con nosotros. **Santidad** es compartir la bondad de Dios y responder a su amor con la forma en que vivimos. Nuestra santidad viene por la gracia.

Para crecer en santidad tenemos que responder a la gracia que recibimos en los sacramentos. EL Espíritu Santo nos ayuda en eso. Tratamos de seguir el ejemplo de Jesús y su mandamiento de amarnos unos a otros.

Escribe una manera en que responderás al amor de Dios hoy.

____

____

Los sacramentos de sanación son Reconciliación y Unción de los Enfermos.

Aprendemos del evangelio que Jesús con frecuencia perdonaba y sanaba a los creyentes. Jesús mostró que Dios tiene poder sobre la enfermedad y el pecado. Jesús dio autoridad a los apóstoles para perdonar y sanar. Esta autoridad continúa en la Iglesia. Los sacramentos de Reconciliación y Unción de los Enfermos son dos formas de celebrar el poder de sanar de Jesús.

En el sacramento de la Reconciliación, miembros de la Iglesia son reconciliados con Dios y con la Iglesia. Los verdaderamente arrepentidos confiesan sus pecados al sacerdote y son perdonados. Los que reciben el sacramento de la Reconciliación restablecen su relación con Dios y con toda la Iglesia.

La Iglesia ofrece el sacramento de Unción de los Enfermos a los que están gravemente enfermos. Es también para los que están próximos a morir. En este sacramento el sacerdote unge a la persona que está enferma y todos los reunidos rezan por su salud. Los que reciben el sacramento obtienen gracias para responder a su enfermedad con esperanza. Su fe en el amor de Dios se fortalece.

Reza por alguien que conoces y que está en necesidad de reconciliación o sanación.

38

Planificación de la lección

Creemos (continuación)

Pida a los estudiantes que escriban una forma en la que hoy responderán al amor de Dios. Pídales que compartan sus trabajos.

Cotejo rápido

✔ *¿Qué tipo de signos son los sacramentos?* (Son signos especiales del amor de Dios y de su presencia.)

✔ *¿Qué nos llama a hacer nuestra vocación común?* (Nuestra vocación común nos llama a proclamar la buena nueva de Cristo a todas las personas a través de nuestras palabras y acciones, a dar testimonio de nuestra fe y a crecer en santidad.)

Lea en voz alta la tercera afirmación de fe. Luego pida a los estudiantes que lean en silencio el texto de *Creemos*. Antes de que comiencen a leer, dígales que doblen un papel por la mitad. Pídales que escriban *Reconciliación* en la primera columna y *La Unción de los Enfermos* en la segunda. Dígales que escriban palabras o frases importantes que los ayuden a entender el poder de sanación y las acciones de Jesús. Explique que cuando las personas reciben el sacramento de la Reconciliación, renuevan o restauran su relación con Dios y con la Iglesia. Con el sacramento de la Unción de los Enfermos, la Iglesia ofrece a los enfermos la paz y la sanación misericordiosa de Dios.

Anime a los estudiantes a orar por alguien que necesite reconciliación o sanación.

Comparta la *Historia para el capítulo* de la página 34A de la guía. Pida a los estudiantes que consideren cómo servir a los demás, ahora y en el futuro.

All those who receive the sacraments of Christian initiation share a **common vocation**. This is the call to holiness and evangelization. God calls each of us:

- to proclaim the good news of Christ
- to share and give witness to our faith
- to grow in holiness.

God alone is holy, but he shares his holiness with us. **Holiness** is sharing in God's goodness and responding to his love by the way we live. Our holiness comes through grace.

To grow in holiness we have to respond to the grace we receive in the sacraments. The Holy Spirit helps us to do this. We try to follow Jesus' example and his commandment to love others.

Write one way you will respond to God's love today.

____

____

The sacraments of healing are Reconciliation and Anointing of the Sick.

We learn from the gospels that Jesus often forgave and healed those who believed. Jesus was showing that God has power over sickness and sin. Jesus gave the apostles the authority to forgive and to heal. This authority continues in the Church. The sacraments of Reconciliation and Anointing of the Sick are two ways that we celebrate Jesus' healing power.

In the sacrament of Reconciliation members of the Church are reconciled with God and with the Church. Those who are truly sorry confess their sins to a priest and are forgiven. For those who receive the sacrament of Reconciliation, their relationship with God and the entire Church is made whole again.

The Church offers the sacrament of the Anointing of the Sick to those who are very sick. It is also for those who are near death. In this sacrament the priest anoints the person who is sick, and all gathered pray for his or her health. Those who receive the sacrament are given the grace to respond to their illness with hope. Their faith in a loving God can be strengthened.

Pray for someone you know who is in need of reconciliation or healing.

39

Activity Bank

Multiple Intelligences

Interpersonal

Activity Materials: empty liter-sized soda bottles with the bottoms cut off (save the bottoms of the bottles), masking tape, markers, personal mementos that the students bring from home.

Ask the students to gather five items from home that are signs of God's love for them, such as photographs of family members, cards from relatives, letters from friends, and so on. Have each student place his or her mementos in a bottle. Use masking tape to reattach the bottom. Suggest that the students decorate their bottles with captions such as *Signs of God's Love.* Write the date on the bottle. Invite a few students to present their items and explain how each is a sign of God's love before putting the item in the bottle. Tell the students that they can save the bottles as time capsules of their lives as fifth graders.

Lesson Plan

We Believe (continued)

Have the students write one way they will respond to God's love today. Have them share their work.

Quick Check

✔ *What kind of signs are the sacraments?* (They are special signs of God's love and presence.)

✔ *What does our common vocation call us to do?* (Our common vocation calls us to proclaim the good news of Christ to all people through our words and actions, to witness our faith, and to grow in holiness.)

Read aloud the third *We Believe* statement. Then have the students read silently the *We Believe* text. Before they begin reading, have them fold a piece of paper in half. Have them write Reconciliation in the first column, and The *Anointing of the Sick* in the second column. Ask them to write significant words or phrases that help them to understand the healing power and actions of Jesus. Explain that, when people receive the sacrament of Reconciliation, they renew or restore their relationship with God and the Church. In the sacrament of the Anointing of the Sick, the Church offers ill people God's peace and healing mercy.

Encourage the students to pray for someone in need of reconciliation or healing.

Share the *Chapter Story* on guide page 34B. Ask the students to consider ways to serve others, both now and in the future.

Ideas

Orar por tu vocación

Nuestra vocación común es predicar la buena nueva de Jesús. San José es el santo patrón de aquellos que buscan sus vocaciones particulares.

Recuerde a los estudiantes que la mejor manera de conocer la voluntad de Dios es siguiendo sus intereses y desarrollando los dones y talentos que Dios les ha dado.

Enséñeles a orar: "San José, ayúdame a ser un trabajador fiel del reino de Dios, como lo fuiste tú".

Como católicos...

Vocación

Después de presentar la lección, invite a voluntarios que lean el texto en voz alta. Recuerde a los estudiantes que Dios nos llama a cada uno de nosotros a llevar una forma de vida particular. Anímelos a orar para que el Espíritu Santo los ayude a encontrar sus vocaciones.

Orden Sagrado y Matrimonio son los sacramentos de servicio a los demás.

Los que reciben los sacramentos del Orden y el Matrimonio son fortalecidos para servir a Dios y a la Iglesia por medio de una vocación especial. En el sacramento del Orden, Dios llama a algunos hombres para que sirvan como ministros ordenados en la Iglesia. Ellos son ordenados como obispos, sacerdotes o diáconos. Ellos tienen diferentes papeles y responsabilidades al servir a la Iglesia.

Los obispos son los sucesores de los apóstoles. Ellos son los líderes y maestros oficiales de la Iglesia. Los obispos son llamados a ayudar a los seguidores de Jesús a crecer en santidad. Ellos cumplen esta misión por medio de la oración, la prédica y la celebración de los sacramentos.

Los sacerdotes son colaboradores de los obispos. Ellos son llamados a predicar la buena nueva, a celebrar los sacramentos con y por nosotros y guiar a los miembros de la Iglesia.

Los diáconos asisten a los obispos en el trabajo de servicio en toda la Iglesia. Ellos bautizan, son testigos en matrimonios, presiden funerales, proclaman la buena nueva y predican.

Vocabulario

sacramento (pp 333)
gracia santificante (pp 332)
iniciación cristiana (pp 332)
vocación común (pp 333)
santidad (pp 333)

En el sacramento del Matrimonio, un hombre y una mujer se comprometen a amarse como Dios los ama. Ellos prometen ser fieles uno al otro y a vivir vidas de servicio a ellos y sus hijos.

El sacramento del Matrimonio fortalece a la pareja para construir una familia basada en una fe fuerte en Dios y en cada uno. Esto los capacita para compartir su fe con su familia y a servir a la Iglesia y a la comunidad.

RESPONDEMOS

Haz una lista de los sacramentos que has recibido. Conversa sobre las formas en que cada uno te ha ayudado a estar más cerca de Dios y de la Iglesia.

____

____

____

Como católicos...

Una vocación es un llamado a una forma de vida. Dios llama a cada uno de nosotros a servirle de una forma especial. Podemos seguir nuestra vocación como solteros, casados, religiosos o en el sacerdocio.

Descubrir nuestra vocación es una parte importante de nuestras vidas. El Espíritu Santo nos guía cuando rezamos. Familiares, amigos y maestros también nos ayudan a conocer las formas en que Dios nos llama.

Reza para que Dios te guíe a saber cual es tu vocación.

40

Planificación de la lección

CREEMOS (continuación)

Lea en voz alta la cuarta afirmación de fe y el primer párrafo de *Creemos*. Luego, pida a voluntarios que lean en voz alta los párrafos siguientes. Enfatice que:

- Los obispos, sacerdotes y diáconos se entregan al sacramento del Orden Sagrado. Como sucesores de los apóstoles, los obispos son líderes y maestros oficiales de la Iglesia. Los sacerdotes son compañeros de trabajo de los obispos. Los diáconos colaboran con los obispos en las obras de servicio al pueblo de Dios.
- Un hombre y una mujer prometen amarse y tenerse fidelidad el uno al otro en el sacramento del Matrimonio. Viven para servir a su pareja y a sus hijos.

Vocabulario Distribuya 10 fichas a cada pareja de estudiantes. Pídales que se dividan el trabajo de escribir una palabra del vocabulario o una definición en cada ficha. Baraje las fichas y póngalas boca abajo en el pupitre. Cada estudiante escoge una ficha y busca la definición o palabra correspondiente.

RESPONDEMOS ____ minutos

Recuerde los sacramentos que ha recibido. Si es posible, muestre a los estudiantes sus recuerdos, por ejemplo, una vela bautismal o fotos de su Confirmación o Matrimonio (si corresponde). Comparta las emociones que vivió y la forma en que cada sacramento lo ayudó a acercarse a Dios y a otros miembros de la Iglesia. Invite a los estudiantes a escribir como cada sacramento que han recibido los ha ayudado a acercarse a Dios y a la Iglesia.

Holy Orders and Matrimony are sacraments of service to others.

Those who receive the sacraments of Holy Orders and Matrimony are strengthened to serve God and the Church through a particular vocation. In the sacrament of Holy Orders, God calls some men to serve him as ordained ministers in the Church. They are ordained as bishops, priests, or deacons. They have different roles and duties in serving the Church.

The bishops are the successors of the apostles. They are the leaders and official teachers of the Church. The bishops are called to help Jesus' followers grow in holiness. They do this through prayer, preaching, and the celebration of the sacraments.

Priests are coworkers with the bishops. They are called to preach the good news, celebrate the sacraments with and for us, and guide the members of the Church.

Deacons assist the bishops in works of service for the whole Church. They baptize, witness marriages, preside at funerals, proclaim the good news, and preach.

In the sacrament of Matrimony, a man and a woman pledge to love each other as God loves them. They promise to remain faithful to each other and to live lives of service to each other and to their children.

Key Words
- **sacrament** (p. 336)
- **sanctifying grace** (p. 336)
- **Christian initiation** (p. 334)
- **common vocation** (p. 334)
- **holiness** (p. 335)

The sacrament of Matrimony strengthens the couple to build a family rooted in a strong faith in God and each other. It enables them to share their faith with their family and to serve the Church and the community.

WE RESPOND

List the sacraments you have received. Discuss ways each has helped you grow closer to God and the Church.

____

____

____

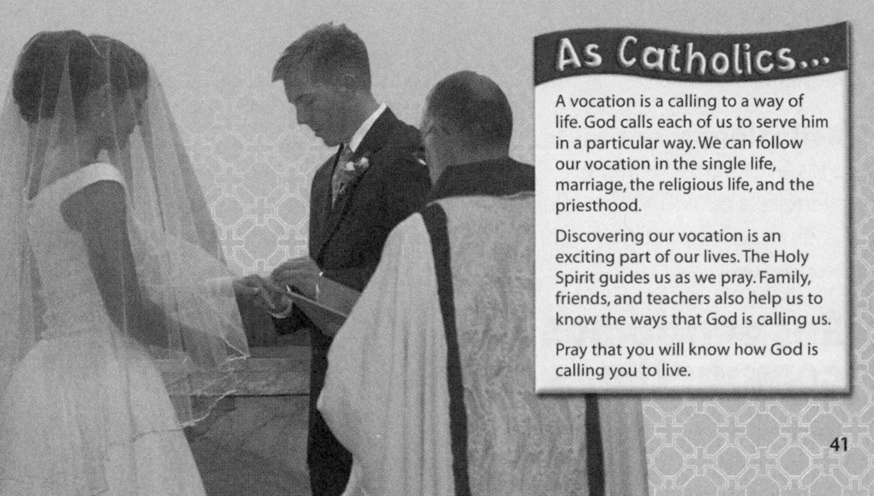

As Catholics...

A vocation is a calling to a way of life. God calls each of us to serve him in a particular way. We can follow our vocation in the single life, marriage, the religious life, and the priesthood.

Discovering our vocation is an exciting part of our lives. The Holy Spirit guides us as we pray. Family, friends, and teachers also help us to know the ways that God is calling us.

Pray that you will know how God is calling you to live.

41

Teaching Note

Praying About Your Vocation

To spread the good news of Jesus is our common vocation. Saint Joseph is the patron saint of those seeking to find their particular vocations. Remind the students that following their interests and developing their God-given gifts and talents is the best way to find God's will for them. Teach them to pray: "Saint Joseph, help me to be a faithful worker in God's Kingdom, as you were."

As Catholics...

Vocation

After you have presented the lesson, invite volunteers to read aloud the text. Remind the students that God calls each of us to a particular way of life. Encourage them to pray for the Holy Spirit's help in determining their vocations.

Lesson Plan

WE BELIEVE (continued)

Read aloud the fourth *We Believe* statement and the first *We Believe* paragraph. Then have volunteers read aloud the remaining paragraphs. Emphasize:

- Bishops, priests, and deacons are ordained in the sacrament of Holy Orders. As successors to the apostles, bishops are leaders and official teachers of the Church. Priests are coworkers with the bishops. Deacons assist the bishops in works of service to God's people.
- A man and a woman promise to love and be faithful to each other in the sacrament of Matrimony. They live lives of service to each other and to their children.

Key Words Distribute ten index cards to each pair of students. Have them divide the work of writing one *Key Word* or one definition on each card. Shuffle the cards and place them face down on the desk. Each student chooses a card, then searches for its matching definition or *Key Word.*

WE RESPOND ___ minutes

Recall the sacraments that you have received. If possible, show the students mementos, such as a baptismal candle or pictures of your Confirmation or wedding ceremony (if applicable). Share the feelings you experienced and the way each sacrament helped you to grow closer to God and other members of the Church. Invite students to write down ways each sacrament they have received has helped them grow closer to God and the Church.

BANCO DE ACTIVIDADES

Conexión multicultural

Aprender sobre los santos

Materiales: libros, revistas y sitios Web sobre los santos

Explore las vidas de diversos santos. Pida a grupos pequeños que trabajen juntos para investigar las vidas de los santos que vivieron sus vocaciones.

Sugiera los siguientes: los sacerdotes como San Andrés Kim de Corea y San Estanislao de Kostka, Polonia; los religiosos como Santa Teresa de Avila, en España y San Marcelino Champagnat de Francia; y las personas casadas como Santa Mónica de Africa del Norte y San José de Nazaret. Comparta los resultados de su investigación.

CONEXION CON EL HOGAR

Compartiendo lo aprendido

Asegúrese de recordar a los estudiantes conversar con sus familias sobre lo aprendido en esta sesión.

Para más información y actividades adicionales visite Sadlier en

www.CREEMOSweb.com

Planifique por adelantado

Lugar de oración: Biblia, recipiente de agua y un ladrillo o piedra

Materiales: tres hojas de papel en blanco para cada estudiante, copias del patrón 4

______ minutos

Repaso del capítulo

Explique a los estudiantes que ahora van a comprobar su conocimiento de lo que han aprendido sobre los siete sacramentos como signos del amor de Dios por nosotros. Pídales que respondan verdadero o falso a los enunciados 1–4. Pídales completar los enunciados 5–8 apareando cada término con su definición. Ayude a los estudiantes a revisar sus respuestas pidiendo a voluntarios que den la respuesta correcta. Pida a los estudiantes que respondan a la última pregunta. Comparta las respuestas.

Repaso — Capítulo 3

Escribe V si es verdadero y F si es falso. Cambia lo falso en verdadero.

1. __F__ San Pablo instituyó los sacramentos para continuar su trabajo.
   Jesús instituyó los sacramentos para continuar su trabajo.
2. __V__ La Iglesia celebra el Matrimonio y las Ordenes Sagradas como sacramentos de servicio.
3. __V__ Reconciliación y Unción de los Enfermos son dos formas en que la Iglesia celebra el poder sanador de Jesús.
4. __F__ Los sacramentos de iniciación cristiana son Bautismo, Eucaristía y Matrimonio.
   Los sacramentos de iniciación cristiana son Bautismo, Confirmación y Eucaristía.

Escribe en la raya la letra que mejor define el término

5. __b__ santidad
6. __a__ gracia santificante
7. __e__ vocación común
8. __d__ sacramento

a. don de compartir la vida de Dios que recibimos en los sacramentos
b. compartir la bondad de Dios y responder a su amor con la manera en que vivimos; viene por la gracia
c. el proceso de ser miembro de la Iglesia por medio de los sacramentos del Bautismo, la Confirmación y la Eucaristía.
d. signo efectivo dado por Jesús por medio del cual compartimos la vida de Dios
e. la llamada a la santidad y a la evangelización que comparten todos los cristianos

Contesta.

9–10. ¿Cuál es el propósito de los sacramentos?
Vea la página 36.

Reflexiona y ora

Jesús, eres mi modelo de santidad porque

Amén.

42

PAGINA DEL ALUMNO 42

Reflexiona y ora Invite a los estudiantes a leer en silencio la actividad de reflexión. Anímelos a recordar formas en que Jesús practicó santidad y sanó a los demás y que luego compartan sus respuestas.

Respondemos y compartimos la fe

______ minutos

Recuerda Escriba las palabras *sacramentos, iniciación, sanación* y *servicio* en la pizarra. Pida a los estudiantes que relacionen estas palabras con los cuatro enunciados. Por ejemplo, los *sacramentos* nos hacen recordar las siete formas en que Cristo comparte su amor con nosotros.

Nuestra vida católica

Lea en voz alta la sección. Haga hincapié en el trabajo valioso de los claretianos en todo el mundo. Explique como estos misioneros ejemplifican lo que significa servir con el sacramento del Orden Sagrado. Anime a los estudiantes a visitar el sitio Web de los claretianos.

Respondemos y compartimos la fe

Compartiendo lo aprendido

Habla con tu familia sobre lo siguiente:

- gracia santificante
- sacramentos de iniciación cristiana
- sacramentos de sanación
- sacramentos de servicio a los demás.

Recuerda

- Jesús dio siete sacramentos a la Iglesia.
- Los sacramentos de iniciación cristiana son Bautismo, Confirmación y Eucaristía.
- Los sacramentos de sanación son Reconciliación y Unción de los Enfermos.
- Las Ordenes Sagradas y el Matrimonio son los sacramentos de servicio a los demás.

"Cristo es la imagen visible de Dios, que es invisible".

NUESTRA VIDA CATOLICA

Los claretianos

Los Claretianos es una comunidad misionera religiosa de sacerdotes y hermanos. Ellos llevan el mensaje del evangelio a los pobres y necesitados en todo el mundo. Están involucrados en varios ministerios dedicados a los asuntos sociales de justicia, paz y medio ambiente. Ellos prestan atención especial a los inmigrantes, los jóvenes y las familias. Fueron fundados por San Antonio María Claret en 1849. Hoy hay más de 3,000 claretianos en cincuenta y ocho países y cinco continentes. Visita su Web en www.claretians.org.

Visita Sadlier en www.CREEMOSweb.com

Conexión con el Catecismo
Para referencia vea los párrafos 1210, 1212, 1421 y 1534.

44

PAGINA DEL ALUMNO 44

_____ minutes

Chapter Review Explain to the students that they are now going to check their understanding of what they have learned about the seven sacraments as signs of God's love for us. Have the students answer true or false for statements 1–4. Ask them to complete statements 5–8 by matching each term with its definition. Help the students to check their answers by calling on volunteers to say the correct answers. Have the students respond to the last question. Share answers.

Reflect & Pray Invite students to read silently the reflective activity. Encourage them to recall the ways that Jesus modeled holiness and healed others. Share responses.

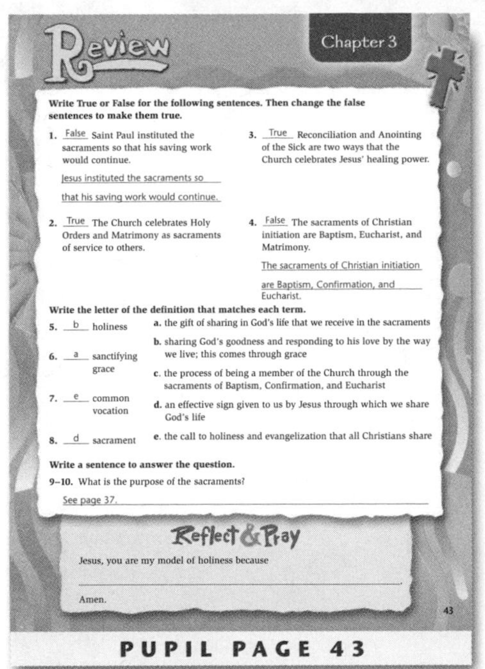

Review Chapter 3

Write True or False for the following sentences. Then change the false sentences to make them true.

1. False Saint Paul instituted the sacraments so that his saving work would continue.
Jesus instituted the sacraments so that his saving work would continue.

2. True The Church celebrates Holy Orders and Matrimony as sacraments of service to others.

3. True Reconciliation and Anointing of the Sick are two ways that the Church celebrates Jesus' healing power.

4. False The sacraments of Christian initiation are Baptism, Eucharist, and Matrimony.
The sacraments of Christian initiation are Baptism, Confirmation, and Eucharist.

Write the letter of the definition that matches each term.

5. b holiness
6. a sanctifying grace
7. e common vocation
8. d sacrament

a. the gift of sharing in God's life that we receive in the sacraments
b. sharing God's goodness and responding to his love by the way we live; this comes through grace
c. the process of being a member of the Church through the sacraments of Baptism, Confirmation, and Eucharist
d. an effective sign given to us by Jesus through which we share God's life
e. the call to holiness and evangelization that all Christians share

Write a sentence to answer the question.

9–10. What is the purpose of the sacraments?
See page 37.

Reflect & Pray

Jesus, you are my model of holiness because

Amen.

43

PUPIL PAGE 43

We Respond and Share the Faith

_____ minutes

Remember Write the words *sacraments, initiation, healing,* and *service* on the board. Have the students relate these words to the four statements. For example, *sacraments* would call to mind the seven ways Christ shares his love with us.

Our Catholic Life Read the section aloud. Focus on the valuable work that the Claretians perform worldwide. Explain the ways these missionaries exemplify the meaning of service in the sacrament of Holy Orders. Encourage the students to visit the Claretian Web site.

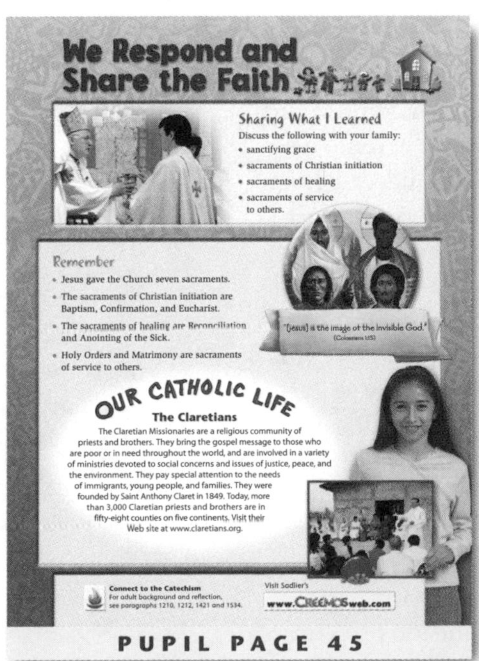

We Respond and Share the Faith

Sharing What I Learned
Discuss the following with your family:
- sanctifying grace
- sacraments of Christian initiation
- sacraments of healing
- sacraments of service to others.

Remember
- Jesus gave the Church seven sacraments.
- The sacraments of Christian initiation are Baptism, Confirmation, and Eucharist.
- The sacraments of healing are Reconciliation and Anointing of the Sick.
- Holy Orders and Matrimony are sacraments of service to others.

"[Jesus] is the image of the invisible God." (Colossians 1:15)

OUR CATHOLIC LIFE

The Claretians

The Claretian Missionaries are a religious community of priests and brothers. They bring the gospel message to those who are poor or in need throughout the world, and are involved in a variety of ministries devoted to social concerns and issues of justice, peace, and the environment. They pay special attention to the needs of immigrants, young people, and families. They were founded by Saint Anthony Claret in 1849. Today, more than 3,000 Claretian priests and brothers are in fifty-eight counties on five continents. Visit their Web site at www.claretians.org.

Connect to the Catechism
For adult background and reflection, see paragraphs 1210, 1212, 1421 and 1534.

Visit Sadlier's www.CREEMOSweb.com

PUPIL PAGE 45

Activity Bank

Multicultural Connection

Learning About Saints Worldwide

Materials: books, magazines, and Web sites about the saints

Explore the lives of different saints. Have small groups work together to research the lives of saints who fulfilled different vocations. Suggest the following: priests such as Saint Andrew Kim of Korea and Saint Stanislaus Kostka of Poland; religious such as Saint Teresa of Avila, of Spain, and Saint Marcellin Chamagnat, of France; and married people such as Saint Monica of Northern Africa and Saint Joseph of Nazareth. Share the results of their research.

Home Connection

Sharing What I Learned

Ask the students to talk with their families about what they learned in this chapter.

For additional information and activities, encourage families to visit Sadlier's

www.CREEMOSweb.com

Plan Ahead for Chapter 4

Prayer Space: a Bible, a bowl of water, and a brick or stone

Lesson Materials: sentence strips, a sheet of blank paper for each student, scissors, markers or crayons, glue or tape, copies of Reproducible Master 4

Capítulo 4

Nueva vida en Cristo

Ojeada

En este capítulo los estudiantes aprenderán que el sacramento del Bautismo nos da nueva vida en Cristo.

Contenido doctrinal	Referencia del *Catecismo de la Iglesia Católica*
Los estudiantes aprenderán que:	párrafo
• El Bautismo es la base de nuestra vida cristiana	1213
• En el Bautismo somos librados del pecado y nos hacemos hijos de Dios	1265
• Somos sacerdote, profeta y rey	783
• Por nuestro Bautismo, tenemos esperanza de vida eterna	1274

Referencia catequética

¿De qué forma ha experimentado una nueva vida o desarrollo en su vida?

Somos creados a imagen y semejanza de Dios para estar en relación con él. Como vemos en la historia de Adán y Eva, la gente usó su propia voluntad para hacer las cosas a su manera y así, nos separamos de Dios. Asi surgió el pecado y se perdió "la gracia de la santidad original" (*CIC* 399).

Dios envió a su Hijo para que nos mostrara como vivir y nos salvara de todo lo que nos impide vivir por el reino de Dios. Llamamos *encarnación* al hecho de Dios hacerse hombre. Gracias al misterio pascual, la pasión, muerte y resurrección de Jesús , ya no somos esclavos del pecado, somos salvados y se nos da la oportunidad de vivir la vida eterna.

La salvación es un regalo que recibimos. Aceptamos este regalo en el Bautismo. El Bautismo es la base de la vida cristiana. Con el Bautismo muere nuestro pecado y se restaura la imagen de Dios con la que fuimos creados. Con el Bautismo somos librados del pecado original y de cualquier pecado personal. El Bautismo nos da la esperanza de vida eterna y la gracia para llevar vidas santas.

En el Bautismo somos ungidos sacerdote, profeta y rey igual que Jesús fue ungido sacerdote, profeta y rey. Compartimos el sacerdocio de Cristo en su misión profética y real (*CIC* 1268). Como pueblo sacerdotal, nos unimos al sacrificio perfecto ofrecido por Jesucristo. Como pueblo profético, defendemos la verdad y trabajamos por la justicia.

¿Cómo se ve como sacerdote, profeta y rey en su vida diaria?

Mirando la vida

Historia para el capítulo

Lena se divertía jugando con sus amigas del vecindario el sábado por la tarde. Las niñas jugaron a la reina mora, saltaron soga y bromearon mucho.

Ese sábado, una niña que se acababa de mudar al vecindario se presentó. Su nombre era Nancy. Aunque conocía a Lena y sus amigas, todavía no había jugado con ellas después de la escuela o durante el fin de semana. Pero hoy se acercó para hablar.

Lena y sus amigas le dieron la bienvenida de inmediato. Como a las 4:15 la mamá de Lena la llamó. "Lena, es hora de alistarse para ir a la Iglesia".

"Voy, mamá", respondió Lena.

"Pero nos estamos divirtiendo tanto, ¿vas a *ir*?" Preguntó Nancy. Parecía sorprendida.

"Siempre vamos a la misa los sábados a las cinco de la tarde", dijo Lena. Las amigas de Lena asintieron con la cabeza.

"Nosotros no vamos—es *estúpido* ir a la iglesia", dijo Nancy. "La Iglesia es aburrida y no se aprende nada de ella. Es una pérdida de tiempo. En lugar de ir, deberías quedarte a jugar".

Lena pausó un momento, sonrió y dijo, "¡Nancy, me *encanta* ir a la iglesia! Me alegra pensar en Dios, rezar y cantarle canciones. Yo voy a la iglesia porque me gusta y no porque tengo que ir. Ya es hora de que me vaya".

Lena sonrió, se despidió de las niñas y se fue corriendo. Nancy la vio marchar y le dijo a las niñas muy pensativamente, "¡Vaya! Parece que de veras le gusta ir a la iglesia".

¿Qué tipo de ejemplo le dio Lena a sus amigas?

Overview

In this chapter the students will learn that the sacrament of Baptism gives us new life in Christ.

Doctrinal Content	For Adult Reading and Reflection *Catechism of the Catholic Church*
The students will learn:	Paragraph
• Baptism is the foundation of Christian life.	1213
• In Baptism we are freed from sin and become children of God.	1265
• We are a priestly, prophetic, and royal people.	783
• Because of our Baptism, we have hope of eternal life.	1274

Catechist Background

What are some ways you have experienced new life or growth in your life?

We were created by God, in the image of God, to be in a relationship with God. But people used free will to choose their own way rather than God's way, and we became separated from God. Sin entered the picture and "the grace of original holiness" (*CCC* 399) was lost.

God sent his Son to show us how to live and to save us. We call the act of God becoming man the *Incarnation*. Through the Paschal Mystery—Jesus' suffering, dying, and rising from the dead—we are no longer slaves to sin but are saved and have the opportunity for life everlasting.

Salvation is a gift freely given, without merit from us. We accept this gift in the sacrament of Baptism, the foundation of Christian life. In Baptism we die to sin and are restored to the image of God with which we were created. We are cleansed of original sin and any personal sin and are given a new opportunity to use our freedom for the glory of God. We have the hope of eternal life and are given the grace to live lives of holiness.

In Baptism we are anointed priest, prophet, and king as Jesus was. We share in Christ's priesthood, in his prophetic and royal mission (*CCC* 1268). As priestly people we unite ourselves to perfect sacrifice. As prophetic people we speak out and defend truth and work for justice.

How do you see yourself as priest, prophet, or king in your daily life?

Focus on Life

Chapter Story

Lena was having a good time playing with her neighborhood friends on Saturday afternoon. The girls played hopscotch, jumped rope, and did a lot of joking.

That Saturday, a girl who had recently moved to the neighborhood came by. Her name was Nancy. Although she knew Lena and her friends, she had not yet played with them after school or on the weekend. Today, though, she stopped to talk.

Lena and her friends instantly welcomed her. At about 4:15, Lena's mother called to her. "Lena, it's time to get ready to go to Church."

"OK, Mom," Lena called back.

"But we're having so much fun—you're going to *leave*?" asked Nancy. She seemed very surprised.

"We always go to the five o'clock Mass on Saturday," said Lena. Lena's friends nodded in agreement.

"We don't go—it's *stupid* to go to church," said Nancy. "Church is boring, and you don't get anything out of it. It's a waste of time. You should stay here and play instead."

Lena paused for a moment, smiled, and said, "Nancy, I *love* going to church! It makes me happy to think about God, to pray, and to sing songs to God. I go to church because I want to, not because I have to. And right now I have to get going!"

Lena smiled, said goodbye to the girls, and ran off. Nancy watched Lena leave, then said to the girls very thoughtfully, "Wow, I guess she really likes to go to church."

What kind of example did Lena give to her friends?

Guía para planificar la lección

1 NOS CONGREGAMOS

Pasos de la lección	Presentación	Materiales
pág. 46 **Oración**	• Escuchar la Escritura. Responder cantando. 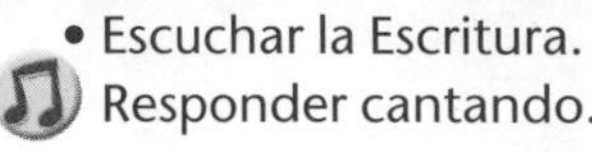	Para el lugar de oración: Biblia, recipiente de agua y un ladrillo o piedra
 **Mirando la vida**	• Conversar sobre la unidad con los demás.	"Somos todos el pueblo de Dios", 4–6 CD

2 CREEMOS

Pasos de la lección	Presentación	Materiales
pág. 46 *El Bautismo es la base de nuestra vida cristiana.*	• Leer y conversar sobre el texto de Bautismo. • Conversar sobre los símbolos bautismales. Identificar formas de mostrar unidad con los miembros de la Iglesia.	
pág. 48 *En el Bautismo somos librados del pecado y nos hacemos hijos de Dios.*	• Leer y conversar sobre la venida de Jesús a salvarnos. • Repasar la *encarnación* y la *salvacion.* Señalar formas de vivir como miembros de la familia de Dios.	• copias del patrón 4 • tijeras, marcadores o creyones, pegamento o cinta
pág. 50 *Somos sacerdote, profeta y rey.*	• Leer y conversar sobre Jesús como sacerdote, profeta y rey. • Repasar las formas en que somos profetas. Identificar tareas sacerdotales, proféticas y de rey servidor.	
pág. 52 *Por nuestro Bautismo, tenemos esperanza de vida eterna.*	• Leer y conversar sobre nuestra esperanza de vida eterna. • Leer y comentar *Como católicos.*	

3 RESPONDEMOS

Pasos de la lección	Presentación	Materiales
pág. 52	Escribir sobre ser un bautizado seguidor de Cristo.	
páginas 54 y 56 **Repaso**	• Completar las preguntas 1–10. • Completar la actividad en *Reflexiona y ora.*	• tiras de frases
páginas 54 y 56 **Respondemos y compartimos la fe**	• Repasar *Recuerda* y el *Vocabulario.* • Leer y conversar sobre *Nuestra vida católica.*	

Para ideas, actividades y otras oportunidades visite Sadlier en **www.CREEMOSweb.com**

Lesson Planning Guide

Lesson Steps	Presentation	Materials
1 WE GATHER		
page 47 **Prayer**	• Listen to Scripture. Respond in song.	• For prayer space: Bible, bowl of water, brick or stone "We Are All the People of God," 4–6 CD
 **Focus on Life**	• Discuss unity with others.	
2 WE BELIEVE		
page 47 *Baptism is the foundation of Christian life.*	• Read about and discuss Baptism. • Discuss baptismal symbols. Identify ways to show oneness with other Church members.	
page 49 *In Baptism we are freed from sin and become children of God.*	• Read about and discuss Jesus' coming to save us. • Review *Incarnation* and *salvation.* Name ways to live as members of God's family.	• copies of Reproducible Master 4 • scissors, glue or tape, markers or crayons
page 51 *We are a priestly, prophetic, and royal people.*	• Read about and discuss Jesus as priest, prophet, and king. • Review ways we are prophets. Identify the priestly, prophetic, and servant-king tasks.	
page 53 *Because of our Baptism, we have hope of eternal life.*	• Read about and discuss our hope for eternal life. • Read and discuss *As Catholics*.	
3 WE RESPOND		
page 53	Write about being a baptized follower of Jesus.	
pages 55 and 57 **Review**	• Complete questions 1–10. • Complete *Reflect & Pray.*	• sentence strips, a sheet of blank paper for each student
pages 55 and 57 **We Respond and Share the Faith**	• Review *Remember* and *Key Words.* • Read and discuss *Our Catholic Life.*	

For additional ideas, activities, and opportunities: Visit Sadlier's **www.CREEMOSweb.com**

Conexiones

Santos

En esta lección los estudiantes aprenderán que San Pablo y otros apóstoles y discípulos propagaron la fe en todo el mundo. Además, se estudia a los santos y lo que sus vidas pueden enseñarnos sobre el discipulado. Anime a los estudiantes a pensar sobre los santos e investigar la vida individual de éstos. Hable acerca de los retos con los que se encontraron los santos y de las dificultades y penurias que enfrentaron cuando intentaban vivir como Dios quería. Comparta historias de varios santos de diferentes países y continentes.

Escritura

Explique la conexión entre los apóstoles y los discípulos con el discipulado de hoy. Anime a los estudiantes a explorar lo que significa ser discípulo de Cristo. Pídales que lean más acerca de los Hechos de los apóstoles para descubrir las maneras en que los apóstoles y otros misioneros propagaron la buena nueva de Cristo.

FE Y MEDIOS

▶ En *Nuestra Vida Católica* los estudiantes aprenderán acerca de los santos patrones. Sugiera a los estudiantes que visiten sitios Web católicos que ofrezcan biografías cortas sobre los santos. Varios sitios Web tienen bases de datos por orden del nombre de los santos y por patronazgo. Señale que muchas ciudades de los Estados Unidos, especialmente en las zonas inicialmente habitadas por los españoles y franceses, tienen nombres de santos patrones. Entre otros están San Antonio, Texas; San Francisco, California y St. Louis, Missouri. Incluso la ciudad de Los Angeles lleva el nombre de su santa patrona: Nuestra Señora de los Angeles.

Liturgia para la semana

Visite **www.creemosweb.com** para las lecturas bíblicas de esta semana y otros materiales propios del tiempo.

Necesidades individuales

Estudiantes de inglés

Es probable que los estudiantes que están aprendiendo inglés no tengan el nivel de lectura de sus compañeros. Posiblemente necesiten más tiempo para estudiar el contenido de la lección. Lea el texto en voz alta a estos estudiantes y pídales que se lo lean a usted. Póngalos en pareja con estudiantes cuyo idioma es el inglés, y pídales que trabajen en equipo.

RECURSOS ADICIONALES

Libro *Palabra de Dios,* Alberto Martínez Jiménez, Spanish Speaking Bookstore.

Para ideas visite Sadlier en

www.CREEMOSweb.com

Connections

To Saints

In this lesson the students will learn that the apostles and disciples were sent out by Jesus and strengthened by the Holy Spirit to spread the faith throughout the world. Also, the saints and what their lives can teach us about discipleship is examined. Encourage the students to think about the saints and then to research individual saints' lives. Discuss the challenges met by the saints, the difficulties and hardships they faced as they tried to live as God wanted them to. Share stories of various saints from different countries and continents.

To Scripture

Explain the connection between the apostles and disciples and discipleship today. Encourage the students to explore what it means to be a disciple of Christ. Have them read further in the Acts of the Apostles to discover the ways the apostles and other missionaries spread the good news about Christ.

FAITH and MEDIA

▶ In *Our Catholic Life* the students will learn about patron saints. Suggest that the students visit Catholic Web sites that offer short biographies of the saints. Several sites feature databases by saint's name and by patronage. Point out that many cities in the United States, especially in areas first settled by the Spanish and the French, bear the names of patron saints. Among these are San Antonio, Texas; San Francisco, California; and St. Louis, Missouri. Even the city of Los Angeles was named for its patron saint: *Nuestra Señora de los Angeles*—Our Lady of the Angels.

This Week's Liturgy

Visit **www.creemosweb.com** for this week's liturgical readings and other seasonal material.

Meeting Individual Needs

English Language Learners

Students who are learning the English language might not be reading at a level on a par with their peers. These students might need more time to work through the text of this lesson. Read the text aloud to these students, and have them read it back to you. Pair students with English-speaking students, and have them work as a team. In group activities in which students take turns reading aloud, consider exempting the students for whom English is not their first language, or select shorter passages for them to read aloud.

ADDITIONAL RESOURCES

Book *Fifty-Seven Saints,* Anne Eileen Heffernan, Pauline Books and Media, 1994. These biographical accounts of saints illustrate for children how the saints lived God's word.

Book *Can the Saints Come Out to Play? January,* Carolyn Ancell, E. T. Nedder Publishing, 2000. The story of St. Paul is well told for January 25, followed by suggested activities.

To find more ideas for books, videos, and other learning material, visit Sadlier's

www.CREEMOSweb.com

Meta catequética

• Explorar el Bautismo como la base de la vida cristiana

Preparandose para orar

Los estudiantes oirán las palabras llenas de esperanza del profeta Isaías. Responderán cantando.

• Adopte la función de director de la oración.
• Pida a un estudiante que prepare el pasaje bíblico.
• Ponga y practique la canción "Somos todos el pueblo de Dios", 4–6 CD.

El lugar de oración

• Ponga una Biblia, un recipiente de agua y un ladrillo o piedra en la mesa de oración. El agua simboliza las aguas del Bautismo y el ladrillo o la piedra simbolizan que el sacramento es la base de la vida cristiana.

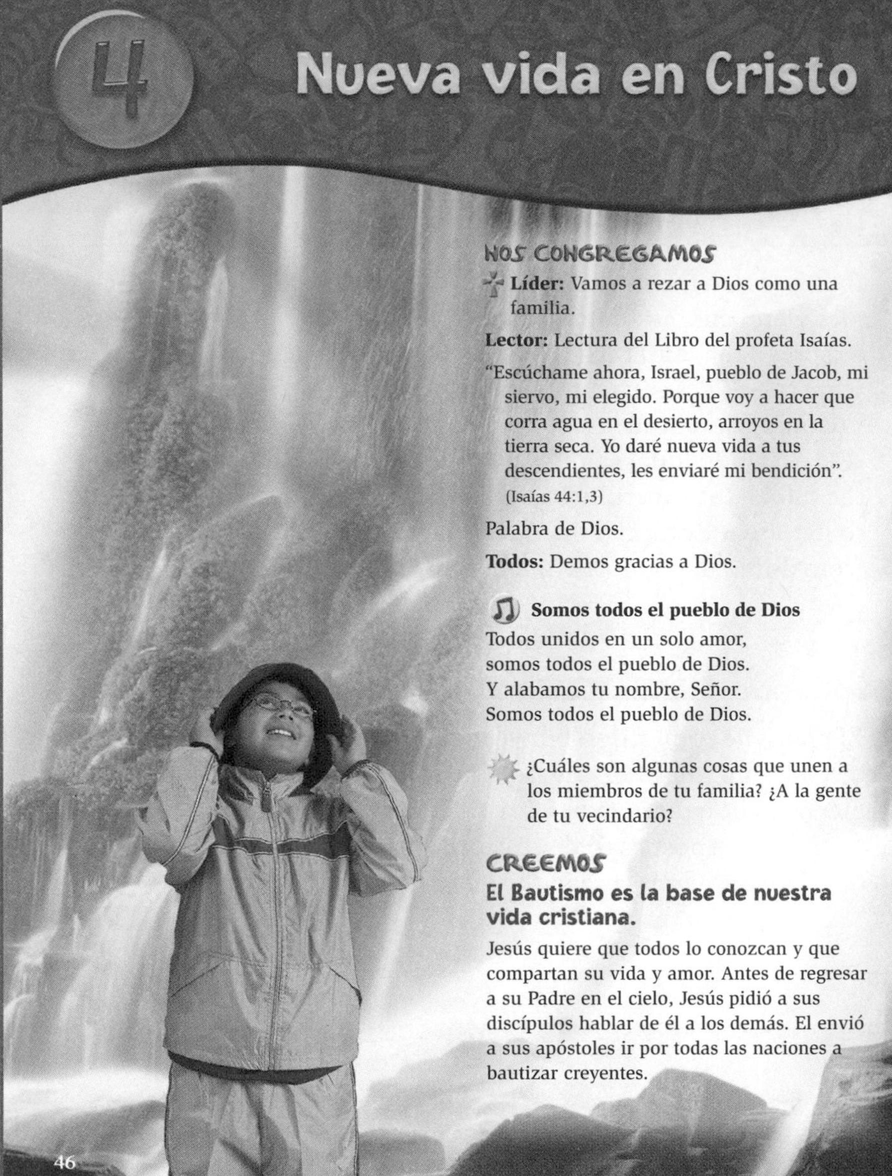

4
Nueva vida en Cristo

NOS CONGREGAMOS
Líder: Vamos a rezar a Dios como una familia.
Lector: Lectura del Libro del profeta Isaías.
"Escúchame ahora, Israel, pueblo de Jacob, mi siervo, mi elegido. Porque voy a hacer que corra agua en el desierto, arroyos en la tierra seca. Yo daré nueva vida a tus descendientes, les enviaré mi bendición". (Isaías 44:1,3)
Palabra de Dios.
Todos: Demos gracias a Dios.
Somos todos el pueblo de Dios
Todos unidos en un solo amor,
somos todos el pueblo de Dios.
Y alabamos tu nombre, Señor.
Somos todos el pueblo de Dios.
¿Cuáles son algunas cosas que unen a los miembros de tu familia? ¿A la gente de tu vecindario?
CREEMOS
El Bautismo es la base de nuestra vida cristiana.
Jesús quiere que todos lo conozcan y que compartan su vida y amor. Antes de regresar a su Padre en el cielo, Jesús pidió a sus discípulos hablar de él a los demás. El envió a sus apóstoles ir por todas las naciones a bautizar creyentes.
46

Planificación de la lección

NOS CONGREGAMOS ____ minutos

Oración

• Pida a los estudiantes que se reúnan en el lugar de oración y abran sus libros a la oración de apertura.

• Recen la Señal de la Cruz. Luego, lea en voz alta la parte del líder.

• Pida a los estudiantes que proclamen la lectura bíblica. Ore al unísono la respuesta con los estudiantes.

• Cante la canción como respuesta.

Mirando la vida

• Lea y converse sobre los elementos que unen a las personas. Diga a los estudiantes que en esta lección aprenderán que el Bautismo nos une a todos los demás cristianos en la esperanza de vida eterna.

CREEMOS ____ minutos

Pida a un voluntario que lea en voz alta la primera afirmación de fe. Pida a los estudiantes que lean y resalten el texto de *Creemos*. Diríjase a los diferentes grupos para responder las preguntas de los estudiantes. Señale que Jesús le dijo a sus apóstoles que fueran a bautizar a todas las naciones. Con la venida del Espíritu Santo, los apóstoles fueron facultados para hacer lo que Jesús les pidió. Pedro y los demás apóstoles compartieron la buena nueva de la salvación con Jesucristo.

Pida a un voluntario que lea el párrafo con los puntos seleccionados. Explique que el sacramento del Bautismo siempre debe verse en conjunto con los sacramentos de la Confirmación y Eucaristía. Los tres sacramentos se llaman los sacramentos de la iniciación cristiana.

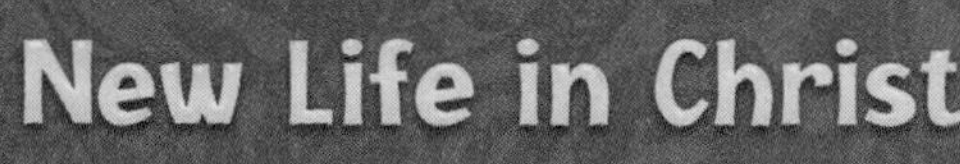

New Life in Christ

4

WE GATHER

✝ **Leader:** Let us pray to God as one family.

Reader: A reading from the Book of the Prophet Isaiah

"Hear then, O Jacob, my servant,
Israel, whom I have chosen.
I will pour out water upon the thirsty ground,
and streams upon the dry land;
I will pour out my spirit upon your offspring,
and my blessing upon your descendants."
(Isaiah 44:1, 3)
The word of the Lord.

All: Thanks be to God.

We Are All the People of God

We are united in God who is love,
we are all the people of God.
Lord, we sing praise to your holy name.
We are all the people of God.

What are some things that unite you with members of your family? your classmates? people in your neighborhood?

WE BELIEVE

Baptism is the foundation of Christian life.

Jesus wanted everyone to know him and to share his life and love. Before he returned to his Father in heaven, Jesus asked his disciples to tell others about him. He sent his apostles out to all nations to baptize believers.

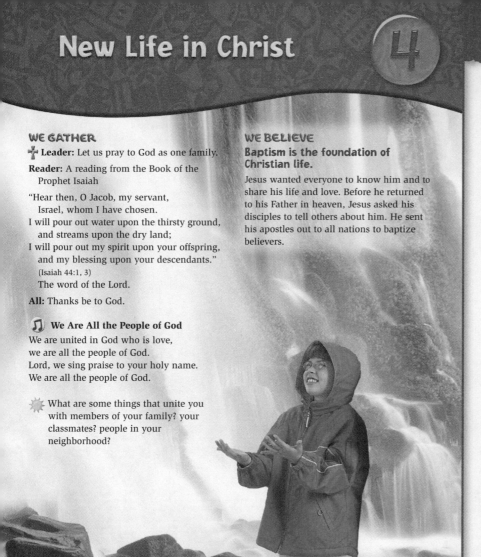

47

Catechist Goal

• To explore Baptism as the foundation of Christian life

Preparing to Pray

The students will hear the hope-filled words of the prophet Isaiah. They will respond in song.

• Assume the role of prayer leader.

• Have a student prepare and read the Scripture passage.

• Play and practice the song, "We Are All the People of God," on the Grade 4–6 CD.

The Prayer Space

• Place a Bible, a bowl of water, and a brick or a stone on the prayer table. The water symbolizes the waters of Baptism and the brick or stone symbolizes that the sacrament is the foundation of Christian life.

Lesson Plan

WE GATHER

____ minutes

✝ Pray

• Have the students gather in the prayer space and open their books to the opening prayer.

• Pray the Sign of the Cross. Then read aloud the leader's part.

• Have a student proclaim the Scripture reading. Pray the response in unison with the students.

• Sing the song as a response.

Focus on Life

• Read and discuss the questions about things that unite people. Tell the students that in this lesson they will learn that Baptism unites us to all other Christians in the hope of eternal life.

WE BELIEVE

____ minutes

Ask a volunteer to read aloud the first *We Believe* statement. Have the students read and highlight the *We Believe* text. Move among the students to answer any questions they may have. Stress that Jesus told his apostles to go out and baptize all nations. With the coming of the Holy Spirit, the apostles were enabled to do as Jesus asked. Peter and the other apostles shared the good news of salvation in Jesus Christ.

Have a volunteer read aloud the paragraph with the bulleted items. Explain that the sacrament of Baptism should always be seen in connection with the sacraments of Confirmation and Eucharist. The three sacraments are called the sacraments of Christian initiation.

Nuestra respuesta en la fe

- Apreciar la gracia del Bautismo y entender nuestras funciones como sacerdote, profeta y rey

Bautismo
encarnación
salvación
profeta
vida eterna
santos

Materiales

- tijeras y marcadores o creyones
- copias del patrón 4

Conexión con el hogar

Pregunte: *¿Qué sacramento te ayudó a entender mejor las funciones importantes que tus padres tienen en tu vida?*

Con la venida del Espíritu Santo, en Pentecostés, los discípulos de Jesús fueron fortalecidos para hacer lo que él les pidió. Ellos dijeron a la multitud que Jesucristo había muerto y había resucitado a una nueva vida. Ellos compartieron su creencia de que Cristo es el Hijo de Dios. Pedro les dijo: "Vuélvanse a Dios y bautícese cada uno en el nombre de Jesucristo, para que Dios les perdone sus pecados, y así él les dará el Espíritu Santo" (Hechos de los apóstoles 2:38).

Muchas personas escucharon la buena nueva de Cristo, se bautizaron y se convirtieron en discípulos.

El Bautismo es la base de la vida cristiana. Es por el Bautismo que construimos nuestras vidas como seguidores de Cristo. El **Bautismo** es el sacramento en el que somos librados del pecado, nos hacemos hijos de Dios y somos bienvenidos a la Iglesia. Por medio de este sacramento:

- somos unidos a Cristo y elevados a una nueva vida junto a él
- nos hacemos miembros de la Iglesia, el cuerpo de Cristo y pueblo de Dios.
- somos unidos a otros bautizados.

El Bautismo es el primer sacramento que celebramos. De hecho, no podemos recibir ningún otro sacramento hasta que somos bautizados. El Bautismo nos lleva a otros dos sacramentos de iniciación, la Confirmación y la Eucaristía.

¿Cuáles son algunas formas en que puedes mostrar que estás unido a otros miembros de la Iglesia?

____

____

48

En el Bautismo somos librados del pecado y nos hacemos hijos de Dios.

Dios creó a los humanos para conocerlo, para estar cerca de él, compartir su amor por siempre. Sin embargo, los primeros humanos se alejaron de Dios y lo desobedecieron. Por su pecado, llamado pecado original, perdieron su amistad con Dios.

Por el pecado original, los humanos sufrimos. Todos nacemos con el pecado original y somos afectados por él durante toda nuestra vida. Somos tentados a alejarnos de Dios y a cometer pecado personal.

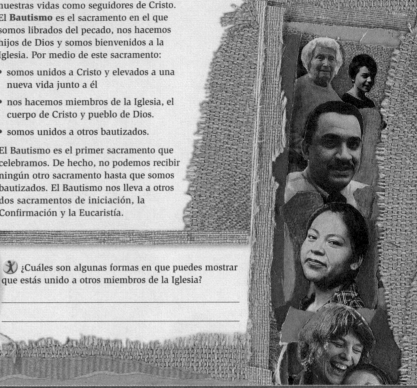

Planificación de la lección

CREEMOS (continuación)

Dirija la atención de los estudiantes al recipiente de agua y al ladrillo o piedra que están sobre la mesa. Explique que estos artículos son símbolos. Pídales que indiquen lo que cada uno puede simbolizar en el sacramento del Bautismo. (El agua representa el agua bendita que se usa en el sacramento y el ladrillo o la piedra representa la base bautismal de la vida cristiana).

Hable acerca de las formas en que se unen los miembros de la Iglesia.

Lea en voz alta la segunda afirmación de fe. Luego, pida a los estudiantes que lean juntos el texto de *Creemos*. Acérqueseles para responder cualquier pregunta. Señale que el Hijo de Dios vino a salvarnos y a restaurar nuestra relación con el Padre. Su victoria sobre el pecado y la muerte fue nuestra salvación.

Mencione que los siguientes pasajes de la Escritura también están relacionados con este capítulo. Podría compartirlos con los estudiantes: Hechos de los apóstoles 16:19–33; Marcos 1:11.

Repase las definiciones y significados de las palabras *encarnación* y *salvación*. Pida a los estudiantes que expresen con sus propias palabras el significado de estas palabras en relación con el Bautismo.

Pida a los estudiantes que piensen en formas de como vivir como miembros de la familia de Dios esta semana.

With the coming of the Holy Spirit on Pentecost, Jesus' disciples were strengthened to do as he asked. They told the crowds that Jesus Christ had died and risen to new life. They shared their belief that Christ is the Son of God. Peter told them, "Repent and be baptized, every one of you, in the name of Jesus Christ for the forgiveness of your sins; and you will receive the gift of the holy Spirit" (Acts of the Apostles 2:38).

Many people who heard the good news of Christ were baptized and became disciples.

Baptism is the foundation of Christian life. It is upon Baptism that we build our lives as followers of Christ. **Baptism** is the sacrament in which we are freed from sin, become children of God, and are welcomed into the Church. Through this sacrament we:

- are joined to Christ and rise to new life in him
- become members of the Church, the Body of Christ and the People of God
- are united with all others who have been baptized.

Baptism is the very first sacrament that we celebrate. In fact, we are unable to receive any other sacrament until we first have been baptized. Baptism leads us to the other two sacraments of initiation, Confirmation and Eucharist.

In Baptism we are freed from sin and become children of God.

God created human beings to know him, to be close to him, to share in his love forever. However, the first human beings turned away from God and disobeyed him. Because of their sin, called original sin, they lost their closeness with God.

Because of original sin, human beings suffer. We all are born with original sin and are affected by it throughout our lives. We are tempted to turn away from God and commit personal sin.

What are some ways that you can show that you are united to other members of the Church?

____

____

49

Our Faith Response

- To appreciate the grace of Baptism and to understand our roles as priest, prophet, and king

Baptism
Incarnation
salvation
prophet
eternal life
saints

Lesson Materials

- scissors, markers or crayons, glue or tape
- copies of Reproducible Master 4

Home Connection Update

Ask: *Which sacrament helps you understand better the important roles your parents play in your life?*

Lesson Plan

WE BELIEVE (continued)

Direct the students' attention to the bowl of water and the brick or stone on the prayer table. Explain that these items are symbols. Ask them to name what each might symbolize in the sacrament of Baptism. (Water represents the holy water used in the sacrament, and the brick or stone represents the baptismal foundation of Christian life).

Discuss ways to show that members of the Church are united.

Read aloud the second *We Believe* statement. Then have the students read together the *We Believe* text. Move among them to answer any questions. Stress that the Son of God came to save us and restore our relationship to the Father. His victory over sin and death was our salvation.

Note that the following Scripture passages also relate to this chapter. You may want to share them with the students: Acts of the Apostles 16:19–33; Mark 1:11.

Review the meanings and significance of the words *Incarnation* and *salvation*. Ask the students to express in their own words what these words mean in relation to Baptism.

Ask the students to think of ways to live this week as members of God's family.

BANCO DE ACTIVIDADES

Conexión con la familia

Mi Bautismo

Invite a los estudiantes a descubrir detalles sobre el día en que recibieron el sacramento del Bautismo. Anímelos a obtener las respuestas a las siguientes preguntas:

- ¿Cuándo te bautizaron? (fecha exacta)
- ¿Dónde te bautizaron?
- ¿A qué edad te bautizaron?
- ¿Quiénes son tus padrinos?

Explique que los padres a menudo guardan fotos de los bautismos de sus hijos. Invítelos a compartir sus respuestas.

Pero Dios no se alejó de su pueblo. El prometió salvarnos. Por amor, Dios envió a su Hijo a reparar nuestra relación con él. La verdad de que el Hijo de Dios se hizo hombre es la **encarnación**.

Por su muerte y resurrección Jesucristo, el Hijo de Dios, nos salvó del pecado. Su victoria sobre el pecado y la muerte nos ofrece salvación. **Salvación** es el perdón de nuestros pecados y la reparación de la amistad con Dios.

Al igual que la fe, el Bautismo es necesario para la salvación. Nos libera del pecado original y todo pecado personal se nos perdona.

Cuando somos bautizados nos hacemos hijos de Dios. Nos hacemos hermanos de todos los que han sido bautizados. El Bautismo nos hace miembros de una familia guiada por el Espíritu Santo. En esta familia, no hay fronteras ni preferencias. Dios nos ve a todos como sus hijos. El nos ama a cada uno de nosotros.

¿Qué harás esta semana para vivir como miembro de la familia de Dios?

Somos sacerdote, profeta y rey.

Cuando Jesús fue bautizado en el río Jordán, el Espíritu Santo se posó sobre él. Esta unción del Espíritu Santo establece que Jesús es sacerdote, profeta y rey. Llamamos sacerdote a Jesús porque él hizo un sacrificio que nadie más ha hecho. Jesús se ofreció a sí mismo para salvarnos. Jesús fue un profeta porque él llevó el mensaje de amor y perdón de Dios. El habló sobre la verdad y la justicia. Jesús mostró que él era un rey porque cuidó de su pueblo.

En el Bautismo somos ungidos, bendecidos con óleo santo. Este sello del Bautismo nos marca como pertenecientes a Cristo y es por eso que recibimos el Bautismo sólo una vez. Compartimos con Jesús el papel de sacerdote, profeta y rey.

Sabemos que Jesús es el único, verdadero sacerdote. Sin embargo, él llama a todos los bautizados a compartir su sacerdocio. Esto es el sacerdocio de los fieles. Podemos vivir nuestro sacerdocio de muchas formas. Podemos rezar todos los días. Podemos participar en la liturgia, especialmente la Eucaristía. Podemos ofrecer nuestras vidas a Dios.

Un **profeta** es alguien que habla en nombre de Dios, defiende la verdad y trabaja por la justicia. Somos llamados a ser profetas, como los hombres y mujeres del Antiguo Testamento, como Juan el Bautista y como Cristo. Somos profetas cuando hablamos la verdad sobre Jesucristo y vivimos como debemos. Podemos ser profetas en nuestras escuelas, comunidades y familias.

Como el Ungido Rey y Mesías, Jesús vino a servir no a ser servido. El reino de Jesús hace que el amor de Dios esté presente y activo en el mundo.

Jesús nos llama a servir. El quiere que cuidemos de otros, especialmente los pobres y los que sufren. El nos pide animar a otros a responder al amor de Dios en su vidas.

Compartes el papel de sacerdote, profeta y rey de Jesús. ¿Qué tareas puedes asignarte como sacerdote, como profeta y como rey que sirve?

50

Planificación de la lección

CREEMOS (continuación)

Distribuya el patrón. Utilícelo durante la lección. Después de leer y conversar sobre cada enunciado de la fe, pida a los estudiantes que lo escriban en uno de los lados de la pila bautismal. Luego, pídales que trabajen en parejas para pensar en un símbolo para cada enunciado de la fe y dibujarlo en el lado correspondiente de la pila. Al terminar, pueden recortar el modelo de la pila y pegarlo con cinta adhesiva como se muestra.

Cotejo rápido

✔ *¿Por qué se considera al Bautismo como la base de la vida cristiana?* (Fue parte de la Iglesia desde el comienzo; el Bautismo es el cimiento de nuestras vidas como seguidores de Cristo; es el sacramento que nos libra del pecado, que nos convierte en hijos de Dios y nos da la bienvenida a la Iglesia.)

✔ *¿Qué hace por nosotros el Bautismo?* (El Bautismo nos libera del pecado original y nos perdona los pecados personales. La gracia del Bautismo nos ayuda a creer en Dios y a amarlo. Nos da la facultad de vivir y actuar como discípulos de Cristo en el mundo.)

Comparta la *Historia para el capítulo* de la página 46A. Pida a un voluntario leer en voz alta la tercera afirmación de fe. Pida a voluntarios turnarse para leer en voz alta los párrafos de *Creemos*. Enfatice que:

- Jesús es sacerdote, profeta y rey. Con el Bautismo, compartimos estas funciones.
- Como pueblo sacerdotal, podemos participar en la liturgia. Como pueblo profético, debemos hablar con la verdad sobre Cristo y vivir como es debido. Como pueblo real, somos llamados a servir a los pobres y a animar a otros a amar a Dios con nuestras palabras y obras.

But God did not turn away from his people. He promised to save us. Out of love, God sent his Son to restore our relationship with God. The truth that the Son of God became man is called the **Incarnation**.

By his death and Resurrection, Jesus Christ—the Son of God—saves us from sin. His victory over sin and death offers us salvation. **Salvation** is the forgiveness of sins and the restoring of friendship with God.

Like faith, Baptism is necessary for salvation. Baptism draws us into a community of believers led by the Holy Spirit. It frees us from original sin, and all of our personal sins are forgiven.

When we are baptized we become children of God. We become sisters and brothers with all who have been baptized. Baptism makes us members of one family led by the Holy Spirit. In this family, there are no boundaries or preferences. God sees us all as his children. He loves each of us.

What will you do this week to live as a member of God's family?

We are a priestly, prophetic, and royal people.

At Jesus' baptism at the Jordan River the Holy Spirit came upon him. This anointing by the Holy Spirit established Jesus as priest, prophet, and king. We call Jesus a priest because he gave the sacrifice that no one else could. Jesus offered himself to save us. Jesus was a prophet because he delivered God's message of love and forgiveness. He spoke out for truth and justice. Jesus showed himself to be a king by the care he gave to all his people.

In Baptism we are anointed, blessed with holy oil. This seal of Baptism marks us as belonging to Christ, and thus we receive Baptism only once. We share in Jesus' role of priest, prophet, and king.

We know that Jesus is the only one, true priest. However, he calls all the baptized to share in his priesthood. This is the priesthood of the faithful. We can live out our priesthood in many ways. We can pray daily. We can participate in the liturgy, especially the Eucharist. We can offer our lives to God.

A **prophet** is someone who speaks on behalf of God, defends the truth, and works for justice. We are called to be prophets like the men and women in the Old Testament, like John the Baptist and like Christ. We are prophets when we speak truthfully about Christ and live as we should. We can be prophets in our schools, communities, and families.

As the Anointed King and Messiah, Jesus came to serve not to be served. He leads his people as a servant-king. Jesus' reign makes God's love present and active in the world.

Jesus calls us to be servants. He wants us to care for others, especially those who are poor or suffering. He asks us to encourage others to respond to God's love in their lives.

You share in Jesus' role of priest, prophet, and king. What tasks would you assign yourself as a priest, as a prophet, and as a servant-king?

51

Activity Bank

Family Connection

My Baptism

Invite the students to discover details about the day they experienced the sacrament of Baptism. Encourage them to find out the answers to the following questions:

- When were you baptized (exact date)?
- Where were you baptized?
- What was your age when you were baptized?
- Who are your godparents?

Explain that parents often keep photographs of their children's baptisms. Invite the students to share their answers.

Lesson Plan

We Believe (continued)

Distribute the Reproducible Master. Use it throughout the lesson. After reading and discussing each faith statement, have the students write it on one of the sides of the baptismal font. Then ask them to work in pairs to think of a symbol for each faith statement and to draw it on that side of the font. At completion, they may cut out the model of the font and glue or tape it together as shown.

Quick Check

✔ *Why is Baptism the foundation of Christian life?* (It was a part of the Church from its very beginning; it is upon Baptism that we build our lives as followers of Christ; it is the sacrament that frees us from sin, makes us children of God, and welcomes us into the Church.)

✔ *What does Baptism do for us?* (Baptism frees us from original sin and forgives our personal sins. The grace of Baptism helps us to believe in God and to love him. It gives us the power to live and act as disciples of Christ in the world.)

Share the *Chapter Story* on Guide page 46B. Have a volunteer read aloud the third *We Believe* statement. Then have volunteers take turns reading aloud the *We Believe* paragraphs. Emphasize:

- Jesus is the priest, prophet, and king. Through our Baptism, we share in these roles.
- As a priestly people, we can participate in the liturgy, especially the Eucharist. As a prophetic people, we are to speak truthfully about Christ and live as we should. As a royal people, we are called to serve the poor and encourage all people to love God by what we say and do.

Ideas

Referencias bíblicas al Bautismo

La práctica o ritual cristiano del Bautismo se basa en el ejemplo de San Juan Bautista y sigue las instrucciones que dieron Jesucristo y San Pablo en el Nuevo Testamento. Diga a los estudiantes que lean Mateo 3:11 y 28:19, Hechos 2:38, Romanos 6:3–5 y 1 Corintios 12:13 para obtener más información.

Como católicos...

Comunión de los santos

Lea en voz alta el texto. Hable acerca del significado de la *comunión*. Ayude a los estudiantes a entender que la comunión de los santos une a los que estamos en el mundo con nuestros hermanos en el cielo y el purgatorio (Vea *CIC* 1031, 1472). Pregunte: *¿Qué más nos une con aquellos que ya no están en la tierra? (El Bautismo nos une a todos como hijos de Dios.)* Anímelos a identificar los momentos en los que su parroquia reza por los muertos.

Por nuestro Bautismo, tenemos esperanza de vida eterna.

Como parte del cuerpo de Cristo, seguimos las enseñanzas de Cristo y tratamos de vivir como él vivió. Los que respondan a la gracia de Dios y permanezcan en su amistad tendrán la vida eterna cuando mueran. **Vida eterna** es vivir feliz con Dios por siempre. Los que han vivido en santidad en la tierra comparten inmediatamente el gozo del cielo y la vida eterna. Los que necesitan crecer en santidad se preparan en el purgatorio para ir al cielo. Estas personas, eventualmente, también gozarán de la felicidad en el cielo.

Desafortunadamente, hay quienes deciden romper completamente su relación con Dios. Continuamente se alejan de la misericordia de Dios y rechazan su perdón. Ellos se separan de Dios por siempre y no compartirán su vida eterna.

Sin embargo, Dios quiere que todos sus hijos respondan a su gracia. Dios da a cada uno de nosotros la gracia de crecer en santidad. Esto facilita que podamos responder a su amor. Mostramos nuestro amor en la forma en que vivimos.

Santos son todos los seguidores de Cristo que han vivido vidas santas en la tierra y ahora comparten la vida eterna con Dios en el cielo. Como lo santos están cerca de Cristo, ellos ayudan a la Iglesia a crecer en santidad. Sus vidas nos enseñan a ser verdaderos discípulos. Su amor y oraciones por la Iglesia son constantes. Pedimos a los santos rezar a Dios por nosotros y por los que han muerto.

RESPONDEMOS

El sacramento del Bautismo es la base de la vida cristiana. Escribe algo que exprese que eres un bautizado que sigue a Cristo.

____

____

Vocabulario

Bautismo (pp 331)
encarnación (pp 331)
salvación (pp 333)
profeta (pp 333)
vida eterna (pp 333)
santos (pp 333)

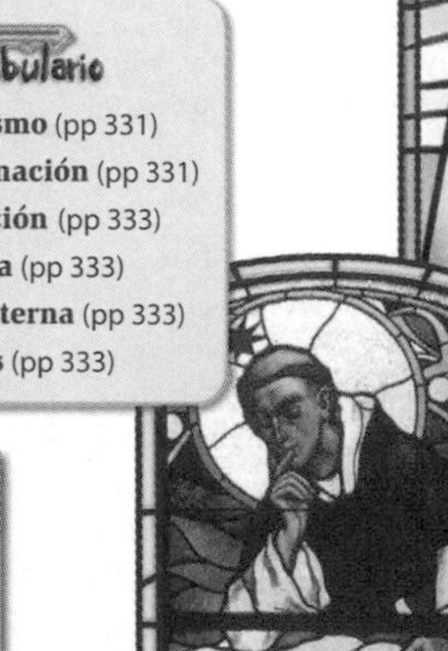

Como católicos...

El cuerpo de Cristo nos une a todos los bautizados. La unión de los miembros bautizados de la Iglesia en la tierra con los que están en el cielo y en el purgatorio es llamada comunión de los santos. Rezamos para que los que han muerto pueden conocer el amor y la misericordia de Dios y puedan un día compartir la vida eterna.

¿Cuándo tu parroquia reza por los que han muerto?

52

Planificación de la lección

CREEMOS (continuación)

Explique a los estudiantes que Moisés e Isaías fueron profetas que mostraron al pueblo de Dios a amar y obedecer sus mandamientos. Señale que Jesús fue profético en su ministerio público. Le mostró al pueblo el camino al Padre a través de amor pleno y obediencia a la voluntad de Dios.

Pida a los estudiantes que completen la actividad sobre las tareas de un pueblo sacerdotal, profético y real con Cristo. Comparta las respuestas.

Escriba la cuarta afirmación de fe en la pizarra. Pida a grupos pequeños que lean y resalten las ideas del texto *Creemos*. Designe a un voluntario que escriba las ideas principales de los grupos. Invite a los estudiantes a compartir historias que conocen sobre los santos.

Vocabulario Escriba las palabras en la pizarra. Pida a los estudiantes que definan cada palabra. Anímelos a ofrecer ejemplos o descripciones que realcen el significado de cada palabra.

RESPONDEMOS ____ minutos

Comente que el Bautismo es la base de la vida cristiana. Pida a los Jóvenes escribir algo que muestre que son bautizados seguidores de Cristo. Pídales compartir sus respuestas.

- **Dé** tiempo a los estudiantes para armar la pila del patrón 4, o pídales que lo hagan en casa.

Because of our Baptism, we have hope of eternal life.

As part of the Body of Christ, we follow Christ's teachings and try to live as he did. People who have responded to God's grace and have remained in his friendship will have eternal life when they die. **Eternal life** is living in happiness with God forever. Those who have lived lives of holiness on earth will immediately share in the joy of heaven and eternal life. Others who need to grow in holiness will prepare for heaven in purgatory. These people will eventually enjoy the happiness of heaven, too.

Unfortunately, there are those who have chosen to completely break their friendship with God. They have continually turned away from God's mercy and refused his forgiveness. They remain forever separated from God and do not share in eternal life.

However, God wants all of his children to respond to his grace in their lives. God gives each of us the grace to grow in holiness. This makes it possible for us to respond to his love. We show our love by the way we live our lives.

Saints are followers of Christ who lived lives of holiness on earth and now share in eternal life with God in heaven. Because the saints are closely united to Christ, they help the Church to grow in holiness. Their lives teach us about true discipleship. Their love and prayers for the Church are constant. We ask the saints to pray to God for us and for those who have died.

Key Words

Baptism (p. 334)
Incarnation (p. 335)
salvation (p. 336)
prophet (p. 336)
eternal life (p. 334)
saints (p. 336)

WE RESPOND

The sacrament of Baptism is the foundation of Christian life. Write a way that you can show you are a baptized follower of Jesus Christ.

____

____

As Catholics...

The Body of Christ unites us to all who have been baptized. The union of the baptized members of the Church on earth with those who are in heaven and in purgatory is called the communion of saints. We pray that those who have died may know God's love and mercy and may one day share in eternal life.

When are some times that your parish prays for those who have died?

53

Teaching Note

Scriptural References to Baptism

The Christian practice or ritual of Baptism is based on the example of Saint John the Baptist and follows the instructions set forth by Jesus Christ and Saint Paul in the New Testament. Tell the students to read Matthew 3:11 and 28:19, Acts 2:38, Romans 6:3–5, and 1 Corinthians 12:13 for further information.

As Catholics...

Communion of Saints

Read aloud the text. Discuss the meaning of *communion*. Help the students understand that the communion of saints unites us on earth with our brothers and sisters in heaven and in purgatory (See CCC 1031, 1472). Ask: *What else unites us with those who are no longer on earth?* (Baptism unites all of us as children of God.) Encourage the students to identify the times that your parish prays for those who have died.

Lesson Plan

WE BELIEVE (continued)

Explain to the students that Moses and Isaiah were prophets who showed God's people the way to love and obey his commands. Point out that Jesus was prophetic in his public ministry. He showed people the way to the Father through complete love and obedience to God's will.

Have the students complete the activity on the tasks of a priestly, prophetic, and royal people in Christ. Share responses.

Write the fourth *We Believe* statement on the board. Have small groups read and highlight ideas in the *We Believe* text. Appoint a volunteer to record the key ideas from the groups. Invite the students to share stories they know about the saints.

Key Words Write the words on the board. Ask the students to define each word. Encourage them to offer examples or descriptions that enhance each word's meaning.

WE RESPOND _____ minutes

Discuss Baptism as the foundation of Christian life. Then ask the students to write one way to show they are baptized followers of Jesus. Share responses.

• **Allow** time for the students to put together the font on Reproducible Master 4. Or ask them to do this at home.

BANCO DE ACTIVIDADES

Conexión multicultural

El Bautismo en el mundo

Materiales: enciclopedias

Recuerde a los estudiantes que casi todas las iglesias cristianas bautizan a sus miembros, pero los diferentes grupos cristianos tienen diferentes formas de celebrar el sacramento. Pida a los estudiantes que usen enciclopedias, la Internet u otros recursos para aprender algunas de las diferencias. Por ejemplo, los Bautistas y otras iglesias creen que las personas deben bautizarse voluntariamente cuando son adolescentes o adultos. Las Iglesias ortodoxas orientales bautizan por inmersión completa y otorgan los demás sacramentos de iniciación, la Confirmación y Eucaristía, al mismo tiempo.

CONEXION CON EL HOGAR

Compartiendo lo aprendido

Recuerde a los jóvenes compartir con sus familias lo aprendido en este capítulo.

Anime a los estudiantes a que disfruten haciendo un álbum de recortes con su familia.

Para más información y actividades adicionales visite Sadlier en

www.CREEMOSweb.com

Planifique por adelantado

Lugar de oración: Biblia, mantel para la mesa, recipiente de agua bendita, vela bautismal

Materiales: copias del patrón 5

_____ minutos

Repaso del capítulo Use las preguntas de repaso para comprobar si los estudiantes entendieron la lección de la semana. Pídales que completen las preguntas 1–10. Pídales que digan las respuestas en voz alta.

Reflexiona y ora Lea la frase en voz alta. Pida a los estudiantes que escriban sus respuestas. Invite a voluntarios a compartir sus respuestas.

Repaso — Capítulo 4

Escoge una palabra o palabras del cuadro para completar las oraciones.

salvación	vida eterna	encarnación	profeta	santo

1. La verdad de que el Hijo de Dios se hizo hombre es la encarnación.
2. Un santo es un seguidor de Cristo que vivió una vida de santidad en la tierra y ahora comparte la vida eterna con Dios en el cielo.
3. El perdón de los pecados y la reparación de la amistad con Dios es la salvación.
4. Un profeta es alguien que habla en nombre de Dios, defiende la verdad y trabaja por la justicia.

Contesta.

5. ¿Qué sacramento se considera la base de la vida cristiana?
Bautismo
6. ¿Cómo nos ayuda el don de la gracia que recibimos en el Bautismo?
La gracia que recibimos en el Bautismo nos ayuda a vivar como seguidores de Jesús.
7. ¿Cuál es una forma en que podemos vivir el sacerdocio de los fieles?
Vea la página 50.
8. ¿Qué es la vida eterna?
Vida eterna es vivir feliz con Dios por siempre.

Contesta.

9–10. ¿Qué nos sucede en el sacramento del Bautismo?
Vea la página 48.

Reflexiona y ora

Dios, Padre nuestro, ayúdame a usar tu don de la gracia y a crecer en santidad ______.

54

PAGINA DEL ALUMNO 54

Respondemos y compartimos la fe

_____ minutos

Recuerda Use tiras de frases con los cuatro enunciados escritos. Pida a los estudiantes que escriban estos enunciados en un pedazo de papel. Pídales que escriban tres cosas que han aprendido debajo de cada uno. Invítelos a compartir sus respuestas.

Nuestra vida católica Lea en voz alta el texto. Converse sobre la lectura. Pida a los estudiantes que usen un diccionario de santos. Seleccione cinco o seis nombres de santos. Forme grupos pequeños para que estudien a estos santos y compartan lo que aprendieron.

Respondemos y compartimos la fe

Compartiendo lo aprendido

Habla con tu familia sobre lo siguiente:
- la importancia del Bautismo
- la salvación
- la vida eterna
- ser sacerdote, profeta y rey.

Recuerda
- El Bautismo es la base de nuestra vida cristiana.
- En el Bautismo somos librados del pecado y nos hacemos hijos de Dios.
- Somos sacerdote, profeta y rey.
- Por nuestro Bautismo, tenemos esperanza de vida eterna.

"Porque voy a hacer que corra agua en el desierto, arroyos en la tierra seca. Yo dáre nueva vida a tus descendientes, les enviaré mi bendición".

NUESTRA VIDA CATOLICA

Santos patrones

Un patrón es una persona que da ánimo y cuida de alguien o algo. En el bautismo a muchas personas se les da el nombre de un santo. Ese santo es conocido como el patrón de esa persona. Los santos patrones pueden cuidar y ayudar a los que llevan su nombre a seguir a Jesús. Muchas parroquias tienen santos patrones. Por ejemplo, el santo patrón de tu parroquia puede ser Santa Francisca Cabrini, o San Patricio. También hay santos patrones para las ocupaciones. Santa Bárbara es la patrona de los arquitectos.

Visita Sadlier en www.CREEMOSweb.com

Conexión con el Catecismo
Para referencia ver los párrafos 1213, 1265, 783 y 1274.

56

PAGINA DEL ALUMNO 56

_____ minutes

Chapter Review Use the review questions to check the students' understanding of the week's lesson. Have them complete questions 1–10. Ask them to say aloud each correct answer.

Reflect & Pray Read aloud the sentence. Have the students write their responses. Invite volunteers to share their responses.

Review — Chapter 4

Choose a word from the box to complete each sentence.

salvation	eternal life	Incarnation	prophet	saint

1. The truth that the Son of God became man is known as the Incarnation.
2. A saint is a follower of Christ who lived a life of holiness on earth and now shares in eternal life with God in heaven.
3. The forgiveness of sins and the restoring of friendship with God is known as salvation.
4. A prophet is someone who speaks on behalf of God, defends the truth, and works for justice.

Short answers

5. Which sacrament is considered the foundation of Christian life?
Baptism
6. How does the gift of grace that we receive at Baptism help us?
The grace that we receive at Baptism helps us to live as followers of Jesus.
7. What is one way we can live out the priesthood of the faithful?
See page 51.
8. What is eternal life?
Eternal life is living in happiness with God forever.

Write a sentence to answer the question.

9–10. What happens to us in the sacrament of Baptism?
See page 49.

Reflect & Pray

God, our Father, help me to use your gift of grace and grow in holiness by

55

PUPIL PAGE 55

We Respond and Share the Faith

_____ minutes

Remember Use sentence strips with the four statements written on them. Have the students write these statements on a sheet of paper. Have them list three things they have learned beneath each. Invite them to share responses.

Our Catholic Life Read aloud the text. Discuss the reading. Have the students use a dictionary of the saints or go online to select five or six saints' names. Have small groups learn about these saints and share their findings.

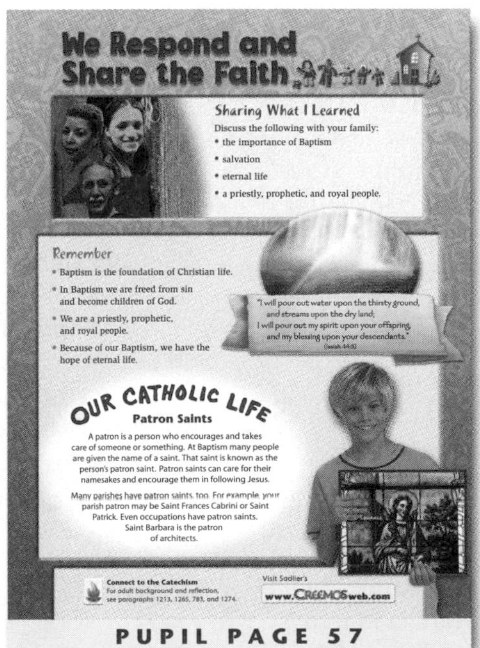
We Respond and Share the Faith

Sharing What I Learned

Discuss the following with your family:
- the importance of Baptism
- salvation
- eternal life
- a priestly, prophetic, and royal people.

Remember
- Baptism is the foundation of Christian life.
- In Baptism we are freed from sin and become children of God.
- We are a priestly, prophetic, and royal people.
- Because of our Baptism, we have the hope of eternal life.

"I will pour out water upon the thirsty ground, and streams upon the dry land; I will pour out my spirit upon your offspring, and my blessing upon your descendants." (Isaiah 44:3)

OUR CATHOLIC LIFE
Patron Saints

A patron is a person who encourages and takes care of someone or something. At Baptism many people are given the name of a saint. That saint is known as the person's patron saint. Patron saints can care for their namesakes and encourage them in following Jesus.

Many parishes have patron saints, too. For example, your parish patron may be Saint Frances Cabrini or Saint Patrick. Even occupations have patron saints. Saint Barbara is the patron of architects.

Connect to the Catechism
For adult background and reflection, see paragraphs 1213, 1265, 783, and 1274.

Visit Sadlier's www.CREEMOSweb.com

PUPIL PAGE 57

ACTIVITY BANK

Multicultural Connection

Baptism Worldwide

Activity Materials: encyclopedias

Remind the students that almost all Christian churches baptize their members, but different Christian groups celebrate the sacrament differently. Have the students use encyclopedias, the Internet, or other resources to learn what some of the differences are. (For example, Baptists and other churches believe that people should be voluntarily baptized as adolescents or adults. The Eastern Orthodox Churches baptize by complete immersion and confer the other sacraments of initiation, Confirmation and Eucharist, at the same time.)

HOME CONNECTION

Sharing What I Learned

Remind the students to talk with their families about what they learned this week.

Encourage the students to enjoy making a scrapbook with their families.

For additional information and activities, encourage families to visit Sadlier's

www.CREEMOSweb.com

Plan Ahead for Chapter 5

Prayer Space: Bible, white cloth for table, bowl and holy water, baptismal candle

Materials: copies of Reproducible Master 5

Capítulo 5 La celebración del Bautismo

Ojeada

En este capítulo los estudiantes aprenderán acerca de la importancia del sacramento del Bautismo.

Contenido doctrinal	Referencia del *Catecismo de la Iglesia Católica*
Los estudiantes aprenderán:	párrafo
• La Iglesia da la bienvenida a todos para ser bautizados	1226
• La comunidad parroquial participa en la celebración del Bautismo	1248
• El agua es signo importante del Bautismo	1217–1222
• El bautizado empieza su nueva vida como hijo de Dios	1254

Referencia catequética

¿Cuándo se ha sentido bienvenido? ¿Cómo se siente cuando le da la bienvenida a otro?

Antes del Vaticano II, los adultos que querían bautizarse se reunían con un sacerdote que los instruía y recibían el Bautismo en privado. La Iglesia restauró un proceso antiguo de iniciación a través del Rito de Iniciación Cristiana para Adultos (RCIA). Este proceso tiene varias etapas marcadas por ritos sagrados que se realizan en un orden determinado. Incluye un período de recibimiento a las personas que preguntan sobre la fe; un período de formación que incluye oración y liturgia, instrucción y servicio llamado *catecumenado*: el período de preparación y oración durante la cuaresma; la celebración de los sacramentos usualmente durante la vigilia Pascual y un período de reflexión sobre los misterios y la vida de la misión cristiana llamado *mistagogía*. Con este proceso, la Iglesia inicia a los niños en edad catequética y a los adultos con tres sacramentos en una liturgia: Bautismo, Confirmación y Eucaristía.

La Iglesia continúa bautizando a los bebés. Celebramos el Bautismo siempre que sea posible durante la misa, donde se conecta más claramente al misterio pascual, la muerte y ascensión de Cristo. La participación de toda la comunidad es importante porque en la comunidad los bautizados reciben la iniciación.

¿Qué parte de la celebración del Bautismo tiene un significado especial para usted?

Mirando la vida

Historia para el capítulo

Era enero y la clase del quinto curso estaba trabajando en un proyecto de arte, haciendo copos de nieve para las ventanas. En ese momento, el director entró con un niño llamado Hans. El iba a ser un estudiante nuevo en nuestra aula.

Mientras nuestra profesora, la Sra. Gómez, hablaba con Hans, mis amigos comenzaron a reírse. Comenzamos a trabajar en matemáticas y Hans admitió que no podía resolver divisiones. Durante estudios sociales, la Sra. Gómez le pidió a Hans que ubicara nuestro estado en el mapa y él señaló a Alemania. Todos en el aula pensaron que era gracioso.

Durante el almuerzo, Hans se sentó solo mientras que mis amigos se sentaron en otra mesa riéndose de él. Pensaban que era divertidísimo que él no supiera dividir. Como él no asistió a nuestra escuela el año pasado, creían que él no pertenecía a ella.

Después del almuerzo, la Sra. Gómez me llamó aparte. Me pidió que ayudara a Hans a adaptarse al nuevo entorno. Al principio estaba indeciso. No quería que mis amigos también se rieran de mí. Sin embargo, le dije a la Sra. Gómez que lo ayudaría.

Pasamos todos los días juntos. Le enseñé como tomar apuntes en ciencias y como leer el mapa en estudios sociales. En poco tiempo, Hans aprendió a resolver divisiones largas.

Después de una semana, Hans se había convertido en un verdadero amigo. Mis amigos dejaron de burlarse de él. Todos nos sentábamos juntos durante el almuerzo.

¿Cómo se sentiría si lo trataran como trataron a Hans?

Overview

In this chapter the students will learn more about the importance of the sacrament of Baptism.

Doctrinal Content	For Adult Reading and Reflection *Catechism of the Catholic Church*
The students will learn:	Paragraph
• The Church welcomes all to be baptized	1226
• The parish community participates in the celebration of Baptism	1248
• Water is an important sign of Baptism	1217–1222
• The baptized begin their new life as children of God.	1254

Catechist Background

When have you felt welcomed? How does welcoming another make you feel?

Before Vatican II, adults who sought Baptism met with a priest for instruction and were baptized privately. With the renewal of Vatican II, the Church restored an ancient process of initiation through the Rite of Christian Initiation of Adults (RCIA). This process has several periods and stages, marked by sacred rites at particular points in time. The process includes a period of receiving people who are inquiring about the faith; a period of formation that includes prayer and liturgy, instruction and service called the *catechumenate*: a period of intense preparation and prayer during Lent; the celebration of the sacraments, usually at the Easter Vigil; and a period of reflection upon the mysteries and living out the Christian mission, called *mystagogy*. Through this process, the Church now initiates children of catechetical age and adults with three sacraments during one liturgy: Baptism, Confirmation, and Eucharist.

The Church continues to baptize infants as well. We celebrate Baptism whenever possible during the Mass, where it is most clearly connected to the Paschal Mystery, the dying and rising of Christ. The participation of the whole community is important, because it is into this community that the newly baptized are being initiated.

What part of the celebration of Baptism is especially meaningful to you?

Focus on Life

Chapter Story

It was January, and our fifth grade class was working on an art project, making snowflakes for the windows. During this time, the principal came in with a boy named Hans. He was going to be a new student in our class.

While our teacher, Ms. Williams, was talking to Hans, my friends started to giggle. We started doing math and Hans admitted he had never heard of long division. During social studies, Ms. Williams asked Hans to locate our state on a map. He pointed to the country of Germany. The whole class thought this was funny.

During lunch, Hans sat by himself, while my friends sat at another table laughing at him. They thought it was hilarious that he didn't know long division. Since he did not go to our school last year, they felt that he did not belong.

After lunch, Ms. Williams called me aside. She asked me to help Hans get used to the new environment. At first I was hesitant. I really didn't want my friends to laugh at me, too. Nevertheless, I told Ms. Williams I would help Hans.

We spent every day together. I showed him how to take notes in science and read a map in social studies. Before long, Hans was doing long division.

After a week Hans had become a real friend. My friends stopped making fun of him. We sat together at lunch.

How would you feel if you were treated like Hans?

Guía para planificar la lección

NOS CONGREGAMOS

Pasos de la lección	Presentación	Materiales
pág. 58 	• Renovación de las promesas bautismales.	Para el lugar de oración: mantel blanco para la mesa, recipiente de agua bendita, vela bautismal, cruz grande de papel
	• Hablar sobre formas de dar la bienvenida a las personas.	

CREEMOS

Pasos de la lección	Presentación	Materiales
pág. 58 *La Iglesia da la bienvenida a todos para ser bautizados.*	• Conversar sobre el Bautismo de adultos y niños. • Estudiar la palabra catecumenado. Escribir una carta a un futuro ahijado.	
pág. 60 *La comunidad parroquial participa en la celebración del Bautismo.* *Rito del Bautismo*	• Leer y conversar sobre la participación de la comunidad en el Bautismo.	• copias del patrón 5
pág. 62 *El agua es un signo importante del Bautismo.* *Rito del Bautismo*	• Conversar sobre la bendición del agua. Hablar sobre las razones por las cuales el agua es tan importante. • Leer y conversar sobre *Como católicos*.	
pág. 64 *El bautizado empieza su nueva vida como hijo de Dios.* *Rito del Bautismo*	• Leer y conversar sobre la celebración bautismal.	
pág. 64 **páginas 66–68** **Repaso**		

RESPONDEMOS

Pasos de la lección	Presentación	Materiales
pág. 64	Escribir los nombres de los que te ayudan para el peregrinaje de fe.	• botella de agua bendita
páginas 66 y 68 **Repaso**	• Completar las preguntas 1–10 • Completar la actividad de *Reflexiona y ora.*	
páginas 66 y 68 **Respondemos y compartimos la fe**	• Repasar *Recuerda* y el *Vocabulario.* • Leer y comentar *Nuestra vida católica.*	

Para ideas, actividades y otras oportunidades visite Sadlier en **www.CREEMOSweb.com**

Lesson Planning Guide

Lesson Steps	Presentation	Materials
1 WE GATHER		
page 59 ✠ **Prayer**	• Renew baptismal promises.	For prayer space: white cloth for table, bowl for holy water, baptismal candle, large paper cross
Focus on Life	• Discuss ways to welcome people.	
2 WE BELIEVE		
page 59 *The Church welcomes all to be baptized.*	• Discuss the Baptism of adults and of infants. • Study the word *catechumenate.* Write a letter to a future godchild.	
page 61 *The parish community participates in the celebration of Baptism.* *Rite of Baptism*	• Read about and discuss community participation in Baptism. • Read and discuss *As Catholics.*	• copies of Reproducible Master 5
page 63 *Water is an important sign of Baptism.* *Rite of Baptism*	• Discuss the blessing of baptismal water. Discuss reasons why water is so important.	
page 65 *The baptized begin their new life as children of God.* *Rite of Baptism*	• Read about and discuss the baptismal celebration.	
3 WE RESPOND		
page 65	Write the names of those who help on the journey of faith.	• bottle of holy water
pages 67 and 69 **Review**	• Complete questions 1–10. • Complete *Reflect & Pray.*	
pages 67 and 69 **We Respond and Share the Faith**	• Review *Remember* and *Key Words.* • Read and discuss *Our Catholic Life.*	

For additional ideas, activities, and opportunities: Visit Sadlier's **www.CREEMOSweb.com**

Conexiones

Familia

El sacramento del Bautismo se celebra con miembros de la familia y amigos. Anime a los estudiantes a compartir recuerdos de sus propios bautismos o de los bautismos de familiares a los que hayan asistido. Pídales que hablen acerca de quienes son sus padrinos y que regalos especiales recibió la familia en la celebración.

Mayordomía

Como católicos, se nos anima a ofrecer nuestro tiempo, talentos y recursos a la comunidad. Sugiera una forma en que los estudiantes puedan servir como voluntarios a la comunidad parroquial para ayudar familias cuyos hijos van a bautizarse. Podrían ayudar a preparar las invitaciones o ayudar a la familia a organizar una recepción después en el salón social de la Iglesia.

FE y MEDIOS

▶ Una vez que los estudiantes hayan aprendido sobre el Rito de la Iniciación Cristiana para Adultos, es posible que tengan preguntas acerca del proceso y de la celebración de la Vigilia Pascual. Para encontrar las respuestas, muestre un video de la celebración de los sacramentos de la iniciación cristiana durante la vigilia Pascual, así como un video del Bautismo de un bebé. En el Internet visite la página Web "Q & A — RCIA and Holy Saturday" del sitio Web de la conferencia de obispos católicos de los Estados Unidos. Revise los sitios Web parroquiales, diocesanos o ministeriales de las universidades católicas.

Liturgia para la semana

Visite **www.creemosweb.com** para las lecturas bíblicas de esta semana y otros materiales propios del tiempo.

Necesidades individuales

Estudiantes con necesidades visuales

Los estudiantes con necesidades visuales tienen dificultades para los recursos visuales que se usan durante la lección. Por ejemplo, dibuje una red de palabras grande en la pizarra para repasar el *vocabulario*. Durante esta actividad pase a estos estudiantes a la parte delantera del aula.

RECURSOS ADICIONALES

Libro *Celebrando el bautismo,* Inés Ordoñez de Lanús, Editorial Paulinas.

Para ideas visite Sadlier en

www.CREEMOSweb.com

Connections

To Family

The sacrament of Baptism is celebrated with family members and friends. Encourage the students to share memories or mementos of their own baptisms or family baptisms they have attended. Have them talk about who their godparents are, and what special gifts the family received at the celebration.

To Stewardship

As Catholics we are encouraged to offer our time, talents, and resources to our community. Suggest that one way students can serve the parish community is by volunteering to help families who will be having a child baptized. The students might be able to help make invitations or assist the family in setting up a reception afterward in the church basement or social hall.

FAITH and MEDIA

▶ After the students have learned about the Rite of Christian Initiation of Adults (RCIA), they might have questions about the process and about the Easter Vigil celebration itself. To find answers, show a video of the celebration of the sacraments of Christian initiation at the Easter Vigil as well as a video of an infant Baptism. On the Internet, visit the "Q & A — RCIA and Holy Saturday" page from the United States Conference of Catholic Bishops. Also check parish and diocesan Web sites and campus ministry Web sites of Catholic colleges and universities.

This Week's Liturgy

Visit **www.creemosweb.com** for this week's liturgical readings and other seasonal material.

Meeting Individual Needs

Students with Visual Needs

Students with visual needs may have difficulty viewing the visual aids used during a lesson. If you plan to draw a large word web or other diagram on the board as a way to review the *Key Words*, for example, move these students to the front of the room.

ADDITIONAL RESOURCES

Book *Exploring the Sacraments: Celebrating with Jesus*, Hi-Time Pflaum, 2000. Three activity pages on water, signs, and Jesus' baptism enhance the understanding of Baptism.

Video *We Belong: Baptism and Confirmation*, Ikonographics, St. Anthony Messenger Press, 2002. From *The Sacraments* series, this tells the story of welcoming and joining. (15 minutes)

To find more ideas for books, videos, and other learning material, visit Sadlier's

www.CREEMOSweb.com

Meta catequética

• Describir la celebración y el significado del sacramento del Bautismo

PREPARANDOSE PARA ORAR

Los estudiantes renovarán sus promesas bautismales en la oración inicial.

• Dirija la oración. Si es posible, encienda la vela.

El lugar de oración

• Cubra la mesa con un mantel blanco. Ponga agua bendita y una vela.

• Haga una cruz grande en cartulina. Al final pida a los estudiantes escribir sus nombres en ella como signo del nombre de bautismo.

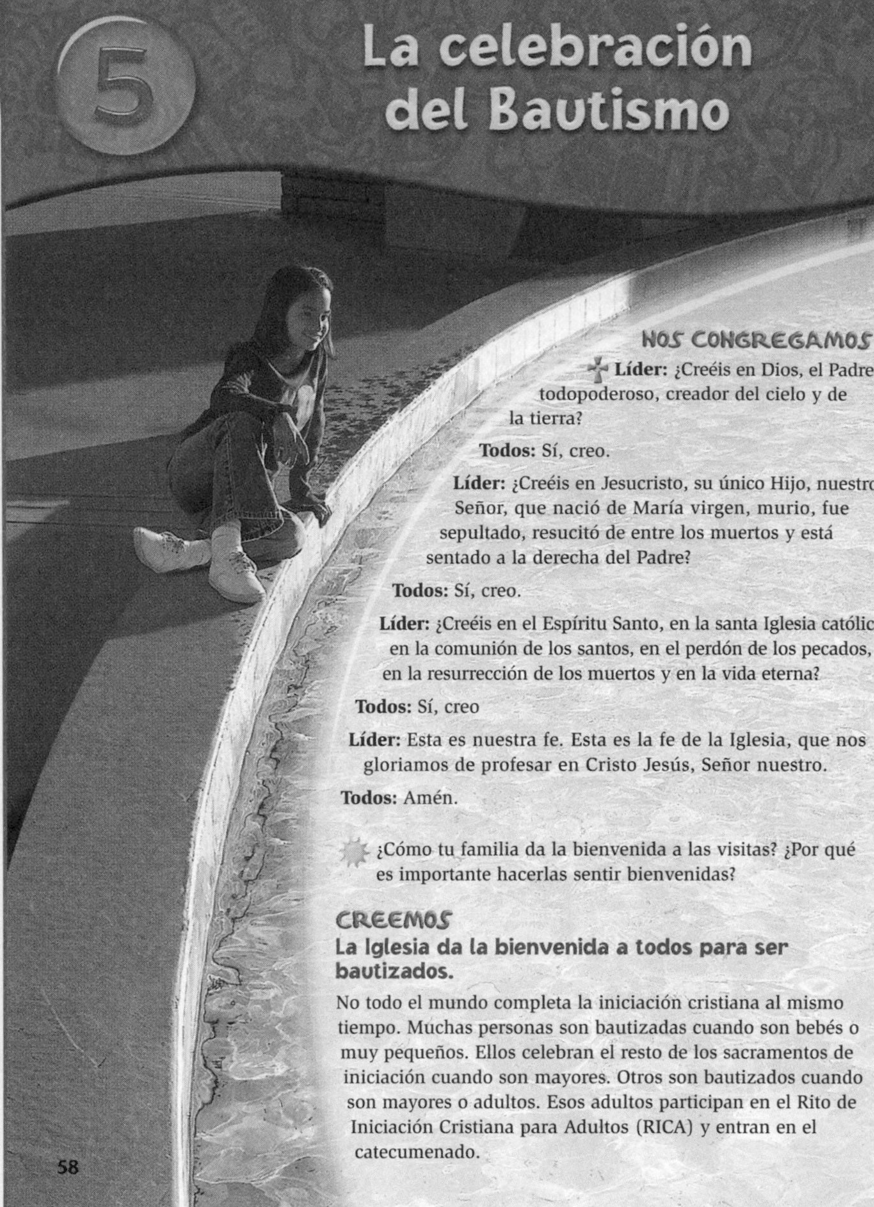

5

La celebración del Bautismo

NOS CONGREGAMOS

Líder: ¿Creéis en Dios, el Padre todopoderoso, creador del cielo y de la tierra?

Todos: Sí, creo.

Líder: ¿Creéis en Jesucristo, su único Hijo, nuestro Señor, que nació de María virgen, murio, fue sepultado, resucitó de entre los muertos y está sentado a la derecha del Padre?

Todos: Sí, creo.

Líder: ¿Creéis en el Espíritu Santo, en la santa Iglesia católica, en la comunión de los santos, en el perdón de los pecados, en la resurrección de los muertos y en la vida eterna?

Todos: Sí, creo

Líder: Esta es nuestra fe. Esta es la fe de la Iglesia, que nos gloriamos de profesar en Cristo Jesús, Señor nuestro.

Todos: Amén.

¿Cómo tu familia da la bienvenida a las visitas? ¿Por qué es importante hacerlas sentir bienvenidas?

CREEMOS

La Iglesia da la bienvenida a todos para ser bautizados.

No todo el mundo completa la iniciación cristiana al mismo tiempo. Muchas personas son bautizadas cuando son bebés o muy pequeños. Ellos celebran el resto de los sacramentos de iniciación cuando son mayores. Otros son bautizados cuando son mayores o adultos. Esos adultos participan en el Rito de Iniciación Cristiana para Adultos (RICA) y entran en el catecumenado.

58

Planificación de la lección

NOS CONGREGAMOS ____ minutos

Oración

• Reúnanse en el lugar de oración.

• Pida a los estudiantes que abran sus libros en la oración de apertura. Recuerde a los estudiantes que estas promesas las hicieron sus padres o padrinos cuando fueron bautizados (si los bautizaron de bebés).

• Comience haciendo la Señal de la Cruz y haga la primera pregunta.

• Pida a los estudiantes que respondan con la renovación de sus promesas bautismales.

• Pida a los estudiantes que escriban sus nombres en la cruz de papel

Mirando la vida

• Comparta la *Historia para el capítulo* de la pág. 58A. Lea en voz alta la pregunta. Pida a los estudiantes que la respondan de acuerdo con sus propias experiencias. Dígales que durante esta lección aprenderán que la familia de la Iglesia celebra el sacramento del Bautismo.

CREEMOS ____ minutos

Pida a un voluntario que lea en voz alta la primera afirmación de fe. Pida a voluntarios que lean en voz alta los párrafos de Creemos. Enfatice lo siguiente:

• No todos completan la iniciación al mismo tiempo. Algunas personas son bautizadas de bebés, otros de niños y otros de adultos.

The Celebration of Baptism

5

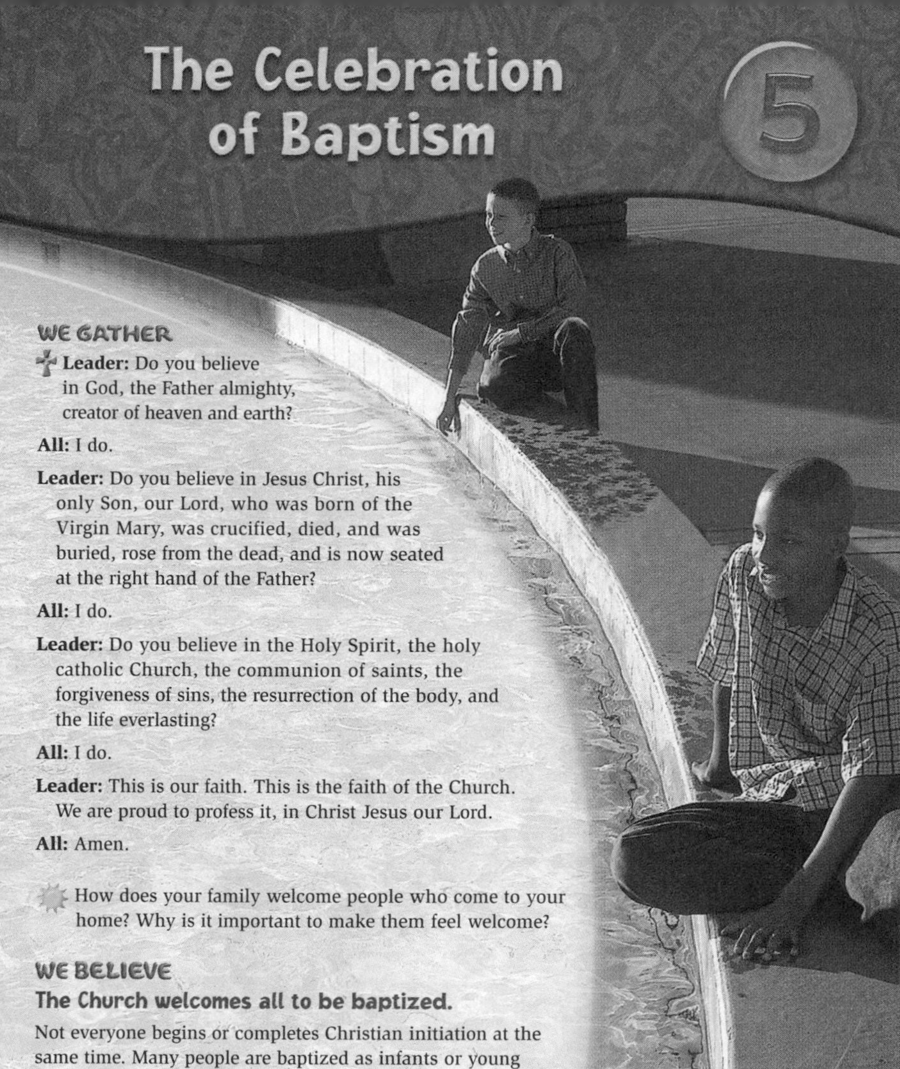

WE GATHER

✝ **Leader:** Do you believe in God, the Father almighty, creator of heaven and earth?

All: I do.

Leader: Do you believe in Jesus Christ, his only Son, our Lord, who was born of the Virgin Mary, was crucified, died, and was buried, rose from the dead, and is now seated at the right hand of the Father?

All: I do.

Leader: Do you believe in the Holy Spirit, the holy catholic Church, the communion of saints, the forgiveness of sins, the resurrection of the body, and the life everlasting?

All: I do.

Leader: This is our faith. This is the faith of the Church. We are proud to profess it, in Christ Jesus our Lord.

All: Amen.

How does your family welcome people who come to your home? Why is it important to make them feel welcome?

WE BELIEVE

The Church welcomes all to be baptized.

Not everyone begins or completes Christian initiation at the same time. Many people are baptized as infants or young children. They celebrate the remaining sacraments of initiation when they are older. Other people are baptized as older children or adults. These adults and older children participate in the Rite of Christian Initiation of Adults (RCIA) and enter the catechumenate.

59

Catechist Goal

• To describe the celebration and meaning of the sacrament of Baptism

Preparing to Pray

The students will renew baptismal promises.

• Take the role of prayer leader; if possible, light the candle.

The Prayer Space

• Place a white cloth, a bowl of holy water, and a baptismal candle on the table.

• Make a cross from construction paper. Have the students write their names on it as a sign of the names we are given at Baptism.

Lesson Plan

WE GATHER

___ minutes

✝ Pray

• Gather in the prayer space.

• Have the students open their books to the opening prayer. Remind the students that these promises were made by their parents and godparents if the students were baptized as infants.

• Begin by praying the Sign of the Cross; then ask the first question.

• Have the students respond by renewing their baptismal promises.

• Ask the students to write their names on the large paper cross.

Focus on Life

• Read the *Chapter Story* on guide page 58B. Share answers to the question. Then discuss family welcomes and their importance. Tell the students that in this lesson they will learn that the Church family celebrates the sacrament of Baptism.

WE BELIEVE

___ minutes

Have a volunteer read aloud the first *We Believe* statement. Have volunteers read aloud the *We Believe* paragraphs. Emphasize the following:

• Not everyone completes initiation at the same time. Some people are baptized as infants, others as young children, and some as adults.

Nuestra respuesta en la fe

- Agradecer a Dios por el don del Bautismo y dar la bienvenida a otros a la Iglesia

catecumenado
crisma

Materiales

- copias del patrón 5
- botella de agua bendita

Conexión con el hogar

Pregunte: *¿Qué pasajes de la Escritura u oraciones incluyó tu familia en el álbum de recortes de los sacramentos?*

El **catecumenado** es un período de formación para la iniciación cristiana. Incluye oración y liturgia, instrucción religiosa y servicio a la comunidad. Ellos celebran los tres sacramentos de iniciación en una celebración, generalmente en la Vigilia Pascual.

Toda la parroquia participa en la formación de los catecúmenos. Algunos feligreses sirven de padrinos. Otros enseñan a los catecúmenos sobre la fe católica. Los catecúmenos participan en celebraciones de oración para conocer los símbolos del sacramento. Generalmente se unen a la asamblea para celebrar la Eucaristía los domingos.

Cuando los bebés o niños pequeños son bautizados en la fe de la Iglesia, los padres escogen a los padrinos. Los padrinos deben ser ejemplo de cristianos y junto con los padres y la comunidad parroquial comprometerse a ayudar al niño a crecer en la fe.

Una día ideal para celebrar el Bautismo es el domingo, el día del Señor y el día en que resucitó Jesús. La celebración del Bautismo durante el domingo destaca el hecho de que resucitamos a una nueva vida igual que Jesús. También permite a la parroquia dar la bienvenida a los nuevos bautizados.

Imagina que se te ha pedido ser padrino. ¿Cuál crees es tu responsabilidad?

Escribe una corta carta a tu futuro ahijado.

____

____

____

____

La comunidad parroquial participa en la celebración del Bautismo.

He aquí la forma en que la Iglesia celebra el Bautismo de bebés y niños pequeños.

Un celebrante es un obispo, un sacerdote o un diácono, quien celebra el sacramento por y con la comunidad. En el Bautismo el celebrante recibe a la familia y los padres y padrinos presentan al bebé a la Iglesia para ser bautizado. El celebrante hace una señal de la cruz en la frente del niño. El invita a los padres y padrinos a hacer lo mismo. Esto es señal de la nueva vida que Cristo ganó para nosotros en la cruz.

60

Planificación de la lección

CREEMOS (continuación)

- Mediante el rito de la iniciación cristiana para adultos, la Iglesia bautiza a adultos y niños.
- Un día ideal para celebrar el Bautismo es el día del Señor, el domingo.

Explique que RICA es un proceso ritual para formar e informar a las personas de una comunidad parroquial durante su peregrinaje hacia los sacramentos de iniciación.

Pida a los estudiantes que piensen en formas de explicar el término *catecumenado*. Anímelos a definir el término en sus propias palabras.

Lea en voz alta las instrucciones para la actividad. Recuerde a los estudiantes que los padrinos prometen ayudar al niño en su vida de fe. Anímelos a pensar en las responsabilidades de un padrino y en las palabras que les dirían a sus ahijados. Invítelos a compartir sus cartas u oraciones.

Lea en voz alta la segunda afirmación de fe. Haga una pausa. Escriba la palabra *bienvenidos* en la pizarra sin hacer comentarios. Pida a un voluntario que lea en voz alta los primeros dos párrafos de *Creemos*. Señale que el celebrante—obispo, sacerdote o diácono—saluda o da la bienvenida a los padres, padrinos y al niño en el nombre de toda la Iglesia. Pida a otro estudiante que lea en voz alta los párrafos siguientes de la sección. Indique que esta parte de la ceremonia bautismal es similar a la Liturgia de la Palabra durante la misa.

Dé a cada estudiante una copia del patrón 5. Anímelos a llenar el recordatorio bautismal y a decorarlo.

The **catechumenate** is a period of formation for Christian initiation. It includes prayer and liturgy, religious instruction, and service to others. Those who enter this formation are called catechumens. They celebrate the three sacraments of initiation in one celebration, usually at the Easter Vigil.

The entire parish takes part in the formation of the catechumens. Some parish members serve as sponsors. Others teach the catechumens about the Catholic faith. The catechumens participate in prayer celebrations that introduce them to the symbols of the sacraments. They usually join the assembly for part of the Sunday celebration of the Eucharist.

When infants or young children are baptized in the faith of the Church, the parents choose godparents for the child. The godparents are to be a Christian example, and along with the parents and parish community agree to help the child grow in faith.

An ideal day to celebrate Baptism is on Sunday, the Lord's Day and the day of Jesus' Resurrection. The celebration of Baptism on Sunday highlights the fact that we rise to new life like Jesus did. It also allows the parish to welcome the newly baptized.

Imagine that you have been asked to be a godparent. What do you think you will have to do as a godparent?

Write a short letter to your future godchild.

____

____

____

____

The parish community participates in the celebration of Baptism.

Here is the way the Church celebrates the Baptism of infants and young children.

A celebrant is the bishop, priest, or deacon who celebrates the sacrament for and with the community. At Baptism the celebrant greets the family, and the parents and godparents present the child to the Church for Baptism. The celebrant traces the sign of the cross on the child's forehead. He invites the parents and godparents to do the same. This tracing is a sign of the new life Christ has won for us on the cross.

61

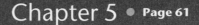

Chapter 5 • Page 61

Our Faith Response

- To thank God for the gift of Baptism and to welcome others into the Church

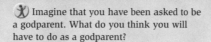

catechumenate

chrism

Materials

- copies of Reproducible Master 5
- bottle of holy water

Home Connection Update

Invite the students to share their experiences collecting passages from Scripture or prayers for a sacraments scrapbook.

Lesson Plan

WE BELIEVE (continued)

- Through the Rite of Christian Initiation of Adults (RCIA), the Church baptizes adults and children.
- An ideal day to celebrate Baptism is on the Lord's Day, Sunday.

Explain that the RCIA is a ritual process of forming and informing persons within a parish community as they journey toward the sacraments of initiation.

Have the students think of ways to explain the term *catechumenate*. Encourage them to define the term in their own words.

Read aloud the activity directions. Remind the students that a godparent promises to help the child in his or her life of faith. Share responses.

Read aloud the second *We Believe* statement. Pause a moment. Write the word *welcome* on the board without comment. Have a volunteer read aloud the first two *We Believe* paragraphs. Stress that the celebrant—bishop, priest, or deacon—greets or welcomes the parents, godparents, and child in the name of the entire Church. Ask another student to read aloud the remaining paragraphs in this section. Point out that this part of the baptismal ceremony is similar to the Liturgy of the Word at Mass.

Give each student a copy of Reproducible Master 5. Encourage them to fill out the baptismal remembrance and decorate it.

Banco de actividades

Doctrina social de la Iglesia

Llamado a la familia, comunidad y participación

Materiales: papel de gráfica

Pida a los estudiantes recordar sus promesas bautismales. Recuérdeles el llamado a que la luz de Cristo brille en ellos. Anímelos a ser justos y a hacer el bien en sus familias y comunidades. Pídales hacer una gráfica de dos columnas. Titule una columna *Familia* y la otra *Comunidad*. Pídales que hagan una lista de acciones con las que puedan brindar la luz de Cristo a sus familias y comunidades.

Como católicos...

Bautismo de emergencia

Invite a los estudiantes a leer el texto. Pida a voluntarios que escenifiquen situaciones en las que los padres, enfermeras y doctores tengan que bautizar. Mientras consideran la pregunta final, recuérdeles que, como católicos bautizados, ellos también pueden bautizar—en caso de una emergencia.

Dos o tres lecturas de la Biblia son proclamadas. Un salmo o un himno es cantado entre las lecturas. Después el celebrante da una homilía para explicar las lecturas y el significado del sacramento.

Intercesiones, o la oración de los fieles, son ofrecidas por el pueblo. La comunidad reza por el niño que se va a bautizar, por toda la Iglesia y el mundo.

El celebrante reza pidiendo a Dios libere al bebé del pecado original, él pide a Dios que envíe al Espíritu Santo a morar en el corazón del bebé. Después unge el pecho del bebé con el aceite de los catecúmenos. Esto limpia y fortalece al bautizado.

¿Cuáles son algunas veces en que haces la señal de la cruz? ¿Por qué?

El agua es un signo importante del Bautismo.

En el sacramento del Bautismo el agua es bendecida con una oración. En esta oración escuchamos sobre el poder del agua durante el tiempo de la creación, durante el diluvio y cuando los israelitas escaparon de la esclavitud de Egipto. Recordamos que el agua ha sido fuente de santidad, libertad y nueva vida. Porque Jesús murió y resucitó a una nueva vida, cada uno de nosotros puede tener vida eterna.

El agua es con frecuencia llamada "fuente de vida". ¿Por qué es el agua tan importante?

Como católicos...

¿Sabes que en una emergencia, cualquier persona puede bautizar? La persona bautiza derramando agua en la cabeza del bautizado mientras dice: "N., yo te bautizo en el nombre del Padre, y del Hijo, y del Espíritu Santo".

¿Quién crees que necesita ser bautizado de emergencia?

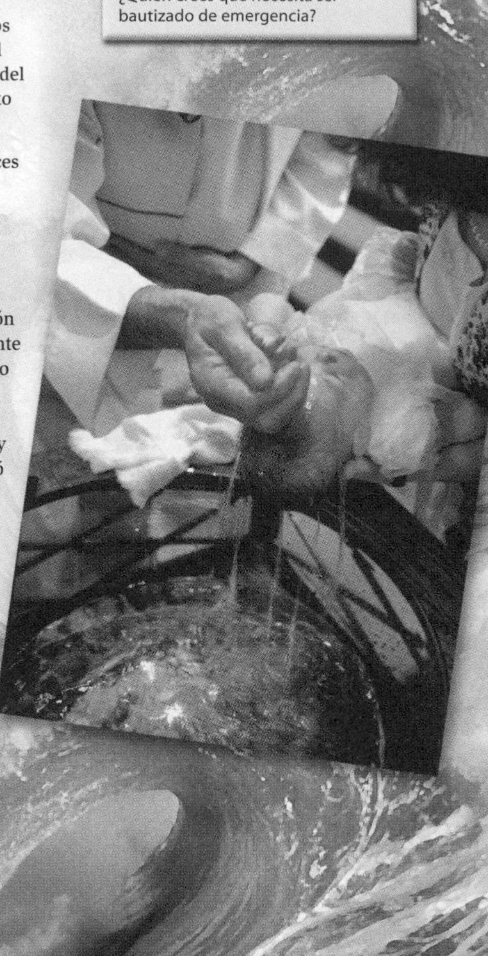

62

Planificación de la lección

CREEMOS (continuación)

Cotejo rápido

✔ *¿A qué edad se puede recibir el Bautismo?* (El Bautismo se puede recibir a cualquier edad.)

✔ *¿Quién es el celebrante?* (El celebrante es un obispo, sacerdote o diácono que celebra el sacramento para la comunidad y con ella.)

Pida a un voluntario que lea en voz alta la tercera afirmación de fe. Pida a los estudiantes que lean y tomen apuntes de los párrafos de *Creemos*. Pídales que escriban diferentes formas en las que el agua aparece en las historias bíblicas que conozcan. Comparta los resultados. Enfatice que:

- En el Antiguo Testamento, el agua se describe como una fuente de santidad, libertad y vida nueva.
- En el sacramento del Bautismo recordamos estas imágenes y se usan para proclamar que los recién bautizados son liberados del pecado y reciben vida nueva en Cristo.

Pida a los estudiantes que identifiquen la importancia del agua. Invítelos a compartir sus respuestas.

Invite a un voluntario a leer en voz alta la última afirmación de fe. Pida a voluntarios que lean en voz alta el texto de *Creemos*. Enfatice lo siguiente:

- En el Bautismo, el celebrante puede sumergir al niño, derramar agua sobre la cabeza del niño tres veces mientras dice, "yo te bautizo en el nombre del Padre, y del Hijo, y del Espíritu Santo".

Two or three readings from the Bible are proclaimed. A psalm or song is often sung between the readings. Then the celebrant gives a homily to explain the readings and the meaning of the sacrament.

Intercessions, or the prayer of the faithful, are offered by the people. The community prays for the child about to be baptized, for the whole Church, and for the world.

The celebrant then prays asking God to free the child from original sin. He asks God to send the Holy Spirit to dwell in the child's heart. He then anoints the child on the chest with the oil of catechumens. This cleanses and strengthens the child about to be baptized.

What are some times that you make the sign of the cross? Why?

Water is an important sign of Baptism.

In the sacrament of Baptism the water is blessed with a prayer. In this prayer we hear about the power of water at the time of creation, during the great flood, and in the Israelites' escape from slavery in Egypt. We recall that water has been a source of holiness, freedom, and new life. Because of Jesus' dying and rising to new life, each of us can have eternal life.

Water is often referred to as the "source of life." Why is water so important?

As Catholics...

Did you know that in an emergency, anyone can baptize? The person baptizes by pouring water over the head of the one to be baptized while saying, "N., I baptize you in the name of the Father, and of the Son, and of the Holy Spirit."

Who do you think might need to baptize in an emergency?

63

Activity Bank

Catholic Social Teaching

Call to Family, Community, and Participation

Activity Materials: chart paper

Have the students recall their baptismal promises. Remind the students that they are called to let the light of Christ shine through them. Encourage them to act justly and to do good within their families and communities. Have them make a two-column chart. Label one column *Family* and the other column *Community.* Ask them to list actions that they can do to bring the light of Christ to their families and communities.

As Catholics...

Baptism in Emergencies

Invite the students to read the text. Have the students volunteer for role-play situations in which parents, nurses, and doctors may need to baptize. As they consider the final question, remind them that as baptized Catholics they, too, may baptize—only in an emergency!

Lesson Plan

We Believe (continued)

Quick Check

✔ *At what age can people be baptized?* (People can be baptized at any age.)

✔ *Who is a celebrant?* (A celebrant is the bishop, priest, or deacon who celebrates the sacrament for and with the community.)

Have a volunteer read aloud the third *We Believe* statement. Have the students read and take notes on the *We Believe* paragraphs. Ask them to record different ways in which water is a part of biblical stories they might know. Share responses. Emphasize:

• In the Old Testament water is described as a source of holiness, freedom, and new life.

• In the sacrament of Baptism, these images are recalled and used to proclaim that the newly baptized are freed from sin and are given new life in Christ.

Have the students think about the importance of water. Invite them to share their responses.

Invite a volunteer to read aloud the last *We Believe* statement. Ask volunteers to read aloud the *We Believe* text. Emphasize the following:

• In Baptism the celebrant can immerse the child three times or pour water over the child's head three times while saying, "I baptize you in the name of the Father, and of the Son, and of the Holy Spirit" (*Rite of Baptism*, 97).

Ideas

Crisma

En esta lección los estudiantes aprenden que es el crisma. El crisma es una mezcla de aceite de oliva y bálsamo. Todo crisma es consagrado por el obispo el Jueves Santo para usarse en los sacramentos de Bautismo, Confirmación y Orden Sagrado, así como para la consagración de los obispos, aras, cálices e iglesias.

Ideas

Compartiendo la Escritura

En los siguientes pasajes del Antiguo Testamento se hace referencia al agua, la cual se menciona en la oración para bendecir la misma durante el Bautismo. Podría compartirlos con los estudiantes.

- Génesis 1:1–2:4
- Génesis 6:5–8:19
- Exodo 14:19–31

El celebrante sigue rezando, pidiendo a Dios ayuda y apoyo. El toca el agua con su mano derecha y dice:

"Dios todopoderoso, Padre de nuestro Señor Jesucristo, que os ha librado del pecado y os ha dado nueva vida por el agua y el Espíritu Santo, os conceda que, hechos ya cristianos y agregados a su pueblo santo, permanezcáis como miembro de Cristo, sacerdote, profeta y rey, hasta la vida eterna."

"Amén".

Luego el celebrante hace algunas preguntas a los padres y padrinos. Ellos rechazan o dicen no al pecado. También afirman lo que creen. Es la profesión de fe.

El bautizado empieza su nueva vida como hijo de Dios.

Hemos llegado a la parte central del sacramento. El Bautismo puede hacerse de dos formas. El celebrante puede hundir al niño en la fuente tres veces o puede derramar agua sobre la cabeza del niño tres veces. Mientras eso sucede dice:

"N., yo te bautizo en el nombre del Padre y del Hijo, y del Espíritu Santo".

El celebrante unge con crisma al niño en la corona de la cabeza. **Crisma** es aceite perfumado bendecido por el obispo. Esta unción es una señal del don del Espíritu Santo. Muestra que el nuevo bautizado comparte la misión de sacerdote, profeta y rey de Cristo.

Al nuevo bautizado se le pone una vestidura blanca. Esto simboliza la nueva vida en Cristo del bebé. Uno de los padres o padrinos enciende la vela del niño en el cirio pascual. La vela encendida simboliza que Cristo ha iluminado al nuevo bautizado. El bautizado debe ser un hijo de la luz.

Todos se reúnen en el altar a rezar el Padrenuestro. Esto relaciona el Bautismo con la Eucaristía. El celebrante ofrece una bendición final para terminar el Bautismo.

RESPONDEMOS

Escribe los nombres de las personas que te ayudan en tu peregrinaje. Toma un momento para dar gracias a Dios por ellas.

____

____

____

____

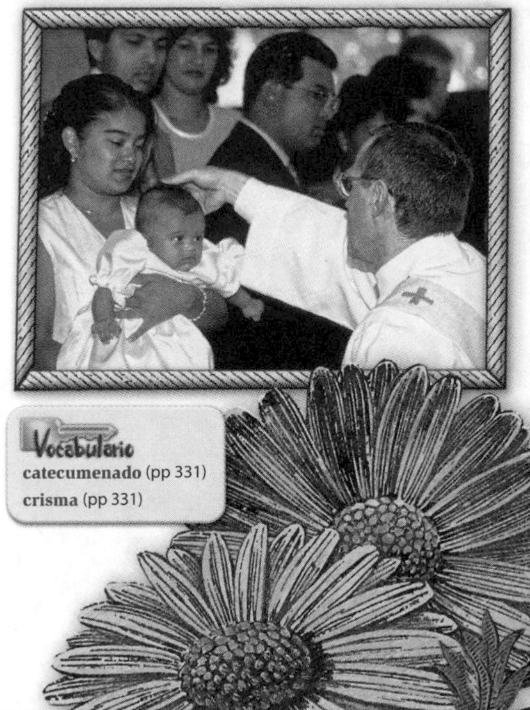

Vocabulario
catecumenado (pp 331)
crisma (pp 331)

64

Planificación de la lección

CREEMOS (continuación)

- La unción con el crisma, la entrega de la prenda blanca y la luz de la vela Pascual significan nueva luz y vida en Cristo y el don del Espíritu Santo.
- El sacramento del Bautismo termina con la oración del Padrenuestro y con la bendición final del celebrante.

Lleve a los estudiantes a la iglesia parroquial. Muéstreles la pila bautismal y el aceite bendito. Si es posible, pida a un sacerdote o a un diácono explicar los ritos del sacramento del Bautismo. Luego, comparta las reacciones a la visita.

Vocabulario Escriba cada palabra en la pizarra dentro de un círculo separado. Pida a los estudiantes que desarrollen una red de palabras.

RESPONDEMOS ____ minutos

Lea en voz alta las instrucciones de la actividad de *Respondemos*. Pida a los estudiantes que recuerden quién los ayudó en su peregrinación de la fe. Tome un momento para dar las gracias a Dios por estas personas. También puede rociar al grupo con agua bendita. Recuerde a los estudiantes hacer la señal de la cruz mientras lo hace.

The celebrant continues to pray, calling upon God for help and support. He touches the water with his right hand and says,

"We ask you, Father, with your Son
to send the Holy Spirit upon the waters of this font.
May all who are buried with Christ in the death of baptism
rise also with him to newness of life.

We ask this through Christ our Lord.

Amen."

Next the celebrant asks the parents and godparents some questions. The parents and godparents reject, or say no to, sin. Then they state what they believe. This is called a profession of faith.

The baptized begin their new life as children of God.

We have now arrived at the heart of the sacrament. The actual baptism can take place in two ways. The celebrant can immerse, or plunge, the child in water three times. Or the celebrant can pour water over the child three times. While immersing or pouring, the celebrant says,

"N., I baptize you in the name of the Father,
and of the Son,
and of the Holy Spirit."

The celebrant anoints the child on the crown of the head with **chrism**, perfumed oil blessed by the bishop. This anointing is a sign of the gift of the Holy Spirit. It shows that the newly baptized share in Christ's mission as priest, prophet, and king.

A white garment is placed on the newly baptized. This symbolizes the child's new life in Christ. One of the parents or godparents then lights the child's candle from the Easter candle. The lit candle symbolizes that Christ has enlightened the newly baptized child. He or she is to be a child of light.

Everyone gathers by the altar to pray the Our Father. This connects Baptism to the Eucharist. The celebrant then offers a final blessing, and those gathered are dismissed.

WE RESPOND

Write the names of the people who help you on your journey of faith. Take a moment to thank God for them.

____

____

____

____

Key Words
catechumenate (p. 334)
chrism (p. 334)

65

Teaching Tip

Chrism

In this lesson the students learn about chrism. Chrism is a combination of olive oil and balsam. All chrism is blessed by a bishop on Holy Thursday for use in the sacraments of Baptism, Confirmation, and Holy Orders, as well as for the consecration of bishops, altar stones, chalices, and churches.

Teaching Note

Sharing Scripture

The following Scripture passages contain Old Testament references to water that are found in the prayer to bless water in the sacrament of Baptism. You may want to share them with the students:

- Genesis 1:1—2:4
- Genesis 6:5—8:19
- Exodus 14:19–31.

Lesson Plan

WE BELIEVE (continued)

- The anointing with chrism, the giving of a white garment, and lighting the Easter candle signify new light and life in Christ and the gift of the Holy Spirit.
- The sacrament of Baptism ends with the praying of the Our Father and final blessing by the celebrant.

Take your students to the parish church. Point out the baptismal font and the holy oil. If possible, have a priest or deacon demonstrate and/or explain the ritual actions of the sacrament of Baptism. Afterward, share reactions to the visit.

Key Words Write each word on the board inside a separate circle. Have the students develop a word web.

WE RESPOND ______ minutes

Read aloud the *We Respond* activity directions. Ask the students to recall all who help them on their journeys of faith. Take a moment for silent thanks to God for these people. You may want to sprinkle the group with holy water. Remind the students to make the sign of the cross as you do so.

BANCO DE ACTIVIDADES

Conexión con el currículo

Ciencias

El poder de purificación que tiene el agua se ha explorado en esta lección sobre el Bautismo. Explique a los estudiantes que el uso terapéutico del agua para ayudar a las personas es muy conocido en el campo de la medicina. Muchos médicos recomiendan el uso de agua para aliviar el dolor de las lesiones. En el mundo del atletismo, el jacuzzi alivia los músculos adoloridos y de las articulaciones inflamadas de muchos atletas. Algunos doctores y terapeutas aconsejan la natación como parte de los regímenes de recuperación para aquellos que sufren de lesiones graves de la columna vertebral. Anime a los estudiantes a investigar el uso del agua como herramienta terapéutica. Compartan sus hallazgos.

CONEXION CON EL HOGAR

Compartiendo lo aprendido

Recuerde a los estudiantes hablar con sus familias sobre lo que aprendieron en este capítulo.

Para más información y actividades adicionales visite Sadlier en

www.CREEMOSweb.com

Planifique por adelantado

Lugar de oración: Biblia, imagen de una paloma

Materiales: copias del patrón 8, 4–6 CD

_____ minutos

Repaso del capítulo Dé tiempo a los estudiantes para contestar las preguntas 1–8. Pídales que consulten el texto. Repase las respuestas correctas. Lea en voz alta la pregunta 9–10. Recuerde a los estudiantes que deben escribir varias frases para responder la pregunta final.

Reflexiona y ora Lea en voz alta las instrucciones. Hable de la tarea con los estudiantes. Anímelos a escribir respuestas bien pensadas.

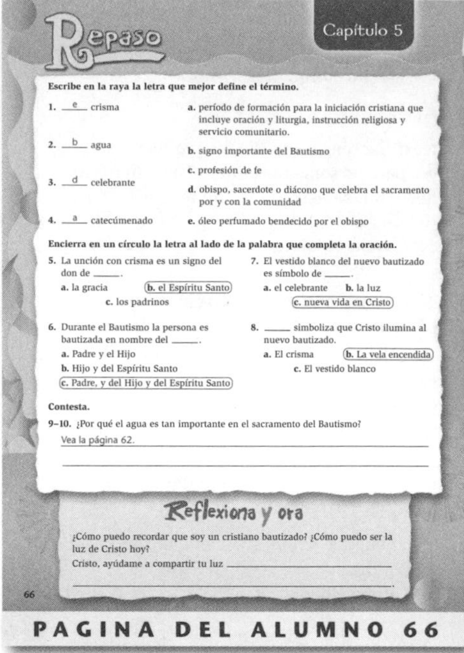

Repaso — Capítulo 5

Escribe en la raya la letra que mejor define el término.

1. __e__ crisma
2. __b__ agua
3. __d__ celebrante
4. __a__ catecúmenado

a. período de formación para la iniciación cristiana que incluye oración y liturgia, instrucción religiosa y servicio comunitario.
b. signo importante del Bautismo
c. profesión de fe
d. obispo, sacerdote o diácono que celebra el sacramento por y con la comunidad
e. óleo perfumado bendecido por el obispo

Encierra en un círculo la letra al lado de la palabra que completa la oración.

5. La unción con crisma es un signo del don de ____.
   a. la gracia (b. el Espíritu Santo) c. los padrinos
6. Durante el Bautismo la persona es bautizada en nombre del ____.
   a. Padre y el Hijo b. Hijo y del Espíritu Santo (c. Padre, y del Hijo y del Espíritu Santo)
7. El vestido blanco del nuevo bautizado es símbolo de ____.
   a. el celebrante b. la luz (c. nueva vida en Cristo)
8. ____ simboliza que Cristo ilumina al nuevo bautizado.
   a. El crisma (b. La vela encendida) c. El vestido blanco

Contesta.

9–10. ¿Por qué el agua es tan importante en el sacramento del Bautismo?
Vea la página 62.

Reflexiona y ora

¿Cómo puedo recordar que soy un cristiano bautizado? ¿Cómo puedo ser la luz de Cristo hoy?
Cristo, ayúdame a compartir tu luz ____________.

66

PAGINA DEL ALUMNO 66

Respondemos y compartimos la fe

_____ minutos

Recuerda Repase las ideas importantes del capítulo hablando acerca de los cuatro enunciados. Forme cuatro grupos. Dé un enunciado a cada grupo. Pida a cada grupo que haga una escenificación corta que muestre el significado del enunciado. Anímelos a usar accesorios y objetos del aula. Invite a cada grupo a presentar su escenificación.

Nuestra vida católica Pida a un voluntario que lea en voz alta el texto. Recuerde a los estudiantes que es fácil obtener el agua bendita. Anímelos a visitar sus parroquias y pedirle al sacerdote que bendiga agua para sus familias. Dígales que quizás quieran compartir la importancia del agua bendita con sus familias. Pida a los estudiantes que indiquen algunas formas en las que pueden usar el agua bendita en casa (en pequeñas pilas junto a los portales; para bendecir a alguien que se va de viaje; para rociarla al bendecir una habitación, a una persona o mascota; para bendecir a un enfermo).

Respondemos y compartimos la fe

Compartiendo lo aprendido

Habla con tu familia sobre lo siguiente:
- de los que están celebrando el Bautismo
- del papel de la comunidad en esta celebración
- de la importancia del agua en el Bautismo
- de la unción con crisma.

Recuerda
- La Iglesia da la bienvenida a todos para ser bautizados.
- La comunidad parroquial participa en la celebración del Bautismo.
- El agua es un signo importante del Bautismo.
- El bautizado empieza su nueva vida como hijo de Dios.

"Recibe la luz de Cristo".
(Rito del Bautismo)

NUESTRA VIDA CATOLICA

La Señal de la Cruz

La cruz de Jesucristo es parte de la vida diaria de los católicos. Cuando entramos en la iglesia vemos una fuente de agua bendita o una fuente bautismal cerca de la entrada. Es la misma agua que se usa en el Bautismo. Al bendecirnos con la señal de la cruz recordamos que pertenecemos a Jesús y somos hijos de Dios. Podemos bendecirnos unos a otros con la señal de la cruz.

Visita Sadlier en www.CREEMOSweb.com

Conexión con el Catecismo
Para referencia vea los párrafos 1226, 1248, 1217–1222 y 1254

68

PAGINA DEL ALUMNO 68

_____ minutes

Chapter Review Provide the students time to work through questions 1–8. Have them refer to the text. Review the correct answers. Read aloud question 9–10. Invite the students to write several sentences in answer to this final question.

Reflect & Pray Read aloud the directions. Discuss the assignment with the students. Encourage them to write thoughtful responses.

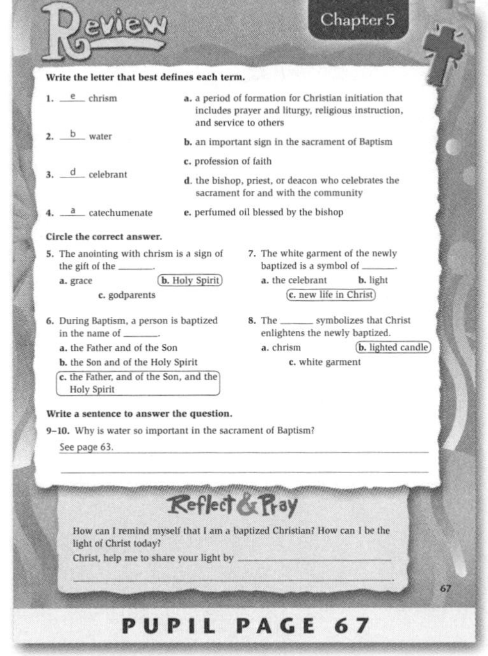

Review — Chapter 5

Write the letter that best defines each term.

1. e chrism
2. b water
3. d celebrant
4. a catechumenate

a. a period of formation for Christian initiation that includes prayer and liturgy, religious instruction, and service to others
b. an important sign in the sacrament of Baptism
c. profession of faith
d. the bishop, priest, or deacon who celebrates the sacrament for and with the community
e. perfumed oil blessed by the bishop

Circle the correct answer.

5. The anointing with chrism is a sign of the gift of the ______.
a. grace (b. Holy Spirit) c. godparents

6. During Baptism, a person is baptized in the name of ______.
a. the Father and of the Son
b. the Son and of the Holy Spirit
(c. the Father, and of the Son, and the Holy Spirit)

7. The white garment of the newly baptized is a symbol of ______.
a. the celebrant b. light (c. new life in Christ)

8. The ______ symbolizes that Christ enlightens the newly baptized.
a. chrism (b. lighted candle) c. white garment

Write a sentence to answer the question.

9–10. Why is water so important in the sacrament of Baptism?
See page 63.

Reflect & Pray

How can I remind myself that I am a baptized Christian? How can I be the light of Christ today?
Christ, help me to share your light by ______

67

PUPIL PAGE 67

We Respond and Share the Faith

_____ minutes

Remember Review the important ideas of the chapter by discussing the four statements. Form four groups. Give each group a statement. Ask each group to perform a short skit that shows the statement's meaning. Encourage them to use props and objects within room. Invite each group to act out its skit.

Our Catholic Life Have a volunteer read aloud the text. Remind the students that obtaining holy water is easy. Encourage them to visit their parishes and ask the priest to bless holy water for their families. Invite them to share the importance of holy water with their families. Ask the students to name a few ways they can use holy water at home (in small fonts at doorways; to bless someone before a journey; to sprinkle in blessing on a room, a person, or a pet; to bless someone who is ill).

We Respond and Share the Faith

Sharing What I Learned
Discuss the following with your family:
• those celebrating Baptism
• the role of the community in this celebration
• the importance of water in Baptism
• the anointing with chrism.

Remember
• The Church welcomes all to be baptized.
• The parish community participates in the celebration of Baptism.
• Water is an important sign of Baptism.
• The baptized begin their new life as children of God.

"Receive the light of Christ."
(Rite of Baptism for Children, 64)

OUR CATHOLIC LIFE
The Sign of the Cross
The cross of Jesus Christ is part of everyday Catholic life. When we go into church, a holy water font or baptismal font is near the entrance. This is the same water used for Baptism. As we bless ourselves with the sign of the cross we remember that we belong to Jesus and are children of God. We can bless one another with the sign of the cross, too.

Connect to the Catechism
For adult background and reflection, see paragraphs 1226, 1248, 1217–1222, and 1254.

Visit Sadlier's
www.CREEMOSweb.com

PUPIL PAGE 69

ACTIVITY BANK

Curriculum Connection

Science

The cleansing power of water has been explored in this lesson on Baptism. Explain to the students that the therapeutic use of water in helping people has a long history in medicine. Many doctors recommend the use of water to ease the pain from injuries. In the world of athletics, the whirlpool helps many athletes find relief from sore muscles and inflamed joints. People with chronic back pain use swimming, saunas, and steam baths to ease their condition. Some doctors and occupational therapists advise swimming as part of the recovery regimes for stroke victims and people who have suffered severe spinal-cord injuries. Encourage the students to investigate these and other uses of water as a therapeutic tool. Share findings.

HOME CONNECTION

Sharing What I Learned

Ask the students to talk with their families about what they learned this week.

For additional information and activities, encourage families to visit Sadlier's

www.CREEMOSweb.com

Plan Ahead for Chapter 8

Prayer Space: Bible, picture of a dove

Materials: copies of Reproducible Master 8, Grade 5–6 CD

El ãno litúrgico

Adviento | Navidad | Tiempo Ordinario | Cuaresma | Triduo | Tiempo de Pascua | Tiempo Ordinario

La Iglesia, en el transcurso del año, conmemora todo el misterio de Cristo, desde la Encarnación hasta el día de Pentecostés y hasta la Parusía.

(Normas universales del año litúrgico, 17)

Ojeada

En este capítulo los estudiantes aprenderán que recordamos y celebramos la vida de Cristo durante el año litúrgico.

Para referencia vea el párrafo 1168 del *Catecismo de la Iglesia Católica*.

Referencia catequética

¿Cómo recuerda y celebra los eventos especiales durante el año?

Al recordar y celebrar la vida, muerte, resurrección y ascensión de Jesucristo, la Iglesia abre para todos nosotros "la riqueza de las virtudes y de los méritos de su Señor" (*CIC* 1163). La celebración de cada año litúrgico nos permite unirnos a Cristo y crecer en gracia.

Los signos y símbolos del año de la Iglesia, desde la corona del Adviento hasta la vela Pascual, continúan recordándonos todo lo que Jesús hizo por nosotros. Toda acción litúrgica se centra en nuestra identificación con el Hijo de Dios. Nuestra participación sincera en los sacramentos, especialmente la Eucaristía, intensifica la alianza que comenzó con el Bautismo. Cualquiera que sea el tiempo, los cristianos recuerdan y cumplen con el mandamiento de Jesús "Hagan esto en memoria de mí" (Lucas 22:19).

Durante los tiempos litúrgicos, la Iglesia desea revivir "estos acontecimientos de la historia de la salvación en el 'hoy' de su Liturgia. Pero esto exige también que la catequesis ayude a los fieles a abrirse a esta inteligencia 'espiritual' de la economía de la salvación" (*CIC* 1095). Cada tiempo nos acerca más profundamente a los misterios de la vida de Cristo.

La celebración del año litúrgico ejerce "un poder sacramental especial e influencia que fortalece la vida cristiana" (*Compartiendo la Luz de la fe*, 144). Al vivir y celebrar el año de la Iglesia, mantenemos a Cristo en el centro de todos nuestros días.

¿Cómo puede participar más profundamente en el año litúrgico?

Mirando la vida

Historia para el capítulo

Thomas Gray Wolf pertenecía al pueblo de Lakota. Cuando pequeño, aprendió a cazar y pescar y montar al poney. Pero Thomas quería más que lo que veía a su alrededor. Se tornó impaciente con sus hermanos y primos porque pensó que estaban perdiendo el tiempo.

Cuando Thomas cumplió los doce años, decidió estudiar con ahínco para poder ir a la universidad. Estudiaba tanto que sus amigos rara vez se molestaban en visitarlo. Ellos sabían que Thomas diría: "No tengo tiempo para jugar lacrosse," o "no tengo tiempo para ver un video".

Un día el abuelo de Thomas, Joseph Strong Eyes, lo llevó al lago para pasear en su canoa. Thomás pensó que era una pérdida de tiempo, pero tenía que respetar a su abuelo. El abuelo sacó su caña de pescar y le dijo "Es el momento adecuado para pescar, Gray Wolf. Deja que tu mente fluya con la caña de pescar. Mira a tu alrededor y ve lo que hay aquí."

¿Qué crees que Strong Eyes quería que Gray Wolf aprendiera sobre el tiempo y la vida?

By means of the yearly cycle the Church celebrates the whole mystery of Christ, from his incarnation until the day of Pentecost and the expectation of his coming again.

(Norms Governing Liturgical Calendars, 17)

Overview

In this chapter the students will learn that throughout the liturgical year we remember and celebrate the life of Christ.

For Adult Reading and Reflection You may want to refer to paragraph 1168 of the *Catechism of the Catholic Church*.

Catechist Background

How do you remember and celebrate important events during the year?

By remembering and celebrating the life, death, Resurrection, and Ascension of Jesus Christ, the Church opens up for all of us "her Lord's powers and merits" (*CCC* 1163). The celebration of each new liturgical year enables us to unite ourselves with Christ and grow in grace.

The signs and symbols of the Church year, from the Advent wreath to the Paschal candle, continue to remind us of all that Jesus did for our sakes. At the core of each liturgical action is our identification with the Son of God. Our wholehearted participation in the sacraments, especially the Eucharist, intensifies the covenant relationship that began in our Baptism. In and out of season, Christians remember and fulfill Jesus' command, "Do this in memory of me" (Luke 22:19).

During the liturgical seasons, the Church desires to relive "the great events of salvation history in the 'today' of her liturgy. But this also demands that catechesis help the faithful to open themselves to this spiritual understanding of the economy of salvation" (*CCC* 1095). Each new season draws us more deeply into the mysteries of Christ's life.

The celebration of the liturgical year exerts "a special sacramental power and influence which strengthens Christian life"(*Sharing the Light of Faith*, 144). By living and celebrating the Church year, we keep Christ at the heart of all our days.

How will you enter more deeply into the Church year?

Focus on Life

Chapter Story

Thomas Gray Wolf was a member of the Lakota people. As a young boy, he learned to hunt and fish and ride a pony. But Thomas wanted more than he saw around him. He grew impatient with his brothers and his cousins when he thought they were wasting time.

By the time Thomas was twelve, he had decided that he would study hard and go to college. He worked so hard that his friends rarely bothered to come over any more. They knew Thomas would say, "I don't have time to play lacrosse," or "I don't have time to watch a video."

One day Thomas's grandfather, Joseph Strong Eyes, took him out on the lake in his canoe. Thomas thought it was a waste of time but he had to show respect for his grandfather. The grandfather cast out his fishing line and said, "This is the right time to fish, Gray Wolf. Let your mind drift with the line. Look around you and see what is here."

What do you think Strong Eyes wanted Gray Wolf to learn about time and about life?

Guía para planificar la lección

Pasos de la lección	Presentación	Materiales
 **NOS CONGREGAMOS**		
pag. 70 **Introducción del tiempo litúrgico**	• Leer la *Historia para el capítulo.* • Presentar el año litúrgico. • Proclamar las palabras al final de la página.	
pag. 70	• Compartir las respuestas.	
 **CREEMOS**		
pag. 70 *Celebramos la vida de Cristo durante el año litúrgico.*	• Presentar el texto y el calendario del año litúrgico. • Participar en el juego del año litúrgico. • Presentar la historia de nuestro calendario actual (Gregoriano).	• un cartel para cada tiempo
 **RESPONDEMOS**		
pag. 74	Hacer una lista de los signos de cada tiempo litúrgico y planificar y preparar el lugar de oración para cada uno.	
pag. 74 **Respondemos en oración**	• Pensar en la presencia de Dios en nosotros todo el año y toda nuestra vida.	• Para el lugar de oración: tablero de anuncios, exhibición de estrellas y planetas, ícono de Cristo
pag. 76 **Respondemos y compartimos la fe**	• Explicar los proyectos individual y en grupo del año litúrgico. • Hablar sobre **Respondemos y compartimos la fe**	• copias del patrón 6

Planificación de la lección

Introducción del tiempo ____ minutos

• **Ore** El Signo de la Cruz y las palabras, *Señor, creaste todas las cosas para glorificarte.*

• **Lea** en voz alta la *Historia para el capítulo* de la pág. 70A de la guía. Converse sobre las respuestas de los estudiantes y sobre la importancia de percatarse de las cosas que nos rodean y de estar presente en el "ahora" de nuestras vidas.

• **Pida** a los estudiantes que abran sus libros en la página 70. Lea en voz alta el título del capítulo. Explique: *El año litúrgico es el término que usamos para describir el paso del tiempo y los tiempos del año de la Iglesia.*

• **Invite** a los estudiantes a ver las fotos de las páginas 70 y 71. Pregunte: *¿Qué ven en las fotos que les habla sobre la celebración de los tiempos?*

• **Proclamen** juntos las palabras de la leyenda debajo de las fotos.

Lesson Planning Guide

Lesson Steps	Presentation	Materials
1 WE GATHER		
page 71 **Introduce the Season**	• Read the *Chapter Story*. • Introduce the liturgical year. • Proclaim the words on the banner.	
page 71	• Share responses to the questions.	
2 WE BELIEVE		
page 71 *Throughout the liturgical year we remember and celebrate the life of Christ.*	• Present the text and the liturgical year calendar. • Play a liturgical year game. • Present the history of our current (Gregorian) calendar.	• a small construction-paper poster for each season
3 WE RESPOND		
page 75	List signs of each liturgical season and make plans to prepare your prayer space for each one.	
page 75 **We Respond in Prayer**	• Reflect on God's presence with us throughout the year and throughout our lives.	• for prayer space: bulletin board display of stars and planets, icon of Christ.
page 77 **We Respond and Share the Faith**	• Explain the individual and group projects. • Discuss **We Respond and Share the Faith**	• copies of Reproducible Master 6

Lesson Plan

Introduce the Season ____ minutes

• **Pray** the Sign of the Cross and the words *Lord, you create all things to give you glory.*

• **Read** aloud the *Chapter Story* on guide page 70B. Discuss the students' responses and the importance of being aware of the things around you and being present to the "now" in one's life.

• **Have** the students open their texts to page 71. Read aloud the chapter title. Explain: *The liturgical year is the term we use to describe the times and seasons of the Church year.*

• **Invite** the students to look at the photos on pages 70 and 71. Ask: *What do you see in these photos that tells you about celebrating the seasons?*

• **Proclaim** together the words on the banner under the photo.

Meta catequética

- Presentar el año litúrgico como un tiempo para recordar y celebrar la vida de Cristo.

Nuestra respuesta en la fe

- Prepararse para celebrar el año litúrgico

Materiales

- un cartel para cada tiempo

Celebramos la vida de Cristo durante el año litúrgico.

NOS CONGREGAMOS

✝ *Señor, creaste todas las cosas para glorificarte.*

¿Cómo mantienes el sentido de los días, los meses, el año o las estaciones? ¿Cómo te ayuda saber esas cosas?

CREEMOS

El año de la Iglesia se basa en la vida de Cristo y su celebración en la liturgia. El año de la Iglesia es llamado año litúrgico. La Iglesia tiene su propia forma de marcar el paso del tiempo y los tiempos litúrgicos durante el año. Durante un año litúrgico recordamos y celebramos toda la vida de Jesucristo. Celebramos su nacimiento, sus años de juventud, sus años de enseñanza y su misión, y especialmente su misterio pascual: sufrimiento, muerte, resurrección y ascensión al cielo. Durante el año también veneramos, mostramos devoción, a María, la madre de Dios y a todos los santos.

El año litúrgico empieza con el Tiempo de Adviento, al final de noviembre o al principio de diciembre. El Triduo Pascual es el centro de nuestro año. Los días de todos los demás tiempos están basados en los días del Triduo Pascual. Esa es la razón por la que los tiempos empiezan y terminan en diferentes días cada año.

"Porque creaste el universo con todo cuanto contiene".

Prefacio V para los domingos del Tiempo Ordinario

70

RECURSOS ADICIONALES

Libro *El Espíritu Santo y la liturgia,* Obispado de Tarazona, Spanish Speaking Bookstore.

Para ideas visite Sadlier en

www.CREEMOSweb.com

Planificación de la lección

NOS CONGREGAMOS ___ minutos

Mirando la vida Pida a voluntarios que compartan sus respuestas a las preguntas de *Nos congregamos*. Escriba las ideas en la pizarra. (Respuestas posibles: recordar los cumpleaños de familiares, y otros; mantenerse al tanto de los deportes de temporada y otras actividades, anotar citas; planificar y preparar acontecimientos especiales)

- **Recuerde** a los estudiantes que el cambio es parte de la vida. Así como el calendario marca los cambios de los días y del tiempo, nuestro calendario litúrgico marca el cambio de los tiempos de la Iglesia.

CREEMOS ___ minutos

- **Explique:** *Hoy estudiarán la importancia de mantenerse al tanto e informados de los tiempos del año de la Iglesia.* Invite a los estudiantes a abrir sus libros en la pág. 70.

- **Lea** en voz alta el enunciado de *Creemos*. Pida a los estudiantes que lean en silencio los primeros dos párrafos para determinar en qué se fundamenta el año litúrgico. Señale que aunque celebramos toda la vida de Cristo, nos centramos especialmente en su misterio pascual, la muerte de Jesús y su ascensión a la nueva vida.

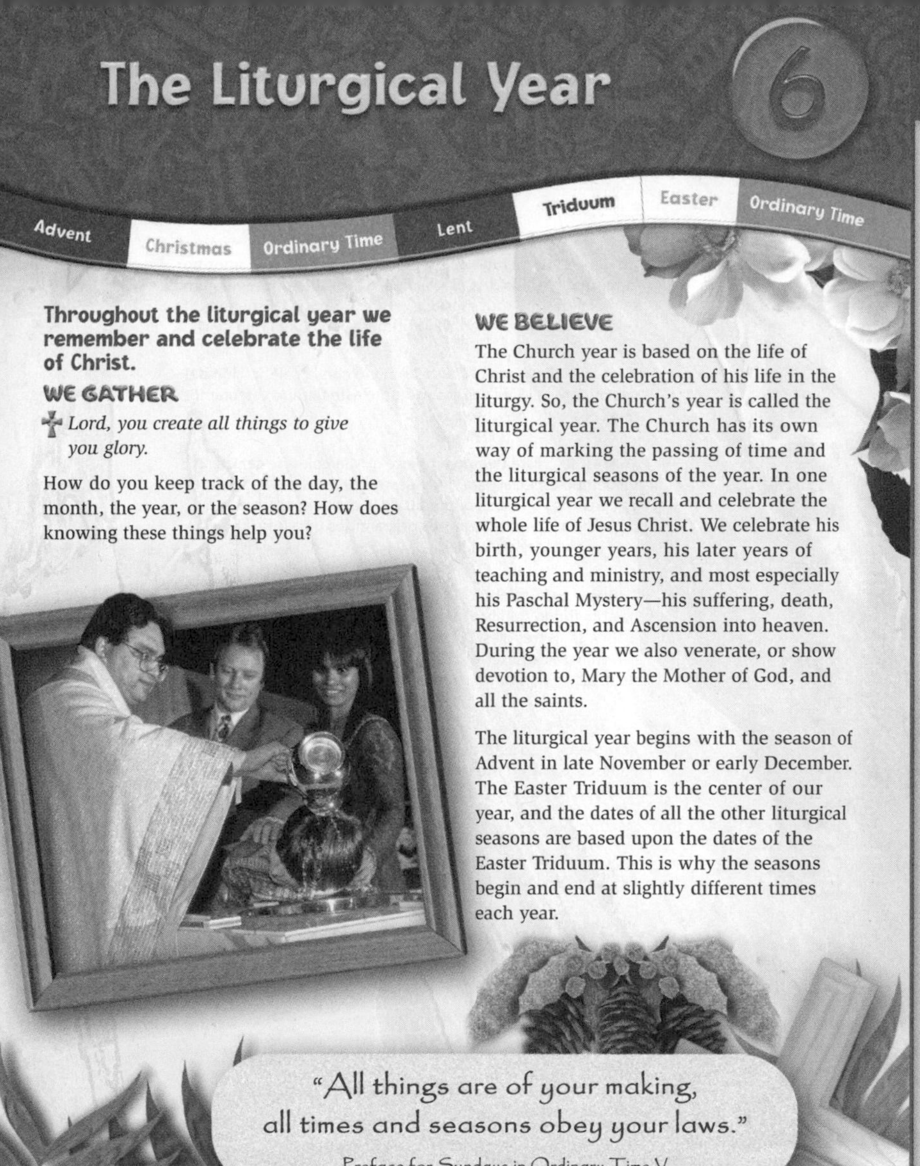

Throughout the liturgical year we remember and celebrate the life of Christ.

WE GATHER

✝ *Lord, you create all things to give you glory.*

How do you keep track of the day, the month, the year, or the season? How does knowing these things help you?

WE BELIEVE

The Church year is based on the life of Christ and the celebration of his life in the liturgy. So, the Church's year is called the liturgical year. The Church has its own way of marking the passing of time and the liturgical seasons of the year. In one liturgical year we recall and celebrate the whole life of Jesus Christ. We celebrate his birth, younger years, his later years of teaching and ministry, and most especially his Paschal Mystery—his suffering, death, Resurrection, and Ascension into heaven. During the year we also venerate, or show devotion to, Mary the Mother of God, and all the saints.

The liturgical year begins with the season of Advent in late November or early December. The Easter Triduum is the center of our year, and the dates of all the other liturgical seasons are based upon the dates of the Easter Triduum. This is why the seasons begin and end at slightly different times each year.

"All things are of your making, all times and seasons obey your laws."

Preface for Sundays in Ordinary Time V

71

Catechist Goal

- To present the liturgical year as a time to remember and celebrate the life of Christ.

Our Faith Response

- To prepare to celebrate the liturgical year

Materials

- a small construction-paper poster for each season

ADDITIONAL RESOURCES

Book *Our Year with God,* Natalie Kadela, Pauline Books and Media, 2000. This book introduces Catholic holy days and the liturgical year.

To find more ideas for books, videos, and other learning material, visit Sadlier's

www.CREEMOSweb.com

Lesson Plan

WE GATHER ___ minutes

Focus on Life Have volunteers share their responses to the *We Gather* questions. List their ideas on the board. (Possible responses: remembering family birthdays, and so on; keeping track of seasonal sports and other activities; recording appointments; planning and preparing for special events)

- **Remind** the students that change is part of life. Just as a calendar marks our changes of days and times, our liturgical calendar marks the changing Church seasons.

WE BELIEVE ___ minutes

- **Explain:** *Today you will explore why it is important to stay connected with and informed about the seasons of the Church year.*

- **Read** aloud the *We Believe* statement. Have the students read silently the first two paragraphs to learn the basis for to the liturgical year. Stress that although we celebrate the entire life of Christ, we focus most of all on his Paschal Mystery, his dying and rising to new life.

Nota para enseñar

Calendario litúrgico

Puede ser útil tener a la mano un calendario litúrgico. Familiarice a los estudiantes con el calendario y sugiera que en cualquier día especial para ellos, quizás quieran referirse a las lecturas litúrgicas del día como fuente de oración y dirección.

El sitio Web de Sadlier, www.cyberfaith.com, ofrece las lecturas del día con comentarios y actividades.

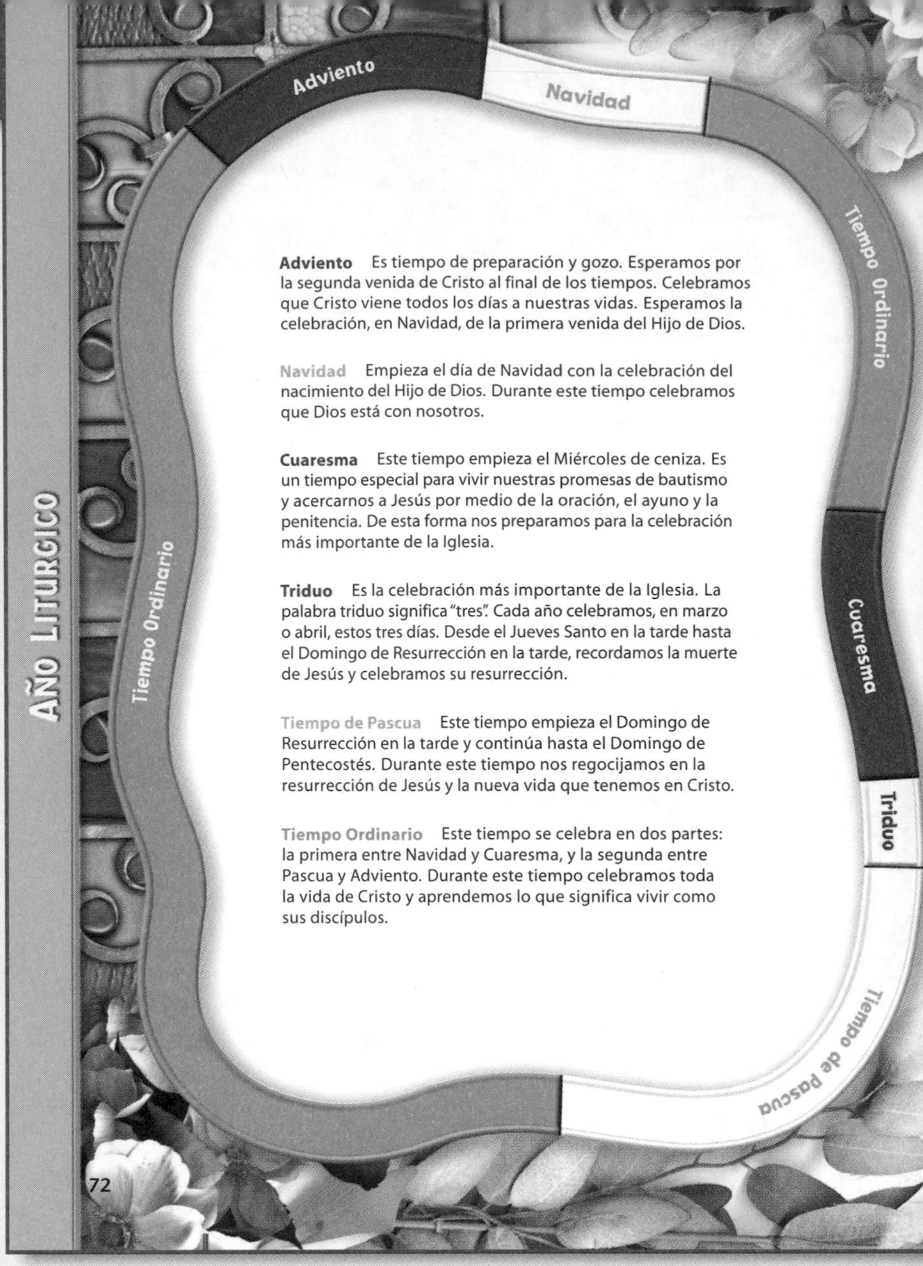

AÑO LITURGICO
Adviento
Navidad
Tiempo Ordinario
Cuaresma
Triduo
Tiempo de Pascua
Tiempo Ordinario
Adviento Es tiempo de preparación y gozo. Esperamos por la segunda venida de Cristo al final de los tiempos. Celebramos que Cristo viene todos los días a nuestras vidas. Esperamos la celebración, en Navidad, de la primera venida del Hijo de Dios.
Navidad Empieza el día de Navidad con la celebración del nacimiento del Hijo de Dios. Durante este tiempo celebramos que Dios está con nosotros.
Cuaresma Este tiempo empieza el Miércoles de ceniza. Es un tiempo especial para vivir nuestras promesas de bautismo y acercarnos a Jesús por medio de la oración, el ayuno y la penitencia. De esta forma nos preparamos para la celebración más importante de la Iglesia.
Triduo Es la celebración más importante de la Iglesia. La palabra triduo significa "tres". Cada año celebramos, en marzo o abril, estos tres días. Desde el Jueves Santo en la tarde hasta el Domingo de Resurrección en la tarde, recordamos la muerte de Jesús y celebramos su resurrección.
Tiempo de Pascua Este tiempo empieza el Domingo de Resurrección en la tarde y continúa hasta el Domingo de Pentecostés. Durante este tiempo nos regocijamos en la resurrección de Jesús y la nueva vida que tenemos en Cristo.
Tiempo Ordinario Este tiempo se celebra en dos partes: la primera entre Navidad y Cuaresma, y la segunda entre Pascua y Adviento. Durante este tiempo celebramos toda la vida de Cristo y aprendemos lo que significa vivir como sus discípulos.
72

CONEXION

Liturgia

Días santos

Materiales: Internet y recursos de la biblioteca, carpetas de archivo

Explique que los católicos alrededor del mundo celebran días de precepto. En los Estados Unidos, se observan seis días de preceptos. Pida a los estudiantes que busquen la lista de días de precepto en la página 317. Invítelos a escoger uno de estos días para investigarlo en Internet o la biblioteca.

Planificación de la lección

CREEMOS (continuación)

• **Invite** a seis estudiantes a leer en voz alta cada párrafo del calendario litúrgico. Después de cada lectura, pida a voluntarios que identifiquen la idea principal del párrafo y escríbala en la pizarra.

• **Juegue** "Equipos del tiempo." Entregue a seis estudiantes carteles con el nombre de los tiempos—uno a cada uno. Dígales que se pongan de pie en seis lugares diferentes del aula. Lea frases al azar del cuadro de los tiempos. El estudiante con la respuesta correcta se une al equipo. Continúe hasta que todos los estudiantes se hayan unido a un equipo. Para concluir, pídales que repitan recitando después de usted:

¡Jesús es la razón
de cada tiempo litúrgico!

Cotejo rápido

✔ *¿Qué recordamos y celebramos durante el año litúrgico?* (Recordamos toda la vida de Cristo y especialmente su misterio pascual)

✔ *¿Cuáles son los seis tiempos del año litúrgico?* (Adviento, Navidad, Cuaresma, Triduo, Tiempo de Pascua y Tiempo Ordinario)

• **Pida** a los estudiantes que lean en parejas los párrafos restantes de *Creemos*.

• **Explique** los orígenes del calendario gregoriano.

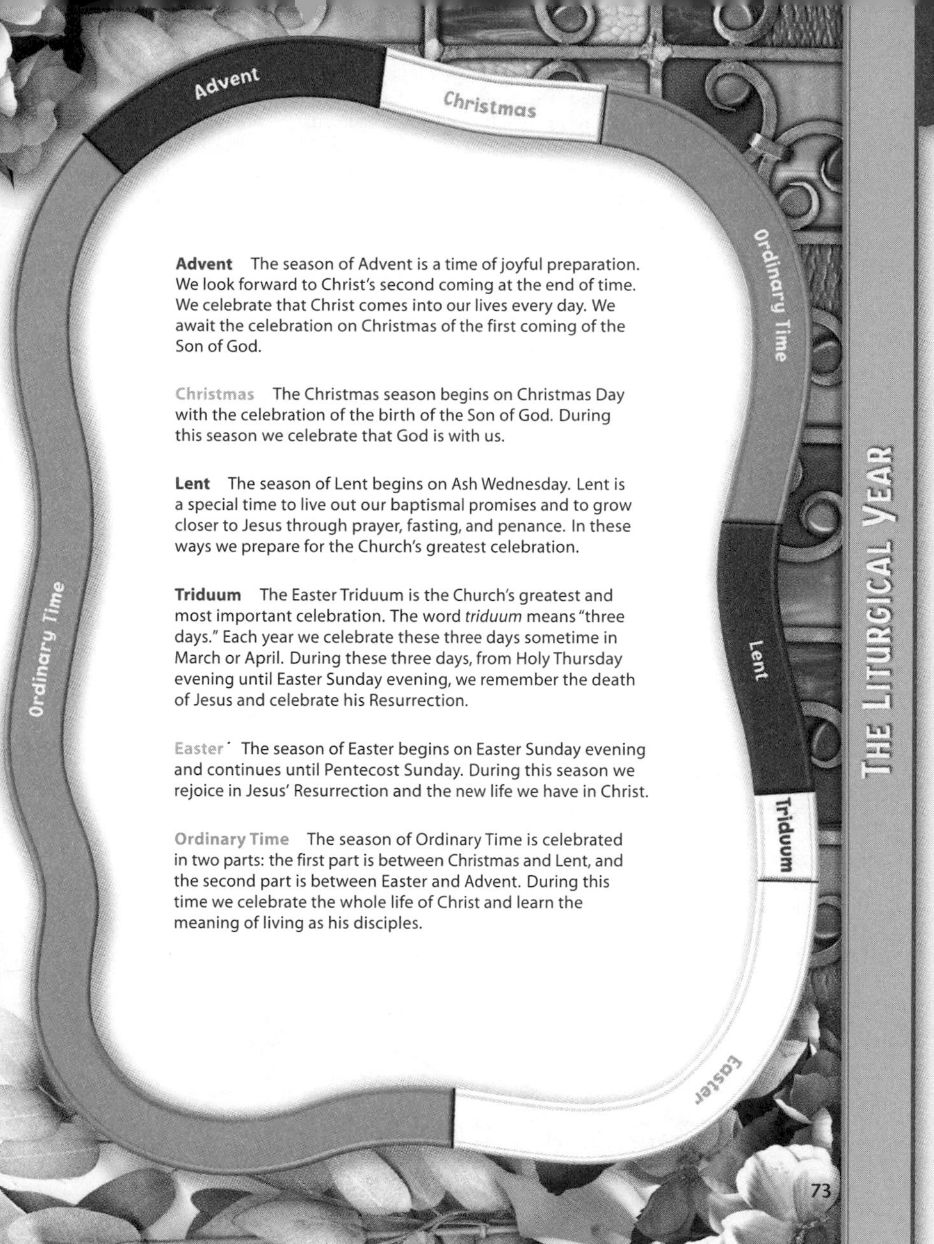

Advent
Christmas
Ordinary Time
Lent
Triduum
Easter
Ordinary Time
THE LITURGICAL YEAR
Advent The season of Advent is a time of joyful preparation. We look forward to Christ's second coming at the end of time. We celebrate that Christ comes into our lives every day. We await the celebration on Christmas of the first coming of the Son of God.
Christmas The Christmas season begins on Christmas Day with the celebration of the birth of the Son of God. During this season we celebrate that God is with us.
Lent The season of Lent begins on Ash Wednesday. Lent is a special time to live out our baptismal promises and to grow closer to Jesus through prayer, fasting, and penance. In these ways we prepare for the Church's greatest celebration.
Triduum The Easter Triduum is the Church's greatest and most important celebration. The word *triduum* means "three days." Each year we celebrate these three days sometime in March or April. During these three days, from Holy Thursday evening until Easter Sunday evening, we remember the death of Jesus and celebrate his Resurrection.
Easter The season of Easter begins on Easter Sunday evening and continues until Pentecost Sunday. During this season we rejoice in Jesus' Resurrection and the new life we have in Christ.
Ordinary Time The season of Ordinary Time is celebrated in two parts: the first part is between Christmas and Lent, and the second part is between Easter and Advent. During this time we celebrate the whole life of Christ and learn the meaning of living as his disciples.
73

Teaching Note

Liturgical Calendar

You might find it helpful to have on hand a liturgical calendar. Acquaint the students with the calendar and suggest that on any special days in their own lives they may want to look at the liturgical readings of the day as a source of prayer or guidance. Sadlier's Web site **www.creemosweb.com** provides the readings of the day with commentary and activities.

CONNECTION

To Liturgy

Holy Days of Obligation

Materials: Internet and library resources; manila folders

Explain that Catholics around the world celebrate certain holy days of obligation each year. In the United States, Catholics observe six holy days of obligation. Have students find the list of holy days on page 329. Invite all to choose one of these days to research on the Internet or in the library.

Lesson Plan

WE BELIEVE (continued)

• **Invite** six students to read aloud the six paragraphs in the liturgical calendar. After each reading, have volunteers identify the main point of the paragraph. List these on the board.

• **Play** "Season Teams." Give six students small construction-paper posters to hold that name the seasons. Have these students stand in six different places in the room. Read sentences at random from the seasonal chart. Ask students to identify the season; a student with a correct answer joins the student with that poster. When all students have joined a team, ask them to repeat after you in chant style: Jesus is the reason/For each liturgical season!

Quick Check

✔ *What do we remember and celebrate during the liturgical year?* (We remember the entire life of Christ and, most especially, his Paschal Mystery)

✔ *What are the six seasons of the liturgical year?* (Advent, Christmas, Lent, Easter Triduum, Easter, and Ordinary Time)

• **Have** partners read the remaining paragraphs of *We Believe.*

• **Explain** the origins of the Gregorian calendar.

Preparandose para orar

Los estudiantes compartirán una reflexión sobre el tiempo y oirán la lectura de la Escritura.

• Escoja a un voluntario para que lea el salmo y pida a otros tres que lean la oración. Dé tiempo para practicar.

Lugar de oración

• Exhiba sobre un fondo azul oscuro en el tablero de anuncios símbolos grandes recortados del sol, la luna, las estrellas y los planetas. Haga rayos de luz que penetren la oscuridad con pintura amarilla o dorada.

• Coloque una imagen de Cristo en el centro.

El calendario del año era diferente al que conocemos hoy. No siempre empezó en enero. Los antiguos griegos y romanos empezaban el año en primavera cuando plantaban sus frutos. Después, los romanos, por razones militares, ordenaron el año calendario para que empezara en enero.

Sin embargo, el calendario muchas veces no concordaba con las estaciones. La gente miraba un calendario que decía primavera y miraban hacia afuera y era invierno. El calendario romano tenía que ser revisado constantemente.

En 1582, el Papa Gregorio XIII asignó un grupo para revisar el calendario. También fundó el observatorio del Vaticano para que los científicos pudieran verificar sus cálculos con el movimiento del sol y las estrellas.

Estos expertos asignaron treinta días a algunos meses y treinta y uno a otros. Dieron a febrero veintiocho días con un día más cada cuatro años. Ese es el sistema que usamos hoy día. Es llamado calendario gregoriano, en nombre del Papa Gregorio XIII, quien ordenó la revisión.

Respondemos

Las parroquias se preparan para la celebración litúrgica de cada tiempo. En grupos hagan una lista de algunas formas en que su parroquia les ayuda a saber que tiempo litúrgico se está celebrando. ¿Cuáles son algunos símbolos del tiempo? Planifiquen como van a preparar su lugar de oración durante los diferentes tiempos litúrgicos.

Respondemos en oración

Líder: Alabemos al Señor de los días y las estaciones.

Todos: Gloria a Dios en el cielo.

Líder: Alabamos a Dios por la gracia y la misericordia que llena nuestros días.

Lector: Lectura del libro de los Salmos. "Señor, tú has sido nuestro refugio por todas las edades. Desde antes que se formaran los montes y que existieran la tierra y el mundo, desde los tiempos antiguos y hasta los tiempos postreros, eres Dios".
(Salmo 90:1–2)

Palabra de Dios.

Todos: Demos gracias a Dios.

Líder: Recuérdanos oh Dios, que, de edad en edad, eres nuestra fortaleza. Bendícenos hoy, llena nuestros meses futuros de esperanza en la venida de Cristo.

Eres nuestro Dios que vive y reina por los siglos de los siglos.

Todos: Amén.

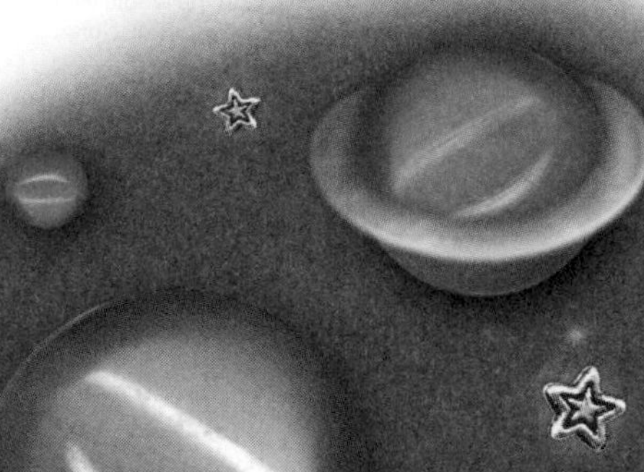

74

Planificación de la lección

Respondemos ___ minutos

Conexión con la vida Forme grupos pequeños para la actividad de *Respondemos*. Pida a los estudiantes que hagan una lista de signos que hayan visto en la parroquia o en el colegio que los ayude a identificar los tiempos del año de la Iglesia. En el espacio provisto, pídales que planifiquen como preparar el aula para cada uno de los tiempos.

• **Pida** a uno de los sacerdotes de la parroquia que muestre al grupo la sacristía y vestidura. Señale los colores del año litúrgico. Visite la iglesia y note el color litúrgico de las pancartas y colgaduras del altar.

Respondemos en oración ___ minutos

• **Pida** al grupo que se reúna en el lugar de oración.

• **Pida** a los que van a dirigir la oración ponerse de pie delante del grupo para hacer la oración.

• **Concluya** cantando el verso inicial del capítulo. Este verso viene del prefacio V para el domingo del Tiempo Ordinario.

The calendar year was once very different from what it is today. It did not always begin in January. The early Greeks and Romans began their year in the spring, when they planted their crops. Later, the Romans, for military reasons, ordered the year and the calendar so that it began in January.

However, the calendar often did not match the season. People would look at a calendar that said it was spring, then look outside to see that it was really still winter! The Roman calendar constantly had to be revised.

In 1582, Pope Gregory XIII formed a group to revise the calendar. He even founded the Vatican Observatory so that astronomers could check their calculations against the movement of the sun and the stars.

These experts gave some months thirty days, others thirty-one. They made February a month of twenty-eight days, with an extra day every four years. This is the system we still have today. It is called the Gregorian calendar. It was named after Pope Gregory XIII who started the revision.

WE RESPOND

Parishes prepare for each season and each celebration of the liturgy. In groups list some ways that your parish helps you to know which liturgical season you are celebrating. What are some signs of that season? Make plans to prepare your prayer space for each of the seasons in the liturgical year.

We Respond in Prayer

Leader: Let us praise the Lord of days and seasons and years.

All: Glory to God in the highest!

Leader: We praise God for the grace and mercy that fill our days.

Reader: A reading from the Book of Psalms
"Lord, you have been our refuge [help]
through all generations.
Before the mountains were born,
the earth and the world brought forth,
from eternity to eternity you are God."
(Psalm 90:1–2)

The word of the Lord.

All: Thanks be to God.

Leader: Remember us, O God:
from age to age be our comforter.
Bless us today, and fill the months ahead
with the bright hope
that is ours in the coming of Christ.

You are our God, living and reigning,
for ever and ever.

All: Amen.

75

THE LITURGICAL YEAR

PREPARING TO PRAY

The students will share a reflection on the seasons and listen to a Scripture reading.

- Choose one volunteer to read the psalm and three others to read the parts marked *Leader.* Allow time for them to practice.

The Prayer Space

- Display on a dark blue background on the bulletin board large cutout symbols of sun, moon, stars, and planets. With yellow or gold paint, make streams of light permeating the darkness.
- Place an icon of Christ in the center of the prayer space. Choose an awe-inspiring icon such as Christ Pantocrator (Ruler of All).

Lesson Plan

WE RESPOND ___ minutes

Connect to Life Form small groups for the *We Respond* activity. Have the students list signs they have seen in the parish or the school that help them to identify the seasons of the Church year. Help them make plans to prepare your prayer space for each of the seasons.

- **Ask** a priest from your parish to show the group the sacristy and vestments. Point out the colors of the liturgical year. Visit the church and note the liturgical color in banners and altar hangings.

We Respond in Prayer ___ minutes

- **Ask** the group to gather in the prayer space.
- **Have** the reader and the prayer leaders stand before the group as they conduct the prayer service.
- **Conclude** by singing or chanting, "All things are of your making,/all times and seasons obey your laws" (the verse that opens this chapter).

CONEXION CON EL HOGAR

Compartiendo lo aprendido

Recuerde a los niños compartir con sus familias lo que aprendieron en este capítulo.

Anime a los estudiantes a orar la oración de la noche con sus familias y a hablar acerca de las actividades familiares de cada tiempo.

Para información y actividades adicionales anime a las familias a visitar Sadlier en

www.CREEMOSweb.com

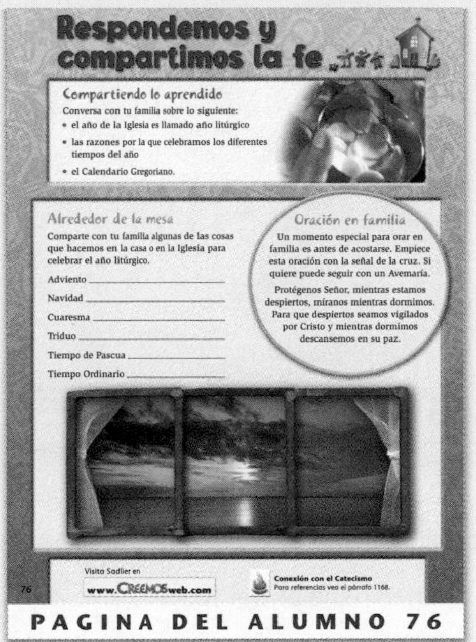

Respondemos y compartimos la fe

Compartiendo lo aprendido

Conversa con tu familia sobre lo siguiente:

- el año de la Iglesia es llamado año litúrgico
- las razones por la que celebramos los diferentes tiempos del año
- el Calendario Gregoriano.

Alrededor de la mesa

Comparte con tu familia algunas de las cosas que hacemos en la casa o en la Iglesia para celebrar el año litúrgico.

Adviento ____

Navidad ____

Cuaresma ____

Triduo ____

Tiempo de Pascua ____

Tiempo Ordinario ____

Oración en familia

Un momento especial para orar en familia es antes de acostarse. Empiece esta oración con la señal de la cruz. Si quiere puede seguir con un Avemaría.

Protégenos Señor, mientras estamos despiertos, míranos mientras dormimos. Para que despiertos seamos vigilados por Cristo y mientras dormimos descansemos en su paz.

76 Visita Sadlier en www.CREEMOSweb.com

Conexión con el Catecismo
Para referencias vea el párrafo 1168.

PAGINA DEL ALUMNO 76

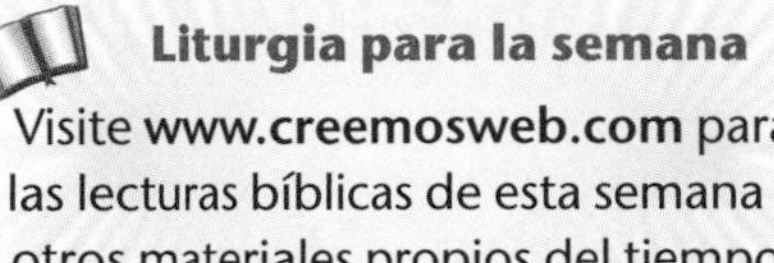

Liturgia para la semana

Visite **www.creemosweb.com** para las lecturas bíblicas de esta semana y otros materiales propios del tiempo.

Respondemos y compartimos la fe

Proyecto individual

Distribuya el patrón 6. Comenten las instrucciones. Cuando los estudiantes hayan terminado su trabajo, pida a voluntarios que compartan sus respuestas. Pida a los estudiantes que relacionen la *Historia para el capítulo* con las situaciones descritas en el patrón. Anímelos a estar atentos y listos para servir a los demás.

Proyecto en grupo

Pida a los estudiantes que piensen en las personas que necesitan ayuda en su región del país. Póngase en contacto con los comedores de beneficencia, refugios y despensas de alimentos para ver que pueden hacer los estudiantes del 5to curso para responder a las necesidades de sus vecinos. Escoja un proyecto que los estudiantes puedan hacer en grupo; por ejemplo, recolectar latas de alimentos, abastecer de postres los comedores de beneficencia o recolectar artículos de higiene personal para los refugios. Señale que las personas a las que servimos son nuestros hermanos en Cristo.

We Respond and Share the Faith

Individual Project

Distribute Reproducible Master 6. Discuss the directions. When the students have completed their work, call on volunteers to share their responses. Have the students make connections between the *Chapter Story* and the situations outlined on the reproducible master. Encourage them to be aware of being ready to serve others.

Group Project

Have the students think about people in need of help in your region of the country. Contact local soup kitchens, shelters, and food pantries to find out what the fifth graders can do to provide for the needs of their neighbors. Decide on one project that the students can do as a group; for example, collecting canned goods, providing desserts for the soup kitchen, or collecting personal-hygiene articles for the shelter. Stress that the people we serve are our brothers and sisters in Christ.

Home Connection

Sharing What I Learned

Make sure to ask the students to share what they have learned in this chapter with their families.

Encourage the students to pray the night prayer with their families and talk about family seasonal activities.

For additional information and activities, encourage families to visit Sadlier's

www.CREEMOSweb.com

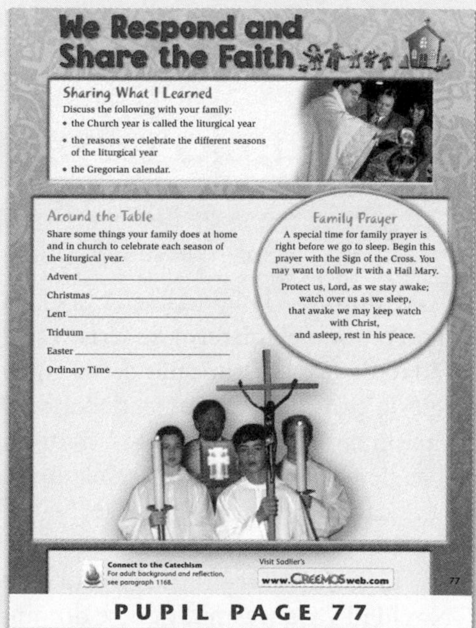

We Respond and Share the Faith

Sharing What I Learned

Discuss the following with your family:

- the Church year is called the liturgical year
- the reasons we celebrate the different seasons of the liturgical year
- the Gregorian calendar.

Around the Table

Share some things your family does at home and in church to celebrate each season of the liturgical year.

Advent ______

Christmas ______

Lent ______

Triduum ______

Easter ______

Ordinary Time ______

Family Prayer

A special time for family prayer is right before we go to sleep. Begin this prayer with the Sign of the Cross. You may want to follow it with a Hail Mary.

Protect us, Lord, as we stay awake;
watch over us as we sleep,
that awake we may keep watch
with Christ,
and asleep, rest in his peace.

Connect to the Catechism
For adult background and reflection, see paragraph 1168.

Visit Sadlier's
www.CREEMOSweb.com

77

PUPIL PAGE 77

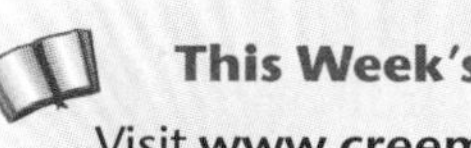

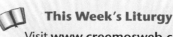

This Week's Liturgy

Visit **www.creemosweb.com** for this week's liturgical readings and other seasonal material.

Tiempo Ordinario

Además de los tiempos que tienen un carácter propio, quedan treinta y tres o treinta y cuatro semanas en el transcurso del año, en las que no se celebra ningún aspecto particular del misterio de Cristo; más bien este misterio se vive en toda su plenitud, particularmente los domingos. Este período de tiempo recibe el nombre de "per annum" (tiempo ordinario de año").

(Normas universales del año litúrgico, 43)

Ojeada

En este capítulo los estudiantes aprenderán que el Tiempo Ordinario es un tiempo especial para aprender sobre la vida de Cristo y crecer como sus seguidores.

Para referencia Vea el párrafo 1163 del *Catecismo de la Iglesia Católica.*

Referencia catequética

¿Qué enseñanza de Jesús me habla más directamente a mí en este tiempo de mi vida?

Conforme la Iglesia celebra el transcurso de cada año nuevo, todo el misterio de Cristo se da a conocer y la comunidad de fe da testimonio de su esplendor. "La Santa Madre Iglesia considera que es su deber celebrar la obra de salvación de su divino Esposo con un sagrado recuerdo, en días determinados a través del año (*CIC* 1163). La Iglesia lo hace cada semana en el día del Señor, y durante la celebración anual de la pasión, muerte y resurrección de Cristo.

El Tiempo Ordinario consta de dos partes: entre Navidad y Cuaresma, y entre domingo de Pentecostés y el primer domingo del Adviento. Como lo sugiere el nombre, los domingos siguen "en orden numérico." Las lecturas litúrgicas nos guían por uno de los evangelios cada año.

Durante el Tiempo Ordinario, la Iglesia recuerda a muchos mártires y santos, proclama el misterio pascual en las vidas de aquéllos "que padecieron con Cristo y han sido glorificados con El" (*CIC* 1173).

El Tiempo Ordinario es tiempo para desarrollar nuestro entendimiento de las enseñanzas de Jesús. Con la celebración de diversos acontecimientos en las vidas de Jesús, María y los santos, mejora nuestra capacidad de transmitir la fe católica que profesamos.

¿Cómo compartiré mi propio compromiso con las enseñanzas de Jesús?

Mirando la vida

Historia para el capítulo

Max y Theo eran hermanos que estaban llevándose mal. Max era dos años mayor que Theo. Max no quería que lo vieran con su hermano menor. "Mira, amigo, yo ya estoy en la escuela intermedia, así que no se ve bien que andes con un estudiante de primaria—aun si es mi hermano", explicó Max.

Theo sintió como si su hermano le hubiera dado un golpe. Siempre habían montado patineta juntos, compartían sus camisetas y sus juegos de video. Ahora Max se alejaba más y más. Pasaba todo su tiempo libre con un montón de chicos de la escuela intermedia que ocasionalmente se metían en problemas.

Un día Max tomó prestada la camiseta preferida de Theo sin pedirle permiso. Theo no dijo nada. Pero cuando Max llegó a casa con la camiseta rota, Theo se disgusto. "Oye, ¿qué pasó con mi camiseta?" grito. "¡Sabías que era mi preferida!"

Max se quedó extrañamente callado. Explico que él y otros chicos se habían involucrado en una pelea después de la escuela. "Un chico me rompió la camiseta cuando trató de vengarse por haberle dado un puñetazo", explicó Max. El y los demás chicos recibieron un mes de castigo y una advertencia de que la próxima vez los suspenderían.

"Siento lo de tu camiseta, amigo", dijo Max. "Para empezar no debí haberla tomado". Theo se dio cuenta de que su hermano estaba muy preocupado por lo que había pasado. Le puso un brazo en el hombro y dijo bromeando, "Está bien. Sólo tomará un par de semanas de tu mesada para reponerla, hermano".

Max miró a Theo a los ojos y le dijo, "Gracias, Theo. Puedes contar con eso".

¿Por qué crees que Theo estaba dispuesto a perdonar a su hermano? ¿Cómo le hubieras respondido a Max? ¿Por qué?

Apart from those seasons having their own distinctive character, thirty-three or thirty-four weeks remain in the yearly cycle that do not celebrate a specific aspect of the mystery of Christ. Rather, especially on the Sundays, they are devoted to the mystery of Christ in all its aspects. This period is known as Ordinary Time.

(Norms Governing Liturgical Calendars, 43)

Overview

In this chapter the students will learn that Ordinary Time is a special season to learn about the life of Christ and to grow as his followers.

For Adult Reading and Reflection You may want to refer to paragraph 1163 of the *Catechism of the Catholic Church*.

Catechist Background

What teaching of Jesus speaks most directly to me in this season of my life?

As the Church celebrates the course of each new year, the entire mystery of Christ unfolds and the faith community is witness to its splendor. "Holy Mother Church believes that she should celebrate the saving work of her divine Spouse in a sacred commemoration on certain days throughout the course of the year" (CCC 1163). The Church does so each week on the Lord's Day, as well as during the annual celebration of the Paschal Mystery.

Ordinary Time is the two-part season between the Christmas season and Lent, and between Pentecost and the First Sunday of Advent. As the name implies, it is a season in which the Sundays follow "in number order." The liturgical readings of Ordinary Time guide us through one of the gospels each year.

During Ordinary Time the Church also keeps the memorials of many martyrs and saints. She proclaims the Paschal Mystery in the lives of those "who have suffered and have been glorified with Christ" (CCC 1173). We seek God's favors for the common good of all humanity.

Ordinary Time is a season of growing in our understanding of Jesus' teachings. By our celebration of various events in the lives of Jesus, Mary, and the saints, we are better enabled to pass on the Catholic faith we profess.

How will I share my own commitment to the teachings of Jesus?

Focus on Life

Chapter Story

Max and Theo were brothers at odds with each other. Max was two years older than Theo. Max didn't want to be seen with his younger brother. "Look, buddy, I'm in junior high now. So it wouldn't be right for me to be hanging around with a grade school student—even if he is my brother," Max explained.

Theo felt as if his brother had punched him. They had always gone skateboarding together, worn each other's T-shirts, and shared their video games. Now Max was growing more and more distant. He spent all his free time with a bunch of junior high guys who occasionally got into trouble.

One day Max borrowed Theo's favorite T-shirt without asking him. Theo didn't say anything about it. But when Max came home with the T-shirt torn, Theo was angry. "Hey, what happened to my shirt?" he yelled. "You knew that was my favorite!"

Max was strangely quiet. He explained that he and some other guys had gotten involved in a fight after school. "A kid tore the shirt when he tried to get back at me for punching him," Max explained. He and the other guys had received a month's detention, plus a warning that the next time it would be suspension.

"I'm sorry about your shirt, buddy," Max said. "I shouldn't have taken it in the first place." Theo could see that his brother was really worried about what happened. He put his arm around Max's shoulder and said jokingly, "That's O.K. It'll only take a couple of weeks of your allowance to replace it, big brother."

Max looked Theo in the eye and said, "Thanks, Theo. You can count on that."

Why do you think Theo was willing to forgive his brother? How would you have responded to Max? Why?

Guía para planificar la lección

Pasos de la lección	Presentación	Materiales
 **NOS CONGREGAMOS**		
pág. 78 **Introducción del tiempo**	• Leer la *Historia para el capítulo.* • Presentar el Tiempo Ordinario. • Rezar el verso del salmo al final de la página.	
pág. 78	• Formar grupos para conversar sobre la pregunta.	
 **CREEMOS**		
pág. 78 *El Tiempo Ordinario es un tiempo especial para aprender sobre la vida de Cristo y crecer como sus discípulos.*	• Presentar el Tiempo Ordinario. • Conversar sobre los santos y sus fiestas. Comentar devociones a los santos. • Presentar los días de Todos los Santos y de Todos los Difuntos.	• materiales de dibujo
 **RESPONDEMOS**		
pág. 82	• Considerar formas en que las familias recuerdan a los difuntos.	
pág. 82 **Respondemos en oración**	• Reflexionar sobre la resurrección y orar por los difuntos. 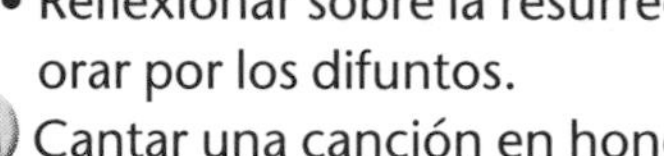 Cantar una canción en honor a los santos.	• Para el lugar de oración: tela verde, icono o imagen de Jesús, planta verde, estatua del santo patrón de la parroquia, vela blanca  "Santos de Dios", 4–6 CD
pág. 84 **Respondemos y compartimos la fe**	• Explicar los proyectos individual y en grupo del Tiempo Ordinario. • Conversar sobre **Respondemos y compartimos la fe.**	• copias del patrón 7 • fichas

Planificación de la lección

Introducción del tiempo ____ minutos

Rece La Señal de la Cruz y la oración de *Nos congregamos.*

• **Lea** en voz alta la *Historia para el capítulo* de la pág. 78A de la guía. Converse sobre las posibles respuestas a las preguntas de seguimiento. Pida a los estudiantes que formen parejas y hablen de sus posibles respuestas a Max. Averigüe si los estudiantes serían guiados por su entendimiento de las enseñanzas y ejemplo de Jesús. Invítelos a describir como piensan que Jesús vería el comportamiento de Max y como respondería a él.

• **Pida** a los estudiantes que abran sus libros en la página 78. Llame su atención al título del capítulo. Explique: *El Tiempo Ordinario es más de lo que su nombre implica. Es un tiempo especial durante el cual nos centramos en la vida de Jesús y practicamos sus enseñanzas para crecer como sus discípulos.*

• **Proclamen** juntos las palabras de la leyenda debajo de la foto.

Lesson Planning Guide

Lesson Steps	Presentation	Materials
1 WE GATHER		
page 79 **Introduce the Season**	• Read the *Chapter Story.* • Introduce Ordinary Time. • Pray the verse on the banner.	
page 79	• Join in groups to discuss the question.	
2 WE BELIEVE		
page 79 *Ordinary Time is a special season to learn about the life of Christ and to grow as his followers.*	• Present Ordinary Time. • Discuss saints and their days. Discuss devotions. • Present All Saints' and All Souls' Days.	• drawing materials
3 WE RESPOND		
page 83	• Consider ways families remember those who have died.	
page 83 **We Respond in Prayer**	• Reflect on the Resurrection and pray for those who have died. Sing a song in honor of the saints.	• for prayer space: green cloth, picture of Jesus, green plant, statue of parish patron, white candle "Saints of God," #6, Grade 5 CD
page 85 **We Respond and Share the Faith**	• Explain the individual and group projects. • Discuss **We Respond and Share the Faith**	• copies of Reproducible Master 7 • index cards, markers

Lesson Plan

Introduce the Season ___ minutes

• **Pray** the Sign of the Cross and the *We Gather* prayer.

• **Read** aloud the *Chapter Story* on guide page 78B. Discuss possible responses to the follow-up questions. Ask partners to discuss their own possible responses to Max. Find out whether the students would be guided by their understanding of the teachings and example of Jesus. Invite them to describe what they believe would be Jesus' view of Max's behavior and how to respond to it.

• **Have** the students open their texts to page 79. Call attention to the title of the chapter. Explain: *Ordinary Time is something more than its name implies. It is a special season during which we focus on the life of Jesus and practice his teaching in order to grow as his followers.*

• **Proclaim** together the words on the banner.

Meta catequética

- Explicar que el Tiempo Ordinario es tiempo para aprender sobre la vida de Cristo y crecer como sus discípulos

Nuestra respuesta en la fe

- Apreciar las formas en las que podemos crecer en la fe durante el Tiempo Ordinario

Materiales

- copias del patrón 7, materiales de dibujo
- 4–6 CD
- fichas

RECURSOS ADICIONALES

Libro *Invitación a la liturgia,* D. Sartore y L.F. de Eribe, Spanish Speaking Bookstore.

Para ideas visite Sadlier en

www.CREEMOSweb.com

7 Tiempo Ordinario

Adviento | Navidad | Tiempo Ordinario | Cuaresma | Triduo | Tiempo de Pascua | Tiempo Ordinario

El Tiempo Ordinario es un tiempo especial para aprender sobre la vida de Cristo y crecer como sus discípulos.

NOS CONGREGAMOS

✢ *Jesús, quédate siempre con nosotros.*

Si alguien te pide describir un día ordinario, ¿qué dirías? En grupo conversen en lo que hace que un día sea ordinario.

CREEMOS

Con frecuencia usamos la palabra *ordinario* cuando queremos describir algo como "normal", "común" o "promedio". De cierta forma podemos describir el tiempo ordinario así. Por ser el más largo de los tiempos litúrgicos, el Tiempo Ordinario es tiempo para aprender y seguir las enseñanzas de Cristo en nuestras vidas diarias. Es tiempo para crecer como seguidores de Jesús y ser más aptos para dar testimonio de la buena nueva en nuestra vida diaria "normal".

Sin embargo, cuando hablamos del Tiempo Ordinario, *ordinario* quiere decir en "orden numérico". Es llamado Tiempo Ordinario porque las semanas están en orden. Por ejemplo, al primer domingo del Tiempo Ordinario le sigue el Segundo domingo y así sucesivamente.

El Tiempo Ordinario dura treinta y tres o treinta y cuatro semanas y se celebra dos veces en el año. La primera parte es corta, tiene lugar entre la Navidad y la Cuaresma. La segunda parte dura varios meses entre Pascua y Adviento. Esta parte empieza a finales de mayo o principio de junio y termina al final de noviembre o principio de diciembre. El Tiempo Ordinario es tiempo de vida y esperanza. Durante este tiempo se usa el color verde para recordarnos la vida y la esperanza que viene de Cristo.

"Diariamente te bendeciré, alabaré tu nombre".

Salmo 145:2

78

Planificación de la lección

NOS CONGREGAMOS ____ minutos

- **Mirando la vida** Forme grupos pequeños para considerar las preguntas de *Nos congregamos*. Después de un tiempo definido, comparta las respuestas. Indique que cada día es extraordinario porque nos da una nueva oportunidad de vivir, crecer, aprender, profundizar nuestra fe, imitar a Jesús y hasta de cambiar al mundo.

CREEMOS ____ minutos

- **Pida** a un voluntario que lea en voz alta el enunciado de *Creemos*. Pida a los estudiantes que lean y resalten los primeros cinco párrafos para preparar sus respuestas a las siguientes preguntas:
- *Si el Tiempo Ordinario es especial ¿por qué se llama ordinario?* (el nombre se refiere al "orden numérico" y los domingos se nombran por orden numérico)
- *¿Cómo sabemos cuando es el Tiempo Ordinario?* (ocurre entre la Navidad y la Cuaresma; entre la Pascua y el Adviento)
- *Si parte del Tiempo Ordinario ocurre en el invierno, ¿por qué el verde es el color litúrgico del tiempo?* (porque es el tiempo de la vida y esperanza que vienen de Jesucristo)
- *¿Por qué se conoce al Tiempo Ordinario como un tiempo de aprendizaje?* (porque a través de las lecturas del evangelio, aprendemos sobre toda la vida de Jesús y sus enseñanzas)
- Escenifique estas preguntas como entrevista entre un reportero y cuatro entrevistados.

Ordinary Time is a special season to learn about the life of Christ and to grow as his followers.

WE GATHER

✝ *Jesus, be with us all the days of our lives.*

If someone asked you to describe an ordinary day, what would you say? In groups discuss what might make a day ordinary.

"Every day I will bless you; I will praise your name forever."
Psalm 145:2

WE BELIEVE

We often use the word *ordinary* when we want to describe something as "normal," "common," or "average." In some ways we could describe the season of Ordinary Time in these ways. As the longest season of the liturgical year, Ordinary Time is a time to learn and follow the teachings of Christ in our daily lives. It is a time to grow as his followers and to become better able to give witness to his good news in our "normal" or everyday lives.

However, in the name of this season, the word *ordinary* means "in number order." The season is called Ordinary Time because the weeks are "ordered." This means they are named in number order. For example, the First Sunday in Ordinary Time is followed by the Second Sunday in Ordinary Time, and so on.

The season of Ordinary Time lasts thirty-three to thirty-four weeks, and it is celebrated twice during the liturgical year. The first part is short. It takes place between the seasons of Christmas and Lent. The second part lasts for several months between the seasons of Easter and Advent. This part begins in late May or June and ends in late November or early December. Ordinary Time is a season of life and hope. We use the color green during its many weeks to remind us of the life and hope that come from Christ.

79

Catechist Goal

- To explain that Ordinary Time is a special season to learn about the life of Christ and to grow as his followers

Our Faith Response

- To appreciate the ways we can grow in faith during Ordinary Time

Materials

- copies of Reproducible Master 7
- drawing materials
- Grade 5 CD
- index cards, markers

ADDITIONAL RESOURCES

Book *Saints and Heroes for Kids,* Ethel Pochocki, St. Anthony Messenger Press, 1994. Stories of thirty saints and heroes.

To find more ideas for other learning materials, visit Sadlier's.

www.CREEMOSweb.com

Lesson Plan

WE GATHER ___ minutes

• **Focus on Life** Form small groups to consider the *We Gather* question. After a set time, share responses. Point out that every day is extraordinary because it is a new opportunity to live, grow, learn, deepen our faith, become more like Jesus, and even change the world.

WE BELIEVE ___ minutes

• **Have** a volunteer read aloud the *We Believe* statement. Have the students read and highlight the first five paragraphs to prepare their responses to the following questions:

• *If Ordinary Time is special, why is it called ordinary?* (The name refers to "in number order," and Sundays are named by their numerical order.)

• *How do we know when it is Ordinary Time?* (It occurs between Christmas season and Lent and between Easter and Advent.)

• *Since part of Ordinary Time is in winter, why is the liturgical color of the season green?* (because it is a season of the life and hope that come from Jesus Christ)

• *Why might Ordinary Time be known as a learning season?* (because we learn from the gospel readings about the entire life and teachings of Jesus)

• Role-play these interview questions between a "reporter" and four different respondents.

Nota para enseñar

Símbolos del Tiempo Ordinario

Pida la ayuda de los estudiantes para elaborar símbolos del Tiempo Ordinario. Lo central serán aquellos que simbolicen a Jesús, su discipulado, los santos y nosotros. Busque ejemplos en el Internet y la biblioteca.

CONEXION

Evangelización

Pida a los estudiantes investigar en parejas un santo fundador de una orden religiosa. Pídales que preparen un informe oral de uno o dos minutos sobre quién es el santo y cómo ha ayudado su orden a llevar a cabo la misión de la Iglesia.

TIEMPO ORDINARIO

Otros tiempos durante el año litúrgico ponen énfasis en un evento o período de la vida de Jesús. Durante el Tiempo Ordinario recordamos todos los eventos y las enseñanzas de la vida de Jesucristo. Celebramos todo lo que nos dio con su nacimiento, vida, muerte, resurrección y ascensión.

Durante el Tiempo Ordinario podemos concentrarnos de manera especial en la palabra de Dios. Durante el Tiempo Ordinario leemos los evangelios en orden, capítulo por capítulo. De esta forma aprendemos sobre toda la vida de Jesucristo. Escuchamos sus enseñanzas sobre el amor y el perdón de Dios, su Padre y el significado de ser sus discípulos. Jesús es nuestro gran maestro y durante este tiempo decimos: "Enséñame Señor, y seguiré tus caminos".

El testimonio de los santos

Este tiempo es de crecimiento como seguidores de Cristo. Es tiempo para mirar el ejemplo de los santos, hombres y mujeres, quienes dieron testimonio de Cristo en sus vidas diarias. La Iglesia celebra esos días durante todo el año, especialmente durante las semanas del Tiempo Ordinario.

Los días especiales en que celebramos la vida de María, los santos y eventos en la vida de Jesús, son clasificados en tres categorías: memoriales, fiestas y solemnidades.

Los memoriales son celebrados en honor a los santos. Un memorial a un santo generalmente es celebrado en o cerca al día de su muerte. En esos días nos regocijamos porque los santos ahora viven felices con Dios eternamente.

Las fiestas se celebran para recordar algún evento en la vida de Jesús y María. Durante las fiestas celebramos a los ángeles, a los apóstoles y a los mártires, seguidores de Cristo que murieron por la fe.

Las solemnidades son las celebraciones más importantes. Solemnidad viene de la palabra *solemne* y estas fiestas son grandes celebraciones de la Iglesia.

¿Qué prácticas o devociones a los santos conoces? ¿Recuerdas a un santo de manera especial?

Una fiesta solemne importante durante el Tiempo Ordinario es el Día de Todos los Santos, el 1 de noviembre. En ese día recordamos y honramos a todos los que fueron fieles seguidores de Cristo y que ahora comparten la vida eterna. Conocemos la historia de las vidas de algunos santos. Otros son conocidos sólo por Dios. En ese día celebramos a todos los santos. Especialmente nuestros santos patrones, los santos con los que compartimos el nombre, los santos por los que son nombradas nuestras escuelas y parroquias, y los santos honrados por nuestras familias.

80

Planificación de la lección

CREEMOS (continuación)

• **Llame** a varios voluntarios para que lean en voz alta el texto de Creemos sobre el testimonio de los santos. Escriba en el pizarrón *memoriales, fiestas,* y *solemnidades*. Pida a los estudiantes que definan estos días especiales. Enfatice la importancia de las solemnidades.

Pida a los estudiantes que formen parejas y compartan sus respuestas.

Cotejo rápido

✔ *¿Qué hacemos durante el Tiempo Ordinario?* (Aprendemos sobre la vida de Cristo y crecemos como sus discípulos)

✔ *Nombre tres categorías de los días especiales en que celebramos las vidas de Jesús, María y los santos.* (Memoriales, fiestas y solemnidades)

• **Pida** a voluntarios que lean en voz alta los párrafos siguientes de *Creemos* sobre los días de Todos los Santos y Todos los Difuntos.

• **Indique** que cuando celebramos el día de Todos los Santos estamos honrando a los santos que nosotros conocemos y los que sólo Dios conoce.

• **Señale** que los católicos celebran el día de Todos los Difuntos recordando a los familiares y amigos que han muerto, visitando sus tumbas y orando por ellos.

• **Lea** en voz alta los dos párrafos de *Creemos* sobre la forma en que se celebra el Día de los muertos en México. Distribuya materiales de dibujo. Pida a los estudiantes que diseñen un altar de oración para sus familiares difuntos. Una vez terminados, comparta los diseños.

Other seasons during the liturgical year focus on a particular event or period in Jesus' life. During the season of Ordinary Time, we remember all of the events and teachings of the life of Jesus Christ. We celebrate all that he gave us through his birth, life, death, Resurrection, and Ascension.

During the season of Ordinary Time, we can concentrate in a special way on the word of God. On the Sundays and weekdays of Ordinary Time, we read from one of the gospels of the New Testament in number order, chapter by chapter. In this way we learn about the whole life of Jesus Christ. We hear his teachings on God his Father, love and forgiveness, and the meaning of being his disciples. Jesus is our great teacher, and during this season we say, "Teach me, O Lord, and I will follow your way."

The witness of the saints

This season is a time to grow as followers of Christ. It is a time to look to the example of the holy women and men who have given witness to Christ in their daily lives. The Church has special days in memory of Mary and the saints. These days are special because they help us to thank God for the lives of the saints and to ask the saints to remember and pray for us. The Church celebrates these days all year long, but it is especially during the many weeks of Ordinary Time that we honor the saints.

These special days to celebrate the lives of Mary, the saints, and events in the life of Jesus, are divided into three categories: memorials, feasts, and solemnities.

Memorials are usually celebrated in honor of the saints. A memorial for a saint is usually celebrated on or near the day he or she died. On these days we rejoice because the saint now lives in happiness with God forever.

Feasts are celebrations that recall some of the events in the lives of Jesus and Mary. On feasts we celebrate the apostles, angels, and great martyrs, the followers of Christ who died for their faith.

Solemnities are the most important celebrations of all. Solemnity comes from the word *solemn*, and these feasts are great celebrations for the Church.

What practices or devotions to the saints are you most familiar with? Do you have a saint that you remember in a special way?

An important solemnity during Ordinary Time is All Saints' Day, November 1. On this day we remember and honor all those who were faithful followers of Christ and now share in eternal life. We know the stories of the lives of some of the saints. Other saints are known only to God. On this day we celebrate all of the saints. We are especially mindful of our patron saints—the saints whose names we share, the saints for whom our schools and parishes are named, and the saints that our families honor.

ORDINARY TIME

81

Teaching Tip

Ordinary Time Symbols

Enlist the help of the students in making seasonal symbols of Ordinary Time. Central to all of these symbols will be Jesus and the idea of discipleship, the saints' and ours. Search on the Internet and in the library for ideas.

Connection

Evangelization

Have partners choose a saint who founded a missionary religious order. Have the students prepare a one- or two-minute oral report on the saint and the way his or her order has helped to carry out the mission of the Church.

Lesson Plan

WE BELIEVE (continued)

• **Call** on volunteers to read aloud the *We Believe* text on the witness of the saints. Print *memorials, feasts,* and *solemnities* on the board. Ask students to define these special days. Emphasize the importance of solemnities.

Have partners share responses to the discussion questions.

Quick Check

✔ *What do we do during Ordinary Time?* (We learn about the life of Christ and we grow as his followers.)

✔ *Name three categories of special days to celebrate the lives of Jesus, Mary, and the saints.* (memorials, feasts, and solemnities)

• **Ask** volunteers to read aloud the next two *We Believe* paragraphs, about All Saints' and All Souls' Days.

• **Point** out that when we celebrate All Saints' Day, we are honoring the saints who are known to us as well as those known only to God.

• **Stress** that Catholics celebrate All Souls' Day by remembering, praying for, and visiting the graves of family members and friends who have died.

• **Read** aloud the paragraphs about the way All Souls' Day is celebrated in Mexico. Distribute drawing materials. Have the students design prayer altars for their extended-family members who have died. Share the completed designs.

PREPARANDOSE PARA ORAR

Los estudiantes reflexionarán sobre la vida eterna y responderán cantando.
- Escoja a dos líderes y a dos lectores que prepararán sus partes para la oración litúrgica.
- Escuchen y practiquen "Santos de Dios".
- Explique el simbolismo de los artículos de la mesa de oración.

El lugar de oración

- Ponga una tela verde sobre la mesa de oración, un icono de Jesús el maestro, una planta verde, una estatua del santo patrón de la parroquia y una vela blanca.

El 2 de noviembre la Iglesia celebra el día de Todos los Difuntos. En ese día recordamos a todos los que han muerto, especialmente los miembros de nuestras familias y parroquias. En ese día generalmente visitamos las tumbas de nuestros parientes y amigos. Rezamos para que conozcan el amor de Dios y compartan su vida eternamente.

Día de los muertos en México

El día de los muertos es de gran celebración en México. Se celebran diferentes prácticas ese día. En algunas regiones las celebraciones se inician el 31 de octubre con la llegada de las almas de los niños que han muerto y termina el 2 de noviembre con la despedida de las almas de los adultos.

Además de la celebración de misas en honor a los muertos, muchas personas en México colocan altares en sus casas para orar por sus familiares muertos. Otra tradición es visitar las tumbas de los seres queridos. Limpian las tumbas y las decoran con flores y velas. Algunas veces llevan la comida favorita de la persona muerta y pasan tiempo celebrando su vida.

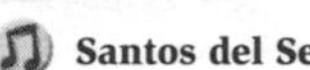

¿Cuáles son algunas formas en que tu familia, parroquia, escuela y vecindario recuerdan a los muertos?

Respondemos en oración

Líder: Alabado sea Dios nuestro Padre, que resucitó de la muerte a Jesucristo. Bendito sea Dios por siempre.

Todos: Bendito sea Dios por siempre.

Lector: "Yo soy la resurrección y la vida. El que cree en mí, aunque muera vivirá; y todo el que todavía está vivo y cree en mí no morirá". (Juan 11:25–26).

Todos: Señor, creemos en ti.

Lector: Vamos a recordar en silencio a todos los que han muerto, especialmente nuestros familiares y amigos.

Líder: Vamos ahora a pedir a los santos que intercedan por nosotros y por todos nuestros seres queridos que han partido de esta vida.

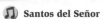

Santos del Señor

Santos del Señor, santos en el cielo,
rueguen por todos nosotros,
santos del Señor.

Jesús, Hijo de Dios,
te rogamos, Señor, óyenos.

Cristo, óyenos. Cristo, óyenos.
Cristo, escúchanos. Cristo, escúchanos.

Familias reunidas en el cementerio el Día de los Muertos, Acatlán, Mexico

Planificación de la lección

RESPONDEMOS ___ minutos

Conexión con la vida Use la pregunta de *Respondemos*. Dirija una sesión para aportar ideas. Escríbalas en la pizarra para recordar a los difuntos.

- **Invite** a los estudiantes a sugerir nuevas tradiciones que puedan introducir a la parroquia. Por ejemplo: plantar un jardín en memoria de difuntos de la comunidad; publicar un álbum de retratos de todos los difuntos con fotos de feligreses que hayan muerto el año pasado.
- **Recuerde** a los estudiantes que durante las dos partes del Tiempo Ordinario, aprendemos sobre la vida de Jesús y crecemos como sus discípulos.

Respondemos en oración ___ minutos

- **Reúnanse** en el lugar de oración y recuerde a los estudiantes que hagan un momento de silencio para preparar sus corazones y mentes para la oración.
- **Pida** al líder que comience con la oración de apertura.
- **Pida** al lector que proclame la Escritura.
- **Pida** al lector que invite a un momento de silencio.
- **Puede** hacer una lista en la pizarra de los santos patrones de los estudiantes. Úselos en la canción repitiendo los nombres y diciendo "ruega por nosotros".
- **Concluya** cantando la canción "Santos de Dios".

On November 2 the Church celebrates All Souls' Day. On this day we remember all those who have died, especially those in our own families and parishes. This day is usually a day for visiting the graves of family members and friends. We pray that they may know God's love and share in his life forever.

All Souls Day in Mexico

All Souls Day is one of the great celebrations in Mexico. There are different prayer practices and celebrations to celebrate "El Día de los Muertos," or Day of the Dead. In some parts of Mexico the celebration actually starts on October 31 with the welcoming of the souls of children who have died and ends on November 2 with the farewell of the souls of adults.

Besides the celebration of the Masses in honor of all souls, many people in Mexico set up a prayer altar in their homes for family members who have died. Another tradition is to visit the graves of their loved ones. They clean and decorate the area with flowers and candles, and sometimes even bring the favorite foods of those who have died and spend time there celebrating their lives.

WE RESPOND

What are some ways families in your parish, school, and neighborhood remember those who have died?

ORDINARY TIME

We Respond in Prayer

Leader: Praise be to God our Father, who raised Jesus Christ from the dead. Blessed be God for ever.

All: Blessed be God for ever.

Reader: "I am the resurrection and the life; whoever believes in me, even if he dies, will live, and everyone who lives and believes in me will never die." (John 11:25–26)

All: Lord, we believe in you.

Reader: Let us be silent as we remember all those who have died, especially those among our families and friends.

Leader: Let us now ask the saints to pray for us and for all of our loved ones who are no longer with us in this life.

All: Amen.

Saints of God

Refrain:

Saints of God, we stand before you.
This we ask you, pray for us.
Holy men and holy women,
in your goodness, pray for us.

Save us, Lord, from sin and every evil.
Be merciful, O Lord,
we ask you, hear our prayer. (Refrain)

83

Chapter 7 • Ordinary Time

PREPARING TO PRAY

The students will share a reflection on eternal life. They will respond in song.

- Choose two leaders and two readers. Ask them to prepare their parts in the liturgical prayer.
- Listen to and practice the song.
- Explain the symbolism of the items on the prayer table.

The Prayer Space

- Place on the prayer table a green cloth, an icon or picture of Jesus the teacher, a green plant, a statue of the parish patron saint, a white candle.

Lesson Plan

WE RESPOND ___ minutes

Connect to Life Use the *We Respond* question to start a brainstorming session. Record on the board the students' ideas about remembering those who have died.

- **Invite** students to suggest new traditions that they might introduce in the parish, such as planting a memorial garden for members of the community who have died or publishing an *All Souls Portraits* album of parishioners who have died during the previous year.
- **Remind** students that throughout the two segments of Ordinary Time, we learn about the life of Jesus and grow as his followers.

We Respond in Prayer ___ minutes

- **Gather** in the prayer space and remind the students to observe a few moments' silence to prepare their hearts and minds for prayer.
- **Have** the first leader begin the opening prayer.
- **Have** the first reader proclaim the Scripture.
- **Have** the second reader introduce a moment of silence.
- **Have** the second leader conclude the prayer.
- **You** may want to make a list on the board of the students' patron saints.
- **Conclude** by singing "Saints of God."

CONEXION CON EL HOGAR

Compartiendo lo aprendido

Recuerde a los niños compartir con sus familias lo que aprendieron en este capítulo.

Anime a los estudiantes a memorizar con sus familias la oración de San Patricio y las preguntas sobre el domingo.

Para más información y actividades adicionales, invite a las familias a visitar Sadlier en

www.CREEMOSweb.com

Respondemos y compartimos la fe

Compartiendo lo aprendido

Habla con tu familia sobre lo siguiente:

- el Tiempo Ordinario
- memoriales, fiestas, solemnidades
- el Día de todos los Santos y el día de todos los Difuntos.

Alrededor de la mesa

En familia miren la vida y las enseñanzas de Jesús durante el Tiempo Ordinario compartiendo estas preguntas: ¿Cómo celebra la familia el domingo? ¿Se ha convertido el domingo en un día cualquiera de tareas y obligaciones? ¿Cómo pueden hacer del domingo un día más especial para la familia? ¿Cómo pueden hacer de este un día de celebración y descanso?

Oración en familia

Durante el Tiempo Ordinario tratamos de seguir a Jesús con nuestros pensamientos, palabras y obras. Reza esta oración de San Patricio con tu familia.

Cristo ante mí;
Cristo detrás de mí
Cristo en mí;
Cristo debajo de mí;
Cristo sobre mí.
Cristo a mi derecha;
Cristo a mi izquierda.

Oración de San Patricio

84 Visita Sadlier en www.CREEMOSweb.com

Conexión con el Catecismo
Para referencia vea el párrafo 1163.

PAGINA DEL ALUMNO 84

Liturgia para la semana

Visite **www.creemosweb.com** para las lecturas bíblicas de esta semana y otros materiales propios del tiempo.

Respondemos y compartimos la fe

Proyecto individual

Distribuya el patrón 7. Pida a los estudiantes que lean las cuatro citas de Jesús y los santos. Explique que deben responder a estas palabras escribiendo una forma específica de actuar que refleje lo que dice la cita.

Pida a voluntarios que compartan sus respuestas. Señale que el Tiempo Ordinario es tiempo de crecimiento para aprender más acerca de Jesús y como vivir de acuerdo con sus enseñanzas.

Pida a los estudiantes relacionar la *Historia para el capítulo* con las palabras de Jesús y los santos.

Proyecto en grupo

Distribuya fichas y marcadores a grupos pequeños. Pida a los estudiantes que pongan el título *Obras vivas* en cada ficha. Invítelos a hablar acerca de las obras diarias de justicia y reconciliación que el grupo pueda realizar. Pídales que escriban una idea en cada ficha. Algunos ejemplos son: hacer carteles con lemas originales de justicia; visitar a feligreses ancianos que están confinados en casa. Luego, pida a cada grupo que vote por una *Obra viva* que los miembros realizarán en un tiempo limitado.

We Respond and Share the Faith

Individual Project

Distribute Reproducible Master 7. Have the students read the four quotations from Jesus and the saints. Explain that the students are to respond to these words by writing one specific way they will live by each quotation.

Share responses on a voluntary basis. Stress that Ordinary Time is our growing season when we learn more about Jesus and his teachings.

Ask the students to make connections between the *Chapter Story* and the words of Jesus and the saints.

Group Project

Distribute several index cards and markers to small groups. Have students entitle each card *Living Works*. Invite them to discuss the everyday works of justice and reconciliation their group might do. Ask them to record one idea on each card. Examples might include: making posters with original justice slogans, visiting elderly parishioners who are homebound, seeking a guest speaker who teaches conflict resolution. Then have each group vote on one *Living Work* its members will do within a set time limit.

Home Connection

Sharing What I Learned

Make sure to ask the students to share what they have learned in this chapter with their families.

Encourage the students to share with their families the Prayer of Saint Patrick and the questions about Sunday.

For additional information and activities, encourage families to visit Sadlier's

www.CREEMOSweb.com

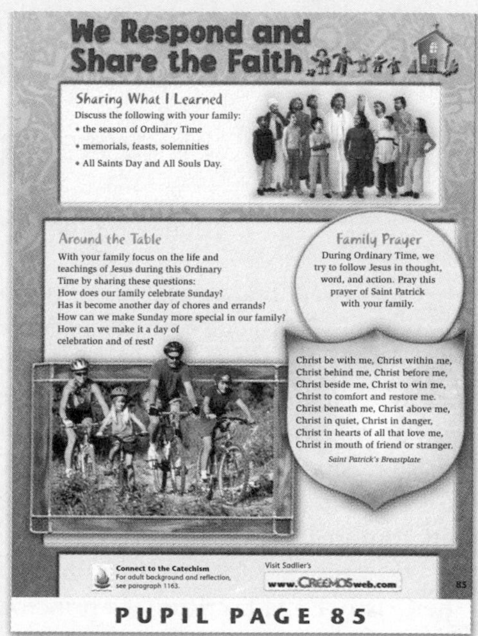

We Respond and Share the Faith

Sharing What I Learned

Discuss the following with your family:
- the season of Ordinary Time
- memorials, feasts, solemnities
- All Saints Day and All Souls Day.

Around the Table

With your family focus on the life and teachings of Jesus during this Ordinary Time by sharing these questions:
How does our family celebrate Sunday?
Has it become another day of chores and errands?
How can we make Sunday more special in our family?
How can we make it a day of celebration and of rest?

Family Prayer

During Ordinary Time, we try to follow Jesus in thought, word, and action. Pray this prayer of Saint Patrick with your family.

Christ be with me, Christ within me,
Christ behind me, Christ before me,
Christ beside me, Christ to win me,
Christ to comfort and restore me.
Christ beneath me, Christ above me,
Christ in quiet, Christ in danger,
Christ in hearts of all that love me,
Christ in mouth of friend or stranger.

Saint Patrick's Breastplate

Connect to the Catechism
For adult background and reflection, see paragraph 1163.

Visit Sadlier's
www.CREEMOSweb.com

85

PUPIL PAGE 85

This Week's Liturgy

Visit **www.creemosweb.com** for this week's liturgical readings and other seasonal material.

La venida del Espíritu Santo

Ojeada

En este capítulo se explicará el sacramento de la Confirmación y se explorará su relación con el Bautismo.

Contenido doctrinal	Referencia del *Catecismo de la Iglesia Católica*
Los estudiantes aprenderán que:	párrafo
• En Pentecostés el Espíritu Santo vino a los primeros discípulos	1287
• La imposición de las manos y la unción son signos de la presencia del Espíritu Santo	1288–1289
• En la Confirmación nos acercamos más a Cristo y somos fortalecidos para ser sus testigos	1303
• La preparación es parte importante de la Confirmación	1309

Referencia catequética

¿Qué le da fortaleza?

Los israelitas, esperaban al Mesías, el Ungido, sobre quien el Espíritu del Señor se posaría. Cuando Jesús fue bautizado por Juan el Bautista, el Espíritu Santo descendió sobre él, significando que él era el Mesías esperado. Jesús prometió enviar al Espíritu Santo a facultar a los apóstoles en su misión. El Espíritu Santo vino a los primeros discípulos en Pentecostés, facultándolos para hacer grandes obras en nombre de Dios.

El Espíritu Santo continúa facultando a los discípulos de Cristo. En la Escritura y a principios de la Iglesia, la imposición de las manos y la unción eran signos de este poder, autoridad y gracia. Eran signos del poder y de la presencia del Espíritu Santo.

En la Confirmación, el obispo usa estos gestos para conferir el sacramento. Cuando se nos unge con aceite, somos fortalecidos para acercarnos más a Cristo y compartir su misión. "Por la Confirmación, los cristianos, es decir, los que son ungidos, participan más plenamente en la misión de Jesucristo y en la plenitud del Espíritu Santo que este posee, a fin de que toda su vida desprenda "el buen olor de Cristo" (*CIC* 1294).

¿Cómo el sacramento de la Confirmación nos tortalece?

Mirando la vida

Historia para el capítulo

Margaret no pudo desayunar bien. Tenía una prueba de matemáticas y estaba muy ansiosa. Había estudiado toda la semana y la noche anterior, pero le era difícil entender las fracciones. Un minuto sabía que hacer y el otro, la mente se le ponía en blanco.

"¿Qué ocurre Margaret? ¿Te sientes bien?" Preguntó su mamá.

Sintiendo un nudo en el estómago de la preocupación por la prueba, Margaret respondió con un suspiro: "He estudiado con mucho ahínco toda la semana para esta prueba y todavía siento que no entiendo bien la materia. Tengo miedo de reprobar este examen. Estoy segura de que lo haré".

Su mamá la miró y dijo, "Te he visto estudiar y apuesto a que sabes más de lo que piensas. Posiblemente el problema sea que no tienes fe en ti misma". La mamá de Margaret se le acercó, le puso el brazo alrededor de sus hombros y susurró: "Antes de comenzar la prueba, reza al Espíritu Santo. Pídele que te ayude a recordar que Dios te ama por sobre todas las cosas".

Más tarde ese día, Margaret hizo lo que su mamá le sugirió. "Ayúdame, Espíritu Santo, a recordar que Dios me ama", oró. Todo andaba bien hasta la última sección. No podía recordar como solucionar esos problemas. Le comenzó a dar pánico. El tiempo se acababa. La maestra levantó la mirada y sus ojos se encontraron. Ella le sonrió cálidamente a Margaret.

De alguna manera la sonrisa de la maestra hizo que Margaret se sintiera mejor. Ella recordó: "Dios me ama mucho". Margaret miró su papel y puso todo de su parte para solucionar los últimos problemas de matemáticas.

¿Por qué era importante que Margaret estudiara y orara antes de la prueba de matemáticas? ¿Cómo la ayudó el Espíritu Santo?

Overview

In this chapter the students will learn about the sacrament of Confirmation and explore the connections between this sacrament and Baptism.

Doctrinal Content	For Adult Reading and Reflection *Catechism of the Catholic Church*
The students will learn:	Paragraph
• On Pentecost the Holy Spirit came upon the first disciples	1287
• Laying on of hands and anointing are signs of the Holy Spirit's presence	1288–1289
• In Confirmation we become more like Christ and are strengthened to be his witnesses	1303
• Preparation is an important part of Confirmation	1309

Catechist Background

What gives you strength?

The Israelites, our ancestors in faith, were waiting for the Messiah, the Anointed One, upon whom the Spirit of the Lord would rest. When Jesus was baptized by John the Baptist, the Holy Spirit descended upon him, signifying that he was the hoped-for Messiah. Jesus promised to send the Holy Spirit to empower the apostles in their mission. The Holy Spirit came upon the first disciples at Pentecost, enabling them to do mighty deeds in God's name.

The Holy Spirit continues to empower those who are disciples of Christ. Throughout Scripture and the early Church, the laying on of hands and anointing were signs of this power, authority, and grace. They were signs of the Holy Spirit's power and presence.

In Confirmation, the bishop employs these gestures to confer the sacrament. When we are anointed with holy oil, we are strengthened to become more like Christ and share more fully in his mission. "By Confirmation Christians, that is, those who are anointed, share more completely in the mission of Jesus Christ and the fullness of the Holy Spirit with which he is filled, so that their lives may give off 'the aroma of Christ'" (CCC 1294).

How do you see the sacrament of Confirmation empowering you and others?

Focus on Life

Chapter Story

Margaret could not eat much of her breakfast. She had a chapter test in math and was very anxious. All during the week and last night she had studied the material, but she had a hard time grasping fractions. One minute she remembered what to do and the next minute her mind went blank.

"Is anything wrong Margaret? Do you feel all right?" her mother inquired.

With her stomach in knots from worrying about the test, Margaret answered with a sigh, "I've studied so hard all week for this test. I still feel I don't know the stuff in math. I'm scared I am going to flunk this test. I just know it."

Her mother looked at her and said, "I've seen you studying, and I bet you know more than you think. Maybe the problem is that you don't believe in yourself." Margaret's mother walked over to her and, placing her arm around her shoulders, whispered, "Before you begin your test, say a prayer to the Holy Spirit. Ask for the help to remember that God loves you no matter what!"

Later that day Margaret did as her mother suggested. "Help me, Holy Spirit, to remember that God loves me," she prayed. Things were going smoothly until the last section. She could not remember how to do those problems. She began to panic. Time was running out. Her teacher looked up and their eyes met. She gave Margaret a warm smile.

Somehow the teacher's smile made Margaret feel better. She remembered: "God loves me no matter what!" Margaret looked down at her paper and did her best to solve those last math problems.

Why was it important for Margaret to study and pray before the math test? How did the Holy Spirit help Margaret?

Guía para planificar la lección

Pasos de la lección	Presentación	Materiales

NOS CONGREGAMOS

Pasos de la lección	Presentación	Materiales
pág. 86 **Oración**	• Reúnase en la mesa de oración. • Escuchar la Escritura. Respondan cantando.	Para el lugar de oración: Biblia, imagen de una paloma "Ven Espiritu Santo" 4–6 CD
 **Mirando la vida**	• Hablar de la pregunta sobre el cambio.	• imagen de una paloma

2 CREEMOS

Pasos de la lección	Presentación	Materiales
pág. 86 *En Pentecostés el Espíritu Santo vino a los primeros discípulos.*  *Hechos de los Apóstoles 2: 1–47*	• Leer y conversar sobre el texto y la Escritura acerca de la venida del Espíritu Santo en Pentecostés. Escenificar la historia de Pentecostés como si estuviera ocurriendo hoy día.	• copias del patrón 8
pág. 88 *La imposición de las manos y la unción son signos de la presencia del Espíritu Santo.*	• Leer y conversar sobre la imposición de las manos y la unción en el texto. Hablar sobre acciones que son parte de la adoración e ilustre una. • Leer y conversar sobre el texto de *Como católicos.*	
pág. 90 *En la Confirmación nos acercamos más a Cristo y somos fortalecidos para ser sus testigos.*	• En el texto, relacione la Confirmación con el Bautismo y la Eucaristía y responder las preguntas. Hablar sobre como su parroquia celebra el sacramento de la Confirmación.	
pág. 92 *La preparación es parte importante de la Confirmación.*	• Leer y conversar sobre el texto acerca de prepararse para la Confirmación.	• papel de estraza

3 RESPONDEMOS

Pasos de la lección	Presentación	Materiales
pág. 92	Responder las preguntas de reflexión sobre dar un buen ejemplo.	
páginas 94 y 96 **Repaso**	• Completar las preguntas 1–10. Completar la actividad de *Reflexiona y ora.*	
páginas 94 y 96 **Respondemos y compartimos la fe**	• Repasar el *Recuerda* y el *Vocabulario.* • Leer sobre San Juan Bosco en *Nuestra vida católica.*	

Para ideas, actividades y otras oportunidades visite Sadlier en **www.CREEMOSweb.com**

Lesson Planning Guide

1 WE GATHER

Lesson Steps	Presentation	Materials
page 87 **Prayer** **Focus on Life**	• Gather at the prayer table. • Listen to Scripture. Respond in song. • Discuss the question about change.	For the prayer space: Bible, picture of a dove "We Belong to God's Family," #5, Grade 5 CD

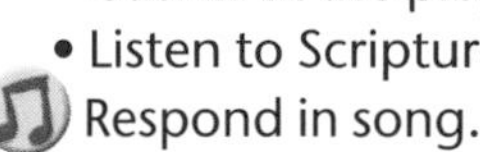

2 WE BELIEVE

Lesson Steps	Presentation	Materials
page 87 *On Pentecost the Holy Spirit came upon the first disciples.* *Acts of the Apostles 2: 1–47*	• Read and discuss the text and Scripture about the coming of the Holy Spirit at Pentecost. Role-play the story of Pentecost as if it were happening today.	• picture of dove • copies of Reproducible Master 8
page 89 *Laying on of hands and anointing are signs of the Holy Spirit's presence.*	• Read about and discuss laying on of hands and anointing. Discuss actions that are part of worship.	
page 91 *In Confirmation we become more like Christ and are strengthened to be his witnesses.*	• Connect Confirmation with Baptism and the Eucharist, and answer questions. Discuss ways your parish celebrates the sacrament of Confirmation.	
page 93 *Preparation is an important part of Confirmation.*	• Read and discuss the text on preparing for Confirmation. • Read and discuss *As Catholics*.	• drawing paper

3 WE RESPOND

Lesson Steps	Presentation	Materials
page 93	Answer the reflective question about giving good example.	
pages 95 and 97 **Review**	• Complete questions 1–10. • Complete *Reflect & Pray*.	
pages 95 and 97 **We Respond and Share the Faith**	• Review *Remember* and *Key Word.* • Read about Saint John Bosco in *Our Catholic Life.*	

For additional ideas, activities, and opportunities: Visit Sadlier's **www.CREEMOSweb.com**

Conexiones

Liturgia

El Credo de Nicea que profesamos como asamblea después de la homilía, dice: "Creemos en el Espíritu Santo, Señor y dador de vida, que procede del Padre y del Hijo, que con el Padre y el Hijo recibe una misma adoración y gloria, y que habló por los profetas." Pida a los estudiantes que piensen en estas palabras y se centren en las referencias que se hagan al Espíritu Santo a través de la liturgia eucarística la próxima vez que participen en Misa.

Las artes

Converse acerca de varias películas contemporáneas para promover el poder de hacer el bien en el mundo. Ayude a los estudiantes a ver que estas películas son como "parábolas visuales", con mensajes de esperanza. Diga a los estudiantes que el Espíritu Santo, el poder y la fuerza del bien en el mundo, nos inspira a resistir el mal y triunfar sobre él buscando la paz y superando las injusticias de formas constructivas.

FE y MEDIOS

▶ Hable acerca de la venida del Espíritu Santo en Pentecostés. Utilice estas palabras: "Visto a la luz de la fe, la historia de la comunicación humana se puede ver como un viaje largo de Babel, el sitio y el símbolo del desplome de comunicación . . . al Pentecostés y el obsequio de lenguas . . . — comunicación restaurada por el poder del Espíritu mandado por el Hijo. Mandado al mundo para anunciar las buena nueva . . . la Iglesia tiene la misión de proclamar el evangelio hasta el fin de los tiempo.

(El Concilio Pontificio para Comunicaciones Sociales, *La Moral en Comunicaciones*, 4 Junio 2000, número 3)

Liturgia para la semana

Visite **www.creemosweb.com** para las lecturas bíblicas de esta semana y otros materiales propios del tiempo.

Necesidades individuales

Estudiantes del idioma inglés

Es probable que los estudiantes que están aprendiendo el idioma inglés no tengan el nivel de lectura de sus compañeros. Les tomará más tiempo leer las páginas con mucho texto. Use ayudas visuales cuando sea posible para facilitar la comprensión. Escriba en fichas el vocabulario con ilustraciones que lo acompañen y otros términos importantes para ayudar a los estudiantes que aprenden visualmente. Pida a los estudiantes que escriban o subrayen la información clave.

RECURSOS ADICIONALES

Libro *Motivos para creer*, Benjamin Zamudio, Luturgical Press.

Para ideas visite a Sadlier en

www.CREEMOSweb.com

Connections

To the Liturgy

The Nicene Creed, which we profess as an assembly following the homily, states: "We believe in the Holy Spirit, the Lord, the giver of life, who proceeds from the Father and the Son. With the Father and the Son he is worshiped and glorified. He has spoken through the prophets." Ask the students to think about these words and focus on the references made to the Holy Spirit throughout the eucharistic liturgy the next time they participate in Mass.

To the Arts

Discuss various contemporary movies that promote the power of doing good in the world. Help the students see that these films are like "visual parables," with their messages of hope. Point out to the students that the Holy Spirit, *the* power and force for good in the world, inspires us to resist and triumph over evil by seeking peace and overcoming injustices in constructive ways.

FAITH and MEDIA

▶ Talk about the coming of the Holy Spirit on Pentecost. Use these words: "Viewed in the light of faith, the history of human communication can be seen as a long journey from Babel, site and symbol of communication's collapse . . . to Pentecost and the gift of tongues . . . —communication restored by the power of the Spirit sent by the Son. Sent forth into the world to announce the good news . . . the Church has the mission of proclaiming the Gospel until the end of time. Today, she knows, that requires using media . . ."

(Pontifical Council for Social Communications, *Ethics in Communications,* June 4, 2000, no. 3)

This Week's Liturgy

Visit **www.creemosweb.com** for this week's liturgical readings and other seasonal material.

Meeting Individual Needs

English Language Learners

Students for whom English is a second language may not be reading at a level commensurate with their peers. Pages with extensive text will require more time to work through. Use visual aids whenever possible to increase comprehension. Writing the key words with accompanying artwork and other important terms on index cards will help those students who are visual learners. Have the students list or underline the key information.

ADDITIONAL RESOURCES

Video *The Spirit and Confirmation, Part 1,* Ikonographics, St. Anthony Messenger Press, 1999. This video treats the Spirit in salvation history and the gifts and fruits in life today. (18 minutes)

To find more ideas for books, videos, and other learning material, visit Sadlier's

www.CREEMOSweb.com

La venida del Espíritu Santo

Meta catequética

• Explicar la historia y la importancia del sacramento de la Confirmación

PREPARANDOSE PARA ORAR

Los estudiantes oirán la promesa de Dios de llenar nuestros corazones con su Espíritu. Responderán cantando.

• Familiarice a los estudiantes con la canción.

• Adopte la función de director de la oración.

• Escoja a un lector que proclame el pasaje bíblico.

• Ponga la canción "Ven Espíritu Santo", CD 4–6.

El lugar de oración

• Ponga la foto de una paloma en la mesa.

NOS CONGREGAMOS

Líder: Oremos como una familia llena del Espíritu Santo.

Lector: Lectura del libro de Ezequiel

"Yo pondré en ustedes mi aliento de vida y ustedes revivirán; y los instalaré en su propia tierra. Entonces sabrán que yo, el Señor, lo he dicho y lo he hecho, yo el Señor lo afirmo" (Ezequiel 37:14).

Palabra de Dios.

Todos: Demos gracias a Dios.

Ven, Espíritu Santo

Ven, Espíritu Santo, luz divina del cielo.
Entra al fondo del alma y ofrécenos tu consuelo.
Eres nuestro descanso cuando es tanto
el trabajo; eres gozo eterno, lleno de amor
y bondad.

Piensa en una vez en que alguien te ayudó a cambiar algo en ti. ¿Quién te ayudó y cómo cambiaste?

CREEMOS

En Pentecostés el Espíritu Santo vino a los primeros discípulos.

Después de su resurrección, Jesús envió a los apóstoles a predicar en su nombre y a bautizar a los que creyeran en él. El prometió enviar al Espíritu Santo para que los guiara y los ayudara.

El Espíritu Santo cambiaría sus vidas. Jesús prometió: "Cuando el Espíritu Santo venga sobre ustedes, recibirán poder y saldrán a dar testimonio de mí, en Jerusalén, en toda la región de Judea y de Samaria, y hasta en las partes más lejanas de la tierra" (Hechos de los apóstoles 1:8).

ESPÍRITU

86

Planificación de la lección

NOS CONGREGAMOS ____ minutos

Oración

• Recen la Señal de la Cruz y dirija a los estudiantes en la oración inicial.

• Pida al lector que proclame la Escritura.

• Canten la canción.

• Explique a los estudiantes que el cumplimiento pleno de la promesa de Dios Padre de salvarnos, fue enviar a su Hijo, Jesucristo. Al enviar al Espíritu Santo, Jesús cumplió con su promesa de enviarnos a un defensor que guiara a sus seguidores para difundir la buena nueva de la salvación. El Espíritu Santo nos inspira a vivir como los hijos del Padre en Jesucristo.

Mirando la vida

• Comparta la *Historia para el capítulo* de la pág. 86A de la guía y converse sobre ella. Pida a los estudiantes que respondan las preguntas sobre el cambio en la vida de una persona. Comparta las respuestas. Diga a los estudiantes que en esta lección aprenderán sobre la venida del Espíritu Santo a los discípulos en Pentecostés.

CREEMOS ____ minutos

Pida a un voluntario que lea en voz alta la afirmación de *Creemos*. Pida a los estudiantes que lean los primeros tres párrafos. Indique que Jesús prometió enviar al Espíritu Santo para guiar a los apóstoles y discípulos. Explique que el Espíritu Santo nos guía y ayuda para dar testimonio de Jesús y su ministerio.

The Coming of the Holy Spirit

WE GATHER

✝ **Leader:** Let us pray as one family filled with the Holy Spirit.

Reader: A reading from the Book of Ezekiel

"I will put my spirit in you that you may live, and I will settle you upon your land; thus you shall know that I am the LORD. I have promised, and I will do it, says the LORD." (Ezekiel 37:14)

The word of the Lord.

All: Thanks be to God.

We Belong to God's Family

Refrain:

We belong to God's family.
Brothers and sisters are we,
singing together in unity about
one Lord and one faith, one family.

We are one in the Spirit,
the gift from God above.
We are sent to proclaim God's word
and live together in love. (Refrain)

Think of a time someone helped you to change something about yourself. Who helped you and how did you change?

WE BELIEVE

On Pentecost the Holy Spirit came upon the first disciples.

After his Resurrection, Jesus sent his apostles to preach in his name and to baptize those who believed in him. He promised to send the Holy Spirit to guide and help them.

The Holy Spirit would change their lives. Jesus promised, "you will receive power when the holy Spirit comes upon you, and you will be my witnesses in Jerusalem, throughout Judea and Samaria, and to the ends of the earth" (Acts of the Apostles 1:8).

87

Catechist Goal

- To explain the history and the importance of the sacrament of Confirmation

Preparing to Pray

The students will hear God's promise to place his Spirit in our hearts. They will respond in song.

- Familiarize the students with the song.
- Assume the role of prayer leader.
- Choose a reader to proclaim the scriptural passage.
- Play and practice the song, "We Belong to God's Family," #7 on the Grade 5 CD

The Prayer Space

- Place a picture of a dove on the table.

Lesson Plan

WE GATHER

___ minutes

Pray

- Pray the Sign of the Cross and lead the students in praying the opening prayer.
- Have the reader proclaim the Scripture.
- Sing the song.
- Explain to the students that the complete fulfillment of the promise of God the Father to save us is his sending us his Son, Jesus Christ. Jesus, in sending the Holy Spirit, fulfilled his promise to send an advocate who would guide his followers to spread the good news of salvation. The Holy Spirit inspires us to live as sons and daughters of the Father in Jesus Christ.

Focus on Life

- Share and discuss the *Chapter Story* on guide page 86B. Have the students answer the questions about change in a person's life. Share their responses. Tell the students that in this lesson they will learn about the Holy Spirit coming to the disciples on Pentecost.

WE BELIEVE

___ minutes

Ask a volunteer to read aloud the first *We Believe* statement. Have the students read the first three paragraphs. Point out that Jesus promised to send the Holy Spirit to help guide the apostles and disciples. Explain that the Holy Spirit guides and helps us as we try to give witness to Jesus and his ministry.

Nuestra respuesta en la fe

- Reconocer la presencia del Espíritu Santo en casa y en la escuela

Confirmación

Materiales

- imagen de una paloma, papel
- copias del patrón 8

Después que Cristo ascendió a su Padre, los apóstoles regresaron a Jerusalén. María, la madre de Jesús y algunos de sus discípulos estaban ahí también. Fue durante ese tiempo que el Espíritu Santo vino como Jesús lo había prometido.

Hechos de los apóstoles 2:1–47

"Cuando llegó la fiesta de Pentecostés, todos los creyentes se encontraban reunidos en un mismo lugar. De repente, un gran ruido que venía del cielo, como de un viento fuerte, resonó en toda la casa donde ellos estaban. Y se les aparecieron lenguas como de fuego, repartidas sobre cada uno de ellos. Y todos quedaron llenos del Espíritu Santo, y comenzaron a hablar en otras lenguas, según el Espíritu hacía que hablaran". (Hechos de los apóstoles 2:1–4)

Los apóstoles salieron del cuarto. Pedro dijo a la gente que Dios Padre había resucitado a Jesús. El les dijo que lo que habían escuchado había sido la venida del Espíritu Santo.

Cada persona escuchó la buena nueva en su propio idioma y todos estaban sorprendidos. Pedro les dijo que tenían que arrepentirse de sus pecados. También les dijo que debían bautizarse y recibir el don del Espíritu Santo. Ese día, alrededor de tres mil personas se bautizaron y se hicieron discípulos.

Cada año en Pentecostés celebramos de manera especial la venida del Espíritu Santo. Fortalecidos por el Espíritu Santo, todos trabajamos para Dios en el mundo.

En grupos escenifiquen la historia de Pentecostés como si estuviera pasando hoy.

La imposición de las manos y la unción son signos de la presencia del Espíritu Santo.

Después de Pentecostés el Espíritu Santo fortaleció y guió a los apóstoles. Ellos dieron testimonios de Cristo y bautizaron a muchos creyentes. Los nuevos bautizados recibían la fortaleza y el poder del Espíritu Santo cuando los apóstoles les imponían las manos. La imposición de las manos era una señal de la bendición de Dios. Con esta acción, la autoridad y la gracia les eran dadas en el nombre de Dios.

88

Conexión con el hogar

Invite a los niños a hablar de su experiencia rezando la oración en familia del Capítulo 7.

Planificación de la lección

CREEMOS (continuación)

Escriba la palabra *Pentecostés* en la pizarra. Pida a un voluntario que lea en voz alta el pasaje bíblico. Haga una pausa. Luego, pida a los estudiantes que lean los párrafos que le siguen. Señale que los apóstoles cambiaron después de recibir el don del Espíritu Santo. Explique que Pedro, lleno del Espíritu, cambió a las personas que lo oían proclamar la buena nueva. Estas personas creían en Jesús resucitado y fueron bautizadas.

Pida a los estudiantes que formen grupos y escenifiquen la historia de Pentecostés como si estuviera ocurriendo hoy día.

Distribuya copias del patrón 8. Los estudiantes lo usarán para hacer una lista de los acontecimientos principales que ocurrieron en Pentecostés en el orden correcto.

Invite a un voluntario a leer en voz alta el segundo enunciado *Creemos*. Pida a los estudiantes que lean en silencio los primeros dos párrafos. Indique que los apóstoles comenzaron a bautizar a las personas e imponerles las manos. El Espíritu Santo llenaba a las personas a las que recibían la imposición de las manos, el inicio del sacramento de la Confirmación.

Pida a los estudiantes que lean en silencio el resto del texto. Explíqueles que la unción ocurre en los sacramentos del Bautismo, Orden Sagrado, Unción de los enfermos y Confirmación. Indique que el crisma, aceite consagrado por el obispo, se usa para la unción durante la Confirmación.

Forme grupos de tres o cuatro. Pida a cada grupo que formule tres preguntas sobre el texto. Por ejemplo, *"¿Qué pasaba con las personas que recibían la imposición de las manos?"* Pida a cada grupo que formule sus preguntas a los demás grupos.

After Christ ascended to his Father, the apostles returned to Jerusalem. Mary, the mother of Jesus, and some other disciples were there, too. It was during this time that the Holy Spirit came as Jesus had promised.

Acts of the Apostles 2:1–47

"They were all in one place together. And suddenly there came from the sky a noise like a strong driving wind, and it filled the entire house in which they were. Then there appeared to them tongues as of fire, which parted and came to rest on each one of them. And they were all filled with the holy Spirit and began to speak in different tongues, as the Spirit enabled them to proclaim." (Acts of the Apostles 2:1–4)

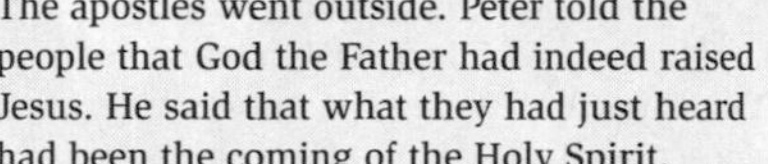

The apostles went outside. Peter told the people that God the Father had indeed raised Jesus. He said that what they had just heard had been the coming of the Holy Spirit.

Each person heard this good news in his or her own language, and they were amazed. Peter told them to be sorry for their sins and to repent. He told them to be baptized and receive the gift of the Holy Spirit. About three thousand people believed and became disciples that day.

Each year on Pentecost we celebrate in a special way the coming of the Holy Spirit. Strengthened by the Holy Spirit, we are all God's workers in the world.

In groups role-play the story of Pentecost as if it were happening today.

Laying on of hands and anointing are signs of the Holy Spirit's presence.

After Pentecost the Holy Spirit strengthened and guided the apostles. They gave witness to Christ and baptized many believers. The newly baptized received the strengthening power of the Holy Spirit when the apostles placed their hands on them. The laying on of hands was a sign of God's blessing. By this action, authority and grace were given in God's name.

89

Our Faith Response

- To recognize the presence of the Holy Spirit at home and school

Confirmation

Materials

- picture of a dove, drawing paper
- copies of Reproducible Master 8

Home Connection Update

Invite the students to share their experiences praying with their families "A Family Prayer."

Lesson Plan

WE BELIEVE (continued)

Write the word *Pentecost* on the board. Ask a volunteer to read aloud the scriptural passage. Pause for a moment. Then have the students read the remaining paragraphs. Stress that the apostles were changed men after receiving the gift of the Holy Spirit. Explain that Peter, filled with the Spirit, changed the people who listened to his proclaiming the good news. These people believed in the risen Jesus and were baptized.

Have students form groups and role-play the story of Pentecost as if it were happening today.

Distribute copies of Reproducible Master 8. Students will use it to list the main events that occurred at Pentecost in the correct order.

Invite a volunteer to read aloud the second *We Believe* statement. Have the students read silently the first two paragraphs. Point out that the apostles began to baptize people and lay their hands on them. The Holy Spirit came to those people who experienced this laying on of hands, the beginning of the sacrament of Confirmation.

Have the students read silently the remainder of the text. Explain to students that anointing occurs within the sacraments of Baptism, Holy Orders, the Anointing of the Sick, and Confirmation. Point out that chrism, oil blessed by the bishop, is used in the anointing for Confirmation.

Form groups of three or four. Have each group develop three questions about the text. For example, *"What happened to people who received the laying on of hands?"* Have each group pose its questions to the other groups.

Ideas

Fiesta de Pentecostés

Levítico 23:15–22 describe la "Fiesta de las Semanas" judía. *Pentecostés* significa fiesta en griego. Durante la fiesta, los judíos ofrecían los primeros frutos de la cosecha a Dios en acción de gracias. Era un feriado celebrado por la comunidad. En Hechos de los apóstoles, el autor registra que los judíos de todas las naciones se congregaban para Pentecostés.

Ideas

Preguntas de los estudiantes

Pedir a los estudiantes que desarrollen preguntas es una excelente herramienta de aprendizaje. Los anima a comprender el material para poder formular preguntas. Además, les permite expresar el contenido en sus propias palabras. Ofrezca las siguientes pautas: las preguntas deben generar respuestas; deben reforzar el contenido de la lección; no deben ser ni muy simples ni muy difíciles y no deben requerir respuestas largas como ensayos.

La imposición de las manos por los apóstoles fue el inicio del sacramento de la Confirmación. Al crecer la Iglesia, la unción era acompañada de la imposición de las manos. La palabra *unción* significa aplicar aceite a alguien como señal de que Dios lo ha escogido para una misión especial. La unción era parte importante de la vida judía durante el tiempo de Jesús.

La unción que tenía lugar con la imposición de las manos era un signo de que el Espíritu Santo estaba presente y de la recepción del Espíritu Santo. Con el tiempo, la unción se convirtió en una importante señal del don del Espíritu Santo. Hoy en el sacramento de la Confirmación, la unción tiene lugar cuando el celebrante impone sus manos en la frente del confirmando.

Con un compañero habla sobre las acciones que forman parte de nuestra adoración.

En la Confirmación nos acercamos más a Cristo y somos fortalecidos para ser sus testigos.

Dios, Espíritu Santo, está siempre con la Iglesia. Podemos pedir al Espíritu Santo consuelo, guía y fortaleza. En el sacramento de la **Confirmación** recibimos el don del Espíritu Santo de manera especial. Nos acercamos más a Cristo y somos fortalecidos para ser sus testigos.

La Confirmación es un sacramento de iniciación cristiana. El primer sacramento de iniciación cristiana es el Bautismo. Todo bautizado miembro de la Iglesia es llamado a recibir el sacramento de la Confirmación. Junto con la Eucaristía, la Confirmación completa el Bautismo y nos inicia totalmente en la Iglesia.

Confirmación (pp 331)

90

El sacramento de la Confirmación profundiza la gracia que recibimos en el Bautismo. En la Confirmación:

- somos sellados con el don de Dios Espíritu Santo
- nos hacemos más como Jesús el Hijo de Dios y somos fortalecidos para dar testimonio de Jesús activamente
- nuestra relación con Dios el Padre se profundiza
- nuestra relación con la Iglesia se fortalece
- somos enviados a vivir nuestra fe en el mundo.

Planificación de la lección

CREEMOS (continuación)

Anime a los estudiantes a conversar para completar la actividad.

Cotejo rápido

- ✔ *¿Qué hicieron los apóstoles después de que se llenaron del Espíritu Santo en Pentecostés?* (Fueron donde las multitudes y les hablaron de Jesús resucitado)
- ✔ *Nombre los signos de la presencia del Espíritu Santo* (La unción y la imposición de las manos).

Pida a un voluntario que lea en voz alta la tercera afirmación *Creemos*. Luego, pida a los estudiantes que lean en silencio los primeros dos párrafos. Explique que recibimos el Espíritu Santo durante la celebración de la Confirmación. Relacione la Confirmación con el Bautismo y la Eucaristía como sacramentos de la iniciación cristiana.

Pida a los estudiantes que trabajen en parejas y tomen turnos leyendo el siguiente párrafo y sus puntos seleccionados. Luego pídales que lean en silencio el resto del texto.

Converse sobre como celebra su parroquia el sacramento de la Confirmación.

Invite a un voluntario a leer en voz alta la cuarta afirmación de *Creemos*. Escriba las siguientes profesiones en la pizarra: *bombero, médico, abogado, enfermera y arquitecto.* Pida a los estudiantes que sugieran que tipo de preparación necesitaría una persona para lograr una de estas profesiones. Por ejemplo, los arquitectos deben estudiar como se construyen los edificios, etc. Explique que los candidatos al sacramento de la Confirmación también deben pasar por un período de preparación antes de recibir el sacramento.

The laying on of hands by the apostles was the beginning of the sacrament of Confirmation. As the Church grew, an anointing was joined to the laying on of hands. The word *anoint* means to apply oil to someone as a sign that God has chosen that person for a special mission. Like the laying on of hands, anointing is an ancient practice. Anointing was an important part of Jewish life during Jesus' time.

The anointing that took place with the laying on of hands was a sign of the Holy Spirit's presence and of the receiving of the Holy Spirit. In time the anointing became the essential sign of the Gift of the Holy Spirit. Chrism, oil blessed by a bishop, was used in this anointing. Today in the sacrament of Confirmation, the anointing with oil is done as the celebrant lays his hand on the head of the one being confirmed.

With a partner talk about the actions that are part of our worship.

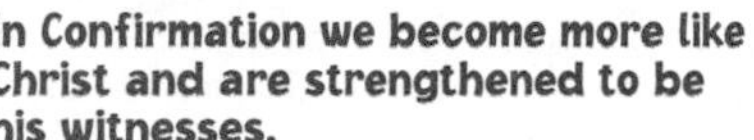

In Confirmation we become more like Christ and are strengthened to be his witnesses.

God the Holy Spirit is always with the Church. We can turn to the Holy Spirit for comfort, guidance, and strength. In the sacrament of **Confirmation** we receive the Gift of the Holy Spirit in a special way. We become more like Christ and are strengthened to be his witnesses.

Confirmation is a sacrament of Christian initiation. The first sacrament of Christian initiation is Baptism. All baptized members of the Church are called to receive the sacrament of Confirmation. Confirmation completes Baptism and along with the Eucharist fully initiates us into the Church.

The sacrament of Confirmation deepens the grace we first received at Baptism. In Confirmation:

- we are sealed with the Gift of God the Holy Spirit
- we become more like Jesus the Son of God and are strengthened to be active witnesses of Jesus
- our friendship with God the Father is deepened
- our relationship with the Church is strengthened
- we are sent forth to live our faith in the world.

Confirmation (p. 334)

91

Chapter 8 • Page 91

Teacher Note

Feast of Pentecost

Leviticus 23:15–22 describes the Jewish "Feast of Weeks." *Pentecost* is the Greek word used for the feast. During the feast, the Jews offered the first fruits of the harvest to God in thanksgiving. It was a holy day celebrated by the community. In the Acts of the Apostles, the author records that Jews from every nation gathered for the Feast of Weeks or Pentecost.

Teaching Note

Student Questioning

Having the students develop questions is a powerful learning tool. It encourages them to comprehend the material in order to generate questions. It also allows students to express the content in their own words. Offer the following guidelines: Questions must be able to be answered; must reinforce the lesson content; should not be too simple or too difficult; and should not require long answers as in an essay's response.

Lesson Plan

WE BELIEVE (continued)

Encourage students to talk with a partner to complete the activity.

Quick Check

✔ *After the apostles became filled with the Holy Spirit at Pentecost, what did they do?* (They went out to the crowds and told them about the risen Jesus.)

✔ *What are the signs of the Holy Spirit's presence?* (anointing and laying on of hands)

Have a volunteer read aloud the third *We Believe* statement. Then ask the students to read silently the first two paragraphs. Explain that we receive the Holy Spirit during the celebration of Confirmation. Make the connection between Confirmation, Baptism, and Eucharist as the sacraments of Christian initiation.

Ask the students to work with a partner and take turns reading the next paragraph and its bulleted items. Then have the students silently read the remaining text.

Discuss the way your parish celebrates the sacrament of Confirmation.

Invite a volunteer to read aloud the fourth *We Believe* statement. Write the names of the following professions on the board: *firefighter, doctor, lawyer, nurse,* and *architect*. Have the students suggest what types of preparation people would have to make prior to becoming one of these professionals. For example, architects must study how buildings are constructed, and so on. Explain that candidates for the sacrament of Confirmation also undergo a period of preparation before receiving the sacrament.

Banco de actividades

Doctrina social de la Iglesia

Solidaridad de la familia humana

La doctrina social de la Iglesia, nos enseña que somos los guardianes de nuestros hermanos. Este mandamiento es especialmente cierto para los confirmados. Invite a un orador para ayudar a los estudiantes a aprender sobre las responsabilidades de ayudar a los demás. Invite a un empleado de la parroquia, voluntario o trabajador social para que hable como da en su trabajo testimonio de Jesús al ayudar a los necesitados. Anime a los estudiantes a hacer preguntas.

Como católicos...

Símbolos del Espíritu Santo

En Isaías, leemos "El espíritu del Señor está sobre mí" (61:1), y encontramos las mismas palabras que usó Jesús cuando anunció el comienzo de su ministerio público (Lucas 4:18). Haga una lista en la pizarra de los símbolos o imágenes del Espíritu Santo que sugieran los alumnos (paloma, agua, defensor, consolador)

La Confirmación tiene lugar en la comunidad parroquial. El obispo visita las parroquias durante el año y confirma a todos los que han sido preparados para recibir el sacramento. Adultos y niños catecúmenos reciben el Bautismo, la Confirmación y la Eucaristía en una misma celebración.

Conversen de la forma como la parroquia celebra el sacramento de la Confirmación.

La preparación es parte importante de la Confirmación.

Los que se están preparando para la Confirmación son llamados candidatos. Con la ayuda de la comunidad parroquial, ellos rezan y reflexionan en la vida de Jesucristo y en la misión de la Iglesia. Los candidatos aprenden lo que significa ser ungido con crisma y como esta unción cambiará sus vidas.

Durante esta preparación los candidatos se acercan a Cristo. Empiezan a tener un mayor sentido de pertenencia a la Iglesia. Aprenden a compartir plenamente en la misión de la Iglesia.

Si fuimos bautizados cuando bebés, nuestros padres seleccionaron nuestro nombre. Nuestro nombre generalmente es el de un santo o alguien admirado por nuestros padres. En la Confirmación escogemos un nombre, generalmente el de un santo cuyo ejemplo vamos a seguir. Se nos anima a escoger nuestro nombre de bautismo para mostrar la relación entre el Bautismo y la Confirmación.

92

Como católicos...

Podemos encontrar dos símbolos del Espíritu Santo en la historia de Pentecostés: el viento y el fuego. La palabra espíritu viene del hebreo y significa "viento" "aire" y "aliento". El viento viaja a todas partes. Nos envuelve. El Espíritu Santo hace lo mismo.

El símbolo del fuego sugiere calor, energía, poder y cambio. El fuego cambia todo lo que toca. Eso hace el Espíritu Santo. Somos cambiados por el poder el Espíritu Santo. Habla sobre los símbolos o imágenes del Espíritu Santo.

Si fuimos bautizados cuando bebés nuestros padre también escogieron nuestros padrinos. Cuando nos preparamos para la Confirmación escogemos nuestro padrino para que nos ayude a crecer en la fe.

Un padrino tiene que ser un católico que haya recibido los sacramentos de iniciación, alguien a quien respetemos y en quien confiemos. Un padrino debe ser un ejemplo de vida cristiana para que pueda animarnos a seguir a Jesús. Nuestro padrino puede ser uno de nuestros padrinos de Bautismo, un familiar, un amigo o alguien de la parroquia.

Los padrinos pueden ayudarnos a prepararnos para la Confirmación compartiendo sus experiencias y contestando nuestras preguntas. En la celebración de la Confirmación, los padrinos nos presentan al obispo para la unción.

RESPONDEMOS

Piensa en personas que son ejemplos de vida cristiana. ¿De qué forma animan a otros a seguir a Jesús?

____

____

Planificación de la lección

Pida a los estudiantes escribir *Preparación para la Confirmación* en el centro de un papel. Luego, pídales que lean los primeros dos párrafos. Mientras leen, pídales que desarrollen una red de palabras que describa las formas en que los candidatos se preparan para la Confirmación.

Explique que la Confirmación está relacionada con el Bautismo. Pida a voluntarios que tomen turnos leyendo en voz alta el texto. Enfatice los siguientes puntos:

- Para la Confirmación, podemos escoger un nombre y un padrino. Si escogemos nuestro nombre y padrino de bautismo, pedemos vincular este sacramento con el Bautismo.
- Los padrinos desempeñan una función importante durante la preparación para la Confirmación. Ellos comparten sus experiencias, responden nuestras preguntas y nos presentan ante el obispo para la unción.
- El buen ejemplo de los padrinos del Bautismo y la Confirmación continúa después de celebrar los sacramentos.

Vocabulario Escriba la palabra *Confirmación* en la pizarra. Pida a los estudiantes que la definan. Pídales mencionar elementos importantes en la celebración del sacramento de la Confirmación.

RESPONDEMOS ____ minutos

Anime a los estudiantes a compartir sus respuestas a las preguntas de *Respondemos*. Pídales que consideren a personas cuyas vidas o profesiones animan a los demás a seguir las enseñanzas de Jesús.

Confirmation takes place in the parish community. The bishop usually visits parishes throughout the year and confirms all those who have prepared to receive the sacrament. Adults and older children who are catechumens receive Baptism, Confirmation, and Eucharist at one celebration.

Discuss the way your parish celebrates the sacrament of Confirmation.

Preparation is an important part of Confirmation.

Those preparing for Confirmation are called candidates. With the help of their parish communities, they pray and reflect on the life of Jesus Christ and on the mission of the Church. Candidates discover what it means to be anointed with chrism and how this anointing will change their lives.

During this preparation candidates grow closer to Christ. They begin to feel a greater sense of belonging to the Church. They learn to share more completely in the mission of the Church.

If we were baptized as infants, our parents selected a name for us. Our name is often that of a saint or someone whom our parents admire. At Confirmation we choose a name, usually that of a saint whose example we can follow. We are encouraged to take our baptismal name to show the connection between Baptism and Confirmation.

If we were baptized as infants, our parents also chose godparents for us. When we are preparing for Confirmation, we choose a sponsor to help us grow in our faith. A sponsor needs to be a Catholic who has received the sacraments of initiation and is someone we respect and trust. Our sponsor should be an example of Christian living so that he or she can encourage us to follow Jesus. Our sponsor can be one of our godparents, a family member, a friend, or someone from our parish.

Sponsors can help us prepare for Confirmation by sharing their experiences and answering our questions. At the celebration of Confirmation, sponsors present us to the bishop for anointing.

WE RESPOND

Think of people who are examples of Christian living. In what ways do they encourage others to follow Jesus?

____

____

As Catholics...

We can find two symbols of the Holy Spirit in the Pentecost story: wind and fire. The word *spirit* comes from a Hebrew word that means "wind," "air," and "breath." Wind travels everywhere. It surrounds us. The Holy Spirit does the same.

The symbol of fire suggests warmth, energy, power, and change. Fire changes whatever it touches. So does the Holy Spirit. We are changed by the power of the Holy Spirit. Talk about other symbols or images of the Holy Spirit.

93

ACTIVITY BANK

Catholic Social Teaching

Solidarity of the Human Family

The Church teaches through its Catholic social teaching that we are our brothers' and sisters' keepers. This mandate is especially true of those who have been confirmed. Help students learn about some of the responsibilities of helping others by inviting a guest to speak. Invite a parish worker, a volunteer, or a social worker to speak about things he or she does to witness to Jesus by helping others in need. Encourage the students to ask questions.

As Catholics...

Symbols of the Holy Spirit

In the Book of Isaiah, we read "The spirit of the Lord God is upon me" (61:1), and we find the same words used by Jesus when he announced the beginning of his public ministry (Luke 4:18). List on the board symbols or images of the Holy Spirit suggested by the students. (dove, water, Advocate, Comforter)

Lesson Plan

WE BELIEVE (continued)

Have the students write the phrase *Preparation for Confirmation* in the center of a piece of drawing paper. Next, have them read the first two paragraphs. As they read, have them develop a word web that describes different ways in which candidates prepare for Confirmation.

Explain that Confirmation has a connection to Baptism. Have volunteers take turns reading aloud the text. Emphasize the following points:

- In Confirmation, we can choose a name and a sponsor. By using our baptismal name and asking one of our godparents to be a sponsor, we link our Confirmation with Baptism.
- Sponsors play an important role during the preparation for Confirmation. They share their experiences, answer our questions, and present us to the bishop for anointing.
- The good example set by godparents and sponsors continues after the celebrations of the sacraments.

Key Word Write the word *Confirmation* on the board. Ask the students to define it. Have them mention important elements in the celebration of the sacrament of Confirmation.

WE RESPOND ___ minutes

Encourage the students to share responses to the *We Respond* question. Ask them to consider individuals whose lifestyles or professions encourage others to follow the teachings of Jesus.

Banco de actividades

Comunidad

Testificar

Parte de la preparación para la Confirmación es aprender a servir a los demás en el nombre de Cristo. Anime a los estudiantes a buscar oportunidades en la parroquia y la comunidad para testificar como cristianos confirmados. Recomiéndel es participar en un programa parroquial o en un esfuerzo local para ayudar a los necesitados. Dígales que pidan permiso a sus padres antes de ofrecer sus talentos y su tiempo.

Conexión con el currículo

Música

Materiales: instrumentos

Pida a los estudiantes componer una canción que exprese algo aprendido en la lección de hoy. Anímelos a incluir lo siguiente: *unción, imposición de las manos, Espíritu Santo, Confirmación.* Déles instrumentos musicales para que lo usen en el acompañamiento.

Conexion con el hogar

Compartiendo lo aprendido

Anime a los estudiantes hacer un álbum de recortes sobre los sacramentos con sus familias.

Para más información y actividades adicionales visite a Sadlier

www.CREEMOSweb.com

Planifique por adelantado

Lugar de oración: Biblia, tela blanca o roja para la mesa

Materiales: Patrón, lápices de colores.

_____ minutos

Repaso del capítulo Lea las preguntas 1–4. Diga a los estudiantes que encierren con un círculo la respuesta correcta para cada pregunta. Pídales que respondan con verdadero o falso a las preguntas 5–8. Explique que si una frase es falsa, tendrán que volver a redactarla para que sea verdadera. Pídales que respondan la pregunta 9–10. Lea las preguntas en voz alta e invítelos a responder.

Reflexiona y ora Lea en voz alta el enunciado de la oración. Pida a los estudiantes que hagan una pausa antes de completar la oración.

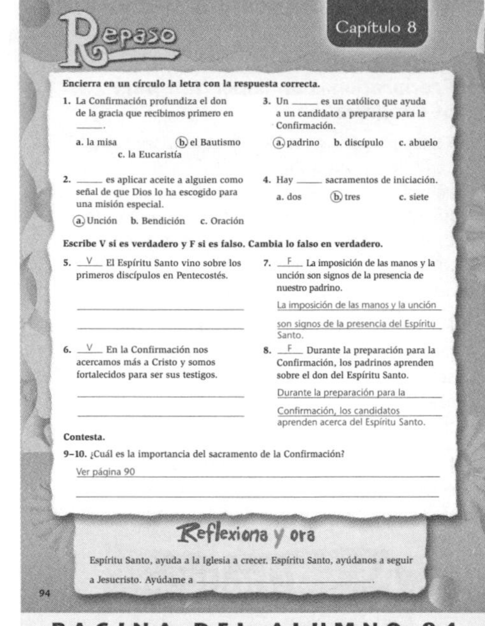

Repaso — Capítulo 8

Encierra en un círculo la letra con la respuesta correcta.

1. La Confirmación profundiza el don de la gracia que recibimos primero en _____.
   a. la misa (b.) el Bautismo c. la Eucaristía
2. _____ es aplicar aceite a alguien como señal de que Dios lo ha escogido para una misión especial.
   (a.) Unción b. Bendición c. Oración
3. Un _____ es un católico que ayuda a un candidato a prepararse para la Confirmación.
   (a.) padrino b. discípulo c. abuelo
4. Hay _____ sacramentos de iniciación.
   a. dos (b.) tres c. siete

Escribe V si es verdadero y F si es falso. Cambia lo falso en verdadero.

5. V El Espíritu Santo vino sobre los primeros discípulos en Pentecostés.
6. V En la Confirmación nos acercamos más a Cristo y somos fortalecidos para ser sus testigos.
7. F La imposición de las manos y la unción son signos de la presencia de nuestro padrino.
   La imposición de las manos y la unción son signos de la presencia del Espíritu Santo.
8. F Durante la preparación para la Confirmación, los padrinos aprenden sobre el don del Espíritu Santo.
   Durante la preparación para la Confirmación, los candidatos aprenden acerca del Espíritu Santo.

Contesta.

9–10. ¿Cuál es la importancia del sacramento de la Confirmación?
Ver página 90

Reflexiona y ora

Espíritu Santo, ayuda a la Iglesia a crecer. Espíritu Santo, ayúdanos a seguir a Jesucristo. Ayúdame a _____.

94

PAGINA DEL ALUMNO 94

Respondemos y compartimos la fe

_____ minutos

Recuerda Pida a un voluntario que lea en voz alta los cuatro enunciados *Creemos.* Pida a los estudiantes que escriban un párrafo breve sobre cada enunciado. Pida a voluntarios que compartan sus párrafos.

Nuestra vida católica Lea el texto en voz alta. Converse sobre las formas en las que San Juan Bosco usó sus habilidades para llamar la atención de las personas. Señale que, una vez que obtenía la atención, Juan Bosco enseñaba la buena nueva con sus palabras y obras. Pida a los estudiantes que piensen en algún talento o forma en la que pueden educar a las personas sobre Jesús y sus enseñanzas.

Respondemos y compartimos la fe

Compartiendo lo aprendido

Habla con tu familia sobre lo siguiente:

- Pentecostés
- el significado de la Confirmación
- la Confirmación como sacramento de iniciación
- preparación para la Confirmación.

Recuerda

- En Pentecostés el Espíritu Santo vino a los primeros discípulos.
- La imposición de las manos y la unción son signos de la presencia del Espíritu Santo.
- En la Confirmación nos acercamos más a Cristo y somos fortalecidos para ser sus testigos.
- La preparación es parte importante de la Confirmación.

Oración en familia

Dios amante y misericordioso envía al Espíritu Santo para que viva en nuestros corazones y nos haga templos de su gloria.

NUESTRA VIDA CATOLICA

San Juan Bosco

Juan Bosco nació cerca de Turín, Italia. Su madre le enseñó sobre Jesús y el evangelio. Le gustaba enseñar a otros niños en el vecindario. Desde joven fue testigo de Cristo. Aprendió ventriloquia para amenizar. También aprendió malabarismo y a caminar sobre una cuerda. Antes de empezar sus entretenimientos oraba y cantaba himnos con los asistentes. Se ordenó sacerdote y se dedicó a ayudar a los niños pobres. Fundó una orden religiosa llamada Salesianos. Fue el primero en publicar material para educación religiosa. El día de San Juan Bosco es el 31 de enero.

Visita Sadlier en www.CREEMOSweb.com

Conexión con el Catecismo
Para referencia vea los párrafos 1287, 1288, 1289, 1303 y 1309.

96

PAGINA DEL ALUMNO 96

_____ minutes

Chapter Review Read through questions 1–4. Tell the students to circle the correct answer for each item. For questions 5–8, have them answer true or false. Explain that if a sentence is false they need to rewrite it to make it true. Have them answer question 9–10. Read the question aloud and invite answers.

Reflect & Pray Read aloud the prayer statement. Have the students pause for a few moments before completing the prayer.

Review — Chapter 8

Circle the correct answer.

1. Confirmation deepens the gift of grace we first received at _____.
   a. Mass (b.) Baptism c. Eucharist
2. To _____ is to apply oil to someone as a sign that God has chosen that person for a special mission.
   (a.) anoint b. bless c. pray
3. A _____ is a Catholic who helps prepare a candidate for Confirmation.
   a. godparent b. disciple (c.) sponsor
4. There are _____ sacraments of Christian initiation.
   a. two (b.) three c. seven

Write True or False for the following sentences. Then change the false sentences to make them true.

5. True The Holy Spirit came upon the first disciples at Pentecost.
6. True In Confirmation we become more like Christ and are strengthened to be his witnesses.
7. False Laying on of hands and anointing are signs of our sponsor's presence.
   Laying on of hands and anointing are signs of the Holy Spirit's presence.
8. False During preparation for Confirmation, godparents learn about the Gift of the Holy Spirit.
   During preparation for Confirmation, candidates learn about the Gift of the Holy Spirit.

Write a sentence to answer the question.

9–10. What is the importance of the sacrament of Confirmation?
See page 91.

Reflect & Pray

Holy Spirit, help the Church to grow. Holy Spirit, help us all to follow Jesus Christ. Help me to _____.

95

PUPIL PAGE 95

We Respond and Share the Faith

_____ minutes

Remember Have a volunteer read the four *We Believe* statements. Ask the students to write a brief paragraph for each statement. Have volunteers share their paragraphs.

Our Catholic Life Read aloud the text. Discuss the ways Saint John Bosco used circus skills to get people's attention. Stress that, once he had their attention, John Bosco taught the good news in his words and actions. Have the students think of some talent or way that they can teach other people about Jesus and his teachings.

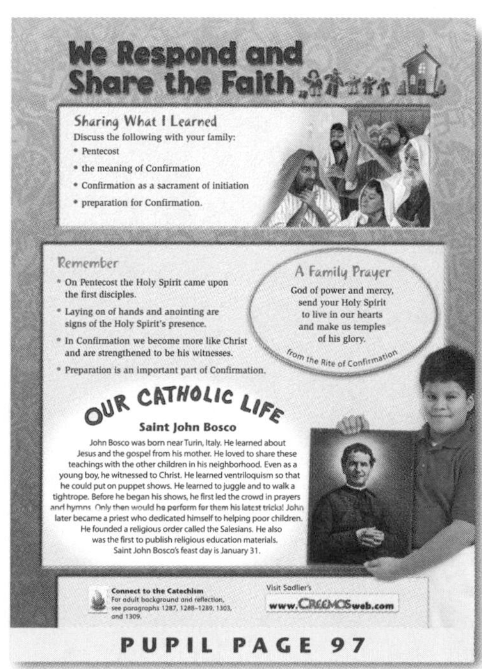
We Respond and Share the Faith

Sharing What I Learned
Discuss the following with your family:
- Pentecost
- the meaning of Confirmation
- Confirmation as a sacrament of initiation
- preparation for Confirmation.

Remember
- On Pentecost the Holy Spirit came upon the first disciples.
- Laying on of hands and anointing are signs of the Holy Spirit's presence.
- In Confirmation we become more like Christ and are strengthened to be his witnesses.
- Preparation is an important part of Confirmation.

A Family Prayer
God of power and mercy, send your Holy Spirit to live in our hearts and make us temples of his glory.
from the Rite of Confirmation

OUR CATHOLIC LIFE
Saint John Bosco
John Bosco was born near Turin, Italy. He learned about Jesus and the gospel from his mother. He loved to share these teachings with the other children in his neighborhood. Even as a young boy, he witnessed to Christ. He learned ventriloquism so that he could put on puppet shows. He learned to juggle and to walk a tightrope. Before he began his shows, he first led the crowd in prayers and hymns. Only then would he perform for them his latest tricks! John later became a priest who dedicated himself to helping poor children. He founded a religious order called the Salesians. He also was the first to publish religious education materials. Saint John Bosco's feast day is January 31.

Connect to the Catechism
For adult background and reflection, see paragraphs 1287, 1288–1289, 1303, and 1309.

Visit Sadlier's www.CREEMOSweb.com

PUPIL PAGE 97

ACTIVITY BANK

Community

Service as Witness

Part of the preparation for Confirmation is learning to serve others in Christ's name. Encourage the students to look for opportunities within the parish and larger communities to witness to their being confirmed Christians. Urge them to get involved with a parish outreach program or local effort to help others in need. Tell them to check with their parents before volunteering their talents and time.

Curriculum Connection

Music

Materials: instruments

Ask the students to compose a song that expresses something that they learned in today's lesson. Encourage students to include the following: *anointing, laying on of hands, Holy Spirit,* or *Confirmation.* Provide instruments such as a drum or triangle to accompany the songs.

HOME CONNECTION

Sharing What I Learned

Encourage the students to work with their families on a *Sacrament Scrapbook.*

For additional information and activities, encourage families to visit Sadlier's

www.CREEMOSweb.com

Plan Ahead for Chapter 9

Prayer Space: Bible, white or red tablecloth

Materials: copies of Reproducible Master 9, drawing paper

La celebración de la Confirmación

Ojeada

En este capítulo los estudiantes aprenderán acerca de la celebración del sacramento de la Confirmación.

Contenido doctrinal	Referencia del *Catecismo de la Iglesia Católica*
Los estudiantes aprenderán que:	párrafo
• La Confirmación nos lleva del Bautismo a la Eucaristía	1298
• En el sacramento de la Confirmación somos sellados con el don del Espíritu Santo	1300
• Los dones del Espíritu Santo ayudan a los confirmados	1299
• La Confirmación llama a los ungidos a vivir su Bautismo como testigos de Cristo	1305

Referencia catequética

¿Cuál es el don más grande que ha recibido y por qué?

El sacramento de la Confirmación usualmente se celebra durante la misa. Después de la Liturgia de la Palabra, toda la asamblea, incluyendo los candidatos y sus padrinos, renuevan sus votos bautismales. Esto muestra la relación entre la Confirmación y el Bautismo. Después de que se confiere el sacramento de la Confirmación, se celebra la Liturgia de la Eucaristía. Esto muestra la relación entre la Confirmación y la Eucaristía.

En la Confirmación, el obispo pone su mano derecha sobre el candidato y a la vez, lo unge con crisma en la frente con el dedo pulgar y dice "Recibe por esta señal el don del Espíritu Santo".

De las palabras de Isaías aprendemos que el Espíritu Santo es el portador de grandes dones: "El espíritu del Señor estará continuamente sobre él,y le dará sabiduría, inteligencia, prudencia, fuerza, conocimiento y temor del Señor" (Isaías 11:2–3)

Estos dones ayudan a los confirmados a vivir su Bautismo como testigos de Jesucristo.

¿Cuál de los siete dones del Espíritu Santo es el que más necesita en su vida?

Mirando la vida

Historia para el capítulo

Habían pasado tres semanas desde que la Sra. Davis había salido de permiso para tener a su bebé. Ahora, la Sra. Williams sería maestra de Michael por el resto del año.

Las cosas habían cambiado desde que la Sra. Williams llegó. Ella no tenía buen control de la clase. Algunos estudiantes comenzaron a tontear en vez de prestar atención. Cuando la Sra. Williams le daba la espalda a la clase, algunos de los estudiantes se ponían de pie y tiraban los libros o carpetas de los escritorios de sus amigos. El resto de la clase se reía de ello. Cuando ella preguntaba quién había ocasionado el desorden, el culpable se quedaba mudo. La Sra. Williams se frustró.

Michael se sentó y miró las payasadas. El siempre había sido buen estudiante y nunca se metía en problemas. Ahora sentía ganas de tontear y de salirse con la suya.

Un día durante las matemáticas, estaban trabajando con unas fichas pequeñas de plástico. Algunos de los chicos de la mesa de Michael comenzaron a tirar fichas cuando la Sra. Williams no estaba mirando. Michael no tiró ninguna ficha, pero les dijo a sus amigos a quien tirárselas. Finalmente, terminó la lección. La Sra. Williams decidió decirle al director lo que había pasado.

Esa noche, cuando Michael estaba en la cama, se preguntó si había hecho lo correcto durante la clase de matemáticas.

Si fueras Michael, ¿a qué conclusión llegarías?

Overview

In this chapter the students will learn about the celebration of the sacrament of Confirmation.

Doctrinal Content	For Adult Reading and Reflection *Catechism of the Catholic Church*
The students will learn:	Paragraph
• Confirmation leads us from Baptism to the Eucharist	1298
• In the sacrament of Confirmation, we are sealed with the Gift of the Holy Spirit.	1300
• The gifts of the Holy Spirit help those who are confirmed.	1299
• Confirmation calls those anointed to live out their Baptism as witnesses of Jesus Christ.	1305

Catechist Background

What has been the most important gift you have received? Why?

The sacrament of Confirmation is usually celebrated during the Mass. After the Liturgy of the Word, the entire assembly, including the candidates and their sponsors, renews its baptismal vows. This shows the connection of Confirmation to Baptism. After the Confirmation, the Liturgy of the Eucharist is celebrated. This shows Confirmation's connection to the Eucharist.

In confirming, the bishop lays his right hand on the candidate and at the same time anoints with chrism on the forehead with his thumb and says "Be sealed with the Gift of the Holy Spirit." From Isaiah's words we learn that the Holy Spirit brings great gifts:

"The spirit of the LORD shall rest upon him:
a spirit of wisdom and of understanding,
A spirit of counsel and of strength,
a spirit of knowledge and of fear of the Lord,
and his delight shall be the fear of the Lord"
(Isaiah 11:2–3).

These great gifts enable those who are confirmed to live out their Baptism as witnesses of Jesus Christ.

Which of the seven gifts of the Holy Spirit do you need most in your life right now?

Focus on Life

Chapter Story

It had been three weeks since Mrs. Davis took a leave of absence to have her baby. Mrs. Williams was now Michael's teacher and would be until the end of the year.

Things were different since Mrs. Williams took over. She did not have very good control of the class. Some students began to fool around rather than pay attention. When Mrs. Williams had her back to the class, some of the other students would get out of their seats and knock their friends' books or folders from their desks. The rest of the class would laugh at this. When she asked who caused the disturbance, the guilty party would remain silent. Mrs. Williams grew frustrated.

Michael sat and watched this clownish behavior. He had always been a good student and never got in trouble. Now he felt like fooling around and getting away with it.

One day during math, they were working with some small plastic chips. A few of the guys at Michael's table began throwing the chips around when Mrs. Williams wasn't looking. Michael did not throw any of the chips, but he told his friends who should be the targets. Finally, the math lesson was ended. Mrs. Williams decided to tell the principal what had happened.

That night, as Michael lay in bed ready for sleep, he wondered whether he had done the right thing during math class.

If you were Michael, what conclusion would you reach?

Guía para planificar la lección

 NOS CONGREGAMOS

Pasos de la lección	Presentación	Materiales
pág. 98 **Oración**	• Reúnase en la mesa de oración. • Responda con una oración.	Para el lugar de oración: Biblia, mantel blanco o rojo
Mirando la vida	• Hablar acerca de los cambios que se pueden hacer en su ciudad o pueblo.	

2 CREEMOS

Pasos de la lección	Presentación	Materiales
pág. 98 *La Confirmación nos lleva del Bautismo a la Eucaristía.* *Rito de la Confirmación*	• Conversar sobre los sacramentos de iniciación. Completar la lista de las creencias que comparten los católicos.	
pág. 100 *En el sacramento de la Confirmación somos sellados con el don del Espíritu Santo.* *Rito de la Confirmación*	• Hablar sobre las acciones del obispo durante la Confirmación. Rezar por los candidatos a la Confirmación.	
pág. 102 *Los dones del Espíritu Santo ayudan a los confirmados.*	• Leer y conversar sobre los dones del Espíritu Santo. Escenificar cómo se puede responder a los dones del Espíritu Santo.	• copias del patrón 9
pág. 104 *La Confirmación llama a los ungidos a vivir su Bautismo como testigos de Cristo.*	• Hablar de los dones y frutos del Espíritu Santo. Identificar formas para ser testigos de Jesús. • Conversar sobre *Como católicos.*	

3 RESPONDEMOS

Pasos de la lección	Presentación	Materiales
pág. 104	• Identificar los frutos del Espíritu Santo que ve en los demás.	
páginas 106 y 108 **Repaso**	• Completar las preguntas 1–10. Completar la actividad de *Reflexiona y ora.*	• papel de estraza
páginas 106 y 108 **Respondemos y compartimos la fe**	• Repasar el *Recuerda* y el *Vocabulario.* • Leer y conversar sobre *Nuestra vida católica.*	

Para ideas, actividades y otras oportunidades visite Sadlier en **www.CREEMOSweb.com**

Lesson Planning Guide

Lesson Steps	Presentation	Materials
 **1 WE GATHER**		
page 99 **Prayer**  **Focus on Life**	• Gather at the prayer table. • Respond in prayer. • Discuss changes to make in your city or town.	For the prayer space: Bible, white or red tablecloth
2 WE BELIEVE		
page 99 *Confirmation leads us from Baptism to the Eucharist.* *Rite of Confirmation*	• Discuss the sacraments of initiation. Complete the list of shared beliefs of Catholics.	
page 101 *In the sacrament of Confirmation, we are sealed with the Gift of the Holy Spirit.* *Rite of Confirmation*	• Discuss the actions of the bishop during Confirmation. Discuss praying for the Confirmation candidates.	
page 103 *The gifts of the Holy Spirit help those who are confirmed.*	• Read and discuss the gifts of the Holy Spirit. Talk about ways the gifts of the Holy Spirit can help you.	• copies of Reproducible Master 9
page 105 *Confirmation calls those anointed to live out their Baptism as witnesses of Jesus Christ.*	• Discuss the gifts and fruits of the Holy Spirit. Identify ways to be witnesses of Jesus. • Read and discuss *As Catholics*.	• drawing paper
3 WE RESPOND		
page 105	• Identify the fruits of the Holy Spirit that you see in others and that others see in you.	
pages 107 and 109 **Review**	• Complete questions 1–10. • Complete *Reflect & Pray*.	
pages 107 and 109 **We Respond and Share the Faith**	• Review *Remember* and *Key Word*. • Read and discuss *Our Catholic Life*.	

For additional ideas, activities, and opportunities: Visit Sadlier's **www.CREEMOSweb.com**

Conexiones

Familia

Cuando enseñe el capítulo del sacramento de la Confirmación, anime a los estudiantes a preguntar a su familia y amigos acerca de sus experiencias en la Confirmación. Dígales que le pidan a sus hermanos mayores, padres, abuelos, tíos y primos que le cuenten como fue la celebración de su Confirmación, que nombre de Confirmación escogieron y que obispo celebró el sacramento.

Parroquia

La comunidad parroquial comparte el sacramento de la Confirmación. Considere invitar a un miembro de la parroquia que haya ayudado a coordinar las celebraciones de Confirmación para que le hable a los estudiantes. Pida a los estudiantes que indiquen como participa la comunidad parroquial en la celebración de la Confirmación.

FE y MEDIOS

▶ Recurra a la Internet para averiguar más acerca del Día Mundial de la Juventud. El sitio Web del Vaticano sería un buen lugar donde empezar. Visite también los sitios Web oficiales de algunos Días Mundiales de la Juventud recientes, como el de Toronto en 2002 y el de Roma en 2000. También busque fotos de otros Días Mundiales de la Juventud más antiguos, como el de Denver en 1993 y el de París en 1997. Finalmente, busque información en internet acerca de este día para este año. (Las reuniones internacionales de este día se celebran cada dos años, pero el Día Mundial de la Juventud se celebra todos los años.)

Liturgia para la semana

Visite **www.creemosweb.com** para las lecturas bíblicas de esta semana y otros materiales propios del tiempo.

Necesidades individuales

Estudiantes con necesidades auditivas

Los estudiantes con necesidades auditivas posiblemente necesiten ayuda especial con las lecciones interactivas y las lecturas diarias. Desarrolle ayudas visuales para las actividades y escriba los cuatro enunciados *Creemos* en la pizarra para que estos estudiantes puedan participar. Cuando los estudiantes lean en voz alta, pida a un compañero que trabaje en pareja con el estudiante con necesidades auditivas para apuntar cada palabra que se está leyendo.

RECURSOS ADICIONALES

Libro *La Confirmacíon*, Juan Dingler, S.J, Luturgical Press.

Para ideas visite Sadlier en

www.CREEMOSweb.com

Connections

To Family

As you teach this chapter on the sacrament of Confirmation, encourage the students to ask family and friends about their Confirmation experiences. Have them ask older siblings, parents, grandparents, aunts, uncles, and cousins to share what their Confirmation celebration was like, what Confirmation name they chose, and who was the bishop at the celebration.

To Parish

The parish community shares the sacrament of Confirmation. Consider inviting a parish member who has helped coordinate the parish's celebrations of Confirmation to speak to the students. Have the students identify ways in which the parish community participates in the celebration of Confirmation.

FAITH and MEDIA

▶ Go online to find out more about World Youth Day. A good place to start is the Vatican Web site. Also visit the official Web sites of some recent World Youth Days, such as those in Toronto in 2002 and Rome in 2000, and search the Web for pictures of earlier World Youth Days, such as those in Denver in 1993 and Paris in 1997. Finally, search online for information about World Youth Day for this year. (International World Youth Day gatherings are held every two years, but World Youth Day is celebrated every year.)

This Week's Liturgy
Visit **www.ceemosweb.com** for this week's liturgical readings and other seasonal material.

Meeting Individual Needs

Students with Auditory Needs

Students with auditory needs may require special help with interactive lessons and daily readings. Develop visual aids for activities and write the four *We Believe* statements on the board so these students can participate. When students read aloud, have a partner work with each auditory-needs student and point to each word as it is being read.

ADDITIONAL RESOURCES

Videos *The Spirit and Confirmation, Part 2*, Ikonographics, St. Anthony Messenger Press, 1999. This video treats the Spirit at work in the Sacrament of Confirmation. (14 minutes)

To find more ideas for books, videos, and other learning material, visit Sadlier's

www.CREEMOSweb.com

La Celebración de la Confirmación

Meta catequética

• Explicar la celebración de la Confirmación y enseñar los dones del Espíritu Santo

PREPARANDOSE PARA ORAR

Los estudiantes rezarán una oración al Espíritu Santo.

• Adopte la función de líder de la oración.

El lugar de oración

• Ponga un mantel (rojo o blanco) sobre la mesa de oración.

NOS CONGREGAMOS

Líder: Ven, Espíritu Santo, llena los corazones de tus fieles.

Todos: Y enciende en ellos el fuego de tu amor.

Líder: Envía tu Espíritu y serán creados.

Todos: Y renovarás la faz de la tierra.

Líder: Oremos: Oh Dios, que ha iluminado los corazones de tus fieles, con la ciencia del Espíritu Santo. Haz que guiados por ese mismo Espíritu saboreemos las dulzuras del bien y gocemos de tu divino consuelo. Por Jesucristo nuestro Señor.

Todos: Amén.

Si pudieras cambiar algo en tu ciudad o pueblo, ¿qué sería? ¿Por qué?

CREEMOS

La Confirmación nos lleva del Bautismo a la Eucaristía.

En la celebración de la Confirmación, nos reunimos en nuestra parroquia y expresamos nuestra creencia en Jesucristo. Porque la Confirmación nos dirige hacia la Eucaristía y a la completa iniciación en la Iglesia, generalmente celebramos la Confirmación dentro de la misa.

Como los demás sacramentos, se proclama la palabra de Dios. La primera lectura es tomada del Antiguo Testamento y la segunda del Nuevo Testamento. La tercera lectura es siempre de uno de los evangelios.

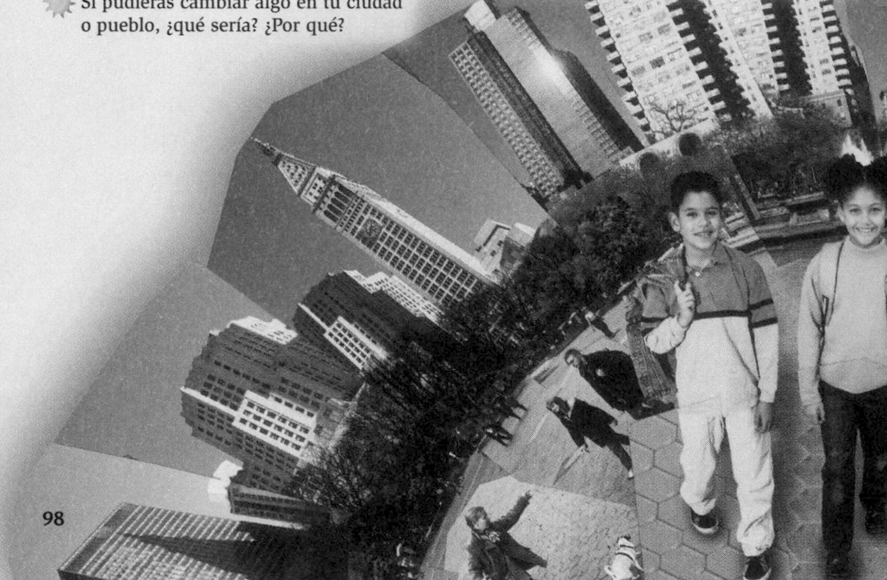

98

Planificación de la lección

NOS CONGREGAMOS ____ minutos

Oración

• Recen la Señal de la Cruz y dirija la oración inicial.

• Indique los símbolos asociados con la presencia y el poder del Espíritu Santo. Por ejemplo, hable sobre el símbolo del fuego como una fuerza de creación en nuestras vidas. Puede ser destructivo, pero también es una fuente de luz y calor. La venida del Espíritu brinda renovación al mundo entero.

Mirando la vida

• Converse sobre posibles cambios en su ciudad o pueblo y las razones por las que deben llevarse a cabo.

CREEMOS ____ minutos

Pida a un voluntario que lea en voz alta el primer enunciado *Creemos*. Lea en voz alta el primer párrafo. Pida a voluntarios que que lean el resto del texto. Enfatice la participación activa del obispo y de los candidatos durante la celebración

Invite a los estudiantes a trabajar en grupos para identificar y hacer una lista de las creencias que comparten como católicos.

Pida a un voluntario que lea en voz alta el segundo enunciado *Creemos*. Pida a voluntarios que lean en voz alta los dos primeros párrafos. Demuestre el gesto del obispo de extender sus manos sobre los candidatos para la Confirmación. Ayude a los estudiantes a recordar que los apóstoles imponían sus manos sobre las personas para llenarlas del Espíritu Santo.

The Celebration of Confirmation

WE GATHER

✝ **Leader:** Come, Holy Spirit, fill the hearts of your faithful.

All: And kindle in them the fire of your love.

Leader: Send forth your Spirit and they shall be created.

All: And you will renew the face of the earth.

Leader: Let us pray.
Lord,
by the light of the Holy Spirit
you have taught the hearts of your faithful.
In the same Spirit
help us to relish what is right
and always rejoice in your consolation.
We ask this through Christ our Lord.

All: Amen.

If you could change something in your city or town, what would it be? Why?

WE BELIEVE

Confirmation leads us from Baptism to the Eucharist.

In the celebration of Confirmation, we gather with our parish community and express our belief in Jesus Christ. Because Confirmation leads us to the Eucharist and full initiation into the Church, we usually celebrate Confirmation within Mass.

As in all the other sacraments, the word of God is proclaimed. The first reading is usually from the Old Testament, and the second is usually from the New Testament. The third reading is always from one of the gospels.

99

Catechist Goal

• To explain the celebration of Confirmation and teach the gifts of the Holy Spirit

PREPARING TO PRAY

The students will pray to the Holy Spirit.

• Assume the role of prayer leader.

The Prayer Space

• Place a tablecloth (red or white) on the prayer table.

Lesson Plan

WE GATHER

___ minutes

✝ **Pray**

• Pray the Sign of the Cross and lead the opening prayer.

• Point out the symbols associated with the presence and power of the Holy Spirit. For example, discuss the symbol of fire as a creative force in our lives. It can be destructive but it is also a source of light and warmth. The coming of the Spirit brings renewal to the entire earth.

Focus on Life

• Discuss potential changes in your city or town and the reasons why they should be made.

WE BELIEVE

___ minutes

Have a volunteer read aloud the first *We Believe* statement. Read aloud the first paragraph. Ask volunteers to continue reading the remaining text. Stress the active participation of the bishop and the candidates during the celebration.

Invite the students to work in groups to identify and list beliefs that they share as Catholics.

Ask a volunteer to read aloud the second *We Believe* statement. Have volunteers read aloud the first two paragraphs. Demonstrate the bishop's gesture of extending his hands over the candidates for Confirmation. Help the students recall that the apostles laid their hands on others to fill them with the Holy Spirit.

Nuestra respuesta en la fe

- Aceptar el Espíritu Santo como un Ayudante que nos fortalece para ser testigos de Jesucristo

dones del Espíritu Santo

Materiales

- papel de dibujo

Después de las lecturas el párroco o un líder parroquial presenta a los candidatos. Estos pueden ser llamados por sus nombres mientras se ponen de pie con sus padrinos. Después de la presentación, el obispo da una breve homilía para ayudar a todos a entender las lecturas. El nos recuerda nuestro don de la fe y el poder del Espíritu Santo en nuestras vidas. El obispo puede preguntar al candidato algo sobre la fe.

Los candidatos se ponen de pie y renuevan sus promesas bautismales. Ellos contestan a cada pregunta sobre su fe en la Santísima Trinidad y la Iglesia con las palabras, "Sí, creo".

La renovación de las promesas bautismales en la Confirmación es muy importante. Este es un buen momento para que todos los bautizados también puedan profesar su fe.

Como católicos compartimos la misma fe. ¿En qué crees como católico? En grupos hagan una lista de las creencias.

En el sacramento de la Confirmación somos sellados con el don del Espíritu Santo.

El obispo les recuerda su bautismo a todos los reunidos. El invita a todos a rezar para que el Espíritu Santo se derrame en los confirmandos. En la liturgia de la Confirmación, toda la Iglesia reza por los candidatos.

El obispo y los sacerdotes que celebran con él extienden sus manos sobre todo el grupo de candidatos. El obispo reza para que el Espíritu Santo venga y los candidatos reciban sus dones.

Después, el padrino se pone de pie junto al candidato y le pone una mano en el hombro. Esto muestra la guía y el apoyo del padrino y el cuidado de toda la parroquia por los que van a ser confirmados.

El obispo confirma a cada candidato ungiéndolo con crisma en la frente. El obispo impone una de sus manos diciendo: "N., recibe por esta señal el don del Espíritu Santo". El confirmando responde: "Amén".

100

Conexión con el hogar

Pregunte: *Al trabajar en el álbum de recortes de la Confirmación ¿se interesó tu familia en hacer otro álbum para otros acontecimientos especiales de la familia? ¿Cuáles?*

Planificación de la lección

CREEMOS (continuación)

Escriba las siguientes preguntas en la pizarra o pregunte: *¿Por qué el padrino en la Confirmación pone su mano sobre el hombro del candidato? ¿Cómo unge el obispo al candidato? ¿Por qué el recién confirmado le ofrece el saludo de la paz al obispo?* Pida a los estudiantes que busquen las respuestas en el texto de *Creemos.*

Invite a los estudiantes a examinar las imágenes de la página. Pídales que las relacionen con los conceptos clave de la lección. Pregunte: *¿Qué otra imagen podrían haber incluido? ¿Cómo se relacionaría esa imagen con la celebración de la Confirmación?*

Identifique las peticiones de oración para los candidatos a la Confirmación.

Cotejo rápido

✔ *¿Por qué se celebra la Confirmación durante la misa?* (La Confirmación nos guía a la Eucaristía y a la iniciación plena en la Iglesia, por lo que se celebra durante la misa.)

✔ *¿Qué dice el obispo cuando unge con crisma al candidato?* ("N., recibe por esta señal el don del Espíritu Santo".)

After the readings the pastor or a parish leader presents those to be confirmed. These candidates may be called by name as they stand with their sponsors. After the presentation, the bishop gives a brief homily to help everyone understand the readings. He reminds us of our gift of faith, and of the power of the Holy Spirit in our lives. The bishop may ask the candidates about their faith.

The candidates then stand and renew their baptismal promises. They answer each of the questions about their belief in the Blessed Trinity and the Church with the words "I do."

The renewal of the baptismal promises at Confirmation is very important. This is a good time for those who were baptized as infants to profess their faith for themselves.

As Catholics we share the same beliefs. What do you believe as a Catholic? Work in groups and list some of these beliefs.

In the sacrament of Confirmation, we are sealed with the Gift of the Holy Spirit.

The bishop reminds all assembled of their Baptism. He invites everyone to pray for the outpouring of the Holy Spirit on those to be confirmed. In the liturgy of Confirmation, the whole Church prays for all these candidates.

The bishop and priests celebrating with him extend their hands over the whole group of candidates. The bishop prays that the Holy Spirit will come and that the candidates will receive the gifts of the Holy Spirit.

Next, the sponsor stands near the candidate and places a hand on the candidate's shoulder. This shows the support and guidance of the sponsor and the ongoing care of the whole parish for those who are being confirmed.

The bishop confirms each candidate by the anointing with chrism on the forehead, which is done by the laying on of the hand, and through the words, "N., be sealed with the Gift of the Holy Spirit." The one confirmed responds, "Amen."

101

Our Faith Response

- To accept the Holy Spirit as our Helper who strengthens us to witness Jesus Christ

gifts of the Holy Spirit

Lesson Materials

- drawing paper

Home Connection Update

Ask: *Did working on a scrapbook for Confirmation help your family imagine making a family scrapbook of other special family events? If so, name them.*

Lesson Plan

WE BELIEVE (continued)

Write the following questions on the board, or ask them orally: *Why does the Confirmation sponsor place his or her hand on the shoulder of the candidate? How does the bishop anoint the candidate? Why do the newly confirmed offer peace to the bishop?* Have the students search for answers in the *We Believe* text.

Invite students to examine the on-page artwork. Ask them to relate it to the key concepts of the lesson. Ask: *What other artwork could have been included? How would that artwork have related to the celebration of Confirmation?*

Identify prayer intentions for the Confirmation candidates.

Quick Check

✔ *Why does the celebration of Confirmation take place within Mass?* (Confirmation leads us to the Eucharist and full initiation into the Church, so it is celebrated within Mass.)

✔ *What does the bishop say when he anoints the candidate with chrism?* ("N., be sealed with the Gift of the Holy Spirit.")

Ideas

Trabajo en grupo

Una actividad pide a los estudiantes que trabajen en grupos para hablar sobre sus creencias. Organice la actividad de la siguiente forma:

- Designe un estudiante que tome apuntes y los escriba en un papel. Esto los ayudará a concentrarse en la tarea.
- Pida a otros estudiantes que compartan tres de sus propias creencias. Esto los ayudará a participar plenamente.

Conexión con el currículo

Drama

Materiales: aceite

Invite a los estudiantes a escenificar partes de la celebración de la Confirmación. Pídales planificar y decidir los papeles requeridos, como el de obispo, párroco, candidatos, padrinos, que objetos se necesitarán y que palabras dirán. Asegúrese de que todo el grupo participe en la celebración.

El candidato es marcado como alguien que comparte totalmente la misión de Jesús. Esta unción confirma y completa su unción bautismal. Es el sello del Espíritu Santo que identifica que pertenecemos a Jesucristo. Igual que el sello del Bautismo, está siempre con nosotros. Es por eso que somos confirmados sólo una vez.

Después el obispo comparte el saludo de la paz con los nuevos confirmados. Esta acción nos recuerda la unión de toda la Iglesia con el obispo. En las intercesiones generales recordamos a los nuevos confirmados, sus familias, sus padrinos y a toda la Iglesia. Después de cada petición los presentes ofrecen sus respuestas.

Los nuevos confirmados ahora, unidos a la asamblea, siguen adorando a Dios, compartiendo el regalo de Jesús en la Eucaristía.

¿Por qué rezarás por los candidatos a la Confirmación?

Los dones del Espíritu Santo ayudan a los confirmados.

Los diferentes títulos del Espíritu Santo describen quien es el Espíritu Santo, su papel y su poder en nuestras vidas. Jesús dijo una vez a los apóstoles: "El Espíritu Santo, el Defensor que el Padre va a enviar en mi nombre, les enseñará todas las cosas y les recordará todo lo que les he dicho" (Juan 14:26). Un defensor es alguien que intercede en nuestro favor, habla por nosotros, nos defiende. Un defensor consuela y enseña.

Jesús también llamó al Espíritu Santo "el Espíritu de verdad" (Juan 16:13). El espíritu Santo nos guía mientras aprendemos las verdades de nuestra fe, las verdades que Jesús y la Iglesia nos enseñan.

El Espíritu Santo está con nosotros para fortalecernos para compartir la misión de Jesucristo y ser testigos para otros. Cuando recibimos el sacramento de la Confirmación, el Espíritu Santo nos fortalece con dones especiales. Los **dones del Espíritu Santo** son sabiduría, inteligencia, consejo, fortaleza, ciencia, piedad y temor de Dios. Estos siete dones nos ayudan a vivir como fieles seguidores de Cristo.

Como nos ayudan los dones del Espíritu Santo

Sabiduría
Nos ayuda a ver y a seguir la voluntad de Dios en nuestras vidas.

Inteligencia
Nos ayuda a amar a los demás como Jesús nos pide.

Consejo
Nos ayuda a tomar buenas decisiones.

Fortaleza
Nos fortalece para ser testigos de nuestra fe en Cristo.

Ciencia
Nos lleva a aprender más sobre Dios y su plan y nos dirige a la sabiduría y al entendimiento.

Piedad
Hace posible que amemos y respetemos todo lo que Dios ha creado.

Temor de Dios
Nos ayuda a ver la presencia y el amor de Dios que llena a toda la creación.

¿Cómo pueden estos dones del Espíritu Santo ayudarte a ser discípulo de Jesús?

102

Planificación de la lección

CREEMOS (continuación)

Pida a un voluntario que lea en voz alta el tercer enunciado *Creemos*. Invite a voluntarios a leer en voz alta los primeros dos párrafos, que incluyen los pasajes del evangelio de Juan 14:26 y Juan 16:13. (También puede compartir Juan 16:12 con los estudiantes.) Hable acerca del significado de los títulos de Defensor y Espíritu de la Verdad. Pida a los estudiantes que identifiquen formas en que el Espíritu Santo actúa como Defensor y Espíritu de la Verdad en sus vidas. Comparta sus ideas. Luego, pídales que lean en silencio los últimos párrafos de la sección.

Estudie los dones del Espíritu Santo en el cuadro de la página. Y las descripciones de los siete dones. Pida a los estudiantes que den un ejemplo de cada don en acción. Luego, forme grupos pequeños para completar la actividad.

Explique las instrucciones de la actividad. Para cada don, pida a los estudiantes que imaginen a una persona que posee un don. Pregunte: *¿Cómo actuaría esta persona? ¿Qué diría? ¿Cómo responderían a diversas situaciones?* Anímelos a ser específicos. Luego, pida a los estudiantes que escenifiquen algunas de las situaciones que describieron. Pida a otros en la clase que identifiquen el don del Espíritu Santo que se está escenificando.

Distribuya copias del patrón 9. Explique las instrucciones. Invite a los estudiantes a hacer la actividad ahora o en casa.

Pida a un voluntario que lea en voz alta el cuarto enunciado *Creemos*. Pida a los estudiantes que lean en silencio los primeros dos párrafos. Luego, invite voluntarios a leer en voz alta la lista de la página. Recuerde a los estudiantes que cada uno indica una forma de ser testigos de Jesucristo.

The candidates are marked as people who share fully in Jesus' mission. This anointing confirms and completes the baptismal anointing. It is the seal of the Holy Spirit which identifies us as belonging to Jesus Christ. Like the seal of Baptism, it is with us always. Because of this we receive Confirmation only once.

The bishop then shares a sign of peace with the newly confirmed. This action reminds us of the union of the whole Church with the bishop. In the general intercessions we remember the newly confirmed, their families and sponsors, and the whole Church. After each prayer those gathered offer their responses.

The newly confirmed now join with all assembled to continue to worship God by sharing in the gift of Jesus in the Eucharist.

For what would you pray for the Confirmation candidates? Why?

The gifts of the Holy Spirit help those who are confirmed.

The different titles for the Holy Spirit describe who the Holy Spirit is and the Holy Spirit's role and power in our lives. Jesus once told his apostles, "The Advocate, the holy Spirit that the Father will send in my name—he will teach you everything and remind you of all that [I] told you" (John 14:26). An advocate is someone who intercedes on our behalf, speaks for us, or even defends us. An advocate comforts and teaches.

Jesus also called the Holy Spirit "the Spirit of truth." (John 16:13). The Holy Spirit guides us as we learn the truths of our faith, the truths that Jesus and the Church teach us.

The Holy Spirit is with us to strengthen us to share in the mission of Jesus Christ and to be his witnesses to others. When we receive the sacrament of Confirmation, the Holy Spirit strengthens us with special gifts. The **gifts of the Holy Spirit** are wisdom, understanding, right judgment, courage, knowledge, reverence, and wonder and awe. These seven gifts help us to live as faithful followers of Jesus Christ.

How the Gifts of the Holy Spirit Help Us

Wisdom
helps us to see and follow God's will in our lives.

Understanding
helps us to love others as Jesus calls us to do.

Right Judgment
aids us in making good choices.

Courage
strengthens us to give witness to our faith in Jesus Christ.

Knowledge
brings us to learn more about God and his plan, and leads us to wisdom and understanding.

Reverence
makes it possible for us to love and respect all that God has created.

Wonder and Awe
help us to see God's presence and love filling all creation.

How can these gifts of the Holy Spirit help you as a disciple of Jesus?

103

Teaching Tip

Group Work

An activity asks students to work in groups to discuss their beliefs. Set up the activity in the following manner:

• Assign one student to take notes and record them on paper. This will help them stay focused on the task.

• Have the other students share three of their own beliefs. This will help them to participate fully.

Curriculum Connection

Drama

Materials: oil

Invite the students to act out parts of the Confirmation celebration. Engage them in a planning discussion to decide what roles are required, such as bishop, pastor, candidates, sponsors and so on; what props you will need, such as oil, and what words will be used. Make sure that everyone in the group participates in the celebration.

Lesson Plan

WE BELIEVE (continued)

Have a volunteer read aloud the third *We Believe* statement. Invite volunteers to read aloud the first two paragraphs, which include the gospel passages John 14:26 and John 16:13. (You may also want to share John 16:12 with the students.) Discuss the meaning of the titles *Advocate* and *Spirit of Truth.* Ask the students to identify ways the Holy Spirit acts as the Advocate and the Spirit of Truth in their lives. Share their ideas. Then have the students read silently the final paragraphs in the section.

Study the gifts of the Holy Spirit in the on-page chart. Point out the descriptions of the seven gifts. Ask students to offer an example of each gift in action. Then form small groups to complete the activity.

Explain the activity. For each gift, have the students imagine a person possessing the gift. Ask: *How might this person act? What might he or she say? How might he or she respond to various situations?* Encourage the students to be specific. Then ask the students to role-play some of the situations they have described. Ask others in the class to identify the gift of the Holy Spirit being role-played.

Distribute copies of Reproducible Master 9. Explain the directions. Invite the students to do the activity now or work on it at home.

Have a volunteer read aloud the fourth *We Believe* statement. Have the students read silently the first two paragraphs. Then invite a volunteer to read aloud the on-page bulleted list. Remind the students that each is a way in which they can be witnesses of Jesus Christ.

Ideas

Simbolismo

El simbolismo—una acción, cosa o imagen que representa otra cosa—podría ser una idea demasiado abstracta para algunos estudiantes. Muéstreles algunos símbolos comunes para ayudarlos a entender que son los símbolos. Por ejemplo, muéstreles una bandera de Estados Unidos y explique que representa, o significa, los Estados Unidos de América. También puede dibujar una nota musical en la pizarra y explicar que cuando la gente ve esta nota, piensan en música.

Como católicos...

Cristianización

Lea el texto en voz alta. Pida a los estudiantes que nombren las similitudes y diferencias entre la Confirmación de las Iglesias latinas y el sacramento de cristianización de las Iglesias orientales. Pídales que piensen en el signo de ungir con aceite diferentes partes del cuerpo y como este se relaciona con los sacramentos de iniciación.

La Confirmación llama a los ungidos a vivir su bautismo como testigos de Cristo.

Cuando respondemos a los dones del Espíritu Santo nuestras vidas se llenan de los frutos del Espíritu Santo. "Lo que el Espíritu produce es amor, alegría, paz, paciencia, amabilidad, bondad, fidelidad, humildad y dominio propio". (Gálatas 5:22–23). Cada día al crecer en la fe, somos fortalecidos por el Espíritu Santo a oír el llamado de Dios a la santidad.

Como Iglesia nos reunimos cada semana con nuestra parroquia a celebrar que Dios está con nosotros y a recibir el gran regalo de Jesucristo mismo en la Eucaristía. Con la ayuda y la guía del Espíritu Santo, nos comprometemos a trabajar por Jesús. Continuamos la misión de Jesús de construir el reino de Dios, un reino de justicia y paz. Nos convertimos en testigos de Cristo. Podemos hacerlo siendo gente que:

- muestra amabilidad a los pobres
- ayuda a otros a sentirse bien
- comparte con otros el gozo de nuestra fe católica
- está en contra de la injusticia y el odio
- trabaja por un mundo y una comunidad mejor.

Como católicos...

Las iglesias católicas orientales celebran el sacramento de la cristianización. Este es otro nombre para la Confirmación. Cristianización y la primera celebración de la Eucaristía tienen lugar después del Bautismo. Los tres sacramentos de iniciación son celebrados en una ceremonia.

Averigua si hay una iglesia católica oriental en tu ciudad o pueblo.

Añade algunas formas en que podemos ser testigos de Cristo.

- ______
- ______

RESPONDEMOS

¿Qué frutos del Espíritu Santo ves en las personas a tu alrededor? ¿Qué frutos pueden otros ver en la forma en que vives como discípulo?

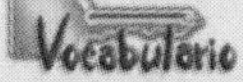

dones del Espíritu Santo (pp 331)

104

Planificación de la lección

CREEMOS (continuación)

Lea en voz alta las instrucciones de la actividad. Pida a los estudiantes que identifiquen tres formas de ser testigos de Jesucristo en sus propias vidas. Invítelos a compartir sus respuestas completando la oración: "Yo puedo ser testigo de Jesucristo al ______". Reparta papel de dibujo. Pida a los estudiantes que escojan una frase para escribir e ilustrar en el papel.

Vocabulario Para repasar el *Vocabulario*, cree una red de palabras en la pizarra. Escriba *dones del Espíritu Santo* en el círculo del centro. Pida a los estudiantes que recuerden los siete dones y escríbalos en cada línea que se proyecta del centro. Amplíe la actividad agregando una frase a cada uno de los siete dones que diga como se puede usar el don en nuestra vida diaria, para actuar como discípulos de Jesús.

RESPONDEMOS ____ minutos

Lea en voz alta las preguntas. Converse sobre el significado de "ver frutos" en otra persona. Pida a los estudiantes que identifiquen personas buenas conocidas. Pregunte: *¿Cómo saben que son buenas? ¿Qué cosas hacen?* Pida a los estudiantes que indiquen que pueden ellos también mostrar "los frutos del Espíritu Santo" con sus acciones.

Confirmation calls those anointed to live out their Baptism as witnesses of Jesus Christ.

When we respond to the gifts of the Holy Spirit, our lives are filled with the fruits of the Holy Spirit. "The fruit of the Spirit is love, joy, peace, patience, kindness, generosity, faithfulness, gentleness, self-control." (Galatians 5:22–23) Each day as we grow in faith, we are strengthened by the Holy Spirit to follow God's call to holiness.

As a Church we gather each week with our parish to celebrate that God is with us and to receive the great gift of Jesus Christ himself in the Eucharist. With the help and guidance of the Holy Spirit, we commit ourselves to the work of Jesus. We continue Jesus' work of building up the reign of God, a kingdom of justice and peace. We become witnesses of Jesus Christ. We can do this by becoming people who:

- show kindness to those who are poor
- help a new person in our class feel welcome
- share with others the joy of our Catholic faith
- stand up against injustice and hatred
- work for a better community and world.

Add some other ways that we can be witnesses of Jesus Christ.

- ______________________________
- ______________________________

gifts of the Holy Spirit (p. 335)

WE RESPOND

Which fruits of the Holy Spirit do you see in the people around you? What fruits can others see in the way you live as a disciple?

As Catholics...

The Eastern Catholic Churches celebrate the sacrament of Chrismation. Chrismation is another name for Confirmation. Chrismation and the first celebration of the Eucharist take place right after Baptism. So all three sacraments of initiation are celebrated in one ceremony.

Find out if there is a Eastern Catholic Church in your city or town.

105

Teaching Note

Symbolism

Symbolism—an action, thing, or image that represents something else—might be too abstract an idea for some students. Show them a few common symbols to help them understand what symbols are. For example, show them a U.S. flag and explain that it represents, or stands for, the United States of America. Or draw a musical note on the board and explain that when people see this note they think of music.

As Catholics...

Chrismation

Read aloud the text. Ask the students to name similarities and differences between the Latin Church's Confirmation and the Eastern Churches' sacrament of Chrismation. Ask them to think about the sign of anointing with oil different parts of the body and how it relates to the sacraments of initiation.

Lesson Plan

Read aloud the directions for the activity. Ask the students to identify three ways they can be witnesses to Jesus Christ in their own lives. Invite them to share their responses by completing the sentence, "I can be a witness of Jesus Christ by ______." Provide drawing paper. Ask the students to choose one sentence to write and illustrate on the paper.

Key Word To review the *Key Word,* create a word web on the board. Write *gifts of the Holy Spirit* in the center circle. Ask the students to recall the seven gifts, and write them on each line projecting from the center circle. Extend this activity by adding one sentence to each of the seven gifts telling how we can use that gift in our daily lives to act as disciples of Jesus.

WE RESPOND ___ minutes

Read aloud the questions. Discuss what it means "to see fruits" in another person. Ask the students to identify people whom they know who are kind. Ask: *How can you tell they are kind? What things do they do?* Have the students name ways they, too, can show "the fruits of the Holy Spirit" in their actions.

BANCO DE ACTIVIDADES

Inteligencia múltiple

Verbal-lingüística

Pida a los estudiantes escribir un acróstico, lira u otra composición literaria basada en uno de los siete dones del Espíritu Santo. Debe contener descripciones precisas de los dones y como nos ayudan a acercarnos a Jesús.

Doctrina social de la Iglesia

Llamado a la familia, a comunidad y a participación

Materiales: papel de gráfica

Pida a los estudiantes que identifiquen formas en que los siete dones del Espíritu Santo pueden usarse para mejorar la vida familiar y comunitaria. Los estudiantes trabajarán en grupo para hacer un cuadro de tres columnas tituladas: *Don, Efecto en la comunidad* y *Efecto en la familia.*

CONEXION CON EL HOGAR

Compartiendo lo aprendido

Anime a los estudiantes a trabajar con sus familias llenando una tarjeta de recuerdo para la Confirmación.

Para más información y actividades adicionales visite a Sadlier

www.CREEMOSweb.com

Planifique por adelantado

Lugar de oración: arena, piedras, caracoles, nidos

Materiales: copias del patrón 10, 4–6 CD

______ minutos

Repaso del capítulo Pida a los estudiantes que completen las preguntas 1–8. Cuando hayan terminado, pídales que digan en voz alta las respuestas correctas. Pídales que completen la pregunta 9–10. Comparta las respuestas.

Reflexiona y ora Pida a los estudiantes que consideren esta actividad como una oración a Jesús y al Espíritu Santo. Anímelos a pedirles a Jesús y al Espíritu Santo ayuda y dirección. Explique que escribir oraciones de petición es una forma de buscar la dirección del Espíritu Santo. Recuerde a los estudiantes que Dios siempre oye nuestras oraciones.

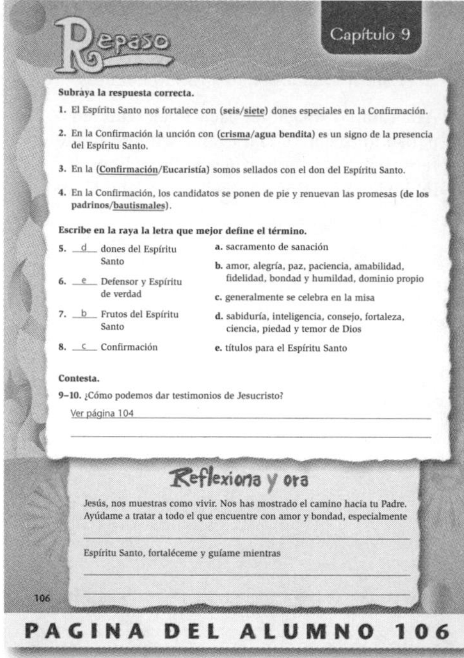

Repaso

Capítulo 9

Subraya la respuesta correcta.

1. El Espíritu Santo nos fortalece con (**seis**/**<u>siete</u>**) dones especiales en la Confirmación.
2. En la Confirmación la unción con (**<u>crisma</u>**/**agua bendita**) es un signo de la presencia del Espíritu Santo.
3. En la (**<u>Confirmación</u>**/**Eucaristía**) somos sellados con el don del Espíritu Santo.
4. En la Confirmación, los candidatos se ponen de pie y renuevan las promesas (**de los padrinos**/**<u>bautismales</u>**).

Escribe en la raya la letra que mejor define el término.

5. __d__ dones del Espíritu Santo
6. __e__ Defensor y Espíritu de verdad
7. __b__ Frutos del Espíritu Santo
8. __c__ Confirmación

a. sacramento de sanación
b. amor, alegría, paz, paciencia, amabilidad, fidelidad, bondad y humildad, dominio propio
c. generalmente se celebra en la misa
d. sabiduría, inteligencia, consejo, fortaleza, ciencia, piedad y temor de Dios
e. títulos para el Espíritu Santo

Contesta.

9–10. ¿Cómo podemos dar testimonios de Jesucristo?

Ver página 104 ______

Reflexiona y ora

Jesús, nos muestras como vivir. Nos has mostrado el camino hacia tu Padre. Ayúdame a tratar a todo el que encuentre con amor y bondad, especialmente ______

Espíritu Santo, fortaléceme y guíame mientras ______

106

PAGINA DEL ALUMNO 106

Respondemos y compartimos la fe

______ minutos

Recuerda Repase las ideas importantes del capítulo hablando acerca de los cuatro enunciados de *Creemos*. Divida el aula en cuatro grupos y asigne una frase a cada uno. Pida a cada grupo que desarrolle una imagen o símbolo que represente la frase. Invite a cada grupo a exponer su representación a la clase y explicar cómo se relaciona con las frases y lecciones de cada día. Luego muestre artículos de la mesa de oración y pida a los estudiantes que identifiquen los objetos que se relacionan con las ideas que aprendieron del capítulo.

Respondemos y compartimos la fe

Compartiendo lo aprendido

Habla con tu familia sobre lo siguiente:

- celebración del sacramento de la Confirmación
- recibir los dones del Espíritu Santo
- Unción con crisma acompañado de imposición de las manos
- ser testigo de Jesucristo.

Recuerda

- La Confirmación nos lleva del Bautismo a la Eucaristía.
- En el sacramento de la Confirmación somos sellados con el don del Espíritu Santo.
- Los dones del Espíritu Santo ayudan a los confirmados.
- La Confirmación llama a los ungidos a vivir su bautismo como testigos de Cristo.

Oración en familia

Señor, cumple tu promesa: Envía tu Espíritu para que nos haga testigos en el mundo para proclamar la buena nueva de Jesucristo, nuestro Señor. Amén.

NUESTRA VIDA CATOLICA

Día mundial de la juventud

El Día Mundial de la Juventud es un evento que la Iglesia católica celebra cada dos años. Esta es una oportunidad para que los católicos jóvenes de todo el mundo se reúnan con el Santo Padre. Es una oportunidad para renovar la fe, ser fortalecidos como parte del cuerpo de Cristo y para ser testigos de la buena nueva de Cristo en el mundo. El primer Día Mundial de la Juventud fue en Roma en 1985. También se ha celebrado en otras ciudades y países. El Papa Juan Pablo II ha viajado a muchos países para celebrar el Día Mundial de la Juventud.

Visita Sadlier en www.CREEMOSweb.com

Conexión con el Catecismo
Para referencia vea los párrafos 1298, 1300, 1299 y 1305.

108

PAGINA DEL ALUMNO 108

Nuestra vida católica Lea el texto en voz alta. Hable acerca del Día Mundial de la Juventud. Invite a los estudiantes a compartir sus ideas sobre la importancia del Día Mundial de la Juventud. Enfatice que es una manera de renovar la fe y fortalecerse con la comunidad y la buena nueva de Jesús. Pida a los estudiantes que piensen en cómo participar en la celebración del Día Mundial de la Juventud sin necesidad de asistir.

______ minutes

Chapter Review Have the students complete questions 1–8. After they have finished, ask them to say aloud each correct answer. Ask them to complete question 9–10. Share responses.

Reflect & Pray Ask the students to see this activity as a prayer to Jesus and the Holy Spirit. Encourage them to ask Jesus and the Holy Spirit for help and guidance. Explain that writing prayers of petition is one way we can seek the guidance of the Holy Spirit. Remind students that God always hears our prayers.

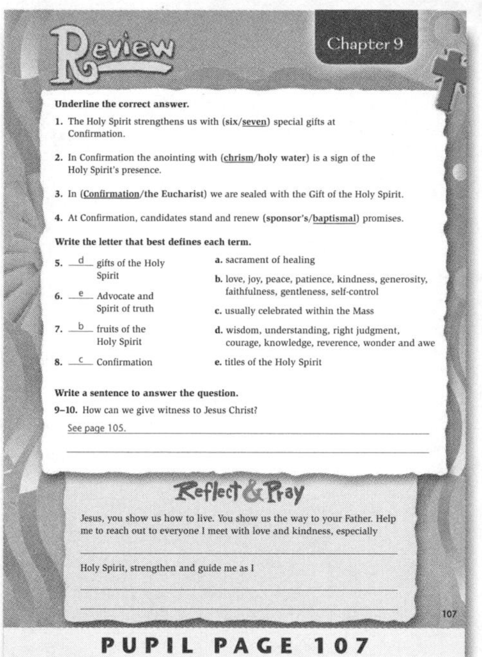

Review — Chapter 9

Underline the correct answer.

1. The Holy Spirit strengthens us with (**six**/**seven**) special gifts at Confirmation.
2. In Confirmation the anointing with (**chrism**/**holy water**) is a sign of the Holy Spirit's presence.
3. In (**Confirmation**/**the Eucharist**) we are sealed with the Gift of the Holy Spirit.
4. At Confirmation, candidates stand and renew (**sponsor's**/**baptismal**) promises.

Write the letter that best defines each term.

5. __d__ gifts of the Holy Spirit
6. __e__ Advocate and Spirit of truth
7. __b__ fruits of the Holy Spirit
8. __c__ Confirmation

a. sacrament of healing
b. love, joy, peace, patience, kindness, generosity, faithfulness, gentleness, self-control
c. usually celebrated within the Mass
d. wisdom, understanding, right judgment, courage, knowledge, reverence, wonder and awe
e. titles of the Holy Spirit

Write a sentence to answer the question.

9–10. How can we give witness to Jesus Christ?

See page 105.

Reflect & Pray

Jesus, you show us how to live. You show us the way to your Father. Help me to reach out to everyone I meet with love and kindness, especially

____

Holy Spirit, strengthen and guide me as I

____

107

PUPIL PAGE 107

We Respond and Share the Faith

______ minutes

Remember Review the important ideas of the chapter by discussing the four *We Believe* statements. Divide the class into four groups and assign each group a sentence. Ask each group to develop a visual or symbol that represents the sentence. Invite each group to present its representation to the class and tell how it relates to the sentences and lessons from each day. Then show items from the prayer table and ask the students to identify the objects that relate to ideas they learned in this chapter.

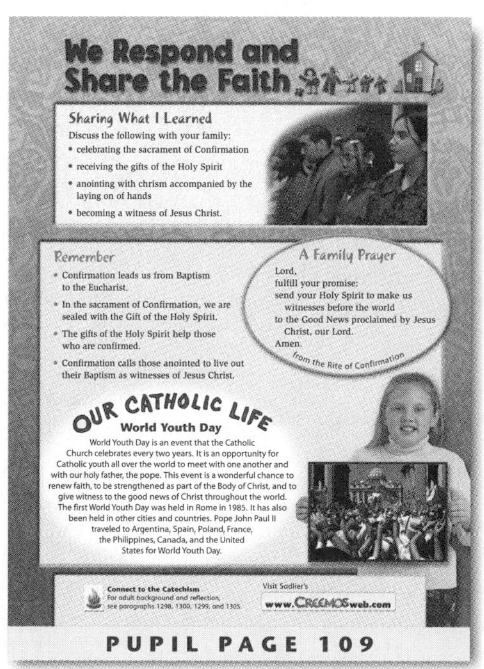

We Respond and Share the Faith

Sharing What I Learned

Discuss the following with your family:
- celebrating the sacrament of Confirmation
- receiving the gifts of the Holy Spirit
- anointing with chrism accompanied by the laying on of hands
- becoming a witness of Jesus Christ.

Remember
- Confirmation leads us from Baptism to the Eucharist.
- In the sacrament of Confirmation, we are sealed with the Gift of the Holy Spirit.
- The gifts of the Holy Spirit help those who are confirmed.
- Confirmation calls those anointed to live out their Baptism as witnesses of Jesus Christ.

A Family Prayer

Lord,
fulfill your promise:
send your Holy Spirit to make us
witnesses before the world
to the Good News proclaimed by Jesus
Christ, our Lord.
Amen.

from the Rite of Confirmation

OUR CATHOLIC LIFE

World Youth Day

World Youth Day is an event that the Catholic Church celebrates every two years. It is an opportunity for Catholic youth all over the world to meet with one another and with our holy father, the pope. This event is a wonderful chance to renew faith, to be strengthened as part of the Body of Christ, and to give witness to the good news of Christ throughout the world. The first World Youth Day was held in Rome in 1985. It has also been held in other cities and countries. Pope John Paul II traveled to Argentina, Spain, Poland, France, the Philippines, Canada, and the United States for World Youth Day.

Connect to the Catechism
For adult background and reflection, see paragraphs 1298, 1300, 1299, and 1305.

Visit Sadlier's
www.CREEMOSweb.com

PUPIL PAGE 109

Our Catholic Life Read aloud the text. Discuss World Youth Day. Invite the students to share their thoughts and ideas about the importance of World Youth Day. Emphasize that it is a way to renew faith and be strengthened by community and the good news of Jesus. Ask the students to think of a way to join in the celebration of World Youth Day without actually attending it.

Activity Bank

Multiple Intelligences

Verbal-Linguistic

Have the students compose an acrostic poem, limerick, or other literary form that focuses on one of the seven gifts of the Holy Spirit. The students' creative writing should include accurate descriptions of the gifts and the ways they help draw us closer to Jesus.

Catholic Social Teaching

Call to Family, Community, and Participation

Activity Materials: chart paper

Ask students to identify ways the seven gifts of the Holy Spirit could be used to improve family and community life. Working in groups, students will make and complete a three-column chart labeled *Gift*, *Effect on Community*, and *Effect on Family*.

Home Connection

Sharing What I Learned

Encourage the students to work with their family on a Confirmation section in a sacraments scrapbook.

For additional information and activities, encourage families to visit Sadlier's

www.CREEMOSweb.com

Plan Ahead for Chapter 10

Prayer Space: a Bible, a round loaf of bread, and a bottle of grape juice

Materials: copies of Reproducible Master 10, Grade 5 CD

Jesucristo, el Pan de Vida

Ojeada

En este capítulo los estudiantes aprenderán sobre la importancia de la Eucaristía y que Jesús es el Pan de Vida.

Contenido doctrinal	Referencia del *Catecismo de la Iglesia Católica*
Los estudiantes aprenderán que:	párrafo
• En la Eucaristía celebramos y recibimos a Jesucristo	1226
• La Eucaristía es un memorial, una comida y un sacrificio	1248
• Reconocemos a Jesús en la fracción del pan	1217–1218
• Jesús es el Pan de Vida	1254

Referencia catequética

¿Alguna vez alguien hizo algo extraordinario por usted?

Ya sea reunido con sus discípulos o tratando de llegar a otros, gran parte del ministerio de Jesús en la Tierra se relacionaba con las comidas. En la última cena, Jesús partió el pan y pasó la copa diciendo que eran su cuerpo y sangre. Luego Jesús agregó el mandamiento "hagan esto en memoria de mí" (Lucas 22:19; 1 Corintios 11:24–25).

Obedecemos el mandamiento de Jesús cuando nos reunimos para celebrar la Eucaristía. La Eucaristía es el memorial de la pasión, muerte, resurrección y ascensión de Cristo—el misterio pascual. Es una comida. Asimismo, la Eucaristía es un sacrificio que recuerda el sacrificio de Cristo en la cruz.

Después de su muerte y resurrección, Jesús se encontró con dos discípulos que no lo reconocieron hasta que partió el pan y lo bendijo (Lucas 24:13–35).

También nosotros reconocemos que Jesús está presente en la Eucaristía cuando se parte el pan. Mediante las palabras del sacerdote y el poder del Espíritu Santo, el pan y el vino se convierten en el Cuerpo y la Sangre de Cristo. Jesús está real y verdaderamente presente en la Eucaristía.

Jesús cumple su promesa: El es el Pan de Vida. El que viene a mí, nunca tendrá hambre; y el que cree en mí, nunca tendrá sed (Juan 6:35). Nos nutre y fortalece para la misión.

¿De qué forma es Jesús el Pan de Vida para usted?

Mirando la vida

Historia para el capítulo

Al Sr. Sola le encantaba cocinar. Preparaba comidas maravillosas para su esposa y sus seis hijos. Una vez al mes preparaba una sopa especial que llevaba pasta, frijoles y tomates. Un día, Louis, el hijo mayor del Sr. Sola, dijo que quería un poco de "sopa sabrosa". Todos llamaban esa sopa "sopa sabrosa".

Otra de las recetas preferidas del Sr. Sola era la lasaña. Se pasaba toda una tarde preparando este plato. Cuando cocinaba, usualmente escuchaba su música favorita de mandolín de Italia.

Con los años, los hijos del Sr. Sola aprendieron a cocinar sus recetas especiales. Cuando se casaron y tuvieron hijos, a veces servían estos platos para sus familias. Esto alegraba mucho a su papá.

Cuando el Sr. Sola murió, a los 80 años, sus hijos y nietos pensaron en formas para recordarlo. Decidieron que todos los años en el día de su cumpleaños, toda la familia se reuniría para disfrutar de una comida especial en su honor.

Toda la familia se reunía para cocinar. Ponían un CD de música de mandolín y comenzaban a preparar lasaña y la "sopa sabrosa". Una vez que la comida estaba lista para servir, toda la familia se reunía en la cocina, formaba un círculo, se tomaba de las manos y oraba dando las gracias por su papá y sus maravillosas recetas. Y por supuesto, la comida era deliciosa.

¿Cómo tocó los corazones y las memorias de sus hijos el Sr. Sola?

Overview

In this chapter the students will learn about the importance of the Eucharist and that Jesus is the Bread of Life.

Doctrinal Content	For Adult Reading and Reflection Catechism of the Catholic Church
The students will learn:	Paragraph
• In the Eucharist we celebrate and receive Jesus Christ	1324
• The Eucharist is a memorial, a meal, and a sacrifice.	1328–1330
• We recognize Jesus in the breaking of the bread..	1329
• Jesus is the Bread of Life.	1338

Catechist Background

Has anyone ever done something extraordinary for you?

Whether gathered with his disciples or reaching out to others, much of Jesus' earthly ministry revolved around meals. At the Last Supper, Jesus broke the bread and passed the cup, saying that they were now his Body and Blood. Then Jesus added the command to "do this in memory of me" (Luke 22:19; 1 Corinthians 11:24–25).

We obey Jesus' command whenever we gather to celebrate the Eucharist. The Eucharist is the memorial of Christ's passion, death, Resurrection, and Ascension—the Paschal Mystery. It is a meal. Likewise, the Eucharist is a sacrifice, making present the sacrifice of Christ on the cross.

After his death and Resurrection, Jesus encountered two disciples who did not recognize him until he broke the bread and blessed it (Luke 24:13–35). We, too, come to recognize Jesus present in the Eucharist when bread is broken for us. Through the words of the priest and by the power of the Holy Spirit, the bread and wine become the Body and Blood of Christ. Jesus becomes really and truly present in the Eucharist.

Jesus fulfills his promise: He is the Bread of Life. We who eat of this bread will never die but live (John 6:35). We are nourished and strengthened for mission.

In what way is Jesus the Bread of Life for you?

Focus on Life

Chapter Story

Mr. Sola loved to cook. He made wonderful dinners for his wife and six children. Once a month he made his own special soup that had pasta, beans, and tomatoes in it. One day Mr. Sola's oldest child, Louis, said he wanted some "Tasty Soup." From then on, everyone called the soup "Tasty Soup."

Another one of Mr. Sola's favorite recipes was lasagna. He would spend a whole afternoon preparing this dish. As he cooked, he usually turned on some of his favorite mandolin music from Italy.

Over the years Mr. Sola's children learned to cook his special recipes. When they married and had children of their own, they would sometimes serve these dishes for their own families. This made their father very happy.

When Mr. Sola died at the age of 80, his children and grandchildren thought of ways to remember him. They decided that every year on his birthday, the whole family would get together and have a special meal in his honor.

The whole family got together to cook. They put on a CD of mandolin music and began to make lasagna and the "Tasty Soup." Once the meal was ready to be served, the whole family stood in the kitchen, made a circle, joined hands, and said a prayer of thanks for dad and his wonderful recipes. And, of course, the food was delicious.

How did Mr. Sola touch the hearts and memories of his children?

Guía para planificar la lección

1 NOS CONGREGAMOS

Pasos de la lección	Presentación	Materiales
pág. 110 **Oración**  **Mirando la vida**	• Reunirse en la mesa de oración. • Escuchar la lectura de la Escritura. • Responder orando. • Conversar sobre el enunciado.	Para el lugar de oración: hogaza de pan, botella de jugo de uva

2 CREEMOS

Pasos de la lección	Presentación	Materiales
pág. 110 *En la Eucaristía celebramos y recibimos a Jesucristo.*	• Leer y conversar sobre la última cena. • Haga una red de palabras para la Eucaristía. 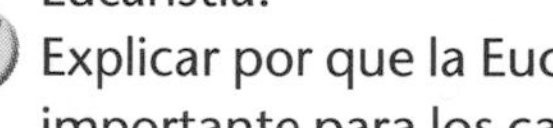 Explicar por que la Eucaristía es importante para los católicos.	
pág. 112 *La Eucaristía es un memorial, una comida y un sacrificio.*	• Leer y conversar sobre el texto de la Eucaristía. Diseñar un volante que muestre que la Eucaristía es una comida, sacrificio y memorial.	
pág. 114 *Reconocemos a Jesús en la fracción del pan.*  *Lucas 24:13-35*	• Leer el texto sobre la fracción del pan y la presencia real. • Escenificar la historia de Emaús Escribir dos palabras que describan los sentimientos de un discípulo que reconoce a Jesús.	
pág. 116 *Jesús es el Pan de Vida.*	• Leer sobre Jesús como el Pan de Vida. • Completar el patrón 10. • Leer y conversar sobre *Como católicos.*	• copias del patrón 10

3 RESPONDEMOS

Pasos de la lección	Presentación	Materiales
pág. 116	Cantar "Pan de Vida"	4–6 CD Pan de vida
páginas 118 y 120 **Repaso**	• Completar las preguntas 1–10. Completar la actividad de *Reflexiona y ora.*	
páginas 118 y 120 **Respondemos y compartimos la fe**	• Repasar el *Recuerda* y el *Vocabulario.* • Leer y conversar sobre *Nuestra vida católica.*	

Para ideas, actividades y otras oportunidades visite Sadlier en **www.CREEMOSweb.com**

Lesson Planning Guide

Lesson Steps	Presentation	Materials
1 WE GATHER		
page 111 	• Gather at the prayer table. • Listen to the Scripture reading. • Respond in prayer.	For the prayer space: loaf of bread, bottle of grape juice
	• Discuss ways that people we love remain close to us.	
2 WE BELIEVE		
page 111 *In the Eucharist we celebrate and receive Jesus Christ.*	• Read about and discuss the Last Supper. • Make a word web for the Eucharist. Explain why the Eucharist is important to Catholics.	
page 113 *The Eucharist is a memorial, a meal, and a sacrifice.*	• Read and discuss the text about the Eucharist. Design a flyer that shows the Eucharist is a meal, sacrifice, and memorial.	
page 115 *We recognize Jesus in the breaking of the bread.* *Luke 24:13–35*	• Read the text about the breaking of the bread and the real presence. • Act out the story of Emmaus. Write words to describe feelings of a disciple recognizing Jesus.	
page 117 *Jesus is the Bread of Life.*	• Read about Jesus as the Bread of Life. • Complete Reproducible Master 10. • Read and discuss *As Catholics.*	• copies of Reproducible Master 10
3 WE RESPOND		
page 117	Sing the song, "I Am the Bread of Life."	"I Am the Bread of Life," #10, Grade 5 CD
pages 119 and 121 **Review**	• Complete questions 1–10. Complete *Reflect & Pray.*	
pages 119 and 121 **We Respond and Share the Faith**	• Review *Remember* and *Key Words.* • Read and discuss *Our Catholic Life.*	

For additional ideas, activities, and opportunities: Visit Sadlier's **www.CREEMOSweb.com**

Conexiones

Liturgia

Muchas de las canciones que se cantan durante la misa se refieren a Jesús como el Pan de Vida. Busque oportunidades para cantar algunas de estas canciones. Provea a los estudiantes con la letra de las canciones como "Pan de Vida" y "Yo soy el Pan de Vida". Anime a los estudiantes a buscar en la letra de las canciones algo que hayan aprendido en el capítulo.

Vocaciones

Invite a los sacerdotes, religiosos, diáconos, parejas de casados y personas solteras a hablar sobre como ellos ayudan a fortalecer a las personas y dirigirlas a Jesús. Anime a los oradores a relacionar su vocación con la Eucaristía como fuente de su fortaleza para hacer el bien.

FE y MEDIOS

▶ Se pide a los estudiantes que se imaginen que están con Jesús en la cena de Emaús—para pensar en lo que ven, oyen y huelen alrededor de ellos, y describir sus emociones. Recuérdeles que a través de los siglos, los artistas han usado la imaginación para representar este y otros acontecimientos de la Escritura en una variedad de medios—pinturas, dibujos y grabados y en esculturas en madera, metal y piedra. Traiga libros de arte o use la Internet para mostrar a los estudiantes pinturas de la cena de Emaús por maestros como Rembrandt, Caravaggio y Velásquez. Busque en línea representaciones del acontecimiento desarrolladas por artistas cristianos contemporáneos.

Liturgia para la semana

Visite **www.creemosweb.com** para las lecturas bíblicas de esta semana y otros materiales propios del tiempo.

Necesidades individuales

Estudiantes de inglés

Los estudiantes para los que el inglés es su segundo idioma, a menudo se guían de indicios visuales que los ayudan a comprender lo que están tratando de leer. Use ilustraciones bíblicas para ayudarlos a entender mejor los pasajes de los que se habla en clase. Por ejemplo, la historia de las hogazas y pescado puede ser más fácil de entender si ven imágenes de Jesús predicando a miles de personas a las que se alimenta con pan y pescado.

RECURSOS ADICIONALES

Libro *La iniciación cristiana en la liturgia hispana,* Gabriel Ramis Miquel, Spanish Speaking Bookstore

Para ideas visite a Sadlier en

www.CREEMOSweb.com

Connections

To Liturgical Music

Many songs sung during Mass make reference to Jesus as the Bread of Life. Look for opportunities to sing some of these songs. Provide students the lyrics to songs such as "This Is My Body," "Jesus, Our Living Bread," and "I Am the Bread of Life." Encourage the students to see in the words of the songs something they have learned in the chapter.

To Vocations

Invite priests, religious, deacons, married couples, and single people to speak of the ways they help to strengthen people and lead them to Jesus. Encourage the speakers to make a connection between their vocation and the Eucharist as the source of their strength to do good.

FAITH and MEDIA

▶ The students are asked to imagine that they are with Jesus at the supper at Emmaus—to think of the sights, sounds, and smells that surround them and to describe their feelings. Remind them that over the centuries artists have used their imaginations to depict this and other events in Scripture in a variety of media—paintings, drawings, and engravings and in sculptures in wood, metal and stone. Bring art books or go online to show the students paintings of the supper at Emmaus by such masters as Rembrandt, Caravaggio, and Vélazquez. Search online for depictions of the event by contemporary Christian artists.

This Week's Liturgy

Visit **www.creemosweb.com** for this week's liturgical readings and other seasonal material.

Meeting Individual Needs

English Language Learners

Students for whom English is a second language often rely on visual clues to help them comprehend what they attempt to read. Use biblical illustrations to help them better understand passages discussed in class. For example, the story of the loaves and fish might be more understandable when they see pictures of Jesus preaching and thousands of people being fed bread and fish.

ADDITIONAL RESOURCES

Videos

Bread from Heaven, Nest Entertainment, 1996. From the series, *Animated Stories from the New Testament.* This is a delightful retelling of the feeding of the 5000. (30 minutes)

Jesus Ascends into Heaven, CCC of America, 1997. From *A Kingdom Without Frontiers* series. This shows the Resurrection and Jesus with disciples going to Emmaus. (30 minutes)

To find more ideas for books, videos, and other learning material, visit Sadlier's

www.CREEMOSweb.com

Jesucristo, el Pan de Vida

Meta catequética

• Describir la importancia de la Eucaristía y explorar lo que celebramos

PREPARANDOSE PARA ORAR

Los estudiantes oyen las palabras de Jesús sobre el Pan de Vida. Responderán orando.

• Adopte la función de director de la oración.

El lugar de oración

• Ponga una hogaza redonda de pan y una botella de jugo de uva sobre la mesa de oración.

NOS CONGREGAMOS

Líder: Jesús dijo: "No trabajen por la comida que se acaba, sino por la comida que permanece y que les da vida eterna. Esta es la comida que les dará el Hijo del Hombre" (Juan 6:27).

Todos: Danos vida hoy y siempre.

Líder: Jesús dijo: "Yo soy el pan que da vida. El que viene a mí, nunca tendrá hambre; y el que cree en mí, nunca tendrá sed". (Juan 6:35)

Todos: Danos vida hoy y siempre. Amén.

Nombra algunas formas en que nuestros seres queridos están cerca de nosotros aun cuando no están con nosotros.

CREEMOS

En la Eucaristía celebramos y recibimos a Jesucristo.

Todos los años el pueblo judío se reúne para celebrar la fiesta llamada **pascua**. Ellos recuerdan la forma milagrosa en que Dios los salvó de la muerte y esclavitud de Egipto. Dios "pasó sobre" las casas de la gente de su pueblo, protegiéndolos del sufrimiento que él mandó a los egipcios.

La noche antes de morir, Jesús y los apóstoles celebraron la pascua en Jerusalén. Durante esa comida, que llamamos la última cena, Jesús dio a sus discípulos una forma especial para estar con él y recordarlo.

Jesús se sentó con los apóstoles. "Tomó el pan en sus manos y, habiendo dado gracias a Dios, lo partió y se lo dio a ellos, diciendo: "Esto es mi cuerpo, entregado a muerte en favor de ustedes. Hagan esto en memoria de mí".
Lo mismo hizo con la copa después de la cena diciendo: "Esta copa es el nuevo pacto confirmado con mi sangre, la cual es derramada en favor de ustedes".
(Lucas 22:19–20)

110

Planificación de la lección

NOS CONGREGAMOS ____ minutos

Oración

• Recen la Señal de la Cruz y dirija la oración inicial.

• Diga a los estudiantes que las palabras de Jesús eran asombrosas para las multitudes que lo escuchaban. Muchos de ellos creían que él era el Pan de Vida. Otros, aun algunos de sus propios discípulos, se alejaron de Jesús porque no lo entendían y no confiaban en él.

Mirando la vida

• Comparta formas de como permanecer cerca de los seres queridos que ya no están con nosotros. Diga a los estudiantes que en esta lección aprenderán la importancia del sacramento de la Eucaristía.

CREEMOS ____ minutos

Invite a un voluntario que lea en voz alta el primer enunciado *Creemos*. Luego, pida a los estudiantes que lean el primer párrafo. Explique que la fiesta de pascua conmemora que Dios salvó a los judíos de la muerte, y bajo el liderazgo de Moisés, los rescató del sufrimiento y la esclavitud. La noche antes de morir, Jesús celebró la pascua con sus apóstoles.

Lea en voz alta el siguiente párrafo. Luego, pida a un voluntario que lea el pasaje del evangelio de Lucas. Haga una pausa. Pregunte: *¿Dónde han oído estas palabras?* (en misa).

Pida a los estudiantes que lean el siguiente párrafo y los puntos seleccionados. Pídales que hagan una relación de palabras en la web. Pídales que escriban *Eucaristía* en el

Jesus Christ, the Bread of Life

Catechist Goal

- To present the importance of the Eucharist and to explore what we celebrate

Preparing to Pray

The students listen to Jesus' words about the Bread of Life. They will respond in prayer.

- Assume the role of prayer leader.

The Prayer Space

- Place a round loaf of bread and a bottle of grape juice on the prayer table.

WE GATHER

✝ **Leader:** Jesus said, "Do not work for food that perishes but for the food that endures for eternal life, which the Son of Man will give you" (John 6:27).

All: Give us life today and forever.

Leader: Jesus said, "I am the bread of life; whoever comes to me will never hunger, and whoever believes in me will never thirst" (John 6:35).

All: Give us life today and forever. Amen.

Name some ways that people we love remain close to us even when they are not with us.

WE BELIEVE

In the Eucharist we celebrate and receive Jesus Christ.

Every year the Jewish people gather to celebrate a feast called **Passover**. They remember the miraculous way that God saved them from slavery in ancient Egypt. God "passed over" the houses of his people, protecting them from the suffering that came to the Egyptians.

On the night before he was to die, Jesus and the apostles celebrated Passover in Jerusalem. During this meal, which we call the Last Supper, Jesus gave his disciples a special way to remember him and to be with him.

Jesus took his place among the apostles. "Then he took the bread, said the blessing, broke it, and gave it to them, saying, 'This is my body, which will be given for you; do this in memory of me.' And likewise the cup after they had eaten, saying, 'This cup is the new covenant in my blood, which will be shed for you." (Luke 22:19–20)

111

Lesson Plan

WE GATHER ___ minutes

✝ **Pray**

- Pray the Sign of the Cross and lead the opening prayer.
- Tell the students that Jesus' words were stunning to the crowds that listened to him. Many of them believed in him as the Bread of Life. Others, even some of his own disciples, turned away from Jesus because they did not understand and would not trust in Jesus.

 **Focus on Life**

- Share ways to remain close to loved ones that are no longer with us. Tell the students that in this lesson they will learn about the importance of the sacrament of the Eucharist.

WE BELIEVE ___ minutes

Invite a volunteer to read aloud the first *We Believe* statement. Then ask the students to read the first paragraph. Explain that the feast of Passover commemorates God's saving the Jewish people from death and, under Moses' leadership, delivering them from suffering and slavery. Jesus and his apostles celebrated the Passover the night before he died.

Read aloud the next paragraph. Then have a volunteer read aloud the passage from Luke's Gospel. Pause for a few moments. Ask: *When have you heard these words before?* (at Mass).

Have the students read the next paragraph and bulleted items. Then have them make a word web. Ask them to write *Eucharist* in the center of a piece of paper and circle

Nuestra respuesta en la fe

• Identificar a Jesucristo en la Eucaristía y recordar su sacrificio en la cruz.

Pascua
Eucaristía
sacrificio
presencia real

Materiales

• copias del patrón 10
• 4–6 CD

En la última cena Jesús no dio el regalo de sí mismo e instituyó la Eucaristía. Por medio de la Eucaristía Jesús está siempre con nosotros. La **Eucaristía** es el sacramento del Cuerpo y la Sangre de Cristo. Jesús está verdaderamente presente bajo las apariencias de pan y vino. En el Sacramento de la Eucaristía:

- somos alimentados con la palabra de Dios y recibimos a Jesucristo en la comunión
- nos acercamos más a Jesús y a los demás
- la gracia recibida en el Bautismo crece en nosotros
- somos fortalecidos para amar y servir a los demás.

¿Por qué la Eucaristía es importante para los católicos?

La Eucaristía es un memorial, una comida y un sacrificio.

La Eucaristía es el único sacramento de iniciación que podemos recibir más de una vez. En la Eucaristía, honramos a Jesús recordando lo que él hizo por nosotros, compartimos una comida y participamos en un sacrificio.

Jesús dijo a sus apóstoles: "Hagan esto en memoria de mí" (Lucas 22:19). Al reunirnos a partir el pan, recordamos la nueva vida que tenemos por la muerte y resurrección de Jesús. De esa forma la Eucaristía es un memorial, pero es más que recordar eventos pasados. En la Eucaristía, Cristo está verdaderamente presente. Por el poder del Espíritu Santo, el misterio pascual del sufrimiento, muerte, resurrección y ascensión de Cristo se hace presente.

Cuando Jesús nos dio la Eucaristía, él y sus amigos estaban comiendo y celebrando. En la Eucaristía compartimos una comida. Nos nutrimos con el Cuerpo y la Sangre de Cristo. Cuando recibimos la comunión, Jesús vive en nosotros y nosotros en él.

Durante la celebración de la Eucaristía, Jesús actúa como sacerdote. Un **sacrificio** es una ofrenda a Dios por un sacerdote en nombre del pueblo. En cada celebración de la Eucaristía, el sacrificio de Jesús en la cruz, su resurrección y su ascensión al cielo, se hacen presentes de nuevo.

En la Eucaristía Jesús también ofrece a su Padre los dones de alabanza y acción de gracias. Toda la Iglesia también ofrece gracias y alabanzas. Nos unimos a Jesús ofreciéndonos a Dios el Padre. Ofrecemos nuestro gozo, preocupaciones y voluntad de vivir como discípulos de Jesús.

Con un compañero diseña un folleto para mostrar que la Eucaristía es una comida, un sacrificio y un memorial.

112

Recuerde a los estudiantes compartir con su familia lo aprendido en este capítulo.

Planificación de la lección

CREEMOS (continuación)

centro del papel y la encierren con un círculo. Pídales que escriban en los círculos externos las diferentes formas en que el sacramento de la Eucaristía nos nutre.

Pida a los estudiantes que expliquen por que la Eucaristía es importante para los católicos.

Comparta la *Historia para el capítulo* de la página 110A de la guía. Pida a los estudiantes que reflexionen sobre algunas de las cosas que hacemos para recordar acontecimientos. Comparta sus ideas sobre recordar los acontecimientos especiales. Dígales que aprenderán lo que recordamos y celebramos en la Eucaristía.

Pida a un voluntario que lea en voz alta el segundo enunciado de *Creemos*. Pida a los estudiantes que lean los primeros dos párrafos. Pídales que hagan en sus cuadernos de notas un cuadro de tres columnas tituladas *Eucaristía como memorial, Eucaristía como alimento,* y *Eucaristía como sacrificio*. Luego, pídales que lean el resto del texto con un compañero. Mientras leen, deben llenar sus cuadros con la información del texto. Comparta la información que incluyeron en cada columna del cuadro.

Pida a los estudiantes que diseñen un volante que muestre la Eucaristía como alimento, sacrificio y memorial.

Cotejo rápido

✔ *¿Qué es la pascua?* (La pascua es una fiesta en la que los judíos recuerdan la forma milagrosa en que Dios los salvó de la muerte y esclavitud en el antiguo Egipto.)

✔ *¿Qué es un sacrificio?* (Un sacrificio es una ofrenda a Dios por un sacerdote en nombre del pueblo.)

At the Last Supper Jesus gave us the gift of himself and instituted the Eucharist. Through the Eucharist Jesus remains with us forever. The **Eucharist** is the sacrament of the Body and Blood of Christ. Jesus is truly present under the appearances of bread and wine. In the sacrament of the Eucharist:

- we are nourished by the word of God and receive Jesus Christ in Holy Communion
- we are joined more closely to Christ and one another
- the grace received in Baptism grows in us
- we are strengthened to love and serve others.

Why is the Eucharist important to Catholics?

The Eucharist is a memorial, a meal, and a sacrifice.

The Eucharist is the only sacrament of initiation that we receive again and again. In the Eucharist, we honor Jesus by remembering what he did for us, share in a meal, and participate in a sacrifice.

Jesus told his apostles to "do this in memory of me" (Luke 22:19). By gathering and breaking bread, we are remembering the new life we have because of Jesus' death and Resurrection. In this way the Eucharist is a memorial, but is much more than just remembering past events. In the Eucharist, Christ is really present. By the power of the Holy Spirit, the Paschal Mystery of Christ's suffering, death, Resurrection, and Ascension is made present to us.

When Jesus gave us the Eucharist, he and his friends were eating and celebrating. In the Eucharist we share in a meal. We are nourished by the Body and Blood of Christ. When we receive Holy Communion, Jesus lives in us and we live in him.

During the celebration of the Eucharist, Jesus acts through the priest. A **sacrifice** is a gift offered to God by a priest in the name of all the people. At each celebration of the Eucharist, Jesus' sacrifice on the cross, his Resurrection, and his Ascension into heaven are made present again.

In the Eucharist Jesus also offers his Father the gifts of praise and thanksgiving. The whole Church also offers thanks and praise. We join Jesus in offering ourselves to God the Father. We offer our joys, concerns, and willingness to live as Jesus' disciples.

With a partner design a flyer to show that the Eucharist is a meal, sacrifice, and a memorial.

113

Our Faith Response

- To identify Jesus Christ in the Eucharist and to remember his sacrifice on the cross

Passover
Eucharist
sacrifice
real presence

Lesson Materials

- copies of Reproducible Master 10
- Grade 5 CD

Home Connection Update

Remind the students to share with their families what they have learned in this chapter.

Lesson Plan

WE BELIEVE (continued)

the word. Have them write in surrounding circles the different ways that the sacrament of Eucharist nourishes us.

Have the students explain why the Eucharist is important to Catholics.

Share the *Chapter Story* on guide page 110B. Have the students reflect on some things that we do to remember events. Share their ideas on remembering important events. Tell the students that they will learn what we remember and celebrate at the Eucharist.

Have a volunteer read aloud the second *We Believe* statement. Ask the students to read the first two paragraphs. Have them make a three-column chart in their notebooks with the following headings: *Eucharist as a memorial, Eucharist as a meal,* and *Eucharist as a sacrifice.* Then have them work with a partner to read the remainder of the text. As they read, they should fill in their charts with information from the text. Share the information they included in each column of the chart.

Ask the students to design a flyer that shows the Eucharist is a meal, sacrifice, and memorial.

Quick Check

✔ *What is Passover?* (Passover is the feast on which Jewish people remember the miraculous way that God saved them from death and slavery in ancient Egypt.)

✔ *What is a sacrifice?* (A sacrifice is a gift offered to God by a priest in the name of all people.)

Banco de actividades

Inteligencia múltiple

Visual-espacial

Materiales: reproducción de *La Última Cena* de Leonardo da Vinci

Muestre a los estudiantes una reproducción de la pintura *La Última Cena* de Leonardo da Vinci. Pida a los estudiantes que hagan un bosquejo simple de la pintura. Pídales que escriban burbujas con lo que podrían haber dicho o pensado Jesús y sus apóstoles durante la última cena.

Parroquia

Ministros especiales de la Eucaristía

Invite a un ministro eucarístico para que hable a los estudiantes. Pida al orador describir su servicio de llevar el sacramento a los feligreses que están confinados a casa u hospitalizados. Pida a los estudiantes hacer preguntas. Por ejemplo, podrían preguntar: "¿Por qué quiso convertirse en ministro especial de la Eucaristía?" Luego, envíe una nota de agradecimiento al orador.

Reconocemos a Jesús en la fracción del pan.

Lucas 24:13-35

El día en que Jesús resucitó, dos de sus discípulos caminaban por la villa de Emaús. Ellos estaban muy tristes por la muerte de Jesús. Habían escuchado acerca de la tumba vacía y les preocupaba. En el camino, un hombre se les unió. Era Jesús resucitado, pero ellos no lo reconocieron.

Jesús les preguntó que hablaban. Los discípulos le contestaron que hablaban sobre la muerte de Jesús y la tumba vacía, estaban sorprendidos que no hubiera oído hablar de lo que había pasado.

Mientras caminaban Jesús les enseñaba sobre lo que decía la Escritura. Cuando llegaron a Emaús, los discípulos lo invitaron a comer. En la comida Jesús tomó el pan y lo bendijo, lo partió y se lo dio. De repente, los discípulos reconocieron a Jesús resucitado. Pero en ese instante Jesús se esfumó.

Los dos discípulos regresaron a Jerusalén. Ellos contaron a los demás lo que había sucedido y como "Reconocieron a Jesús cuando partió el pan" (Lucas 24:35).

Los primeros cristianos "Seguían firmes en lo que los apóstoles les enseñaban y compartían lo que tenían, y oraban y se reunían para partir el pan" (Hechos de los apóstoles 2:42). Ellos usaban las palabras "partiendo el pan" para describir sus celebraciones de la Eucaristía.

Igual que los primeros cristianos, nos reunimos para partir el pan. El Cuerpo y la Sangre de Cristo se hacen presentes bajo las apariencias de pan y vino en la Eucaristía. Jesús está verdaderamente presente en la Eucaristía. Esto es llamado **presencia real**.

Imagina que eres uno de los discípulos de Emaús. Escribe palabras para describir tus sentimientos cuando reconociste a Jesús.

____

____

____

114

Planificación de la lección

Creemos (continuación)

Pida a un voluntario que lea en voz alta el tercer enunciado *Creemos*. Pida a voluntarios que lean el texto en voz alta. Enfatice lo siguiente

- Las palabras "fracción del pan" se refieren a la celebración de la Eucaristía.
- Cuando los apóstoles y las primeras comunidades cristianas se congregaban para celebrar la Eucaristía, escuchaban y contaban historias sobre Dios y partían el pan.
- Cuando celebramos la Eucaristía, Jesús está realmente presente con nosotros.

Forme grupos pequeños. Pida a los grupos que escenifiquen la historia de los dos discípulos caminando hacia el pueblo de Emaús y su encuentro con el Cristo resucitado. Pida a un estudiante que sea el narrador y que dé los detalles de la historia y explique el sentido o la significación de la historia.

Pida a los estudiantes que se imaginen que eran los discípulos que reconocieron a Jesús y que escriban dos palabras que describan lo que sienten.

Pida a voluntarios que lean en voz alta el párrafo que describe la presencia real. Señale que la presencia de Cristo es real y no sólo simbólica. Pida a los estudiantes que memoricen la definición del *Vocabulario*.

We recognize Jesus in the breaking of the bread.

Luke 24:13–35

On the day of Jesus' Resurrection, two disciples were walking to the village of Emmaus. They were very sad about Jesus' death. They had heard about the empty tomb and were concerned. As the disciples were talking, a man joined them. It was the risen Jesus, but the disciples did not recognize him.

Jesus asked them what they had been discussing. The disciples told him about the death of Jesus and the empty tomb, and they were amazed that this stranger had not heard about this.

As they walked Jesus taught them about Scripture. When they got to Emmaus, the disciples invited Jesus to have dinner. At this meal Jesus took bread and blessed it. He then broke the bread and gave it to them. Suddenly, the disciples recognized the risen Jesus. Then instantly, Jesus was gone.

The two disciples returned to Jerusalem. They told the others what had happened and how Jesus ". . . was made known to them in the breaking of the bread" (Luke 24:35).

The first Christians "devoted themselves to the teaching of the apostles and to the communal life, to the breaking of the bread and to the prayers" (Acts of the Apostles 2:42). They used the words "breaking of the bread" to describe their celebrations of the Eucharist.

Like the early Christians, we gather for the breaking of the bread. In the Eucharist, the Body and Blood of Christ are actually present under the appearances of bread and wine. Jesus is really and truly present in the Eucharist. This is called the **real presence**.

Imagine that you are one of the disciples from Emmaus. Write words that describe your feelings when you recognize Jesus.

____

____

____

115

Activity Bank

Multiple Intelligences

Visual-Spatial

Activity Materials: reproduction of Leonardo da Vinci's *The Last Supper*

Show the students a reproduction of Leonardo da Vinci's painting *The Last Supper*. Have the students make a simple sketch of the painting. Have them write in speech or thought bubbles to show what Jesus and the apostles might have said to one another during the Last Supper.

Parish

Special Ministers of the Eucharist

Invite a eucharistic minister to speak to the students. Ask the speaker to describe his or her service in bringing the sacrament to parishioners who are homebound or hospitalized. Have the students prepare questions for the speaker. For example, the students might ask, "Why did you want to become a special minister of the Eucharist?" Afterward, send a thank-you note to the speaker.

Lesson Plan

We Believe (continued)

Have a volunteer read aloud the third statement. Have volunteers read aloud the text. Emphasize the following:

- The words "breaking of the bread" refer to the celebration of the Eucharist.
- When the apostles and early Christian communities gathered to celebrate the Eucharist, they listened to and told stories about God and broke bread.
- When we celebrate the Eucharist, Jesus is truly present to us.

Form small groups. Have groups act out the story of the two disciples walking to the village of Emmaus and their encounter with the risen Christ. Have one student act as the narrator. He or she will give details of the story and explain the meaning or significance of the story.

Ask the students to imagine they were the disciples who recognized Jesus and then write words that describe their feelings.

Have volunteers read aloud the paragraph that describes the real presence. Stress that Christ's presence is real and not just symbolic. Have the students memorize the definition of the *Key Word*.

Como católicos...

Alianza

Con los estudiantes, defina *alianza* y hable sobre el ejemplo de Moisés. Pregunte *¿Qué podría alejar al pueblo de Dios?* (adorar a dioses falsos, olvidar las promesas de la alianza) Señale que Dios envió a los profetas para ayudar al pueblo a volver a Dios y cumplir con la alianza.

Ideas

Meditación dirigida

Se pide a los estudiantes que se imaginen que son uno de los discípulos de Emaús. Lleve a cabo la actividad como meditación dirigida. Diga lo siguiente: *Estás caminando por la carretera. ¿De qué color es el cielo? ¿Cómo se siente el aire en tu piel? Deja de caminar un momento y quédate quieto. Inhala profundamente por la nariz—¿a qué huele? Ahora imagínate a Jesús sentado frente a ti en la mesa. Él toma un pedazo de pan y lo parte por la mitad. ¿Qué ves cuando se parte el pan? ¿Cómo te sientes?*

Jesús es el Pan de Vida.

Antes de Jesús morir hizo el milagro de alimentar a los que tenían hambre. El dio de comer a más de cinco mil personas con cinco panes y dos peces. Al día siguiente la gente le preguntó sobre lo que había hecho. El les dijo: "Yo soy el pan que da vida. El que viene a mí, nunca más tendrá hambre, y el que cree en mí, nunca tendrá sed" (Juan 6:35).

Lo seguidores de Jesús sabían que necesitaban el pan para vivir. Pero Jesús quería que ellos supieran que necesitan creer en él para tener vida en Dios. Jesús continuó: "Yo soy ese pan vivo que ha bajado del cielo" (Juan 6:51).

Al llamarse Pan de Vida y Pan Vivo, Jesús ayudó a sus discípulos a entender que él era el Hijo de Dios enviado a traerles la vida de Dios. Jesús trae la vida de Dios para siempre. Cualquiera que cree verdaderamente que Jesús es el Hijo de Dios y vive como su discípulo tendrá vida eterna.

Jesús quiere que nos alimentemos con su vida para que podamos ayudar a los demás en su nombre. El quiere que tengamos la vida de Dios eternamente. Así que se dio a sí mismo en la Eucaristía. El es nuestro Pan de Vida. Cuando recibimos la Eucaristía, participamos en la vida de Dios.

Cuando recibimos el Cuerpo y la Sangre de Cristo en la comunión, nuestra relación con Dios y con los demás se fortalece. Nos convertimos en el Cuerpo de Cristo, la Iglesia. Estamos mejor preparados para vivir nuestra fe en el mundo como hijos de Dios. Podemos hacer esto protegiendo la vida, aceptando los derechos de los demás y ayudando a los necesitados.

RESPONDEMOS

Pan de Vida

Pan de Vida, cuerpo del Señor,
santa copa, Cristo Redentor.
Su justicia nos convertirá.
Poder es servir porque Dios es amor.
Poder es servir porque Dios es amor.

Como católicos...

Una alianza es un acuerdo hecho entre Dios y su pueblo. Dios hizo una alianza con Moisés y su pueblo después de escapar de Egipto. Dios prometió ser su Dios, protegerlos y cubrir sus necesidades. El pueblo prometió ser su pueblo. Ellos adorarían el único verdadero Dios y cumplirían sus leyes.

Los cristianos creen que una nueva alianza fue hecha con la muerte y resurrección de Jesús. Por medio de esta nueva alianza somos salvos y se hace posible que participemos de nuevo en la vida de Dios. Al celebrar la Eucaristía esta semana recuerda que estamos celebrando la nueva alianza.

Vocabulario

pascua (pp 332)
Eucaristía (pp 331)
sacrificio (pp 333)
presencia real (pp 333)

116

Planificación de la lección

CREEMOS (continuación)

Invite a un voluntario a leer en voz alta el cuarto enunciado. Señale que el pueblo quedó maravillado con las palabras de Jesús. Pida a voluntarios que lean los siguientes dos párrafos. Indique que las palabras de Jesús son válidas para nosotros hoy día. Necesitamos recibir el Pan de Vida para nutrir y fortalecer nuestra fe.

Escriba la palabra *fuerza* en la pizarra. Pida a los estudiantes que le den sinónimos. Enfatice que aunque algunos tienen fuerza física, también necesitan fuerza personal para vivir como los discípulos de Cristo. Pida a un voluntario que lea en voz alta el resto del texto. Señale que la enseñanza social de la Iglesia nos obliga a proteger y respetar la vida y dignidad de cada persona.

Distribuya copias del patrón 10 y lea las instrucciones en voz alta. Pida a los estudiantes que hagan la actividad ahora o en casa para recordar lo que aprendieron sobre la Eucaristía en este capítulo.

Ponga el estribillo de la canción "Yo soy el Pan de Vida" del 4–6 CD del 5 que los estudiantes lo puedan cantar en respuesta a la lección.

Vocabulario Escriba cada palabra en una tira de papel y póngalas en un sombrero. Pida a los estudiantes que saquen una tira de papel del sombrero y escenifiquen la palabra sin hablar. Anime a los demás a adivinar qué palabra se está escenificando.

Jesus is the Bread of Life.

Before Jesus died he performed a miracle to feed his hungry disciples. He fed about five thousand people with only five loaves of bread and two fish. The next day people asked Jesus about what he had done. He told them, "I am the bread of life; whoever comes to me will never hunger, and whoever believes in me will never thirst" (John 6:35).

Jesus' followers knew that they needed bread to live. But he wanted them to know that belief in him is needed to have life with God. Jesus continued, "I am the living bread that came down from heaven" (John 6:51).

By calling himself the Bread of Life and the Living Bread, Jesus helped his disciples to understand that he was the Son of God sent to bring God's life to them. Jesus brings life with God forever. Whoever truly believes that Jesus is the Son of God and lives as his disciple will have eternal life.

Jesus wants us to be nourished by his life so that we can help others in his name. He wants us to have life with God forever. So he gives himself to us in the Eucharist. He is our Bread of Life. When we receive the Eucharist, we share in God's own life.

When we receive the Body and Blood of Christ in Holy Communion, our relationship with Christ and one another is strengthened. We become the Body of Christ, the Church. We are better able to live our faith in the world as children of God. We can do this by protecting life, respecting the rights of others, and helping people to meet their needs.

WE RESPOND

I Am the Bread of Life

I am the Bread of life.
You who come to me shall not hunger;
and who believe in me shall not thirst.
No one can come to me unless the
Father beckons.

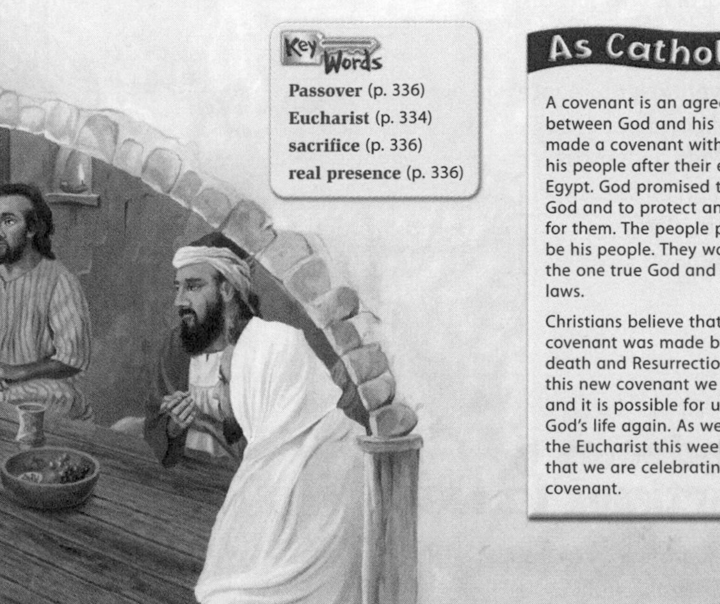

Key Words

Passover (p. 336)
Eucharist (p. 334)
sacrifice (p. 336)
real presence (p. 336)

As Catholics...

A covenant is an agreement made between God and his people. God made a covenant with Moses and his people after their escape from Egypt. God promised to be their God and to protect and provide for them. The people promised to be his people. They would worship the one true God and live by his laws.

Christians believe that a new covenant was made by Jesus' death and Resurrection. Through this new covenant we are saved, and it is possible for us to share in God's life again. As we celebrate the Eucharist this week remember that we are celebrating the new covenant.

As Catholics...

Covenant

With students, define *covenant* and discuss the example given about Moses. Ask: *What would make God's people turn away from him?* (worshiping false gods; forgetting the covenant's promises) Stress that God sent the prophets to help the people to return to God and observe the covenant.

Teaching Note

Guided Meditation

The students are asked to imagine they are disciples on the road to Emmaus. Lead this activity as a guided meditation. Say the following: *You are walking along the road. What is the color of the sky? How does the air feel on your skin? Stop walking for a moment and stand still. Inhale deeply through your nose—what do you smell? Now imagine Jesus sitting across from you at a table. He lifts a piece of bread and breaks it in half. What do you see in the breaking the bread? What are your feelings?*

Lesson Plan

WE BELIEVE (continued)

Invite a volunteer to read aloud the fourth statement. Stress that the people were amazed at Jesus' words. Ask volunteers to read the next two paragraphs. Point out that Jesus' words are meant for us today. We need to receive the Bread of Life to be nourished and strengthened in our faith.

Write the word *strength* on the board. Have the students offer synonyms. Emphasize that while people might have physical strength, they also need strength of character to live as Jesus' disciples. Have a volunteer read aloud the remainder of the text. Stress that the Church's social teaching requires us to protect and respect the life and dignity of every person.

Distribute copies of Reproducible Master 10 and read the directions aloud. Have the students use this activity now or work on it at home, to recall what they learned about the Eucharist in this chapter.

Play the refrain of the song "I Am the Bread of Life" from the Grade 5 CD so the students can sing it as a response to the lesson.

Key Words Write each word on a small piece of paper and place the slips into a hat. Have the students pick a slip from the hat and act out the word without using words. Encourage the others to guess which word is being acted out.

Banco de actividades

Doctrina social de la Iglesia

Opción para los pobres y vulnerables

Cristo nos alimenta en la Eucaristía para que, a su vez, nosotros alimentemos a otros. La Iglesia nos enseña que tenemos la responsabilidad de ocuparnos de aquellos que no tienen comida. Explique a los estudiantes que ellos pueden ayudar a alimentar a los hambrientos. Anímelos a comunicarse con el comité de alcance de la parroquia. Un miembro de este comité puede mostrarles cómo pueden ayudar. Los estudiantes podrían donar dinero para comprar comida o coleccionar comidas enlatadas para la despensa de la parroquia.

Conexion con el hogar

Compartiendo la fe con mi familia

Anime a los estudiantes a que disfruten agregando al álbum de recortes de los sacramentos artículos sobre la Eucaristía.

Para más información y actividades adicionales visite a Sadlier

www.CREEMOSweb.com

Planifique por adelantado

Lugar de oración: Biblia, un vaso o copa de jugo de uva y una hogaza de pan

Materiales: 4–6 CD, copias del patrón 11, libro de oraciones.

____ minutos

Repaso del capítulo

Explique a los estudiantes que ahora van a repasar lo que han aprendido. Luego, pida a los estudiantes que completen las preguntas 1–8. Pídales que digan en voz alta cada respuesta correcta. Aclare cualquier mala interpretación. Refiérase a la página donde puedan encontrar la respuesta. Pídales que completen la pregunta 9–10. Comparta las respuestas.

Reflexiona y ora

Comience leyendo lentamente y en voz alta la primera frase de la actividad. Pida a los estudiantes que lean en silencio el resto de la actividad y que llenen sus propias respuestas.

Repaso — Capítulo 10

Encierra en un círculo la respuesta correcta.

1. ____ es el sacramento por medio del cual Jesús está realmente presente entre nosotros.
   a. Bautismo b. Confirmación (c.) Eucaristía
2. En la Eucaristía, recibimos a ____ en la comunión.
   a. el sacerdote b. los discípulos (c.) Jesucristo
3. La Eucaristía es una comida, un sacrificio y ____.
   (a.) un memorial b. una invitación c. la pascua
4. Jesús se llamó a sí mismo el ____.
   a. vida de pan (b.) Pan de Vida c. carne de pan

Escribe V si es verdadero y F si es falso. Cambia lo falso en verdadero.

5. _V_ La Eucaristía es el único sacramento de iniciación que podemos recibir más de una vez.
6. _F_ En la última cena, Jesús instituyó la Pascua.
   En la última cena Jesús instituyó la Eucaristía.
7. _F_ Mientras caminaban por Emaús, dos discípulos reconocieron inmediatamente a Jesús resucitado.
   Mientras caminaban por Emaús, dos discípulos no reconocieron immediatamente a Jesús resucitado.
8. _V_ Cuando recibimos la Eucaristía, la vida de gracia aumenta en nosotros.

Contesta.

9–10. ¿Por qué celebramos el sacramento de la Eucaristía?
Ver páginas 112 y 116

Reflexiona y ora

Cierra los ojos y siente la presencia de Jesús.

Jesús, algunas veces la vida es ____.
Quédate cerca de mí, mantenme fiel a ti en la Eucaristía.

Ayúdame a ____. Amén.

118

PAGINA DEL ALUMNO 118

Respondemos y compartimos la fe

____ minutos

Recuerda Repase los cuatro enunciados *Creemos*. Pida a los estudiantes que encuentren cada enunciado en el texto. Pídales que escriban algo que hayan aprendido acerca de cada enunciado en una tira de papel separada. Obtenga las tiras. Pídales que tomen turnos sacando una tira de papel y diciendo el enunciado al que se relaciona.

Nuestra vida católica Lea el texto en voz alta. Pida a los estudiantes que digan si alguna vez han participado en esta fiesta. Pida a voluntarios que describan la fiesta. Ayúdelos a entender que la fiesta del Cuerpo y la Sangre de Cristo es una celebración que une más a las personas de la parroquia.

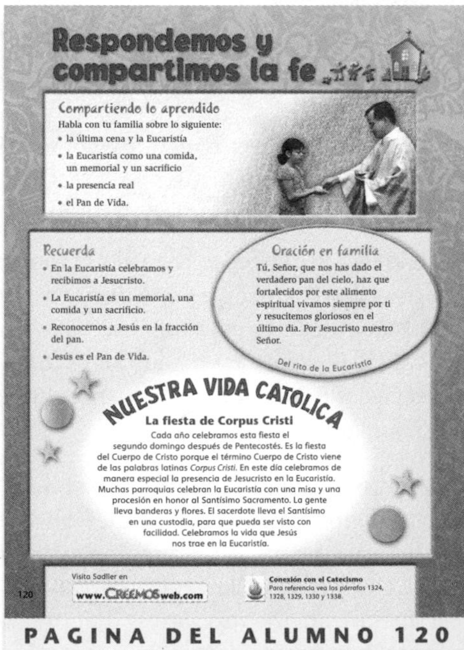

Respondemos y compartimos la fe

Compartiendo lo aprendido

Habla con tu familia sobre lo siguiente:
- la última cena y la Eucaristía
- la Eucaristía como una comida, un memorial y un sacrificio
- la presencia real
- el Pan de Vida.

Recuerda
- En la Eucaristía celebramos y recibimos a Jesucristo.
- La Eucaristía es un memorial, una comida y un sacrificio.
- Reconocemos a Jesús en la fracción del pan.
- Jesús es el Pan de Vida.

Oración en familia

Tú, Señor, que nos has dado el verdadero pan del cielo, haz que fortalecidos por este alimento espiritual vivamos siempre por ti y resucitemos gloriosos en el último día. Por Jesucristo nuestro Señor.

Del rito de la Eucaristía

NUESTRA VIDA CATOLICA

La fiesta de Corpus Cristi

Cada año celebramos esta fiesta el segundo domingo después de Pentecostés. Es la fiesta del Cuerpo de Cristo porque el término Cuerpo de Cristo viene de las palabras latinas *Corpus Cristi*. En este día celebramos de manera especial la presencia de Jesucristo en la Eucaristía. Muchas parroquias celebran la Eucaristía con una misa y una procesión en honor al Santísimo Sacramento. La gente lleva banderas y flores. El sacerdote lleva el Santísimo en una custodia, para que pueda ser visto con facilidad. Celebramos la vida que Jesús nos trae en la Eucaristía.

Visita Sadlier en www.CREEMOSweb.com

Conexión con el Catecismo
Para referencia vea los párrafos 1324, 1328, 1329, 1330 y 1338.

120

PAGINA DEL ALUMNO 120

_____ minutes

Chapter Review Explain to the students that they are now going to review what they have learned. Then have the students complete questions 1–8. Ask the students to say aloud each correct answer. Clear up any misconceptions. Refer to the page on which they can find an answer. Ask them to complete question 9–10. Share responses.

Reflect & Pray Begin by slowly reading aloud the first sentence of the activity. Have students read silently the rest of the activity text and fill in their own responses.

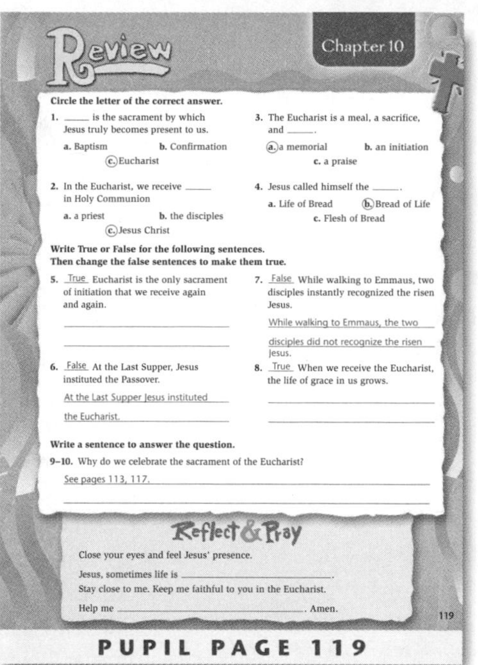

Review — Chapter 10

Circle the letter of the correct answer.

1. _____ is the sacrament by which Jesus truly becomes present to us.
   a. Baptism b. Confirmation (c.) Eucharist
2. In the Eucharist, we receive _____ in Holy Communion
   a. a priest b. the disciples (c.) Jesus Christ
3. The Eucharist is a meal, a sacrifice, and _____.
   (a.) a memorial b. an initiation c. a praise
4. Jesus called himself the _____.
   a. Life of Bread (b.) Bread of Life c. Flesh of Bread

Write True or False for the following sentences. Then change the false sentences to make them true.

5. True Eucharist is the only sacrament of initiation that we receive again and again.
6. False At the Last Supper, Jesus instituted the Passover.
   At the Last Supper Jesus instituted the Eucharist.
7. False While walking to Emmaus, two disciples instantly recognized the risen Jesus.
   While walking to Emmaus, the two disciples did not recognize the risen Jesus.
8. True When we receive the Eucharist, the life of grace in us grows.

Write a sentence to answer the question.

9–10. Why do we celebrate the sacrament of the Eucharist?
See pages 113, 117.

Reflect & Pray

Close your eyes and feel Jesus' presence.

Jesus, sometimes life is ______________.

Stay close to me. Keep me faithful to you in the Eucharist.

Help me ______________. Amen.

119

PUPIL PAGE 119

We Respond and Share the Faith

_____ minutes

Remember Review the four *We Believe* statements. Have the students find each statement in the text. Ask them to write one thing they have learned about each statement on a separate slip of paper. Collect the slips. Have them take turns drawing a slip and saying the sentence to which it relates.

Our Catholic Life Read aloud the text. Ask the students to tell whether they have ever participated at this feast. Have volunteers describe the feast. Help them see that the Feast of the Body and Blood of Christ is a celebration that brings the people of a parish closer together.

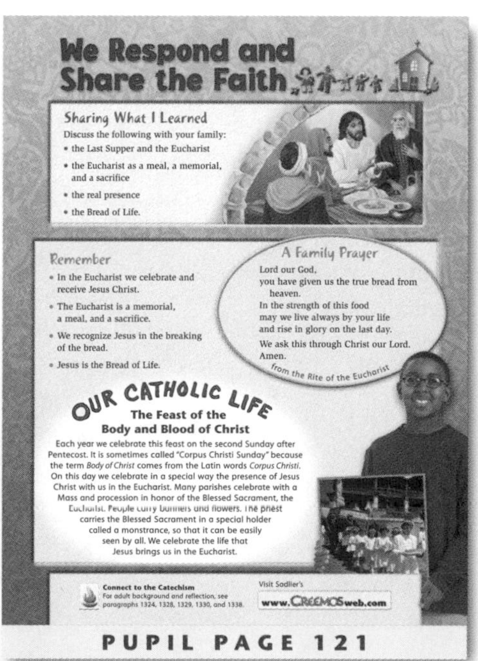

We Respond and Share the Faith

Sharing What I Learned

Discuss the following with your family:
- the Last Supper and the Eucharist
- the Eucharist as a meal, a memorial, and a sacrifice
- the real presence
- the Bread of Life.

Remember
- In the Eucharist we celebrate and receive Jesus Christ.
- The Eucharist is a memorial, a meal, and a sacrifice.
- We recognize Jesus in the breaking of the bread.
- Jesus is the Bread of Life.

A Family Prayer

Lord our God,
you have given us the true bread from heaven.
In the strength of this food
may we live always by your life
and rise in glory on the last day.
We ask this through Christ our Lord.
Amen.
from the Rite of the Eucharist

OUR CATHOLIC LIFE

The Feast of the Body and Blood of Christ

Each year we celebrate this feast on the second Sunday after Pentecost. It is sometimes called "Corpus Christi Sunday" because the term *Body of Christ* comes from the Latin words *Corpus Christi*. On this day we celebrate in a special way the presence of Jesus Christ with us in the Eucharist. Many parishes celebrate with a Mass and procession in honor of the Blessed Sacrament, the Eucharist. People carry banners and flowers. The priest carries the Blessed Sacrament in a special holder called a monstrance, so that it can be easily seen by all. We celebrate the life that Jesus brings us in the Eucharist.

Connect to the Catechism
For adult background and reflection, see paragraphs 1324, 1328, 1329, 1330, and 1338.

Visit Sadlier's www.CREEMOSweb.com

PUPIL PAGE 121

ACTIVITY BANK

Catholic Social Teaching

Option for the Poor and Vulnerable

Christ feeds us in the Eucharist so that we might in turn feed others. The Church teaches that we have a responsibility to care for those who are without food. Explain to the students that they can help provide food for the hungry. Encourage them to contact their parish outreach committee. A member of this committee can show them ways they might be able to help. The students might donate money to buy food or collect canned goods for the parish pantry.

HOME CONNECTION

Sharing What I Learned

Encourage the students to enjoy adding items about the Eucharist to their families' sacrament scrapbooks.

For additional information and activities, encourage families to visit Sadlier's

www.CREEMOSweb.com

Plan Ahead for Chapter 11

Prayer Space: a Bible, a glass or goblet of grape juice and a loaf of bread

Lesson Materials: Grade 5 CD, copies of Reproducible Master 11, lectionary and/or Book of the Gospels, if possible

La celebración de la Eucaristía

Ojeada

En este capítulo los estudiantes aprenderán que la celebración de la Eucaristía une a los creyentes al Cuerpo de Cristo.

Contenido doctrinal	Referencia del *Catecismo de la Iglesia Católica*
Los estudiantes aprenderán que:	párrafo
• Los Ritos Iniciales nos unen como comunidad	1348
• Durante la Liturgia de la Palabra, escuchamos y respondemos a la palabra de Dios	1349, 1352
• Durante la Liturgia de la Eucaristía, rezamos la oración de acción de gracias y recibimos el Cuerpo y la Sangre de Cristo	1355
• El Rito de Conclusión nos envía a ser cuerpo de Cristo para los demás	1396

Referencia catequética

¿Por qué va a misa?

La celebración de la Eucaristía es "la fuente y ápice de toda la vida cristiana" (*Constitución Dogmática de la Iglesia*, 11). Nuestro propósito como "pueblo de Dios reunido en la adoración" para alabar y dar gracias a Dios, proviene de la celebración de la Eucaristía.

La misa es como una hermosa sinfonía en cuatro movimientos. Los ritos iniciales nos congregan en unidad. Somos un pueblo. Luego, escuchamos nuestra historia de salvación y respondemos a ella. Se proclaman las lecturas, no sólo se leen. Cuando el homilista "pronuncia la palabra" (interpreta su mensaje) aplicamos el mensaje a la situación de nuestras vidas.

El centro de nuestra adoración pasa a la oración eucarística que incluye la consagración del pan y el vino. Se convierten en nuestro Pan de Vida y Copa de Salvación. Afirmamos nuestra fe en la presencia de Cristo al expresar un resonante *Amén*.

El momento final de la celebración es en realidad un nuevo comienzo. Se nos bendice y envía a hacer lo que hizo Cristo para servir a los demás en el reino del Padre.

¿Cómo la Eucaristía le nutre para servir a los demás?

Mirando la vida

Historia para el capítulo

Su sueño era ser médico. Sin embargo, el camino a ser la primera médico de Italia era difícil. Con la mente resuelta y determinada a tener éxito, María Montessori se hizo doctora en 1896.

El amor que tenía por ayudar a los niños como médico condujo a María al ramo de la educación. Ella creía que el niño como un todo—mente, cuerpo y espíritu—necesitaba ser cuidado en un entorno amoroso. María, con gran sacrificio y valentía, abrió la Casa dei Bambini (La Casa de los Niños) en la ciudad de Roma. Día y noche trabajaba para desarrollar materiales que los niños mismos pudieran usar para aprender. María creía que los niños podían aprender con naturalidad si se les daba los materiales y el entorno apropiados, así como maestras cariñosas.

Después de años de trabajar con niños y capacitar a maestras nuevas, las ideas para enseñar de María se difundieron por todo el mundo. Ella vino a Estados Unidos en 1932. Su método se afianzó y aún hoy en día se usa el método Montessori en las aulas del país.

Cuando María Montessori murió en 1952, su servicio a los demás, especialmente en la educación de los niños, hizo que todas las luchas de su vida valieran la pena. Verdaderamente, María Montessori fue una mujer adelantada para su época.

¿Qué tipo de vocación te daría la oportunidad de servir a los demás? ¿Qué piensas que quisieras ser cuando crezca?

Overview

In this chapter the students will learn that the celebration of the Eucharist unites believers in the Body of Christ.

Doctrinal Content	For Adult Reading and Reflection *Catechism of the Catholic Church*
The students will learn:	Paragraph
• The Introductory Rites bring us together as a community.	1348
• During the Liturgy of the Word, we listen and respond to the word of God.	1349, 1352
• During the Liturgy of the Eucharist, we pray the great prayer of thanksgiving and receive the Body and Blood of Christ.	1355
• The Concluding Rite sends us out to be the Body of Christ to others.	1396

Catechist Background

Why do you go to Mass?

The celebration of the Eucharist is "the fount and apex of the whole Christian life" (*Dogmatic Constitution on the Church*, 11). It is from the celebration of the Eucharist that we derive our purpose as "God's people gathered at worship" to give praise and thanks to God.

The Mass is like a beautiful symphony in four movements. The opening rites gather us in unity. We are one people. In the next part, we move to listen and respond to our story of salvation. The readings are proclaimed, not just read. When the homilist "breaks open the word" (interprets its message) we apply the message to our life situation.

The focus of our worship shifts to the eucharistic prayer, which includes the consecration of the bread and wine. They become our Bread of Life and Cup of Salvation. We affirm our faith in Christ's presence by expressing a resounding *Amen*.

The final moment in our celebration is really a new beginning. We are blessed and sent to do what Christ did to serve others in his Father's Kingdom.

How does the Eucharist nourish you to serve others?

Focus on Life

Chapter Story

It was her dream to become a doctor. However, the path to becoming the first woman doctor in Italy was a difficult one. Strong-willed and determined to succeed, Maria Montessori went on to become a doctor in 1896.

Her love for helping children as a medical doctor led Maria to the field of education. She believed the whole child—mind, body, and spirit—needed to be cared for in a loving environment. Maria, with a great deal of sacrifice and courage, opened the Casa dei Bambini (The Children's House) in the city of Rome. Day and night she worked at making materials that children themselves could use in order to learn. Maria's belief was that children could learn naturally if they were given the right materials, environment, and caring teachers.

After years of working with children and training new teachers, Maria's ideas about learning became worldwide. She came to the United States in 1932. Her method took hold and even today the Montessori Method is used in American classrooms.

When Maria Montessori died in 1952, her service to others, especially in educating children, made all her life's struggles worthwhile. Truly, Maria Montessori was a woman ahead of her time.

What kind of calling would give you an opportunity to serve others? What do you think you would like to be when you grow up?

Guía para planificar la lección

Pasos de la lección	Presentación	Materiales
1 NOS CONGREGAMOS		
pág. 122 **Oración**	• Escuchar la Escritura.  Responder cantando.	• Para el lugar de oración: Biblia, un vaso o copa de jugo de uva, hogaza de pan 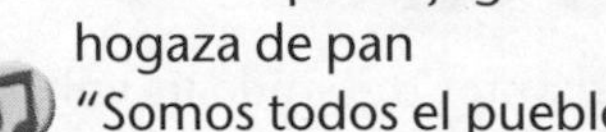 "Somos todos el pueblo de Dios", 4–6 CD
 **Mirando la vida**	• Hablar sobre congregarse como una comunidad.	
2 CREEMOS		
pág. 122 *Los Ritos Iniciales nos unen como comunidad.* *Misal Romano*	• Leer y resumir los párrafos de los Ritos Iniciales y los ministerios litúrgicos. 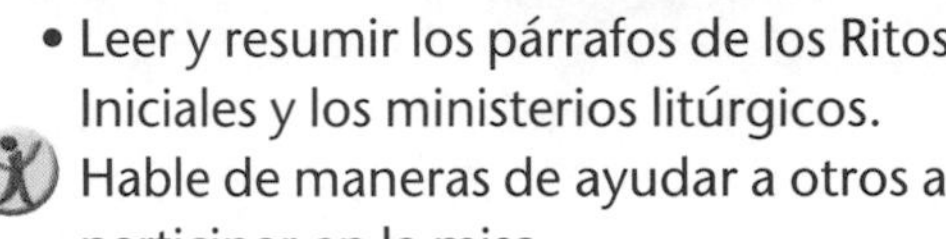 Hable de maneras de ayudar a otros a participar en la misa.	
pág. 124 *Durante la Liturgia de la Palabra, escuchamos y respondemos a la palabra de Dios.* *Misal Romano*	• Leer y repasar la Liturgia de la Palabra. Identificar formas para escuchar mejor la palabra de Dios.	• Leccionario o libro de los evangelios, si es posible.
pág. 126 *Durante la Liturgia de la Eucaristía, rezamos la oración de acción de gracias y recibimos el Cuerpo y la Sangre de Cristo.* 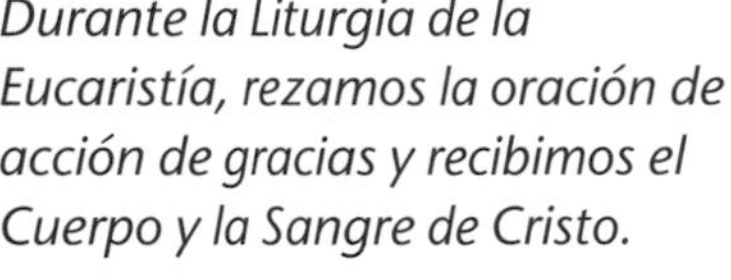 *Misal Romano*	• Leer y conversar sobre la Liturgia de la Eucaristía. Compartir ideas sobre agradecer y alabar a Dios. • Leer y conversar sobre *Como católicos.*	
pág. 128 *El Rito de Conclusión nos envía a ser el cuerpo de Cristo para los demás.* *Misal Romano*	• Leer y conversar sobre el Rito de Conclusión.	
3 RESPONDEMOS		
pág. 128	 Completar formas de vivir como pueblo de Dios y escenificar una.	• copias del patrón 11
páginas 130 y 132 **Repaso**	• Completar las preguntas 1–10. Completar *Reflexiona y ora.*	• Papel de estraza, marcadores, cartulina
páginas 130 y 132 **Respondemos y compartimos la fe**	• Repasar el *Recuerda* y el *Vocabulario.* • Leer y conversar sobre *Nuestra vida católica.*	

Para ideas, actividades y otras oportunidades visite Sadlier en **www.CREEMOSweb.com**

Lesson Planning Guide

Lesson Steps	Presentation	Materials
1 WE GATHER		
page 123   **Focus on Life**	• Listen to Scripture. Respond in song. • Discuss gathering as one community.	• For the prayer space: Bible, a glass or goblet of grape juice, loaf of bread "We Belong to God's Family," #11, Grade 5 CD
2 WE BELIEVE		
page 123 *The Introductory Rites bring us together as a community.* *The Roman Missal*	• Read and summarize the paragraphs on the Introductory Rites and liturgical ministries. Talk about ways to help others participate at Mass.	
page 125 *During the Liturgy of the Word, we listen and respond to the word of God.* *The Roman Missal*	• Read and review the Liturgy of the Word. Identify ways to listen better to God's word.	• lectionary and/or the Book of Gospels, if possible
page 127 *During the Liturgy of the Eucharist, we pray the great prayer of thanksgiving and receive the Body and Blood of Christ.* *The Roman Missal*	• Read and discuss the Liturgy of the Eucharist. Share ideas about giving thanks and praise to God. • Read and discuss *As Catholics*.	
page 129 *The Concluding Rite sends us out to be the Body of Christ to others.* *The Roman Missal*	• Read and discuss the Concluding Rite.	
3 WE RESPOND		
page 129	Complete the list of ways to live as the people of God and act one out.	• copies of Reproducible Master 11
pages 131 and 133 **Review**	• Complete questions 1–10. Complete *Reflect & Pray*.	• construction paper, markers, poster board
pages 131 and 133 **We Respond and Share the Faith**	• Review *Remember* and *Key Words*. • Read and discuss *Our Catholic Life*.	

For additional ideas, activities, and opportunities: Visit Sadlier's **www.CREEMOSweb.com**

Conexiones

Evangelización

Al final de la misa se nos envía a ser servidores de Cristo en el mundo. Ayude a los estudiantes a conectar esta parte de la misa con el encargo que el Cristo resucitado les hizo a sus discípulos. Ellos debían convertir a todo el pueblo en discípulos. Cuando recibimos la comunión, nos nutrimos y fortalecemos para vivir nuestra fe compartiendo la buena nueva de Cristo con los demás.

Escritura

La Liturgia de la Palabra siempre es parte integral del sacrificio eucarístico. Explique que la primera lectura en misa usualmente corresponde al Antiguo Testamento. Nos recuerda la lealtad de Dios por la alianza con su pueblo. La segunda lectura generalmente es tomada de las epístolas o cartas o del Apocalipsis. Con la segunda lectura se resalta la vida e historia de la antigua comunidad cristiana. Finalmente, una lectura de uno de los cuatro evangelios es proclamada para que nos podamos fortalecer al oír las enseñanzas de Jesús.

FE y MEDIOS

▶ Los estudiantes hablarán de la importancia de unirse como comunidad para celebrar la Eucaristía. Mencione que la Iglesia recomienda el uso de los medios de comunicación para enriquecer las vidas de personas que, por razones de edad, enfermedad o falta de acceso, no pueden ir a misa: "Entre las emisiones religiosas más apropiadas y deseables están las de la santa misa y otras ceremonias litúrgicas" (Pontificio Consejo para las Comunicaciones Sociales, Instrucción Pastoral *Communio et Progressio*, 23 de mayo de 1971, número 151). El Vaticano ofrece la transmisión de la misa por radio, televisión, satélite e Internet a muchos países alrededor del mundo en italiano, inglés, español, ruso, chino, latín y otros idiomas.

Liturgia para la semana
Visite **www.creemosweb.com** para las lecturas bíblicas de esta semana y otros materiales propios del tiempo.

Necesidades individuales

Estudiantes que toman medicamentos

Algunos estudiantes pueden tomar medicamentos y estar bajo cuidado de un médico. Tenga en cuenta que la somnolencia, falta de atención o hiperactividad pueden ser efectos secundarios de algunos medicamentos. Anime gentilmente la participación adecuada en las actividades del aula.

RECURSOS ADICIONALES

Libro *La Eucaristía, luz y vida del cristiano,* Luturgical Press.

Para ideas visite a Sadlier en

www.CREEMOSweb.com

Connections

To Evangelization

At the end of the Mass, we are sent forth to be Christ's servants in the world. Help the students connect this part of the Mass with the risen Christ's commission to his disciples. They were to go out and make disciples of all people. When we receive Communion, we are nourished and strengthened to live out our faith by sharing the good news of Christ with others.

To Scripture

The Liturgy of the Word is always an integral part of the eucharistic sacrifice. Explain that the first reading at Mass is usually from the Old Testament. It recalls God's faithfulness to the covenant with his people. The second reading is usually a passage from the epistles, or letters, or the Book of Revelation. The life and history of the early Christian community is highlighted in the second reading. Finally, a reading from one of the four gospels is proclaimed so that hearing the teachings of Jesus can strengthen us.

FAITH and MEDIA

▶ The students will discuss the importance of coming together as a community to celebrate the Eucharist. Mention that the Church recommends using media to enrich the lives of those who, for reasons of age, illness, or lack of access, cannot attend Mass: "The transmission of the Mass and of other sacred rites is to be included in religious broadcasting" (Pontifical Council for Social Communications, Pastoral Instruction *Communio et Progressio,* May 23, 1971, number 151). The Vatican offers radio, television, satellite, and Internet broadcasts of the Mass to countries around the world in Italian, English, Spanish, Russian, Chinese, Latin, and other languages.

This Week's Liturgy

Visit **www.creemosweb.com** for this week's liturgical readings and other seasonal material.

Meeting Individual Needs

Students Who Need to Take Medication

Some students may take medication and be under a doctor's care. Be aware that sleepiness, inattention, or hyperactivity may be side-effects of some medications. Gently encourage appropriate participation in classroom activities.

ADDITIONAL RESOURCES

Book *We Worship and Pray: The Mass and Traditional Catholic Prayers,* Hi-Time Pflaum, 2000. The first half of the book is reproducible games and activities on the parts of the Mass.

Video *We Feed: Eucharist,* Ikonographics, St. Anthony Messenger Press, 2002. From The Sacrament Series, the children learn of hunger and the poor, and how the Eucharist feeds us. (15 minutes)

To find more ideas for books, videos, and other learning material, visit Sadlier's

www.CREEMOSweb.com

Meta catequética

• Presentar cada parte de la misa y examinar su significado

PREPARANDOSE PARA ORAR

Los estudiantes escucharán las últimas palabras de Jesús en la última cena. Responderán cantando.

• Diga a los estudiantes que usted dirigirá la oración.

• Escoja a estudiantes para que proclamen la Escritura.

• Practique la canción "Somos todos el pueblo de Dios,"4–6 CD.

El lugar de oración

• Ponga una Biblia, un vaso o copa de jugo de uva y una hogaza de pan sobre la mesa de oración.

11 La celebración de la Eucaristía

NOS CONGREGAMOS

Líder: Vamos a escuchar la historia de Jesús y sus apóstoles cuando estaban reunidos para la última cena.

Lector 1: Jesús dijo a sus apóstoles.

"¡Cuánto he querido celebrar esta cena de Pascua con ustedes antes de mi muerte! Porque les digo que no he de celebrarla hasta que se cumpla en el reino de Dios". Entonces tomó en sus manos una copa y, habiendo dado gracias a Dios, dijo: "Tomen esto y repártanlo entre ustedes; porque les digo que no volveré a beber del producto de la vid, hasta que venga el reino de Dios". (Lucas 22:15–18)

Todos: Jesús, diste tu vida por nosotros.

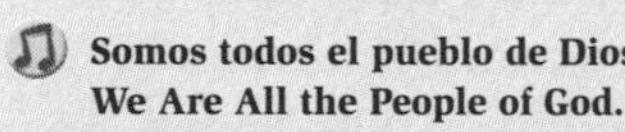

Somos todos el pueblo de Dios/ We Are All the People of God.

Todos unidos en un solo amor,
somos todos el pueblo de Dios.
Y alabamos tu nombre, Señor.
Somos todos el pueblo de Dios.

Alaben con cantos a nuestro Dios.
Te alabe toda tu creación.

Nombra un momento en que todos en la escuela se reunieron en comunidad. ¿Por qué fue un momento importante?

CREEMOS

Los Ritos Iniciales nos unen como comunidad.

Misa es otro nombre para la celebración de la Eucaristía. En la misa la Iglesia se reúne como cuerpo de Cristo. La asamblea, o comunidad de personas reunidas para rendir culto en nombre de Jesús, participa de muchas formas durante la misa. Algunas de las cosas que hacemos es cantar, escuchar y responder a las lecturas, rezar por el pueblo y recibir la comunión.

Muchas personas ayudan durante la celebración de la misa. Las diferentes formas en que la gente sirve en la Iglesia son llamadas ministerios litúrgicos.

122

Planificación de la lección

NOS CONGREGAMOS ____ minutos

Oración

• Invite a los estudiantes a reunirse en el lugar de oración.

• Pida a los estudiantes que abran sus libros a la oración inicial.

• Recen la Señal de la Cruz y dirija la oración.

• Pida a los estudiantes que proclamen las lecturas.

• Canten la canción.

• Señale que la unidad entre los católicos viene de nuestra comunión (unión con) Jesús y con los demás.

Mirando la vida

• **Lea** en voz alta la pregunta sobre congregarse. Converse acerca de ocasiones en las que los estudiantes se unen como comunidad. Diga que en esta lección aprenderán que los Ritos Iniciales nos unen como comunidad y nos preparan para participar y celebrar la misa.

CREEMOS ____ minutos

Pida a un voluntario que lea en voz alta el primer enunciado *Creemos* 124. Pida a un voluntario que lea el primer párrafo. Pida a los estudiantes que resuman el párrafo en una frase. Escriba la frase en la pizarra. Luego, pida a otros voluntarios que tomen turnos leyendo en voz alta los demás párrafos. Continúe escribiendo los resúmenes en la pizarra. Repase las ideas principales.

Invite a los estudiantes a ver la foto de la página 124. Anímelos a describir la foto y su relación con los Ritos Iniciales. Pídales que nombren la función de cada persona que aparece en la foto. Pídales que comparen las fotos con las celebraciones de sus propias parroquias.

The Celebration of the Eucharist

11

WE GATHER

✝ **Leader:** Let us listen to the story of Jesus and his apostles as they gathered for the Last Supper.

Reader: Jesus said to the apostles,

"'I have eagerly desired to eat this Passover with you before I suffer, for, I tell you, I shall not eat it [again] until there is fulfillment in the kingdom of God.' Then he took a cup, gave thanks, and said, 'Take this and share it among yourselves; for I tell you [that] from this time on I shall not drink of the fruit of the vine until the kingdom of God comes.'" (Luke 22:15–18)

All: Jesus, you have given your life for us.

 **We Belong to God's Family**

Refrain:

We belong to God's family.
Brothers and sisters are we,
singing together in unity
about one Lord and one faith,
one family.

We are one in the body of
Jesus Christ the Lord.
We are one in the blood of him
whom earth and heaven adore.
(Refrain)

Name a time when everyone in your school gathers together as one community. Why is this an important time?

WE BELIEVE

The Introductory Rites bring us together as a community.

The Mass is another name for the celebration of the Eucharist. In the Mass the Church gathers as the Body of Christ. The assembly, or community of people gathered to worship in the name of Jesus, participates in many ways throughout the Mass. Some of the things we do are sing, listen and respond to the readings, pray for all people, and receive Holy Communion.

There are many people who help us during the celebration of the Mass. The different ways that people serve the Church in worship are called liturgical ministries.

123

Catechist Goal

- To present each part of the Mass and examine its meaning

PREPARING TO PRAY

The students will listen to Jesus' words at the Last Supper. They will respond in song.

- Tell the students you will lead the prayer.
- Choose a student to proclaim the Scripture.
- Practice the song "We Belong to God's Family," #11 on the Grade 5 CD.

The Prayer Space

- Place a Bible, a glass or goblet of grape juice, and a loaf of bread on the prayer table.

Lesson Plan

WE GATHER

___ minutes

✝ Pray

- Invite the students to gather at the prayer space.
- Have the students open their books to the opening prayer.
- Pray the Sign of the Cross and lead the prayer.
- Have a student proclaim the reading.
- Sing the song.
- Stress that the unity among Catholics is derived from our communion (union) with Jesus and one another.

 Focus on Life

- **Read** aloud the question about gathering. Discuss occasions when the students come together as a community. Tell the students that in this lesson they will learn that the Introductory Rites unite us as a community and prepare us to participate in and celebrate Mass.

WE BELIEVE

___ minutes

Read aloud the first *We Believe* statement. Have a volunteer read the opening *We Believe* paragraph. Ask the students to summarize the paragraph in a sentence. Write the sentence on the board. Then have other volunteers take turns reading aloud the remaining paragraphs. Continue writing the summaries on the board. Review the main ideas.

Invite the students to look at the photo on page 124. Encourage the students to describe the picture and its relationship to the Introductory Rites. Have them name the role of each person pictured. As you continue the lesson, ask them to compare the photos to celebrations in their own parishes.

Nuestra respuesta en la fe

- Apreciar cada aspecto de la misa y responder a la palabra de Dios.

Ritos Iniciales

Liturgia de la Palabra

Liturgia de la Eucaristía

consagración

Rito de Conclusión

Materiales

- 4–6 CD del 5to curso
- copias del patrón 11
- leccionario o libro de los evangelios

Conexión con el hogar

¿Qué poemas, oraciones o canciones sobre la Eucaristía significaron más para ti y tu familia?

Es el sacerdote quien preside y celebra la Eucaristía para y con el pueblo de Dios. El hace y dice lo que Jesús hizo en la última cena. El diácono tiene el papel especial de proclamar el evangelio y predicar. El ayuda en el altar y dirige a la asamblea en algunas oraciones.

Los acólitos sirven ayudando en varias formas antes, durante y después de la misa. Los lectores proclaman la palabra de Dios y los ministros especiales de la Eucaristía ayudan a distribuir la comunión. Los ujieres nos saludan antes de empezar la misa. Los músicos dirigen a la asamblea a participar cantando.

La misa tiene cuatro partes: los Ritos Iniciales, la Liturgia de la Palabra, la Liturgia de la Eucaristía y el Rito de Conclusión. (Ver pp 310–311). Los **Ritos Iniciales** es la parte de la misa que nos une como comunidad. Nos prepara para escuchar la palabra de Dios y para celebrar la Eucaristía. Durante este tiempo pedimos perdón a Dios en el rito penitencial. Los domingos podemos cantar o rezar el Gloria.

Habla sobre como puedes ayudar a otros a participar en la celebración de la misa dominical de tu parroquia.

Durante la Liturgia de la Palabra, escuchamos y respondemos a la palabra de Dios.

Después de los Ritos Iniciales, escuchamos la palabra de Dios proclamada de la Escritura. La **Liturgia de la Palabra** es la parte de la misa en la que escuchamos y respondemos a la palabra de Dios. Escuchamos sobre el gran amor de Dios por su pueblo. Escuchamos sobre la vida y las enseñanzas de Cristo. Profesamos nuestra fe y rezamos por todos los necesitados.

Proclamar es anunciar claramente y desde el corazón. Proclamar durante la liturgia es anunciar con fe. Nuestra respuesta a las lecturas proclama nuestra fe en la palabra de Dios. Después de las dos primeras lecturas respondemos: "Te alabamos, Señor". Después del evangelio respondemos: "Gloria a ti, Señor Jesús". La homilía es también una proclamación. Las palabras del diácono o el sacerdote son una llamada a vivir la buena nueva y a ser testigos de Cristo.

Después, la asamblea hace las intercesiones generales. Un miembro de la asamblea hace las peticiones y respondemos: "Señor, escucha nuestra oración", u otra respuesta apropiada.

Como cuerpo de Cristo unidos en la adoración, rezamos por las necesidades de toda la Iglesia, todos sus líderes y por el papa. Rezamos por la comunidad local, por los líderes mundiales y por los que tienen posiciones públicas. Pedimos a Dios por los que sufren, por los enfermos y por los necesitados. También rezamos para que los que han muerto experimenten el amor de Dios.

Con un compañero nombra formas en que pueden escuchar mejor la palabra de Dios.

124

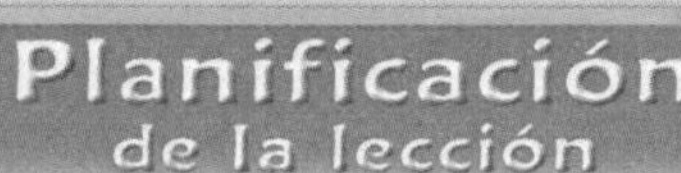

CREEMOS (continuación)

Pida a un voluntario que lea las instrucciones de la actividad. Refiérase a las fotos del texto que muestran a las personas en misa. Converse sobre como los estudiantes pueden participar en la misa. Pida a los estudiantes que trabajen en sus propias ilustraciones. Comparta sus dibujos.

Repase con los estudiantes los eventos que conforman los Ritos Iniciales. Pida a voluntarios que identifiquen la forma en que estos ritos nos preparan para participar y celebrar la misa.

Pida a un voluntario que lea en voz alta el segundo enunciado *Creemos*. Pida a los estudiantes que lean los párrafos con un compañero o en grupos pequeños. Enfatice lo siguiente:

- La Liturgia de la Palabra es parte integral de la misa en la que oímos sobre el amor de Dios por su pueblo y las enseñanzas de Cristo.
- Respondemos a la Liturgia de la Palabra agradeciendo a Dios y alabándolo.
- Oramos por las necesidades de todos, incluyendo aquellos en la Iglesia, nuestra comunidad y el mundo.

Nota: Intente mostrar a los estudiantes un leccionario o el libro de los evangelios. Recuérdeles que tratamos a estos libros litúrgicos con respeto por la palabra de Dios.

Lea las instrucciones de la actividad. Invite a los estudiantes a trabajar con un compañero para identificar como oír mejor la palabra de Dios.

The presider is the priest who celebrates the Eucharist for and with the People of God. He does and says the things Jesus did at the Last Supper. The deacon has a special role in proclaiming the gospel and in the preaching. He assists at the altar and leads the assembly in certain prayers.

Altar servers assist in many ways before, during, and after Mass. Readers proclaim the word of God and special ministers of the Eucharist help to distribute Holy Communion. Greeters or ushers often welcome us before Mass begins. Musicians help the whole assembly participate through song.

Talk about one way you can help others to participate in your parish's Sunday celebration of the Mass.

There are four parts to the Mass: the Introductory Rites, the Liturgy of the Word, the Liturgy of the Eucharist, and the Concluding Rite. (See charts on pages 322–333.) The **Introductory Rites** is the part of the Mass that unites us as a community. It prepares us to hear God's word and to celebrate the Eucharist. During this time we ask God for mercy in the Penitential Rite. On Sundays we may sing or say the Gloria.

During the Liturgy of the Word, we listen and respond to the word of God.

After the Introductory Rites, we listen to the living word of God proclaimed from Scripture. The **Liturgy of the Word** is the part of the Mass in which we listen and respond to God's word. We hear about God's great love for his people. We hear about the life and teaching of Christ. We profess our faith and pray for all people in need.

To proclaim something is to announce it clearly and from the heart. To proclaim during the liturgy is to announce with faith. Our response to the readings proclaims our belief in God's word. After the first and second reading we respond, "Thanks be to God." After the gospel we respond, "Praise to you, Lord Jesus Christ." The homily is a proclamation, too. The words of the deacon or priest are a call to live the good news and to be witnesses to Christ.

Next, the assembly prays the general intercessions. Members of the assembly read the prayers, and we all respond, "Lord, hear our prayer" or another suitable response.

As the Body of Christ united for worship, we pray for the needs of the whole Church, for the pope, and all Church leaders. We pray for our local community. We ask God to guide world leaders and those in public positions. We call on God to be with those who suffer from sickness and to help us care for those who are in need. We also pray that those who have died may experience God's love.

With a partner name ways we can better listen to God's word.

Our Faith Response

- To appreciate each aspect of the Mass and respond to the word of God

Introductory Rites
Liturgy of the Word
Liturgy of the Eucharist
consecration
Concluding Rite

Lesson Materials

- Grade 5 CD
- copies of Reproducible Master 11
- lectionary and/or Book of the Gospels, if possible

Home Connection Update

Ask: *Which poems, prayers, or songs about the Eucharist meant the most to you and your family?*

Lesson Plan

WE BELIEVE (continued)

Have a volunteer read the directions for the activity. Refer to the photos in the text that show people at Mass. Discuss ways the students can participate during Mass. Ask the students to work on their own illustrations. Share their drawings.

Review with students the events that make up the Introductory Rites. Ask volunteers to identify the way these rites prepare us to participate in and celebrate the Mass.

Ask a volunteer to read aloud the second *We Believe* statement. Have the students read the *We Believe* paragraphs with a partner or in a small group. Emphasize the following:

- The Liturgy of the Word is an integral part of the Mass in which we hear about God's love for his people and the teachings of Christ.
- We respond to the Liturgy of the Word by giving thanks to God and praising him.
- We pray for the needs of all people, including those in the Church, in our community, and in the world.

Note: Try to show the students a lectionary and/or the Book of the Gospels. Remind them that we treat these liturgical books with respect for the word of God.

Read the directions for the activity. Invite the students to work with a partner to identify ways to listen better to God's word.

Banco de actividades

Parroquia

La homilía

Materiales: copias de las lecturas del domingo

Escribir y pronunciar la homilía cada semana puede ser un reto. El homilista comenta sobre las Escrituras y aplica el mensaje bíblico a las vidas de las personas. Pida a los estudiantes que se imaginen que serán el homilista del siguiente domingo. (Proporcione las tres lecturas.) Diga a los estudiantes que escojan un tema que corresponda por lo menos a una de las lecturas. Luego invítelos a componer una homilía breve.

Como católicos...

Leccionario y Libro de los evangelios

Lea el texto en voz alta. Explique la diferencia entre el leccionario y el libro de los evangelios. Pida a los estudiantes que compartan razones por las que a esos libros se les trata con honor y reverencia.

Durante la Liturgia de la Eucaristía, rezamos la oración de acción de gracias y recibimos el Cuerpo y la Sangre de Cristo.

La **Liturgia de la Eucaristía** es la parte de la misa en la que la muerte y resurrección de Cristo se hacen presentes una vez más. En esta parte nuestras ofrendas de pan y vino se convierten en el Cuerpo y la Sangre de Cristo, que recibimos en la Comunión. La Liturgia de la Eucaristía tiene tres partes: la preparación de las ofrendas, la oración eucarística y el rito de la comunión.

Durante la preparación de las ofrendas, se prepara el altar y llevamos las ofrendas. Estas ofrendas incluyen el pan y el vino y la colecta para la Iglesia y los necesitados.

La oración eucarística es la oración más importante de la Iglesia. Es nuestra gran oración de alabanza y acción de gracias.

En esta oración damos gracias a Dios, alabamos y cantamos el "Santo". El sacerdote llama al Espíritu Santo para que bendiga las ofrendas de pan y vino y recuerda las palabras y acciones de Jesús en la última cena. Por el poder del Espíritu Santo y por las palabras y acciones del sacerdote, el pan y el vino se convierten en el Cuerpo y la Sangre de Cristo. Esta parte de la oración se llama **consagración**.

Después rezamos por las necesidades de la Iglesia. Rezamos para que todos los que reciben el Cuerpo y la Sangre de Cristo sean uno. Cantamos o decimos el gran "Amén", y nos unimos en esta gran oración de gracias rezada por el sacerdote en nuestro nombre y en nombre de Cristo.

El rito de la comunión es la tercera parte de la Liturgia de la Eucaristía. Rezamos en voz alta o cantamos el Padrenuestro y nos damos el saludo de la paz. Rezamos en voz alta o cantamos el Cordero de Dios, pidiendo a Jesús misericordia, perdón y paz. El sacerdote parte la Hostia y somos invitados a compartir la Eucaristía. Se nos muestra la Hostia y escuchamos: "El Cuerpo de Cristo". Se nos muestra la copa y escuchamos: "La Sangre de Cristo". Cada persona responde "Amén" y recibe la comunión.

Todos los días se nos llama a dar gracias y alabanzas a Dios. ¿Por qué darás gracias y alabarás hoy?

Como católicos...

El leccionario es una colección de lecturas bíblicas que han sido asignadas a diferentes días del año litúrgico. Tratamos el leccionario con respeto porque contiene la palabra de Dios. Tratamos el libro de los evangelios con reverencia porque contiene la buena nueva de Jesucristo.

¿Cómo el diácono y el sacerdote muestran la importancia del libro de los evangelios?

126

Planificación de la lección

CREEMOS (continuación)

Cotejo rápido

- ✔ *Quiénes son algunas de las personas que participan en la celebración de la liturgia?* (sacerdote, diácono permanente, acólitos, lectores, asistentes, músicos.)
- ✔ *¿Qué ocurre durante la Liturgia de la Palabra?* (Durante la Liturgia de la Palabra se proclama la palabra de Dios para que todos la oigan.)

Invite a un voluntario que lea en voz alta el tercer enunciado *Creemos*. Diga a los estudiantes que la Liturgia de la Eucaristía consiste en tres partes. Pida a voluntarios que lean en voz alta los párrafos.

Pida a los estudiantes que lean la actividad individualmente. Pídales que identifiquen razones por las que deben dar gracias a Dios y alabarlo esta semana.

Escriba ambas palabras del *Vocabulario* en la pizarra. Pida a un voluntario que defina *Liturgia de la Eucaristía*. Lea en voz alta la definición de la palabra *consagración*. Enfatice que durante la consagración el pan y vino se convierten en el Cuerpo y la Sangre de Jesucristo. Explique que consagrar significa santificar.

Comparta la *Historia para el capítulo* de la página 122A de la guía. Hable acerca de cómo servir a los demás ahora y en el futuro. Diga a los estudiantes que aprenderán que se nos ha enviado a servir a Cristo en el mundo y a amar a los demás como él nos ama a nosotros.

During the Liturgy of the Eucharist, we pray the great prayer of thanksgiving and receive the Body and Blood of Christ.

The **Liturgy of the Eucharist** is the part of the Mass in which the death and Resurrection of Christ are made present again. In this part of the Mass our gifts of bread and wine become the Body and Blood of Christ, which we receive in Holy Communion. The Liturgy of the Eucharist has three parts: the preparation of the gifts, the eucharistic prayer, and the communion rite.

During the preparation of the gifts, the altar is prepared, and we offer gifts. These gifts include the bread and wine and the collection for the Church and for those in need.

The eucharistic prayer is truly the most important prayer of the Church. It is our greatest prayer of praise and thanksgiving. In this prayer we offer God thanks and praise and sing "Holy, Holy, Holy." The priest calls on the Holy Spirit to bless the gifts of bread and wine, and he recalls Jesus' words and actions at the Last Supper. By the power of the Holy Spirit and through the words and actions of the priest, the bread and wine become the Body and Blood of Christ. This part of the prayer is called the **consecration**.

We then pray for the needs of the Church. We pray that all who receive the Body and Blood of Christ will be joined. We sing or say the great "Amen," and unite ourselves to this great prayer of thanksgiving which is prayed by the priest in our name and in the name of Christ.

The communion rite is the third part of the Liturgy of the Eucharist. We pray aloud or sing the Lord's Prayer, and we offer one another a sign of peace. We say aloud or sing the Lamb of God, asking Jesus for his mercy, forgiveness, and peace. The priest breaks apart the Host, and we are invited to share in the Eucharist. We are shown the Host and hear "The body of Christ." We are shown the cup and hear "The blood of Christ." Each person responds "Amen" and receives Holy Communion.

Everyday we are called to give God thanks and praise. For what will you give thanks and praise today?

As Catholics...

The lectionary is a collection of Scripture readings that have been assigned to the various days of the Church year. We treat the lectionary with respect because it contains the word of God. We treat the Book of the Gospels with special reverence because it contains the good news of Jesus Christ.

How do the deacon and the priest show the importance of the Book of the Gospels?

Activity Bank

Parish

The Homily

Materials: copies of Sunday's readings

Writing and delivering the homily each week can be a challenge. The homilist comments on the Scriptures and applies the scriptural message to people's lives. Have the students imagine that they are to be the homilist for the upcoming Sunday. (Give them the three readings.) Tell the students to choose a theme appropriate to one or more of the readings. Then invite them to compose a brief homily.

As Catholics...

Lectionary and Book of the Gospels

Read aloud the text. Explain the difference between the lectionary and the Book of the Gospels. Ask the students to share reasons why these books are treated with honor and reverence.

Lesson Plan

WE BELIEVE (continued)

Quick Check

✔ *Who are some of the people involved in the celebration of the liturgy?* (priest, permanent deacon, altar servers, readers, greeters or ushers, musicians)

✔ *What happens during the Liturgy of the Word?* (During the Liturgy of the Word the word of God is proclaimed for all to hear.)

Invite a volunteer read aloud the third *We Believe* statement. Tell the students that the Liturgy of the Eucharist consists of three parts. Have volunteers read aloud the *We Believe* paragraphs.

Have the students read the activity individually. Ask them to identify reasons for giving God thanks and praise this week.

Write the Key Words *Liturgy of the Eucharist* and *consecration* on the board. Have a volunteer define *Liturgy of the Eucharist.* Read aloud the definition for the word *consecration.* Emphasize that during the consecration the bread and wine become the Body and Blood of Jesus Christ. Explain that when something is consecrated it is made holy.

Share the *Chapter Story* on guide page 122B. Discuss ways to serve others, both now and in the future. Tell the students that they will learn that we are sent out to be Christ's servants in the world and to love others as he has loved us.

Ideas

Alimentar a mi pueblo

La Liturgia de la Eucaristía es nuestra oportunidad para participar y celebrar la muerte y resurrección de Jesús a una nueva vida. Se nos alimenta y se nos nutre en la mesa del Señor con un fin: fortalecernos para servir a los demás en nombre de Cristo. Al recibir el Cuerpo y la Sangre de Cristo, debemos salir a alimentar a los que dependen de nosotros.

Cambios pequeños en un mundo grande

Los cristianos pueden traer justicia al mundo que los rodea. Los jóvenes cristianos pueden verse abrumados o confundidos por un mensaje contrario en los medios de comunicación. Enfatice que pueden encarar asuntos más pequeños en sus propias vidas. Comparta el verso bíblico que respalda esta realidad: "El que se porta honradamente en lo poco, también se porta honradamente en lo mucho" (Lucas 16:10)

El Rito de Conclusión nos envía a ser cuerpo de Cristo para los demás.

La Eucaristía es alimento. Somos debilitados por el pecado o podemos estar alejados de Dios. La Eucaristía renueva nuestro Bautismo y repara nuestras fuerzas.

La Eucaristía nos envía a cuidar de las necesidades de los demás. Jesús se da libremente a sí mismo en la comunión. El nos pide hacer lo mismo. Al terminar la misa el nos envía a darnos libremente para ayudar a los demás.

Cuando trabajamos para cambiar las cosas que impiden que la gente tenga lo que necesita, mostramos el poder de la vida de Dios en nuestras vidas y en la Iglesia.

La última parte de la misa es el **Rito de Conclusión**. En este rito somos bendecidos y se nos envía a servir a Cristo en el mundo y a amar a los demás como él nos ama.

Después de la bendición, el diácono o el sacerdote dice: "Podéis ir en paz". Se nos envía a hacer del mundo un lugar mejor para vivir. Decimos: "Demos gracias a Dios". Decimos estas palabras para mostrar que estamos agradecidos y dispuestos a hacer lo que podamos para vivir como pueblo de Dios.

RESPONDEMOS

En grupo hagan una lista de las formas en que podemos vivir como pueblo de Dios con nuestros amigos y nuestros vecinos.

____

____

____

____

____

Vocabulario

Ritos Iniciales (pp 333)
Liturgia de la Eucaristía (pp 332)
consagración (pp 331)
Ritos de Conclusión (pp 333)
Liturgia de la Palabra (pp 332)

128

Planificación de la lección

CREEMOS (continuación)

Pida a un voluntario que lea en voz alta el cuarto enunciado de *Creemos*. Pida a los estudiantes que lean y subrayen las ideas importantes de los párrafos o Enfatice:

- En los Ritos de Conclusión se nos envía a servir a Cristo y a amar a los demás como él nos ama.
- La Eucaristía renueva nuestro Bautismo.
- Así como Jesús se nos entrega libremente en la santa comunión, él nos pide entreguemos libremente ayudando a los demás y cuidando de sus necesidades.

Pida a los estudiantes que expliquen la palabra *conclusión* en relación a la parte final de la misa. Repase los elementos del Rito de Conclusión.

Vocabulario Escriba el *Vocabulario* en la pizarra. Organice cinco grupos y asigne una de las palabras o frases a cada uno. Pídales que redacten una rima para describir su palabra. Por ejemplo: Con el Rito de Conclusión, la misa terminamos y luego, a ser la luz de Dios somos enviados.

RESPONDEMOS ____ minutos

Pida a un voluntario que lea en voz alta la pregunta en *Respondemos*. Pida que sugieran como pueden vivir como pueblo de Dios con sus amigos y vecinos.

Distribuya copias del patrón 11. Pida a los estudiantes que hagan la actividad ahora o en casa. Pida a los estudiantes que piensen en cómo pueden demostrar que son discípulos de Cristo, individualmente o en grupo.

The Concluding Rite sends us out to be the Body of Christ to others.

The Eucharist is nourishment. We can be weakened by sin or can find ourselves turning from God. The Eucharist renews our Baptism and restores our strength.

The Eucharist commits us to caring for the needs of others. Jesus gives himself freely to us in Holy Communion. He asks us to do the same. He sends us out from Mass to give ourselves freely to help others. When we work to change the things that keep people from having what they need, we show the power of God's life in our lives and in the Church.

The last part of the Mass is called the **Concluding Rite**. In this rite we are blessed and sent forth to be Christ's servants in the world and to love others as he has loved us.

After the blessing, the deacon or priest says these or other words: "The Mass is ended, go in peace." We are sent out to make the world a better place to live. So we say, "Thanks be to God." We say these words to show that we are thankful and willing to do all that we can to live as the People of God.

WE RESPOND

In a group list some ways we can live as the people of God with our friends and in our neighborhoods.

____

____

____

____

____

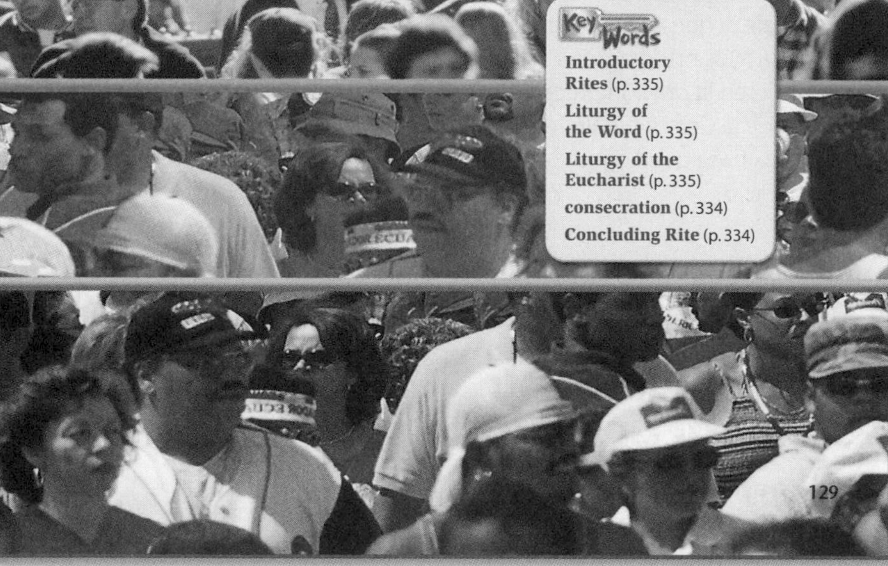

Key Words

Introductory Rites (p. 335)
Liturgy of the Word (p. 335)
Liturgy of the Eucharist (p. 335)
consecration (p. 334)
Concluding Rite (p. 334)

129

Teaching Notes

Feed My People

The Liturgy of the Eucharist is our opportunity to participate in and celebrate Christ's dying and rising to new life. We are fed and nourished at the table of the Lord for one reason: to be strengthened in serving others in Christ's name. Having received the Body and Blood of Christ, we need to go out and feed others who rely on us.

Small Changes in a Big World

Christians can bring about justice in the world around them. Young Christians might be overwhelmed or confused by a contrary message exposed in media. Emphasize that they can address smaller issues in their own backyard. Share the scriptural verse that supports this truth: "The person who is trustworthy in very small matters is also trustworthy in great ones" (Luke 16:10).

Lesson Plan

WE BELIEVE (continued)

Have a volunteer read aloud the fourth *We Believe* statement. Have the students read and underline important ideas in the *We Believe* paragraphs. Emphasize the following:

- In the Concluding Rites we are sent forth to be Christ's servants and to love others as he has loved us.
- The Eucharist renews our Baptism.
- Because Jesus gives himself freely to us in Holy Communion, he asks us to give ourselves freely by helping and caring for the needs of others.

Ask the students to explain the word *concluding* as it relates to the final part of the Mass. Review the Concluding Rite's elements.

Key Words Write all five *Key Words* on the board. Organize five groups and assign each group one of the words or phrases. Have them make a rhyme that would describe their word. For example: We end Mass with the Concluding Rite, and are then sent out to be God's light. Have the students share their rhymes.

WE RESPOND ______ minutes

Have a volunteer read aloud the *We Respond* question. Have the students suggest ways they can live as the people of God with their friends and neighbors.

Distribute copies of Reproducible Master 11. Have the students do the activity now or work on it at home. Ask the students to think of ways they can show they are disciples of Christ, both individually and as a group.

BANCO DE ACTIVIDADES

Necesidades individuales

Estudiantes que están aprendiendo el idioma

Materiales: fotografías e ilustraciones relacionadas con la Liturgia de la Eucaristía

Ayude a los estudiantes cuyo segundo idioma es el inglés a repasar las ideas y temas importantes sobre la Liturgia de la Eucaristía. Aclare el significado de cualquier palabra o frase. Si es posible, traduzca las palabras al idioma materno de los estudiantes. Use ilustraciones y fotografías para ayudarlos a repasar las partes de la liturgia. Exhiba los guiones gráficos como ayudas visuales.

CONEXION CON EL HOGAR

Compartiendo la fe con mi familia

Pida a los estudiantes terminar la actividad del patrón con sus familias.

Para más información y actividades adicionales visite a Sadlier

www.CREEMOSweb.com

Planifique por adelantado

Lugar de oración: una Biblia y diversos sacramentales en la mesa, como palmas, rosarios, medallas, crucifijos, tarjetas de oración y agua bendita

Materiales: copias del patrón 12, papel de estraza

_____ minutos

Repaso del capítulo
Repase lo que se aprendió sobre la celebración de la Eucaristía. Pida a los estudiantes que completen las preguntas 1–8. Repase las respuestas correctas con la clase. Aclare cualquier concepto que los estudiantes no hayan entendido. Dígales que completen la pregunta 9–10. Comparta sus respuestas.

Reflexiona y ora
Reflexione sobre la Eucaristía y la fortaleza que le da a nuestra fe. Pida a los estudiantes que completen la oración. Recen la Señal de la Cruz y pídales que oren las frase que completaron en silencio.

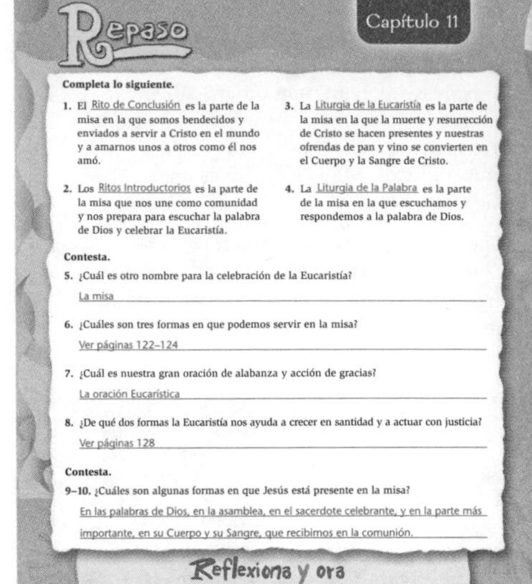

Repaso — Capítulo 11

Completa lo siguiente.

1. El Rito de Conclusión es la parte de la misa en la que somos bendecidos y enviados a servir a Cristo en el mundo y a amarnos unos a otros como él nos amó.
2. Los Ritos Introductorios es la parte de la misa que nos une como comunidad y nos prepara para escuchar la palabra de Dios y celebrar la Eucaristía.
3. La Liturgia de la Eucaristía es la parte de la misa en la que la muerte y resurrección de Cristo se hacen presentes y nuestras ofrendas de pan y vino se convierten en el Cuerpo y la Sangre de Cristo.
4. La Liturgia de la Palabra es la parte de la misa en la que escuchamos y respondemos a la palabra de Dios.

Contesta.

5. ¿Cuál es otro nombre para la celebración de la Eucaristía?
La misa
6. ¿Cuáles son tres formas en que podemos servir en la misa?
Ver páginas 122–124
7. ¿Cuál es nuestra gran oración de alabanza y acción de gracias?
La oración Eucarística
8. ¿De qué dos formas la Eucaristía nos ayuda a crecer en santidad y a actuar con justicia?
Ver páginas 128

Contesta.

9–10. ¿Cuáles son algunas formas en que Jesús está presente en la misa?
En las palabras de Dios, en la asamblea, en el sacerdote celebrante, y en la parte más importante, en su Cuerpo y su Sangre, que recibimos en la comunión.

Reflexiona y ora

Señor Jesús, estás siempre con nosotros. Vienes a nosotros de manera especial en la Eucaristía. El recibir la comunión, me ayuda a

130

PAGINA DEL ALUMNO 130

Respondemos y compartimos la fe

_____ minutos

Recuerda Pida a voluntarios que lean en voz alta las frases. Repase cada parte de la Liturgia de la Eucaristía. Refiérase al texto.

Nuestra vida católica Pida a voluntarios que lean el texto en voz alta. Pida a los estudiantes que compartan lo que les pareció interesante sobre la vida de la beata Kateri Tekakwitha. Anímelos a ver en esta santa mujer un ejemplo de como servir a Cristo con su servicio a los demás.

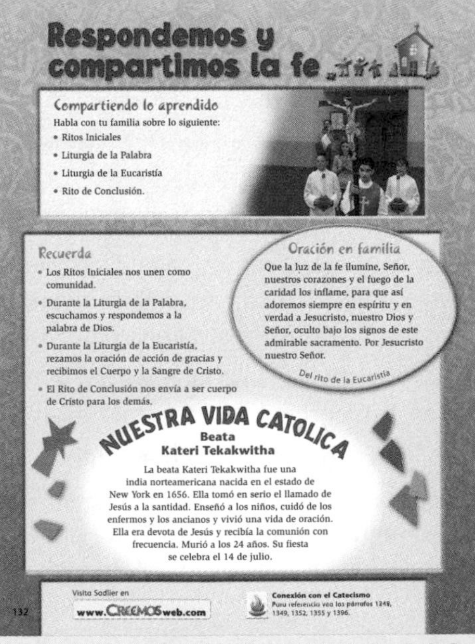

Respondemos y compartimos la fe

Compartiendo lo aprendido
Habla con tu familia sobre lo siguiente:
- Ritos Iniciales
- Liturgia de la Palabra
- Liturgia de la Eucaristía
- Rito de Conclusión.

Recuerda
- Los Ritos Iniciales nos unen como comunidad.
- Durante la Liturgia de la Palabra, escuchamos y respondemos a la palabra de Dios.
- Durante la Liturgia de la Eucaristía, rezamos la oración de acción de gracias y recibimos el Cuerpo y la Sangre de Cristo.
- El Rito de Conclusión nos envía a ser cuerpo de Cristo para los demás.

Oración en familia
Que la luz de la fe ilumine, Señor, nuestros corazones y el fuego de la caridad los inflame, para que así adoremos siempre en espíritu y en verdad a Jesucristo, nuestro Dios y Señor, oculto bajo los signos de este admirable sacramento. Por Jesucristo nuestro Señor.
Del rito de la Eucaristía

NUESTRA VIDA CATOLICA
Beata Kateri Tekakwitha
La beata Kateri Tekakwitha fue una india norteamericana nacida en el estado de New York en 1656. Ella tomó en serio el llamado de Jesús a la santidad. Enseñó a los niños, cuidó de los enfermos y los ancianos y vivió una vida de oración. Ella era devota de Jesús y recibía la comunión con frecuencia. Murió a los 24 años. Su fiesta se celebra el 14 de julio.

Visita Sadlier en www.CREEMOSweb.com

Conexión con el Catecismo
Para referencia vea los párrafos 1348, 1349, 1352, 1355 y 1396.

132

PAGINA DEL ALUMNO 132

_____ minutes

Chapter Review Review what has been learned about the celebration of the Eucharist. Ask students to complete questions 1–8. Review the correct answers with the class. Clarify any concepts that the students did not understand. Tell them to complete question 9–10. Share their answers.

Reflect & Pray Reflect on the Eucharist and the strength it gives to our faith. Have the students complete the prayer. Pray the Sign of the Cross and ask them to pray their completed prayers silently.

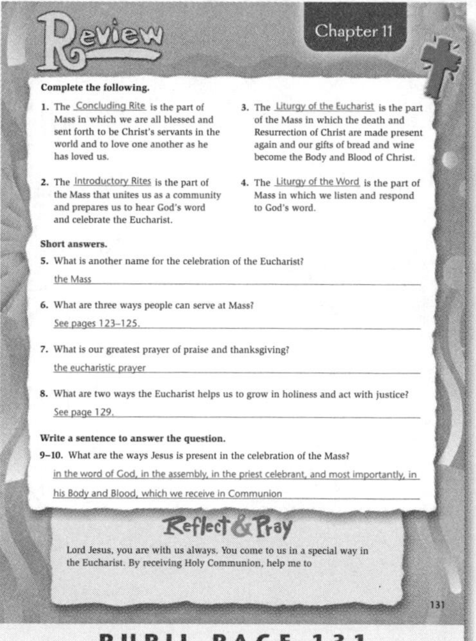

Review — Chapter 11

Complete the following.

1. The Concluding Rite is the part of Mass in which we are all blessed and sent forth to be Christ's servants in the world and to love one another as he has loved us.
2. The Introductory Rites is the part of the Mass that unites us as a community and prepares us to hear God's word and celebrate the Eucharist.
3. The Liturgy of the Eucharist is the part of the Mass in which the death and Resurrection of Christ are made present again and our gifts of bread and wine become the Body and Blood of Christ.
4. The Liturgy of the Word is the part of Mass in which we listen and respond to God's word.

Short answers.

5. What is another name for the celebration of the Eucharist?
the Mass
6. What are three ways people can serve at Mass?
See pages 123–125.
7. What is our greatest prayer of praise and thanksgiving?
the eucharistic prayer
8. What are two ways the Eucharist helps us to grow in holiness and act with justice?
See page 129.

Write a sentence to answer the question.

9–10. What are the ways Jesus is present in the celebration of the Mass?
in the word of God, in the assembly, in the priest celebrant, and most importantly, in his Body and Blood, which we receive in Communion

Reflect & Pray

Lord Jesus, you are with us always. You come to us in a special way in the Eucharist. By receiving Holy Communion, help me to

131

PUPIL PAGE 131

We Respond and Share the Faith

_____ minutes

Remember Have volunteers read aloud the sentences. Review each part of the Liturgy of the Eucharist. Refer to the text.

Our Catholic Life Have volunteers read aloud the text. Ask the students to share what they found interesting about the life of Blessed Kateri Tekakwitha. Encourage them to see in this holy woman an example of serving Christ among people.

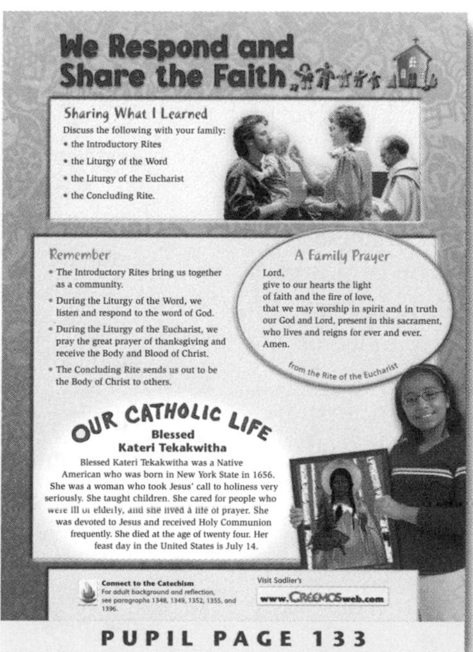

We Respond and Share the Faith

Sharing What I Learned

Discuss the following with your family:

- the Introductory Rites
- the Liturgy of the Word
- the Liturgy of the Eucharist
- the Concluding Rite.

Remember

- The Introductory Rites bring us together as a community.
- During the Liturgy of the Word, we listen and respond to the word of God.
- During the Liturgy of the Eucharist, we pray the great prayer of thanksgiving and receive the Body and Blood of Christ.
- The Concluding Rite sends us out to be the Body of Christ to others.

A Family Prayer

Lord,
give to our hearts the light
of faith and the fire of love,
that we may worship in spirit and in truth
our God and Lord, present in this sacrament,
who lives and reigns for ever and ever.
Amen.

from the Rite of the Eucharist

OUR CATHOLIC LIFE

Blessed Kateri Tekakwitha

Blessed Kateri Tekakwitha was a Native American who was born in New York State in 1656. She was a woman who took Jesus' call to holiness very seriously. She taught children. She cared for people who were ill or elderly, and she lived a life of prayer. She was devoted to Jesus and received Holy Communion frequently. She died at the age of twenty four. Her feast day in the United States is July 14.

Connect to the Catechism For adult background and reflection, see paragraphs 1348, 1349, 1352, 1355, and 1396.

Visit Sadlier's www.CREEMOSweb.com

PUPIL PAGE 133

Activity Bank

Meeting Individual Needs

Students Who Are Language Learners

Activity Materials: photographs and illustrations pertaining to the Liturgy of the Eucharist

Help the students whose second language is English to review important ideas and themes about the Liturgy of the Eucharist. Clarify the meanings of any words and phrases. If possible, provide a translation of these words in the students' first languages. Use illustrations and photographs to help them review the parts of the liturgy. Display storyboards as visual aids.

Home Connection

Sharing What I Learned

Encourage the students to complete with their family members the activity on the reproducible master.

For additional information and activities, encourage families to visit Sadlier's

www.CREEMOSweb.com

Plan Ahead for Chapter 12

Prayer Space: a Bible and a variety of sacramentals such as palms, rosaries, medals, crucifixes, prayer cards, or holy water.

Lesson Materials: copies of Reproducible Master 12, construction paper

Somos un pueblo que ora

Ojeada

En este capítulo aprenderán que los miembros de la Iglesia católica oran de muchas formas.

Contenido doctrinal	Referencia del *Catecismo de la Iglesia Católica*
Los estudiantes aprenderán que:	párrafo
• Jesús nos enseña a orar	2765
• Somos llamados a rezar todos los días	1174
• Los sacramentales son parte de la vida de oración de la iglesia	1670
• Los católicos tienen una rica tradición de devociones y prácticas populares especiales	1647

Referencia catequética

¿Cómo la conversación fortalece y profundiza sus relaciones?

Dios nos ama y quiere que lo conozcamos y que lo amemos. Como sus hijos, podemos conocerlo íntimamente a través de la oración. Si consideramos la oración como una forma de oír y hablar con Dios, podemos profundizar nuestra amistad con él. Jesús nos enseño a llamar a Dios *Abba*, que significa "papá," o más cariñosamente, "papito". La oración es el centro de nuestra relación con Dios.

Dios está presente en nuestra vida diaria. Sabemos que "el Misterio de Cristo. . . penetra y transfigura el tiempo de cada día" (*CIC* 1174). Una forma en la que la Iglesia recuerda la santidad de todos los tiempos es con la Liturgia de las Horas. Durante esta oración pública de la Iglesia, leemos la palabra de Dios en la Escritura y respondemos orando y cantando. Nuestra oración más importante de agradecimiento y alabanza es, por supuesto, la Eucaristía.

Una rica tradición de oración en la Iglesia universal nos ayuda a conocer a Dios mediante nuestros sentimientos, pensamientos, palabras y sentidos. Casi todas las culturas tienen devociones populares, especialmente hacia María u otro santo. Estas devociones nos ayudan a acercarnos a Dios al unirnos con los santos.

¿Qué devoción popular u oración siente que ha afianzado su amistad con Dios?

Mirando la vida

Historia para el capítulo

Historia 1 *(petición)*

James estaba con su mamá en el almacén. Mientras ella hacía fila, él oraba a su manera porque un día le pudiera comprar algo hermoso a su mamá.

Historia 2 *(acción de gracias)*

Molly pasó un día grandioso en la escuela. Recibió una nota alta en su prueba de ciencias. Cuando llegó a casa después de la escuela, escribió: *Señor, gracias por todo lo que me has dado. Mi vida es buena y feliz debido a tu amor.*

Historia 3 *(bendición)*

El Sr. Davis vivía solo con su perro Topper. Una noche, cuando al Sr. Davis accidentalmente se le cayó de la mesa el control remoto, Topper se apresuró hacia él, se lo puso en la boca y se acercó hacia el Sr. Davis para que lo pudiera alcanzar. El Sr. Davis se rió mucho. Luego sintió en el corazón un gran amor por Topper y dijo, "Bendito seas pequeño Topper. Tú me haces feliz. Que el señor siempre te ilumine con su luz".

Historia 4 *(intercesión)*

El mejor amigo de Caleb, Josh, estaba en el hospital. La mamá de Caleb le dijo que Josh estaba muy enfermo. Caleb corrió a su cuarto consternado, se arrodilló junto a su cama y oró: "Señor, por favor sana a mi mejor amigo. Por favor, Señor, cuida de Josh".

Historia 5 *(alabanza)*

Como de costumbre, la Sra. Bergamo se despertó a las 5 de la mañana y se sentó en la cómoda silla para rezar, como solía hacerlo cada mañana, e hizo la siguiente oración: "Señor, te honro a ti y a tu grandeza, cada día que pasa".

¿Qué tipo de oración te gusta más? ¿Cuándo la usarías?

Overview

In this chapter the students will learn that there are many ways members of the Catholic Church pray.

Doctrinal Content	For Adult Reading and Reflection *Catechism of the Catholic Church*
The students will learn:	Paragraph
• Jesus teaches us to pray.	2765
• We are called to pray daily	1174
• Sacramentals are a part of the Church's prayer life	1670
• Catholics have a rich tradition of special practices and popular devotions	1674

Catechist Background

How do conversations make your relationships deeper and stronger?

God loves us and wants us to know and love him. As his children, we can come to know him intimately through prayer. By seeing prayer as listening and talking to God, we can deepen our friendship with him. Jesus taught us to call God *Abba*, which means "Father," or more affectionately, "Daddy." Prayer is at the heart of our relationship with God.

God is present to us in our daily life. We know that "the mystery of Christ . . . permeates and transfigures the time of each day" (*CCC* 1174). One way the Church remembers the holiness of all time is through the Liturgy of the Hours. In this public prayer of the Church, we read God's word in Scripture and respond in prayer and song. Our greatest prayer of thanks and praise is, of course, the Eucharist.

A rich tradition of prayer in the universal Church helps us come to know God through our feelings, thoughts, words, and senses. Almost every culture has popular devotions, especially toward Mary or another saint. These devotions help us to draw closer to God by uniting us with his holy ones, the saints.

What popular devotion or other prayer do you feel has helped draw you closer to God in friendship?

Focus on Life

Chapter Story

Story 1 (petition)

James was with his mother at the department store. As she was standing in line waiting, he prayed in his own way that someday he could buy something beautiful for his mom.

Story 2 *(thanksgiving)*

Molly had a great day at school. She received a high score on her science test. When she came home after school she wrote: *God, thank you for all that you have given me. My life is good and happy because of your love.*

Story 3 *(blessing)*

Mr. Davis lived alone with his dog, Topper. One evening Mr. Davis accidentally knocked the remote control off the table. Topper rushed over, scooped it up in her mouth, and moved forward toward Mr. Davis so he could reach it. Mr. Davis laughed hard. Then he felt great love for Topper in his heart and said, "Bless you, little Topper . You make me happy. May the good Lord always shine his light on you."

Story 4 *(intercession)*

Caleb's best friend, Josh, was in the hospital. Caleb's mom told him that Josh was very sick. Caleb, upset, ran to his bedroom, knelt next to his bed, and prayed, "God, please make my best friend well. Please, God, take care of Josh."

Story 5 *(praise)*

Mrs. Bergamo woke up at her usual time, 5 A.M., and walked to her comfortable chair where she prayed each morning. Just as she did every morning, she prayed this prayer: "Lord, I honor you and your greatness each and every day."

What form of prayer suits you? When would you use it?

Guía para planificar la lección

Pasos de la lección	Presentación	Materiales
 **NOS CONGREGAMOS**		
pág. 134 **Oración** **Mirando la vida**	• Orar juntos. • Hablar sobre el salmo 121. • Hablar sobre las buenas conversaciones.	Para el lugar de oración: Biblia, diversos sacramentales como salmos, rosarios, medallas, crucifijos, tarjetas de oración y agua bendita
2 CREEMOS		
pág. 134 *Jesús nos enseña a orar.*	• Conversar sobre los cinco tipos de oración. Redactar una oración personal.	
pág. 136 *Somos llamados a rezar todos los días.*	• Conversar sobre las oraciones diarias, la Liturgia de las Horas y los Días Santos. Hacer una actividad de meditación.	• copias del patrón 12
pág. 138 *Los sacramentales son parte de la vida de oración de la Iglesia.*	• Conversar sobre los sacramentales. Identificar sacramentales que nos ayudan a orar.	
pág. 138 *Los católicos tienen una rica tradición de devociones y prácticas populares especiales.*	• Hablar del texto sobre devociones. • Leer y conversar sobre Nuestra Señora de Guadalupe en *Como católicos.*	
3 RESPONDEMOS		
pág. 140	Conversar sobre las devociones populares de las comunidades.	
páginas 142 y 144 **Repaso**	• Completar las preguntas 1–10. Completar *Reflexiona y ora.*	• papel de estraza
páginas 142 y 144 **Respondemos y compartimos la fe**	• Repasar el *Recuerda* y el *Vocabulario.* • Leer y conversar sobre *Nuestra vida católica.*	

Para ideas, actividades y otras oportunidades visite Sadlier en **www.CREEMOSweb.com**

Lesson Planning Guide

Lesson Steps	Presentation	Materials
1 WE GATHER		
page 135 **Prayer** **Focus on Life**	• Pray together. • Talk about Psalm 121. • Discuss good conversations.	For the prayer space: Bible, various sacramentals such as palms, rosaries, medals, crucifixes, prayer cards, or holy water.
2 WE BELIEVE		
page 135 *Jesus teaches us to pray.*	• Discuss the five kinds of prayer. Compose a personal prayer.	
page 137 *We are called to pray daily.*	• Discuss daily prayers, the Liturgy of the Hours, Sundays, and holy days. Engage in a meditation activity.	• copies of Reproducible Master 12
page 139 *Sacramentals are a part of the Church's prayer life.*	• Discuss sacramentals. Identify sacramentals that can help us to pray.	
page 139 *Catholics have a rich tradition of special practices and popular devotions.*	• Discuss the text on devotions. • Read about and discuss Our Lady of Guadalupe in *As Catholics*.	
3 WE RESPOND		
page 141	Discuss popular devotions in communities.	
pages 143 and 145 **Review**	• Complete questions 1–10. • Complete *Reflect & Pray*.	• construction paper
pages 143 and 145 **We Respond and Share the Faith**	• Review *Remember* and *Key Words.* • Read and discuss *Our Catholic Life.*	

For additional ideas, activities, and opportunities: Visit Sadlier's **www.CREEMOSweb.com**

Conexiones

Los santos

Explique a los estudiantes que los santos patrones son aquellos identificados con una ocupación o actividad específica. Por ejemplo, Santo Tomás Moro es el santo patrón de los abogados. Cuando enseñe este capítulo, anime a los estudiantes a identificar otros santos patrones de quienes desean saber más información.

Mayordomía

Como miembros de la Iglesia católica, es importante que siempre apoyemos y cuidemos de los demás, especialmente a los necesitados. Explique que usar nuestro tiempo para orar por los demás es un acto de mayordomía. Diga a los estudiantes que decir una oración cuando pasa una ambulancia es un acto de bondad hacia otra persona. Invítelos a compartir otras formas en las que podemos ayudar a las personas con la oración.

FE y MEDIOS

▶ Como parte de la conversación sobre el hábito da orar diariamente y la Liturgia de las Horas, recuerde a los estudiantes que el ciberespacio también puede ser un lugar de oración. Varios sitios Web ofrecen todo el texto de la Liturgia de las Horas en formatos que se pueden usar a cualquier hora del día. En un sitio las oraciones y lecturas no sólo están disponibles como textos en internet, sino como archivos que se pueden descargar a una computadora. Diversos sitios Web ofrecen una variedad de oraciones diarias, reflexiones y lecturas. Uno de esos sitios es *Sacred Space* de los jesuitas irlandeses. Otro sitio es *Sacred Gateway*, una adaptación de *Sacred Space* diseñada especialmente para jóvenes.

Liturgia para la semana

Visite **www.creemosweb.com** para lecturas litúrgicas de esta semana y otros materiales propios del tiempo.

Necesidades individuales

Estudiantes con necesidades visuales

Los estudiantes con necesidades visuales podrían tener dificultades para ver el material impreso que se usa en las cartulinas o en el tablero de anuncios. Use letra grande en cada instancia para una mejor exhibición y para beneficiar a los estudiantes.

RECURSOS ADICIONALES

Video *Proclamadores de la palabra,* Spanish Speaking Bookstore. (43 minutos)

Para ideas visite a Sadlier en

www.CREEMOSweb.com

Connections

To Saints

Explain to the students that patron saints are those who are identified with a certain occupation or activity. For example, Saint Thomas More is the patron saint of lawyers. As you teach this chapter, encourage the students to identify other patron saints whom they would like to get to know.

To Stewardship

As members of the Catholic Church, it is important that we are always there to support and care for other people, especially those in need. Explain that using our time to pray for others is an act of stewardship. Tell the students that saying a prayer when an ambulance drives by is an act of kindness toward another person. Invite them to volunteer other ways we can help people through prayer.

FAITH and MEDIA

▶ As part of the discussion on the habit of daily prayer and the Liturgy of the Hours, remind the students that cyberspace can also be a place of prayer. Several Web sites offer the full text of the Liturgy of the Hours in formats that can be used any time of the day. On one site the prayers and readings are available not only as online texts but also as files that can be downloaded to a computer. Elsewhere on the Web, a number of sites offer a variety of daily prayers, reflections, and readings. One such site is the Irish Jesuits' *Sacred Space*. Another, *Sacred Gateway*, is an adaptation of *Sacred Space* designed especially for young people.

This Week's Liturgy

Visit **www.creemosweb.com** for this week's liturgical readings and other seasonal material.

Meeting Individual Needs

Students With Visual Needs

Students with visual needs may have difficulty seeing the printed materials used on poster boards or the bulletin board. Use large lettering in each instance for display purposes and the student's benefit.

ADDITIONAL RESOURCES

Book *Loyola Kids Book of Saints,* Amy Welborn, Loyola Press, 2001. Pages 186–190 tell the story of St. Thomas Aquinas and how he helped people to understand God.

Video *Juan Diego, Messenger of Guadalupe,* CCC of America, 1999. This animated story tells how Mary chose Juan Diego for a miraculous role of uniting diverse peoples. (33 minutes)

To find more ideas for books, videos, and other learning material, visit Sadlier's

www.CREEMOSweb.com

Meta catequética

• Describir formas de oraciones, sacramentales, prácticas especiales y devociones populares

PREPARANDOSE PARA ORAR

Los estudiantes orarán una oración para pedir la ayuda de Dios.

• Explique a los estudiantes que usted dirigirá la oración. Recuérdeles que su respuesta a la oración lleva "Todos" marcado. Escoja a la mitad de la clase para que sea el lado 1 y a la otra mitad para que sea el lado 2. Pida a ambos lados que se pongan de pie mirándose el uno al otro. En "Gloria al Padre", pídales que se inclinen hacia adelante desde la cintura y que luego se pongan derechos y digan "como era en el principio". Explique que se acostumbra hacer este gesto corporal en la Liturgia de las Horas.

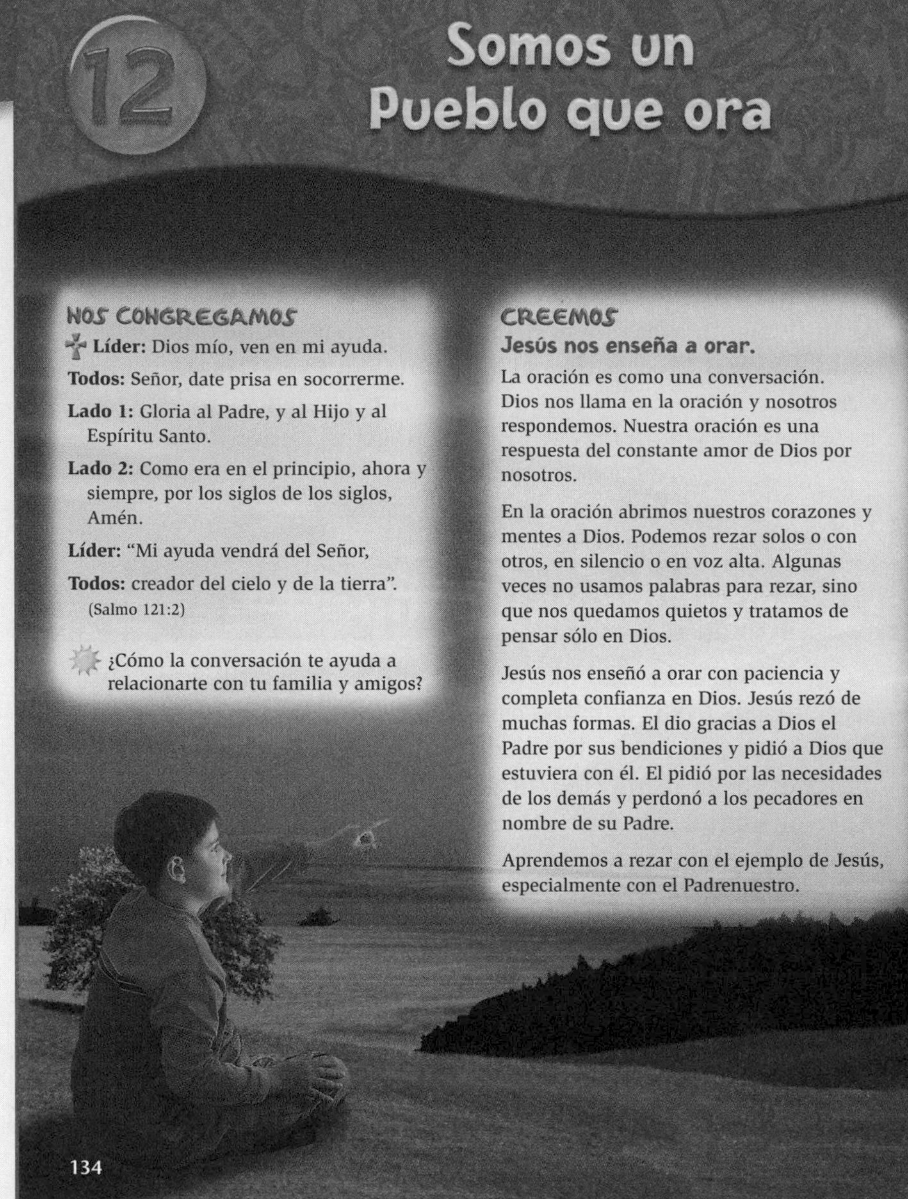

12
Somos un Pueblo que ora
NOS CONGREGAMOS
Líder: Dios mío, ven en mi ayuda.
Todos: Señor, date prisa en socorrerme.
Lado 1: Gloria al Padre, y al Hijo y al Espíritu Santo.
Lado 2: Como era en el principio, ahora y siempre, por los siglos de los siglos, Amén.
Líder: "Mi ayuda vendrá del Señor,
Todos: creador del cielo y de la tierra".
(Salmo 121:2)
¿Cómo la conversación te ayuda a relacionarte con tu familia y amigos?
CREEMOS
Jesús nos enseña a orar.
La oración es como una conversación. Dios nos llama en la oración y nosotros respondemos. Nuestra oración es una respuesta del constante amor de Dios por nosotros.
En la oración abrimos nuestros corazones y mentes a Dios. Podemos rezar solos o con otros, en silencio o en voz alta. Algunas veces no usamos palabras para rezar, sino que nos quedamos quietos y tratamos de pensar sólo en Dios.
Jesús nos enseñó a orar con paciencia y completa confianza en Dios. Jesús rezó de muchas formas. El dio gracias a Dios el Padre por sus bendiciones y pidió a Dios que estuviera con él. El pidió por las necesidades de los demás y perdonó a los pecadores en nombre de su Padre.
Aprendemos a rezar con el ejemplo de Jesús, especialmente con el Padrenuestro.
134

Planificación de la lección

NOS CONGREGAMOS ____ minutos

Oración

• Recen la Señal de la Cruz y lea la oración de apertura.

• Indique que el salmo 121 es parte de la oración constante de la Iglesia. La Liturgia de las Horas recuerda al pueblo de Dios que no podemos hacer nada sin la ayuda y protección de Dios.

Mirando la vida

• Comparta la *Historia para el capítulo* de la pág. 134A de la guía. Lea en voz alta la pregunta y hable sobre las implicaciones. Señale que la oración es una conversación con Dios. Diga a los estudiantes que en la lección de hoy, aprenderán diferentes formas de orar a Dios.

CREEMOS ____ minutos

Invite a un voluntario a leer en voz alta el primer enunciado *Creemos*. Pida a los estudiantes que trabajen con un compañero leyendo los primeros tres párrafos y subrayando los puntos importantes. Pida a las parejas de estudiantes que hagan un cuadro de tres columnas con los siguientes encabezados: *¿Qué es la oración? ¿Cómo podemos orar?* y *¿Cómo oraba Jesús?* Pídales que llenen el cuadro. Comparta las respuestas. Señale la importancia de escuchar durante la oración y abrirnos a la presencia de Dios en nuestras vidas.

Living As Prayerful People

WE GATHER

✝ **Leader:** O God, come to my assistance.

All: Lord, make haste to help me.

Side 1: Glory to the Father, and to the Son, and to the Holy Spirit:

Side 2: as it was in the beginning, is now, and will be for ever. Amen.

Leader: "My help comes from the LORD,

All: the maker of heaven and earth."
(Psalm 121:2)

How does conversation help your relationships with family and friends?

WE BELIEVE

Jesus teaches us to pray.

Prayer is like a conversation. God calls to us in prayer, and we respond. Our prayer is a response to God's constant love for us.

In prayer we open our hearts and minds to God. We can pray alone or with others, in silence or aloud. Sometimes we do not use words to pray, but sit quietly trying to focus only on God.

Jesus taught us to pray with patience and complete trust in God. Jesus prayed in many ways. He thanked God the Father for his blessings and asked God to be with him. He prayed for the needs of others and forgave sinners in the name of his Father. From the example of Jesus, most especially the Lord's Prayer, we learn to pray.

135

Catechist Goal

• To describe forms of prayer, sacramentals, special practices, and popular devotions

PREPARING TO PRAY

The students will pray a prayer to ask for God's help.

• Explain to the students that you will be the prayer leader. Remind the students that their prayer response is marked "All." Choose half of the class to be Side 1, and the other half to be Side 2. Ask the two sides to stand and face one another. At the "Glory to the Father," ask them to bow from the waist, then stand straight again at "as it was." Explain that this bodily gesture is customary in the Liturgy of the Hours.

Lesson Plan

WE GATHER

___ minutes

✝ Pray

• Pray the Sign of the Cross and lead the opening prayer.

• Note that Psalm 121 is part of the constant prayer of the Church. The Liturgy of the Hours reminds the people of God that we can do nothing without the help and protection of God.

Focus on Life

• Share the *Chapter Story* on guide page 134B. Read aloud the questions and discuss implications. Stress that prayer is conversation with God. Tell the students that in today's lesson they will learn different ways to pray to God.

WE BELIEVE

___ minutes

Invite a volunteer to read aloud the first *We Believe* statement. Have the students work with a partner, reading the first three *We Believe* paragraphs and underlining important points. Have the student-partners make a three-column chart with the following headings: *What Is Prayer? How Can We Pray?* and *How Did Jesus Pray?* Have them fill in the chart. Share responses. Stress the importance of listening during prayer and being open to God's presence in our lives.

El lugar de oración

• Ponga una Biblia y varios sacramentales sobre la mesa, como salmos, rosarios, medallas, crucifijos, tarjetas de oración y agua bendita.

Nuestra respuesta en la fe

• Orar cada día por nosotros y por los demás

Liturgia de las Horas
día de precepto

Materiales

• copias del patrón 12
• papel de estraza

Conexión con el hogar

Invite a los estudiantes a compartir sus experiencias haciendo la actividad del patrón 11.

El Espíritu Santo guía a la Iglesia en la oración. Urgidos por el Espíritu Santo rezamos en estas formas básicas: bendición, petición, intercesión, acción de gracias y alabanza.

Bendecir es dedicar algo o alguien a Dios o hacer algo santo en su nombre. Dios nos bendice con muchos dones. Porque Dios nos bendice primero, podemos rezar para que bendiga cosas o personas.

La oración de petición es aquella en la que pedimos algo a Dios. Pedir perdón es la oración más importante de este tipo.

Interceder es un tipo de petición. Cuando intercedemos pedimos algo para otra persona o grupo.

La oración de acción de gracias muestra nuestro agradecimiento a Dios por todo lo que nos ha dado. Mostramos nuestra gratitud especialmente por la vida, muerte y resurrección de Jesús.

La oración de alabanza es dar gloria a Dios por ser Dios. No involucra nuestras necesidades o gracias. Es pura alabanza.

Piensa en lo que está pasando en tu vida y en el mundo a tu alrededor. Escribe tu oración.

____

____

Somos llamados a rezar todos los días.

Al rezar durante el día, respondemos al deseo de Dios de conocernos. La oración personal y comunitaria—oraciones que hacemos en comunidad—nos ayudan a sentir y a recordar la presencia de Dios.

El hábito de la oración diaria crece tomando tiempo para rezar. Podemos rezar en la mañana y ofrecer todo nuestro día a Dios. Antes y después de las comidas podemos dar gracias a Dios por sus muchos regalos. En la noche podemos pensar en las formas en que hemos, o no hemos, mostrado amor a Dios y a los demás. Podemos ver las formas en que Dios ha actuado en nuestras vidas.

El hábito de la oración diaria también crece cuando rezamos con otros miembros de la Iglesia. La **Liturgia de las Horas** es la oración pública de la Iglesia. Está compuesta de salmos, lecturas bíblicas y enseñanzas de la Iglesia, oraciones y cantos, y es celebrada varias veces al día. Estas oraciones, especialmente en la mañana y en la tarde, nos ayudan a alabar a Dios durante todo el día.

136

Planificación de la lección

CREEMOS (continuación)

Invite a voluntarios que lean en voz alta el texto de *Creemos* que describe las cinco diferentes formas de oración: bendición, petición, intercesión, acción de gracias y alabanza. Hable sobre cada una. Pida a los estudiantes que sugieran oraciones breves para cada categoría.

Anime a los estudiantes a considerar situaciones de actualidad en el mundo cuando respondan la pregunta. Pídales que escriban sus propias oraciones en el espacio provisto.

Pida a un voluntario que lea en voz alta el segundo enunciado *Creemos*. Pida a voluntarios que lean en voz alta los primeros dos párrafos. Haga una lista en la pizarra con sugerencias para dedicar tiempo a la oración. Agregue sugerencias de estudiantes a la lista.

Lea en voz alta el siguiente párrafo. Ayude a los estudiantes a entender que la Liturgia de las Horas es una oración pública de la Iglesia que nos recuerda que Dios está activo y presente en nuestras vidas en todo momento. Señale que los laicos pueden unirse para orar la Liturgia de las Horas, especialmente con otros feligreses para la oración de la mañana o de la noche.

Invite a un sacerdote, hermano, hermana o diácono para que hable de su participación en la Liturgia de las Horas de su Iglesia. Antes de la visita, repase el significado de la Liturgia de las Horas. Anime a los estudiantes a formular sus propias preguntas para el invitado.

Pida a los estudiantes que lean en silencio los dos últimos párrafos. Indique que tenemos la obligación de adorar a Dios los domingos y los días de precepto.

The Holy Spirit guides the Church to pray. Urged by the Holy Spirit, we pray these basic forms of prayer: blessing, petition, intercession, thanksgiving, and praise.

To bless is to dedicate someone or something to God or to make something holy in God's name. God blesses us with many gifts. Because God first blessed us, we can pray for his blessings on people and things.

Prayers of petition are prayers in which we ask something of God. Asking for forgiveness is the most important type of petition.

An intercession is a type of petition. When we pray a prayer of intercession, we are asking for something on behalf of another person or a group of people.

Prayers of thanksgiving show our gratitude to God for all he has given us. We show our gratitude most especially for the life, death, and Resurrection of Jesus.

Prayers of praise give glory to God for being God. They do not involve our needs or thanks. They are pure praise.

Think about what is happening in your life and in the world around you. Write your own prayer.

____

____

We are called to pray daily.

By praying throughout the day, we respond to God's desire to know us. Both personal prayer and communal prayer—prayer we pray as a community—help us to feel and remember God's presence.

The habit of daily prayer grows by making special times for prayer. We can pray in the morning and offer our entire day to God. Before and after meals we can give thanks to God for his many gifts. At night we can think about the ways we have or have not shown love for God and for others. We can see the ways God has been acting in our lives.

The habit of daily prayer also grows by joining in prayer with other members of the Church. The **Liturgy of the Hours** is a public prayer of the Church. It is made up of psalms, readings from Scripture and Church teaching, prayers, and hymns, and is celebrated at various times during the day. These prayers, especially morning prayer and evening prayer, help us to praise God throughout the entire day.

137

The Prayer Space

- Place a Bible and a variety of sacramentals on the table, such as palms, rosaries, medals, crucifixes, prayer cards, or holy water.

Our Faith Response

- To pray each day for ourselves and others

Liturgy of the Hours
holy day of obligation
sacramentals

Lesson Materials

- copies of Reproducible Master 12
- construction paper

Home Connection Update

Invite the students to share their experiences of working the activity of Master 11.

Lesson Plan

WE BELIEVE (continued)

Invite volunteers to read aloud the *We Believe* text that describes the five different forms of prayer: blessing, petition, intercession, thanksgiving, and praise. Discuss each form. Ask the students to suggest brief prayers that fit each category.

Encourage the students to consider current world situations as they answer the question. Have them write their own prayers in the space provided.

Ask a volunteer to read aloud the second *We Believe* statement. Have volunteers read aloud the first two *We Believe* paragraphs. List on the board the suggested ways to make time for prayer. Add students' suggestions to the list.

Read aloud the next *We Believe* paragraph. Help the students understand that the Liturgy of the Hours is the public prayer of the Church that reminds us that God is active and present in our lives at all times. Stress that the laity can join in praying the Liturgy of the Hours, especially with other parishioners for Morning or Evening Prayer.

You may want to invite a parish priest, brother, sister, or permanent deacon to discuss their participation in the Church's Liturgy of the Hours. Before the visit, review what the Liturgy of the Hours means. Encourage the students to develop their own questions for the visitor.

Have the students read silently the last two paragraphs. Point out that we are obligated to worship God on Sundays and holy days.

Banco de actividades

Inteligencia múltiple

Movimiento corporal
Materiales: Biblias

Organice grupos pequeños. Pídales a cada grupo que repasen las cinco formas de oración de su texto. Pídales que se refieran a los ejemplos bíblicos de: 2 Corintios 13:13; Lucas 18:13; Filipenses 1:9; Juan 11:41; Salmo 146:2. Pida a los grupos que piensen en gestos u otros movimientos corporales que puedan acompañar a estas oraciones. Explique que los movimientos deben relacionarse con la forma en que se usa la oración. Por ejemplo, un estudiante que está diciendo la oración de petición *Dios, ten piedad de mí, un pecador* podría arrodillarse y juntar sus manos en gesto de súplica. Pida a los grupos que digan algunas de sus oraciones con los movimientos correspondientes.

Entre todos los días, el domingo, el día del Señor, es el más santo. Celebramos la muerte y resurrección de Cristo en forma especial en ese día. En todo el mundo los católicos se reúnen con su comunidad parroquial para celebrar la Eucaristía. Esta celebración dominical es el centro de nuestra vida en la Iglesia.

Tenemos la obligación de ir a misa el domingo. La misa también puede celebrarse desde el sábado en la tarde hasta el domingo en la tarde.

Además del domingo, estamos obligados a ir a misa durante los días de precepto. **Día de precepto** es un día separado para celebrar un evento especial en la vida de Jesús, María o los santos.

Imagina que estás en un lugar tranquilo. Abre tu corazón a Dios. Escucha lo que te dice.

Los sacramentales son parte de la vida de oración de la Iglesia.

Nuestra oración no sólo involucra nuestros pensamientos y palabras. También involucra gestos y objetos. Sacramentales son bendiciones, acciones y objetos que nos ayudan a responder a la gracia de Dios recibida en los sacramentos. Las bendiciones son los **sacramentales** más importantes. La bendición no sólo es un sacramental sino que lo bendito puede convertirse en un sacramental.

Los sacramentales se usan en la liturgia y en la oración personal. He aquí algunos ejemplos de sacramentales:

- Bendición de personas, lugares, comidas y objetos
- objetos tales como rosarios, medallas, crucifijos, cenizas y palmas benditas
- acciones tales como hacer la señal de la cruz y rociar agua bendita.

Muchos sacramentales nos recuerdan los sacramentos y lo que Dios hace por nosotros por medio de los sacramentos. Los sacramentales también nos hacen más conscientes de la presencia de Dios en nuestras vidas y nos mantienen centrados en Dios. Bendecir la comida que comemos, hacer la señal de la cruz al entrar o salir de una iglesia y ver un crucifijo en nuestras casas, son todos recordatorios de nuestra fe y confianza en Dios.

Nombra los sacramentales con los que puedes rezar en tu casa y la iglesia.

Los católicos tienen una rica tradición de devociones y prácticas populares especiales.

La adoración de la Eucaristía, que se realiza fuera de la celebración de la misa, es también parte de la liturgia de la Iglesia. La presencia de Jesús en la Eucaristía se honra de varias formas. Después de la comunión, las Hostias que quedan se colocan en el tabernáculo. Esta Eucaristía es llamada Santísimo Sacramento. El Santísimo Sacramento puede llevarse a los enfermos y a los que no pueden asistir a misa. También se reserva para adoración.

138

Planificación de la lección

Creemos (continuación)

Anime a los estudiantes a leer en silencio y lentamente el texto de la actividad. Guarden unos minutos de silencio.

Distribuya copias individuales del patrón 12. Explique que es una guía de planificación que puede ayudar a los estudiantes a decidir por qué y cuándo orar. Pida a los estudiantes que hagan la actividad ahora o en casa.

Cotejo rápido

✔ *¿Qué es la oración?* (La oración es una conversación con Dios en la que Dios nos llama y nosotros respondemos.)

✔ *¿Cuáles son las cinco diferentes formas de oración?* (bendición, petición, intercesión, acción de gracias y alabanza.)

Lea en voz alta el tercer enunciado *Creemos*. Pida a voluntarios que lean en voz alta el texto. Indique que los sacramentales pueden manifestarse de muchas formas, como bendiciones, acciones y objetos.

Pida a los estudiantes que hagan una red de palabras con la palabra *sacramentales* en el centro. En los círculos alrededor de la red, dígales que escriban ejemplos de diferentes sacramentales, como crucifijos, medallas, escapularios, rosarios, vía crucis, etc. Anime a los estudiantes a estudiar sus redes de palabras para recordar el significado de la palabra *sacramentales*.

Lea en voz alta las instrucciones de la actividad sobre sacramentales. Pida a voluntarios que compartan su trabajo.

Sacramentals are used in the liturgy and in personal prayer. Here are some examples of sacramentals:

- blessings of people, places, foods, and objects
- objects such as rosaries, medals, crucifixes, blessed ashes, and blessed palms
- actions such as making the sign of the cross and sprinkling blessed water.

Of all days Sunday, the Lord's Day, is the most holy. We celebrate Christ's death and Resurrection in a special way on this day. All around the world Catholics gather with their parishes to celebrate the Eucharist. This Sunday celebration is at the very heart of our life in the Church. We are obliged, or required, to participate in Sunday Mass, which may be celebrated Saturday evening.

In addition to Sunday, we are also obliged to participate in the Mass on holy days of obligation. A **holy day of obligation** is a day set apart to celebrate a special event in the life of Jesus, Mary, or the saints.

Imagine that you are in a peaceful place. Open your heart to God. Listen to what he is saying to you.

Sacramentals are a part of the Church's prayer life.

Our prayer not only involves our thoughts and words. It involves gestures and objects, too. Blessings, actions, and objects that help us respond to God's grace received in the sacraments are sacramentals. Blessings are the most important **sacramentals**. Not only is the blessing itself a sacramental, but what is blessed can also become a sacramental.

Many sacramentals remind us of the sacraments and of what God does for us through the sacraments. Sacramentals also make us more aware of God's presence in our lives and keep us focused on God. Blessing the food we eat, making the sign of the cross as we enter or leave a church, and seeing a crucifix in our home are all reminders of our faith and trust in God.

Name the sacramentals that can help you to pray at home and in Church.

Catholics have a rich tradition of special practices and popular devotions.

Eucharistic adoration, which takes place outside the celebration of the Mass, is also part of the liturgy of the Church. Jesus' presence in the Eucharist is honored in various ways. After Holy Communion, the remaining consecrated Bread, or Hosts, are put aside in the tabernacle. This reserved Eucharist is called the Blessed Sacrament. The Blessed Sacrament can be brought to those who are sick and unable to participate in the Mass. It is also reserved for worship.

Activity Bank

Multiple Intelligences

Bodily-Kinesthetic

Materials: Bibles

Organize small groups. Ask each group to review the five forms of prayer in their text. Have them refer to the following biblical examples: 2 Corinthians 13:13; Luke 18:13; Philippians 1:9; John 11:41; Psalm 146:2. Ask the groups to think of gestures or other bodily movements that can accompany these prayers. Explain that the movements should relate to the form of prayer being used. For example, a student praying the prayer of petition *O God, be merciful to me a sinner* might fall to his or her knees and hold his or her hands to make a pleading gesture. Have the groups perform some of their prayers and accompanying movements.

Lesson Plan

WE BELIEVE (continued)

Encourage the students to quietly and slowly read the text of the activity. Allow for a few minutes of silence.

Distribute individual copies of Reproducible Master 12. Explain that this is a planning guide that might help the students decide when they will pray and what they will pray about. Have the students do the activity now or work on it at home.

Quick Check

- ✔ *What is prayer?* (Prayer is a conversation with God in which God calls to us and we respond.)
- ✔ *What are the five different forms of prayer?* (blessing, petition, intercession, thanksgiving, and praise)

Read aloud the third *We Believe* statement. Have volunteers read aloud the *We Believe* text. Point out that sacramentals can come in many forms, such as blessings, actions, and objects.

Have the students make a word web with the word *sacramentals* in the center. In the circles surrounding the web, have them fill in examples of different sacramentals, such as crucifixes, medals, scapulars, rosaries, stations of the cross, and so on. Encourage students to study their word webs to recall what the word *sacramental* means.

Read aloud the directions to the activity about sacramentals. Ask volunteers to share their work.

Ideas

Evangelización y piedad popular

En *La evangelización en el mundo moderno (Evangelio Nuntiandi)*, el Papa Pablo VI escribió sobre la conexión íntegra entre la evangelización y la piedad popular. Les dijo a aquellos que proclaman la buena nueva de la salvación "hay que ser sensible a ella, saber percibir sus dimensiones interiores y sus valores innegables." (48) Las prácticas de devoción tradicionales de una cultura o grupo étnico deben honrarse.

Como católicos...

Nuestra Señora de Guadalupe

Lea el texto en voz alta. Busque en un mapa las zonas donde ocurrieron estas apariciones milagrosas. Pregunte a los estudiantes si su parroquia celebra las fiestas de Nuestra Señora de Guadalupe y de San Juan Diego. Fomente estas devociones populares.

Muchas parroquias tienen exposición del Santísimo Sacramento. En esta ceremonia el Santísimo Sacramento se coloca en una custodia, se presenta para que todos lo vean. En una ceremonia llamada bendición la comunidad se reúne a rezar y a adorar a Jesús en el Santísimo Sacramento.

La bendición del Santísimo Sacramento es algunas veces parte de la devoción popular. Devociones populares son oraciones y prácticas que no son parte de la oración pública oficial o liturgia de la Iglesia. Las devociones populares se desarrollan de las prácticas de diferentes grupos de personas. Los católicos tiene ricas y diversas prácticas de oración que han venido de diferentes culturas a través de la historia de la Iglesia. Algunas de esas devociones populares incluyen novenas, vía crucis, y peregrinaciones.

Las novenas incluyen oraciones especiales y con frecuencia seguidas de bendiciones. La palabra novena viene del latín y significa "nueve". Novenas son oraciones especiales que se hacen nueve veces. Con frecuencia se hacen nueve días seguidos o el mismo día de la semana durante nueve semanas seguidas.

Otra devoción popular es el vía crucis. Esta devoción centra nuestra atención en la pasión y muerte de Jesús. Pasamos de una estación a otra haciendo oraciones apropiadas. Los reunidos para esta devoción se unen a Jesús en su camino a la muerte en la cruz. El vía crucis se encuentra en la página 306.

Las peregrinaciones a los lugares santos o grutas y procesiones en honor a María y a los Santos, son también una forma de devoción.

RESPONDEMOS

En grupo hablen sobre algunas devociones populares en su comunidad.

Como católicos...

Algunas devociones a María, la santísima madre, se iniciaron después de su aparición a algunas personas en diferentes países. Ella apareció en Lourdes, Francia, en el 1858 y en Fátima, Portugal, en 1917.

Las apariciones de María en las afueras de la ciudad de México en el año 1531 son muy importantes para los católicos de América. En 1531 la santísima madre apareció a un azteca llamado Juan Diego. Ella le habló en su idioma nativo y una imagen de ella como una nativa, milagrosamente apareció en su capa. Esta imagen fue tan poderosa que el pueblo, incluyendo los líderes de la Iglesia, creyeron que María verdaderamente había estado allí. Por esa imagen ella se conoce como Nuestra Señora de Guadalupe.

Celebramos la fiesta de San Juan Diego el 9 de diciembre y la de la Virgen de Guadalupe el 12 de diciembre. ¿Cómo tu parroquia celebra estas fiestas?

Vocabulario

Liturgia de las Horas (pp 332)
días de precepto (pp 331)
sacramentales (pp 333)

Procesión durante al fiesta de la Asunción

Procesión en honor a la Virgen de Guadalupe

140

Planificación de la lección

CREEMOS (continuación)

Lea en voz alta el cuarto enunciado *Creemos*. Pida a los estudiantes que lean el texto. Enfatice:

- La bendición del Santísimo Sacramento es una devoción popular en la que la hostia se coloca en una custodia para que las personas la veneren.
- El vía crucis dramatiza el camino de Cristo hacia su muerte en la cruz.

Invite a los estudiantes a recortar cruces de papel de estraza. Pídales que escriban una oración para cada estación de la cruz. Pida a voluntarios que asuman el papel de los personajes en cada estación. Ore el vía crucis.

Recuerde a los estudiantes que los peregrinajes son viajes de devoción a lugares sagrados o procesiones para honrar a María y los santos. En un mapa, muestre a los estudiantes los lugares que los católicos visitan al hacer peregrinajes, como el Altar de la Inmaculada Concepción en Washington D.C.; Belén, Jerusalén; el Vaticano y Fátima en Portugal. Luego pídales que describan cualquier procesión católica en la que hayan participado.

Vocabulario Escriba cada palabra en la pizarra. Pida a los estudiantes que escriban dos hechos importantes sobre cada palabra en un papel separado. Invite a los estudiantes a compartir sus respuestas para distinguir las semejanzas y deferencias entre las palabras.

RESPONDEMOS ____ minutos

Lea en voz alta la sección *Respondemos*. Pida a los estudiantes identificar las devociones religiosas en las que han participado. Recuérdeles que las devociones muestran nuestro amor y devoción a Jesús.

Many parishes have an Exposition of the Blessed Sacrament. In this ceremony the Blessed Sacrament, placed in a special holder called a monstrance, is presented for all to see. In a ceremony called Benediction, the community gathers to pray and to worship Jesus in the Blessed Sacrament.

Benediction of the Blessed Sacrament is sometimes a part of popular devotions. Popular devotions are prayer practices that are not part of the Church's official public prayer, or liturgy. Popular devotions have grown from the practices of different groups of people. Catholics have rich and diverse prayer practices that have come from many cultures throughout the Church's history. Some of the popular devotions include novenas, stations of the cross, and pilgrimages.

Novenas include special prayers and are often followed by Benediction. The word *novena* comes from the Latin word meaning "nine." Novenas are special prayers or prayer services that occur nine times. Often they occur nine days in a row or on the same day of the week for nine weeks in a row.

Another popular devotion is the stations of the cross. Stations of the cross focus our attention on the passion and death of Jesus. By moving from one station to the next and praying the appropriate prayers, those gathered for this devotion join Jesus as he makes his way to his death on the cross. The stations of the cross can be found on page 306.

Pilgrimages, or prayer journeys, to holy places or shrines, and processions to honor Mary and the saints are also forms of devotion.

WE RESPOND

In a group discuss some popular devotions in your community.

Simon helps Jesus carry his cross. (The fifth Station of the Cross)

Key Words

Liturgy of the Hours (p. 335)
holy day of obligation (p. 335)
sacramentals (p. 336)

As Catholics...

Some devotions to Mary, the Blessed Mother, came about after her appearances to people in various countries. She appeared at Lourdes, France in 1858 and Fatima, Portugal in 1917.

Mary's appearances outside Mexico City in the year 1531 are very important to Catholics living in the Americas. In 1531 the Blessed Mother came to an Aztec man named Juan Diego. She spoke to him in his native language, and an image of her as a Native American miraculously appeared on his cloak. This image proved so powerful that the people, including Church leaders, believed that Mary had truly been there. She became known by this image as Our Lady of Guadalupe.

Every year we celebrate the feast of Saint Juan Diego on December 9 and of Our Lady of Guadalupe on December 12. How does your parish celebrate these special feasts?

141

Teaching Note

Evangelization and Popular Piety

In *On Evangelization in the Modern World (Evangelii Nuntiandi)*, Pope Paul VI wrote about the integral connection between evangelization and popular piety. He urged those who proclaim the good news of salvation to be "sensitive to it, know how to perceive its interior dimensions and undeniable values."(48) The traditional devotional practices of a culture or ethnic group should be honored.

As Catholics...

Our Lady of Guadalupe

Read aloud the text. On a map, find the areas where these miraculous appearances took place. Ask the students whether their parish celebrates the feasts of Our Lady of Guadalupe and Saint Juan Diego. Encourage these popular devotions.

Lesson Plan

WE BELIEVE (continued)

Read aloud the fourth *We Believe* statement. Have the students read aloud the *We Believe* text. Emphasize:

- Benediction of the Blessed Sacrament is a popular devotion in which the Host is placed in a monstrance for people to see as they gather to pray.
- The stations of the cross dramatize Christ's journey to his death on the cross.

Invite the students to cut out crosses from construction paper. Have them write a prayer for each station of the cross. Ask volunteers to take on the roles of characters within the stations. Pray the living stations of the cross.

Remind the students that pilgrimages are prayerful journeys to holy places, or processions to honor Mary and the saints. Point out sites on a map that Catholics sometimes make a pilgrimage to, such as the Shrine of the Immaculate Conception in Washington, DC; Bethlehem; Jerusalem; the Vatican; and Fatima in Portugal. Then ask students to describe any Catholic processions in which they have participated.

Key Words Write each word on the board. On three separate pieces of paper, have the students write two important facts about each word. Invite the students to share their answers to distinguish similarities and differences between the words.

WE RESPOND ____ minutes

Read aloud the *We Respond* text. Have the students identify religious devotions in which they have participated. Remind them that such devotions show our love for and devotion to Jesus.

BANCO DE ACTIVIDADES

Doctrina social de la Iglesia

Llamado a la familia, a la comunidad y a la participación

La Iglesia nos enseña que la familia es la unidad fundamental de la sociedad. En muchos documentos se le llama "la iglesia doméstica". Ayude a los estudiantes a entender la participación de la familia en una procesión, como la de la fiesta de corpus cristi. Al participar en estos acontecimientos, la familia pide la bendición de Dios para sí misma y para la comunidad.

Conexión con el currículo

Estudios sociales

Materiales: enciclopedias

Diga a los estudiantes que las personas de muchas religiones participan en peregrinajes. Anímelos a investigar los lugares sagrados de los judíos, hindúes e islámicos. Pídales que usen enciclopedias o la Internet para descubrir más información sobre los peregrinajes. Comparta sus hallazgos.

CONEXION CON EL HOGAR

Compartiendo la fe con mi familia

Anime a los estudiantes a compatir lo aprendido con sus familias sobre la fe.

Para más información y actividades adicionales visite a Sadlier

www.CREEMOSweb.com

Planifique por adelantado

Lugar de oración: Biblia, recipiente de agua, fotos de personas y de dos amigos

Materiales: copias del patrón 15, 4–6 CD, papel de estraza

______ minutos

Repaso del capítulo Pida a los estudiantes que respondan las preguntas 1–8. Repase las respuestas con ellos. Aclare cualquier mala interpretación que los estudiantes puedan tener. Pida a los estudiantes que completen la pregunta 9–10.

Reflexiona y ora Lea en voz alta las primeras dos frases. Reúnanse en el lugar de oración. Pida a voluntarios que compartan algunas de sus respuestas.

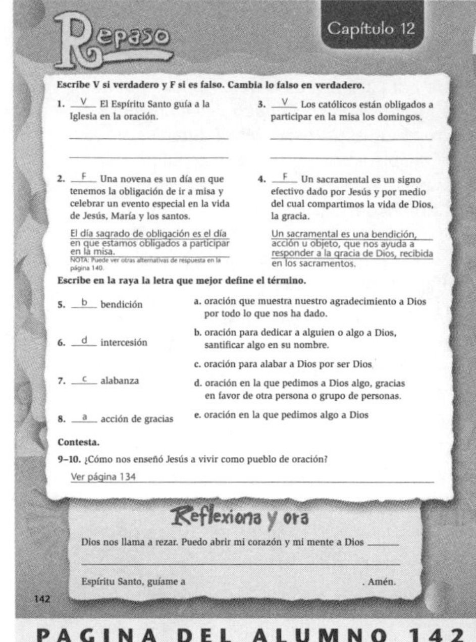

Repaso — Capítulo 12

Escribe V si verdadero y F si es falso. Cambia lo falso en verdadero.

1. __V__ El Espíritu Santo guía a la Iglesia en la oración.

2. __F__ Una novena es un día en que tenemos la obligación de ir a misa y celebrar un evento especial en la vida de Jesús, María y los santos.

El día sagrado de obligación es el día en que estamos obligados a participar en la misa.

NOTA: Puede ver otras alternativas de respuesta en la página 140.

3. __V__ Los católicos están obligados a participar en la misa los domingos.

4. __F__ Un sacramental es un signo efectivo dado por Jesús y por medio del cual compartimos la vida de Dios, la gracia.

Un sacramental es una bendición, acción u objeto, que nos ayuda a responder a la gracia de Dios, recibida en los sacramentos.

Escribe en la raya la letra que mejor define el término.

5. __b__ bendición
6. __d__ intercesión
7. __c__ alabanza
8. __a__ acción de gracias

a. oración que muestra nuestro agradecimiento a Dios por todo lo que nos ha dado.
b. oración para dedicar a alguien o algo a Dios, santificar algo en su nombre.
c. oración para alabar a Dios por ser Dios
d. oración en la que pedimos a Dios algo, gracias en favor de otra persona o grupo de personas.
e. oración en la que pedimos algo a Dios

Contesta.

9–10. ¿Cómo nos enseñó Jesús a vivir como pueblo de oración?

Ver página 134

Reflexiona y ora

Dios nos llama a rezar. Puedo abrir mi corazón y mi mente a Dios ______

Espíritu Santo, guíame a ______. Amén.

142

PAGINA DEL ALUMNO 142

Respondemos y compartimos la fe

______ minutos

Recuerda Repase las ideas importantes del capítulo hablando de los cuatro enunciados de *Creemos*. Forme grupos y pídales que hagan una lista, de memoria, de todos los hechos y conceptos que se relacionan con cada enunciado. Comparta las listas.

Nuestra vida católica Invite a un voluntario a leer en voz alta el texto. Pida a los estudiantes que se imaginen la procesión que se da lugar durante Las Posadas. Pídales que nombren algunas tradiciones de sus parroquias o de sus familias para dar la bienvenida a Jesús en sus vidas. Pregunte qué símbolos tienen en sus casas que muestran que Jesús es bienvenido.

Respondemos y compartimos la fe

Compartiendo lo aprendido

Habla con tu familia sobre lo siguiente:

- formas de orar
- oración diaria y la importancia del domingo
- sacramentales
- devociones populares.

Recuerda

- Jesús nos enseña a orar.
- Somos llamados a rezar todos los días.
- Los sacramentales son parte de la vida de oración de la Iglesia.
- Los católicos tienen una rica tradición de devociones y prácticas populares especiales.

Oración en familia

Te damos gracias por todos tus regalos, Dios todopoderoso, que vives y reinas ahora y siempre. Amén.

NUESTRA VIDA CATOLICA

Las posadas

Las posadas son una novena de Navidad. Los católicos en México y algunos lugares en los Estados Unidos participan en las posadas durante los nueve días antes de la Navidad. La gente de un pueblo o una parroquia escenifica la historia de María y José en su camino a Belén. Los actores que representan a María y a José van de casa en casa. Ellos tocan las puertas pidiendo alojamiento. Pero nadie les deja entrar hasta el último día cuando el posadero los deja entrar. Las posadas nos recuerdan que debemos estar siempre listos a dar la bienvenida a Jesús en nuestras vidas y en nuestros hogares.

144

Visita Sadlier en www.CREEMOSweb.com

Conexión con el Catecismo
Para referencia vea los párrafos 2765, 1174, 1670 y 1674.

PAGINA DEL ALUMNO 144

Review

_____ minutes

Chapter Review Have the students answer questions 1–8. Review the answers with them. Clear up any misconceptions the students may have. Have the students complete question 9–10.

Reflect & Pray Read aloud the incomplete prayers. Gather in the prayer space. Ask volunteers to share some of their responses.

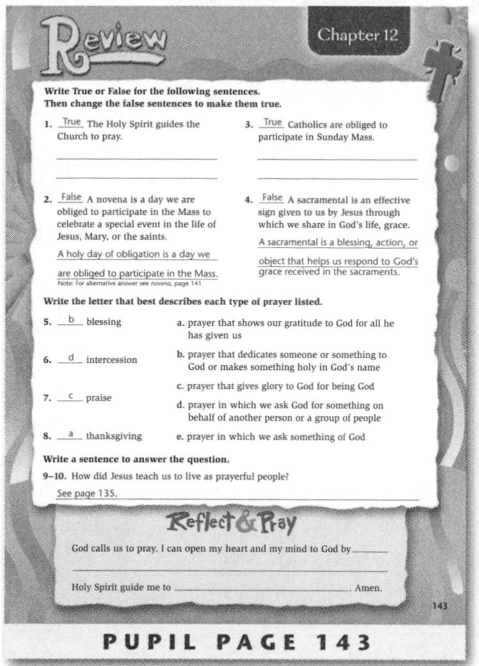

Review — Chapter 12

Write True or False for the following sentences. Then change the false sentences to make them true.

1. True The Holy Spirit guides the Church to pray.
2. False A novena is a day we are obliged to participate in the Mass to celebrate a special event in the life of Jesus, Mary, or the saints.
   A holy day of obligation is a day we are obliged to participate in the Mass.
   Note: For alternative answer see *novena*, page 141.
3. True Catholics are obliged to participate in Sunday Mass.
4. False A sacramental is an effective sign given to us by Jesus through which we share in God's life, grace.
   A sacramental is a blessing, action, or object that helps us respond to God's grace received in the sacraments.

Write the letter that best describes each type of prayer listed.

5. b blessing
6. d intercession
7. c praise
8. a thanksgiving

a. prayer that shows our gratitude to God for all he has given us
b. prayer that dedicates someone or something to God or makes something holy in God's name
c. prayer that gives glory to God for being God
d. prayer in which we ask God for something on behalf of another person or a group of people
e. prayer in which we ask something of God

Write a sentence to answer the question.

9–10. How did Jesus teach us to live as prayerful people?
See page 135.

Reflect & Pray

God calls us to pray. I can open my heart and my mind to God by ______

Holy Spirit guide me to ______. Amen.

143

PUPIL PAGE 143

We Respond and Share the Faith

_____ minutes

Remember Review the important ideas of the chapter by discussing the four *We Believe* statements. Organize groups and have them list, from memory, as many facts and concepts as they can that relate to each statement. Share lists.

Our Catholic Life Invite a volunteer to read aloud the text. Have the students picture in their minds the procession that occurs during Las Posadas. Ask them to name some traditions their own parish or families use to welcome Jesus into our lives. Ask them what symbols they may have in their homes to show that Jesus is welcome.

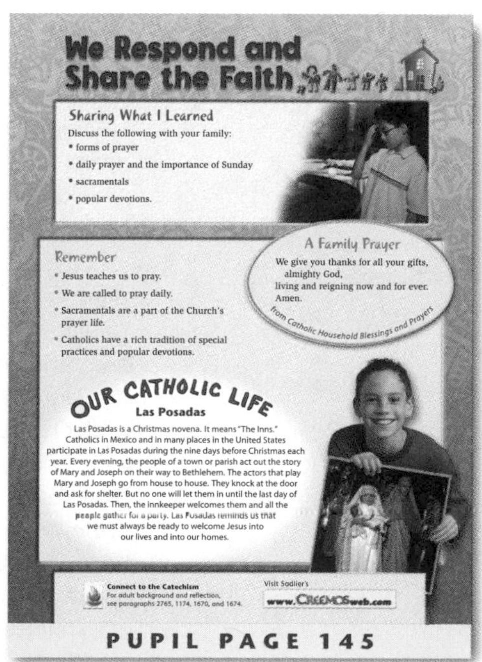

We Respond and Share the Faith

Sharing What I Learned

Discuss the following with your family:
- forms of prayer
- daily prayer and the importance of Sunday
- sacramentals
- popular devotions.

Remember
- Jesus teaches us to pray.
- We are called to pray daily.
- Sacramentals are a part of the Church's prayer life.
- Catholics have a rich tradition of special practices and popular devotions.

A Family Prayer

We give you thanks for all your gifts,
almighty God,
living and reigning now and for ever.
Amen.

from Catholic Household Blessings and Prayers

OUR CATHOLIC LIFE

Las Posadas

Las Posadas is a Christmas novena. It means "The Inns." Catholics in Mexico and in many places in the United States participate in Las Posadas during the nine days before Christmas each year. Every evening, the people of a town or parish act out the story of Mary and Joseph on their way to Bethlehem. The actors that play Mary and Joseph go from house to house. They knock at the door and ask for shelter. But no one will let them in until the last day of Las Posadas. Then, the innkeeper welcomes them and all the people gather for a party. Las Posadas reminds us that we must always be ready to welcome Jesus into our lives and into our homes.

Connect to the Catechism
For adult background and reflection, see paragraphs 2765, 1174, 1670, and 1674.

Visit Sadlier's
www.CREEMOSweb.com

PUPIL PAGE 145

Activity Bank

Catholic Social Teaching

Call to Family, Community, and Participation

The Church teaches that the family is the fundamental unit of society. It has been called "the domestic church" in many documents. Help the students understand a family's participation in a procession, such as the one for the feast of the Body and Blood of Christ. By participating in these events the family asks God's blessing for itself and others in the community.

Curriculum Connection

Social Studies

Materials: encyclopedias

Tell the students that people of many religions go on pilgrimages. Encourage them to research the Jewish, Hindu, and Islamic holy places. Have them use encyclopedias or the Internet to discover more facts about pilgrimages. Share findings.

Home Connection

Sharing What I Learned

Encourage the students to share with their families what they have learned.

For additional information and activities, encourage families to visit Sadlier's

www.CREEMOSweb.com

Plan Ahead for Chapter 15

Prayer Space: Bible, bowl of water, pictures of people and of two friends

Materials: copies of Reproducible Master 15, Grade 5 CD, construction paper

Adviento

El tiempo de Adviento posee una doble índole: es el tiempo de preparación para Navidad, solemnidad que conmemora el primer advenimiento o venida del Hijo de Dios entre los hombres, y es al mismo tiempo aquel que, debido a esta misma conmemoración o recuerdo, hace que los espíritus dirijan su atención a esperar el segundo advenimiento de Cristo como un tiempo de expectación piadosa y alegre.

(Normas universales sobre el año litúrgico 39)

Ojeada

En este capítulo los estudiantes aprenderán que el Adviento es un tiempo de espera gozosa y preparación para la venida del Hijo de Dios.

Para reflexión Puede referirse a los párrafos 524 y 1171 del *Catecismo de la Iglesia Católica*.

Referencia catequética

¿Qué experiencias de espera alegre relaciono con el tiempo de Adviento?

Durante el tiempo del Adviento, la Iglesia revive por medio de su liturgia el anhelo por la venida del Mesías. La Iglesia entiende que "participando en la larga preparación por la primera venida del Salvador, los fieles renuevan el ardiente deseo de su segunda venida" (*CIC* 524).

Este deseo de que venga el Hijo de Dios se expresa hermosamente en las antiguas antífonas oh del Adviento. Las siete antífonas que relacionan a los Antiguo y Nuevo Testamentos son los voceros de la Iglesia en su anhelo por el reino de Dios que se hizo presente en Jesucristo.

Debido a que el reino de Cristo aún no se ha realizado "con gran poder y gloria" (Lucas 21:27), la Iglesia ora "sobre todo en la Eucaristía, para que se apresure el retorno de Cristo cuando suplican: *¡Marana tha!* 'Ven, Señor Jesús'" (*CIC* 671).

¿Cómo transmitiré este antiguo anhelo por la venida de Cristo?

Mirando la vida

Historia para el capítulo

Marisa quería decir "No, gracias," cuando su abuelo le preguntó si quería ayudarlo en el jardín el sábado. Quería dormir hasta tarde y luego responder a sus correos electrónicos. Trabajar en el jardín no era la mejor forma de pasar un sábado. Sin embargo, sabía que el abuelo necesitaba ayuda.

"Bueno," dijo. "¿A qué hora quieres que vaya?"

"¿Te parece bien a las 8 de la mañana, o es muy temprano?" Preguntó el abuelo.

Aunque por dentro sentía que no quería ir, Marisa sonrió y dijo, "Está bien. Nos vemos entonces. Llevaré mis guantes y un desplantador".

El sábado por la mañana estaba radiante. El sol se sentía muy bien en los hombros de María cuando se agachaba sobre las hojas de enredaderas marchitas. El abuelo quería que arrancara las enredaderas y las pusiera en una caja de abono para reciclarlas. Bajo una de las enredaderas, encontró los restos de lo que había sido una calabaza. Al recogerla, la calabaza casi podrida se deshizo. "¡Ah!" exclamó. "¡Qué desperdicio!"

"No, en realidad no lo es", dijo el abuelo. El explicó que las semillas de la calabaza se enterrarían y que algunas brotarían en la primavera. "Yo siempre añoro la primavera, cuando puedo desenterrar lo que sobrevivió el invierno".

"Hora de un descanso", dijo la abuela desde el portal. Mientras los tres disfrutaban de chocolate caliente y galletas de avena, el abuelo dijo. "Qué bueno que viniste a ayudarme, Marisa. Quizá algún día quieras tener tu propio jardín. Entonces, sabrás lo satisfactorio que es ver todo el ciclo de nacimiento, vida, muerte y renacimiento cada año".

"Puede que sí," contempló Marisa mientras tomaba otra galleta.

¿Por qué piensas que el abuelo de Marisa gustaba tanto de la jardinería?

Advent has a twofold character: as a season to prepare for Christmas when Christ's first coming to us is remembered; as a season when that remembrance directs the mind and heart to await Christ's Second Coming at the end of time.

(Norms Governing Liturgical Calendars, 39)

Overview

In this chapter the students will learn that Advent is a season of joyful expectation and preparation for the coming of the Son of God.

For Adult Reading and Reflection You may want to refer to paragraphs 524 and 1171 of the *Catechism of the Catholic Church*.

Catechist Background

What experiences of joyful expectation do I associate with the season of Advent?

During the season of Advent, the Church revives through its liturgy the longing for the coming of the Messiah. The Church understands that "by sharing in the long preparation for the Savior's first coming, the faithful renew their ardent desire for his second coming" (CCC 524).

This desire for the coming of the Son of God is beautifully expressed in the ancient Advent O antiphons. Connecting the Old and New Testaments, these seven antiphons give voice to the Church's longing for God's Kingdom made present in the person of Jesus Christ.

Because Christ's reign is yet to be fulfilled "with power and great glory" (Luke 21:27), the Church prays "above all in the Eucharist, to hasten Christ's return by saying to him: *Marana tha!* 'Our Lord, come!'" (CCC 671).

In what ways will I pass on this ancient longing for Christ's coming?

Focus on Life

Chapter Story

Marisa wanted to say "No thanks," when her grandfather asked whether she would like to help him out in the garden on Saturday. She wanted to sleep late and then catch up on her e-mail. Working in a garden was not her idea of spending a Saturday. However, she knew that Grandpa really needed help now.

"O.K.," she said. "What time do you want me to come over?"

"How about 8 o'clock? Is that too early for you?" Grandpa replied.

Although groaning inside, Marisa smiled and said, "No problem. See you then. I'll bring my own gloves and a trowel."

Saturday morning was filled with bright sunlight, and it felt good on Marisa's shoulders as she bent over the dying squash vines. Grandpa wanted her to pull up the vines and put them in the compost bin for recycling. Under one of the vines, she found the remains of what had been a beautiful Blue Hubbard squash. As she picked it up, the decaying Blue Hubbard fell apart. "Yuk! " she exclaimed. "What a waste!"

"No, not really," Grandpa answered. He explained that the squash's seeds would get buried in the earth and some of them would sprout in next spring. "I always look forward to spring when I can dig up what survived the winter."

"Time for a break," Grandma called from the back porch. As the three of them enjoyed hot chocolate and oatmeal cookies, Grandpa said, "I'm glad you came over to help me today, Marisa. Maybe someday you'll want to have a garden of your own. Then you'll find out how satisfying it is to see the whole cycle of birth, life, death, and rebirth each year."

"Maybe I will," Marisa mused as she reached for another cookie.

Why do you think Marisa's grandfather finds gardening so satisfying?

Guía para planificar la lección

Pasos de la lección	Presentación	Materiales
1 NOS CONGREGAMOS		
pág. 146 **Introducción del tiempo**	• Leer la *Historia para el capítulo.* • Presentar el año del Adviento. • Proclamar la antífona oh de la leyenda.	
pág. 146	• Conversar sobre la palabra "próxima-mente" de la pregunta.	
2 CREEMOS		
págs. 146 *Adviento es un tiempo de espera gozosa y preparación para la venida del Hijo de Dios.*	• Leer y conversar sobre el significado de Adviento y la función de los profetas. • Conversar sobre las antífonas oh y sus significados.	• papel de estraza o cartulina • marcadores morados o violeta
3 RESPONDEMOS		
pág. 150	Escribir oraciones relacionadas con las antífonas oh.	• cartulina y marcadores • papel de dibujo
pág. 150 **Respondemos en oración**	• Escuchar la Escritura. • Rezar una letanía relacionada con las antífonas oh.	• artículos del lugar de oración: siete velas moradas o violeta • cancioneros o misales
pág. 152 **Respondemos y compartimos la fe**	• Explicar el proyecto individual sobre el Adviento. • Explicar el proyecto de grupo sobre el Adviento.	• copias del patrón 13 • Biblia • bulbos de flor o plántulas

Planificación de la lección

Introducción del tiempo ____ minutos

Ore Recen la Señal de la Cruz y la oración *Luz Radiante, Jesús, ven a brillar en nosotros.*

• **Lea** en voz alta la *Historia para el capítulo* de la pág. 146A de la guía. Converse sobre las respuestas que dieron los estudiantes a la pregunta. Invítelos a imaginarse lo que el siguiente capítulo de la historia de Marisa podría revelar sobre su interés en la jardinería. Pregunte: *¿Qué pasaría si su clase de ciencias estudiara el cuidado del medio ambiente? ¿Y, si su clase de estudios sociales examinara el hambre en el mundo? ¿Qué pasaría si su clase de religión reflexionara sobre una lectura bíblica del Adviento como Santiago 5:7–8?* Pida a un voluntario que lea en voz alta estos versos del Nuevo Testamento.

• **Pida** a los estudiantes que abran sus textos en la página 146. Lea en voz alta el título del capítulo. Explique: *El Adviento es el primer tiempo del año de la Iglesia. Es un tiempo de espera gozosa y preparación para la venida del Hijo de Dios.*

• **Invite** a los estudiantes a reflexionar sobre la foto de las páginas 146 y 147. Pregunte: *¿Qué sugiere esta foto sobre el significado del tiempo del Adviento? ¿Qué sugiere la enredadera?* Pida a voluntarios que compartan sus respuestas.

• **Proclamen** juntos la antífona oh de la leyenda al pie de la foto.

Lesson Planning Guide

Lesson Steps	Presentation	Materials
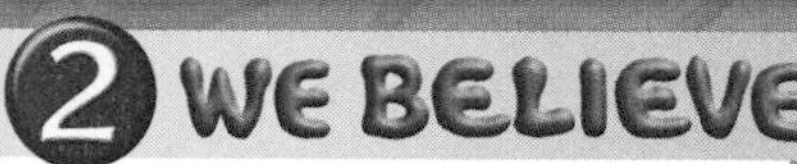 **WE GATHER**		
page 147 **Introduce the Season**	• Read the *Chapter Story.* • Introduce Advent. • Proclaim the O Antiphon at the bottom of the page.	
page 147	• Discuss "coming soon" in the question.	
2 WE BELIEVE		
pages 147–151 *Advent is a season of joyful expectation and preparation for the coming of the Son of God.*	• Read and discuss the meaning of Advent and the role of the prophets. • Discuss the O Antiphons and their meaning.	• butcher paper or poster board • purple or violet markers
3 WE RESPOND		
page 151	Write prayers based on the O Antiphons.	• poster board and markers • drawing paper
page 151 **We Respond in Prayer**	• Listen to Scripture. • Pray a litany based on the O Antiphons.	• prayer space items: seven purple or violet candles • parish song books or missalettes
Guide page 153 **We Respond and Share the Faith**	• Explain the individual Advent project. • Explain the group Advent project.	• copies of Reproducible Master 13 • Bible • flower bulbs or seedlings

Lesson Plan

Introduce the Season ___ minutes

• **Pray** the Sign of the Cross and the prayer, *O Radiant Dawn, Jesus, come and shine on us!*

• **Read** aloud the *Chapter Story* on guide page 146B. Discuss the students' responses to the question. Invite them to imagine what the next chapter in Marisa's story might reveal about her interest in gardening. Ask: *What if her science class studies the care of the environment? What if her social studies class examines world hunger? What if her religion class reflects on an Advent scripture reading like James 5:7–8?* Have a volunteer read aloud these verses from the New Testament.

• **Have** students open their texts to page 147. Read aloud the chapter title. Explain: *Advent is the first season of the Church year. It is a time of joyful expectation and preparation for the coming of the Son of God.*

• **Invite** students to reflect on the photos on pages 146 and 147. Ask: *What do these photos suggest about the meaning of the Advent season? What does the vine suggest?* Have volunteers share their responses.

• **Proclaim** together the O Antiphon on page 147.

Meta catequética

• Enseñar que el Adviento es un tiempo de espera gozosa y preparación para la venida del Hijo de Dios.

Nuestra respuesta en la fe

• Orar las antífonas oh del Adviento

Materiales

• papel de estraza o cartulina
• marcadores morados o violeta
• copias del patrón 13
• Biblia bulbos

RECURSOS ADICIONALES

Libro *Liturgia con eatilo y gracia,* Gabe Huck y Gerald Chinchar, Oregon Catholic Press.

Para ideas visite Sadlier en

www.CREEMOSweb.com

13 Adviento

Adviento | Navidad | Tiempo Ordinario | Cuaresma | Triduo | Tiempo de Pascua | Tiempo Ordinario

Adviento es un tiempo de espera gozosa y preparación para la venida del Hijo de Dios.

NOS CONGREGAMOS

✚ *Luz radiante, Jesús, ven a brillar en nosotros.*

¿Cómo te sientes al ver la palabra "próximamente" después de los avances de una película?

CREEMOS

La palabra *adviento* significa "venida". Jesucristo, el Hijo de Dios quien se hizo uno de nosotros, viene a nuestras vidas. Durante las cuatro semanas de Adviento nos preparamos para celebrar la venida de Cristo.

• Esperamos la venida de Cristo en el futuro y nos preparamos para ser sus fieles seguidores.
• Celebramos la presencia de Cristo en el mundo hoy. El viene a nosotros todos los días en la celebración de la Eucaristía, en todos los sacramentos y en el amor que nos tenemos.
• Esperamos con gozo para celebrar la primera venida de Jesús hace dos mil años en Belén. Nos preparamos para celebrar la venida del Salvador, el Hijo de Dios.

Durante el Adviento se usa el color morado como señal de espera. Este color es también señal de penitencia. Así que en Adviento celebramos el sacramento de la Reconciliación como parte importante de la preparación para la celebración de la venida de Cristo.

Oh luz radiante, esplendor de luz eterna, sol de justicia.

146

Planificación de la lección

NOS CONGREGAMOS ___ minutos

• **Mirando la vida** Forme grupos pequeños y pida a los estudiantes que conversen sobre las preguntas en *Creemos*. Anímelos a relacionar las preguntas con películas específicas que estén deseosos de ver, especialmente las películas relacionadas con los tiempos de Adviento y Navidad.

• **Explique** *Hoy prestaremos atención a como nos preparamos con gran expectativa para la venida de Cristo durante el tiempo de Adviento.*

CREEMOS ___ minutos

• **Exhiba** un papel de estraza o cartulina grande y tenga a la mano los marcadores morados y violeta. Lea en voz alta el enunciado *Creemos.* Pida a los estudiantes que lean en silencio el texto en la página 146. Pida a los estudiantes que identifiquen cuatro acciones de *Adviento* (esperanza, preparación, celebración, espera) en las que todos podamos participar durante este tiempo. Pida a un voluntario que escriba las acciones en el papel de estraza. Pida a voluntarios que expliquen nuestra esperanza, cómo nos preparamos, lo que celebramos y cómo esperamos.

• **Escriba** la palabra *profeta* en un papel de estraza. Pida a voluntarios que lean los siguientes dos párrafos en la página 148. Luego, escriba *profetas contemporáneos* y pídales que nombren a personas que hoy en día nos recuerdan que trabajemos por la paz y la justicia. (Un nombre aparece en el título de cada foto). Añada estos nombres al papel de estraza.

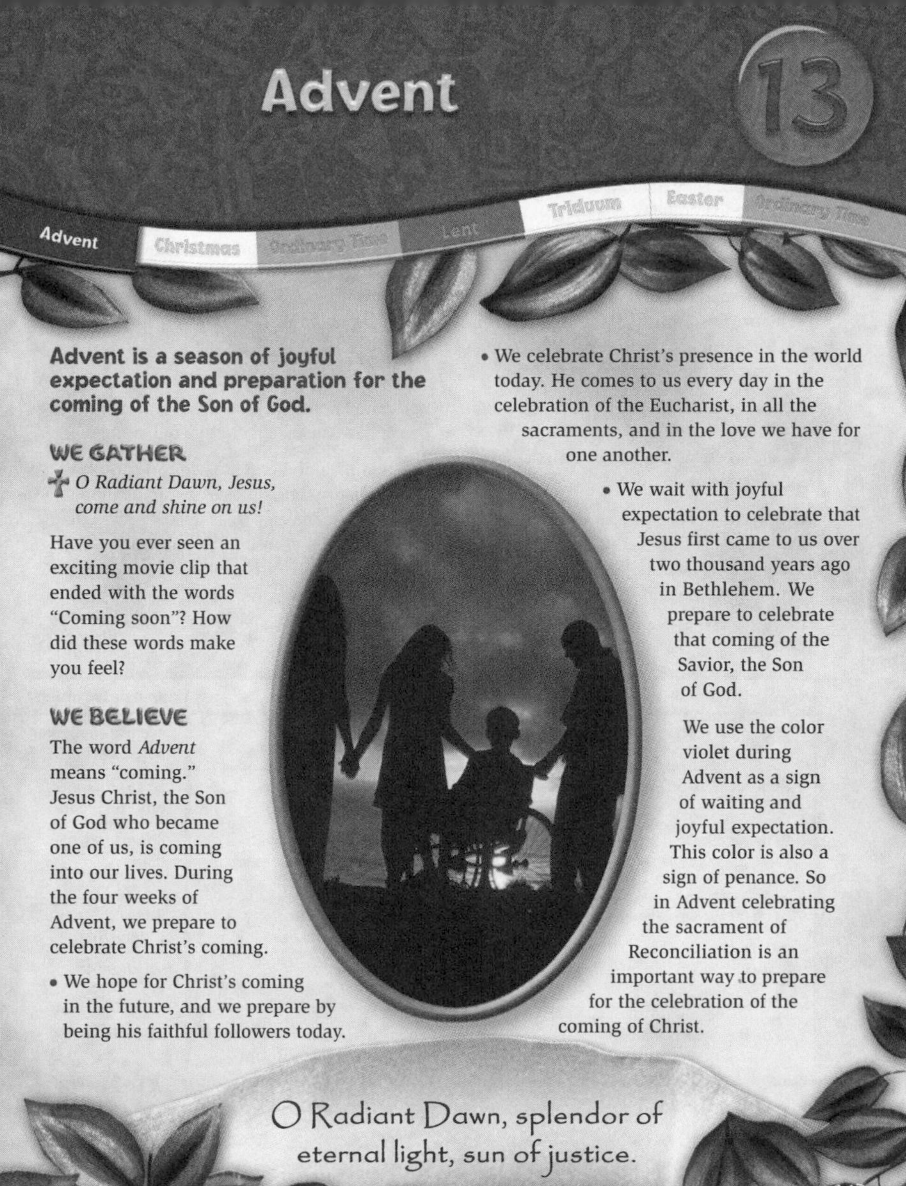

Advent

13

Advent | Christmas | Ordinary Time | Lent | Triduum | Easter | Ordinary Time

Advent is a season of joyful expectation and preparation for the coming of the Son of God.

WE GATHER

O Radiant Dawn, Jesus, come and shine on us!

Have you ever seen an exciting movie clip that ended with the words "Coming soon"? How did these words make you feel?

WE BELIEVE

The word *Advent* means "coming." Jesus Christ, the Son of God who became one of us, is coming into our lives. During the four weeks of Advent, we prepare to celebrate Christ's coming.

- We hope for Christ's coming in the future, and we prepare by being his faithful followers today.
- We celebrate Christ's presence in the world today. He comes to us every day in the celebration of the Eucharist, in all the sacraments, and in the love we have for one another.
- We wait with joyful expectation to celebrate that Jesus first came to us over two thousand years ago in Bethlehem. We prepare to celebrate that coming of the Savior, the Son of God.

We use the color violet during Advent as a sign of waiting and joyful expectation. This color is also a sign of penance. So in Advent celebrating the sacrament of Reconciliation is an important way to prepare for the celebration of the coming of Christ.

O Radiant Dawn, splendor of eternal light, sun of justice.

147

Catechist Goal

- To teach that Advent is a season of joyful expectation and preparation for the coming of the Son of God

Our Faith Response

- To pray the O Antiphons of Advent

Lesson Materials

- butcher paper or poster board
- purple or violet markers
- poster board, markers, drawing paper
- copies of Reproducible Master 13
- Bible, flower

ADDITIONAL RESOURCES

Book *Winter Saints,* Melissa Musick Nussbaum, Liturgy Training Publications, 1998. This book has one story for each day of Advent.

To find more ideas for books, videos, and other learning material, visit Sadlier's

www.CREEMOSweb.com

Lesson Plan

WE GATHER ____ minutes

Focus on Life Form small groups and have the students discuss the *We Gather* questions. Encourage them to apply the questions to specific movies they might be eager to see, especially movies that are related to the Advent and Christmas seasons.

• **Explain:** *Today we will consider how we look forward to and prepare for Christ's coming during season of Advent.*

WE BELIEVE ____ minutes

• **Display** a large sheet of butcher paper or poster board and have purple and violet markers on hand. Read aloud the *We Believe* statement. Have the students read silently the text on page 147. Ask the students to identify four Advent actions (hope, prepare, celebrate, wait) in which we all participate during this season. Have a volunteer print these actions on the butcher paper. Have volunteers explain what we hope for, how we prepare, what we celebrate, and how we wait.

• **Write** the word *prophet* on the butcher paper. Call on volunteers to read the first two paragraphs on page 149. Then write *modern-day prophets,* and ask for names of people today who remind us to work for peace and justice. Add these names to the butcher paper.

Ideas

Mesías *de Handel*

Considere poner para los estudiantes un CD del "Coro Aleluya" del *Mesías* de Handel.

Luego pida a los estudiantes que preparen una lectura en coro de Isaías 9:1–5. Invítelos a seleccionar uno de los cuatro títulos de la lectura para el Mesías y que escriban oraciones originales del Adviento que expresen la gran expectativa del mundo por el Consejero maravilloso, Héroe Divino, Padre por siempre, Príncipe de la Paz.

Banco de actividades

Liturgia

Reconciliación

Materiales: Biblias, papel de estraza, marcadores, tijeras, cinta adhesiva; material para escribir

Pregunte al párroco si puede celebrar el sacramento de la Reconciliación para el grupo en tiempo de Adviento.

Si no se puede celebrar la Reconciliación sacramental, planifique un servicio de penitencia.

ADVIENTO

Durante las semanas de Adviento, esperamos como lo hizo el pueblo antes de que naciera Jesús. Por muchos años ellos esperaron la venida del Salvador. Durante ese tiempo, Dios habló a su pueblo por medio de los profetas.

Los profetas animaron al pueblo a vivir la alianza. Ellos les dijeron que su Dios era bueno y misericordioso, que él no los olvidaba. Los profetas hablaron del Mesías que sería ungido como rey, justo y salvador. El traería el reino de Dios de paz y justicia.

Creemos que Jesús es el Mesías que ellos esperaban, pero él es mucho más. Jesucristo es el Hijo de Dios que se hizo uno de nosotros.

Nuestras expectativas crecen entre el 17 y el 23 de diciembre. Estamos ansiosos para celebrar la venida del Mesías al mundo. Durante este tiempo la Iglesia reza la "antífona oh". Una antífona es una oración corta. Se llama antífona oh porque empieza con la interjección oh.

En cada una de las siete antífonas aclamamos a Jesús con diferentes títulos tomados del Antiguo Testamento. En cada una de estas cortas oraciones alabamos a Cristo por lo que ha hecho por nosotros y le pedimos que venga a todo el pueblo de Dios.

Desde el 17 hasta el 23 de diciembre las antífonas oh son recitadas o cantadas durante la oración de la tarde y cantadas en la misa antes de la lectura del evangelio.

Mira la lista de los signos de cada antífona en el cuadro. Por siglos estos signos han sido mostrados en piezas de arte. Averigua si el boletín o el web de tu parroquia da ejemplos de algunos de ellos.

Antiguo Testamento		Significado	Signo de los títulos
17 de dic.	Oh sabiduría	Jesús es nuestro sabio maestro.	aceite de lámpara libro abierto
18 de dic.	Oh Señor de Israel	Jesús en nuestro líder.	zarza ardiendo tabla de piedra
19 de dic.	Oh flor de la rama de Jesé	Jesé fue el padre del rey David, antepasado de Jesús. Jesús es la "flor" del árbol genealógico.	enredadera con flores
20 de dic.	Oh llave de David	Jesús nos abre las puertas del reino de Dios.	llave cadena rota
21 de dic.	Oh radiante amanecer	Jesús es nuestra luz.	sol naciente
22 de dic.	Oh rey de las naciones	Jesús es el rey que nos une.	corona, cetro
23 de dic.	Oh Emanuel	Enmanuel significa "Dios con nosotros" Jesús está siempre con nosotros.	cáliz y hostia

148

Planificación de la lección

CREEMOS (continuación)

• **Dibuje** una "O" grande y decorativa en papel de estraza. Pida a voluntarios que lean en voz alta los siguientes dos párrafos de *Creemos* en la página 148. (Esta lección puede terminar aquí o continuarse en la página 148).

• **Pida** a siete estudiantes que escriban los siete títulos para el Mesías, incluidos en las antífonas oh, en la circunferencia de la "O". Dentro de la "O" escriba las fechas de diciembre en las que se rezan las antífonas.

• **Anime** a los estudiantes a encontrar ejemplos de los signos de las antífonas oh en un boletín de noticias de la parroquia o en la Internet. O pídales que escojan una o dos para dibujarlas. Prepare una exhibición en el aula.

Cotejo rápido

✔ *¿Qué hacemos durante las cuatro semanas de Adviento?* (Durante el Adviento esperamos la futura venida de Cristo y nos preparamos para ella. Celebramos su presencia actual con nosotros. Esperamos gozosamente para celebrar la venida de Cristo como salvador hace dos mil años.)

✔ *¿Cómo le habló Dios a su pueblo durante los años de espera?* (a través de los profetas, que hablaban de la venida del Salvador)

During the weeks of Advent, we wait as the people did before Jesus' birth. They had waited many, many years for the Savior to come. During those years of waiting, God spoke to his people through the prophets. The prophets encouraged the people to live by the covenant. They told them that their God was loving and merciful, that he had not forgotten them. The prophets spoke of a Messiah who would be an anointed king, a just ruler, and a Savior. He would bring about a kingdom of peace and justice.

We believe that Jesus is the Messiah for whom they waited, but he is more. Jesus Christ is the Son of God who became one of us.

From December 17 through December 23, our hope and expectation grow. We are eager to celebrate the coming of the Messiah into the world. So during this time the Church prays the "O Antiphons." An antiphon is a short prayer. They are called the "O Antiphons" because they all begin with the one-letter word "O."

In each of the seven antiphons, we call on Jesus by different titles that come from the Old Testament prophets. In each of these short prayers we praise Christ for what he has done for us and call on him to come to all of God's people.

From December 17 to December 23 the O Antiphons are recited or sung during Evening Prayer and sung at Mass before the Gospel reading.

Look at the list of signs for each O Antiphon in this chart. For centuries these signs have been pictured in artwork. Check to see if your parish newsletter or Web site gives examples of these signs.

Old Testament Title		What it means to us	Sign of title
Dec. 17	O Wisdom!	Jesus is our wise teacher.	oil lamp, open book
Dec. 18	O Lord of Israel!	Jesus is our leader.	burning bush, stone tablet
Dec. 19	O Flower of Jesse's Stem!	Jesse was the father of King David and the ancestor of Jesus. Jesus is the "flower" on the family tree.	vine or plant with flower
Dec. 20	O Key of David!	Jesus opens the gates of God's Kingdom to us.	key, broken chains
Dec. 21	O Radiant Dawn!	Jesus is our light.	rising sun
Dec. 22	O King of All Nations!	Jesus is the king who unites us all.	crown, scepter
Dec. 23	O Emmanuel!	Emmanuel means "God with us." Jesus is with us always.	chalice and host

149

ADVENT

Teaching Tip

***Handel's* Messiah**

Consider playing for the students a CD of the "Hallelujah Chorus" from Handel's *Messiah*.

Then have them prepare a choral reading of Isaiah 9:1–5. Invite them to select one of the four titles for the Messiah from the reading and write original Advent prayers expressing the waiting world's expectation for the Wonder-Counselor, God-Hero, Father-Forever, Prince of Peace.

Activity Bank

Liturgy

Be Reconciled

Materials: Bibles; construction paper, markers, scissors, tape; writing materials

Ask the pastor whether he would be available to celebrate the sacrament of Reconciliation for the class during the season of Advent.

If sacramental Reconciliation cannot be celebrated, plan a penance service.

Lesson Plan

WE BELIEVE (continued)

• **Sketch** a large decorative "O" on the butcher paper. Call on volunteers to read aloud the remaining paragraphs. (This lesson can end here or be continued on page 149.)

• **Have** seven students inscribe the seven titles for the Messiah included in the O Antiphons around the circumference of the "O." Inside the "O" print the December dates when the antiphons are prayed.

• **Challenge** the students to find examples of the signs of the O Antiphons in a parish newsletter or on the Internet. Or, have them choose one or two to draw. Make a class display.

Quick Check

✔ *What do we do during the four weeks of Advent?* (During Advent we hope for and prepare for Christ's future coming. We celebrate his presence with us today. We wait with joyful expectation to celebrate Christ's coming as the Savior two thousand years ago.)

✔ *How did God speak to his people during the years of waiting?* (through the prophets, who spoke of the coming of the Savior)

PREPARANDOSE PARA ORAR

Los estudiantes responderán a una lectura del evangelio leyendo las siete antífonas oh del Adviento.

• Dirija la oración de apertura y escoja a un lector y siete líderes. Pídales que preparen sus partes.

• Enseñe el himno tradicional del Adviento "Oh Ven, Oh Ven Emanuel" del cancionero o cantoral de la parroquia. Invite a voluntarios a improvisar los gestos o movimientos corporales apropiados para acompañar la canción.

El lugar de oración

• Exhiba siete velas moradas o violeta.

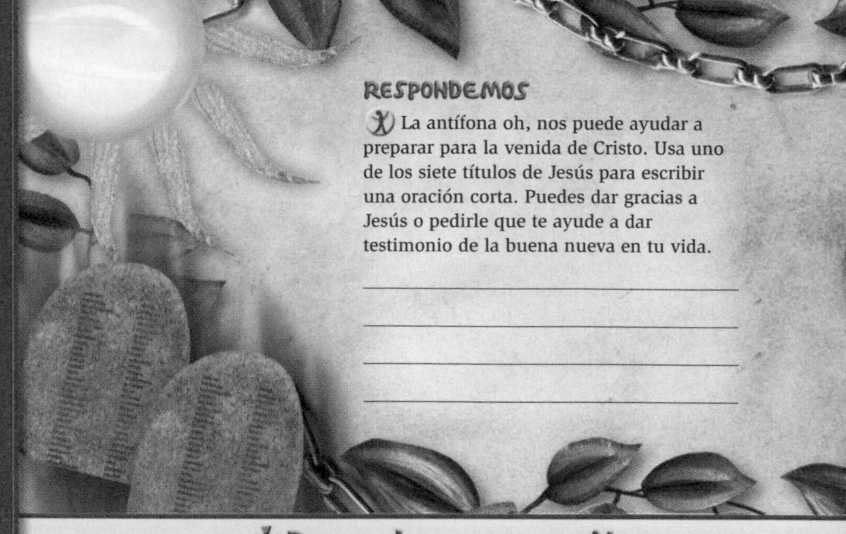

RESPONDEMOS

La antífona oh, nos puede ayudar a preparar para la venida de Cristo. Usa uno de los siete títulos de Jesús para escribir una oración corta. Puedes dar gracias a Jesús o pedirle que te ayude a dar testimonio de la buena nueva en tu vida.

____

____

____

____

Respondemos en oración

Líder: Nuestra ayuda viene del Señor.

Todos: Que hizo el cielo y la tierra.

Lector: Una mujer dijo a Jesús: "Yo sé que va a venir el Mesías (es decir, el Cristo): y cuando él venga, nos lo explicará todo. Jesús le dijo: "Ese soy yo, el mismo que habla contigo". (Juan 4:25, 26)

Todos: Jesús, eres el Mesías.

Líder: Oh, Sabiduría, tú guías a la creación con tu fuerte pero noble cuidado.

Todos: Ven, muestra a tu pueblo el camino a la salvación.

Líder: Oh, Señor de Israel, diste a Moisés las leyes en el Monte Sinaí.

Todos: Ven, extiende tu mano para liberarnos.

Líder: Oh, flor de la rama de Jesé, has sido elevado como una señal para el pueblo.

Todos: Ven, que nada impida que vengas en nuestra ayuda.

Líder: Oh llave de David, tú controlas las puertas del Cielo.

Todos: Ven, liberta a tu pueblo cautivo.

Líder: Oh radiante amanecer, eres el esplendor de la luz eterna y del sol de justicia.

Todos: Ven, brilla en los que están en las tinieblas.

Líder: Oh, rey de todas las naciones, eres el gozo de los corazones.

Todos: Ven, salva las criaturas que creaste del polvo.

Líder: Oh Enmanuel, eres el deseo de todas las naciones y el Salvador de todos.

Todos: Ven, libéranos, Señor, nuestro Dios.

150

Planificación de la lección

RESPONDEMOS ____ minutos

Conexión con la vida Distribuya hojas de cartulina cortadas por la mitad y marcadores. Lea en voz alta las instrucciones de la actividad *Respondemos.* Pida a los estudiantes que se separen contando de siete en siete. Explique que los que tengan el número uno, escribirán oraciones originales a Jesús como "Oh sabiduría". Los demás números seguirán en orden hasta que se usen los siete títulos. Luego vuelva a comenzar. Después que los estudiantes hagan sus oraciones y las compartan con sus compañeros, pídales que escriban e ilustren sus oraciones en la cartulina para exhibirlas en un lugar notable.

• **Explique:** *Recuerde que las antífonas oh nos ayudaron a celebrar el Adviento como un tiempo de espera gozosa y preparación para la venida del Hijo de Dios.*

• **Comparta** la siguiente oración: *Hijo de Dios, ven a nosotros. Sé nuestra alegría de Adviento.* Amén.

Respondemos en oración ____ minutos

• **Reúnanse** hagan una procesión hasta el lugar de oración cantando "Ven, Señor, no tardes".

• **Recen** la Señal de la Cruz y dirija la oración de apertura.

• **Pida** al lector que proclame la lectura bíblica seguida de una pausa de reflexión en silencio. Luego, pida a los siete líderes que se pongan de pie y oren las antífonas oh.

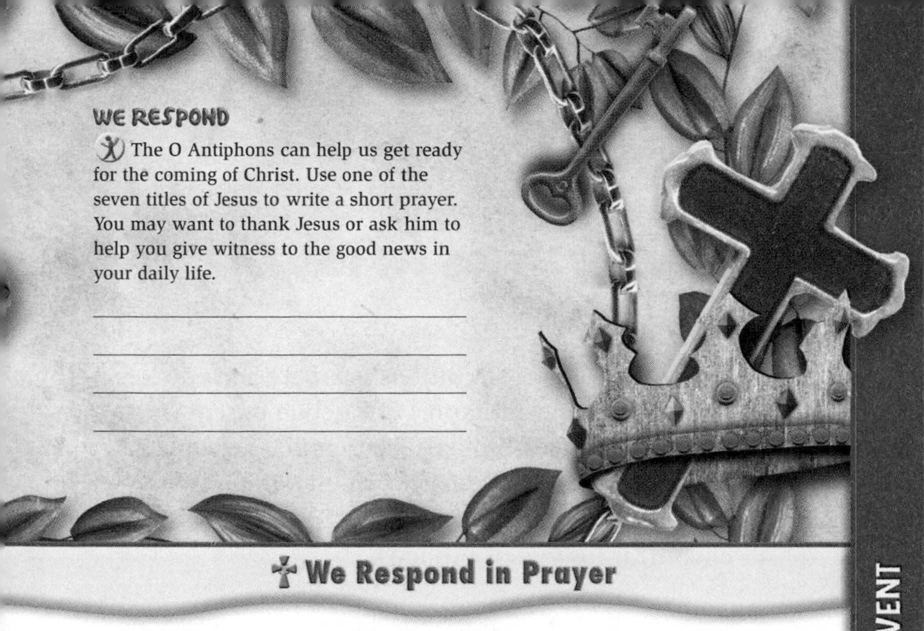

WE RESPOND

The O Antiphons can help us get ready for the coming of Christ. Use one of the seven titles of Jesus to write a short prayer. You may want to thank Jesus or ask him to help you give witness to the good news in your daily life.

____

____

____

____

We Respond in Prayer

Leader: Our help is in the name of the Lord.

All: Who made heaven and earth.

Reader: Once a woman said to Jesus, "I know that the Messiah is coming, the one called the Anointed; when he comes, he will tell us everything." Jesus told her in reply, "I am he" (John 4:25, 26).

All: Jesus, you are the Messiah.

Leader: O Wisdom! You guide creation with your strong yet tender care.

All: Come, show your people the way to salvation.

Leader: O Lord of Israel! You gave Moses the Law on Mount Sinai.

All: Come, stretch out your mighty hand to set us free.

Leader: O Flower of Jesse's Stem! You have been raised up as a sign for all people.

All: Come, let nothing keep you from coming to our aid.

Leader: O Key of David! You control the gates of heaven.

All: Come, lead your captive people to freedom.

Leader: O Radiant Dawn! You are the splendor of eternal light and the sun of justice.

All: Come, shine on those who dwell in darkness.

Leader: O King of All Nations! You are the only joy of every heart.

All: Come, save the creature you fashioned from the dust.

Leader: O Emmanuel! You are the desire of all nations and the Savior of all people!

All: Come, set us free, Lord our God.

151

ADVENT

PREPARING TO PRAY

The students will respond to a gospel reading by praying the seven Advent O Antiphons.

• Choose a reader and seven leaders, while serving as the opening prayer leader yourself. Have them prepare their parts.

• Teach the traditional Advent hymn, "O Come, O Come Emmanuel" from the parish song book or missalettes. Invite volunteers to improvise appropriate gestures or body movements to accompany the song.

The Prayer Space

• Display seven purple or violet candles.

Lesson Plan

WE RESPOND ____ minutes

Connect to Life Distribute half-sheets of poster board and markers. Read aloud the directions to the *We Respond* activity. Have students count off by sevens. Explain that all the ones will write original prayers to Jesus as "O Wisdom." The other numbers follow in order until all seven titles have been used. Then start over. After drafting their prayers and sharing with partners, have the students write and illustrate their prayers on the poster board for display in a prominent place.

• **Explain:** *Remember that the O Antiphons help us to celebrate Advent as a season of joyful expectation and preparation for the coming of the Son of God.*

• **Share** the following prayer: *Son of God, come to us. Be our Advent joy.* Amen.

We Respond in Prayer ____ minutes

• **Gather** and process to the prayer space. Sing "O Come, O Come Emmanuel" while processing.

• **Pray** the Sign of the Cross and lead the opening prayer.

• **Have** the reader proclaim the scriptural reading, followed by a pause for silent reflection. Then have the seven leaders pray the O Antiphons.

Conexión con el hogar

Compartiendo lo aprendido

Anime a los estudiantes para que preparen paulatinamente con sus familias un nacimiento a partir del 17 de diciembre.

Para información y actividades adicionales anime a las familias a visitar Sadlier en

www.CREEMOSweb.com

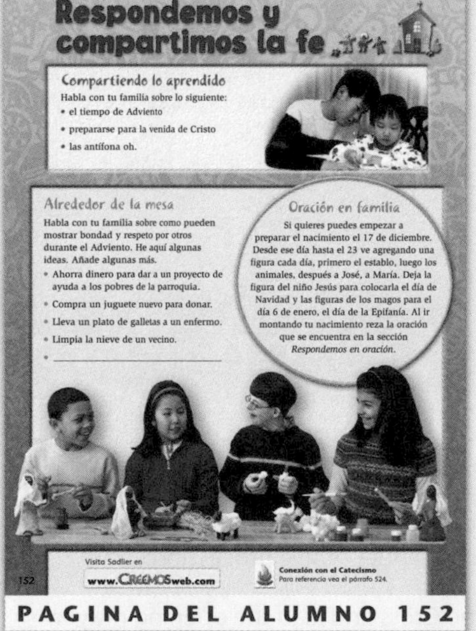

Respondemos y compartimos la fe

Compartiendo lo aprendido

Habla con tu familia sobre lo siguiente:

- el tiempo de Adviento
- prepararse para la venida de Cristo
- las antífona oh.

Alrededor de la mesa

Habla con tu familia sobre como pueden mostrar bondad y respeto por otros durante el Adviento. He aquí algunas ideas. Añade algunas más.

- Ahorra dinero para dar a un proyecto de ayuda a los pobres de la parroquia.
- Compra un juguete nuevo para donar.
- Lleva un plato de galletas a un enfermo.
- Limpia la nieve de un vecino.
- ________________

Oración en familia

Si quieres puedes empezar a preparar el nacimiento el 17 de diciembre. Desde ese día hasta el 23 ve agregando una figura cada día, primero el establo, luego los animales, después a José, a María. Deja la figura del niño Jesús para colocarla el día de Navidad y las figuras de los magos para el día 6 de enero, el día de la Epifanía. Al ir montando tu nacimiento reza la oración que se encuentra en la sección *Respondemos en oración*.

152

Visita Sadlier en www.CREEMOSweb.com

Conexión con el Catecismo
Para referencia vea el párrafo 524.

PAGINA DEL ALUMNO 152

Liturgia para la semana

Visite **www.creemosweb.com** para las lecturas bíblicas de esta semana y otros materiales propios del tiempo.

Respondemos y compartimos la fe

Proyecto individual

Distribuya el patrón, Biblias y papel reciclado. Explique a los estudiantes que deben buscar cada uno de los versos bíblicos del tiempo y escribir palabras o frases de dichos versos en los cuadros, en el orden que ellos deseen. Ayude a los estudiantes a encontrar los versos bíblicos.

Anime a los estudiantes a redactar varias versiones de los versos en papel reciclado antes de escribir e ilustrar las palabras o frases que escojan. Invite a voluntarios a compartir sus versiones de la reflexión de Adviento.

Recuerde a los estudiantes que usen esta reflexión durante las cuatro semanas de Adviento como parte de su preparación para la venida de Cristo.

Proyecto en grupo

Invite a los estudiantes a participar en el *Proyecto de cultivo y entrega del Adviento*. Proporcione bulbos de flor o plántas de rápido crecimiento para que los estudiantes los cuiden. Durante la última semana del Adviento, haga los arreglos necesarios para que los estudiantes entreguen las plantas que cultivaron a pacientes de hospitales u hospicios de la comunidad. Pueden decorar cada maceta con uno de los versos bíblicos del Adviento que redactaron en su proyecto individual.

We Respond and Share the Faith

Individual Project

Distribute Reproducible Master 13, along with Bibles and scrap paper. Explain to the students that they are to look up each of the seasonal scriptural verses and print words or phrases from them in the building blocks in whatever order they choose. Help the students to find the biblical verses.

Encourage the students to draft various arrangements of the verses on scrap paper before writing and illustrating their chosen words or phrases. Invite volunteers to share their versions of the Advent reflection.

Remind students to use this reflection throughout the four weeks of Advent as part of their preparation for the coming of Christ.

Group Project

Invite students to participate in an *Advent Growing and Giving Project.* Make available fast-growing flower bulbs or seedlings of flowering plants to be tended by the students. During the final week of Advent, arrange for the students to deliver the plants they have cared for to hospital or nursing home patients in the community. They might decorate each flowerpot with one of the Advent scriptural verses from their individual projects.

Home Connection

Sharing What I Learned

Encourage students to involve their families in the gradual setting up of the nativity scene starting on December 17.

For additional information and activities, encourage families to visit Sadlier's

www.CREEMOSweb.com

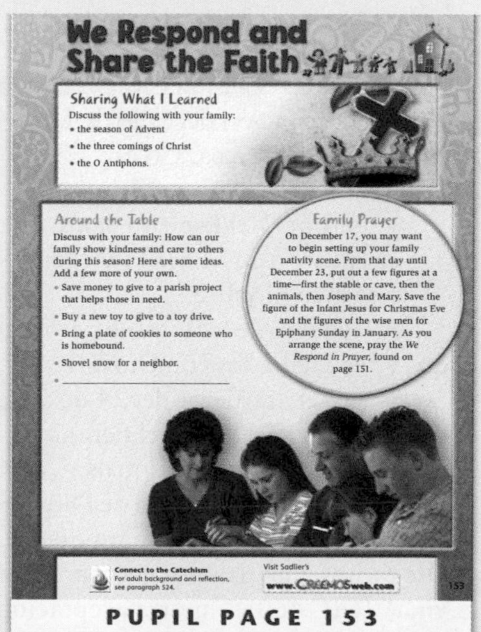

We Respond and Share the Faith

Sharing What I Learned

Discuss the following with your family:

- the season of Advent
- the three comings of Christ
- the O Antiphons.

Around the Table

Discuss with your family: How can our family show kindness and care to others during this season? Here are some ideas. Add a few more of your own.

- Save money to give to a parish project that helps those in need.
- Buy a new toy to give to a toy drive.
- Bring a plate of cookies to someone who is homebound.
- Shovel snow for a neighbor.
- ______________________

Family Prayer

On December 17, you may want to begin setting up your family nativity scene. From that day until December 23, put out a few figures at a time—first the stable or cave, then the animals, then Joseph and Mary. Save the figure of the Infant Jesus for Christmas Eve and the figures of the wise men for Epiphany Sunday in January. As you arrange the scene, pray the *We Respond in Prayer,* found on page 151.

Connect to the Catechism
For adult background and reflection, see paragraph 524.

Visit Sadlier's
www.CREEMOSweb.com

153

PUPIL PAGE 153

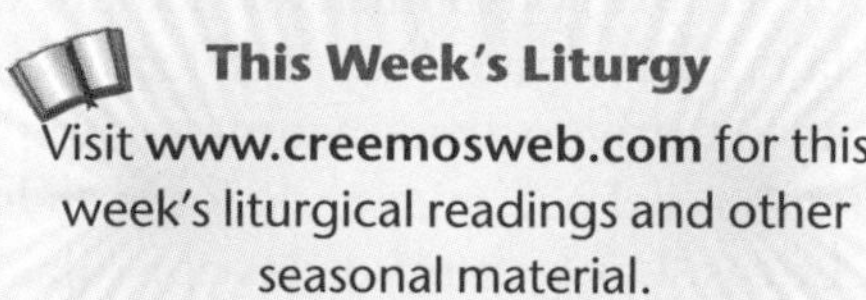

This Week's Liturgy
Visit www.creemosweb.com for this week's liturgical readings and other seasonal material.

Navidad

Después de la celebracíon anual del misterio pascual, nada tiene en mayor estima la Iglesia que la celebración del Nacimiento del Señor y de sus primeras manifestaciones; esto tiene lugar en el tiempo de Navidad.

(Normas universales sobre el año litúrgico 32)

Ojeada

En este capítulo los estudiantes aprenderán que el tiempo de la Navidad es tiempo de gozo por la encarnación.

Para reflexión Puede referise a los párrafos 457 y 1171 del *Catecismo de la Iglesia Católica*.

Referencia catequética

¿Qué es lo que más le gusta del tiempo de Navidad?

La Iglesia celebra la Navidad como el tiempo de gozo por la encarnación del Hijo de Dios. Como lo proclamamos en el Credo de Nicea, Cristo

"bajó del cielo,
y por obra del Espíritu Santo
se encarnó de María la Virgen
y se hizo hombre".

La Palabra se hizo carne para que pudiéramos ser salvados y reconciliados con Dios.

Desde el atardecer del 24 de diciembre hasta la fiesta del Bautismo del Señor, el tiempo de Navidad celebra el misterio de Dios con nosotros. Las liturgias del tiempo celebran la maravilla del Hijo de Dios convertido en hombre. La Palabra se hizo carne para que conozcamos el amor de Dios y nos convirtamos en "partícipes de la naturaleza divina" (*CIC* 460). Nuestra aceptación de esta verdad central es un signo que caracteriza nuestra fe cristiana.

Las misas del tiempo comienzan con la vigilia navideña en la noche del 24 de diciembre y continúan el 25 de diciembre con la misa de medianoche, la misa de la aurora y la misa durante el día. Las lecturas de los profetas hebreos en el Antiguo Testamento nos preparan para las narraciones del nacimiento de Jesús en los evangelios de Mateo y Lucas. Las lecturas de las epístolas hablan sobre la gloriosa venida de Cristo.

¿Cómo va a celebrar y vivir la presencia de Dios durante este tiempo sagrado?

Mirando la vida

Historia para el capítulo

"Mañana es Navidad y todavía nos queda una semana de vacaciones" exclamó Kelly a su hermano Chuck y a sus amigos. Acababan de dejar a todo el grupo en el centro comercial para hacer compras navideñas de último minuto.

Cuando llegaban a la entrada principal, Kelly vio a una señora mal vestida sentada en la banca. Lloraba silenciosamente. Al principio, Kelly siguió caminando para seguir el paso de los demás. Pero la idea de la señora llorando la hizo detenerse. "Ustedes sigan", él dijo a sus amigos. "Yo los alcanzo en unos minutos".

Pero Chuck siguió a Kelly hasta la banca donde se encontraba a la señora. Todavía estaba allí, y se veía triste. Cuando Kelly le preguntó si podía ayudar de alguna forma, la señora le dijo: "Había ahorrado quince dólares para comprarle regalos a mis hijos, pero los perdí". Les mostró que el bolsillo de su abrigo tenía un hueco. "No sé qué hacer", dijo. "No quiero desilusionarlos".

Kelly y Chuck se sentaron al lado de la señora. Ella sonrió un poco, como que si ya la hubieran ayudado. Repentinamente se le ocurrió una idea a Chuck. El sabía que Kelly y sus todos amigos tenían dinero extra. Si cada uno contribuía con dos dólares, la señora tendría suficiente dinero para comprar los regalos. "Ahora regresamos", le aseguró Kelly a la señora. "Quédese aquí y no se mueva". La señora logró sonreír una vez más mientras Chuck y Kelly iban en busca de sus amigos. Ambos sentían que la Navidad ya había comenzado.

¿Por qué crees que Kelly y Chuck estaban dispuestos a ayudar a la señora? ¿Por qué estaban tan seguros de que sus amigos también la ayudarían?

Christmas

Next to the yearly celebration of the Paschal Mystery, the Church holds most sacred the memorial of Christ's birth and early manifestations. This is the purpose of the Christmas season.
(Norms Governing Liturgical Calendars, 32)

Overview

In this chapter students will learn that the season of Christmas is a time to rejoice in the Incarnation.

For Adult Reading and Reflection You may want to refer to paragraphs 457 and 1171 of the *Catechism of the Catholic Church*.

Catechist Background

What do you love best about the Christmas season?

The Church celebrates Christmas as a season of rejoicing in the Incarnation of the Son of God. As we proclaim in the Nicene Creed, Christ

"came down from heaven:
by the power of the Holy Spirit
he was born of the Virgin Mary,
and became man."

The Word became flesh so that we might be saved and reconciled with God.

From sundown on December 24 to the Feast of the Baptism of the Lord, the Christmas season celebrates the mystery of God-with-us. The seasonal liturgies celebrate the wonder of the Son of God's becoming man. The Word became flesh so that we might know God's love and be made *"partakers of the divine nature"* (CCC 460). Our belief in this central truth is a distinctive sign of our Christian faith.

The Masses of the season begin with the Christmas Vigil on the evening of December 24. They continue on December 25 with the Christmas Midnight Mass, the Mass at Dawn, and the Mass of Christmas Day. The Old Testament readings from the Hebrew prophets prepare us for the Nativity narratives from the Gospels of Matthew and Luke. The readings from the epistles look ahead to the coming of Christ in glory.

How will you celebrate and experience God-with-us during this holy season?

Focus on Life

Chapter Story

"Tomorrow is Christmas, and then we still have a week's vacation after that!" exclaimed Kelly to her brother Chuck and their friends. The whole crowd had just been dropped off at the mall for some last-minute Christmas shopping.

As they approached the main entrance, Kelly noticed a poorly dressed woman sitting on the bench. She was crying quietly. At first, Kelly kept on walking to keep up with the others. But the thought of the crying woman stopped her. "You go ahead," she said to her friends. "I'll meet you in a few minutes."

But Chuck followed Kelly back to the bench where the woman was. She was still there, looking just as miserable. When Kelly asked whether she could help in any way, the woman told her, "I had saved fifteen dollars to buy my children presents, but I've lost it." She turned her coat pocket inside out to show the gaping hole in the bottom. "I don't know what to do," she said. "I can't stand disappointing them."

Kelly and Chuck sat down beside the woman. She smiled a little as though they had already helped her. Suddenly, Chuck came up with an idea. He knew that Kelly and their friends all had extra money with them. If each one chipped in two dollars, the woman would have enough to buy the presents. "We'll be right back," Kelly assured the woman. "Stay right here and don't go away!" The woman managed to smile again as Chuck and Kelly headed off to find their friends. They both felt as though Christmas had already begun.

Why do you think Kelly and Chuck were willing to help the woman? Why were they so certain their friends would help, too?

Guía para planificar la lección

Pasos de la lección	Presentación	Materiales
1 NOS CONGREGAMOS		
pág. 154 **Introducción del tiempo**	• Leer la *Historia para el capítulo.* • Presentar el tiempo de Navidad. • Proclamar las palabras de la leyenda.	
pág. 154	• Hablar de la pregunta sobre la celebración.	• toallas de playa • un muñeco bebé en una manta
2 CREEMOS		
pág. 156 *El tiempo de Navidad es tiempo de gozo por la encarnación.*	• Leer y conversar sobre el tiempo de Navidad y las tres misas. • Conversar sobre la Epifanía.	• cartulina • marcadores
3 RESPONDEMOS		
pág. 158	Hacer un cuadro sobre las formas de celebrar el tiempo de Navidad.	• cartulina • marcadores
pág. 158 **Respondemos en oración**	• Hacer figuras con limpiapipas (opcional) • Escuchar la Escritura Responder cantando	• limpiapipas, goma, recortes de tela • artículos del lugar de oración: nacimiento, velas eléctricas, campanas y panderetas (opcional), CD de música religiosa de Navidad.  "Cantemos," 4–6 CD
págs. 160 **Respondemos y compartimos la fe**	• Explicar el proyecto individual y en grupo de la Navidad.	• copias del patrón 14 • marcadores

Planificación de la lección

Introducción del tiempo ____ minutos

• **Recen** la Señal de la Cruz y la oración *Gloria a Dios en el Cielo*

• **Lea** en voz alta la *Historia para el capítulo* en la pág. 154A de la guía. Converse sobre la razón por la que Kelly y Chuck estaban dispuestos a ayudar a la señora y por qué estaban tan seguros de que sus amigos también ayudarían. Pregunte: *¿Por qué piensan que la cara de la pobre señora le pareciera hermosa a Kelly y a Chuck?*

• **Pida** a los estudiantes que abran sus textos en la página 154. Lea en voz alta el título del capítulo. Explique: *La Navidad es más que un día en el que se celebra el nacimiento de Jesús. Es toda una temporada en la que nos llenamos de alegría porque el Hijo de Dios se hizo hombre.*

• **Invite** a los estudiantes a reflexionar sobre la foto. Pregunte: *¿Cómo se comunica el significado de la Navidad con esta escena?* Pida a voluntarios que compartan lo que saben sobre el significado de la Navidad.

• **Proclamen** juntos las palabras de la leyenda al pie de la página.

Lesson Planning Guide

Lesson Steps	Presentation	Materials
1 WE GATHER		
page 155 **Introduce the Season**	• Read the *Chapter Story.* • Introduce the Christmas Season. • Proclaim the words at the bottom of the page	
page 155	• Discuss the question about celebrating.	• beach towels • baby doll in blanket
2 WE BELIEVE		
pages 155–157 *The season of Christmas is a time to rejoice in the Incarnation.*	• Read about and discuss the season of Christmas and the three Masses. • Discuss Epiphany.	• poster board • markers
3 WE RESPOND		
page 159	Make a chart of ways people celebrate the Christmas season.	• poster board • markers
page 159 **We Respond in Prayer**	• Listen to Scripture. Respond in song.	• pipe cleaners, glue, fabric scraps (optional) • prayer space items: nativity scene, electric candles "Calling the Children," #12, Grade 5 CD
page 161 **We Respond and Share the Faith**	• Explain the individual Christmas project. • Explain the group Christmas project.	• copies of Reproducible Master 14 • markers • Christmas carol books

Lesson Plan

Introduce the Season ____ minutes

• **Pray** the Sign of the Cross and the prayer *Glory to God in the highest!*

• **Read** aloud the *Chapter Story* on guide page 154B. Discuss why Kelly and Chuck were willing to help the woman, and why they were so sure their friends would also help. Ask: *Why did Kelly and Chuck feel as though Christmas had already begun?*

• **Have** the students open their texts to page 155. Read aloud the chapter title. Explain: *Christmas is more than a day to celebrate the birth of Jesus. It is an entire season when we rejoice that the Son of God became man.*

• **Invite** the students to reflect on the photo. Ask: *How does this scene communicate what Christmas is all about?* Have volunteers share what they know about the meaning of Christmas.

• **Proclaim** together the words at the bottom of the page.

Meta catequética

• Enseñar que la Navidad es tiempo de gozo por la encarnación

Nuestra respuesta en la fe

• Celebrar la encarnación y expresar nuestra alegría de que Cristo se haya hecho hombre para salvarnos

Materiales

• toallas de playa, un muñeco bebé en una manta, cartulina

• marcadores, 4–6 CD, nacimiento

• copias del patrón 14

RECURSOS ADICIONALES

Videos *La Navidad hispana, en casa y en le Iglesia,* Miguel Arias, Mark Francis y Arturo P. Rodríguez, Editorial Paulinas.

Para ideas visite Sadlier en

www.CREEMOSweb.com

14 Navidad

Adviento · Navidad · Tiempo Ordinario · Cuaresma · Triduo · Tiempo de Pascua · Tiempo Ordinario

El tiempo de Navidad es tiempo de gozo por la encarnación.

✝ *Jesús, lléname de tu luz.*

NOS CONGREGAMOS

Algunas veces la gente demora más tiempo celebrando algunos eventos. Por ejemplo, una reunión familiar durante toda una semana. ¿Cómo celebra tu familia diferentes eventos?

CREEMOS

Lo que celebramos el día de Navidad y durante todo el tiempo de Navidad, es el maravilloso regalo de Dios con nosotros. Durante el Adviento y la Navidad escuchamos a Jesús ser llamado Emanuel. *Emanuel* quiere decir "Dios con nosotros". Durante la Navidad celebramos que Dios está con nosotros hoy, ahora, y siempre.

El tiempo de Navidad es tiempo de gozo en la encarnación, la verdad de que el Hijo de Dios se hizo hombre. Celebramos la presencia de Cristo entre nosotros ahora y cuando vino al mundo hace dos mil años.

Recordamos que Dios amó tanto al mundo que envió a su único Hijo para salvarnos.

Muchas personas no saben que celebramos el día de Navidad con tres misas: la misa de media noche, la misa del amanecer y la misa durante el día. Cada una nos ayuda a celebrar la luz de Cristo en el mundo hoy.

Misa de medianoche (misa del gallo). Para la celebración de esta misa, todo está oscuro y en paz y quizás frío. La iglesia está preparada con velas. EL sacerdote la inicia con las palabras: "Hiciste resplandecer esta noche santísima con el nacimiento de Cristo, verdadera luz del mundo". La historia del nacimiento de Jesús se lee en el evangelio.

Lucas 2:1–14

José y María viajaron a Belén, la ciudad de David, a inscribirse en un censo. "Mientras estaban en Belén, le llegó a María el tiempo de dar a luz. Y allí nació su primer hijo, y lo envolvió en pañales y lo acostó en el establo, porque no había alojamiento para ellos en el mesón". (Lucas 2:6–7)

"Hoy brillará una luz sobre nosotros, porque nos ha nacido el Señor".

Ritos Iniciales de la misa de la aurora

154

Planificación de la lección

NOS CONGREGAMOS ___ minutos

• **Mirando la vida** Pida a voluntarios que compartan sus respuestas a las preguntas en *Nos congregamos* sobre la celebración de varios días de fiesta. Hable brevemente sobre cualquier celebración familiar en la que haya participado por más de un día. Indique que todos los tiempos del año de la Iglesia, incluyendo la Navidad, duran más de un día porque tenemos mucho que celebrar sobre el nacimiento, vida, muerte y resurrección de Jesús.

• **Explique:** *Hoy aprenderemos sobre las diferentes misas de la víspera de Navidad y del día de Navidad.*

CREEMOS ___ minutos

• **Invite** a un voluntario a leer en voz alta el enunciado *Creemos.* Pida a los estudiantes que lean en silencio los primeros tres párrafos. Repase los significados de las palabras *Emanuel* y *Encarnación.* Señale que cuando el Hijo de Dios se hace hombre para salvarnos, Dios está con nosotros.

• **Pida** a un voluntario que lea el párrafo sobre la misa de medianoche. Luego, prepare la lectura bíblica de Lucas como "nacimiento viviente". Use toallas de playa como disfraces y envuelva un muñeco bebé en una manta. Escoja un narrador. Escoja a María, José y el ángel al azar. Todo el grupo puede actuar como pastores y ángeles. (Pueden terminar la escenificación cantando juntos "Noche de paz".)

• **Continúen** leyendo el texto *Creemos* juntos. Pregunte: *¿Por qué el amanecer sería un buen momento para la misa de Navidad?* (Las respuestas pueden ser: porque al amanecer se inicia el día y la Navidad es el inicio de la vida de Jesús en la tierra; la Navidad inicia nuestra salvación; al amanecer, la luz viene al mundo, Jesús es nuestra Luz.)

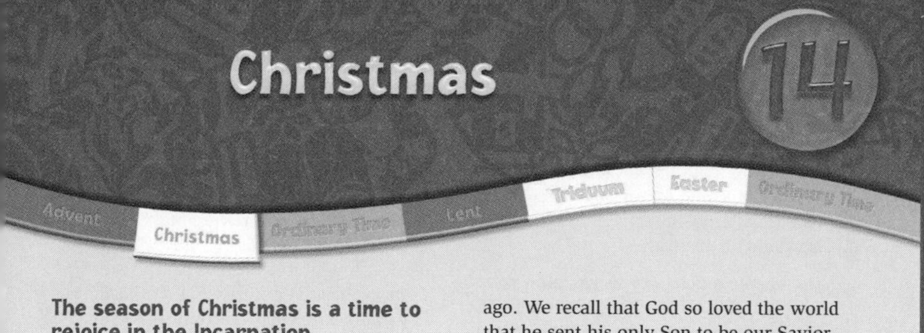

Chapter 14 • Christmas

Advent | Christmas | Ordinary Time | Lent | Triduum | Easter | Ordinary Time

The season of Christmas is a time to rejoice in the Incarnation.

Jesus, fill us with your light.

WE GATHER

Sometimes people may celebrate different events for different periods of time: for example, a family reunion for a whole week. How does your family celebrate different events?

WE BELIEVE

What we celebrate on Christmas Day, and during the whole Christmas season, is the wonderful gift of God with us. During Advent and Christmas we hear Jesus called by the name *Emmanuel.* The name Emmanuel means "God with us." During Christmas we celebrate in a special way that God is with us today, now, and forever.

The season of Christmas is a time to rejoice in the Incarnation, the truth that the Son of God became man. We celebrate Christ's presence among us now as well as his first coming into the world over two thousand years ago. We recall that God so loved the world that he sent his only Son to be our Savior.

Many people do not know that we celebrate Christmas Day with three Masses: the Mass at Midnight, the Mass at Dawn, and the Mass during the Day. Each Mass helps us to celebrate the light of Christ in the world today.

Mass at Midnight For the celebration of this Christmas Mass, all is dark and peaceful, and maybe even cold. The church is lit with candles. The priest opens with the words, "Father, you make this holy night radiant with the splendor of Jesus Christ our light." The gospel reading is the story of the birth of Jesus.

Luke 2:1–14

Joseph and Mary had traveled to Bethlehem, the city of David, to be enrolled and counted in a census. "While they were there, the time came for her to have her child, and she gave birth to her firstborn son. She wrapped him in swaddling clothes and laid him in a manger, because there was no room for them in the inn." (Luke 2:6–7).

"A light will shine on us this day, the Lord is born for us."

Mass at Dawn, Introductory Rites

155

Catechist Goal

- To teach that the season of Christmas is a time to rejoice in the Incarnation

Our Faith Response

- To celebrate the Incarnation and express our joy in Christ becoming man in order to save us

Materials

- copies of Reproducible Master 14
- materials as listed on page 154D.

ADDITIONAL RESOURCES

Video *Secret Adventures: I'm Dreaming of a Right Christmas,* Broadman and Holman, 1994. Christmas is about love. (30 minutes)

To find more ideas for books, videos, and other learning material, visit Sadlier's

www.CREEMOSweb.com

Lesson Plan

WE GATHER ____ minutes

Focus on Life Have volunteers share their responses to the *We Gather* question about celebrating different holidays. Briefly tell about any family celebration in which you have participated for more than one day. Point out that all of the seasons of the Church year, including Christmas, last for more than one day because we have so much to celebrate about the birth, life, death, and rising of Jesus.

• **Explain:** *Today we will learn about the different Masses of Christmas.*

WE BELIEVE ____ minutes

• **Invite** a volunteer to read aloud the *We Believe* statement. Have the students read silently the first three *We Believe* paragraphs. Review the meanings of the words *Emmanuel* and *Incarnation*. Stress that in the Son of God becoming man for our salvation God is with us.

• **Ask** a volunteer to read the paragraph about the Mass at Midnight. Then prepare the Scripture reading from Luke as a "living nativity." Use beach towels for costumes and have a baby doll wrapped in a blanket. Choose a narrator. Choose Mary, Joseph, and the angel by a random method. The whole group can be shepherds and angels. (You may want to end your tableau by singing "Silent Night" together.)

• **Continue** reading the *We Believe* text together. Ask: *Why would dawn be a good time for a Christmas Mass?* (Answers could include: because dawn is the beginning of the day and Christmas is the beginning of Jesus' life on earth; Christmas is the beginning of our salvation; at dawn, light comes into the world and Jesus is our Light.)

Ideas

Bendiciones de la Epifanía

La bendición de los portales es una de las tradiciones de la Epifanía que muchas parroquias han comenzado a practicar de nuevo. Se distribuye agua bendita y tiza a los feligreses para que las lleven a casa y bendigan sus portales escribiendo la fecha y las iniciales de cada uno de los reyes magos (Gaspar, Melchor y Baltasar). Se pone una cruz antes de cada letra mayúscula.

CONEXION

Conexión con el currículo

Las artes

Materiales: varias pinturas del tiempo, CD de música y poesía

Como actividad del tiempo de Navidad, tenga disponible para parejas o grupos muestras de pinturas y poesía del tiempo. Pida a las parejas que seleccionen una expresión artística para disfrutar y conversar sobre ella.

Había pastores en el campo cercano. El ángel del Señor les dijo:

"No tengan miedo, porque les traigo una buena noticia, que será motivo de gran alegría para todos: Hoy les ha nacido en el pueblo de David un salvador, que es el Mesías, el Señor. Como señal encontrarán ustedes al niño envuelto en pañales y acostado en un establo".

De repente muchas voces cantaron con el ángel. "¡Gloria a Dios en las alturas! ¡Paz en la tierra entre los hombres que gozan de su favor". (Lucas 2:10–12, 14).

Un himno de gloria o Gloria a Dios, está basado en este himno de los ángeles. Rezamos o cantamos el Gloria durante las misas los domingos, excepto los domingos de Adviento y Cuaresma. En las misas de Navidad cantamos este himno con gran gozo. La luz de Cristo ha venido al mundo y se queda con nosotros.

Misa de la aurora. Para la celebración de esta misa, el sol está naciendo. Igual que los pastores corrieron al establo, los fieles corren a sus parroquias. El sacerdote la inicia con las palabras: "Señor, Dios todopoderoso, que has querido iluminarnos con la luz nueva de tu Verbo hecho carne".

Habrás escuchado muchos títulos para Jesús. Mesías, Cristo, Ungido, Salvador, Señor, para nombrar algunos. Estos títulos son siempre para designar al Hijo de Dios, la segunda Persona de la Santísima Trinidad, quien se hizo hombre. "La Palabra entre nosotros" y "la Palabra hecha carne", son también títulos para Cristo. Ellos explican la encarnación. De hecho, la palabra *encarnación* significa "hecho carne". Durante la Navidad nos regocijamos de que la Palabra está entre nosotros hoy y siempre.

Misa del día Para la celebración de esta misa, probablemente las campanas siguen sonando mientras la gente se reúne con gozo. El sacerdote la inicia diciendo: "Dios nuestro, que de modo admirable creaste al hombre. . . . y de modo más admirable lo elevaste con el nacimiento de tu Hijo".

La Navidad no termina con la celebración de una de estas misas. El tiempo de Navidad termina con la fiesta del bautismo del Señor, celebrada generalmente la segunda de semana de enero.

NAVIDAD

156

Planificación de la lección

CREEMOS (continuación)

• **Forme** tres grupos pequeños. Pida a cada grupo que lea sobre una de las misas de Navidad. Distribuya cartulina y marcadores a cada grupo. Asigne la siguiente tarea: *Diseñen un cartel para la misa asignada que refleje el mensaje de la oración de apertura y que muestre lo que distingue a esta misa en particular.* Pida a una persona de cada grupo que exponga su cartel y explique el mensaje de la misa.

Cotejo rápido

✔ *Qué celebramos durante el tiempo de Navidad?* (Celebramos gozosos la Encarnación mediante la cual el Hijo de Dios se hizo hombre.)

✔ *¿Qué celebran de Jesús la misa de medianoche y la misa del amanecer?* (La misa de media noche celebra el nacimiento de Jesús en Belén, y la misa del amanecer celebra a Jesús como la Palabra y la nueva luz entre nosotros.)

• **Anime** a los estudiantes a continuar leyendo para responder las siguientes preguntas: 1) *¿Cuándo termina el tiempo de Navidad?* (la fiesta del Bautismo del Señor) 2) *¿Cuál es el duodécimo día de Navidad?* (el 6 de enero o el día original de la Epifanía) 3) *¿Cuándo celebramos la Epifanía?* (el segundo domingo después de la Navidad) 4) *¿Qué nos recuerdan las celebraciones Navideñas?* (que Cristo es la Luz de hoy, que él es Dios con nosotros, la Palabra entre nosotros hoy y siempre)

• **Pida** a un voluntario que lea el último párrafo acerca de los títulos para Jesús. Pregunte: *¿Pueden pensar en otros títulos para Jesús?* (Posibles respuestas: Jesús el Buen Pastor; Jesús la Luz del mundo; Jesús nuestro hermano; Jesús, Hijo de Dios e hijo de María)

There were shepherds in the fields nearby. The angel of the Lord came to them and said:

"Do not be afraid; for behold, I proclaim to you good news of great joy that will be for all the people. For today in the city of David a savior has been born for you who is Messiah and Lord. And this will be a sign for you: you will find an infant wrapped in swaddling clothes and lying in a manger."

Suddenly there were many voices singing with the angel:

"Glory to God in the highest
and on earth peace to those
on whom his favor rests"
(Luke 2:10–12, 14).

Our great hymn the Gloria, or the Glory to God, is based on this song of the angels. We say or sing the Glory to God in Mass on Sundays all during the year, except during Advent and Lent. In the Masses of Christmas we sing this hymn with great joy. The light of Christ has come into the world and remained with us!

Mass at Dawn For the celebration of this Christmas Mass, the sun is rising in the east. Just as the shepherds hurried to the stable, the faithful hurry to their parish churches. The priest opens with the words, "Father, we are filled with the new light by the coming of your Word among us."

You have heard many titles of Jesus. Messiah, Christ, Anointed One, Savior, and Lord are just a few. These titles are all ways to speak about the Son of God, the second Person of the Blessed Trinity who became one of us. "The Word among us" and "the Word made flesh" are also titles for Christ, but there are more. They are actually ways of explaining the Incarnation. In fact, the word *Incarnation* means "becoming flesh."

During the Christmas season we rejoice that the Word is among us, today and always.

Mass During the Day For the celebration of this Christmas Mass, the bells probably continue to ring as people greet each other with joy. The priest begins, "God of love, Father of all, the darkness that covered the earth has given way to the bright dawn of your Word made flesh."

The gospel reading for this Mass is the beginning of the Gospel of John. Here is part of that reading.

"And the Word became flesh
and made his dwelling among us,
and we saw his glory,
the glory as of the Father's only Son,
full of grace and truth." (John 1:14)

Christmas does not end once these three Masses have been celebrated. The season of Christmas lasts until the Feast of the Baptism of the Lord, which is usually in the second week in January.

CHRISTMAS

157

Teaching Note

Epiphany Blessings

Among the Epiphany traditions that many parishes have restored is the blessing of doorways. Holy water and chalk are distributed to parishioners to take home. They bless their doorways and use the chalk to inscribe the date plus the initials of each of the Magi (Caspar, Melchior, Balthazar). A cross precedes each capital letter.

CONNECTION

Curriculum Connection

The Arts

Activity Materials: assorted seasonal art prints, music CDs, and poetry

As a Christmas season treat, make available to partners or small groups samples of seasonal art, music, and poetry. Have the partners select any one artistic expression to enjoy and discuss.

Lesson Plan

WE BELIEVE (continued)

• **Form** three small groups. Have each group read about one of the Masses of Christmas. Distribute poster board and markers to each group. Give the following assignment: *Design a poster for your assigned Mass that reflects the message of the opening prayer and shows what is special about this particular Mass.* Have one person from each group present the poster and explain its message about the Mass.

Quick Check

✔ *What do we celebrate during the Christmas season?* (We joyfully celebrate the Incarnation by which the Son of God became man.)

✔ *What do the Mass at Midnight and the Mass at Dawn celebrate about Jesus?* (The Mass at Midnight celebrates Jesus' birth at Bethlehem; the Mass at Dawn celebrates Jesus as the Word and the new light among us.)

• **Challenge** the students to continue reading to find the answers to these questions: 1) *When does the Christmas season end?* (the Feast of the Baptism of the Lord) 2) *What is the twelfth day of Christmas?* (January 6 or the original day of Epiphany) 3) *When do we celebrate Epiphany?* (the second Sunday after Christmas) 4) *What do Christmas celebrations help us to remember?* (that Christ is our Light today, that he is God-with-us today, the Word among us today and always)

• **Ask** a volunteer to read the last paragraph about the titles of Jesus. Ask: *Can you think of any other titles of Jesus?* (Possible responses: Jesus the Good Shepherd; Jesus the Light of the World; Jesus our Brother; Jesus, Son of God and son of Mary)

PREPARANDOSE PARA ORAR

Los estudiantes responderán a una lectura bíblica con una canción del tiempo.

• Escoja a un líder y a un lector que se prepararán para sus partes en este momento.

• Practique "Cantemos," 4–6 CD

• Si el tiempo lo permite, pida a los estudiantes que hagan figuras con limpiapipas que los representen a ellos, a sus familias y amigos. Use goma y recortes de tela para la vestimenta. Use papel de estraza para las caras.

El lugar de oración

• Exhiba un nacimiento con la sagrada familia y figuras contemporáneas (opcional) que representen a los estudiantes, sus familias, mascotas y amigos.

• Encienda velas navideñas o pida a un voluntario que encienda varias velas eléctricas de color rojo o blanco.

Los días después de Navidad son llamados "los doce días de Navidad" porque doce días después de Navidad es la fiesta de la Epifanía. La Epifanía era celebrada originalmente el 6 de enero. En los Estados Unidos se celebra el segundo domingo después de Navidad.

La gente de todas partes del mundo celebra la Navidad y sus fiestas. Celebran con costumbres y tradiciones locales. No importa cuan diferentes sean sus celebraciones, nos ayudan a recordar que Cristo es nuestra Luz hoy, él es Dios con nosotros hoy, la Palabra entre nosotros hoy y siempre.

RESPONDEMOS

En grupo hagan un cuadro de las muchas formas en que la gente celebra el día de Navidad y el tiempo de Navidad. Hablen si esas cosas nos ayudan a recordar el verdadero significado de la Navidad.

Respondemos en oración

NAVIDAD

Líder: Señor Jesús, en la paz de este tiempo nuestros espíritus se alegran: Con las bestias y los ángeles, los pastores y las estrellas, con María y José, cantamos alabando a Dios. Gloria a Dios en el cielo.

Todos: Y paz a su pueblo en la tierra.

Lector: Lectura del libro del profeta Isaías

"¡Cómo me alegro en el Señor! Me lleno de gozo en mi Dios Porque me ha brindado su salvación. ¡Me ha cubierto de victoria!"
(Isaías 61:10)

Palabra de Dios.

Todos: Demos gracias a Dios.

Cantemos

Coro
Cantemos, cantemos
gloria al Salvador.
Feliz Nochebuena,
feliz Nochebuena,
feliz Nochebuena
nos dio el Niño Dios.

Tú eres la esperanza,
tú la caridad,
tú eres el consuelo
de la humanidad.
Coro

158

Planificación de la lección

RESPONDEMOS ___ minutos

Conexión con la vida Lea en voz alta las instrucciones para la actividad de *Respondemos*. Pida a los estudiantes que comiencen sus cuadros escribiendo sobre sus propias costumbres familiares antes de investigar otras costumbres y tradiciones.

Comparta la siguiente oración. Anime a los estudiantes a memorizarla y a rezarla frecuentemente durante el tiempo de Navidad: *El Rey viene con todo su esplendor, él es nuestra paz. Todo el mundo anhela verlo.*

Respondemos en oración ___ minutos

• **Encargue** a los estudiantes para que lleven una o más figuras del nacimiento hasta la mesa de oración y las coloquen en su sitio. Si han hecho figuras con limpiapipas, los estudiantes deben colocar las figuras en el pesebre.

• **Recen** la Señal de la Cruz e invite al líder a comenzar la oración de apertura.

• **Después** de la lectura, invite a todos a ponerse de pie y balancearse de izquierda a derecha mientras cantan.

• **Concluya** compartiendo el saludo de la paz.

The days after Christmas are often called "The Twelve Days of Christmas" because the twelfth day after Christmas is the feast of Epiphany. Epiphany was originally celebrated on this twelfth day, January 6. Today in the United States Epiphany is celebrated on the second Sunday after Christmas.

People in all parts of the world celebrate Christmas and the feasts of the Christmas season. They celebrate using local customs and traditions. But however different the celebrations may be, they all help us to remember that Christ is our Light today, he is God-with-us today, the Word among us today and always.

WE RESPOND

Work in groups to make a chart of the many ways people celebrate Christmas Day and the whole season of Christmas. Talk about whether or not these ways help us to remember the real meaning of Christmas.

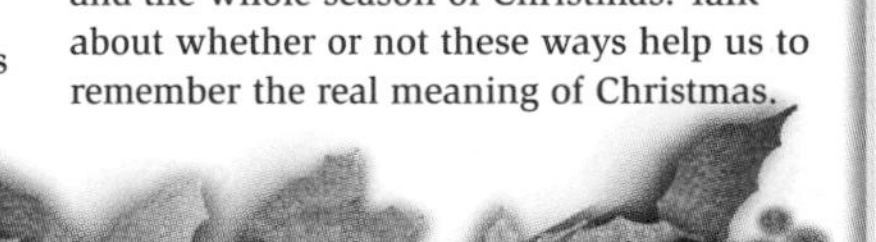

We Respond in Prayer

Leader: Lord Jesus,
in the peace of this season
our spirits rejoice:
With the beasts and angels,
the shepherds and stars,
with Mary and Joseph
we sing God's praise.

Glory to God in the highest.

All: And peace to his people on earth.

Reader: A reading from the Book of the Prophet Isaiah

"I rejoice heartily in the LORD,
in my God is the joy
of my soul;
For he has clothed me with a
robe of salvation,
and wrapped me in a
mantle of justice."
(Isaiah 61:10)

The word of the Lord.

All: Thanks be to God.

Calling the Children

Refrain

Gloria, Gloria! Gloria, Gloria!
Sing of the Savior's birth.
Sing of the Savior's birth.
Loud and clear, loud and clear.
Calling the children, calling the children,
calling the children of God.

Now hear the angels' song:
"Your Savior Christ is born.
In a manger lies the baby,
the Savior of the world." (Refrain)

The shepherds hearing them
go straight to Bethlehem.
In a stable they find Jesus,
the holy Lamb of God. (Refrain)

The star is shining bright,
to lead us through the night.
Here is comfort for our sorrow,
the Light to save the world. (Refrain)

Preparing to Pray

The students will respond to a scriptural reading by singing a seasonal song.

- Choose a leader and a reader who will prepare for their parts during this time.
- Practice "Calling the Children," #12 on the Grade 5 CD.
- If time allows, have students make pipe cleaner figures to represent themselves, their families, their friends. Use glue and fabric scraps for clothing. Use construction paper for faces.

The Prayer Space

- Display a nativity scene with the Holy Family and contemporary figures (optional) representing the students, their families, pets, and friends.
- Light Christmas candles or have a volunteer turn on several red or white electric candles.

Lesson Plan

WE RESPOND ____ minutes

Connect to Life Read aloud the directions to the *We Respond* activity. Have the students begin their charts by writing their own family customs on it before searching for additional customs and traditions.

Share the following prayer. Encourage students to memorize it and pray it often during the Christmas season: *He comes in splendor, the King who is our peace; the whole world longs to see him. (Christmas Evening Prayer I)*

We Respond in Prayer ____ minutes

- **Assign** students to carry one or more nativity figures to the prayer table to arrange them. If they have made pipe-cleaner figures, have the students place the figures in the manger scene.
- **Pray** the Sign of the Cross and invite the leader to begin the opening prayer.
- **After** the reading, invite all to stand and sway from left to right while singing.
- **Conclude** by sharing a handshake of peace.

CONEXION CON EL HOGAR

Compartiendo lo aprendido

Recuerde a los estudiantes compartir con su familia lo aprendido en este capítulo. Anime a los estudiantes a compartir las oraciones navideñas con sus familias.

Para información y actividades adicionales, anime a las familias a visitar Sadlier en

www.CREEMOSweb.com

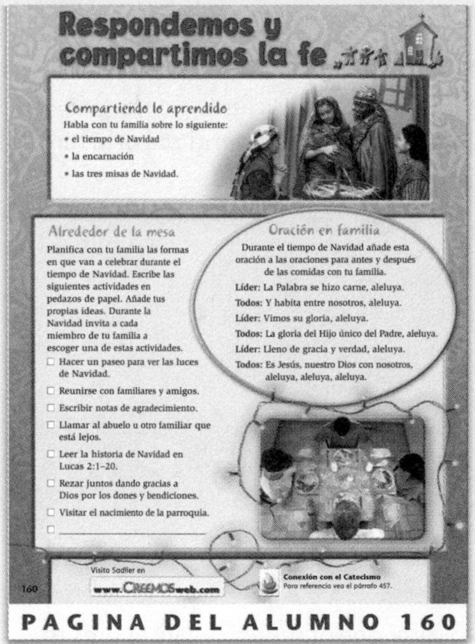

Respondemos y compartimos la fe

Compartiendo lo aprendido

Habla con tu familia sobre lo siguiente:

- el tiempo de Navidad
- la encarnación
- las tres misas de Navidad.

Alrededor de la mesa

Planifica con tu familia las formas en que van a celebrar durante el tiempo de Navidad. Escribe las siguientes actividades en pedazos de papel. Añade tus propias ideas. Durante la Navidad invita a cada miembro de tu familia a escoger una de estas actividades.

- ☐ Hacer un paseo para ver las luces de Navidad.
- ☐ Reunirse con familiares y amigos.
- ☐ Escribir notas de agradecimiento.
- ☐ Llamar al abuelo u otro familiar que está lejos.
- ☐ Leer la historia de Navidad en Lucas 2:1–20.
- ☐ Rezar juntos dando gracias a Dios por los dones y bendiciones.
- ☐ Visitar el nacimiento de la parroquia.
- ☐ ____________

Oración en familia

Durante el tiempo de Navidad añade esta oración a las oraciones para antes y después de las comidas con tu familia.

Líder: La Palabra se hizo carne, aleluya.

Todos: Y habita entre nosotros, aleluya.

Líder: Vimos su gloria, aleluya.

Todos: La gloria del Hijo único del Padre, aleluya.

Líder: Lleno de gracia y verdad, aleluya.

Todos: Es Jesús, nuestro Dios con nosotros, aleluya, aleluya, aleluya.

160

Visita Sadlier en www.CREEMOSweb.com

Conexión con el Catecismo
Para referencia vea el párrafo 457.

PAGINA DEL ALUMNO 160

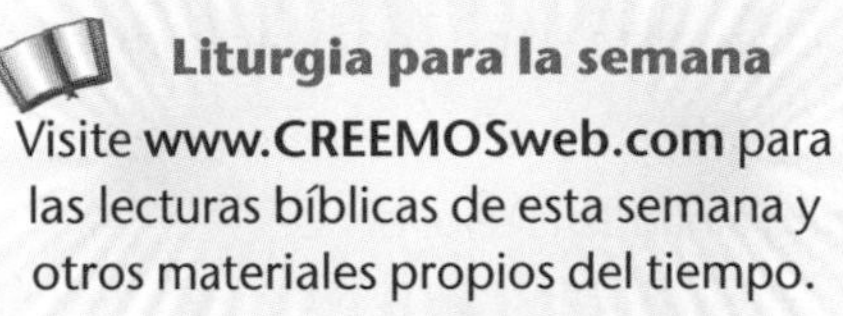

Liturgia para la semana

Visite **www.CREEMOSweb.com** para las lecturas bíblicas de esta semana y otros materiales propios del tiempo.

Respondemos y compartimos la fe

Proyecto individual

Distribuya el patrón 14 con un cancionero de villancicos. Además, distribuya marcadores para los estudiantes que quieran colorear los bordes de sus hojas de música. Si es posible, organice lugares donde los alumnos puedan trabajar individualmente mientras tararean sus melodías.

Recuerde a los estudiantes que pueden incluir algunas de estas verdades en sus canciones: el Hijo de Dios se hizo hombre con la encarnación; Emanuel es Dios con nosotros: Jesucristo es nuestra luz, el ángel anunció a los pastores el nacimiento del Mesías; la canción *Gloria a Dios en el cielo* que se canta en misa proviene de la canción de los ángeles; la Palabra se hizo carne e hizo de la humanidad su hogar.

Invite a voluntarios a compartir sus canciones terminadas.

Proyecto en grupo

Aporte ideas en que los estudiantes puedan ayudar a que los demás vivan "el esplendor de Jesucristo, nuestra luz" (Oración de apertura, misa de medianoche) durante el tiempo de Navidad. Como proyecto, los estudiantes podrían considerar cantar villancicos con linternas luminosas en el portal de un hospicio u hogar de ancianos. O podrían hacer una pancarta grande de color azul oscuro con una estrella brillante dorada o plateada que lleve las palabras de la oración de apertura del capítulo. La pancarta se podría colgar en la iglesia parroquial u otro lugar notable.

We Respond and Share the Faith

Individual Project

Distribute Reproducible Master 14, along with any available books with carols. Also distribute markers for those students who want to add color to their music sheet borders. If possible, provide spaces where students can work on their own and hum their melodies.

Remind the students that some of the truths they may want to consider including in their lyrics are these: the Son of God became man in the Incarnation; Emmanuel is God-with-us; Jesus Christ is our Light; the angel announced to the shepherds the birth of the Messiah; our Glory to God sung at Mass is based on the song of the angels; the Word became flesh and made his home with humanity.

Invite volunteers to share their completed songs.

Group Project

Brainstorm one possible way in which the students can help others experience "the splendor of Jesus Christ our light" (Opening Prayer, Mass at Midnight) during the Christmas season. For their project, the students might consider going caroling with bright beacon flash lights outside a nursing home or housing for the elderly. Or they might make a large dark blue banner with one brilliant gold or silver star and the words of this chapter's opening prayer. The banner could be hung in the parish church or another prominent place.

Home Connection

Sharing What I Learned

Remind the students to share with their families what they have learned in this chapter. Encourage students to share the Christmas prayers with their families.

For additional information and activities, encourage families to visit Sadlier's

www.CREEMOSweb.com

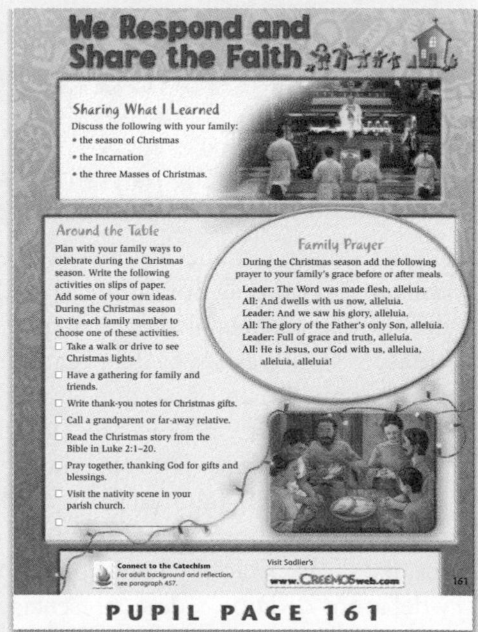

We Respond and Share the Faith

Sharing What I Learned

Discuss the following with your family:

- the season of Christmas
- the Incarnation
- the three Masses of Christmas.

Around the Table

Plan with your family ways to celebrate during the Christmas season. Write the following activities on slips of paper. Add some of your own ideas. During the Christmas season invite each family member to choose one of these activities.

- ☐ Take a walk or drive to see Christmas lights.
- ☐ Have a gathering for family and friends.
- ☐ Write thank-you notes for Christmas gifts.
- ☐ Call a grandparent or far-away relative.
- ☐ Read the Christmas story from the Bible in Luke 2:1–20.
- ☐ Pray together, thanking God for gifts and blessings.
- ☐ Visit the nativity scene in your parish church.
- ☐ ________________

Family Prayer

During the Christmas season add the following prayer to your family's grace before or after meals.

Leader: The Word was made flesh, alleluia.
All: And dwells with us now, alleluia.
Leader: And we saw his glory, alleluia.
All: The glory of the Father's only Son, alleluia.
Leader: Full of grace and truth, alleluia.
All: He is Jesus, our God with us, alleluia, alleluia, alleluia!

Connect to the Catechism
For adult background and reflection, see paragraph 457.

Visit Sadlier's
www.CREEMOSweb.com

161

PUPIL PAGE 161

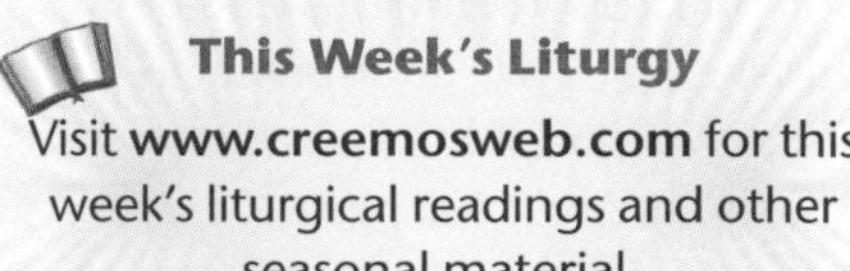

This Week's Liturgy

Visit **www.creemosweb.com** for this week's liturgical readings and other seasonal material.

Confiamos en Dios

Ojeada

En este capítulo los estudiantes aprenderán más sobre la oración como una forma de escuchar y hablar con Dios que nos ama. Aprenderán que un Dios amoroso nos llama a confiar en él y que Jesús nos perdona.

Contenido doctrinal	Para referencia del *Catecismo de la Iglesia Católica*
Los estudiantes aprenderán que:	párrafo
• Jesús nos llama a la conversión.	1427
• Jesús perdona como sólo Dios puede hacerlo	1441
• Jesús sigue perdonándonos por medio de la Iglesia.	1442
• Somos reconciliados con Dios y con la Iglesia	1445

Referencia catequética

¿Alguna vez le han perdonado una deuda?

La sangre vital del amor es la libertad de dar. Si nos consume el odio, la amargura o la culpa, no podemos darnos a los demás ni aceptar su presencia en nuestras vidas. Si somos esclavos del pecado, no tenemos la libertad de ser el pueblo amoroso que Dios creó. Rechazamos el abundante amor y la gracia de Dios porque nos hemos alejado de la fuente—Dios mismo.

El pecado es "faltar al amor verdadero para con Dios y para con el prójimo" (*CIC* 1849). Con nuestros pensamientos, palabras, acciones u omisiones nos apartamos de la ley y del amor de Dios, y de su presencia. Pero Dios nunca nos abandona. Siempre nos llama al arrepentimiento y renovamos en mente y corazón. "Pondré en ustedes un corazón nuevo y un espíritu nuevo (Ezequiel 36:26).

La buena nueva es que Dios siempre está dispuesto recibirnos cuando nos arrepentimos. Las acciones y parábolas de Jesús nos demostraron que Dios siempre está dispuesto a recibirnos de nuevo y perdonar nuestros pecados. Al final de su ministerio público y su vida, Jesús le dio la autoridad a los apóstoles y a los sucesores de la Iglesia para absolver los pecados: (ver Mateo 16:19 y 18:18).

¿Cómo puede amar más a los demás al saber que cuenta con el perdón de Dios?

Mirando la vida

Historia para el capítulo

Donna aún puede recordar el martes por la mañana en que su maestro anunció que dos aviones se habían estrellado contra Las Torres Gemelas, otro contra el Pentágono y un cuarto en Pennsylvania. Ella y su grupo se llenaron de temor y sobresalto. Durante meses parecía que las tragedias eran lo único que pasaba por la mente de las personas. Ella rezaba por todos los que murieron y los que perdieron a sus seres queridos ese día.

Poco después de estos trágicos acontecimientos, se organizó una exhibición fotográfica sobre el 11 de septiembre en un museo local.

Donna se armó de valor para ir a la exhibición con su padre. Cada fotografía capturaba algún momento de dolor y pena en los rostros de los trabajadores de rescate. Algunas de las personas que visitaron la exhibición expresaban su ira y odio por los terroristas y susurraban palabras de venganza.

Cuando Donna y su padre regresaron a casa, él dijo: "Donna, odiar a los demás no ayuda a traer la paz al mundo. La venganza no es la solución. Tenemos que buscar la forma de perdonar a los que hicieron esas cosas terribles".

Donna sabía que perdonar no sería fácil para aquellas personas que perdieron a sus seres queridos. Luego, Donna recordó las palabras del Padrenuestro, "Perdona nuestras ofensas, como también nosotros perdonamos. . . "

¿Cómo las palabras de Jesús de "amen a sus enemigos" (Mateo 5:44) enfatizan las palabras del padre de Donna?

Overview

In this chapter the students will continue to learn more about prayer as listening to and talking to God who loves us. They will learn that a loving God calls us to turn toward him with all our hearts and that Jesus forgives us.

Doctrinal Content	For Adult Reading and Reflection *Catechism of the Catholic Church*
The students will learn:	Paragraph
• Jesus calls us to conversion	1427
• Jesus forgives as only God can do	1441
• Jesus continues to forgive us through the Church	1442
• We are reconciled with God and the Church	1445

Catechist Background

Have you ever owed someone a debt and had it forgiven?

Love's lifeblood is the freedom to give. If we are consumed with hatred, anger or guilt, we cannot give ourselves to another or accept his or her presence in our lives. The same is true with our relationship with God. If we are enslaved by sin, we are not free to be the loving people God created us to be. We reject God's abundant love and grace because we have turned away from the source—God himself.

Sin is "failure in genuine love for God and neighbor" (*CCC* 1849). Through our thoughts, words, deeds, or omissions we turn away from God's law and love and follow a path that leads us away from God's presence. But God never abandons us. God constantly calls us to repent, and to be renewed in heart and mind. "I will give you a new heart and place a new spirit within you"(Ezekiel 36:26).

The good news is that God is always ready to receive us when, with contrite heart and sorrow for sin, we turn to him. Jesus' parables and actions showed that God always welcomes us back and forgives our sins. When his public ministry and life drew to a close, Jesus gave the authority to forgive sins to the apostles and their successors in his Church (see Matthew 16:19 and 18:18).

How does knowing you are forgiven by God enable you to love others better?

Focus on Life

Chapter Story

Donna can still remember that Tuesday morning when her teacher announced that two jets had hit the World Trade Center, another had struck the Pentagon, and a fourth crashed in Pennsylvania. Shock and fear overtook her and her classmates. For months it seemed as though the tragedies were the only things on people's minds. She prayed for everyone who died or lost loved ones that day.

It was not too long after these tragic events that a photographic exhibit about September 11 was scheduled at a local museum.

It took all of Donna's courage to go to the exhibit with her father. Each photograph captured some moment of pain and sorrow on the faces of rescue workers. Some of the people visiting the exhibit expressed anger and hatred toward the terrorists and whispered words of revenge.

When Donna and her father returned home, he said, "Donna, hating others does not help bring peace to the world. Getting even with someone is not the way. Somehow we have to forgive those who did these awful things."

Donna knew it would not be easy for anyone who lost a loved one to forgive. Then the words of the Our Father came to Donna, "Forgive us our trespasses, as we forgive . . . ."

How do Jesus' words, "I say to you, love your enemies" (Matthew 5:44) emphasize the words of Donna's father?

Guía para planificar la lección

Pasos de la lección	Presentación	Materiales
 **NOS CONGREGAMOS**		
 **Oración**  **Mirando la vida**	• Escuchar la Escritura. Responder cantando. • Conversar sobre las preguntas acerca del perdón.	Para el lugar de oración: una Biblia y un recipiente de agua, una foto de diversas personas y una foto de dos amigos. "Pertenecemos a la familia de Dios," 4–6 CD
2 **CREEMOS**		
pág. 162 *Jesús nos llama a la conversión.*  *Lucas 15:11–24*	• Leer y conversar sobre lo que Jesús nos enseñó sobre acercarnos a Dios, y la parábola de los dos hijos. Escribir una historia sobre arrepentirse y regresar a Dios.	
pág. 164 *Jesús perdona como sólo Dios puede hacerlo.*  *Marcos 2:1–12*	• Leer y conversar sobre como Jesús perdonaba a los pecadores y cómo los apóstoles compartían este poder. Identificar qué se puede hacer cada día para aceptar y perdonar a otros.	
pág. 166 *Jesús sigue perdonándonos por medio de la Iglesia.*	• Leer y conversar sobre el pecado y el sacramento de la Reconciliación. Indicar cómo la Iglesia nos ayuda a ser personas reconciliadoras.	
pág. 168 *Somos reconciliados con Dios y con la Iglesia.*	• Leer y conversar sobre trabajar por la paz y la justicia. • Leer y conversar sobre *Como católicos.*	• copias del patrón 15
3 **RESPONDEMOS**		
pág. 168	Escribir un poema o canción sobre el significado de ser reconciliado.	• papel de estraza
páginas 170 y 172 **Repaso**	• Completar las preguntas 1–10. • Completar la actividad de *Reflexiona y ora.*	
páginas 170 y 172 **Respondemos y compartimos la fe**	• Repasar el *Recuerda* y el *Vocabulario.* • Leer y conversar sobre *Nuestra vida católica.*	

Para ideas, actividades y otras oportunidades visite Sadlier en **www.CREEMOSweb.com**

Lesson Planning Guide

1 WE GATHER

Lesson Steps	Presentation	Materials
page 162 **Prayer**  **Focus on Life**	• Listen to Scripture. • Discuss questions about forgiveness.	For the prayer space: a Bible and a bowl of water, a picture of a variety of people, and a picture of two friends

2 WE BELIEVE

Lesson Steps	Presentation	Materials
page 163 *Jesus calls us to conversion.*  *Luke 15:11–24*	• Read and discuss Jesus' teaching on turning to God and the parable of the two sons. Write a story about being sorry and returning to God.	
page 165 *Jesus forgives us as only God can do.*  *Mark 2:1–12*	• Read and discuss Jesus' forgiving sinners and the way the apostles shared in this power. Identify what can be done daily to be more accepting and forgiving of others.	
page 167 *Jesus continues to forgive us through the Church.*	• Read and discuss sin and the sacrament of Reconciliation. Name ways the Church helps us to be reconciling people. • Read and discuss *As Catholics*.	
page 169 *We are reconciled with God and the Church.*	• Read and discuss working for peace and justice.	• copies of Reproducible Master 15

3 WE RESPOND

Lesson Steps	Presentation	Materials
page 169	Write a poem about being reconciled.	• construction paper
pages 171 and 173 **Review**	• Complete questions 1–10. • Complete *Reflect & Pray*.	
pages 171 and 173 **We Respond and Share the Faith**	• Review *Remember* and *Key Words*. • Read and discuss *Our Catholic Life*.	

For additional ideas, activities, and opportunities: Visit Sadlier's **www.CREEMOSweb.com**

Conexiones

Doctrina social de la Iglesia

Solidaridad de la familia humana
La Iglesia proclama que somos los guardianes de nuestros hermanos sin importar la raza, nacionalidad o diferencias económicas. Somos una familia. Pida a los estudiantes reflexionar sobre su actividad en relación con los pecados de prejuicio y violencia. Adapte sus preguntas para relacionarlas con las vidas de los estudiantes. Pregunte: *¿Cómo podemos tratar con justicia a las personas? y promover la justicia y fomentar la paz en nuestras relaciones?*

Familia

En este capítulo, los estudiantes aprenden sobre el perdón y la importancia de perdonar. Debido a que los estudiantes se relacionan principalmente con amigos y familiares, lo más probable es que tengan conflictos con estas personas. Pida a los estudiantes pensar en sus familiares cuando estén hablando del perdón. Anímelos a pensar en conflictos o desacuerdos que hayan tenido con sus padres o hermanos y a considerar como arreglar sus relaciones con el acto del perdón.

FE y MEDIOS

▶ Como parte de la conversación sobre la parábola del hijo pródigo, señale que con los años esta historia de arrepentimiento y perdón ha tocado la imaginación de artistas de varios medios. Una de las mejores pinturas del maestro holandés Rembrandt van Rijn, del siglo XVII, es el conmovedor *Regreso del Hijo Pródigo* que actualmente se encuentra en el museo ruso de Hermitage. En un medio muy diferente, el compositor Sergei Prokofiev, el coreógrafo George Balanchine y el pintor Georges Rouault, combinaron sus talentos en 1929 para volver a contar la parábola con una obra de ballet.

Liturgia para la semana
Visite **www.creemosweb.com** para las lecturas bíblicas de esta semana y otros materiales propios del tiempo.

Necesidades individuales

Estudiantes con dislexia

A los estudiantes con dislexia a menudo les incomoda leer públicamente. Sin embargo, se les puede ayudar a practicar y a preparar el material que se va a leer. Permítales tiempo suficiente para practicar con un compañero y así aumentar la confianza de estos estudiantes al leer.

RECURSOS ADICIONALES

Libro *Primero Dios,* Mark R. Francis y Arturo J. Pérez, Spanish Speaking Bookstore.

Video *Perdón y Paz.* Franciscan Communications. Historia de un joven que se va de la casa y luego sufre por la separación. Recuerda la historia del hijo pródigo. (11 minutos)

Para ideas visite a Sadlier en

www.CREEMOSweb.com

Connections

To Catholic Social Teaching

Solidarity of the Human Family
The Church proclaims that we are our brothers' and sisters' keepers regardless of what our racial, national, ethnic, or economic differences are. We are one family. As you explore the concept of social sin, ask the students to reflect on their own behavior in regard to sins such as prejudice and violence. Adapt your questioning so that it directly relates to the lives of the students. Ask: *How can we treat all people fairly? How can we promote justice among people and encourage nonviolence in our relationships?*

To Family

In this chapter the students learn about forgiveness and the importance of forgiving others. Since students predominantly interact with friends and family members, they will most likely have conflicts with these people. Ask students to focus on their family members when you discuss forgiveness. Encourage them to think about past situations, conflicts, or disagreements they have had with parents or siblings, and to consider how they might mend fences through the act of forgiving.

FAITH and MEDIA

▶ As part of your discussion of the parable of the prodigal son, stress that over the years this story of repentance and forgiveness has touched the imaginations of artists working in many different media. One of the finest paintings by the seventeenth-century Dutch master Rembrandt van Rijn is a deeply moving *Return of the Prodigal Son* that is now in Russia's Hermitage Museum. In a very different medium, composer Sergei Prokofiev, choreographer George Balanchine, and painter Georges Rouault combined their talents in 1929 to retell the parable in the form of a ballet.

This Week's Liturgy
Visit **www.creemosweb.com** for this week's liturgical readings and other seasonal material.

Meeting Individual Needs

Students with Dyslexia

Students with dyslexia are often uncomfortable reading publicly. However, they can be helped to practice and prepare the material that is to be read. Allow practice time with a partner to build confidence in these students.

ADDITIONAL RESOURCES

Book *Jesus' Parables,* Carolyn D. Ancell, E.T. Nedder Publishing, 2002. This reproducible activity book is an excellent resource for those trying to teach the parables to today's children.

Video *The Lost Is Found,* Nest Entertainment, 1999. From *Animated Stories of the New Testament* series, these are stories of those in need who experience healing and forgiveness. (30 minutes)

To find more ideas for books, videos, and other learning material, visit Sadlier's

www.CREEMOSweb.com

Confiamos en Dios

Meta catequética

• Enfatizar que Jesús perdona nuestros pecados a través de la Iglesia y que nosotros debemos perdonar a los demás

Preparandose para orar

Los estudiantes escucharán las palabras de San Pablo sobre perdonarse los unos a los otros. Responderán cantando.

• Usted dirigirá la oración.

• Escoja a un estudiante para que proclame la Escritura.

El lugar de oración

• Ponga una Biblia, recipiente con agua fotos de diversas personas.

Nos congregamos

Líder: Dios nos llama a ir a él todos los días. Vamos a escuchar este llamado en la palabra de Dios.

Lector: Lectura de la Carta de San Pablo a los Colosenses.

"Dios los ama a ustedes y los ha escogido para que pertenezcan a su pueblo. Vivan, pues, revestidos de verdadera compasión, bondad, humildad, mansedumbre y paciencia". (Colosenses 3:12)

Palabra de Dios.

Todos: Demos gracias a Dios.

¿Por qué crees que el perdón es importante? ¿Cuáles son algunos ejemplos de formas en que perdonamos y somos perdonados?

Creemos

Jesús nos llama a la conversión.

Jesús ayudó a sus seguidores a arrepentirse del pecado y volverse a Dios, su Padre. Jesús con frecuencia les enseñó a mostrar su amor a Dios amando y perdonando a los demás.

Lucas 15:11–24

Una vez un hombre tenía dos hijos. El menor le pidió su herencia y el padre se la dio. El hijo se fue a otro país.

El joven desperdició todo su dinero, así que tuvo que trabajar en una granja. El tenía tanta hambre que quería comer la comida de los animales, pero nadie se la ofrecía. El joven pensó en los trabajadores de su padre, quienes tenían comida, y él estaba pasando hambre. El decidió ir donde su padre, admitir sus pecados y pedirle que lo tratara como a uno de sus trabajadores.

Cuando el joven estaba cerca de su casa, el padre lo vio. El padre corrió a encontrarlo y lo abrazó y lo besó. El hijo le dijo: "Padre mío, he pecado contra Dios y contra ti; ya no merezco llamarme tu hijo".

162

Planificación de la lección

Nos congregamos ____ minutos

Oración

• Recen la Señal el Signo de la Cruz y dirija la oración inicial.

• Pida al estudiante que proclame la Escritura.

• Recuérdeles que pertenecer a la familia de Dios es un privilegio. Cada persona tiene el derecho al perdón porque tiene a Dios Padre como fuente. Jesús nos invita a compartir el perdón y la misericordia de Dios con el sacramento de la Reconciliación.

Mirando la vida

• Pida a los estudiantes que lean las preguntas en silencio. Comparta razones por las que el perdón es importante. Explique que en esta lección verán que Jesús perdona nuestros pecados. El nos invita a compartir el perdón y la misericordia de Dios en la celebración de la Reconciliación.

Creemos ____ minutos

Pida a un voluntario que lea en voz alta el primer enunciado *Creemos*. Lea en voz alta el primer párrafo.

Invite a los estudiantes a tomar turnos leyendo en voz alta la parábola del hijo pródigo. Pida a los estudiantes expresar sus sentimientos. Pregunte: *¿Se debió castigar al hijo desobediente por sus acciones? ¿Qué nos enseña esta parábola?* (Las respuestas variarán. Señale que la parábola del hijo perdido nos pide que veamos al padre como Dios, que perdona y es misericordioso.)

We Turn to God

15

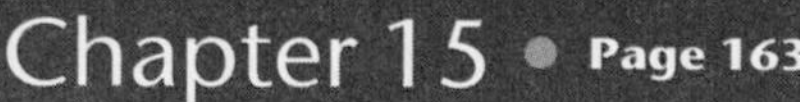

WE GATHER

✝ **Leader:** God calls us to turn to him each day. Let us listen to this call in the word of God.

Reader: A reading from the Letter of Saint Paul to the Colossians

"Put on then, as God's chosen ones, holy and beloved, heartfelt compassion, kindness, humility, gentleness, and patience." (Colossians 3:12–13)

The word of the Lord.

All: Thanks be to God.

Why do you think forgiveness is important? What are some examples of ways we forgive and are forgiven?

WE BELIEVE

Jesus calls us to conversion.

Jesus helped his followers turn away from sin and toward God his Father. Jesus often taught them to show their love for God by loving and forgiving others.

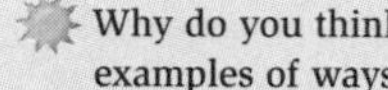

Luke 15:11–24

Once a man had two sons. The younger son asked his father for his inheritance. The father gave it to his son, who then left for another country.

The young man wasted all of his money, so he had to work on a farm. He was so hungry that he wanted to eat the animals' food, but no one offered him any of it. The young man thought about his father's workers who had food, yet here he was suffering from hunger. He decided to go to his father, admit his sins, and ask to be treated like one of his father's workers.

When the young man was still a distance from home, his father saw him. His father ran to him and hugged and kissed him. The son said, "Father, I have sinned against heaven and against you; I no longer deserve to be called your son."

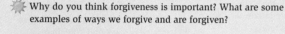

163

Catechist Goal

• To emphasize that Jesus forgives our sins through the Church and that we need to forgive others

PREPARING TO PRAY

The students will listen to St. Paul's words about forgiving one another.

• Choose a student to proclaim the Scripture.

The Prayer Space

• Place in the prayer space a Bible, a bowl of water, a picture of a variety of people, and a picture of two friends.

Lesson Plan

WE GATHER ____ minutes

✝ Pray

• Pray the Sign of the Cross and lead the opening prayer.
• Have the student proclaim the Scripture.
• Remind the students that our belonging to God's family is a privilege. Within this family every person has the right to forgiveness because its source is God the Father. Jesus invites us to share in God's forgiveness and mercy in the celebration of the sacrament of Reconciliation.

Focus on Life

• Have the students read the questions silently. Share reasons why forgiveness is important. Tell the students that in this lesson they will learn that Jesus forgives our sins. Jesus invites us to share in God's forgiveness and mercy in the celebration of the sacrament of Reconciliation.

WE BELIEVE ____ minutes

Ask a volunteer to read aloud the first *We Believe* statement. Read aloud the first *We Believe* paragraph.

Invite the students to take turns reading aloud the parable of the lost son. Lead a discussion about the parable with them. Ask the students to identify the feelings they might have. Ask: *Should the wayward son have been scolded for his actions? What does this parable teach us?* (Answers will vary. Stress that the parable of the lost son asks us to see that the father [God] is forgiving and merciful.)

Capítulo 15 • Pág. 164

Nuestra respuesta en la fe

- Buscar el perdón de Dios y trabajar por la reconciliación, la paz y la justicia

conversión
pecado
Reconciliación

Materiales

- papel de construcción
- copias del patrón 15

Ideas

Responder

Se pide a los estudiantes que reflexionen y respondan preguntas. Muchos estudiantes pueden ser más introspectivos o estar más concientes de sus sentimientos. A otros estudiantes se les puede hacer más difícil responder. Conceda más tiempo a estos últimos para responder.

Conexión con el hogar

Invite a los estudiantes a compartir sus experiencas usando la página de la familia del capítulo 12 y sobre la oración diaria.

Pero el padre ordenó a sus criados: "Saquen pronto la mejor ropa y vístanlo. . . . ¡Vamos a comer y a hacer fiesta! Porque este hijo mío estaba muerto y ha vuelto a vivir; se había perdido y lo hemos encontrado". Entonces hubo una gran celebración. (Lucas 15:21, 22–24)

Jesús contó esta parábola para ayudarnos a entender lo que significa estar arrepentido de nuestras acciones y volver a Dios. Dios es como el padre misericordioso de esta historia. El nos acoge cuando nos separamos y se regocija cuando decidimos volver a él.

Dios nos llama constantemente a la **conversión**. Conversión es volver a Dios con todo nuestro corazón. Si confiamos en Dios, él nos mostrará como cambiar y convertirnos en la persona que él quiere que seamos. La conversión sucede una y otra vez. Esta nos lleva a vivir nuestras vidas de acuerdo al gran amor de Dios por nosotros. Dios el Espíritu Santo nos da este deseo de cambiar y crecer. Con el apoyo de la Iglesia, respondemos al llamado de Dios todos los días.

Trabaja con un grupo para escribir una historia moderna acerca de estar arrepentido y volver a Dios y a los demás.

Jesús perdona como sólo Dios puede hacerlo.

Algunas personas no entendieron el ministerio de Jesús de perdón y reconciliación. Ellos se enojaron cuando vieron a Jesús con los pecadores perdonándoles sus pecados.

Marcos 2:1–12

Después de viajar por algún tiempo, Jesús regresó a casa. Se reunieron tantas personas para escucharle predicar, que no cabían en la casa. Cuatro hombres cargaron un paralítico para ver a Jesús. Abrieron un hoyo en el techo y bajaron al paralítico en una camilla. Cuando Jesús vio su fe, él dijo al paralítico: "Hijo mío, tus pecados quedan perdonados".

Algunas personas pensaron que Jesús no debía hablar de esa forma porque sólo Dios puede perdonar los pecados. Jesús sabía lo que estaban pensando. Para que vieran que él tenía autoridad de perdonar los pecados Jesús dijo: "A ti te digo, levántate, toma tu camilla y vete a tu casa". El hombre se levantó y salió caminando. Todos se quedaron sorprendidos porque nunca habían visto algo así. (Marcos 2:5, 11)

Las palabras y las obras de Jesús llevaron a muchas personas a creer en él y a tener fe.

Jesús quería que todo el mundo escuchara su llamado a la conversión y recibiera su perdón. Así que compartió su autoridad de perdonar los pecados con los apóstoles. El les dijo: "¡Paz a ustedes! Como el padre me envió a mí, así yo los envío a ustedes". Diciendo esto sopló sobre ellos y les dijo: "Reciban al Espíritu Santo. A quienes ustedes perdonen los pecados, les serán perdonados y a quienes no se los perdonen les quedarán sin perdonar". (Juan 20:21–23). Este perdón de los pecados tuvo lugar cuando los apóstoles bautizaron a los creyentes.

¿Qué puedes hacer cada día para aceptar y perdonar a otros?

164

Planificación de la lección

CREEMOS (continuación)

Pida a los estudiantes que lean en silencio los siguientes dos párrafos de la parábola. Indique que acercarnos a Dios es un proceso de toda la vida. Señale que sin importar cuanto hayamos respondido al amor de Dios, e incluso si hemos pecado, Dios, nuestro Padre, se alegra cuando nos arrepentimos y regresamos a él. Señale que siempre nos podemos acercar más a Dios y compartir su amor con los demás.

Lea en voz alta las instrucciones de la actividad. Anime a los estudiantes a redactar historias reales. Permítales unos minutos para que piensen sus historias. Pídales que escenifiquen sus guiones y conversen en grupo.

Invite a un voluntario que lea en voz alta el segundo enunciado Creemos en la página 164. Lea en voz alta el primer párrafo de Creemos. Enfatice que el hecho de que Jesús pasara tiempo con los pecadores demuestra que su ministerio era para todas las personas de que querían acercarse a Dios.

Pida a voluntarios que lean en voz alta los tres párrafos de la Escritura en la que Jesús cura a un hombre parapléjico. Luego pida a los estudiantes que expresen sus ideas acerca del significado de la historia. Pregunte: ¿Qué les dice esta historia sobre Jesús? *¿Cuál es el significado de esta historia?*

Lea en voz alta el último párrafo Creemos. Anime a los estudiantes a sentirse agradecidos por sus propios bautismos. Recuérdeles que Jesús continúa perdonando sus pecados. Pida a los estudiantes que estudien la ilustración de la página. Pídales que relacionen la ilustración con el texto.

Pida a los estudiantes que identifiquen lo que pueden hacer diariamente para aceptar y perdonar a los demás.

But his father said to the servants, "Quickly bring the finest robe and put it on him. . . . Then let us celebrate with a feast, because this son of mine was dead, and has come to life again; he was lost, and has been found." Then there was a great celebration. (Luke 15:21, 22–24)

Jesus told this parable to help us understand what it means to be sorry for our actions and to turn back to God. God is like the forgiving father in this story. He welcomes us back when we have gone away and rejoices when we decide to turn back to him.

God constantly calls us to conversion. **Conversion** is a turning to God with all one's heart. If we trust God, he will show us how to change and grow into the people he wants us to be. Conversion happens again and again. It leads us to live our lives according to God's great love for us. God the Holy Spirit gives us this desire to change and grow. With the support of the Church, we respond to God's call every day.

Work in a group to write a modern-day story about being sorry and turning back to God and others.

Jesus forgives as only God can do.

Some people did not understand Jesus' ministry of forgiveness and reconciliation. They were upset when Jesus spent time with sinners and forgave their sins.

Mark 2:1–12

After traveling for some time, Jesus returned home. So many people gathered to hear him preach that there was no more room in the house. Four men carrying a paralyzed man came to see Jesus. Through an opening in the roof they let down the mat on which the paralyzed man was lying. When Jesus saw their faith, he said to the paralyzed man, "Child, your sins are forgiven."

Some of the people thought that Jesus should not be speaking this way because only God can forgive sins. Jesus knew what they were thinking. And so that they would know that he had authority to forgive sins Jesus said, "I say to you, rise, pick up your mat, and go home." The man rose, and walked away. They were all amazed because they had never seen anything like it. (Mark 2:5, 11)

Jesus' words and actions brought many people to believe in him and have faith.

Jesus wanted all people to hear his call to conversion and receive his forgiveness. So Jesus shared his authority to forgive sins with his apostles. He said to them, "'Peace be with you. As the Father has sent me, so I send you.' And when he had said this, he breathed on them and said to them, 'Receive the Holy Spirit. Whose sins you forgive are forgiven them, and whose sins you retain are retained'" (John 20:21–23). This forgiveness of sins took place when the apostles baptized those who believed.

What can you do each day to be more accepting and forgiving of others?

165

Our Faith Response

- To seek God's forgiveness, and to work for reconciliation, peace, and justice

conversion

sin

Reconciliation

Materials

- construction paper
- copies of Reproducible Master 15

Teaching Tip

Answering

The students are asked to reflect and answer questions. Some students will be introspective or in touch with their feelings. Other students might find it difficult to respond. If possible, offer the latter more time before answering.

Home Connection Update

Invite the students to share experiences using the Chapter 12 family page. Ask: *What did you share with your family about daily prayer?*

Lesson Plan

WE BELIEVE (continued)

Have the students read silently the two paragraphs that follow the parable. Point out that our turning to God is a life-long process. Stress that no matter how much we have responded to God's love, and even if we have sinned, God our Father rejoices when we are sorry and return to him. Stress that we can always grow closer to God and share his love with others.

Read aloud the activity directions. Encourage the students to make their stories realistic. Provide them a few minutes to plan their stories. Have them act out their scripts and discuss as a group.

Invite a volunteer to read aloud the second *We Believe* statement, on page 165. Emphasize that Jesus' spending time with sinners shows that his ministry was for all people who wanted to turn toward God.

Ask volunteers to read aloud the three paragraphs of the Scripture story of Jesus' healing of the paralyzed man. Then have the students offer their own ideas about the meaning of the story. Ask: *What does this story tell you about Jesus? What is the meaning of this story?*

Read aloud the final paragraph on page 165. Encourage students to be thankful for their own Baptism. Remind them that Jesus continues to forgive their sins. Have the students study the on-page artwork. Have them relate the artwork to the text.

Ask the students to identify what they can do on a daily basis to be more accepting and forgiving of others.

BANCO DE ACTIVIDADES

Inteligencia múltiple

Espacial

Materiales: hoja grande de papel blanco, pinturas o marcadores

Dios quiere que siempre trabajemos para mejorar y acercarnos más a él. Invite a los estudiantes a pensar en sus peregrinajes de fe. Pídales que usen pinturas o marcadores para mostrar el trayecto de fe de sus vidas. Pídales que usen palabras, símbolos, imágenes o colores para representar el crecimiento y cambio de su relación con Dios.

Como católicos...

Confíteor

Lea en voz alta el primer párrafo. Invite a los estudiantes a rezar el Confíteor con usted. Haga una pausa. Lea en voz alta el párrafo final. Enfatice el aspecto comunal de esta oración de intercesión. Pedimos tanto a nuestros hermanos presentes en la asamblea como a María, los ángeles y los santos que oren por nosotros.

Jesús sigue perdonándonos por medio de la Iglesia.

En el Bautismo recibimos primero el perdón de Dios. Empezamos nuestra nueva vida en Cristo. Pero algunas veces nos alejamos de Dios y necesitamos su perdón. Algunas veces las decisiones que tomamos debilitan la vida de Dios en nosotros. Cuando pensamos o hacemos cosas que nos separan de Dios, pecamos. **Pecado** es un pensamiento, palabra, obra u omisión contra la ley de Dios. Cada pecado debilita nuestra amistad con Dios y los demás.

Algunas veces la gente se aleja completamente del amor de Dios. Cometen pecados muy serios que rompen su amistad con Dios. Este pecado es llamado pecado mortal. Los que cometen pecado mortal libremente escogen hacer lo que saben es seriamente malo. Sin embargo, Dios nunca deja de amar a los que pecan seriamente. El Espíritu Santo los llama a la conversión.

Como católicos...

Parte de ser reconciliado con la Iglesia es admitir que no hemos vivido como Dios quiere que vivamos. Durante la misa toda la asamblea confiesa que ha pecado. Una oración que con frecuencia rezamos empieza: "Yo confieso ante Dios todopoderoso y ante ustedes hermanos".

En esta oración, que se encuentra en la página 312, pedimos a todos los miembros de la Iglesia rezar por nosotros y que nos perdonen. Durante la próxima semana reza para que todo el mundo viva el amor y la misericordia de Dios.

Pecados menos serios y que debilitan nuestra relación con Dios son llamados veniales. Aun cuando los pecados veniales no nos alejan completamente de Dios, ellos ofenden a otros, a nosotros mismos y a la Iglesia. Si seguimos cometiéndolos pueden alejarnos más y más de Dios y de la Iglesia. Sin embargo, Dios nos ofrece el perdón cuando pensamos o hacemos cosas que lastiman nuestra relación con él y los demás.

La Iglesia celebra el perdón de Dios en uno de los dos sacramentos de sanación. En el sacramento de la **Reconciliación,** nuestra relación con Dios y la Iglesia es fortalecida o reparada y nuestros pecados son perdonados.

- Recibimos el perdón de Dios. Nuestros pecados son perdonados por un sacerdote en el nombre de Cristo y la Iglesia.
- Somos reconciliados con Dios. La vida de la gracia en nosotros es fortalecida o renovada. Nuestra amistad con Dios se fortalece.
- Somos reconciliados con la Iglesia. Nuestra relación con el cuerpo de Cristo es fortalecida.
- Somos fortalecidos para vivir de acuerdo a los Diez Mandamientos y a las enseñanzas de Jesús de amarnos unos a otros como él nos ha amado.

Con un compañero nombra algunas formas en que la Iglesia puede ayudarnos a ser personas reconciliadoras.

____

____

166

Planificación de la lección

CREEMOS (continuación)

Cotejo rápido

✔ *¿Qué es una conversión?* (Una conversión es acercarse a Dios con todo el corazón.)

✔ *¿Qué le dio Jesús a sus apóstoles después de su muerte y resurrección?* (su autoridad para perdonar los pecados.)

Pida a un voluntario que lea en voz alta el tercer enunciado *Creemos* en la página 166. Lea en voz alta el primer párrafo. Ayude a los estudiantes a entender que cualquier acción en la que se involucren o cualquier palabra que digan que los aleje de Dios, se consideran pecados.

Pida a los estudiantes que lean en parejas los siguientes dos párrafos *Creemos.* Pídales que hagan un diagrama de Venn que muestre las diferencias entre los pecados mortales y veniales. Dibuje un diagrama de Venn grande en la pizarra. Pida a los estudiantes que den sus respuestas para llenar el diagrama.

Pida a voluntarios que lean en voz alta el resto del texto *Creemos.* Pregunte: *¿Qué nos ayuda a fortalecer nuestra relación con Dios?* Recuérdeles que el sacramento de la Reconciliación también se conoce como *confesión*, y que pueden ir a la sala de reconciliación o confesionario de la Iglesia para celebrar el perdón y la misericordia de Dios.

Pida a los estudiantes que trabajen en parejas para identificar como nos ayuda la Iglesia a ser personas reconciliadoras.

Jesus continues to forgive us through the Church.

In Baptism we first receive God's forgiveness. We begin our new life in Christ. Yet we sometimes turn from God and are in need of his forgiveness. Sometimes the choices we make weaken God's life in us. When we think or do things that lead us away from God, we sin. **Sin** is a thought, word, deed or omission against God's law. Every sin weakens our friendship with God and others.

Sometimes people turn completely away from God's love. They commit very serious sin that breaks their friendship with God. This sin is called mortal sin. Those who commit mortal sin must freely choose to do something that they know is seriously wrong. However, God never stops loving people who sin seriously. The Holy Spirit calls them to conversion.

Less serious sin that weakens our friendship with God is called venial sin. Even though venial sins do not turn us completely away from God, they still hurt others, ourselves, and the Church. If we keep repeating them, they can lead us further away from God and the Church. However, God offers us forgiveness when we think or do things that harm our friendship with him or with others.

The Church celebrates God's forgiveness in one of the two sacraments of healing. In the sacrament of **Reconciliation,** our relationship with God and the Church is strengthened or restored and our sins are forgiven.

- We receive God's forgiveness. Our sins are forgiven by a priest in the name of Christ and the Church.
- We are reconciled with God. The life of grace in us is strengthened or made new. Our friendship with God becomes stronger.
- We are reconciled with the Church. Our relationship with the Body of Christ is made stronger.
- We are strengthened to live by the Ten Commandments and Jesus' teaching to love one another as he has loved us.

With a partner name some ways the Church can help us to be reconciling people.

____

____

As Catholics...

Part of being reconciled with the Church is admitting that we have not lived as God calls us to live. During Mass the whole assembly confesses that we have sinned. A prayer we often pray begins: "I confess to almighty God, and to you, my brothers and sisters."

In this prayer, which can be found on page 324, we ask all the members of the Church to pray for us and our forgiveness. During the next week pray that all people will experience God's love and mercy.

Activity Bank

Multiple Intelligences

Spatial

Materials: large sheet of white paper, paints or markers

God wants us to work continually on changing and growing closer to him. Invite the students to reflect on their faith journeys. Ask them to use colorful paints or markers to show their faith lifeline. Using words, symbols, pictures, or colors, have them represent the ways their relationships with God have grown and changed.

As Catholics...

Confiteor

Read aloud the first paragraph. Invite the students to pray the Confiteor with you. Pause for a moment. Read aloud the final paragraph. Stress the communal aspect of this intercessory prayer. We call upon not only our brothers and sisters present in the assembly but also Mary, the angels, and the saints to pray for us.

Lesson Plan

WE BELIEVE (continued)

Quick Check

✔ *What is a conversion?* (A conversion is a turning to God with all one's heart.)

✔ *What did Jesus give to his apostles after his death and resurrection?* (his authority to forgive sins)

Have a volunteer read aloud the *We Believe* statement on page 167. Read aloud the first paragraph. Help the students understand that any actions they engage in or words they speak that lead them away from God are considered sins.

Ask the students to work with a partner and read through the next two *We Believe* paragraphs. Have each pair make a Venn diagram that shows the differences between mortal and venial sins. Draw a large Venn diagram on the board. Have students offer responses to fill in the diagram.

Have volunteers read aloud the remainder of the *We Believe* text. Ask: *What helps us to grow stronger in our relationship to God?* Remind them that the sacrament of Reconciliation is also referred to as *confession,* and that they can go to the Reconciliation room or confessional in church to celebrate God's forgiveness and mercy.

Ask the students to work with a partner to identify ways the Church helps us be a reconciling people.

Ideas

Perdonarse a sí mismo

Enfatice que perdonarse a sí mismo es un punto de partida para perdonar a los demás. El respeto por uno mismo permite que una persona acepte sus fracasos y los defectos de los demás. Señale que la palabra *reconciliación* significa "estar en" (redención) con otro. Más simplemente se puede traducir como "estar a la par" con otra persona.

Somos reconciliados con Dios y con la Iglesia.

Como un cuerpo toda la Iglesia se beneficia de nuestras acciones justas y amorosas. Toda la Iglesia también sufre cuando una persona se aleja de Dios. La reconciliación de un miembro de la Iglesia con Dios nos fortalece a todos. En el sacramento de la Reconciliación, somos perdonados. También somos llamados a perdonar a otros.

Cuando perdonamos a otros crecemos como comunidad de reconciliación y de amor. La reconciliación con Dios y con la Iglesia contribuye a la paz y a la reconciliación en el mundo. Somos más capaces de hablar en favor de lo que es correcto y a actuar con justicia.

La justicia está basada en creer que todo el mundo es igual. Actuar con justicia respeta los derechos de los demás y les da lo que justamente les pertenece. Todo el mundo ha sido creado a imagen de Dios y comparte la misma dignidad humana. Esto nos hace una comunidad humana y el pecado afecta la comunidad.

El pecado puede llevarnos a situaciones y condiciones injustas en la sociedad. Esto es pecado social. Algunos resultados del pecado en la sociedad son el prejuicio, la pobreza, el desamparo, el crimen y la violencia. La Iglesia habla en contra del pecado social y trabajamos para detener las cosas en la sociedad que permiten comportamientos y condiciones injustas. La Iglesia nos anima a todos a volvernos a Dios y a vivir vidas de amor y respeto.

RESPONDEMOS

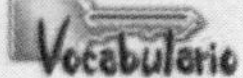

Escribe un poema o una canción sobre el significado de ser reconciliado y la importancia de celebrar el sacramento de la Reconciliación.

____

____

____

____

Vocabulario

conversión (pp 331)
pecado (pp 333)
Reconciliación (pp 333)

168

Planificación de la lección

CREEMOS (continuación)

Comparta la *Historia para el capítulo* de la página 162A. Enfatice las palabras de Jesús en la pregunta, y sus enseñanzas sobre el perdón. Explique que la reconciliación con Dios de un miembro de la Iglesia fortalece a toda la Iglesia.

Invite a un voluntario a leer en voz alta el cuarto enunciado de *Creemos*. Pida a voluntarios que lean en voz alta los primeros dos párrafos de *Creemos*. Enfatice lo siguiente:

- Jesús nos dijo que siempre debemos estar dispuestos a perdonar, sin importar cuántas veces se ha pecado.
- La reconciliación con Dios de un miembro de la Iglesia nos fortalece a todos y contribuye a la paz y reconciliación del mundo.

Pida a los estudiantes que lean los últimos dos párrafos de *Creemos*. Señale que la Iglesia está en contra del pecado social porque estas indignidades afectan la unión de la comunidad humana. Nosotros trabajamos y actuamos en nombre de Cristo para poner fin a estas injusticias.

Vocabulario Escriba cada palabra en la pizarra. Invite a grupos de voluntarios a escenificar guiones breves que demuestren el significado de las palabras.

RESPONDEMOS _____ minutos

Pida a los estudiantes que lean la actividad de *Respondemos*. Ayúdelos a usar palabras de la lección al escribir sus poemas.

"THE WOUNDED AND SICK shall be collected and cared for"

We are reconciled with God and the Church.

As one body the whole Church benefits from our just and loving actions. The whole Church also suffers when one person turns from God. So the reconciliation of one member of the Church with God strengthens all of us. In the sacrament of Reconciliation, we are forgiven. We are also called to forgive others.

When we forgive others we grow as a loving and reconciling community. Reconciliation with God and the Church contributes to peace and reconciliation in the world. We are better able to stand up for what is right and to act with justice.

Justice is based on the belief that all people are equal. Acting with justice respects the rights of others and gives them what is rightfully theirs. All people are created in God's image and share the same human dignity. This makes us one human community, and sin affects that community.

Sin can lead to unjust situations and conditions in society. This is social sin. Some results of sin in society are prejudice, poverty, homelessness, crime, and violence. The Church speaks out against social sin, and we work to stop the things in society that allow unjust behaviors or conditions to exist. The Church encourages all people to turn to God and live lives of love and respect.

WE RESPOND

Write a poem about the meaning of being reconciled and the importance of celebrating the sacrament of Reconciliation.

____

____

____

____

Key Words

conversion (p. 334)
sin (p. 336)
Reconciliation (p. 336)

169

Teaching Note

Forgiving Oneself

Emphasize that forgiveness of oneself is a starting point for forgiveness of others. A wholesome respect for oneself enables a person to accept his or her failings and the faults of others. Stress that the word *reconciliation* means being "at one with"(atonement) another. More familiarly, it can be translated as "seeing eye to eye" with another person.

Lesson Plan

WE BELIEVE (continued)

Share the *Chapter Story* on page 162B. Emphasize Jesus' words in the question, and his teaching on forgiveness. Tell the students that the reconciliation of one member of the Church with God strengthens the entire Church.

Distribute copies of Reproducible Master 15. Ask the students to complete their acrostics at home.

Invite a volunteer to read aloud the fourth *We Believe* statement. Have volunteers read aloud the first two paragraphs. Emphasize the following:

- Jesus told us that we should always be forgiving no matter how many times a person sins.
- The reconciliation of one member of the Church with God strengthens all of us and contributes to peace and reconciliation in the world.

Ask the students to read the last two *We Believe* paragraphs. Stress that the Church speaks out against social sin because these indignities affect the unity of the human community. We work and act in Christ's name to bring an end to these injustices.

Key Words To review the words, write each on the board. Invite groups of volunteers to act out brief skits that demonstrate the meanings of the words.

WE RESPOND ____ minutes

Read the directions for the *We Respond* activity. Help the students to use words from the lesson to write their poems.

Banco de actividades

Misión

Folletos de paz y justicia

Materiales: papel de estraza, marcadores

Pida a los estudiantes que escriban, diseñen y hagan folletos que informen como se puede trabajar por la paz y la justicia. Anímelos a incluir las palabras o los ejemplos de Jesús, así como sugerencias claras, específicas y prácticas. Exhiba los folletos en los pasillos o en el vestíbulo de la parroquia.

Conexion con el hogar

Compartiendo lo aprendido

Anime a los estudiantes a agregar artículos relacionados con el sacramento de Reconciliación al álbum de recortes de la familia.

Para más información y actividades adicionales visite a Sadlier

www.CREEMOSweb.com

Planifique por adelantado

Lugar de oración: una Biblia y una caja de regalo envuelta

Materiales: 4–5 CD, copias del patrón 16

_____ minutos

Repaso del capítulo
Explique a los estudiantes que ahora van a repasar lo que han aprendido. Pida a los estudiantes que completen las preguntas 1–8. Pídales que den las respuestas correctas. Aclare cualquier mala interpretación. Refiéralos a su texto. Pida a los estudiantes que completen la pregunta 9–10.

Reflexiona y ora Dé a cada estudiante un papel de estraza pequeño. Pídales que copien la oración y que llenen las líneas con sus peticiones de ayuda de Dios. Invite a los estudiantes a formar un círculo. Pida a voluntarios que lean sus respuestas. Pida a los estudiantes que lean juntos la frase final.

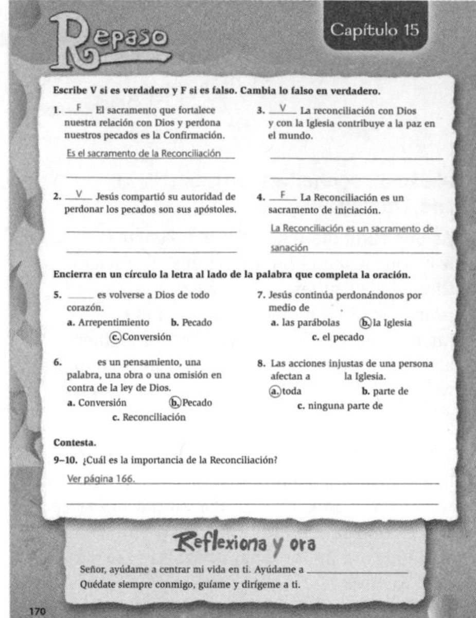

Repaso

Capítulo 15

Escribe V si es verdadero y F si es falso. Cambia lo falso en verdadero.

1. F El sacramento que fortalece nuestra relación con Dios y perdona nuestros pecados es la Confirmación.
Es el sacramento de la Reconciliación

2. V Jesús compartió su autoridad de perdonar los pecados son sus apóstoles.

3. V La reconciliación con Dios y con la Iglesia contribuye a la paz en el mundo.

4. F La Reconciliación es un sacramento de iniciación.
La Reconciliación es un sacramento de sanación

Encierra en un círculo la letra al lado de la palabra que completa la oración.

5. _____ es volverse a Dios de todo corazón.
a. Arrepentimiento b. Pecado (c.) Conversión

6. _____ es un pensamiento, una palabra, una obra o una omisión en contra de la ley de Dios.
a. Conversión (b.) Pecado c. Reconciliación

7. Jesús continúa perdonándonos por medio de _____.
a. las parábolas (b.) la Iglesia c. el pecado

8. Las acciones injustas de una persona afectan a _____ la Iglesia.
(a.) toda b. parte de c. ninguna parte de

Contesta.

9–10. ¿Cuál es la importancia de la Reconciliación?
Ver página 166.

Reflexiona y ora

Señor, ayúdame a centrar mi vida en ti. Ayúdame a _____
Quédate siempre conmigo, guíame y dirígeme a ti.

170

PAGINA DEL ALUMNO 170

Respondemos y compartimos la fe

_____ minutos

Recuerda Hable sobre los cuatro enunciados para repasar las ideas importantes del capítulo. Forme cuatro grupos y asigne un enunciado a cada grupo. Pídales que ilustren lo que aprendieron. Invite a cada grupo a compartir su dibujo.

Nuestra vida católica
Lea el texto en voz alta. Enfatice que las prédicas de Santo Domingo llegaron a los corazones de muchos cristianos. La orden religioso que él fundó continúa llegando a las personas mediante prédicas eficaces sobre el continuo amor y misericordia de Dios.

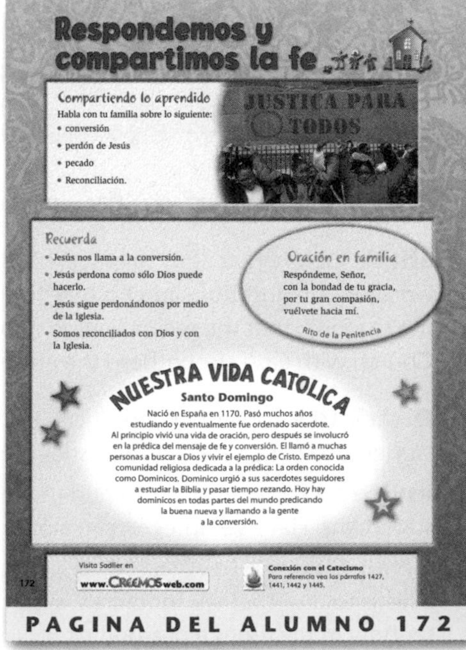

Respondemos y compartimos la fe

Compartiendo lo aprendido
Habla con tu familia sobre lo siguiente:
- conversión
- perdón de Jesús
- pecado
- Reconciliación.

JUSTICA PARA TODOS

Recuerda
- Jesús nos llama a la conversión.
- Jesús perdona como sólo Dios puede hacerlo.
- Jesús sigue perdonándonos por medio de la Iglesia.
- Somos reconciliados con Dios y con la Iglesia.

Oración en familia
Respóndeme, Señor,
con la bondad de tu gracia,
por tu gran compasión,
vuélvete hacia mí.
Rito de la Penitencia

NUESTRA VIDA CATOLICA
Santo Domingo
Nació en España en 1170. Pasó muchos años estudiando y eventualmente fue ordenado sacerdote. Al principio vivió una vida de oración, pero después se involucró en la prédica del mensaje de fe y conversión. El llamó a muchas personas a buscar a Dios y vivir el ejemplo de Cristo. Empezó una comunidad religiosa dedicada a la prédica: La orden conocida como Dominicos. Dominico urgió a sus sacerdotes seguidores a estudiar la Biblia y pasar tiempo rezando. Hoy hay dominicos en todas partes del mundo predicando la buena nueva y llamando a la gente a la conversión.

Visita Sadlier en www.CREEMOSweb.com

Conexión con el Catecismo
Para referencia vea los párrafos 1427, 1441, 1442 y 1445.

172

PAGINA DEL ALUMNO 172

_____ minutes

Chapter Review Explain to the students that they are now going to review what they have learned. Have the students complete questions 1–8. Ask the students to give the correct answers. Clear up any misconceptions. Refer to their text. Have the students complete question 9–10.

Reflect & Pray Give each student a small piece of construction paper. Ask the students to copy the prayer and fill in the blank with their own requests for help from God. Invite the students to form a circle. Have volunteers read their requests. Then have the students read the concluding line together.

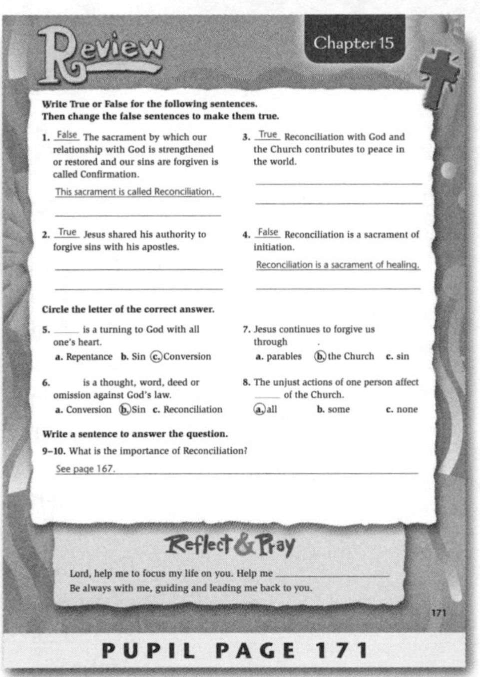

Review — Chapter 15

Write True or False for the following sentences. Then change the false sentences to make them true.

1. False The sacrament by which our relationship with God is strengthened or restored and our sins are forgiven is called Confirmation.
This sacrament is called Reconciliation.

2. True Jesus shared his authority to forgive sins with his apostles.

3. True Reconciliation with God and the Church contributes to peace in the world.

4. False Reconciliation is a sacrament of initiation.
Reconciliation is a sacrament of healing.

Circle the letter of the correct answer.

5. _____ is a turning to God with all one's heart.
a. Repentance b. Sin (c.) Conversion

6. _____ is a thought, word, deed or omission against God's law.
a. Conversion (b.) Sin c. Reconciliation

7. Jesus continues to forgive us through _____.
a. parables (b.) the Church c. sin

8. The unjust actions of one person affect _____ of the Church.
(a.) all b. some c. none

Write a sentence to answer the question.

9–10. What is the importance of Reconciliation?
See page 167.

Reflect & Pray

Lord, help me to focus my life on you. Help me _____
Be always with me, guiding and leading me back to you.

171

PUPIL PAGE 171

We Respond and Share the Faith

_____ minutes

Remember Review the important ideas of the chapter by discussing the four statements. Form four groups. Assign one statement to each group. Ask the groups to illustrate what was learned. Invite each group to share its drawing.

Our Catholic Life Read aloud the text. Emphasize that Saint Dominic's preaching touched the hearts of many Christians. The religious order he founded continues to reach out to people through effective preaching about God's enduring love and mercy toward us.

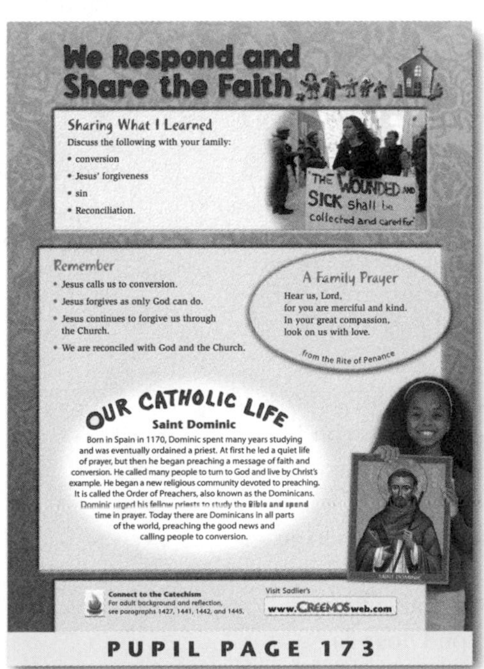

We Respond and Share the Faith

Sharing What I Learned
Discuss the following with your family:
- conversion
- Jesus' forgiveness
- sin
- Reconciliation.

THE WOUNDED AND SICK shall be collected and cared for

Remember
- Jesus calls us to conversion.
- Jesus forgives as only God can do.
- Jesus continues to forgive us through the Church.
- We are reconciled with God and the Church.

A Family Prayer
Hear us, Lord,
for you are merciful and kind.
In your great compassion,
look on us with love.
from the Rite of Penance

OUR CATHOLIC LIFE
Saint Dominic
Born in Spain in 1170, Dominic spent many years studying and was eventually ordained a priest. At first he led a quiet life of prayer, but then he began preaching a message of faith and conversion. He called many people to turn to God and live by Christ's example. He began a new religious community devoted to preaching. It is called the Order of Preachers, also known as the Dominicans. Dominic urged his fellow priests to study the Bible and spend time in prayer. Today there are Dominicans in all parts of the world, preaching the good news and calling people to conversion.

Connect to the Catechism
For adult background and reflection, see paragraphs 1427, 1441, 1442, and 1445.

Visit Sadlier's www.CREEMOSweb.com

PUPIL PAGE 173

ACTIVITY BANK

Mission

Peace and Justice Pamphlets

Activity Materials: construction paper, markers

Have the students write, design, and make pamphlets that inform people about some of the ways they can work for peace and justice. Encourage them to include the words or examples of Jesus, as well as clear, specific, and practical suggestions. Display pamphlets in the hallway or parish vestibule.

HOME CONNECTION

Sharing What I Learned

Remind the students to share with their families what they learned in the chapter. Ask the students to discuss with their families the Scripture story of the father and son.

For additional information and activities, encourage families to visit Sadlier's

www.CREEMOSweb.com

Plan Ahead for Chapter 16

Prayer Space: a Bible and a wrapped gift box

Lesson Materials: Grade 5 CD, copies of Reproducible Master 16

Ojeada

En este capítulo los estudiantes ahondarán en la celebración de la Reconciliación y del rito de la Reconciliación para un penitente o varios penitentes.

Contenido doctrinal	Para referencia del *Catecismo de la Iglesia Católica*
Los estudiantes aprenderán que:	párrafo
• El sacramento de la Reconciliación fortalece nuestra relación con Dios y con los demás	1468–1469
• En el sacramento de la Reconciliación, la Iglesia celebra el perdón de Dios	1484
• En el sacramento de la Reconciliación confiamos en la misericordia de Dios	1470
• Juntos volvemos nuestros corazones y mentes a Dios	1474

Referencia catequética

¿Qué tan importantes son la reflexión y las sugerencias para mejorar su habilidad de enseñanza?

Cuando un atleta no se desempeña bien, el entrenador le indica los errores. Así es en nuestra vida espiritual. Debemos reflexionar en lo que hacemos y buscar una guía.

El examen de conciencia ha sido un buen método para evaluar nuestro espíritu. Si reflexionamos sobre los mandamientos, las y las leyes de la Iglesia, podemos determinar con precisión lo que hemos hecho para cumplir lo que Dios pide. Este conocimiento y reflexión pueden originar un verdadero arrepentimiento por los pecados. "Al descubrir la grandeza del amor de Dios, nuestro corazón se estremece ante el horror y el peso del pecado. . . El corazón humano se convierte mirando al que nuestros pecados traspasaron" (*CIC* 1432). El arrepentimiento puede llevarnos al sacramento de la Reconciliación.

Confesamos nuestros pecados al sacerdote confiando en el amor y la misericordia de Dios. Se nos da una penitencia, una acción u oración. Finalmente, recibimos la absolución. Arrepentidos y absueltos, nuestra relación con Dios y la Iglesia es restaurada y fortalecida.

¿Cómo reflexionará sobre su vida como cristiano para crecer?

Mirando la vida

Historia para el capítulo

Una voz por dentro le decía continuamente al joven Agustín que algo le faltaba. Agustín trató de silenciar la voz ignorándola. Optó por buscar cosas como la fama. Cuando Agustín pensó que lo había conseguido todo, su conciencia le dijo lo contrario.

Mientras tanto la mamá de Agustín, Mónica, oraba por él y le suplicaba que se bautizara. Ambrosio, el obispo de Milán, fue otra persona cuyo ejemplo y prédica llegaron al corazón de Agustín. Tanto Mónica como Ambrosio, ayudaron a Agustín a oír el llamado de Dios.

Años después, Agustín escribió que fue sólo después de oír la palabra de Dios en la Escritura que se dio cuenta de que Dios nos habla y nos hace feliz si lo aceptamos libremente. Agustín finalmente oyó la voz dentro de él y aceptó la invitación de amor de Dios. Se dirigió a Dios y oró: "Muy tarde he aprendido a amarte. . . Tú estabas dentro de mí. . . Y yo te buscaba fuera. . . Tú estabas conmigo, pero yo no contigo". Hoy conocemos a este Agustín como San Agustín de Hippo, obispo y doctor de la Iglesia.

¿Por qué es importante oír tu voz interna y la palabra de Dios como lo hizo Agustín?

Overview

In this chapter the students will learn more about the celebration of Reconciliation and about the Rite of Reconciliation for several and individual penitents.

Doctrinal Content	For Adult Reading and Reflection *Catechism of the Catholic Church*
The students will learn:	Paragraph
• The sacrament of Reconciliation strengthens our relationship with God and others	1468–1469
• In the sacrament of Reconciliation, the Church celebrates God's forgiveness	1484
• In the sacrament of Reconciliation we trust in God's mercy	1470
• Together we turn our hearts and minds to God	1474

Catechist Background

How important is reflection and feedback to improving your ability to teach?

When an athlete is not performing well, a coach will try to point out what is going wrong. It is the same with us in the spiritual life. We need to reflect on what we do and to seek guidance from people of faith.

Traditionally, an examination of conscience has been a good means for a spiritual checkup. Reflecting on the Ten Commandments, the Beatitudes, and the laws of the Church, we pinpoint what we have done and what we have failed to do to measure up to what God asks of us. This awareness and reflection can foster true sorrow for sins. "It is in discovering the greatness of God's love that our heart is shaken by the horror and weight of sin . . . . The human heart is converted by looking upon him whom our sins have pierced" (CCC 1432). In turn, sorrow for sin can bring us to the sacrament of Reconciliation.

Trusting God's love and mercy, we confess our sins to the priest. We are given a penance, an action or prayer to help fashion us into more loving people. Finally, we receive absolution from the priest. Repentant and absolved, we are restored or strengthened in our right relationship with God and his Church.

How will you reflect on your life as a Christian in order to grow?

Focus on Life

Chapter Story

A voice within the young Augustine kept saying to him that something was missing. Augustine tried to silence this voice by not listening to it. He chose to chase after things such as fame. When Augustine thought he had everything, his conscience told him otherwise.

Meanwhile, Augustine's mother, Monica, prayed for him and pleaded with him to be baptized. Another person whose good example and preaching touched Augustine's heart was Ambrose, bishop of Milan. Both Monica and Ambrose helped Augustine listen to God's call in his conscience.

Years later, Augustine wrote that it was only after he listened to God's word in Scripture that he realized that God speaks to us and offers us happiness if we accept him freely. Augustine finally listened to the voice within him and accepted God's invitation to love. He turned to God and prayed, "Too late have I learned to love you. . . . You were within me. . . . I searched for you outside myself. . . . You were with me, but I was not with you." Today we know this Augustine as Saint Augustine of Hippo, Bishop and Doctor of the Church.

Why is it important to listen to your voice within and God's word as Augustine did?

Guía para planificar la lección

Pasos de la lección	Presentación	Materiales
 **NOS CONGREGAMOS**		
pág. 174 **Oración**	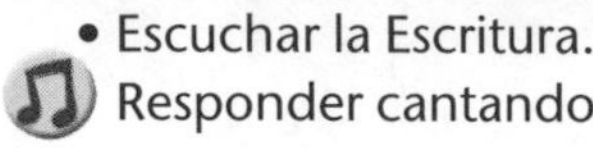 • Escuchar la Escritura. Responder cantando.	Para el lugar de oración: una Biblia y una oveja de peluche pequeña "Abierto está mi corazón," 4–6 CD
 **Mirando la vida**	• Conversar sobre cómo las personas pueden mostrar su arrepentimiento.	
2 CREEMOS		
pág. 174 *El sacramento de la Reconciliación fortalece nuestra relación con Dios y con los demás.*	• Leer y conversar sobre la conciencia y cómo examinarla. Escribir una reflexión sobre mostrar el amor a otros.	
pág. 176 *En el sacramento de la Reconciliación, la Iglesia celebra el perdón de Dios.* *Rito de Penitencia*	• Leer y conversar sobre las dos formas de celebrar el sacramento. Identificar cuándo la parroquia celebra el sacramento de Reconciliación.	
pág. 178 *En el sacramento de la Reconciliación confiamos en la misericordia de Dios.* *Rito de Penitencia*	• Rezar el Acto de Contrición. • Hablar sobre la absolución. Conversar acerca de las cuatro partes de la Reconciliación. • Leer y conversar sobre *Como católicos.*	
pág. 180 *Juntos volvemos nuestros corazones y mentes a Dios.*	• Leer y conversar sobre como acercarse a Dios.	
3 RESPONDEMOS		
pág. 180	Hablar sobre formas de responder al llamado de Dios.	• copias del patrón 16
páginas 182 y 184 **Repaso**	• Completar las preguntas 1–10. • Completar *Reflexiona y ora.*	
páginas 182 y 184 **Respondemos y compartimos la fe**	• Repasar el *Recuerda* y el *Vocabulario.* • Leer y conversar sobre *Nuestra vida católica.*	

Para ideas, actividades y otras oportunidades visite Sadlier en **www.CREEMOSweb.com**

Lesson Planning Guide

Lesson Steps	Presentation	Materials
1 WE GATHER		
page 175  **Prayer** **Focus on Life**	• Listen to Scripture. Respond in song. • Discuss ways people can show they are sorry.	For the prayer space: a Bible "With Open Hands/Abierto está mi corazón," #14, Grade 5 CD
2 WE BELIEVE		
page 175 *The sacrament of Reconciliation strengthens our relationship with God and others.*	• Read and discuss conscience and its examination. Write reflective questions about showing love for others.	
page 177 *In the sacrament of Reconciliation, the Church celebrates God's forgiveness.* *Rite of Penance*	• Read and discuss the two ways to celebrate the sacrament. Identify times the parish celebrates the sacrament of Reconciliation.	
page 179 *In the sacrament of Reconciliation we trust in God's mercy.* *Rite of Penance*	• Pray the Act of Contrition. • Discuss absolution. Talk about the four parts of the sacrament of Reconciliation. • Read and discuss *As Catholics*.	
page 181 *Together we turn our hearts and minds to God.*	• Read and discuss turning to God.	
3 WE RESPOND		
page 181	Discuss ways of responding to God's call.	• copies of Reproducible Master 16
pages 183 and 185 **Review**	• Complete questions 1–10. • Complete *Reflect & Pray*.	
pages 183 and 185 **We Respond and Share the Faith**	• Review *Remember* and *Key Words.* • Read and discuss *Our Catholic Life.*	

For additional ideas, activities, and opportunities: Visit Sadlier's **www.CREEMOSweb.com**

Conexiones

Liturgia

Como todos los sacramentos, la penitencia es una acción litúrgica. Pida a los estudiantes que comparen las partes del Rito de Reconciliación con la misa. Ayúdelos a entender que ambos tienen la lectura de la palabra de Dios, una homilía y un rito de conclusión. Distribuya cantorales a los estudiantes para ayudarlos a hacer la comparación. Además señale el rito de penitencia durante la misa en el cual pedimos el perdón de Dios.

Santos

Los santos de todas las épocas nos dan un excelente ejemplo de lo que significa ser una persona dadivosa. Provea a los estudiantes las historias de santos, por ejemplo: Juan Vianney, confesor dotado y patrón de los párrocos; María Goretti, una niña de 11 años que perdonó a su asesino; Esteban, el primer mártir y diácono que oró por sus agresores, "¡Señor, no les tomes en cuenta este pecado!" (Hechos de los Apóstoles 7:60). Finalmente, recuerde al Papa Juan Pablo II quién perdonó al hombre que intentó matarlo.

FE y MEDIOS

▶ Señale las diferentes formas en que la Iglesia puede usar los medios de comunicación para difundir el trabajo de Dios en el mundo. Hable con los estudiantes de las siguientes estrategias: grabe en video a los estudiantes mientras hacen sus exposiciones sobre el sacramento de la Reconciliación; use un programa y otras herramientas de multimedia que tenga disponibles para diseñar una exposición sobre la Reconciliación que se pueda colocar en la Internet y acceder a través del sitio Web de la parroquia.

Liturgia para la semana

Visite **www.creemosweb.com** para las lecturas bíblicas de esta semana y otros materiales propios del tiempo.

Necesidades individuales

Estudiantes con deficiente atención

Mientras lee el texto en voz alta, trate de mantener concentrados a los estudiantes con atención deficiente. Puede ayudarlos a mantenerse centrados al pedirles que hagan cosas para canalizar su energía excesiva mientras siguen la lección. Por ejemplo, pida a los estudiantes que subrayen o resalten las palabras del texto conforme se vaya leyendo.

RECURSOS ADICIONALES

Libro *Ritual completo de los sacramentos,* Liturgical Press.

Video *La tabla de patinaje.* Franciscan Communications. Una niña de ocho años se arriesga a patinar en un sitio peligroso. Es salvada en el último momento y debe asumir con sus padres las consecuencias de lo sucedido. (12 minutos)

Para ideas visite a Sadlier en

www.CREEMOSweb.com

Connections

To Liturgy

Penance is a liturgical action, like all sacraments. Have the students compare the parts of the Rite of Reconciliation to the Mass. Help them see that both have a reading of the word of God, a homily, and a concluding rite. Provide the students with missalettes to help them make this comparison. Also call their attention to the penitential rite during the Mass in which we seek God's forgiveness.

To the Saints

The saints of every age provide us with excellent examples of what it means to be a forgiving person. Make available to the students the stories of saints like the following: John Vianney, gifted confessor and patron of parish priests; Maria Goretti, an eleven-year-old who forgave her murderer; Stephen, first martyr and deacon who prayed for his attackers, "Lord, do not hold this sin against them" (Acts of the Apostles 7:60). Finally, recall Pope John Paul II who forgave the man who tried to kill him.

FAITH and MEDIA

▶ Stress the many ways the Church can use media to help do the work of God in the world. Present the following strategies to the students: videotape the students as they make their presentations of the sacrament of Reconciliation; use a software program and whatever other multimedia tools are available to design a presentation on Reconciliation that can be posted online and accessed through the parish Web site.

This Week's Liturgy

Visit **www.creemosweb.com** for this week's liturgical readings and other seasonal material.

Meeting Individual Needs

Students with Attention Deficit Disorder

While reading aloud the text, try to keep students with attention deficit disorder focused. You can help them stay on task by having them do things that channel their excess energy while following along. For example, have students underline or highlight the words of the text as it is being read.

ADDITIONAL RESOURCES

Videos *Forgive Us Our Debts,* Nest Entertainment, 1991. From the *Animated Stories of the New Testament* series, this video teaches that forgiveness comes from God. (30 minutes)

We Forgive: Reconciliation, Ikonographics, St. Anthony Messenger Press, 2002. From *The Sacraments* series, this tells of asking forgiveness and celebrating God's mercy. (15 minutes)

To find more ideas for books, videos, and other learning material, visit Sadlier's

www.CREEMOSweb.com

Meta catequética

• Explicar las dos formas en que se puede celebrar el sacramento de la Reconciliación y enfatizar nuestra necesidad de confiar en la misericordia de Dios.

PREPARANDOSE PARA ORAR

Los estudiantes escucharán la parábola de la oveja perdida. Responderán cantando.

• Escoja a tres lectores para que proclamen la Escritura.

El lugar de oración

• Ponga en la mesa de oración una Biblia.

16 La celebración de la Reconciliación

NOS CONGREGAMOS

Líder: Vamos a quedarnos quietos por un momento y a pensar en la necesidad del perdón de Dios en nuestras vidas.

Lector: Lectura del santo evangelio según San Lucas. Una vez recaudadores de impuestos y pecadores estaban escuchando a Jesús. "Los fariseos y los maestros de la ley lo criticaban por esto diciendo: "Este recibe a los pecadores y come con ellos".

Entonces él les contó esta parábola:

"¿Quién de ustedes, si tiene cien ovejas y pierde una de ellas no deja las noventa y nueve en el campo y va en busca de la oveja perdida hasta encontrarla? Y cuando la encuentra, contento la pone sobre sus hombros y al llegar a casa junta a sus amigos y vecinos, y les dice: Felicítenme, porque ya encontré la oveja que se me había perdido" (Lucas 15:2–6).

Palabra del Señor.

Todos Gloria a ti, Señor Jesús.

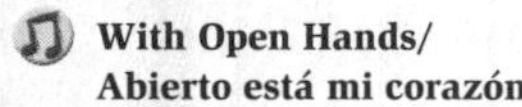

With Open Hands/ Abierto está mi corazón

Abierto está mi corazón
para encontrarte mi Dios de amor.
Y en todas partes tu cariño está;
eterno es tu amor.

¿Cuáles son algunas formas en que podemos mostrar que estamos arrepentidos?

174

CREEMOS

El sacramento de la Reconciliación fortalece nuestra relación con Dios y con los demás.

La Iglesia llama al sacramento de la Reconciliación de diferentes formas. Por ejemplo, es llamado sacramento de conversión, de la Penitencia, de la confesión y del perdón. Cada uno de esos nombres nos dice algo sobre el significado del sacramento. No importa como lo llamemos, este sacramento tiene cuatro partes principales:

Contrición es el dolor por nuestros pecados. Incluye el deseo de no pecar más. Estar verdaderamente arrepentido de nuestros pecados nos lleva a la conversión y nos vuelve a Dios el Padre.

Planificación de la lección

NOS CONGREGAMOS ____ minutos

Oración

• Comience haciendo la señal de la Cruz y dirija la oración de apertura.

• Pida a los lectores que proclamen la Escritura.

• Cante la canción.

• Comente que la lectura del evangelio se centra en la alegría de encontrar a alguien, a un pecador que estaba perdido. Explique que hay alegría en el cielo y que Dios se alegra cada vez que un pecador regresa y encuentra su camino de vuelta a la misericordia y perdón de Dios y a la reconciliación con la comunidad. Dios es el pastor y nosotros somos las ovejas perdidas.

Mirando la vida

• Pida a los estudiantes que lean en silencio la pregunta sobre como las personas muestran su arrepentimiento. Pida a voluntarios que ofrezcan sus respuestas. Diga a los estudiantes que expresamos nuestro arrepentimiento por los pecados en el sacramento de la Reconciliación. Lea y converse sobre la *Historia para el capítulo* de la página 174A de la guía.

CREEMOS ____ minutos

Lea en voz alta el enunciado *Creemos*. Explique que el sacramento de la Reconciliación fortalece nuestra relación con Dios y con los demás. Pida a un voluntario que lea en voz alta el primer párrafo de *Creemos*.

The Celebration of Reconciliation

WE GATHER

✝ **Leader:** Let us be still a moment and think about the need for God's forgiveness in our lives.

Reader: A reading from the holy Gospel according to Luke

Once tax collectors and sinners were listening to Jesus teach. "But the Pharisees and scribes began to complain, saying, 'This man welcomes sinners and eats with them.' So to them he addressed this parable."

"What man among you having a hundred sheep and losing one of them would not leave the ninety-nine in the desert and go after the lost one until he finds it? And when he does find it, he sets it on his shoulders with great joy and, upon his arrival home, he calls together his friends and neighbors and says to them, 'Rejoice with me because I have found my lost sheep.'" (Luke 15:1–7)

The Gospel of the Lord.

All: Praise to you, Lord Jesus Christ.

♫ **With Open Hands/Abierto Está Mi Corazón**

Refrain:

With open hands and open hearts
we come before you, O God above.
Your loving kindness fills all the earth;
eternal is your love.

Have mercy on me, O God of goodness,
according to your abundant love.
Wash me clean from all my sins;
restore to me your joy! (Refrain)

What are ways that we can show that we are sorry?

WE BELIEVE

The sacrament of Reconciliation strengthens our relationship with God and others.

The Church calls the sacrament of Reconciliation by different names. For instance, it has been called the sacrament of conversion, of Penance, of confession, and of forgiveness. Each of these names tells us something about the meaning of the sacrament. No matter how we name it, this sacrament includes four major parts: contrition, confession, penance, and absolution.

Contrition is heartfelt sorrow for our sins. It includes the desire to sin no more. Being truly sorry for our sins leads us to conversion, to turn back to God the Father.

175

Catechist Goal

• To explain the two ways the sacrament of Reconciliation can be celebrated and to emphasize our need to trust in God's mercy.

PREPARING TO PRAY

The students will listen to the parable of the lost sheep and respond in song.

• Choose three readers to proclaim the Scripture.

The Prayer Space

• Place a Bible on the prayer table.

Lesson Plan

WE GATHER ____ minutes

✝ Pray

• Begin with praying the Sign of the Cross and lead the opening prayer.

• Have the readers proclaim the Scripture.

• Sing the song.

• Comment that the gospel reading focuses on the joy of finding someone, a sinner, who was lost. Explain that there is joy in heaven and God is joyful every time a sinner returns and finds his or her way back to God's mercy and forgiveness and to reconciliation with the community. God is like a shepherd and we are like lost sheep.

Focus on Life

• Have the students read silently the question about ways people show sorrow. Ask volunteers to offer their responses. Tell the students that we express our sorrow for sin in the sacrament of Reconciliation. Read and discuss the *Chapter Story* on guide page 174B.

WE BELIEVE ____ minutes

Read aloud the *We Believe* statement. Explain that the sacrament of Reconciliation strengthens our relationship with God and others. Have a volunteer read aloud the first *We Believe* paragraph. Discuss the different names of the sacrament.

Capítulo 16 • Pág. 176

Nuestra respuesta en la fe

- Responder al llamado de Dios acercándose a él.

conciencia

Materiales

- 4–6 CD
- copias del patrón 16

Ideas

Aprendiendo el uno del otro

Señale que cada uno de nosotros puede ayudar a otros a acercarse a Dios, confiar en él y a vivir como él lo pide. Anime a los estudiantes a tomar conciencia de que los menores siguen sus ejemplos. Hábleles sobre como pueden dar ejemplo positivo actuando como seguidores de Jesús.

Conexión con el hogar

Pregunte a voluntarios lo que compartieron con sus familias, acerca de la historia del padre con su hijo perdido.

Confesión es decir nuestros pecados al sacerdote. Un examen de conciencia nos ayuda a ver lo que necesitamos confesar. Nuestra **conciencia** es nuestra habilidad de ver la diferencia entre lo bueno y lo malo, lo correcto y lo incorrecto. Este don de Dios nos ayuda a tomar decisiones y a juzgar nuestras decisiones y acciones.

Cuando examinamos nuestra conciencia, determinamos si nuestras decisiones mostraron amor a Dios, a nosotros mismos y a los demás. Pedimos al Espíritu Santo que nos ayude a juzgar la bondad de nuestros pensamientos, palabras y acciones.

Pecados serios deben confesarse y ser perdonados para reparar la amistad con Dios y la gracia. El perdón de pecados menos serios fortalece nuestra debilitada amistad con Dios.

Una **penitencia** es una acción que muestra que estamos arrepentidos de nuestros pecados. Algunas veces puede ser una oración o un servicio. La penitencia es una forma de reparar el mal que hemos causado. Aceptar la penitencia es una señal de que regresamos a Dios y que estamos dispuestos a cambiar nuestra vida.

En la **absolución** nuestros pecados son absueltos o perdonados. Por el poder del Espíritu Santo, en nombre de Jesucristo y la Iglesia, un sacerdote perdona nuestros pecados. Este perdón nos reconcilia con Dios y con la Iglesia.

Escribe preguntas que puedes usar cada día para reflexionar en las formas en que has mostrado amor a los demás.

____

____

____

____

____

En el sacramento de la Reconciliación la Iglesia celebra el perdón de Dios.

La Iglesia requiere que celebremos el sacramento de la Reconciliación por lo menos una vez al año si se ha cometido pecados serios. Sin embargo, somos llamados a participar en el sacramento con frecuencia. La Iglesia tiene dos formas de celebrar el sacramento de la Reconciliación. Una forma, o rito, es usada cuando un individuo se encuentra con el sacerdote para la celebración. El otro rito es cuando un grupo se reúne para celebrar el sacramento con uno o más sacerdotes. (Ver pp 313).

176

Planificación de la lección

CREEMOS (continuación)

Pida a voluntarios que lean los párrafos acerca de las cuatro partes de la Reconciliación, entonces explique que la conciencia nos llama a hacer el bien y evita que actuemos mal.

Ayude a los estudiantes a escribir preguntas que ayuden en la reflexión diaria sobre como mostrar amor por los demás.

Pida a un voluntario que lea el enunciado de *Creemos* en la segunda columna de la página 176. Escriba las siguientes preguntas en la pizarra. *¿Cuáles son las dos formas en que se celebra el sacramento de la Reconciliación? ¿Cuándo debemos celebrar el sacramento?* Pida a los estudiantes que lean el último párrafo en la página 176 para responder las preguntas. Comparta las respuestas.

Cotejo rápido

✔ *¿Qué nos permite diferenciar entre el bien y el mal?* (Nuestra conciencia nos permite diferenciar el bien y el mal.)

✔ *¿Cuáles son las dos formas en que se celebra la Reconciliación?* (La reconciliación se celebra para varios penitentes o para un sólo penitente.)

Haga que los estudiantes lean los siguientes tres párrafos. Enfatice que las parroquias locales tienen programas establecidos en los que celebran el sacramento de la Reconciliación. Recalque la privacidad de la sala de reconciliación o confesionario. Señale el poder de curación del sacramento.

Indique algunas horas en las que la parroquia celebra el sacramento de la Reconciliación.

Confession is naming and telling our sins to the priest. An examination of conscience helps us to know what we need to confess. Our **conscience** is our ability to know the difference between good and evil, right and wrong. This gift from God helps us to make decisions and to judge our decisions and actions.

When we examine our conscience, we determine whether the choices we have made showed love for God, ourselves, and others. We ask the Holy Spirit to help us judge the goodness of our thoughts, words, and actions.

Serious sins must be confessed and forgiven in order to share in God's friendship and grace again. The forgiveness of less serious sins strengthens our weakened friendship with God.

A **penance** is an action that shows we are sorry for our sins. It is sometimes a prayer or act of service. A penance is a way of making right the harm we may have caused. Accepting this penance is a sign we are turning back to God and are willing to change our lives.

In **absolution** our sins are absolved, or forgiven. In the name of Christ and the Church and through the power of the Holy Spirit, a priest grants the forgiveness of sins. This forgiveness brings reconciliation with God and the Church.

Write questions you could use each day to reflect on the ways you have shown love for others.

____

____

____

____

____

In the sacrament of Reconciliation, the Church celebrates God's forgiveness.

The Church requires us to celebrate the sacrament of Reconciliation at least once a year if we have committed serious sin. However, we are called to participate in the sacrament often. The Church has two usual ways to celebrate the sacrament of Reconciliation. One way, or rite, is used when an individual meets with a priest for the celebration. The other rite is used when a group gathers to celebrate the sacrament with one or more priests. (See page 325.)

Our Faith Response

- To answer God's call by turning to him

conscience

Materials

- Grade 5 CD
- copies of Reproducible Master 16

Teaching Note

Learning from One Another

Stress that each of us can help lead others to turn to God, to rely on him, and to live as he calls us to live. Encourage the students to be aware that younger students follow their example. Discuss with them ways in which they can set a positive example acting as followers of Jesus.

Home Connection Update

Ask volunteers to share their families' discussions about the story of the father and the lost son.

Lesson Plan

WE BELIEVE (continued)

Ask volunteers to read the paragraphs about the four major parts of Reconciliation. Then explain that conscience calls us to do good and avoid wrongdoing.

Help the students write questions that would help daily reflection on ways of showing love for others.

Have a volunteer read aloud the *We Believe* statement in the second column on page 177. Write the following questions on the board. *What are the two ways of celebrating the sacrament of Reconciliation? When should we celebrate the sacrament?* Have the students read the last paragraph on page 177 to answer these questions. Share responses.

Quick Check

✔ *What enables us to know the difference between right and wrong?* (Our conscience enables us to distinguish between right and wrong.)

✔ *In what two ways is Reconciliation celebrated?* (Reconciliation is celebrated for several penitents and for individual penitents.)

Have the students read the next three paragraphs. Emphasize that parishes have regular schedules for celebrating the sacrament of Reconciliation. Stress the privacy of the reconciliation room or confessional. Stress the healing power of the sacrament.

Name some times the parish celebrates the sacrament of Reconciliation.

Ideas

Actos de contrición—el lado práctico

Mientras enseña a los estudiantes las oraciones que son actos de contrición, enfatice que también pueden ofrecer acciones que expresan su arrepentimiento por haber ofendido a alguien. Además de expresar su arrepentimiento a Dios, los actos de contrición también pueden ayudar a enmendar las relaciones humanas.

Como católicos...

Perdón durante la misa

Pida a un voluntario que lea en voz alta el texto. Pregunte a los estudiantes si pueden recordar en qué momento de la misa se ora esta oración. Explique cómo este pedido de misericordia nos prepara para recibir a Cristo en la Eucaristía.

Reunirse con un grupo para celebrar el sacramento claramente muestra que el sacramento es una celebración de toda la Iglesia. Ya sea que celebremos la Reconciliación individualmente o en grupo, estamos unidos a toda la Iglesia.

La mayoría de las parroquias tienen un horario regular para las celebraciones del sacramento de la Reconciliación. Normalmente hay un lugar especial en la Iglesia donde un penitente, alguien que busca el perdón, puede encontrarse con el sacerdote para la confesión individual y la absolución. El penitente puede sentarse con el sacerdote y conversar con él directamente o puede arrodillarse y hablar con él a través de la rejilla.

El sacerdote nunca, por ninguna razón, dice a nadie lo que escuchó en la confesión. Por el secreto de confesión él está obligado.

Nombra algunas veces en que tu parroquia celebra el sacramento de la Reconciliación.

En el sacramento de la Reconciliación confiamos en la misericordia de Dios.

Durante la celebración de la Reconciliación, las palabras del penitente y del sacerdote muestran nuestra confianza en Dios y nuestro agradecimiento. Un **acto de contrición** (pag. 312) es una oración que nos permite expresar nuestro arrepentimiento. En esa oración prometemos tratar de no pecar más. Podemos decir que estamos arrepentidos de muchas formas. La Iglesia usa varias oraciones como actos de contrición.

Sólo un sacerdote puede oír nuestra confesión y perdonar nuestros pecados. El ha recibido el sacramento del Orden y actúa en nombre de Cristo y la Iglesia y por medio del poder del Espíritu Santo. Durante la absolución, el sacerdote, actuando con la autoridad de Cristo y en el nombre de la Iglesia, extiende su mano y reza:

Como católicos...

En todas las misas tenemos la oportunidad, como comunidad, de pedir perdón de nuestros pecados. Cuando rezamos: "Señor, ten piedad. Cristo, ten piedad. Señor, ten piedad". Estamos pidiendo perdón. Esta petición nos prepara para celebrar la Eucaristía como un cuerpo de Cristo.

178

Planificación de la lección

CREEMOS (continuación)

Invite a un voluntario a leer en voz alta el enunciado de *Creemos* en la página 178. Lea en voz alta el primer párrafo de *Creemos*. Invite a los estudiantes a reunirse en el lugar de oración. Oren juntos el Acto de Contrición.

Pida a un voluntario que lea en voz alta el siguiente párrafo de *Creemos*. Asegure a los estudiantes que los sacerdotes están obligados a mantener el secreto de la confesión bajo pena de excomunión. Explique que no hay nada que permita a un sacerdote romper el secreto de la confesión.

Pida a voluntarios que lean en voz alta la oración de absolución. Enfatice lo siguiente:

- Las palabras de absolución del sacerdote pide a la Santísima Trinidad que nos perdone nuestros pecados mediante el ministerio de la Iglesia.
- El sacerdote con la autoridad de Cristo y en nombre de la Iglesia ofrece el perdón de Dios a los miembros de la Iglesia.

Conversar cada una de las cuatro partes del sacramento de Reconciliación.

Gathering with a group to celebrate the sacrament clearly shows that the sacrament is a celebration of the whole Church. Yet whether we celebrate Reconciliation individually or in a group, we are joined to the whole Church.

Most parishes have a regular schedule for celebrations of the sacrament of Reconciliation. Normally there is a special place in church where a penitent, someone seeking God's forgiveness, can meet with the priest for individual confession and absolution. The penitent can either sit with the priest and speak to him directly, or kneel and speak with him from behind a screen.

The priest can never, for any reason, tell anyone what we have confessed. He is bound to the secrecy of the sacrament. This secrecy is called the seal of confession.

Name some times your parish celebrates the sacrament of Reconciliation.

In the sacrament of Reconciliation we trust in God's mercy.

During the celebration of Reconciliation, the words of the penitent and of the priest show our trust in God and our thankfulness. An **act of contrition** is a prayer that allows us to express our sorrow. In this prayer (See page 330.) we promise to try not to sin again. We can say we are sorry in many ways. The Church gives us several prayers to use as acts of contrition.

Only a priest can hear our confession and forgive our sins. He has received the sacrament of Holy Orders and acts in the name of Christ and the Church and through the power of the Holy Spirit. During the absolution, the priest, acting with the authority of Christ and in the name of the Church, extends his hand and prays,

As Catholics...

At every Mass, we have the opportunity to ask forgiveness of our sins as a community. When we pray, "Lord, have mercy. Christ, have mercy. Lord, have mercy" we are seeking forgiveness. This asking of forgiveness together prepares us to celebrate the Eucharist as the one Body of Christ.

179

Teaching Note

Acts of Contrition—the Practical Side

While teaching the students about prayers that are acts of contrition, emphasize that they may also offer actions that express their sorrow for having offended someone. In addition to expressing sorrow to God, acts of contrition can help to heal human relationships as well.

As Catholics...

Forgiveness During Mass

Have a volunteer read aloud the text. Ask the students whether they can recall when, during Mass, this prayer is prayed. Explain the way in which this call for mercy prepares us to receive Christ in the Eucharist.

Lesson Plan

WE BELIEVE (continued)

Invite a volunteer to read aloud the *We Believe* statement on page 179. Read aloud the first paragraph. Invite the students to gather in the prayer space. Pray together the Act of Contrition.

Have a volunteer read aloud the next *We Believe* paragraph. Assure the students that priests are bound to keep the seal of confession under penalty of excommunication. Explain that there is no circumstance under which a priest may break the seal of confession.

Ask a volunteer to read aloud the prayer of absolution. Emphasize:

- The priest's words of absolution call upon the Blessed Trinity to forgive our sins through the ministry of the Church.
- The priest acts with the authority of Christ and in the name of Church to offer God's forgiveness to the members of the Church.

Discuss each of the four parts of the sacrament of Reconciliation.

BANCO DE ACTIVIDADES

Doctrina social de la Iglesia

Llamado a la familia, a comunidad y a la participación

Recuerde a los estudiantes que como católicos se nos llama a actuar con misericordia, respetar la dignidad de todos y hablar en contra de la injusticia. Pida a grupos pequeños que piensen en cómo pueden ayudar a las personas y a sus familias, comunidad parroquial, o vecindario a entenderse mejor y solucionar problemas pacíficamente. Pídales que redacten un informe breve. Cada grupo presentará un informe que identifique el problema, detalle algunas soluciones posibles e indique una solución específica que pueda resolver el problema. Comparta los informes.

"Dios, Padre misericordioso, que, por la muerte y resurrección de su Hijo, reconcilió consigo el mundo y derramó el Espíritu Santo para el perdón de los pecados, te conceda el perdón y la paz, por el ministerio de la Iglesia.

Y yo te absuelvo de tus pecados en el nombre del Padre, y del Hijo, y del Espíritu Santo".
El penitente responde: "Amén".

La palabra absolución nos recuerda que nuestra reconciliación nos llega por la misericordia de Dios, la acción salvadora de Jesucristo y la presencia del Espíritu Santo.

Conversa con un compañero sobre cada una de las partes del sacramento de la Reconciliación.

Vocabulario

conciencia (pp 331)
acto de contrición (pp 331)

Juntos volvemos nuestros corazones y mentes a Dios.

Dios constantemente nos llama. Por el don de la gracia de Dios, podemos volver a él y abrirle nuestros corazones. Para ello necesitamos pensar en las formas en que vivimos como miembros de la Iglesia. Necesitamos pensar en lo que podemos cambiar o fortalecer en nuestras vidas.

La comunidad de fe nos ayuda a volver nuestras vidas a Dios. No estamos solos al tratar de ser sus hijos. Juntos podemos volver nuestras mentes y corazones a Dios:

- siguiendo el ejemplo de Jesús y compartiendo su buena nueva
- confiando en Dios cuando tenemos dificultades en la escuela y en la casa
- cuidando de las necesidades de los demás
- rezando todos los días.

Somos la Iglesia. Cuando actuamos con misericordia, otros pueden buscar la misericordia de Dios. Si ayudamos a los demás en nuestra comunidad a entenderse unos a otros y a trabajar para resolver las diferencias en paz, ellos pueden experimentar reconciliación. Cada uno de nosotros puede llevar a otros a Dios, a confiar en él y a vivir como él nos pide.

RESPONDEMOS

Dios sigue llamándonos a ser una comunidad de fe centrada en él y su amor. Hablen sobre formas en que van a responder esta semana.

180

Planificación de la lección

CREEMOS (continued)

Pida a un voluntario que lea en voz alta el enunciado en *Creemos* en la página 180. Lea en voz alta el primer párrafo. Explique que Dios siempre está dispuesto a oírnos y respondernos. Señale que debemos oír y responder al llamado de Dios siguiendo nuestra conciencia.

Lea en voz alta el resto del texto de *Creemos*. Pida a los estudiantes que sugieran ejemplos reales de los siguientes:

- seguir el ejemplo de Jesús, confiar en Dios cuando necesitamos ayuda, cuidar de las necesidades de los demás, orar diariamente

Vocabulario Escriba la palabra *conciencia* en la pizarra. Forme grupos pequeños. Pida a cada grupo que planifique y presente una escenificación relacionada con el término *conciencia.*

Pida que un voluntario explique qué es el acto de contrición.

RESPONDEMOS ____ minutos

Identifique como responder al llamado de Dios para ser una comunidad de fe centrada en él y en su amor.

Distribuya copias del patrón 16. Invite a los estudiantes a completar el crucigrama ahora o en casa.

"God, the Father of mercies,
through the death and resurrection of his Son
has reconciled the world to himself
and sent the Holy Spirit among us
for the forgiveness of sins;
through the ministry of the Church
may God give you pardon and peace,
and I absolve you from your sins
in the name of the Father, and of the Son,
and of the Holy Spirit."

The penitent answers: "Amen."

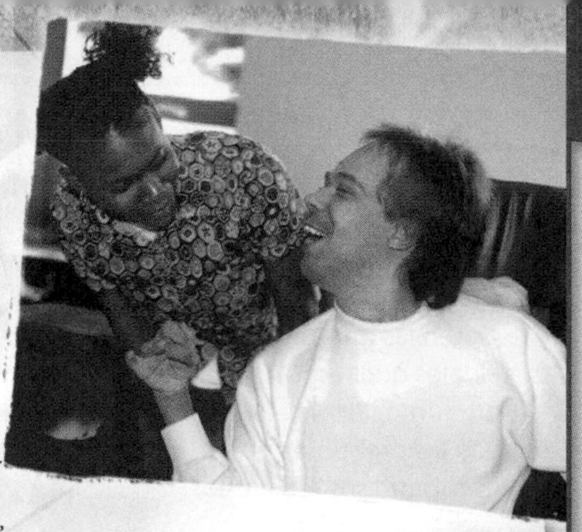

The words of absolution remind us that our reconciliation comes about by the mercy of the Father, the saving action of Jesus Christ, and the presence of the Holy Spirit.

With a partner talk about each of the four parts of the sacrament of Reconciliation.

Together we turn our hearts and minds to God.

God constantly calls us to him. By God's gift of grace, we can turn to God and open our hearts to him. To do this we need to think about the ways we are living as members of the Church. We need to think about what we can change or strengthen in our lives.

The community of faith helps us to turn our lives to God. We are not alone as we try to grow as his children. Together we can turn our minds and hearts to God by

- following Jesus' example and sharing his good news
- trusting in God when we may be struggling in school or at home
- caring for the needs of others
- praying daily.

We are the Church. When we act with mercy, others may seek God's mercy. If we help people in the community to understand one another and to work to settle differences peacefully, they may experience reconciliation with one another. Each of us can lead others to turn to God, to rely on him, and to live as he calls us to live.

WE RESPOND

God continually calls us to be a community of faith focused on him and his love. Discuss ways to respond this week.

Key Words

conscience (p. 334)
act of contrition (p. 334)

181

Activity Bank

Catholic Social Teaching

Call to Family, Community, and Participation

Remind the students that as Catholics we are called upon to act with mercy, to respect the dignity of all people, and to speak out against injustice. Have small groups think of ways they can help people in their families, church community, or neighborhood to better understand one another and to work out their differences peacefully. Have them write a brief report. Each group's report should identify the problem, list some possible solutions, and state the one solution that might resolve the problem. Share reports.

Lesson Plan

WE BELIEVE (continued)

Have a volunteer read aloud the *We Believe* statement on page 181. Read aloud the first paragraph. Explain that God is always ready to listen and respond to us. Stress that we need to listen and respond to God's call to us by following our conscience.

Read aloud the remainder of the *We Believe* text. Ask the students to suggest real-life examples for each of the following:

• following Jesus' example; trusting in God when we need help; caring for the needs of others; praying daily.

Key Words Write the word *conscience* on the board. Form small groups. Have each group plan and present a skit that relates to the term *conscience.*

Have a volunteer explain what an act of contrition is.

WE RESPOND ____ minutes

Identify ways to respond to God's constant call to be a community of faith that is focused on God and his love.

Distribute copies of Reproducible Master 16. Invite the students to complete the crossword puzzle now or work on it at home.

BANCO DE ACTIVIDADES

Conexión multicultural

Idiomas

Materiales:
diccionarios de idiomas extranjeros

Explique que cuando rezamos el acto de contrición estamos diciendo que "nos arrepentimos". Pida a los estudiantes que usen la Internet, diccionarios de idiomas extranjeros, personas conocidas y cualquier otro recurso a su alcance para averiguar como se dice "me arrepiento" en tantos idiomas como les sea posible. Por ejemplo, *Mi dispiace*, significa "lo siento" en italiano mientras que *I'm sorry*, significa "lo siento" en inglés. Exhiba sus palabras o frases en el tablero de anuncios. Ponga un mapamundi en el tablero y muestre con tachuelas o alfileres los lugares donde se dicen esas frases.

CONEXION CON EL HOGAR

Compartiendo lo aprendido

Recuérdele a los estudiantes compartir con su familia lo que aprendieron en este capítulo. Anímelos a participar con su familia en las preguntas sobre el examen de conciencia.

Para más información y actividades adicionales visite a Sadlier

www.CREEMOSweb.com

Planifique por adelantado

Lugar de oración: una Biblia

Materiales: 4–6 CD, copias del patrón 17, papel periódico y marcadores, resbalones del papel

______ minutos

Repaso del capítulo Pida a los estudiantes que completen las preguntas 1–4. Pídales que respondan cada pregunta. Pídales que respondan las preguntas 5–10. Comparta sus respuestas.

Reflexiona y ora Lea en voz alta el texto. Invite a los estudiantes a completar la oración. Comparta sus respuestas. Pida a cada estudiante que lea su oración. Pida al grupo que responda cada vez diciendo "Danos la fuerza para seguirte siempre".

Repaso — Capítulo 16

Escribe la letra que describe mejor cada parte del sacramento de la Reconciliación.

1. __a__ contrición — a. verdadero arrepentimiento por los pecados cometidos y la intención de no volver a pecar.
2. __d__ confesión — b. los pecados son perdonados en el nombre de Cristo y la Iglesia y por poder del Espíritu Santo.
3. __c__ penitencia — c. una acción que nos ayuda mostrar que estamos arrepentidos de nuestros pecados.
4. __b__ absolución — d. decir los pecados al sacerdote.

Contesta.

5. La Iglesia llama al sacramento de la Reconciliación por diferentes nombres. Escribe tres de ellos.
Sacramento de conversión, de confesión, de penitencia y de perdón

6. ¿Qué nos permite hacer nuestra conciencia?
La habilidad de conocer la diferencia entre el bien y el mal, lo correcto y lo incorrecto.

7. ¿Cómo se celebra el sacramento de la Reconciliación?
Individualmente o en grupos.

8. ¿De qué forma podemos dirigir nuestras mentes y corazones a Dios?
Ver página 180.

Contesta esta pregunta.

9–10. ¿Por qué es importante celebrar el sacramento de la Reconciliación?
Ver páginas 178 y 180.

Reflexiona y ora

Señor, eres mi pastor, tú ______________.
Dame la fuerza para seguirte siempre.

182

PAGINA DEL ALUMNO 182

Respondemos y compartimos la fe

______ minutos

Recuerda Repase las ideas importantes del capítulo hablando sobre los cuatro enunciados de *Creemos.*

Nuestra vida católica Lea en voz alta el texto. Explique que los retiros espirituales usualmente duran unos días o una semana. Sugiera a los estudiantes que pueden disponer de un período de tiempo para hacer su propio mini-retiro. Señale que la reflexión diaria puede ayudarlos a encontrar la presencia de Dios en sus vidas. En algunos lugares se ofrecen retiros de un día para los niños. Su parroquia o diócesis posiblemente sepa quién o qué recurso puede ayudarlo a planificar un retiro para su grupo. Los retiros nos ayudan a responder al llamado de Dios para celebrar su misericordia y perdón en el sacramento de la Reconciliación.

Respondemos y compartimos la fe

Compartiendo lo aprendido

Habla con tu familia sobre lo siguiente:
- las cuatro partes de la Reconciliación
- examen de conciencia
- la celebración del sacramento de la Reconciliación
- volver nuestros corazones y mentes a Dios.

Recuerda
- El sacramento de la Reconciliación fortalece nuestra relación con Dios y con los demás.
- En el sacramento de la Reconciliación la Iglesia celebra el perdón de Dios.
- En el sacramento de la Reconciliación confiamos en la misericordia de Dios.
- Juntos volvemos nuestros corazones y mentes a Dios.

Oración en familia

Te pedimos, Señor, que por tu misericordia nos libres de todos nuestros pecados, para que, una vez perdonados, te sirvamos con libertad de espíritu. Por Jesucristo nuestro Señor.

Rito de la Penitencia

NUESTRA VIDA CATOLICA

Días de retiro

Cuando nos reunimos en retiro con amigos y miembros de la comunidad parroquial, dejamos nuestra vida ordinaria para rezar y pensar en nuestra vida como cristianos. Aprendemos diferentes formas de seguir a Cristo. Algunos retiros duran un día, otros una semana o un mes. El sacramento de la Reconciliación es parte importante de un retiro. Pedimos a Jesús que nos ayude y nos guíe. Recibimos el perdón de Dios y somos fortalecidos para seguir a Cristo en nuestra vida diaria.

184

Visita Sadlier en www.CREEMOSweb.com

Conexión con el Catecismo
Para referencia vea los párrafos 1468, 1469, 1484, 1470 y 1474.

PAGINA DEL ALUMNO 184

_____ minutes

Chapter Review Have the students complete questions 1–4. Ask volunteers to read the answers. Then have the students answer questions 5–10 and share their answers.

Reflect & Pray Read aloud the text. Invite the students to complete the prayer. Share responses. Then have each student read his or her prayer. Have the group answer each time, "Give us the strength to follow you always."

Review — Chapter 16

Write the letter that best describes each part of the sacrament of Reconciliation.

1. __a__ contrition — a. true sorrow for the sins we have committed and the intention to sin no more
2. __d__ confession — b. our sins are forgiven in the name of Christ and the Church and through the power of the Holy Spirit
3. __c__ penance — c. an action that helps us to show sorrow for our sins
4. __b__ absolution — d. telling our sins to the priest

Short Answers

5. The Church calls the sacrament of Reconciliation by different names. List three of the names.
the sacrament of conversion, of Penance, of confession, of forgiveness

6. What ability does our conscience give us?
the ability to know the difference between good and evil, right and wrong

7. How can the sacrament of Reconciliation be celebrated?
individually or in a group

8. What is one way we can turn our minds and hearts to God?
See page 181.

Write a sentence to answer this question.

9–10. Why is it important to celebrate the sacrament of Reconciliation?
See pages 179–181.

Reflect & Pray

Lord, you are my shepherd. You ______________.
Give me the strength to follow you always.

183

PUPIL PAGE 183

We Respond and Share the Faith

_____ minutes

Remember Review the important ideas of the chapter by discussing the four *We Believe* statements.

Our Catholic Life Read aloud the text. Explain that retreats usually last a few days or a week. Suggest to the students that they set aside time for their own mini-retreat. Stress that daily reflection will help to bring them an awareness of God's presence in their lives. In some areas, one-day retreats for children are offered. Your parish or diocese may know of people or resources to help you plan one for your group. Retreats aid us in responding to God's call to celebrate his mercy and forgiveness in the sacrament of Reconciliation.

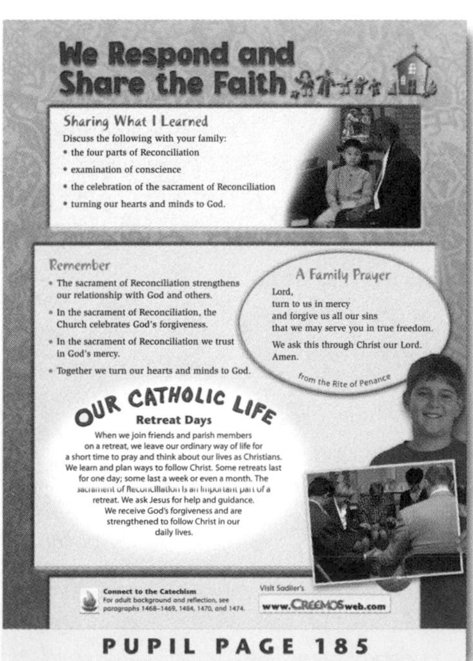

We Respond and Share the Faith

Sharing What I Learned

Discuss the following with your family:
- the four parts of Reconciliation
- examination of conscience
- the celebration of the sacrament of Reconciliation
- turning our hearts and minds to God.

Remember
- The sacrament of Reconciliation strengthens our relationship with God and others.
- In the sacrament of Reconciliation, the Church celebrates God's forgiveness.
- In the sacrament of Reconciliation we trust in God's mercy.
- Together we turn our hearts and minds to God.

A Family Prayer

Lord,
turn to us in mercy
and forgive us all our sins
that we may serve you in true freedom.
We ask this through Christ our Lord.
Amen.

from the Rite of Penance

OUR CATHOLIC LIFE

Retreat Days

When we join friends and parish members on a retreat, we leave our ordinary way of life for a short time to pray and think about our lives as Christians. We learn and plan ways to follow Christ. Some retreats last for one day; some last a week or even a month. The sacrament of Reconciliation is an important part of a retreat. We ask Jesus for help and guidance. We receive God's forgiveness and are strengthened to follow Christ in our daily lives.

Connect to the Catechism
For adult background and reflection, see paragraphs 1468–1469, 1484, 1470, and 1474.

Visit Sadlier's www.CREEMOSweb.com

PUPIL PAGE 185

ACTIVITY BANK

Multicultural Connection

Languages

Activity Materials: foreign-language dictionaries

Explain that when we pray an act of contrition we are saying, "We're sorry." Have the students use the Internet, foreign-language dictionaries, acquaintances, and any other resources they can think of to find out how to say "I'm sorry" in as many different languages as possible. For example, *Mi dispiace* means "I'm sorry" in Italian, while *disculpeme* means "I'm sorry" in Spanish. Display the words and phrases on a bulletin board. Post a world map and use pushpins to show the places where they are spoken.

HOME CONNECTION

Sharing What I Learned

Remind the students to share with their families what they learned in this chapter. Encourage the students to work with their families to write questions for an examination of conscience.

For additional information and activities, encourage families to visit Sadlier's

www.CREEMOSweb.com

Plan Ahead for Chapter 17

Prayer Space: a Bible

Materials: Grade 5 CD, copies of Reproducible Master 17, sheets of newsprint, markers, slips of paper

Capítulo 17 Jesús, el sanador

Ojeada

En este capítulo los estudiantes aprenderán que Jesús y los apóstoles cuidaron de los enfermos y sufridos y que la Iglesia continúa la misión sanadora de Jesús.

Contenido doctrinal	Para referencia del *Catecismo de la Iglesia Católica*
Los estudiantes aprenderán que:	párrafo
• Jesús sanó a los enfermos	1503
• Los apóstoles predicaron la misión sanadora de Jesús	1506
• La Iglesia continúa la misión sanadora de Jesús	1509
• Somos llamados a cuidar de los enfermos	2288

Referencia catequética

¿Qué función tiene su cuerpo en su relación con Dios?

En los evangelios encontramos muchas historias sobre Jesús sanando y curando. Jesús no sólo quería que las personas dejaran de sufrir, sino que también llegaran a conocer la misericordia y el amor de Dios.

El ministerio de sanación de Jesús se convirtió en una parte importante del ministerio de la Iglesia. Desde sus inicios, la Iglesia, liderada por los apóstoles, sanaba en nombre de Jesús, una práctica que aún continúa.

"En la enfermedad, el hombre experimenta su impotencia, sus límites y su finitud." (*CIC* 1500) Debido a estos efectos, algunas personas en nuestra sociedad tratan de evadir el hecho de que el sufrimiento existe y disfrazan la realidad de la muerte. En comparación, los cristianos creemos que tenemos que ofrecer consuelo y esperanza a los que están sufriendo y a los que están por morir. Esto lo logramos a través del sacramento de la Unción de los Enfermos. Con este sacramento, se les da la gracia y consuelo de Dios a los gravemente enfermos, los que sufren de la vejez o los que están en peligro de muerte. Este sacramento renueva en la persona su confianza y fe en Dios. Puede ayudar a sanar a los enfermos o darles la fortaleza para sobrellevar el sufrimiento. Con la oración y el apoyo de la comunidad de la Iglesia, los moribundos pueden afrontar la muerte con la esperanza de la vida eterna con Dios.

¿Cómo su actitud frente al sufrimiento y la muerte refleja su fe en Dios?

Mirando la vida

Historia para el capítulo

La princesa Brigid era tan hermosa por dentro como por fuera. Era la hija del rey y muchos príncipes querían casarse con ella. Sin embargo, ella tenía un amor más grande en su vida—servir a Dios y a los pobres.

Con la bendición de su padre, Brigid se hizo monja. Pronto, muchas mujeres fueron a vivir con Brigid. Ellas también querían dedicar sus vidas al servicio de Dios.

Conforme pasaban los años, el nombre de Brigid estaba en los labios del pueblo irlandés. Su trabajo con los pobres se conocía en todo el pueblo. Además de alimentar a los pobres, Brigid y otras monjas cuidaban de los enfermos, cualquiera que fuera la enfermedad. Fue la dedicación de Brigid al cuidado de los enfermos lo que la hizo famosa por sanar a las personas. Ella nunca se atribuyó el mérito por estos milagros. Brigid dio gracias a Dios por trabajar a través de sus manos.

Un día, Brigid estaba caminando con una monja ciega de edad avanzada. Se detuvieron en una laguna. Brigid vio la belleza de Dios en ese lugar tranquilo. Se dirigió a la monja que la acompañaba y le dijo: "Hermana Deirdre, ¿le gustaría ver?" Brigid se mojó los dedos en la laguna y bendijo los ojos de la hermana Deirdre. En pocos momentos, la hermana Deirdre pudo ver la hermosa escena frente a ella. Cuando Brigid y Deirdre regresaban a casa, Deirdre se detuvo por el camino. Se volvió hacia Brigid y dijo: "Brigid, por favor vuelve a cerrar mis ojos". Brigid lo hizo con gusto y dirigió a Deirdre de la mano hasta el lugar donde vivían.

¿Por qué piensas que Deirdre pidió que le devolvieran su ceguera?

Jesus, the Healer

Overview

In this chapter the students will learn that Jesus and the apostles cared for the sick and suffering, and that the Church continues the work of Jesus' healing ministry.

Doctrinal Content	For Adult Reading and Reflection *Catechism of the Catholic Church*
The students will learn:	Paragraph
• Jesus heals those who are sick	1503
• Jesus' apostles preach and heal in his name	1506
• The Church continues Jesus' healing ministry	1509
• We are all called to care for those who are sick	2288

Catechist Background

What role does your body play in your relationship with God?

Jesus took a special interest in those who were sick. His concern was not only that people no longer suffer, but that they come to know God's mercy and love.

Jesus' healing ministry became an important part of the Church's ministry. From its beginning, the Church, led by the apostles, healed in Jesus' name, a practice that continues to this day.

In sickness, we experience powerlessness, limitation, and finitude (CCC 1500). Because of these effects, some people in our society try to avoid the presence of suffering and disguise the reality of death. In contrast, Christians believe we must offer comfort and hope to those who are suffering and dying. We do this most readily through the sacrament of the Anointing of the Sick. In this sacrament, God's grace and comfort are given to those who are seriously ill, suffering the effects of old age, or are in danger of death. This sacrament renews the person's trust and faith in God. It might help restore those afflicted to health or give them strength to endure. Through the prayers and support of the Church's community, those facing death can do so with the hope of eternal life with God. Those who are suffering or dying can be strengthened by their belief in the crucified but risen Lord.

How does your attitude toward suffering and death reflect your faith in God?

Focus on Life

Chapter Story

Princess Brigid was as beautiful inside as she was outwardly. She was the king's daughter, and many princes wanted to marry her. However, she had a greater love in her life—serving God and the poor.

With her father's blessing, Brigid became a nun. Before long, many other women came to live with Brigid. They too wanted to devote their lives to God's service.

As the years passed, Brigid's name was on the lips of the Irish people. Her work with the poor was known in every village. Besides feeding the poor, Brigid and other nuns cared for the sick, whatever the illness. It was Brigid's devotion to the care of the sick that made her famous for healing people. She never claimed credit for these miracles. Brigid gave thanks to God that he worked through her hands.

One day Brigid was walking with an older nun who was blind. They stopped by a pond. Brigid saw in this quiet spot God's beauty. She turned to the older nun and said, "Sister Deirdre, would you like to see?" Brigid dipped her fingers in the nearby pond and blessed the eyes of Sister Deirdre. In a few moments, Sister Deirdre could see the beautiful scene before her. When Brigid and Deirdre were going back home Deirdre paused along the path. She turned to Brigid and said, "Brigid, please close my eyes again." Graciously she did and led Deirdre by the hand to where they lived.

Why do you think Deirdre asked to be returned to her world of blindness?

Guía para planificar la lección

Pasos de la lección	Presentación	Materiales

 NOS CONGREGAMOS

Pasos de la lección	Presentación	Materiales
pág. 186 **Oración**  **Mirando la vida**	 Alabar a Dios cantando y orando. • Conversar sobre ayudar a alguien que está enfermo.	Para el lugar de oración: una Biblia  "Salmo 23: The Lord is My Shepherd," 4–6 CD

 CREEMOS

Pasos de la lección	Presentación	Materiales
pág. 186 *Jesús sanó a los enfermos.*  *Juan 4:46–53*	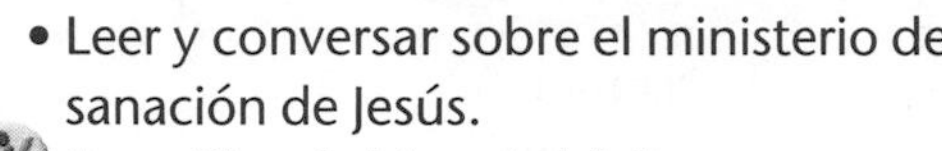 • Leer y conversar sobre el ministerio de sanación de Jesús.  Escenificar la historia bíblica.	
pág. 188 *Los apóstoles predicaron y sanaron en nombre de Jesús.*	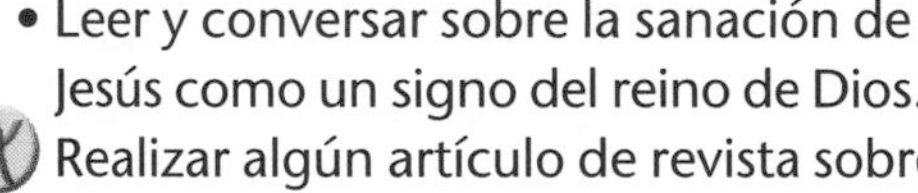 • Leer y conversar sobre la sanación de Jesús como un signo del reino de Dios.  Realizar algún artículo de revista sobre Jesús el Sanador	
pág. 190 *La Iglesia continúa la misión sanadora de Jesús.* 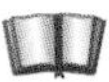 *Santiago 5:13–15*	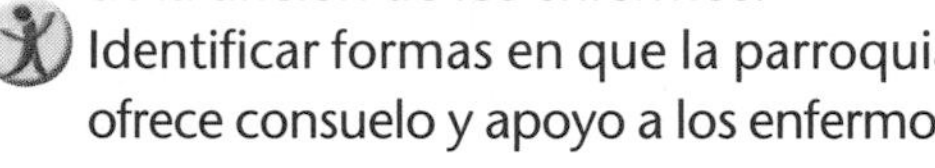 • Leer y conversar sobre el ministerio de sanación de la Iglesia y la importancia de la unción de los enfermos. Identificar formas en que la parroquia ofrece consuelo y apoyo a los enfermos.	
pág. 192 *Somos llamados a cuidar de los enfermos.*	• Explicar ideas sobre cómo cuidar de los enfermos. • Hablar sobre los milagros en *Como católicos*	• papel periódico y marcadores

 RESPONDEMOS

Pasos de la lección	Presentación	Materiales
pág. 192	Hacer una lista de cómo ayudar a los enfermos o ancianos	• copias del patrón 17
páginas 194 y 196 **Repaso**	• Completar las preguntas 1–10. • Completar *Reflexiona y ora.*	
páginas 194 y 196 **Respondemos y compartimos la fe**	• Repasar el *Recuerda* y el *Vocabulario.* • Leer y conversar sobre *Nuestra vida católica.*	

Para ideas, actividades y otras oportunidades visita Sadlier en **www.CREEMOSweb.com**

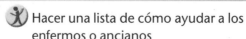

Lesson Planning Guide

1 WE GATHER

Lesson Steps	Presentation	Materials
page 187 **Prayer**	Praise the Lord in song and prayer.	For the prayer space: a Bible "Psalm 23: The Lord Is My Shepherd," #16, Grade 5 CD
 **Focus on Life**	• Discuss helping someone who is ill.	

2 WE BELIEVE

Lesson Steps	Presentation	Materials
page 187 *Jesus heals those who are sick.*  *John 4:46–53*	• Read about and discuss Jesus' healing ministry. Act out the Scripture story.	
page 189 *Jesus' apostles preach and heal in his name.*	• Read and discuss Jesus' healing as a sign of the Kingdom of God. Describe a magazine article about Jesus, the Healer.	
page 191 *The Church continues Jesus' healing ministry.* *James 5:13–15*	• Read and discuss the Church's healing ministry and the importance of the Anointing of the Sick. Identify ways the parish offers comfort and support to those who are ill.	
page 193 *We are called to care for those who are sick.*	• Explain ideas about caring for the sick. • Discuss miracles in *As Catholics.*	• newsprint and markers

3 WE RESPOND

Lesson Steps	Presentation	Materials
page 193	Role-play ways to help the sick or elderly.	• copies of Reproducible Master 17
pages 195 and 197 **Review**	• Complete questions 1–10. • Complete *Reflect & Pray*.	
pages 195 and 197 **We Respond and Share the Faith**	• Review *Remember* and *Key Words.* • Read and discuss *Our Catholic Life.*	

For additional ideas, activities, and opportunities: Visit Sadlier's **www.CREEMOSweb.com**

Conexiones

Santos

Enfatice que Dios llama a toda la comunidad de la Iglesia a consolar y ayudar a los enfermos y a los que sufren. Hay muchos ejemplos de las vidas de los santos, hombres y mujeres, que sirvieron a Cristo al ayudar a otros. Sugiera que los estudiantes exploren las vidas de los santos como Isabel de Hungría y Margarita d'Youville para encontrar ejemplos alentadores de los que ayudan a sanar y consolar a otros en nombre de Cristo.

Familia

Se nos llama a seguir el ejemplo del ministerio de sanación de Cristo. Ayude a los estudiantes a entender que ellos también pueden servir como ejemplos a los demás. Lo pueden hacer visitando a los enfermos, orando por los que sufren y mostrando compasión por sus familiares cuando están enfermos. Ayude a los estudiantes a encontrar formas prácticas de ayudar y consolar a los familiares más jóvenes y de más edad. Recuérdeles que leer una historia a un niño o llevar un vaso de agua a los padres puede ser una gran ayuda en casa.

FE y MEDIOS

- Sugiera que incluyan un índice para un ejemplar especial de revistas llamado *Jesús el sanador*. Muestre a los estudiantes algunas de las revistas católicas que se publican en Estados Unidos. Traiga copias de una variedad de revistas católicas, enfatizando aquellas que tienen ilustraciones coloridas y las diseñadas especialmente para niños. Use recursos en línea y marque los sitios Web de algunas revistas católicas apropiadas; el sitio Web de *Catholic Press Association* de Estados Unidos y Canadá proporciona enlaces a varios de esos sitios.

Liturgia para la semana
Visite **www.creemosweb.com** para las lecturas bíblicas de esta semana y otros materiales propios del tiempo.

Necesidades individuales

Estudiantes con necesidades auditivas

Los estudiantes con necesidades auditivas pueden tener dificultades para oír y para seguir los textos u otro material educativo que se lea en voz alta. Considere grabar con anterioridad algunas secciones de la sección, como partes de la oración de apertura. Permita que los estudiantes escuchen la oración grabada antes de orar en grupo.

RECURSOS ADICIONALES

Libro *Testigos del Señor Jesús,* Enrique Ponce de León, Liturgical Press.

Para ideas visite a Sadlier en

www.CREEMOSweb.com

Connections

To Saints

Emphasize that God calls the entire Church community to comfort and aid the sick and suffering. There are many examples from the lives of the saints, men and women who served Christ by helping others. Suggest that the students explore the lives of saints such as Elizabeth of Hungary and Marguerite d'Youville to find encouraging examples of those who help to heal and comfort others in Christ's name.

To Family

We are called to follow the example of Christ's healing ministry. Help the students to understand that they, too, can serve as examples for others. They do so by visiting the sick, praying for those who are suffering, and showing compassion to family members in times of illness. Help the students find practical ways to help and comfort both younger and older family members. Remind them that reading a story to a child or bringing a glass of water to a parent can be a great help at home.

FAITH and MEDIA

- Suggest a table of contents for a special magazine issue entitled *Jesus the Healer*. Introduce the students to some of the many Catholic magazines published in the United States. Bring in copies of a variety of Catholic magazines, with an emphasis on those that feature colorful illustrations and those that are designed especially for children. Use online resources and bookmark the Web sites of a few suitable Catholic magazines; the Web site of the Catholic Press Association of the United States and Canada will link you to many such sites.

This Week's Liturgy

Visit **www.creemosweb.com** for this week's liturgical readings and other seasonal material.

Meeting Individual Needs

Students with Auditory Needs

Students with auditory needs may have difficulty hearing and thus following any text or other instructional material that is read aloud. Consider prerecording some sections of the lesson, such as the parts of the opening prayer. Allow the students to listen to the tape of the prayer before praying it with the group.

ADDITIONAL RESOURCES

Videos *The Miracle Maker; The Story of Jesus,* Family Home Entertainment, 1999. In 3-D animation this story of Jesus' life and miracles is woven around the story of Jairus' daughter. (87 minutes)

Miracles of Jesus, CCC of America, 1989. From *A Kingdom Without Frontiers* series, Jesus heals the sick, raises the dead, casts out demons, and calms the storm. (30 minutes)

To find more ideas for books, videos, and other learning material, visit Sadlier's

www.CREEMOSweb.com

Meta catequética

• Explicar que Jesús les dio a los apóstoles el poder de sanar a los demás en su nombre y que esta sanación continúa con la Unción de los Enfermos

PREPARANDOSE PARA ORAR

Los estudiantes reflexionarán sobre la buena nueva del ministerio de sanación de Jesús. Responderán cantando y orando.

• Diga que usted dirigirá la oración.

El lugar de oración

• Ponga una Biblia en la mesa de oración.

17 Jesús, el sanador

NOS CONGREGAMOS

Líder: Vamos a bendecir al Señor, quien hizo el bien y sanó a los enfermos.
Bendito sea Dios ahora y siempre.

El Señor es mi pastor

Respuesta:
El Señor es mi pastor, nada me falta.

El Señor es mi pastor, nada me falta:
en verdes praderas me hace recostar.
Me conduce hacia fuentes tranquilas
y repara mis fuerzas.

Me guía por el sendero justo,
por el honor de su nombre.
Aunque camine por cañadas oscuras,
nada temo, porque tú vas conmigo;
aunque camine por cañadas oscuras,
tu vara y tu cayado me sosiegan.

Cuando hay un familiar o un amigo enfermo, ¿qué podemos hacer para ayudarlos?

CREEMOS

Jesús sanó a los enfermos.

El sanar fue una parte importante del ministerio de Jesús desde el principio. El sorprendente amor y poder de Jesús sanó a las personas. Los enfermos iban donde Jesús para ser curados. Algunas veces sus familiares y amigos le pedían a Jesús que los sanara.

Planificación de la lección

NOS CONGREGAMOS ____ minutos

Oración

• Recen la Señal de la Cruz y dirija la oración inicial.

• Cante la canción.

• Comente que la imagen del pastor se encuentra en el Antiguo y en el Nuevo Testamento. Antes de que David fuera ungido como rey de Israel, era pastor. Jesús mostró ser un buen pastor y las multitudes a menudo lo llamaban "hijo de David". El sanaba y curaba a las personas.

 **Mirando la vida**

• Pida a los estudiantes que respondan la pregunta sobre ayudar a un enfermo. Diga a los estudiantes que con esta lección aprenderán como Jesús ayudó a muchos que estaban enfermos y sufrían.

CREEMOS ____ minutos

Pida a un voluntario que lea en voz alta el primer enunciado *Creemos*. Pida a voluntarios que lean en voz alta el primer párrafo. Indique que Jesús sanó y ayudó a las personas por el gran amor y compasión que sentía por ellas. El era el signo del reino de Dios que estaba presente y activo en el mundo.

Jesus, the Healer

17

WE GATHER

✝ **Leader:** Let us bless the Lord, who went about doing good and healing the sick. Blessed be God now and forever.

All: Blessed be God for ever.

♫ **The Lord Is My Shepherd**

Refrain:

The Lord is my shepherd;
there is nothing I shall want.

The LORD is my shepherd;
I shall not want.
In verdant pastures he gives me repose;
beside restful waters he leads me;
he refreshes my soul. (Refrain)

He guides me in right paths
for his name's sake.
Even though I walk in the dark valley
I fear no evil;
for you are at my side with your
rod and staff that give me courage.

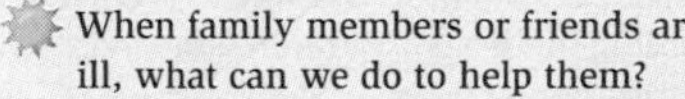

When family members or friends are ill, what can we do to help them?

WE BELIEVE

Jesus heals those who are sick.

Healing was an important part of Jesus' ministry from the very beginning. Jesus' amazing love and power healed people. Those who were sick would come to Jesus to be cured. Sometimes their families or friends would ask Jesus to heal them.

187

Catechist Goal

- To explain that Jesus gave the apostles the power to heal others in his name, and that this healing continues in the Anointing of the Sick

PREPARING TO PRAY

The students will reflect on the good news of Jesus' healing ministry. They will respond in prayer and song.

- Tell the students you will lead the prayer.

The Prayer Space

- Place a Bible on the prayer table.

Lesson Plan

WE GATHER ____ minutes

✝ Pray

- Pray the Sign of the Cross and lead the opening prayer.
- Sing the song.
- Comment that the image of the shepherd is found in both the Old and the New Testaments. Before David was anointed king of Israel, he was a shepherd. Jesus, often called "son of David" by the crowds, showed that he was the Good Shepherd. He healed and cured the people.

Focus on Life

- Have the students answer the question about helping someone who is ill. Tell the students that in this lesson they will learn the ways Jesus helped many who were ill and suffering.

WE BELIEVE ____ minutes

Have a volunteer read aloud the first *We Believe* statement. Have a volunteer read aloud the first paragraph. Point out that Jesus healed and helped people because of his great love and compassion for them. He was the sign of the Kingdom of God, present and active in the world.

Nuestra respuesta en la fe

• Reconocer el poder del amor de sanación y consuelo de Cristo

Unción de los enfermos

Materiales

• 4–6 CD, patrón 17, papel periódico y marcadores

Ideas

Compartir la Escritura

Los siguientes pasajes bíblicos también se relacionan con este capítulo. Puede compartirlos con los estudiantes.

- Mateo 14:13–14
- Hechos de los Apóstoles 3:1–10
- 1 Corintios 12:25–26

Conexión con el hogar

¿Cuáles fueron algunas de las preguntas sugeridas por su familia para el examen de conciencia?

Escenifiquen esta historia.

Juan 4:46–53

Narrador: Había un oficial del rey que tenía un hijo enfermo. Cuando el oficial supo que Jesús había llegado de Judea a Galilea, fue a verlo y le rogó que fuera a su casa a sanar a su hijo, que estaba a punto de morir. Jesús le contestó:

Jesús: A menos que la gente vea una señal y milagros, no cree.

Narrador: El oficial le dijo:

Oficial: "Señor, ven antes de que muera mi hijo".

Narrador. Jesús le dijo:

Jesús: Vete, tu hijo vive.

Narrador: El hombre creyó lo que Jesús le dijo y se fue. Mientras iba camino a su casa, sus esclavos lo alcanzaron y le dijeron que su hijo estaba vivo. El les preguntó cuando empezó a mejorar. Ellos le dijeron:

Sirvientes: La fiebre bajó ayer alrededor de la una de la tarde.

Narrador: El padre se dio cuenta de que justamente a esa hora. Jesús le había dicho: Tu hijo vive, y él y toda su casa creyó.

Muchas personas creyeron en Jesús porque él sanaba. Jesús sintió un gran amor por los que sufrían y sanó a muchos de ellos. Jesús también quería sanar a todos del pecado. Con frecuencia cuando curaba al enfermo también le perdonaba sus pecados. Jesús perdonaba los pecados de la gente porque sabía que el pecado los mantenía alejados de Dios.

Las acciones de sanar y perdonar de Jesús fueron señales de su poder para salvarnos y darnos la vida de Dios. Ellas mostraron que él era el Hijo de Dios y que Dios tiene poder sobre la enfermedad y el pecado. Por su muerte, resurrección y ascensión, Jesús venció a la muerte. Por Jesús, el sufrimiento y la muerte no tienen poder sobre nosotros. El es nuestro Salvador.

Los apóstoles predicaron y sanaron en nombre de Jesús.

La sanación por Jesús fue una señal de la presencia y la obra de Dios en la vida del pueblo. Jesús quería que todo el pueblo sintiera el poder y la presencia de Dios, así que compartió su ministerio con los apóstoles. Jesús los envió a diferentes pueblos y villas a compartir el mensaje del reino de Dios. El los envío a predicar el arrepentimiento y a curar a los enfermos.

Los apóstoles viajaron enseñando y sanando en nombre de Jesús. "Curaron a muchos enfermos poniéndoles aceite" (Marcos 6:13).

Este ministerio de sanación por parte de los apóstoles tuvo un mayor significado después de la muerte y resurrección de Jesús. Después de su resurrección, Jesús les pidió predicar el evangelio a todo el mundo. El les dijo que ellos: "Pondrán las manos sobre los enfermos, y estos sanarán" (Marcos 16:18).

188

Planificación de la lección

CREEMOS (continuación)

Planifique escenificar la Escritura.

Escoja voluntarios que desempeñen los papeles de narrador, Jesús, el oficial real y los sirvientes. Pídales que lean en voz alta Juan 4:46–53. Pida a los estudiantes que de este pasaje saquen conclusiones sobre Jesús. Enfatice lo siguiente:

- Las personas iban donde Jesús para que las sanara.
- Jesús pidió a las personas que creyeran en él y no sólo en los signos y maravillas que él hacía.
- El oficial real creía en el poder de sanación de Jesús antes de recibir noticias de la recuperación de su hijo.

Lea en voz alta los dos siguientes párrafos en *Creemos.* Pregunte: *¿Era Jesús sólo un trabajador de milagros para el pueblo?* (No. Los que creían en él vieron que el poder y el amor de Dios estaban presentes en las acciones de Jesús. El era el hijo de Dios y el Salvador.)

Pida a un voluntario que lea en voz alta el segundo enunciado *Creemos* en la página 188. Pida a los estudiantes que lean en silencio los primeros dos párrafos. Enfatice que la sanación de Jesús le permitió al pueblo tener fe en Dios y en Cristo como Hijo de Dios.

Pida a voluntarios leer en voz alta el resto del texto. Indique que en Pentecostés, los apóstoles fueron fortalecidos por el Espíritu Santo para continuar la misión de Jesús. Ellos viajaron, predicaron y sanaron en nombre de Jesús.

Pida a los estudiantes trabajar en grupos pequeños para hablar de posibles artículos de revistas sobre Jesús el Sanador.

Act out this story.

John 4:46–53

Narrator: "Now there was a royal official whose son was ill in Capernaum. When he heard that Jesus had arrived in Galilee from Judea, he went to him and asked him to come down and heal his son, who was near death. Jesus said to him,

Jesus: 'Unless you people see signs and wonders, you will not believe.'

Narrator: The royal official said to him,

Royal Official: 'Sir, come down before my child dies.'

Narrator: Jesus said to him,

Jesus: 'You may go; your son will live.'

Narrator: The man believed what Jesus said to him and left. While he was on his way back, his slaves met him and told him that his boy would live. He asked them when he began to recover. They told him,

Servants: 'The fever left him yesterday, about one in the afternoon.'

Narrator: The father realized that just at that time Jesus had said to him, 'Your son will live,' and he and his whole household came to believe."

Many people grew to believe in Jesus because of his healing. Jesus felt great love for those who were suffering, and he healed many of them. Jesus desired to heal people from sin, too. Often when he cured the sick, he also forgave their sins. Jesus forgave the sins of people because he knew that sin kept them from loving God.

The healing and forgiving actions of Jesus were signs of his power to save us and bring us God's life. They showed that he was the Son of God and that God has power over sickness and sin. By his death, Resurrection, and Ascension, Jesus has victory over death. Because of Jesus, suffering and death no longer have power over us. He is our Savior.

Jesus' apostles preach and heal in his name.

Jesus' healing was a sign of God's presence and action in the lives of the people. Jesus wanted all people to feel God's power and presence, so he shared his ministry with the apostles. Jesus sent them to different towns and villages to share the message of the Kingdom of God. He sent them out to preach repentance and to cure the sick.

The apostles traveled, teaching and healing in Jesus' name. "They anointed with oil many who were sick and cured them." (Mark 6:13)

This healing ministry of the apostles took on even greater meaning after Jesus' death and Resurrection. After his Resurrection Jesus told them to preach the gospel to the whole world. He told them that they would "lay hands on the sick, and they will recover" (Mark 16:18).

189

Our Faith Response

• To acknowledge the power of Christ's healing love and comfort

Anointing of the Sick

Lesson Materials

• Grade 5 CD, Reproducible Master 17, sheets of newsprint and markers

Teaching Note

Sharing Scripture

The following Scripture passages also relate to this chapter. You may want to share them with the students.

• Matthew 14:13–14
• Acts 3:1–10
• 1 Corinthians 12:25–26

Home Connection Update

Ask: *What were some of the questions your family suggested for an examination of conscience?*

Lesson Plan

WE BELIEVE (continued)

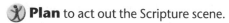

Plan to act out the Scripture scene.

Choose volunteers to play the characters of Narrator, Jesus, Royal Official, and Servants. Have them read aloud John 4:46–53. Ask the students to draw conclusions about Jesus from this passage. Emphasize the following:

• People reached out to Jesus to heal them.

• Jesus asked the people to believe in him, not only in the signs and wonders done by him.

• The royal official believed in Jesus' power to heal before he received the word of his son's recovery.

Read aloud the next two *We Believe* paragraphs. Ask: *Was Jesus just a miracle worker to the people?* (No. Those who came to believe in him saw that God's power and love were present in Jesus' actions. He was the Son of God and the Savior.)

Have a volunteer read aloud the second *We Believe* statement, on page 189. Have the students read silently the first two *We Believe* paragraphs. Emphasize that Jesus' healing enabled people to place their faith in God and in Christ himself as the Son of God.

Ask volunteers to read aloud the remainder of the *We Believe* text. Point out that on Pentecost the apostles were strengthened by the Holy Spirit to continue Jesus' ministry. They traveled, preached, and healed in Jesus' name.

Have the students work in small groups to discuss a possible magazine article about Jesus, the Healer.

Banco de actividades

Fe y medios

Jesús, sanador en películas

Explique a los estudiantes que la sanación de los enfermos por Jesús que se muestra en las películas puede ser más sensacional que la historia real. Algunos clásicos del cine, como el *Rey de los Reyes* (1961), suelen sobre-dramatizar las maravillosas acciones de Jesús durante su ministerio público. Pida a los estudiantes ver esta película y hacer una crítica. Hable sobre como los medios de comunicación resaltan la sanación milagrosa de Jesús de los enfermos. Haga una lista de los efectos positivos y negativos en que las películas presentan los milagros y la sanación.

Doctrina social de la Iglesia

Vida y dignidad del ser humano

Explique que una persona con enfermedad fisica o mental, merece respeto. Algunos pueden pensar que las incapacidades disminuyen a la persona. Señale que se debe honrar a toda persona, sin importar el tipo de enfermedad.

Después que el Espíritu Santo vino en Pentecostés, los apóstoles fueron a predicar y a bautizar. Fortalecidos por el don del Espíritu Santo, los apóstoles sanaron a muchas personas y los convencieron de creer en el Cristo resucitado.

Los apóstoles siguieron predicando el evangelio y sanando en nombre de Cristo. Muchos fueron bautizados y la Iglesia siguió creciendo.

Imagina que lees un artículo en una revista sobre Jesús, el sanador, habla sobre lo que dice el artículo.

La Iglesia continúa la misión sanadora de Jesús.

Desde el tiempo de los apóstoles, los fieles han ido a la Iglesia en busca de sanación y consuelo. Vemos en este recuento de la carta de Santiago, el inicio del sacramento de Unción de los Enfermos.

Santiago 5:13–15

Santiago escribió a las primeras comunidades cristianas sobre la necesidad de sanación. El dijo que todo el que estaba sufriendo debía rezar. Todos el que estaba en buen espíritu debía alabar. Todo el que estaba enfermo debía llamar a los sacerdotes de la Iglesia: "Para que oren por él y en el nombre del Señor le unten aceite. Y cuando oren con fe, el enfermo sanará, y el Señor lo levantará" (Santiago 5:14–15).

Todos los sacramentos nos acercan a Dios y a los demás. Sin embargo, la Unción de los Enfermos celebra de manera especial el trabajo sanador de Jesús.

La sanación de Jesús nos llega a través de la Iglesia. En el sacramento de **Unción de los enfermos**, la gracia y el consuelo de Dios son dados a los que están seriamente enfermos o sufriendo debido a su avanzada edad. Los miembros de la Iglesia que deben recibir este sacramento son aquellos que están próximos a morir.

Los que celebran este sacramento reciben la fuerza, la paz y el valor de enfrentar las dificultades que vienen con una enfermedad grave. La gracia de este sacramento:

- Renueva la confianza y la fe en Dios
- los une a Cristo y a su sufrimiento
- los prepara, si es necesario, para la muerte y la esperanza en la vida eterna con Dios.

La gracia de este sacramento puede restablecerles la salud

¿Cómo tu parroquia ofrece consuelo y apoyo a los enfermos?

190

Planificación de la lección

CREEMOS (continuación)

Cotejo rápido

✔ *¿Qué revelaron las acciones de sanación y perdón de Jesús?* (que él era el hijo de Dios.)

✔ *¿Cómo pudieron los apóstoles sanar a tantas personas y lograr que creyeran en Cristo resucitado?* (Los apóstoles fueron fortalecidos por el don del Espíritu Santo.)

Lea en voz alta el enunciado y el primer párrafo *Creemos* en la página 190. Invite a voluntarios a leer en voz alta pasajes de la Escritura.

Pida a los estudiantes hacer una lista de las acciones que Santiago recomienda para la persona enferma *(oren por ella y únjanla con aceite)*. Explique que estas acciones son parte del sacramento de Unción de los enfermos.

Lea en voz alta el resto de los párrafos *Creemos*. Señale que el sacramento no es sólo para los moribundos. También se puede celebrar con las personas enfermas que necesitan la gracia de sanación del sacramento de Cristo.

Identifique como ofrece la parroquia consuelo y apoyo a los enfermos.

After the Holy Spirit came upon them at Pentecost, the apostles went out preaching and baptizing. Strengthened by the gift of the Holy Spirit, the apostles healed many people and brought them to believe in the risen Christ.

The apostles continued to preach the gospel and heal in Christ's name. Many more were baptized and the Church continued to grow.

Imagine reading a magazine article about Jesus, the Healer. Talk about what the article says.

The Church continues Jesus' healing ministry.

From the time of the apostles, the faithful have turned to the Church for healing and comfort. We see in this account from the letter of Saint James, the beginning of the sacrament of the Anointing of the Sick.

James 5:13–15

James wrote to one of the early Christian communities about the need for healing. He said that anyone who is suffering should pray. Anyone who is in good spirits should sing praise. Anyone who was sick should call on the priests of the Church, "and they should pray over him and anoint [him] with oil in the name of the Lord, and the prayer of faith will save the sick person, and the Lord will raise him up" (James 5:14–15).

All the sacraments bring us closer to God and one another. However, as a sacrament of healing, the Anointing of the Sick celebrates in a special way Jesus' healing work.

Jesus' healing comes to us through the Church. In the sacrament of the **Anointing of the Sick**, God's grace and comfort are given to those who are seriously ill or suffering because of their old age. Members of the Church who should definitely receive this sacrament are those who are near death.

Those who celebrate this sacrament receive strength, peace, and courage to face the difficulties that come from serious illness. The grace of this sacrament

- renews their trust and faith in God
- unites them to Christ and to his suffering
- prepares them, when necessary, for death and the hope of life forever with God.

The grace of this sacrament may also restore them to health.

How does your parish offer comfort and support to those who are ill?

191

Activity Bank

Faith and Media

Jesus' Healing in Movies

Explain to the students that Jesus' healing of the sick as portrayed in movies might be more sensational than the original gospel account. Movies such as *King of Kings* (1961) tend to overly dramatize the marvelous actions of Jesus in his public ministry. Ask the students to watch this film and write a brief reaction paper. Discuss their ideas about the way the film highlights Jesus' miraculous healing. List the positive and negative effects of the movie's treatment of miracles and healing.

Catholic Social Teaching

Life and Dignity of the Human Person

Explain that a person who is ill, whether in body or mind, deserves our respect. Some people might think a physical or mental disability lessens the person's place in our communities. Stress that every person is to be honored.

Lesson Plan

We Believe (continued)

Quick Check

✔ *What did the healing and forgiving actions of Jesus reveal to others?* (that he was the Son of God)

✔ *How were the apostles able to heal so many people and bring them to believe in the risen Christ?* (The apostles were strengthened by the Gift of the Holy Spirit.)

Read aloud the *We Believe* statement on page 191 and the first *We Believe* paragraph. Then invite a volunteer to read aloud the Scripture passage.

Ask the students to list the actions that Saint James recommends for the person who is ill *(pray over him or her and anoint him or her with oil).* Explain that these actions are part of the sacrament of the Anointing of the Sick today.

Read aloud the rest of the *We Believe* paragraphs. Stress that the sacrament is not only for people who are dying. It can also be celebrated for people who are ill and need the healing grace given in Christ's sacrament.

Identify ways that the parish offers comfort and support to those who are ill.

Ideas

Conocer nuestras limitaciones

Explique que el ministerio de sanación y cuidado de los enfermos de Cristo es un modelo que debemos seguir. Vivir a la altura de Jesús puede ser intimidante para la mayoría de los estudiantes. En el caso de los estudiantes que sientan que no pueden vivir a la altura del modelo de Jesús, enfatice que tratamos de hacer lo que podemos. Eso es todo lo que se espera de nosotros. Recuérdeles que nuestras oraciones a menudo son la mejor forma de ayudar. Nuestras oraciones y amor son ilimitados.

Como católicos...

Milagros

Lea en voz alta el texto a los estudiantes y anímelos a compartir otras historias de los milagros de Jesús que hayan oído o leído. Hable de como pueden dedicar tiempo esta semana para leer uno de los cuatro evangelios con sus familiares para encontrar las historias de dos milagros.

Vocabulario
Unción de los enfermos (pp 333)

Somos llamados a cuidar de los enfermos.

Todos los bautizados están unidos en el cuerpo de Cristo. Lo que sucede a un miembro afecta a todos. Cuando un miembro de la Iglesia sufre, no está solo. Toda la Iglesia sufre con la persona. Es por eso que ser amable y considerado con los enfermos es tan importante. Por amor a Cristo y los miembros de la Iglesia, ayudamos a los demás a sentirse mejor. Tratamos de ofrecerles todo lo que necesitan. Nos unimos a ellos en la celebración de los sacramentos. Estas acciones son una forma de compartir la labor sanadora de Jesús.

Familiares y amigos son llamados a ayudar a sus seres queridos consolándolos con palabras de fe y rezando por ellos. El enfermo debe ser animado a recibir, si es necesario, el sacramento de Unción de los Enfermos.

La Iglesia cuida de todos los enfermos, no sólo los que están gravemente enfermos. Apoyamos a los enfermos en nuestras familias y parroquias. Podemos visitar a los enfermos y rezar con ellos. Nuestras familias, nuestro grupo, los grupos de jóvenes pueden pasar tiempo conociendo a personas en la comunidad que necesiten esperanza y valor. Los sacerdotes, los diáconos y otros representantes de la parroquia visitan a los enfermos. Pueden leerles de la Escritura, rezar con ellos, bendecirlos y ofrecerles la comunión.

Toda la Iglesia recuerda a los enfermos en oración, especialmente cuando nos reunimos en la misa los domingos. Rezamos por fortaleza y sanación de los que están enfermos en las intercesiones generales de la misa. Ese es también un buen momento para recordar a los miembros de la familia y los que cuidan de ellos.

RESPONDEMOS

Trabaja con un compañero para escenificar las formas en que la gente puede ayudar a los enfermos y a los ancianos.

Como católicos...

Jesús calmó la tormenta en el mar, hizo ver a los ciegos, caminó sobres las aguas, cambió el agua en vino y resucitó muertos. Estas sorprendentes señales estaban por encima del poder humano. Estos son milagros.

Los milagros de Jesús fueron señales de que él era el Hijo de Dios y que él lo había enviado para salvar a su pueblo. Los milagros fueron señales especiales que fortalecieron la confianza de la gente y su fe en Dios. Esos milagros mostraron al pueblo que el reino de Dios había empezado en Jesús mismo.

Esta semana lee los evangelios con tu familia y busca dos historias de los milagros de Jesús.

192

Planificación de la lección

CREEMOS (continuación)

Lea la *Historia para el capítulo* sobre Santa Brigid en la página 186A. Recuerde a los estudiantes que toda sanación es un don de Dios.

Pida a un voluntario que lea en voz alta el enunciado *Creemos* en la página 192. Forme grupos pequeños. Asigne un párrafo a cada grupo. Deles papel periódico y marcadores. Explique que escribirán las ideas principales. Acérquese a los grupos para ayudarlos. Pida a un miembro de cada grupo que exponga sus hallazgos a los demás grupos.

Vocabulario Escriba la palabra del *Vocabulario* en la pizarra. Invite a los estudiantes a pensar en otras palabras o frases que se relacionen con esta. Escriba estas palabras y frases alrededor de la palabra del vocabulario formando una red de palabras.

RESPONDEMOS ____ minutos

Pida a los estudiantes que piensen en como prestar ayuda a los enfermos y ancianos. Hable con los padres, administradores y con el pastor antes de poner en marcha las sugerencias del grupo para prestar ayuda a los enfermos y ancianos.

Distribuya copias del patrón 17. Explique a los estudiantes que esta hoja de trabajo los ayudará a entender mejor el sacramento de la Unción de los enfermos.

We are all called to care for those who are sick.

All who are baptized are joined together in the Body of Christ. What happens to one member affects us all. When a member of the Church is suffering or in pain, he or she is not alone. The whole Church suffers with the person. This is why being kind and considerate to those who are ill is so important. Out of love for Christ and the members of the Church, we help others to feel better. We try to provide them with the things they need. We join them in the celebration of the sacraments. These actions are a way to share in Jesus' healing work.

Family and friends are called to support their loved ones by comforting them with words of faith and by praying for them. The sick should be encouraged to receive the Anointing of the Sick when it is necessary.

The Church cares for all those who are sick, not only those who are seriously ill. We support those who are sick in our families and parishes. We can visit those who are sick and pray with them. Our families, classes, or youth groups can spend time getting to know people in our community who need hope and encouragement. Priests, deacons, and other representatives of the parish visit the sick. They read with them from the Bible, pray with them, bless them, and offer them Holy Communion.

The whole Church remembers in prayer those who are sick, especially when we gather at Sunday Mass. We pray for the strength and healing of those who are sick in the general intercessions of the Mass. This is also a good time to remember their family members and those who care for them.

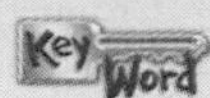

Anointing of the Sick (p. 334)

WE RESPOND

Work with a partner to role-play ways people can reach out to those who are sick or elderly.

As Catholics...

Jesus calmed the stormy seas, made the blind to see, walked on water, changed water into wine, and even raised the dead to life. These amazing signs were beyond human power. They are called miracles.

Jesus' miracles were a sign to all people that he was the Son of God and that the Father had sent him to save his people. The miracles were special signs that strengthened people's trust and belief in God. These miracles showed people that God's Kingdom had begun in Jesus himself.

This week read through the gospels with your family to find two stories of Jesus' miracles.

193

Teaching Note

Knowing our Limits

Explain that Christ's ministry of healing and caring for the sick is a model for us to follow. Living up to Jesus' ideal might be daunting to most students. For those students who might feel that they have not lived up to Jesus' model, emphasize that we try to do our best. That is all that is expected of us. Remind them that our prayers are often the best way to help. Our prayers and love are *un*limited.

As Catholics...

Miracles

Read aloud the text to the students and encourage them to share other stories of Jesus' miracles they have heard or read. Discuss ways they can make time this week to read through one of the four gospels with family members to find two miracle stories.

Lesson Plan

WE BELIEVE (continued)

Read the *Chapter Story* about Saint Brigid on page 186B. Remind the students that all healing is a gift of God.

Have a volunteer read aloud the *We Believe* statement on page 193. Organize small groups. Assign one *We Believe* paragraph to each group. Give each group newsprint and markers. Explain that the groups will write the main ideas of their paragraphs. Move among the groups to help them. Have a member from each group present its findings to the other groups.

Key Word Write the *Key Word* on the board. Invite the students to think of other words or phrases that they associate with this word. Write these words and phrases around the word to form a word web.

WE RESPOND ____ minutes

Have the students role-play ways to reach out to the sick and the elderly. Check with parents, administrators, and the pastor before putting into practice the group's suggestions for outreach to the sick or the elderly.

Distribute copies of Reproducible Master 17. Explain to the students that this worksheet will help them further their understanding of the sacrament of the Anointing of the Sick.

BANCO DE ACTIVIDADES

Misión

Trabajo voluntario en la Unción de los enfermos

Ayude a los estudiantes a recordar que el sacramento de la Unción de los enfermos es para los que sufren de una enfermedad grave, los de poca salud, y no sólo para los moribundos. Anime a los estudiantes a asistir a la celebración del sacramento de la Unción de los enfermos de la parroquia. Pregunte al pastor u otro miembro del personal de la parroquia qué día o fecha pueden ir. Posiblemente los estudiantes del 5to curso puedan hacer trabajo voluntario recibiendo a los participantes. Algunas parroquias necesitan ayuda para servir refrescos o una comida después de la celebración. Pida a los que han tenido la oportunidad de asistir que relaten sus experiencias.

CONEXION CON EL HOGAR

Compartiendo lo aprendiendo

Recuérdele a los estudiantes compartir con su familia lo aprendido en esta lección. Anímelos a orar con su familia por quienes están enfermos.

Para más información y actividades adicionales visite a Sadlier

www.CREEMOSweb.com

Planifique por adelantado

Lugar de oración: un crucifijo y una Biblia

Materiales: copias del patrón 18, 4–6 CD

_____ minutos

Repaso del capítulo Presente el repaso a los estudiantes explicando que comprobarán su entendimiento del material de la semana. Pida a los estudiantes que completen las preguntas 1–10.

Reflexiona y ora Invite a los estudiantes a completar la oración. Recuérdeles que se llama a toda la comunidad de la Iglesia a dar consuelo a los enfermos o a los que sufren.

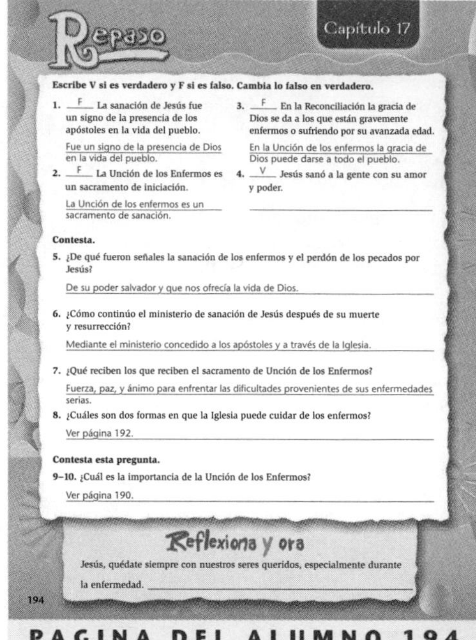

Repaso — Capítulo 17

Escribe V si es verdadero y F si es falso. Cambia lo falso en verdadero.

1. __F__ La sanación de Jesús fue un signo de la presencia de los apóstoles en la vida del pueblo.
   Fue un signo de la presencia de Dios en la vida del pueblo.
2. __F__ La Unción de los Enfermos es un sacramento de iniciación.
   La Unción de los enfermos es un sacramento de sanación.
3. __F__ En la Reconciliación la gracia de Dios se da a los que están gravemente enfermos o sufriendo por su avanzada edad.
   En la Unción de los enfermos la gracia de Dios puede darse a todo el pueblo.
4. __V__ Jesús sanó a la gente con su amor y poder.

Contesta.

5. ¿De qué fueron señales la sanación de los enfermos y el perdón de los pecados por Jesús?
   De su poder salvador y que nos ofrecía la vida de Dios.
6. ¿Cómo continúo el ministerio de sanación de Jesús después de su muerte y resurrección?
   Mediante el ministerio concedido a los apóstoles y a través de la Iglesia.
7. ¿Qué reciben los que reciben el sacramento de Unción de los Enfermos?
   Fuerza, paz, y ánimo para enfrentar las dificultades provenientes de sus enfermedades serias.
8. ¿Cuáles son dos formas en que la Iglesia puede cuidar de los enfermos?
   Ver página 192.

Contesta esta pregunta.

9–10. ¿Cuál es la importancia de la Unción de los Enfermos?
Ver página 190.

Reflexiona y ora

Jesús, quédate siempre con nuestros seres queridos, especialmente durante la enfermedad. __________

194

PAGINA DEL ALUMNO 194

Respondemos y compartimos la fe

_____ minutos

Recuerda Use los cuatro enunciados *Creemos* para enfatizar los puntos principales del capítulo. Pida a los estudiantes que escriban en dos tiras de papel separadas dos cosas que hayan aprendido de la lección. Ponga las tiras de papel en un sombrero. Pídale a cada estudiante que escojan una al azar, lean en voz alta lo escrito y que lo relacionen con el contendido de uno de los cuatro enunciados.

Respondemos y compartimos la fe

Compartiendo lo aprendido

Habla con tu familia sobre lo siguiente:
- el ministerio sanador de Jesús
- el ministerio de sanación de los apóstoles
- Unción de los enfermos
- los enfermos y los que sufren son especiales para Dios.

Recuerda
- Jesús sanó a los enfermos.
- Los apóstoles predicaron y sanaron en nombre de Jesús.
- La Iglesia continúa la misión sanadora de Jesús.
- Somos llamados a cuidar de los enfermos.

Rezando en familia

El Señor nos bendiga,
nos guarde de todo mal
y nos lleve a la vida eterna.
Amén.

Rito unción de los enfermos

NUESTRA VIDA CATOLICA

Movimiento Hospice

Hospice ofrece apoyo a los moribundos. Ofrece cuidado a los que están enfermos de muerte. La palabra *hospice* (hospicio) viene de una palabra que significa "hospitalidad". Por siglos las comunidades religiosas católicas han dado alojamiento a viajeros, pobres, viudas y huérfanos. Un ejemplo de estos hospicios es St. James Hospice, en Londres. Las Hermanas de la Caridad lo fundaron en 1905. En los Estados Unidos, el primer hospicio fue fundado en 1974, en New Heaven, Connecticut.

Visita Sadlier en www.CREEMOSweb.com

Conexión con el Catecismo
Para referencia vea los párrafos 1503, 1506, 1509 y 2288.

196

PAGINA DEL ALUMNO 196

Nuestra vida católica Lea en voz alta el texto. Anime a los estudiantes a conversar sobre sus respuestas al Movimiento Hospice. Asegúrese de recordar a los estudiantes que al cuidar de los enfermos o moribundos, cuidamos de Cristo. Ayude a los estudiantes a entender que el servicio a los demás nos acerca más a Dios.

_____ minutes

Chapter Review Introduce the review to your students by explaining that they will now check their understanding of the week's material. Ask the students to complete questions 1–10.

Reflect & Pray Invite the students to complete the prayer. Remind them that the entire Church community is called to bring comfort to those who are ill or suffering.

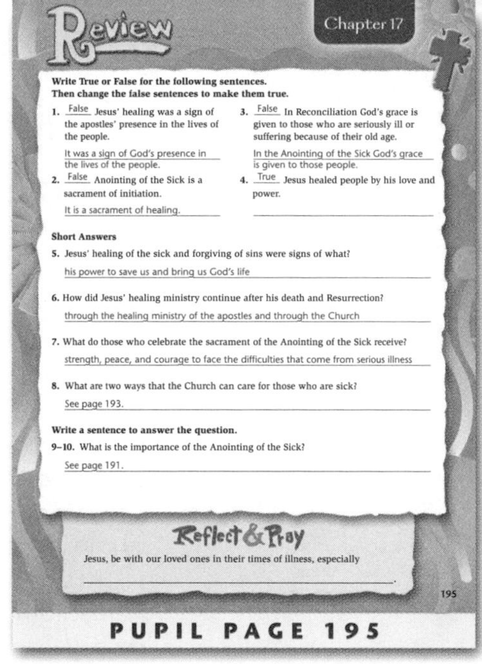

Review — Chapter 17

Write True or False for the following sentences. Then change the false sentences to make them true.

1. False Jesus' healing was a sign of the apostles' presence in the lives of the people.
   It was a sign of God's presence in the lives of the people.
2. False Anointing of the Sick is a sacrament of initiation.
   It is a sacrament of healing.
3. False In Reconciliation God's grace is given to those who are seriously ill or suffering because of their old age.
   In the Anointing of the Sick God's grace is given to those people.
4. True Jesus healed people by his love and power.

Short Answers

5. Jesus' healing of the sick and forgiving of sins were signs of what?
   his power to save us and bring us God's life
6. How did Jesus' healing ministry continue after his death and Resurrection?
   through the healing ministry of the apostles and through the Church
7. What do those who celebrate the sacrament of the Anointing of the Sick receive?
   strength, peace, and courage to face the difficulties that come from serious illness
8. What are two ways that the Church can care for those who are sick?
   See page 193.

Write a sentence to answer the question.

9–10. What is the importance of the Anointing of the Sick?
See page 191.

Reflect & Pray

Jesus, be with our loved ones in their times of illness, especially _______________.

195

PUPIL PAGE 195

We Respond and Share the Faith

_____ minutes

Remember Use the four *We Believe* statements to emphasize the main points of the chapter. Ask the students to list two things they have learned from each lesson in the chapter. Have them write each on a separate slip of paper. Place these slips into a hat. Have each student select one randomly, read aloud what is written, and relate the content to one of the four statements.

Our Catholic Life Read the text aloud. Encourage the students to discuss their responses to the hospice movement. Be sure to remind the students that when we care for those who are sick or dying, we are caring for Christ. Help the students understand that service to others brings us closer to God.

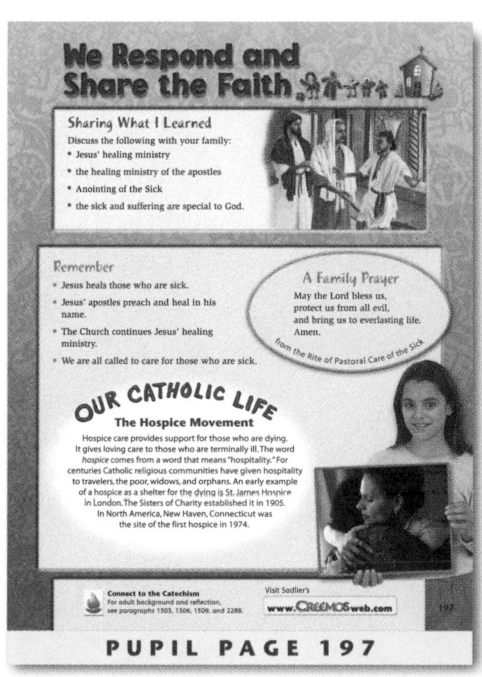

We Respond and Share the Faith

Sharing What I Learned

Discuss the following with your family:

- Jesus' healing ministry
- the healing ministry of the apostles
- Anointing of the Sick
- the sick and suffering are special to God.

Remember

- Jesus heals those who are sick.
- Jesus' apostles preach and heal in his name.
- The Church continues Jesus' healing ministry.
- We are all called to care for those who are sick.

A Family Prayer

May the Lord bless us,
protect us from all evil,
and bring us to everlasting life.
Amen.

from the Rite of Pastoral Care of the Sick

OUR CATHOLIC LIFE

The Hospice Movement

Hospice care provides support for those who are dying. It gives loving care to those who are terminally ill. The word *hospice* comes from a word that means "hospitality." For centuries Catholic religious communities have given hospitality to travelers, the poor, widows, and orphans. An early example of a hospice as a shelter for the dying is St. James Hospice in London. The Sisters of Charity established it in 1905. In North America, New Haven, Connecticut was the site of the first hospice in 1974.

Connect to the Catechism
For adult background and reflection, see paragraphs 1503, 1506, 1509, and 2288.

Visit Sadlier's www.CREEMOSweb.com

197

PUPIL PAGE 197

Activity Bank

Mission

Volunteering at the Anointing of the Sick

Help the students recall that the sacrament of the Anointing of the Sick is for those suffering from chronic illness and for anyone in poor health, not just for people near death. Encourage the students to attend a celebration of the sacrament of the Anointing of the Sick in the parish. Check with the pastor or another member of the parish staff for a day and time. Perhaps there is a way for fifth graders to volunteer as greeters. Some parishes need help in serving refreshments or a meal after the celebration. Ask those who have an opportunity to attend to give an oral report on their experiences.

Home Connection

Sharing What I Learned

Remind the students to share with their families what they learned in this chapter. Ask the students to encourage their families to pray often for those who are sick.

For additional information and activities, encourage families to visit Sadlier's

www.CREEMOSweb.com

Plan Ahead for Chapter 18

Prayer Space: a crucifix and a Bible

Materials: copies of Reproducible Master 18, Grade 5 CD

Capítulo 18 La celebración de la Unción de los enfermos

Ojeada

En este capítulo los estudiantes aprenderán cómo Jesús ofrece su consuelo y su paz en el sacramento de la Unción de los enfermos. También descubrirán que Jesús comparte nuestro sufrimiento y ofrece la esperanza de la vida eterna.

Contenido doctrinal	Para referencia del *Catecismo de la Iglesia Católica*
Los estudiantes aprenderán que:	párrafo
• Jesús está con nosotros cuando sufrimos	1521
• La Unción de los enfermos continúa la obra sanadora de Jesús	1520
• La Iglesia celebra la Unción de los enfermos	1522
• Jesús está con los que esperan la vida eterna	1517

Referencia catequética

¿Alguna vez le han dado un masaje o le han friccionado una lesión muscular? ¿Cómo se sintió?

El contacto humano es una gran medicina. Cuando la mujer con hemorragia se acercó a Jesús, ella sabía que se curaría con sólo tocar su manto. Jesús sintió "que había salido poder de él" (Marcos 5:30)

El ciego de Betsaida se acercó a Jesús "rogándole que lo tocara" para que lo curara (Marcos 8:22). Jesús curaba con el poder del tacto. La Iglesia continúa la sanación tocándonos con el sacramento de la Unción de los enfermos.

La celebración de este sacramento comienza con la expresión de nuestra fe y confianza en Dios. Usualmente comenzamos con la Liturgia de la Palabra o leyendo la Escritura. Se ofrece una oración de fe que nos recuerda que Dios "el enfermo sanará" (Santiago 5:15).

El sacerdote pone sus manos sobre la cabeza del enfermo, y lo unge con aceite. A través de la celebración de la Unción de los enfermos, relacionamos nuestro sufrimiento y muerte con la muerte y resurrección de Cristo. Celebramos nuestra esperanza de la vida eterna.

¿Cómo piensa que el sacramento de la Unción de los enfermos brinda esperanza a los que sufren y a los moribundos?

Mirando la vida

Historia para el capítulo

Tina había retozado toda la noche y finalmente se quedó dormida como a las 5:00 a.m. Cuando sonó la alarma, se dio cuenta de que le dolía mucho la garganta. Miró su disfraz de guinga con el pañuelo rojo colgado de la puerta del clóset. Más tarde se lo pondría para transformarse en Harriet Tumban del Ferrocarril Subterráneo.

"Tina, no te vez bien. ¿Qué pasa?" Le dijo su papá al pasar por su cuarto.

"Estoy bien, papá. Hoy es la función de Harriet Tumban y el Ferrocarril Subterráneo en clase. ¡No me puedo enfermar!"

Después de tomarle la temperatura su papá anunció: "¡Ciento uno! ¡Estás que ardes!"

"Estaré bien. ¡Tengo que ir a la escuela!" dijo Tina llorando.

"Lo siento señorita", dijo su papá firmemente, "pero otra persona tendrá que conducir el Ferrocarril Subterráneo hoy día. Voy a llamar a la escuela".

Tina estaba muy enferma como para discutir. Ella sabía que su papá tenía razón. Tina oró: "O Dios, no quiero desilusionar al grupo ni a la Sra. Rice".

Cuando Tina despertó después de una larga siesta, su papá estaba de pie frente a su cama con una bandeja de comida. "Hoy seré tu cocinero personal", rió entre dientes. "Aquí tienes un plato de mi sopa de recuperación rápida". Entonces sonó el teléfono.

Era la Sra. Rice. "Dígale a Tina que la función se ha pospuesto. Hemos acordado esperar a su regreso".

Tina no sabía si era la sopa deliciosa de papá o la llamada de la Sra. Rice lo que la hizo sentir mejor.

La enfermedad de Tina le trajo algunas grandes sorpresas. ¿Cuáles fueron las sorpresas en tu opinión?

The Celebration of the Anointing of the Sick

Overview

In this chapter the students will learn how Jesus gives his comfort and peace in the sacrament of the Anointing of the Sick. They will also discover that Jesus shares in our suffering and offers the hope of eternal life.

Doctrinal Content	For Adult Reading and Reflection *Catechism of the Catholic Church*
The students will learn:	Paragraph
• Jesus is with us when we are suffering	1521
• The Anointing of the Sick continues Jesus' saving work of healing	1520
• The Church celebrates the Anointing of the Sick	1522
• Jesus is with those who hope for eternal life	1517

Catechist Background

Have you ever had a massage or a muscle injury rubbed down? How did that feel?

The human touch is powerful medicine. When the woman with the hemorrhage came to Jesus, she knew that if she could just touch his cloak she would be healed. Jesus felt "that power had gone out from him" when she touched him (Mark 5:30). The blind man of Bethsaida came to Jesus and "begged him to touch him" to be healed (Mark 8:22). Jesus healed through the caring power of touch. The Church continues this healing touch in the sacrament of the Anointing of the Sick.

The celebration of this sacrament begins with an expression of our faith and trust in God. We usually begin with a Liturgy of the Word or a reading from Scripture. A prayer of faith is offered, recalling that God "will save the sick person" (James 5:15).

After the priest lays his hands on the head of the sick person, the person is anointed with oil. Through the celebration of the Anointing of the Sick, we connect our suffering and dying to Christ's dying and rising. We celebrate our hope in eternal life.

How do you see the sacrament of the Anointing of the Sick bringing hope to people who are suffering or dying?

Focus on Life

Chapter Story

Tina had been tossing all night, and she finally fell asleep around 5:00 A.M. When the alarm went off, she realized that her throat was really sore. She glanced at her gingham costume with its red bandanna hanging on the closet door. Later, it would transform her into Harriet Tubman of the Underground Railroad.

"Hey, Tina, you don't look so good. What's wrong?" her father asked as he passed her room.

"Oh, I'm fine, Dad. Today is our class play about Harriet Tubman and the Underground Railroad. I can't be sick!"

After taking Tina's temperature, her dad announced, "One hundred and one! You are burning up!"

"Uh, I'll be all right. I have to go to school!" Tina sobbed.

"Sorry young lady," her dad said firmly, "but someone else will have to conduct the Underground Railroad today. I'll call the school."

Tina was too sick to argue. She knew her dad was right. She prayed, "Oh, God, I don't want to let my class or Mrs. Rice down."

When Tina woke up after a long nap, her father was standing before her bed with a tray of food. "I'm your personal chef today," he chuckled. "Here's a bowl of my get-well-quick soup." Then the phone rang.

It was Mrs. Rice. She said to Dad, "Tell Tina that the show has been postponed. We agreed to wait for her return."

Tina didn't know whether it was Dad's delicious soup or Mrs. Rice's phone call that made her feel better.

Tina's illness brought her some great surprises. In your opinion, what were they?

Guía para planificar la lección

Pasos de la lección | Presentación | Materiales

NOS CONGREGAMOS

Pasos de la lección	Presentación	Materiales
pág. 198 **Oración**  **Mirando la vida**	• Escuchar la Escritura. • Responder orando. • Conversar sobre pedir y recibir apoyo y consuelo.	Para el lugar de oración: un crucifijo y una Biblia

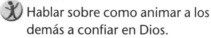

CREEMOS

Pasos de la lección	Presentación	Materiales
pág. 198 *Jesús está con nosotros cuando sufrimos.*	• Leer y conversar sobre el sufrimiento y la presencia de Cristo. • Explorar las implicaciones de Mateo 25:40. Hablar sobre como animar a los demás a confiar en Dios.	
pág. 200 *La Unción de los enfermos continúa la obra sanadora de Jesús.*	• Hablar sobre el ministerio de sanación de la Iglesia. Anímelos a conversar sobre la celebración de los Sacramentos.	
pág. 202 *La Iglesia celebra la Unción de los enfermos.* *Rito de la Unción de los enfermos*	• Hablar sobre la celebración sacramental. Escribir una oración para los enfermos.	
pág. 204 *Jesús está con los que esperan la vida eterna.*	• Leer y conversar sobre la promesa de vida eterna de Cristo. • Leer y conversar sobre *Como católicos.*	

RESPONDEMOS

Pasos de la lección	Presentación	Materiales
pág. 204	Cantar la canción.	• copias del patrón 18 "Yo soy el Pan de Vida", 4–6 CD
páginas 206 y 208 **Repaso**	• Completar las preguntas 1–10. • Completar *Reflexiona y ora.*	
páginas 206 y 208 **Respondemos y compartimos la fe**	• Repasar el *Recuerda* y el *Vocabulario.* • Leer y conversar sobre *Nuestra vida católica.*	

Para ideas, actividades y otras oportunidades visite Sadlier en **www.CREEMOSweb.com**

Lesson Planning Guide

Lesson Steps	Presentation	Materials
1 WE GATHER		
page 199 **Prayer**	• Listen to Scripture. • Respond in prayer.	For the prayer space: a crucifix and a Bible
Focus on Life	• Discuss asking for and receiving support and comfort.	
2 WE BELIEVE		
page 199 *Jesus is with us when we are suffering.*	• Read and discuss suffering and Christ's presence. • Explore implications of Matthew 25:40. • Discuss ways to encourage others to trust God.	
page 201 *The Anointing of the Sick continues Jesus' saving work of healing.*	• Discuss the Church's ministry of healing. • Discuss encouraging people to celebrate the sacrament.	
page 203 *The Church celebrates the Anointing of the Sick.* *Rite of the Anointing of the Sick*	• Discuss the sacramental celebration. • Write a prayer for the sick.	
page 205 *Jesus is with those who hope for eternal life.*	• Read and discuss Christ's promise of eternal life. • Read and discuss *As Catholics*.	
3 WE RESPOND		
page 205	• Sing the song.	• copies of Reproducible Master 18 • "I Am the Bread of Life," #17, Grade 5 CD
pages 207 and 209 **Review**	• Complete questions 1–10. • Complete *Reflect & Pray*.	
pages 207 and 209 **We Respond and Share the Faith**	• Review *Remember* and *Key Words*. • Read and discuss *Our Catholic Life*.	

For additional ideas, activities, and opportunities: Visit Sadlier's **www.CREEMOSweb.com**

Conexiones

Ministerio

En esta lección los estudiantes aprenderán sobre las obras de caridad de aquellos en la comunidad parroquial que trabajan para brindar el consuelo de Jesús a los enfermos y a los moribundos. Anime a los estudiantes a ver en estas personas ejemplos de lo que significa cuidar de las necesidades de los demás. Dígales que hay diferentes establecimientos que sirven a los enfermos, como asilos, hospicios y centros de rehabilitación. Dirija al grupo para encontrar una forma de ayudar a los enfermos enviando tarjetas alentadoras o arte.

Vocaciones

Mientras los estudiantes descubren más acerca del sacramento de la Unción de los enfermos, ayúdelos a aprender acerca del trabajo de las órdenes religiosas dedicadas al servicio de los enfermos en los hospitales, asilos y en el servicio militar. Comparta las diferentes formas en que estas órdenes religiosas utilizan su ministerio para brindar a los enfermos el consuelo sanador del amor de Jesús. Inspire a los estudiantes a seguir el ejemplo de estas órdenes en el ministerio de servir a los enfermos.

FE y MEDIOS

- Busque en el sitio Web de la diócesis o en algún otro lugar de la Internet, imágenes de una misa del Crisma para mostrar a los estudiantes.
- Aprenda más acerca de los hermanos Alexian. El sitio Web de la congregación de los hermanos Alexian ofrece información acerca de los diversos ministerios de éstos, un enunciado sobre su misión y valores, y enlaces a sus locales en Estados Unidos. El sitio Web también ofrece una historia sobre la congregación.

Liturgia para la semana

Visite **www.creemosweb.com** para las lecturas bíblicas de esta semana y otros materiales propios del tiempo.

Necesidades individuales

Estudiantes con problemas de crecimiento

Los estudiantes con necesidades de crecimiento posiblemente no tengan la madurez necesaria para enfrentar temas tan emocionales como la enfermedad y la muerte. Hable con ellos individualmente. Ayúdelos a desarrollar simpatía y compasión buscando formas para confortar a los demás. Anímelos a reconocer los sentimientos y sufrimientos de los demás y a ser sensibles a ellos. Reconozca sus esfuerzos.

RECURSOS ADICIONALES

Libro *Cuidado pastoral de los enfermos* (edición bilingüe), Spanish Speaking Bookstore.

Video *La Unción de los Enfermos,* Tabor Publishing. Video que ayuda a conocer y valorar este sacramento. (24 minutos)

Para ideas visite a Sadlier en

www.CREEMOSweb.com

Connections

To Ministry

In this lesson the students will learn more about the good works of those in the Church community who work to bring Jesus' comfort to the sick and dying. Encourage students to see in these people examples of what it means to care for one another's needs. Tell them that there are different facilities that serve the sick such as nursing homes, hospices, and rehabilitation centers. Lead your group to find a way to help the sick by sending encouraging cards or artwork.

To Vocations

This week, as the students discover more about the sacrament of the Anointing of the Sick, help them to learn about the work of the dedicated religious orders that serve the sick in hospitals, nursing homes, and the military. Share different ways that these special religious orders use their ministry to bring sick people the healing comfort of Jesus' love. Inspire students to follow the example of these orders in the ministry of serving the sick.

FAITH and MEDIA

- Search the diocesan Web site or elsewhere on the Internet for images of a Chrism Mass to show to the students.
- Go online to learn more about the Alexian Brothers. The Web site of the Congregation of Alexian Brothers offers information about the many ministries of the brothers, a statement of their mission and values, and links to their facilities in the United States. The Web site also offers an online history of the congregation.

This Week's Liturgy

Visit **www.creemosweb.com** for this week's liturgical readings and other seasonal material.

Meeting Individual Needs

Students with Developmental Needs

Students with developmental needs might not have the maturity to deal with sensitive subject matters such as sickness and death. Speak with them on a one-to-one basis. Help them to develop empathy and compassion by looking for ways to make others feel better. Encourage them to be sensitive to and recognize the feelings and sufferings of others. Praise them for their efforts.

ADDITIONAL RESOURCES

Book *Exploring the Sacraments: Celebrating with Jesus,* Hi-Time Pflaum, 2000. The sections, "Create a Poem," "Jesus Heals by Anointing," and "Two Kinds of Healing" are useful here.

Video *We Care: Anointing of the Sick,* Ikonographics, St. Anthony Messenger Press, 2002. From *The Sacraments* series, this depicts our faith response to illness as we gather and pray. (15 minutes)

To find more ideas for books, videos, and other learning material, visit Sadlier's

www.CREEMOSweb.com

La celebración de la Unción de los enfermos

Meta catequética

• Enseñar que Jesús está con nosotros cuando sufrimos y describir como celebra la Iglesia el sacramento de la Unción de los enfermos.

PREPARANDOSE PARA ORAR

Los estudiantes escucharán la Escritura y responderán orando.

• Asigne la función de líder y de lector. Dé a los estudiantes tiempo para prepararse y escoja a estudiantes que hagan una pantomima de las lecturas bíblicas.

El lugar de oración

• Ponga un crucifijo y una Biblia en la mesa de oración.

NOS CONGREGAMOS

Líder: Bendito sea el Dios de misericordia y amor.

Todos: Bendito seas por siempre, Señor.

Lector: Lectura del santo Evangelio según San Marcos.

"Llevaron unos niños a Jesús, para que los tocara, pero los discípulos comenzaron a reprender a quienes los llevaban. Jesús, viendo esto, se enojó y les dijo: 'Dejen que los niños vengan a mí, y no se lo impidan, porque el reino de Dios es de quienes son como ellos' . . . Y tomó en sus brazos a los niños, y los bendijo poniendo las manos sobre ellos" (Marcos 10:13–14, 16).

Palabra del Señor.

Todos: Gloria a ti, Señor Jesús.

¿Cuándo necesitas apoyo y consuelo? ¿Cómo pides ayuda? ¿Quién te la da?

CREEMOS

Jesús está con nosotros cuando sufrimos.

En un momento u otro de nuestras vidas, probablemente hemos estado enfermos. Durante ese tiempo de enfermedad puede que estuviéramos solos y preocupados. Incluso puede que hubiéramos pensado que Dios nos había olvidado. Sí, Dios siempre recuerda a los que están enfermos y sufriendo. Ellos son especiales para Dios.

Como Cristianos, creemos que cuando estamos sufriendo Jesús está con nosotros compartiendo nuestra pena. El entiende nuestra pena y sufrimiento porque él sufrió y murió en la cruz.

Nuestro cuidado por los que sufren en el mundo nos ayuda a acercarnos más a Jesús. Jesús nos enseñó que cuando cuidamos de los enfermos, cuidamos de él. El dijo: "Todo lo que hicieron por uno de estos hermanos míos más humildes, por mí mismo lo hicieron". (Mateo 25:40)

198

Planificación de la lección

NOS CONGREGAMOS ____ minutos

Oración

• Recen la Señal de la Cruz. Indique al líder que comience la oración de apertura.

• Pida al lector que proclame el pasaje bíblico mientras los estudiantes hacen la pantomima.

• Indique que los niños no eran importantes en la comunidad. Jesús pensaba lo contrario. El corrigió a sus discípulos y dio la bienvenida y bendijo a los niños como herederos del reino de Dios.

Mirando la vida

• Converse y comparta la *Historia para el capítulo* de la página 198A. Dígales que en este capítulo aprenderán como la Iglesia celebra la Unción de los enfermos.

CREEMOS ____ minutos

Pida a un voluntario que lea en voz alta el primer enunciado *Creemos*. Pida a voluntarios que lean en voz alta el texto. Enfatice:

• Cuando estamos enfermos y nos sentimos solos y sin ánimos, Jesús siempre está con nosotros ofreciéndonos consuelo y esperanza.

• Cuando cuidamos de los enfermos en realidad los cuidamos en nombre de Jesús.

The Celebration of the Anointing of the Sick

WE GATHER

✝ **Leader:** Blessed be the God of mercy and love.

All: Blessed be God for ever.

Reader: A reading from the holy Gospel according to Mark

"And people were bringing children to him that he might touch them, but the disciples rebuked them. When Jesus saw this he became indignant and said to them, 'Let the children come to me; do not prevent them, for the kingdom of God belongs to such as these' . . . Then he embraced them and blessed them, placing his hands on them." (Mark 10:13–14, 16)

The Gospel of the Lord.

All: Praise to you, Lord Jesus Christ.

When are some times you need support and comfort? How do you ask for it? Who offers it to you?

WE BELIEVE

Jesus is with us when we are suffering.

At one time or another in our lives, we will probably get sick. During these times of sickness, we may become lonely or worried. We may even wonder if God remembers us. Yet God always remembers those who are sick and suffering. They are very special to God. As Christians, we believe that when we are suffering Jesus is with us sharing in our pain. He understands our pain and suffering because he suffered and died on the cross.

Our care for those who are suffering around the world helps us to grow closer to Jesus. Jesus taught us that when we care for those who are ill, we care for him. He said, "whatever you did for one of these least brothers of mine, you did for me" (Matthew 25:40).

199

Catechist Goal

• To teach that Jesus is with us when we are suffering and to describe the Church's celebration of the sacrament of the Anointing of the Sick

PREPARING TO PRAY

The students will listen to Scripture and will respond in prayer.

• Assign the roles of leader and reader, and choose students to pantomime the biblical reading. Give these students time to prepare.

The Prayer Space

• Place a crucifix and a Bible on the prayer table.

Lesson Plan

WE GATHER ____ minutes

✝ **Pray**

• Pray the Sign of the Cross. Signal the leader to begin the opening prayer.

• Have the reader proclaim the biblical passage while students pantomime the scene.

• Point out that children were not important members of the community. Jesus thought otherwise. He publicly corrected his own disciples so that he could greet and bless the children as the true heirs to God's Kingdom.

 **Focus on Life**

• Discuss the questions and then share the *Chapter Story,* guide page 198B. Tell the students that in this chapter they will learn the way the Church celebrates the Anointing of the Sick.

WE BELIEVE ____ minutes

Have a volunteer read aloud the first *We Believe* statement. Have volunteers read aloud the *We Believe* text. Emphasize:

• When we are sick and become lonely and discouraged, Jesus is always with us, offering us comfort and hope.

• When we care for the sick, we really care for them in Jesus' name.

Nuestra respuesta en la fe

- Apreciar el poder de la presencia de Dios en la celebración del sacramento de la Unción de los enfermos y para ayudar a los enfermos

Materiales

- copias del patrón 18
- 4–6 CD

Conexión con el hogar

Pregunte: *¿Qué puntos importantes del capítulo 17 compartiste con tu familia?*

Confiar en Jesús, rezar y esperar puede ayudarnos en tiempos de dificultades. Aprendemos a confiar en Dios y en nuestra comunidad de fe. Nuestra familia, nuestros amigos y nuestra comunidad parroquial pueden ayudarnos a ver que la amistad de Jesús siempre nos fortalece. Podemos aprender de Jesús que podemos cuidar unos de otros.

En grupos hablen de formas en que podemos alentar a otros a confiar en Dios.

La Unción de los enfermos continúa la obra sanadora de Jesús.

Cuando la gente está muy enferma puede ponerse ansiosa y perder el ánimo. Necesitan la ayuda especial de la gracia de Dios para ser fuertes y mantener la fe viva. En el sacramento de Unción de los enfermos, Cristo los consuela y sufre con ellos.

Todos en la Iglesia tenemos una responsabilidad con los que están seriamente debilitados por la enfermedad y la edad. Necesitamos rezar por y con ellos. Necesitamos animar a los que necesitan celebrar el sacramento de Unción de los enfermos. En este sacramento la comunidad de la Iglesia hace dos cosas muy importantes. Apoyamos a los que luchan contra la enfermedad y continuamos la obra salvadora de sanación de Jesús.

El sacramento es para todos los fieles que lo necesiten. Niños, adultos y ancianos son invitados a ser fortalecidos por la gracia de Dios en tiempo de enfermedad seria. El sacramento ayuda a la persona en su vida diaria de fe. La Iglesia anima a sus miembros a acoger la gracia de este sacramento.

El sacramento puede celebrarse más de una vez. Por ejemplo, si alguien que ha sido ungido se agrava, puede celebrar el sacramento de nuevo. O si una persona se alivia después de la unción, pero se agrava nuevamente, puede recibir el sacramento de nuevo. Cuando alguien se prepara para una cirugía seria, puede celebrar el sacramento con su familia, amigos y la parroquia. Los fieles que son muy ancianos y que se van debilitando también pueden ser ungidos.

Los sacerdotes tienen una responsabilidad de asegurarse que los sacramentos de la Reconciliación y la Eucaristía sean celebrados para los enfermos.

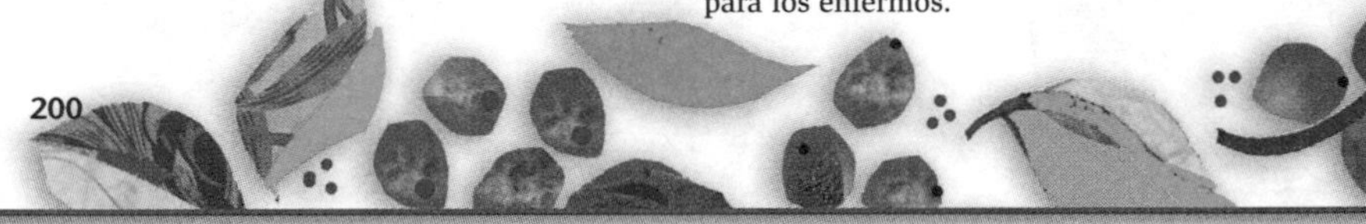

200

Planificación de la lección

CREEMOS (continuación)

Lea en voz alta Mateo 25:40. Pregunte: *¿Quiénes son los hermanos más humildes de Jesús hoy día?* (los pobres, los hambrientos y los vulnerables) *¿Qué pide Jesús que sus seguidores vean en los necesitados?* (a sí mismo).

Invite a grupos pequeños a conversar sobre como animar a los demás a confiar en Dios.

Pida a un voluntario que lea en voz alta el segundo enunciado *Creemos.* Pida a voluntarios que lean los que explican el sacramento de la Unción de los enfermos. Identifique *para que* es el sacramento, *cuándo, dónde* y *por qué* se administra y *quién* lo recibe.

Converse sobre formas de animar a las personas enfermas a recibir el sacramento de la Unción de los enfermos.

Cotejo rápido

- ✔ *¿Qué nos enseña Jesús sobre el cuidado de los enfermos?* (Cuando cuidamos de los enfermos, cuidamos de él.)
- ✔ *¿Cuántas veces se puede recibir el sacramento de la Unción de los Enfermos?* (El sacramento se puede recibir más de una vez. Si una persona que ha sido ungida se vuelve a enfermar, puede recibir la unción nuevamente. También se puede recibir antes de una cirugía importante.)

Trust in God, prayer, and hope can help all of us through the difficult times. We learn to rely on God and our faith community. Our family, our friends, and our parish community can help us to realize that Jesus' friendship always strengthens us. We can learn from Jesus that we can care for one another.

In groups discuss ways we can encourage others to trust in God.

The Anointing of the Sick continues Jesus' saving work of healing.

When people are very sick, they may become anxious and discouraged. They need the special help of God's grace to stay strong and keep their faith alive. In the sacrament of the Anointing of the Sick, Christ comforts them and suffers with them.

All of us in the Church have a responsibility to those who are seriously weakened by sickness or old age. We need to pray for and with them. We need to encourage those in need to celebrate the sacrament of the Anointing of the Sick. In this sacrament the Church community does two very important things. We support those who fight against sickness, and we continue Jesus' saving work of healing.

The sacrament is meant for all the faithful who need it. Children, adults, and the elderly are all invited to be strengthened by God's grace in times of serious sickness. The sacrament is meant to help people in their daily living of the faith. So the Church encourages its members to welcome the grace of this sacrament.

The sacrament can be celebrated more than once. For instance, if someone who has been anointed grows more ill, the sacrament can be celebrated again. Or, if a person recovers after being anointed but becomes seriously ill at another time, he or she can receive the sacrament again. When someone is preparing to have serious surgery, he or she can celebrate the sacrament with family, friends, and parish. Those of the faithful who are elderly and growing weaker may also want to be anointed.

Priests have a responsibility to make sure that the sacraments of Reconciliation and the Eucharist are available to those who are sick.

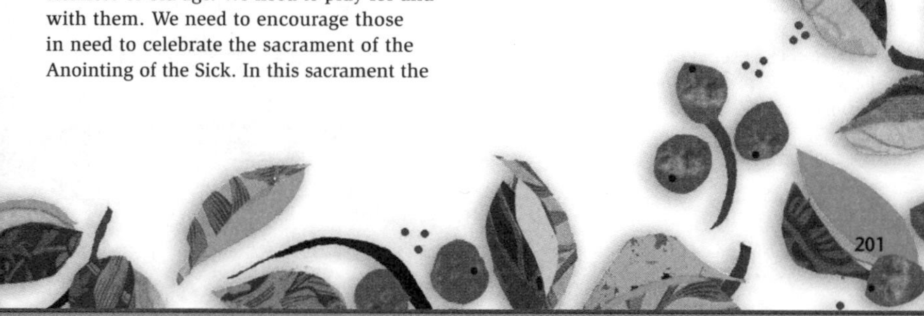

201

Our Faith Response

- To appreciate the power and presence of God in the celebration of the sacrament of the Anointing of the Sick and to help those who are ill.

Lesson Materials

- copies of Reproducible Master 18
- Grade 5 CD

Home Connection Update

Ask: *What important points of Chapter 17 did you share with your families?*

Lesson Plan

WE BELIEVE (continued)

Reread aloud Matthew 25:40. Ask: *Who are the least brothers and sisters of Jesus today?* (the poor, the hungry, the vulnerable) *What does Jesus ask his followers to see in those in need?* (himself)

Invite small groups to discuss ways to encourage others to trust in God.

Have a volunteer read aloud the second *We Believe* statement. Ask volunteers to read the paragraphs that explain the sacrament of the Anointing of the Sick. Identify *what* the sacrament does, *when, where,* and *why* it is administered, and *who* receives it.

Discuss ways to encourage sick people to receive the Anointing of the Sick.

Quick Check

✔ *What does Jesus teach us about caring for the sick?* (When we care for the sick, we care for him.)

✔ *How many times can the sacrament of the Anointing of the Sick be received?* (The sacrament can be received more than once. If a person who has been anointed once becomes ill again, he or she can be anointed again. People may also receive it before serious surgery.)

Banco de actividades

Parroquia

Ministerio para las personas enfermas
Materiales: copias de boletines parroquiales

Ayude a los estudiantes a aprender sobre el alcance de la parroquia para ayudar a los enfermos. Pídales que aprendan los pasos a seguir para comunicarse con un sacerdote en caso de que un familiar se enferme gravemente y necesite recibir el sacramento de la Unción de los enfermos. Pídales que describan cómo los ministros especiales de la Eucaristía ayudan a los enfermos de la comunidad parroquial. Sugiera que vayan a misa cuando se celebre la Unción de los Enfermos. Pídales que hagan un informe de sus hallazgos.

Diáconos y ministros especiales de la Eucaristía pueden visitar al enfermo y rezar con ellos o llevarles la comunión. Estas visitas son señal de apoyo y preocupación de toda la comunidad.

En grupo hablen sobre lo que pueden hacer para animar a los enfermos a celebrar el sacramento de la Unción de los enfermos.

La Iglesia celebra la Unción de los enfermos.

Igual que todos los sacramentos, la Unción de los enfermos es una celebración de toda la comunidad de los fieles. Sin embargo, la mayoría de las veces el sacramento se celebra fuera de la misa, en un hospital, una casa, el lugar de un accidente o en cualquier sitio que sea necesario.

Las partes principales de la Unción de los enfermos son la oración de fe, la imposición de las manos y la unción con aceite.

La *oración de fe* ha sido una parte importante de la celebración del sacramento desde el inicio de la Iglesia. Toda la Iglesia es representada por el sacerdote, la familia, amigos y miembros de la parroquia que se reúnen para rezar. Confiados en la misericordia de Dios ofrecen varias intenciones y piden ayuda para los enfermos.

Imposición de las manos. En silencio, el sacerdote impone sus manos en el enfermo. Muchas veces Jesús sanó enfermos imponiendo sus manos o simplemente tocándolos. La imposición de las manos por el sacerdote es señal de bendición y una llamada al Espíritu Santo a venir sobre la persona.

Porque el aceite es bendito, *la unción con aceite* es señal del poder y la presencia del Espíritu Santo. Es también señal de sanación y fortaleza.

La unción tiene lugar mientras el sacerdote reza la siguiente oración:

Primero el sacerdote unge la frente diciendo: "Por esta santa unción y por su bondadosa misericordia, te ayude el Señor con la gracia del Espíritu Santo".

Todos responden. "Amén".

Después unge las manos diciendo: "Para que libre de tus pecados, te conceda la salvación y te conforte en tu enfermedad".
Todos responden: "Amén".

La Unción de los enfermos generalmente empieza con la liturgia de la palabra y es seguida de la comunión. En esta forma los ungidos son fortalecidos y alimentados por la palabra de Dios y el Cuerpo y la Sangre de Cristo. La comunión también los une a la comunidad parroquial con quienes celebran la Eucaristía.

202

Planificación de la lección

CREEMOS (continuación)

Pida a un voluntario que lea en voz alta el tercer enunciado *Creemos*. Pida a los estudiantes que lean y subrayen el texto. Enfatice lo siguiente:

- Orar con la Iglesia por los enfermos es parte importante del sacramento.
- La imposición de las manos por parte del sacerdote es una señal de bendición.
- La unción del aceite bendito representa el poder y la presencia del Espíritu Santo.

Lea en voz alta las instrucciones de la actividad. Pida a los estudiantes que incluyan los temas de la paz y esperanza de Dios en sus oraciones.

Deacons and special ministers of the Eucharist can visit the sick to pray with them and bring them Holy Communion. These visits are a sign of the support and concern of the whole community.

In a group, discuss what you can do to encourage sick people to receive the Anointing of the Sick.

The Church celebrates the Anointing of the Sick.

Like all sacraments the Anointing of the Sick is a celebration of the whole community of the faithful. However, most times the sacrament is celebrated outside of the Mass in hospitals, in homes, at the site of an accident, or wherever someone is in need of it.

The main parts of the Anointing of the Sick are the prayer of faith, the laying on of hands, and the anointing with oil.

The *prayer of faith* has been an important part of the Church's celebration of the sacrament from the beginning of the Church. The whole Church is represented by the priest, family, friends, and parish members gathered to pray. Trusting in God's mercy, they offer several intentions and ask for help for those who are sick.

Laying on of hands In silence, the priest lays his hands on the person who is sick. Many times Jesus healed the sick by the laying on of his hands or by simply touching them. The priest's laying on of hands is a sign of blessing and a calling of the Holy Spirit upon the person.

Because the oil has been blessed, the *anointing with oil* is a sign of the power and presence of the Holy Spirit. It is also a sign of healing and strengthening.

The anointing takes place while the priest prays the following prayer.

The priest anoints the forehead first saying, "Through this holy anointing may the Lord in his love and mercy help you with the grace of the Holy Spirit."
All respond, "Amen."

Then he anoints the hands saying, "May the Lord who frees you from sin save you and raise you up."
All respond, "Amen."

The Anointing of the Sick usually begins with a Liturgy of the Word and is followed by a Liturgy of Holy Communion. In this way those being anointed are further strengthened and nourished by the word of God and by the Body and Blood of Christ. Holy Communion also joins them to their parish community with whom they are unable to celebrate the Eucharist.

203

ACTIVITY BANK

Parish

Ministry with People Who Are Sick

Activity Materials: copies of parish bulletins

Help the students learn about the parish's outreach to the sick. Have them become aware of the steps in contacting a priest in case a family member becomes seriously ill and needs to receive the sacrament of Anointing of the Sick. Ask them to describe the way special ministers of the Eucharist help the sick in the parish community. Suggest that they attend a Mass in which the Anointing of the Sick is celebrated. Have them report the results of their findings.

Lesson Plan

WE BELIEVE (continued)

Ask a volunteer to read aloud the third *We Believe* statement. Have the students read and underline the *We Believe* text. Emphasize the following:

- Praying with the Church for the ill person is an important part of the sacrament.
- The priest's laying on of hands is a sign of blessing.
- Anointing with blessed oil represents the power and presence of the Holy Spirit.

Read aloud the directions to the activity. Have the students include the themes of God's peace and hope in their prayers.

Como católicos...

El aceite de los enfermos

Explicar a los estudiantes que el sacerdote unge a los enfermos con un aceite especial durante el sacramento de la Unción de los enfermos. Recuérdeles que el obispo bendice este aceite durante la misa del Crisma junto con el aceite de los catecúmenos que se usa en el Bautismo. En la vida diaria usamos aceite cuando estamos enfermos o cuando sufrimos de dolores.

Ideas

Nuestra esperanza en Cristo

Algunos de los antiguos cristianos dudaron en la esperanza y promesa de la vida eterna en Cristo resucitado. Nosotros creemos que Dios Padre resucitó a Cristo de entre los muertos. Nuestra esperanza en la resurrección del cuerpo y vida eterna se basa en nuestro Bautismo, en la muerte y resurrección de Cristo.

Escribe una oración por los enfermos. Reza para que encuentren la paz y la esperanza de Dios.

____

____

____

Jesús está con los que esperan la vida eterna.

El sacramento de Unción de los enfermos se recibe cuando se está en peligro de muerte. Es también llamado sacramento de los enfermos. Jesús vino para darnos vida y recibimos su vida en los sacramentos. El nos ayuda a entender que el sufrimiento y la muerte son parte de nuestro peregrinaje a la vida eterna. Sabemos que cuando morimos con Cristo también resucitaremos con él. Para ayudarnos en este peregrinaje hasta la muerte, Jesucristo se da a sí mismo en la Eucaristía.

Cuando la vida de una persona está por terminar, recibe la Eucaristía como viaticum. Viaticum es llamado el sacramento de los moribundos. En latín *viaticun* significa "comida para el viaje". Esto fortalece a la persona que se prepara para morir y le da la esperanza de la vida eterna. La persona recibe el Cuerpo de Cristo y confía en que Jesús la espera en casa.

Jesús dijo a sus seguidores: "El que come mi cuerpo y bebe mi sangre tiene vida eterna; y yo lo resucitaré en el día último" (Juan 6:54). Jesús actúa a través de su Iglesia para hacer que su promesa se cumpla. Los sacramentos de la Reconciliación, Unción de los enfermos y la Eucaristía como viaticum son algunas veces celebrados juntos y son llamados los "últimos sacramentos".

RESPONDEMOS

El pan de vida

Yo soy el pan de la vida
que ha bajado del cielo.
El que come este pan
vivirá para siempre.

Como católicos...

El aceite usado en el sacramento de Unción de los enfermos es llamado aceite de los enfermos. Es generalmente aceite de oliva que ha sido bendecido por el obispo en la misa del Crisma. Esta es una misa especial durante la cual el obispo prepara con bendiciones especiales los crismas usados en la unción en el Bautismo y la Confirmación. También bendice el aceite de los enfermos y el de los catecúmenos, usado durante el tiempo antes del bautismo de la persona.

¿Sabes cuándo se celebra la misa del Crisma? Pregunta a alguien en tu parroquia que sepa la respuesta.

204

Planificación de la lección

CREEMOS (continuación)

Lea en voz alta el enunciado *Creemos* de la página 204. Pida a los estudiantes que lean en silencio el texto en *Creemos*. Enfatice lo siguiente:

- El sufrimiento humano y la muerte son parte de nuestro camino a la vida eterna.
- Los moribundos reciben la Eucaristía como *viaticum*.
- Antes de morir, una persona recibe los últimos sacramentos de la Reconciliación, la Unción de los enfermos y la Eucaristía como *viaticum*.

RESPONDEMOS ____ minutos

Ponga la canción 4–6 CD. Antes de comenzar, pida a los estudiantes que reflexionen sobre la promesa de vida eterna de Jesús. Pídales que exploren el significado de nuestro viaje actual a la promesa de felicidad eterna con Jesús. Recuérdeles que Jesús viene a nosotros en la Eucaristía en misa y consuela a las personas mediante la recepción del *viaticum* cuando reciben su cuerpo y sangre al prepararse para la muerte.

Distribuya copias del patrón 18. Diga a los estudiantes que hagan la actividad ahora o en casa.

Write a prayer for those who are ill. Pray that they may find God's peace and hope.

Jesus is with those who hope for eternal life.

People receive the sacrament of the Anointing of the Sick during a serious illness. It is often called the sacrament of the sick. Jesus came to give us life, and we receive his life in the sacraments. He helps us to understand that suffering and death are part of the journey to eternal life. We know that when we die with Christ, we will also rise with him. To help us in this journey through death to eternal life, Jesus Christ gives us himself in the Eucharist.

As a person's life on earth is about to end, he or she receives the Eucharist as viaticum. Viaticum is called the sacrament of the dying. In Latin *viaticum* means "food for the journey." It strengthens the person as he or she prepares for death and the hope of eternal life. The person receives the Body of Christ trusting that Jesus will welcome him or her home.

Jesus told his followers: "Whoever eats my flesh and drinks my blood has eternal life, and I will raise him on the last day" (John 6:54). Jesus acts through his Church to make this promise come true. The sacraments of Reconciliation, Anointing of the Sick, and the Eucharist as viaticum are sometimes celebrated together and are called the "last sacraments."

As Catholics...

The oil used for the sacrament of the Anointing of the Sick is called the oil of the sick. It is generally olive oil that has been blessed by the bishop at the Chrism Mass. This is a very special Mass during which the bishop prepares with special blessings the chrism used for the anointings in Baptism and Confirmation. He also blesses the oil of the sick and the oil of catechumens, which is used during the time before the person's Baptism.

Do you know when the Chrism Mass is celebrated? Ask someone in your parish who might know.

WE RESPOND

I Am the Bread of Life

I am the Bread of life.
You who come to me shall not hunger;
and who believe in me shall not thirst.
No one can come to me unless the Father beckons.

Refrain:
And I will raise you up,
and I will raise you up,
and I will raise you up on the last day.

205

As Catholics...

The Oil of the Sick

Explain to the students that the priest anoints the ill with special oil during the sacrament of the Anointing of the Sick. Remind them that the bishop blesses this oil at the Chrism Mass, along with the oil of catechumens used in Baptism. In everyday life, we use oil in times of sickness or hurt.

Teaching Note

Our Hope in Christ

Some early Christians questioned the hope and promise of eternal life in the risen Christ. We believe that God the Father raised Christ from the dead. Our hope in the resurrection of the body and life everlasting is founded upon our Baptism into Christ's dying and rising.

Lesson Plan

WE BELIEVE (continued)

Read aloud the *We Believe* statement on page 205. Have the students read silently the *We Believe* text. Emphasize the following:

- Human suffering and death are part of our journey to eternal life.
- People who are dying receive the Eucharist as *viaticum*.
- Before dying, a person receives the last sacraments of Reconciliation, the Anointing of the Sick, and the Eucharist as *viaticum*.

WE RESPOND

____ minutes

Play the song "I Am the Bread of Life," #17 on the Grade 5 CD. Before you begin, ask the students to reflect on Jesus' promise of eternal life. Ask them to explore the meaning of our journey now to the promise of everlasting happiness with Jesus. Remind them that Jesus comes to us in the Eucharist at Mass and comforts people through the reception of *viaticum* when they receive his Body and Blood as they prepare for death.

Distribute copies of Reproducible Master 18. Tell the students to do the activity now or work on it at home.

BANCO DE ACTIVIDADES

Doctrina social de la Iglesia

Opción para los pobres y vulnerables

Materiales: revistas y material sobre los países en desarrollo y las organizaciones católicas de asistencia

Diga a los estudiantes que en muchas partes del mundo las personas no tienen acceso a buena salud y al cuidado y servicios médicos. Anímelos a investigar problemas de salud que sufren las personas de los países en desarrollo. Anime a los estudiantes a averiguar lo que hacen para ayudar a estas personas las organizaciones como Catholic Relief Services o la Organización Mundial de Salud de las Naciones Unidas.

Conexión con el currículo

Clase sobre la salud y gimnasia

Pida a los estudiantes que investiguen la relación entre los ejercicios físicos que hacen en la clase de gimnasia y su salud corporal.

CONEXION CON EL HOGAR

Compartiendo lo aprendido

Recuérdeles a los estudiantes compartir con sus familias lo aprendido en este capítulo. Anímelos a unirse con su familia para hacer alguna actividad para personas que están enfermas.

Para más información y actividades adicionales visite a Sadlier

www.CREEMOSweb.com

Planifique por adelantado

Lugar de oración: una Biblia, una imagen de María, un rosario

Materiales: 4–6 CD, copias del patrón 19, un rosario para cada estudiante

_____ minutos

Repaso del capítulo Pida a los estudiantes que completen los enunciados 1–4 usando la palabra correcta del banco de palabras. Pídales que completen los enunciados 5–8 subrayando la respuesta correcta. Ayude a los estudiantes a revisar sus respuestas llamando a voluntarios que den las respuestas correctas. Pida a los estudiantes que respondan la pregunta 9–10.

Reflexiona y ora Pida a los estudiantes que completen la oración. Pídales que se imaginen como necesitan de la ayuda de Dios cuando se sienten débiles o sin esperanzas.

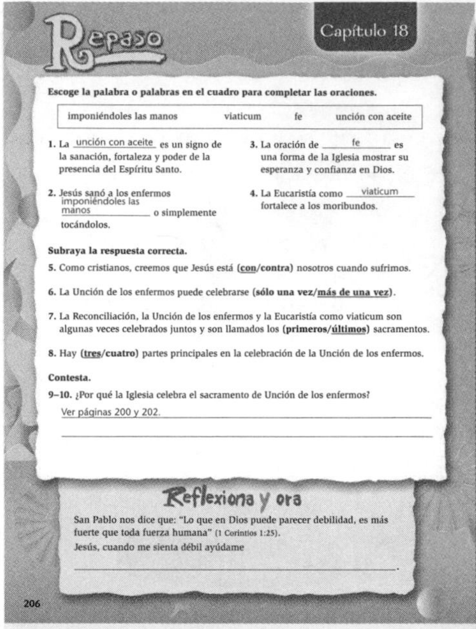

Repaso — Capítulo 18

Escoge la palabra o palabras en el cuadro para completar las oraciones.

imponiéndoles las manos	viaticum	fe	unción con aceite

1. La unción con aceite es un signo de la sanación, fortaleza y poder de la presencia del Espíritu Santo.
2. Jesús sanó a los enfermos imponiéndoles las manos o simplemente tocándolos.
3. La oración de fe es una forma de la Iglesia mostrar su esperanza y confianza en Dios.
4. La Eucaristía como viaticum fortalece a los moribundos.

Subraya la respuesta correcta.

5. Como cristianos, creemos que Jesús está (**con**/**contra**) nosotros cuando sufrimos.
6. La Unción de los enfermos puede celebrarse (**sólo una vez**/**más de una vez**).
7. La Reconciliación, la Unción de los enfermos y la Eucaristía como viaticum son algunas veces celebrados juntos y son llamados los (**primeros**/**últimos**) sacramentos.
8. Hay (**tres**/**cuatro**) partes principales en la celebración de la Unción de los enfermos.

Contesta.

9–10. ¿Por qué la Iglesia celebra el sacramento de Unción de los enfermos?

Ver páginas 200 y 202.

Reflexiona y ora

San Pablo nos dice que: "Lo que en Dios puede parecer debilidad, es más fuerte que toda fuerza humana" (1 Corintios 1:25).

Jesús, cuando me sienta débil ayúdame

________________.

206

PAGINA DEL ALUMNO 206

Respondemos y compartimos la fe

_____ minutos

Recuerda Repase los cuatro enunciados *Creemos*. Pida a los estudiantes que indiquen como hacer más llevadera la vida de los enfermos.Invítelos a recordar los efectos del sacramento de la Unción de los enfermos. Pida a un voluntario que lea en voz alta Mateo 25:40 nuevamente. Enfatice que al cuidar de los enfermos, cuidamos de Jesús, quien está presente en todos.

Nuestra vida católica Lea en voz alta el texto que describe el trabajo de los hermanos Alexian. Invite a los estudiantes a identificar como ellos ayudan a los enfermos. Algunos estudiantes pueden interesarse en aprender más sobre los hermanos Alexian en la Internet. (Vea *Fe y medios*, página 198E de la guía). *Little Company of Mary* y *Little Sisters of the Poor* son unos de los grupos religiosos de mujeres que sirven a los enfermos o ancianos. También se pueden encontrar estos grupos en la Internet.

Respondemos y compartimos la fe

Compartiendo lo aprendido

Habla con tu familia sobre lo siguiente:

- nuestro papel en el cuidado de los enfermos
- el propósito del sacramento de la Unción de los enfermos
- la celebración del sacramento
- viaticum.

Recuerda

- Jesús está con nosotros cuando sufrimos.
- La Unción de los enfermos continúa la obra sanadora de Jesús.
- La Iglesia celebra la Unción de los enfermos.
- Jesús está con los que esperan la vida eterna.

Rezando en familia

Dios de amor,
siempre cuidadoso, siempre fuerte,
quédate con nosotros en
tiempos de necesidad.
Amén.

NUESTRA VIDA CATOLICA

Los hermanos Alexian

Esta comunidad religiosa de hermanos empezó a cuidar de los enfermos en Europa en el siglo XII. En ese tiempo los enfermos y los moribundos no se cuidaban en hospitales. Sus familias algunas veces no podían cuidarlos por miedo al contagio. En el siglo XIV una enfermedad muy seria se expandió por toda Europa y los hermanos arriesgaron sus vidas cuidando de muchas personas que enfermaron. Los hermanos siguieron dedicados a los pobres y enfermos. Escogieron como su patrón a San Alexius. Ellos siguen dedicados a los enfermos. Sirven en hospitales y clínicas en todo el mundo.

Visita Sadlier en www.CREEMOSweb.com

Conexión con el Catecismo
Para referencia vea los párrafos 1521, 1520, 1522 y 1517.

208

PAGINA DEL ALUMNO 208

_____ minutes

Chapter Review Have the students complete statements 1–4 by using the correct word from the word bank. Ask them to complete statements 5–8 by underlining the correct answer. Help the students check their answers by calling on volunteers to say the correct answers. Have the students answer question 9–10.

Reflect & Pray Have the students complete the prayer. Ask them to imagine how they need God's help when they feel weak.

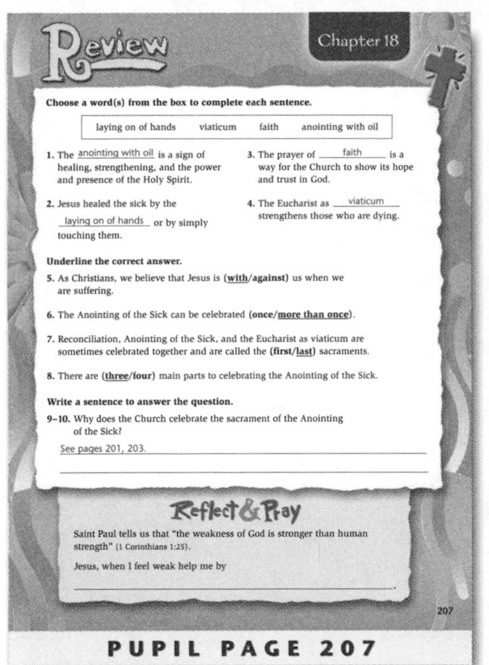

Review — Chapter 18

Choose a word(s) from the box to complete each sentence.

laying on of hands | viaticum | faith | anointing with oil

1. The anointing with oil is a sign of healing, strengthening, and the power and presence of the Holy Spirit.
2. Jesus healed the sick by the laying on of hands or by simply touching them.
3. The prayer of faith is a way for the Church to show its hope and trust in God.
4. The Eucharist as viaticum strengthens those who are dying.

Underline the correct answer.

5. As Christians, we believe that Jesus is (**with**/against) us when we are suffering.
6. The Anointing of the Sick can be celebrated (once/**more than once**).
7. Reconciliation, Anointing of the Sick, and the Eucharist as viaticum are sometimes celebrated together and are called the (first/**last**) sacraments.
8. There are (**three**/four) main parts to celebrating the Anointing of the Sick.

Write a sentence to answer the question.

9–10. Why does the Church celebrate the sacrament of the Anointing of the Sick?

See pages 201, 203.

Reflect & Pray

Saint Paul tells us that "the weakness of God is stronger than human strength" (1 Corinthians 1:25).

Jesus, when I feel weak help me by

207

PUPIL PAGE 207

We Respond and Share the Faith

_____ minutes

Remember Review the four *We Believe* statements. Ask the students to name ways they can make the lives of the sick more comfortable. Invite them to recall effects of the sacrament of the Anointing of the Sick. Have a volunteer read aloud Matthew 25:40 again. Emphasize that in caring for the sick, we care for Jesus, who is present in all people.

Our Catholic Life Read aloud the text that describes the work of the Alexian Brothers. Invite the students to identify some of the ways that the Alexian Brothers help the sick. Some students may want to learn more about the Alexian Brothers through the Internet. (See *Faith and Media*, guide page 198F.) Among religious groups of women who serve the sick or elderly are the Little Company of Mary and the Little Sisters of the Poor. These groups can also be found on the Internet.

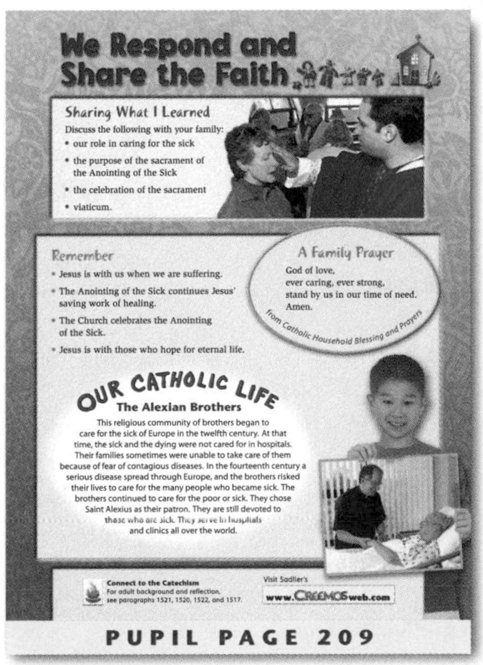

We Respond and Share the Faith

Sharing What I Learned

Discuss the following with your family:
- our role in caring for the sick
- the purpose of the sacrament of the Anointing of the Sick
- the celebration of the sacrament
- viaticum.

Remember
- Jesus is with us when we are suffering.
- The Anointing of the Sick continues Jesus' saving work of healing.
- The Church celebrates the Anointing of the Sick.
- Jesus is with those who hope for eternal life.

A Family Prayer

God of love,
ever caring, ever strong,
stand by us in our time of need.
Amen.

from Catholic Household Blessings and Prayers

OUR CATHOLIC LIFE

The Alexian Brothers

This religious community of brothers began to care for the sick of Europe in the twelfth century. At that time, the sick and the dying were not cared for in hospitals. Their families sometimes were unable to take care of them because of fear of contagious diseases. In the fourteenth century a serious disease spread through Europe, and the brothers risked their lives to care for the many people who became sick. The brothers continued to care for the poor or sick. They chose Saint Alexius as their patron. They are still devoted to those who are sick. They serve in hospitals and clinics all over the world.

Connect to the Catechism
For adult background and reflection, see paragraphs 1521, 1520, 1522, and 1517.

Visit Sadlier's www.CREEMOSweb.com

PUPIL PAGE 209

Activity Bank

Catholic Social Teaching

Option for the Poor and Vulnerable

Activity Materials: magazine materials about developing countries and Catholic relief organizations.

Tell the students that in many parts of the world people do not have access to good health and medical care and services. Encourage the students to research health problems that afflict people in developing nations. Encourage the students to find out what organizations such as Catholic Relief Services or the World Health Organization of the United Nations are doing to help these people.

Home Connection

Sharing What I Learned

Remind the students to share with their families what they learned in this chapter. Encourage the students to join with thir families in doing kind acts for people who are sick.

For additional information and activities, encourage families to visit Sadlier's

www.CREEMOSweb.com

Plan Ahead for Chapter 19

Prayer Space: a Bible, a picture of Mary, a rosary

Materials: Grade 5 CD, copies of Reproducible Master 19, a rosary for each student

María, modelo de discípulo

Ojeada

En este capítulo los estudiantes aprenderán que María es un modelo del discipulado para nosotros y la Iglesia.

Contenido doctrinal	Para referencia del *Catecismo de la Iglesia Católica*
Los estudiantes aprenderán que:	párrafo
• María es el discípulo de Jesús más importante	494
• María es bendita entre las mujeres	492
• María es la mayor entre los santos	963
• La Iglesia recuerda y honra a María	971

Referencia catequética

¿Qué mentores ha tenido en su vida?

Dios creó al mundo del caos, la vida la formó del barro y la nueva vida de la destrucción y la muerte. Aún así, Dios ha decidido continuar su trabajo con la ayuda humana. María cooperó plenamente con la palabra de Dios, ella es nuestro modelo para hacer el trabajo de Dios.

Con fe y confianza, María accedió a todo lo que Dios le pidió. Se puso en sus manos y se convirtió en la madre del Salvador Jesucristo. También es el discípulo más importante de Jesús y continúa dedicándose a él y al reino de Dios. Después de su muerte y resurrección, María permaneció con los discípulos para continuar el trabajo de Jesús. En María encontramos el discípulo perfecto; ella es el "ejemplo y fuente" de santidad en nuestras vidas (*CIC* 2030).

Tenemos una rica tradición de devoción a María, pero no la adoramos. Creemos en un Dios: Padre, Hijo y Espíritu Santo. Sólo ofrecemos nuestra alabanza y adoración a la Santísima Trinidad. Sin embargo, honramos a María mediante la oración y reconocemos su habilidad para interceder por nosotros. Así como asistió en el plan de salvación al convertirse en la madre de Jesús, su fe en la promesa de Dios nos recuerda nuestra obligación de confiar en él. La festividad de la Asunción celebra que María fue llevada en cuerpo y alma al cielo para vivir por siempre con Cristo resucitado.

¿Cómo puede María ser "mentor" de su vida espiritual?

Mirando la vida

Historia para el capítulo

Mi esposa y yo usualmente vamos juntos a comprar víveres los viernes. A ella le hace gracia que podamos compartir "el sufrimiento" de las filas largas de la caja. Estábamos avanzando a buen ritmo, pasando por los pasillos y poniendo los víveres en nuestra canasta cuando noté a una chica con un vestido de verano y sandalias. Estaba formando una pila inmensa de latas: frutas, carnes y productos de papel en su carrito de la compra. "¡Marie, esa chica sí que sabe comprar!" Marie no dijo ni una palabra, lo que me sorprendió. Usualmente ambos notamos algunas de las costumbres extrañas de los que hacen compras.

Cuando llegamos a la caja, Marie me hizo una señal. Levanté la mirada y vi que la chica venía hacia nosotros con su montaña de víveres. Mientras más se nos acercaba, más claro se hacía que la chica parecía ser huérfana. Tenía ojeras y estaba despeinada.

Luego me di cuenta. Con razón Marie no había dicho nada cuando recién vi a la chica. Me di cuenta de que no tenía hogar. El viaje al supermercado debe haber sido una fantasía para ella. Sentí compasión. Que triste, pensé, que sea tan pobre y que no tenga dinero para comprar víveres.

De pronto me repuse cuando sentí que la chica había chocado el mostrador con el carrito. Fue como que si ella hubiera leído mi mente. Como loca, la chica salió de la tienda corriendo. Al lado mío, Marie lloraba, como sólo una madre puede llorar, por un niño que está solo en el mundo.

¿De qué se dieron cuenta el hombre y su mujer al ver a la chica desamparada?

Mary, Model of Discipleship

Overview

In this chapter the students will learn that Mary is a model of discipleship for us and for the Church.

Doctrinal Content	For Adult Reading and Reflection *Catechism of the Catholic Church*
The students will learn:	Paragraph
• Mary is Jesus' first disciple.	494
• Mary is most blessed among women.	492
• Mary is the greatest of all the saints.	963
• The Church remembers and honors Mary.	971

Catechist Background

What mentors have you had in your life?

Our all-powerful God created the world out of chaos, life out of clay, and new life out of destruction and death. Yet God has chosen to continue to do his work with human cooperation. Because Mary cooperated fully with God's word, she is a model for us in doing God's work.

In her faith and trust in God, Mary said yes to all that God asked of her. She placed herself in God's hands and became the mother of the Savior, Jesus Christ. She is also Jesus' first disciple, remaining devoted to him and the Kingdom of God. After his death and Resurrection, Mary stayed with the disciples to continue Jesus' work. In Mary we find the perfect disciple; she is the "model and source" of holiness for our lives (CCC 2030).

We have a rich history of devotion to Mary, but we do not worship her. We believe in one God: Father, Son, and Holy Spirit. We offer our worship and adoration only to the Holy Trinity. However, we honor Mary through prayer and acknowledge her ability to intercede on our behalf. Just as she was instrumental in the plan of salvation by becoming the mother of Jesus, her faith in God's promise reminds us of our obligation to trust in him. The feast of the Assumption celebrates Mary's body and soul taken up to heaven to live forever with the risen Christ.

How can Mary be a "mentor" for your spiritual life?

Focus on Life

Chapter Story

My wife and I usually do food shopping together on Friday. She laughs that we can share "the suffering" of the long lines at the checkout. We were going along at a good clip, zipping down the aisles, and putting food in our basket when I noticed this girl in a sundress with flip-flops on her feet. She was putting canned goods, fruits, meats, and paper products in one giant pile in her cart. "Marie, that girl is something else. She can really shop!" Marie didn't say a word, which surprised me. Usually, we both notice some of the strange antics of shoppers.

When we got to the checkout line, Marie signaled me. I looked up and saw the girl coming toward us with her mountain of food. The closer she drew near us, the more we could see that the child seemed orphan-like. Dark circles rimmed her eyes and her hair needed brushing.

Then it dawned on me. No wonder Marie didn't say anything when I first spotted the girl. I realized that she was homeless. This trip to the supermarket must have been a kind of fantasy ride for her. My heart went out to her. How sad, I thought, that she was so poor and without money to buy food.

I was jolted out of my thoughts. The girl had slammed her basket against the counter. It was as if she read my thoughts. In a mad dash, the girl's flip-flop feet raced out of the store. Standing beside me was Marie, crying, as only a mother could cry, for a child alone in the world.

What did the homeless girl make the man and his wife realize?

Guía para planificar la lección

Pasos de la lección	Presentación	Materiales
 **NOS CONGREGAMOS**		
pág. 210 **Oración**	• Reflexionar sobre María • Responder orando. 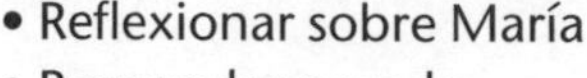	Para el lugar de oración: una Biblia, una imagen de María y un rosario
 **Mirando la vida**	• Conversar sobre personas admirables.	
2 CREEMOS		
pág. 210 *María es el discípulo de Jesús más importante.* *Lucas 1:26–38*	• Leer y conversar sobre la función de María en la vida y ministerio de Jesús. Conversar sobre situaciones que le demuestran a las personas confiar en Dios.	
pág. 213 *María es bendita entre las mujeres.* *Lucas 1:39–45*	• Leer y conversar sobre la visita que María hizo a Isabel. Cantar la canción. • Hablar sobre la inmaculada concepción y la asunción.	"Cántico de María (Magnificat)," 4–6 CD
pág. 214 *María es la mayor entre los santos.*	• Leer y conversar sobre María como la mayor entre los santos. Identificar otros de los títulos de María.	
pág. 216 *La Iglesia recuerda y honra a María.*	• Identificar cómo la Iglesia recuerda y honra a María. • Aprender sobre el rosario. • Leer el texto de *Como católicos* acerca de San José y conversar sobre él.	• un rosario para cada estudiante
3 RESPONDEMOS		
pág. 216	Honrar a María con la oración del rosario.	• copias del patrón 19
páginas 218 y 220 **Repaso**	• Completar las preguntas 1–10. • Completar *Reflexiona y ora.*	
páginas 218 y 220 **Respondemos y compartimos la fe**	• Repasar el *Recuerda* y el *Vocabulario.* • Leer y conversar sobre *Nuestra vida católica.*	

Para ideas, actividades y otras oportunidades visite Sadlier en **www.CREEMOSweb.com**

Lesson Planning Guide

Lesson Steps	Presentation	Materials

page 211 **Prayer** **Focus on Life**	• Reflect on Mary. • Respond in prayer. • Discuss people who can be admired.	For the prayer space: a Bible, a picture of Mary, a rosary
2 WE BELIEVE		
page 211 *Mary is Jesus' first disciple.* *Luke 1:26–38*	• Read and discuss Mary's role in Jesus' life and ministry. Discuss situations in which we show trust in God.	
page 213 *Mary is most blessed among women.* *Luke 1:39–45*	• Read about and discuss Mary's visit to Elizabeth. Sing the song. • Discuss the Immaculate Conception and the Assumption.	"The Canticle of Mary (Magnificat)," #18, Grade 5 CD
page 215 *Mary is the greatest of all the saints.*	• Read and discuss Mary as greatest of all saints. Identify other titles for Mary.	
page 217 *The Church remembers and honors Mary.*	• Identify ways the Church remembers and honors Mary. • Learn about the rosary. • Read and discuss the *As Catholics* text about Saint Joseph.	• a rosary for each student
3 WE RESPOND		
page 217	Honor Mary by reciting a rosary	• copies of Reproducible Master 19
pages 219 and 221 **Review**	• Complete questions 1–10. • Complete *Reflect & Pray.*	
pages 219 and 221 **We Respond and Share the Faith**	• Review *Remember* and *Key Words.* • Read and discuss *Our Catholic Life.*	

For additional ideas, activities, and opportunities: Visit Sadlier's **www.CREEMOSweb.com**

Conexiones

Liturgia

Con esta lección los estudiantes aprenderán que lo que sabemos de María lo aprendemos de los evangelios. Recuerde a los estudiantes que escuchamos los evangelios durante la misa los días de semana o el domingo. Anímelos a que la próxima vez que vayan a misa, se centren en oír cualquier referencia a María cuando se proclamen las historias de la vida y ministerio público de Jesús durante la Liturgia de la Palabra.

Familia

María sabía ser esposa y madre. La vida familiar con José y Jesús fue como María vivió su singular vocación. Anime a los estudiantes a dedicar tiempo en casa con sus familias para honrar a María. Cada familia puede juntarse para rezar el rosario o decir sus oraciones personales a María. Podrían poner una estatua o icono de María en casa. Obtenga catálogos religiosos para mostrar a los estudiantes varias representaciones de nuestra señora.

FE y MEDIOS

▶ Visite el sitio Web oficial de National Shrine of the Immaculate Conception para tomar un "tour virtual" de la hermosa basílica y sus diversas capillas. Seleccione algunos sitios Web con anterioridad que den más información sobre Nuestra Señora y como se le conoce en los países del mundo. Un buen lugar en el cual comenzar a buscar es el motor de búsqueda Web The Mary Page, un sitio Web mariano que mantiene la Marian Library/Internacional Marian Research Institute de la Universidad de Dayton en Ohio.

Liturgia para la semana

Visite **www.creemosweb.com** para las lecturas bíblicas de esta semana y otros materiales propios del tiempo.

Necesidades individuales

Estudiantes con necesidades visuales

Los estudiantes con necesidades visuales requieren algunas consideraciones especiales. Además de ubicarlos en la parte delantera de la clase, pregúnteles si sus apuntes en la pizarra son lo suficientemente grandes como para que ellos puedan verlos. Si la letra del texto es muy pequeña para ellos, intente agrandar el texto con un proyector de transparencias.

RECURSOS ADICIONALES

Libro *Nuestra Señora en la liturgia*, J.D. Crichton, Liturgical Press.

Para ideas visite a Sadlier en

www.CREEMOSweb.com

Connections

To Liturgy

The students learn in this lesson that what we know about Mary we learn from the gospels. Remind the students that we hear the gospels during Mass on weekdays and on Sunday. Encourage the students, the next time they go to Mass, to listen for any reference to Mary when the stories of Jesus' life and public ministry are proclaimed in the Liturgy of the Word.

To Family

Mary knew what it was to be a wife and mother. Family life with Joseph and Jesus was Mary's way to live out her unique vocation. Encourage the students to take time with members of their families to honor Mary at home. Each family can pray the rosary together or pray personal prayers to Mary. The students may want to place statues or icons of Mary in their homes. Gather religious catalogs to show students various depictions of Our Lady.

FAITH and MEDIA

- Visit the official National Shrine of the Immaculate Conception Web site to take a "virtual tour" of this beautiful basilica and its many chapels. Beforehand, bookmark some Web sites that give more information about Our Lady as she is known in countries around the world. A good place to start your research might be the on-site search engine on The Mary Page, a Marian Web site maintained by the Marian Library/International Marian Research Institute at the University of Dayton in Ohio.

This Week's Liturgy

Visit **www.creemosweb.com** for this week's liturgical readings and other seasonal material.

Meeting Individual Needs

Students with Visual Needs

Students with visual needs require some special considerations. Have them sit up front in your class, and ask them whether or not your notations on the board are large enough for them to see. If the type in the text appears too small for them, try to magnify it on an overhead transparency.

ADDITIONAL RESOURCES

Book *We Worship and Pray: The Mass and Traditional Catholic Prayers,* Hi-Time Pflaum, 2000. Use the pattern to make your own rosary book of prayers, Marian feasts, and mysteries.

To find more ideas for books, videos, and other learning material, visit Sadlier's

www.CREEMOSweb.com

María, modelo de discípulo

Meta catequética

• Investigar por qué María es la mayor entre los santos.

Preparandose para orar

Los estudiantes oirán las palabras sobre el amor de María y como cuida de ellos. Responderán con una letanía.

• Diga a los estudiantes que usted dirigirá la oración.

• Escoja a lectores que proclamen la escritura.

El lugar de oración

• Además de una Biblia, exhiba una imagen de María y un rosario.

NOS CONGREGAMOS

Líder: María es la madre de Jesús y nuestra madre. Ella cuida de nosotros y lleva todos nuestras necesidades a Jesús, su hijo. Piensa en algo que te preocupa. ¿Hay algo importante que necesitas? Vamos a llevar nuestras necesidades a nuestra madre, María. Pidámosles que las lleve a su hijo, Jesús. Respondemos María, llévalas a Jesús.

Lector 1: Por los necesitados en el mundo . . .

Lector 2: Por los necesitados en nuestro país. . .

Lector 3: Por los necesitados en nuestra parroquia . .

Líder: María, madre nuestra, ruega por nosotros.

Todos: Amén.

¿Qué personas admiras en tu comunidad? ¿Qué tienen esas personas que te inspiran a seguir su ejemplo?

CREEMOS

María es el discípulo de Jesús más importante.

María, la madre de Jesús, es también su primer y más fiel discípulo. María creyó en Jesús desde el momento en que Dios le pidió ser la madre de su Hijo.

Primero encontramos a María en la anunciación. **Anunciación** es el nombre dado a la visita del ángel a María anunciándole que ella iba a ser la madre del Hijo de Dios.

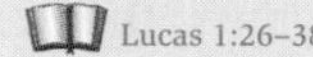

Dios envió al ángel Gabriel al pueblo de Nazaret en Galilea a visitar a una joven judía. Su nombre era María y ella estaba prometida en matrimonio con un hombre llamado José.

210

Planificación de la lección

NOS CONGREGAMOS ____ minutos

Oración

• Lea el texto sobre María como nuestra madre.

• Dirija la oración de apertura.

• Pida a los lectores hacer las peticiones.

• Anime a los estudiantes a desarrollar devoción por María. Dígales que muchas o culturales tienen títulos especiales para María y devociones para honrar y recordarla.

Mirando la vida

• **Pídale** a los estudiantes que identifiquen a las personas que admiran y que expliquen por qué las seguirían en sus ejemplos. En este capítulo los estudiantes aprenderán que María es un modelo perfecto de discipulado.

CREEMOS ____ minutos

Comparta la *Historia para el capítulo* de la página 210A de la guía. Recuerde a los estudiantes que María, nuestra madre, cuida de todos nosotros, especialmente de los pobres.

Pida a un voluntario que lea en voz alta el enunciado *Creemos* de la página 210. Pida a voluntarios que lean en voz alta el primer párrafo. Enfatice que María es el ejemplo perfecto del discipulado y creyó en Jesús desde el momento en que Dios le pidió que fuera su madre.

Lea en voz alta el segundo párrafo. Señale la palabra *anunciación.*

Pida a voluntarios que lean en voz alta los pasajes de la Escritura. Converse sobre los sentimientos que debió haber sentido María. Señale que María tenía tanta fe y confianza en Dios que aceptó su plan.

Mary, Model of Discipleship

WE GATHER

✝ **Leader:** We know Mary as the mother of Jesus and our mother, too. Mary cares about us. She will bring all our needs to Jesus, her son. Think quietly about anything you might be worried about. Is there anything important that you might need? Let us bring our needs to our mother, Mary. Let us ask her to bring them to her son.

The response to the following prayers is: "Mary, bring them to Jesus."

Reader 1: For those who are in need in the world. . .

Reader 2: For those who are in need in our country. . .

Reader 3: For those who are in need in our parish. . .

All: Amen.

 Who are some people in your community whom you admire? What is it about these people that makes you want to follow their example?

WE BELIEVE

Mary is Jesus' first disciple.

Mary, the mother of Jesus, is also his first and most faithful disciple. Mary believed in Jesus from the moment that God asked her to be the mother of his Son.

We first learn about Mary at the Annunciation. The **Annunciation** is the name given to the angel's visit to Mary at which the announcement was made that she would be the mother of the Son of God.

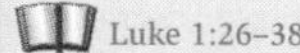

Luke 1:26–38

God sent the angel Gabriel to the town of Nazareth in Galilee to a young Jewish woman. Her name was Mary, and she was promised in marriage to a man named Joseph.

211

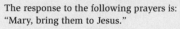

Catechist Goal

• To explore why Mary is the greatest of all saints

Preparing to Pray

The students will hear words about Mary's love and care for them. They will respond in a litany.

• Tell the students that you will be the prayer leader.

• Choose readers to proclaim the litany in honor of Mary.

The Prayer Space

• In addition to a Bible, display a picture of Mary and a rosary.

Lesson Plan

WE GATHER ____ minutes

✝ Pray

• Read the text on Mary as our mother.

• Lead the opening prayer.

• Have the readers pray the petitions.

• Encourage the students to develop a devotion to Mary. Tell them that many cultures have special titles and devotions by which they honor and remember Mary.

 Focus on Life

• **Ask** the students to identify people they admire and tell why they would follow their example. In this chapter the students will learn that Mary is a perfect model of discipleship.

WE BELIEVE ____ minutes

Share the *Chapter Story* on guide page 210B. Remind the students that Mary our mother cares about all of us, especially those who are poor.

Have a volunteer read aloud the *We Believe* statement on page 211. Have a volunteer read aloud the first *We Believe* paragraph. Emphasize that Mary is the perfect example of discipleship and believed in Jesus from the moment God asked her to become his mother.

Read aloud the second paragraph. Stress the word *Annunciation.*

Ask volunteers to read aloud the Scripture passages. Discuss the feelings that Mary might have experienced. Stress that Mary had great faith and trust in God to say yes to his plan.

Capítulo 19 • Pág. 212

Nuestra respuesta en la fe

• Apreciar la función de María en nuestras vidas y en la Iglesia y seguir su ejemplo.

anunciación

inmaculada concepción

asunción

Materiales

• 4–6 CD, patrón 19

Ideas

El Magnificat

El *Magnificat* o Cántico de María lo cantan u oran cada noche todos aquellos que oran la Liturgia de las Horas en los monasterios, iglesias y casas privadas.

Conexión con el hogar

Pregúntele a voluntarios maneras en que sus familias comparten con personas enfermas

El ángel dijo a María: "¡Te saludo, favorecida de Dios! El Señor está contigo" (Lucas 1:28). María no entendió lo que el ángel le quiso decir, entonces el ángel le dijo: "María, no tengas miedo, pues tú gozas del favor de Dios. Ahora vas a quedar encinta: tendrás un hijo, y le pondrás por nombre Jesús" (Lucas 1:30–31).

María dudó de la posibilidad. El ángel le dijo que ella concebiría un niño por el poder del Espíritu Santo: "Por eso el niño que va a nacer será llamado Santo e Hijo de Dios". (Lucas 1:35).

Y María dijo: "Yo soy esclava del Señor; que Dios haga conmigo como me has dicho" (Lucas 1:38).

María fue escogida por Dios entre todas las mujeres de la historia para ser la madre de su Hijo. Ella no sabía que esperar o cómo la gente reaccionaría. Sin embargo, la fe y el amor a Dios de María le permitieron aceptar la invitación.

María amó y cuidó de Jesús mientras él crecía y aprendía. Ella lo apoyó durante su ministerio. Ella estuvo al pie de la cruz cuando moría. Junto con los seguidores de Jesús esperó en oración por la venida del Espíritu Santo. En todas estas formas María es el ejemplo perfecto de discípulo y modelo para todos nosotros.

Igual que María necesitamos estar abiertos a las formas en que Dios nos llama. María nos enseña a confiar en la voluntad de Dios para nosotros. Cuando confiamos en Dios. mostramos que creemos en su amor.

Con un compañero conversen sobre situaciones en las que podemos mostrar que confiamos en Dios.

María es bendita entre las mujeres.

Cuando el ángel Gabriel visitó a María, él le dijo algo sorprendente acerca de su prima Isabel. Isabel, quien no había tenido hijos, estaba embarazada, a pesar de su avanzada edad.

Lucas 1:39–45

María fue a visitar a su prima Isabel y al esposo de esta, Zacarías. "Cuando Isabel oyó el saludo de María, la criatura se le movió en el vientre, y ella quedó llena del Espíritu Santo. Entonces, con voz muy fuerte, dijo: '¡Dios te ha bendecido más que a todas las mujeres, y ha bendecido a tu hijo!'" (Lucas 1:41–42).

Isabel también le dijo: "¡Dichosa tú por haber creído que han de cumplirse las cosas que el Señor te ha dicho!" (Lucas 1:45). María le respondió con el canto que conocemos como el Magnificat. Una versión de la oración es también un himno.

212

Planificación de la lección

CREEMOS (continuación)

Pida a los estudiantes que lean en silencio los siguientes párrafos. Enfatice lo siguiente:

• El Padre escogió a María para ser la madre de su Hijo, Jesús.

• María confió plenamente en los planes de Dios.

• María es el primer discípulo de Jesús y un ejemplo para nuestro discipulado.

Pida a los estudiantes que conversen con un compañero sobre situaciones en las que pueden mostrar su confianza en Dios y en como pueden animar a otros a confiar en Dios.

Pida a un voluntario que lea en voz alta el segundo párrafo *Creemos* y el párrafo que le sigue.

Pida a voluntarios que lean en voz alta el primero y el segundo párrafo de la historia de la Escritura del evangelio de Lucas. Señale que María quería compartir la buena nueva con su prima Isabel. Isabel la recibió como mujer bendecida o favorecida por Dios. María respondió alabando y agradeciendo a Dios por haberla escogido para tomar parte en nuestra salvación. Entonces diga "El cántico de María" y anime a los estudiantes a reflexionar en las palabras sobre María.

Pida a los estudiantes que lean en silenció los siguientes dos párrafos. Señale que *inmaculada concepción* significa que está libre del pecado original y siempre libre de pecado por el don único de gracia que le dio Dios por ser la madre de nuestro Señor. Creemos que María fue llevada en cuerpo y alma al cielo y lo llamamos la *asunción* de María.

The angel said to Mary, "Hail, favored one! The Lord is with you" (Luke 1:28). Mary did not understand what the angel meant, so the angel said, "Do not be afraid, Mary, for you have found favor with God. Behold, you will conceive in your womb and bear a son, and you shall name him Jesus" (Luke 1:30–31).

Mary questioned how this could be possible. The angel told Mary that she would conceive her child by the power of the Holy Spirit. "Therefore the child to be born will be called holy, the Son of God." (Luke 1:35)

And Mary said, "Behold, I am the handmaid of the Lord. May it be done to me according to your word"(Luke 1:38).

Mary was chosen by God from among all the women of history to be the mother of his Son. She did not know what to expect or how people would react. Yet Mary's faith and love for God brought her to accept his invitation.

Mary loved and cared for Jesus as he grew and learned. She supported Jesus throughout his ministry. She even stood by the cross as he died. Along with Jesus' followers she waited in prayer and with hope for the coming of the Holy Spirit. In all of these ways Mary is the perfect example of discipleship, and she is a model for all of us.

Like Mary we need to be open to the ways God may be calling us. Mary teaches us to trust in God's will for us. When we trust God, we show that we believe in his love for us.

With a partner discuss situations in which we show trust in God.

Mary is most blessed among women.

When the angel Gabriel visited Mary, he told her something amazing about her cousin Elizabeth. Elizabeth, who had not been able to have children, had become pregnant with a son, even in her old age.

Luke 1:39–45

Mary went to visit her cousin Elizabeth and Elizabeth's husband Zechariah. "When Elizabeth heard Mary's greeting, the infant leaped in her womb, and Elizabeth, filled with the holy Spirit, cried out in a loud voice and said, 'Most blessed are you among women, and blessed is the fruit of your womb'" (Luke 1:41–42).

Elizabeth then told Mary, "Blessed are you who believed that what was spoken to you by the Lord would be fulfilled" (Luke 1:45). Mary's response to Elizabeth is known as The Magnificat. A version of the prayer is also found as a song called the Canticle of Mary.

213

Our Faith Response

• To appreciate Mary's role in our lives and in the Church and to imitate her example

Annunciation

Immaculate Conception

Assumption

Lesson Materials

• Grade 5 CD, Reproducible Master 19

Teaching Note

The Magnificat

The *Magnificat* or Canticle of Mary is sung or prayed each evening by all that pray the Liturgy of the Hours in monasteries, churches, and private homes.

Home Connection Update

Ask volunteers to share ways their families cared for sick people.

Lesson Plan

WE BELIEVE (continued)

Have the students read silently the remaining *We Believe* paragraphs. Emphasize the following:

• God the Father chose Mary to become the mother of his Son, Jesus.

• Mary completely trusted in God's plans for her.

• Mary is the first disciple of Jesus and model for our own discipleship.

Ask the students to work in pairs to explore ways they show trust in God and ways they can encourage others to do the same.

Ask a volunteer to read aloud the second *We Believe* statement and the first paragraph.

Have volunteers read aloud the first two paragraphs of the Scripture story from the Gospel of Luke. Stress that Mary wanted to share the good news with her cousin Elizabeth. Elizabeth greeted her as someone blessed or favored by God. Mary responded by praising and thanking God for choosing her to have a special role in our salvation. Then play "The Canticle of Mary" and encourage the students to reflect on Mary's words.

Have the students read silently the last two *We Believe* paragraphs. Stress that Mary's *Immaculate Conception* means that she was free of original sin and always free from sin by God's unique gift of grace to her as the Mother of Our Lord. Also stress that we believe that Mary's body and soul were taken into heaven. This is called the *Assumption* of Mary.

Banco de actividades

Fe y medios

Ángeles

En esta lección los estudiantes leerán sobre el ángel Gabriel. Las imágenes de los ángeles a menudo están presentes en la cultura popular. Pida a los estudiantes que piensen sobre programas de televisión en los que han visto ángeles. Pídales que describan qué piensan que son los ángeles y qué se imaginan cuando escuchan la palabra ángel. Explique que de acuerdo a la enseñanza católica, los ángeles son mensajeros de Dios. Pídales que compartan sus reflexiones y hallazgos.

Parroquia

Orando el rosario

Materiales: un rosario para cada estudiante

Pida a los estudiantes que traigan un rosario de casa o que compren un rosario económico de plástico. Anímelos a reunirse con su comunidad parroquial para rezar el rosario.

Lucas 1: Canto de María

Proclama mi alma la grandeza del Señor.
Se alegra mi espíritu en Dios mi Salvador.

Porque ha mirado la humillación
de su esclava, de su esclava.
Desde a hora todas las gentes
siempre me felicitarán.

Lo que los católicos celebramos de María está basado en lo que creemos de su hijo, Jesucristo. María fue bendecida por Dios y escogida para ser la madre de su Hijo. Por esta razón, ella fue libre de pecado desde el momento de su concepción. Esta creencia es llamada **inmaculada concepción**.

Durante toda su vida María amó y obedeció a Dios. Porque María nunca pecó, ella era pura de corazón. Dios la bendijo de otra forma. Creemos que cuando el trabajo de María en la tierra terminó ella fue llevada en cuerpo y alma al cielo para vivir eternamente con Cristo resucitado. A esta creencia la llamamos **asunción**.

María es la mayor entre los santos.

Porque María esta cerca de Jesús, la Iglesia la honra como la más grande entre todos los santos. Santos son seguidores de Cristo que vivieron vidas santas en la tierra y ahora comparten la vida eterna con Dios en el cielo.

La Iglesia tiene muchos títulos para María. Estos títulos nos ayudan a entender el papel de María en nuestras vidas y en la vida de la Iglesia.

Santísima Virgen Aprendemos de la anunciación que María no estaba casada aún cuando el ángel la visitó. Ella era una virgen. Su hijo fue concebido por el poder del Espíritu Santo. María fue verdaderamente bendecida por Dios con el regalo de su Hijo. También creemos que María siguió virgen durante el resto de su vida. Llamamos a María, Santísima Virgen, Santísima Virgen María y Santísima Madre.

Madre de Dios Como madre de Jesús, María tuvo la alegría de tener un bebé. Ella cuidó de su hijo y lo amó. Ella rezó con él, y fue un ejemplo de amor y obediencia a Dios para él. Sin embargo, Jesús fue verdaderamente divino y humano. El es el Hijo de Dios, la segunda Persona de la Santísima Trinidad quien se hizo hombre. María es la Madre de Dios.

Madre de la Iglesia María es la madre de Jesús. Ella es también la madre de la Iglesia. Cuando Jesús estaba muriendo en la cruz él vio a su madre y al discípulo Juan al pie de la cruz. Jesús dijo a María: "Mujer, ahí tienes a tu hijo". El le dijo a Juan: "Ahí tienes a tu madre". (Juan 19:26, 27). María es la madre de todos los que creen y siguen a Cristo. María es la Madre de la Iglesia y también nuestra madre.

214

Planificación de la lección

Creemos (continuación)

Cotejo rápido

✔ *¿Qué es la anunciación?* (la visita del ángel que recibió María y la anunciación de que sería la madre del Hijo de Dios.)

✔ *¿Por qué se considera a María el ejemplo perfecto del discipulado?* (Ella creyó en Jesús desde el momento en que Dios le pidió que fuera la madre de su Hijo.)

Pida a un voluntario que lea en voz alta el tercer enunciado *Creemos*. Pida a voluntarios que lean en voz alta el texto. Enfatice los siguientes puntos:

- Se honra a María como la más importante entre todos los santos por su relación cercana a Jesús.
- El título de virgen bendita enfatiza que María fue virgen durante toda su vida. El nacimiento de Jesús fue virginal porque María concibió a su hijo, Jesús, por el poder del Espíritu Santo.
- A María se le conoce como Madre Santísima por su cuidado amoroso a Jesús y por su Iglesia.

Lea las instrucciones en voz alta. Invite a los estudiantes a decir cómo llaman a María. Haga una lista de los títulos de María en la pizarra. Sugiera algunos de los siguientes títulos de la Letanía de la Santísima Virgen María: Modelo de Madre, Espejo de la Justicia, Salud de los Enfermos, Consuelo de los Afligidos, Refugio de los Cristianos, Reina de todos los santos, Reina de Paz.

The Canticle of Mary
My soul proclaims the greatness
of the Lord.
My spirit sings to God, my
saving God,
Who on this day above all others favored me
And raised me up, a light for
all to see.

As Catholics, what we believe about Mary is based on what we believe about her son, Jesus Christ. Mary was blessed by God and chosen to be the mother of his Son. For this reason, she was free from original sin from the moment she was conceived. This belief is called the **Immaculate Conception**.

Throughout her life Mary loved and obeyed God. Because Mary did not sin, she had a pure heart. God blessed Mary in another way. We believe that when Mary's work on earth was done, God brought her body and soul to live forever with the risen Christ. This belief is called the **Assumption**.

Mary is the greatest of all the saints.

Because of Mary's closeness to Jesus, the Church honors her as the greatest of all the saints. Saints are followers of Christ who lived lives of holiness on earth and now share in eternal life with God in heaven.

The Church has many titles for Mary. These titles help us to understand Mary's role in our lives and in the life of the Church.

Blessed Virgin We learn from the Annunciation account that Mary was not yet married when the angel visited her. She was a virgin. Her son was conceived by the power of the Holy Spirit. Mary was truly blessed by God with the gift of his Son. We also believe that Mary remained a virgin throughout her married life. We call Mary the Blessed Virgin, the Blessed Virgin Mary, and the Blessed Mother.

Mother of God As the mother of Jesus, Mary went through the joys of having a baby. She cared for her son and loved him. She prayed with him, and was an example to him of love and obedience to God. However, Jesus was truly human and truly divine. He is the Son of God, the second Person of the Blessed Trinity who became man. So Mary is the Mother of God.

Mother of the Church Mary is Jesus' mother. She is the mother of the Church, too. As Jesus was dying on the cross he saw his mother and his disciple John at his feet. Jesus said to Mary, "Woman, behold, your son." He said to John, "Behold, your mother" (John 19:26, 27). Mary is the mother of all those who believe in and follow Jesus Christ. Mary is the Mother of the Church and our mother, too.

215

Activity Bank

Faith and Media

Angels

In this lesson the students read about the angel Gabriel. Images of angels are often present in popular culture. Ask students to reflect on TV shows and movies where they have seen angels. Have them describe what they think angels are and what they imagine when they hear the word *angel*. Explain that in Catholic teaching angels are defined as messengers of God. Have the students share reflections and information gathered.

Parish

Praying the Rosary

Activity Materials: rosary for each student

Have the students bring a rosary from home, or purchase inexpensive plastic rosaries. Encourage the students to gather with their parish communities when they pray the rosary.

Lesson Plan

WE BELIEVE (continued)

Quick Check

✔ *What is the Annunciation?* (the angel's visit to Mary and announcement that she would be the mother of the Son of God.)

✔ *Why is Mary the perfect example of discipleship?* (She believed in Jesus from the moment that God asked her to be the mother of his Son.)

Have a volunteer read aloud the third *We Believe* statement. Then have volunteers read aloud the *We Believe* text. Emphasize the following points:

• Mary is honored as the greatest of the saints because of her close relationship to Jesus.

• The title Blessed Virgin emphasizes that Mary was virginal her entire life. The birth of Jesus was virginal because by the power of the Holy Spirit Mary conceived her son, Jesus.

• Mary is called the Blessed Mother because of her loving care of Jesus and for his Church.

Read aloud the questions. Invite the students to name the ways they call upon Mary. List their titles for Mary on the board. Suggest some of the following from the Litany of the Blessed Virgin Mary: Model of motherhood, Mirror of justice, Health of the sick, Comfort of the troubled, Help of Christians, Queen of all saints, Queen of peace.

Ideas

Rosario

La palabra *rosario* significa "corona de rosas". Antiguamente, los rosarios se hacían de madera de roble y las personas los frotaban con los dedos durante los tiempos de angustia, pena y problemas. Se desconoce el origen específico del rosario católico. La primera referencia histórica al rosario viene de la vida de Santo Domingo, aproximadamente en el año 1221. Los misterios celebrados con el rosario honran y alaban a Dios por enviar a su Hijo a salvarnos. Nuestra salvación en Cristo comenzó cuando María aceptó la palabra y promesa de Dios.

Como católicos...

San José

Lea en voz alta el texto. También puede compartir Mateo 1:20–21 con los estudiantes. Pida a los estudiantes que conversen sobre la importancia de la vida de San José.

Hay muchos más títulos para María. Escuchamos esos títulos cuando rezamos una letanía a Maria. La palabra *letanía* viene del griego que significa oración. Con frecuencia las letanías a María se hacen con los títulos de María seguidos de un pequeño ruego. Por ejemplo rezamos: "Reina de la Paz, ruega por nosotros".

¿Cuáles son algunos de los nombres que das a María? ¿Cuáles otros títulos conoces?

La Iglesia recuerda y honra a María.

Los católicos en todo el mundo honran a María con la oración. Sin embargo, no adoramos a María ni le rendimos culto. Nuestra adoración pertenece sólo a Dios, Padre, Hijo y Espíritu Santo. Somos devotos de María y los santos por la forma en que ellos han respondido al gran amor de Dios. Pedimos a María que ruegue por nosotros y le pida a su hijo en nuestro nombre.

La Iglesia recuerda como Dios ha bendecido a María en sus oraciones y liturgia. Celebramos tiempos especiales en su vida como madre del Hijo de Dios. La Iglesia tiene muchas fiestas para honrar a María.

Hay devociones populares a María. Igual que las letanías y las novenas, rezar el rosario es una de esas devociones. Podemos rezar el rosario solos o con otros.

El rosario se reza usando un conjunto de cuentas con un crucifijo. El rosario se reza con Padrenuestros, Ave Marías y glorias. Eso crea un ritmo cadencioso en la oración durante la cual podemos reflexionar en momentos especiales en las vidas de Jesús y María.

Los misterios del rosario recuerdan esos momentos especiales. Recordamos diferentes misterios al inicio de cada decena del rosario. Puedes encontrar los misterios del rosario en la página 308.

RESPONDEMOS

María dijo sí a Dios toda su vida. Honra a María hoy rezando el rosario.

anunciación (pp 331)
inmaculada concepción (pp 332)
asunción (pp 331)

216

Como católicos...

Honramos a San José por su amor y cuidado por María y Jesús. No sabemos mucho de él. Sin embargo, sabemos que fue un hombre justo y que escuchó al ángel que Dios le envió.

Llamamos a Jesús, María y José la sagrada familia. Como padre adoptivo de Jesús, José cuidó de él. José y Maria rezaron con Jesús y le enseñaron la fe judía.

Las fiestas de San José se celebran el 19 de marzo y el 1 de mayo. Investiga algunas formas en que la Iglesia honra a José.

Planificación de la lección

CREEMOS (continuación)

Pida a un voluntario que lea en voz alta el enunciado de *Creemos* de la página 216. Pida a los estudiantes que trabajen con un compañero para leer y resaltar las ideas principales en *Creemos*. Pida a los estudiantes compartir sus respuestas y las ideas que subrayaron. Enfatice los siguientes:

- Honramos a María porque respondió al gran amor de Dios.
- La Iglesia honra a María con varias fiestas durante el año.
- El rosario es una oración a María

Vocabulario Repase las palabras. Pida a los estudiantes que escriban adivinanzas con las palabras *anunciación, inmaculada concepción* y *asunción*.

RESPONDEMOS ____ minutos

Recuerde a los estudiantes que María tiene una función especial en nuestras vidas y en la vida de la Iglesia. Pídales rezar juntos el rosario o una decena del rosario.

Distribuya copias del patrón 19. Puede pedir a los estudiantes que trabajen con un compañero para hacer la actividad ahora o que la completen en casa. Anime a los estudiantes a usar la Internet o materiales de la biblioteca para obtener más información sobre las festividades que escogieron. Comparta sus informes.

There are many more titles for Mary. We hear some of these titles when we pray a litany of Mary. The word *litany* comes from the Greek word for *prayer*. Often litanies of Mary are made up of a list of Mary's titles followed by a short request for her help. For example, we pray "Queen of Peace, pray for us."

What are some ways you call on Mary? What are some other titles for Mary that you know?

The Church remembers and honors Mary.

Catholics all over the world honor Mary through prayer. However, we do not worship or adore Mary. Our worship and adoration belong only to God, the Father, Son, and Holy Spirit. We are devoted to Mary and the saints because of the ways they have responded to God's great love. We ask Mary to pray for us and to speak to her son on our behalf.

In its prayer and liturgy the Church remembers the ways God blessed Mary. We celebrate the special times in her life as the mother of the Son of God. The Church has many feast days in Mary's honor.

There are also popular devotions to Mary. Like litanies and novenas, praying the rosary is one of these devotions. We can pray the rosary alone or with others.

The rosary is usually prayed using a set of beads with a crucifix attached. We pray the rosary by praying the Our Father, Hail Mary, and Glory to the Father over and over again. This creates a peaceful rhythm of prayer during which we can reflect on special times in the lives of Jesus and Mary. The mysteries of the rosary recall these special times. We remember a different mystery at the beginning of each set of prayers, or decade, of the rosary. You can find the mysteries of the rosary on page 320.

Annunciation (p. 334)
Immaculate Conception (p. 335)
Assumption (p. 334)

WE RESPOND

Honor Mary today by praying the rosary.

As Catholics...

We honor Saint Joseph for his love and care of Mary and Jesus. We do not know many things about him. However, we know that he was a just man who listened to the angel sent by God.

We call Jesus, Mary, and Joseph the Holy Family. As Jesus' foster father, Joseph took care of him. Joseph and Mary prayed with Jesus and taught him the Jewish faith.

Saint Joseph's feast days are March 19 and May 1. Find out some ways the Church honors him.

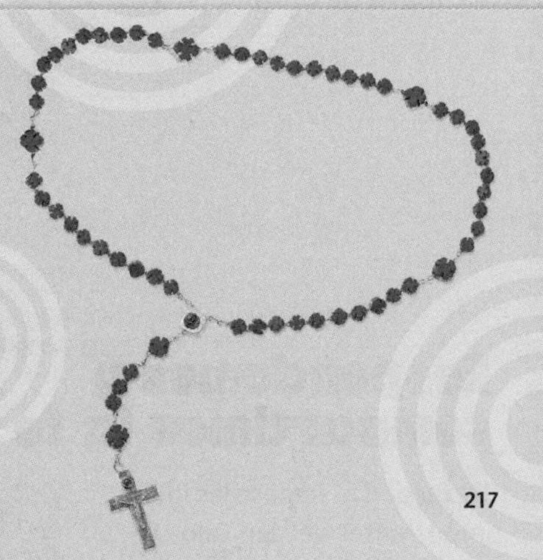

217

Chapter 19 • Page 217

Teaching Note
Rosary

The word *rosary* means "crown of roses." In the past, rosaries were made of oak wood and fingered during times of distress, sorrow, or trouble. The specific origins of the Catholic rosary are unknown. The first historical reference to the rosary is from the life of Saint Dominic around the year 1221. The mysteries celebrated in the rosary give honor and praise to God for sending his Son to save us. Our salvation in Christ began when Mary said yes to God's word and promise.

As Catholics...
Saint Joseph

Read aloud the text. You may also want to share Matthew 1:20–21 with the students. Ask the students to discuss the importance of Saint Joseph's life.

Lesson Plan

WE BELIEVE (continued)

Have a volunteer read aloud the *We Believe* statement on page 217. Have the students work with a partner to read and highlight the main ideas in the *We Believe* text. Ask students to share their responses and the main ideas they have highlighted. Emphasize the following points:

- We honor Mary because of the way she responded to God's great love.
- The Church honors Mary with many different feast days throughout the year.
- The rosary is a popular way we can pray to Mary.

Key Words Review the words. Have students write riddles for the words *Annunciation, Immaculate Conception,* and *Assumption.*

WE RESPOND ____ minutos

Remind the students that Mary has a special role in our lives and in the life of the Church. Pray together the rosary or one decade of the rosary.

Distribute copies of Reproducible Master 19. You may want to have the students work with their partners to complete the activity now or work on it at home. Encourage the students to use the Internet or library materials to research more information about their chosen feast days. Share their reports.

BANCO DE ACTIVIDADES

Doctrina social de la Iglesia

Llamado a la familia, a la comunidad y a la participación

La doctrina social de la Iglesia establece que "la familia es la institución social central que debe apoyarse y fortalecerse, pero nunca menospreciarse. En esta lección, los estudiantes aprenderán que a María a menudo se le llama Madre Bendita. María es la madre que cuida y ama a Jesús. También nos quiere a nosotros como una madre. Anime a los estudiantes a mostrar respeto a las mujeres que crían y alimentan a sus familias. Su maternidad es el fundamento sobre el cual la familia descansa y encuentra su estabilidad. Ayúdelos a reconocer la dignidad de las mujeres como compañeras igualitarias en el matrimonio que merecen nuestro respeto.

CONEXION CON EL HOGAR

Compartiendo lo aprendido

Recuérdele a los estudiantes compartir con sus familias lo aprendido en este capítulo.

Para más información y actividades adicionales visite a Sadlier

www.CREEMOSweb.com

Planifique por adelantado

Lugar de oración: Biblia, las palabras *fe, esperanza* y *caridad* en cartulinas separadas

Materiales: libros sobre santos, copias del patrón 22

_____ minutos

Repaso del capítulo Pida a los estudiantes que respondan las preguntas 1–8. Pida a voluntarios que den las respuestas. Use el repaso como una oportunidad de aprendizaje para aclarar cualquier mala interpretación que pueda surgir. Pídales que completen la pregunta 9–10.

Reflexiona y ora Ayude a los estudiantes a escribir una oración para agradecer a Dios por María y pedirle a María que nos ayude a vivir como discípulos de Cristo.

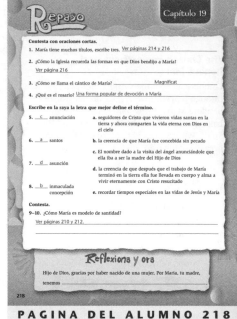

Repaso — Capítulo 19

Contesta con oraciones cortas.

1. María tiene muchos títulos, escribe tres. Ver páginas 214 y 216
2. ¿Cómo la Iglesia recuerda las formas en que Dios bendijo a María? Ver página 216
3. ¿Cómo se llama el cántico de María? Magnificat
4. ¿Qué es el rosario? Una forma popular de devoción a María

Escribe en la raya la letra que mejor define el término.

5. c anunciación
6. a santos
7. d asunción
8. b inmaculada concepción

a. seguidores de Cristo que vivieron vidas santas en la tierra y ahora comparten la vida eterna con Dios en el cielo

b. la creencia de que María fue concebida sin pecado

c. El nombre dado a la visita del ángel anunciándole que ella iba a ser la madre del Hijo de Dios

d. la creencia de que después que el trabajo de María terminó en la tierra ella fue llevada en cuerpo y alma a vivir eternamente con Cristo resucitado

e. recordar tiempos especiales en las vidas de Jesús y María

Contesta.

9–10. ¿Cómo María es modelo de santidad? Ver páginas 210 y 212.

Reflexiona y ora

Hijo de Dios, gracias por haber nacido de una mujer. Por María, tu madre, tenemos ______.

218

PAGINA DEL ALUMNO 218

Respondemos y compartimos la fe

_____ minutos

Recuerda Repase las ideas importantes del capítulo conversando sobre los cuatro enunciados. Escriba los cuatro enunciados *Creemos* en la pizarra. Forme cuatro grupos y asigne un enunciado a cada uno. Pida a los estudiantes que trabajen individualmente y que escriban una idea sobre su enunciado en una tira de papel. Recoja las tiras de papel.

Pídales que saquen las tiras de papel por turnos y que repitan el enunciado al cual se relaciona.

Nuestra vida católica Lea el texto en voz alta. Ayude a los estudiantes a entender que María tiene una función muy importante en la Iglesia católica. La Iglesia tiene miembros en todo el mundo. El altar nacional de la inmaculada concepción en Washington, D.C., es un lugar en el que podemos honrar y celebrar la función especial de María como patrona de Estados Unidos.

Respondemos y compartimos la fe

Compartiendo lo aprendido

Habla con tu familia sobre lo siguiente:
- la anunciación
- la inmaculada concepción
- la asunción
- títulos de María.

Recuerda
- María es el discípulo de Jesús más importante.
- María es bendita entre las mujeres.
- María es la mayor entre los santos.
- La Iglesia recuerda y honra a María.

Rezando en familia

Cuando buscamos tu protección,
Santa madre de Dios.
Escucha nuestras oraciones
y ayúdanos en nuestras necesidades.
Sálvanos de todo mal,
gloriosa y bendita virgen.

NUESTRA VIDA CATOLICA

El santuario de la Inmaculada Concepción

En 1847, el Papa Pio IX proclamó a María "patrona de los Estados Unidos" bajo el título de Inmaculada Concepción. Más tarde, los obispos de los Estados Unidos hicieron planes para construir un santuario nacional en Washington, D.C. en honor a María. Este se conoce como la Basílica del Santuario Nacional de la Inmaculada Concepción. Este santuario nacional es una gran iglesia donde gente de todas partes va a rezar. Dentro de la Basílica hay sesenta capillas hermosamente decoradas. Averigua a que vírgenes están dedicadas.

Visita Sadlier en www.CREEMOSweb.com

Conexión con el Catecismo
Para referencia vea los párrafos 494, 492, 963 y 971.

220

PAGINA DEL ALUMNO 220

_____ minutes

Chapter Review Have the students answer questions 1–8. Ask volunteers for answers. Use the review as a learning opportunity by clearing up any misconceptions that arise. Have the students complete question 9–10.

Reflect & Pray Help the students write a prayer thanking God for Mary and asking Mary for help in living as a disciple of Christ.

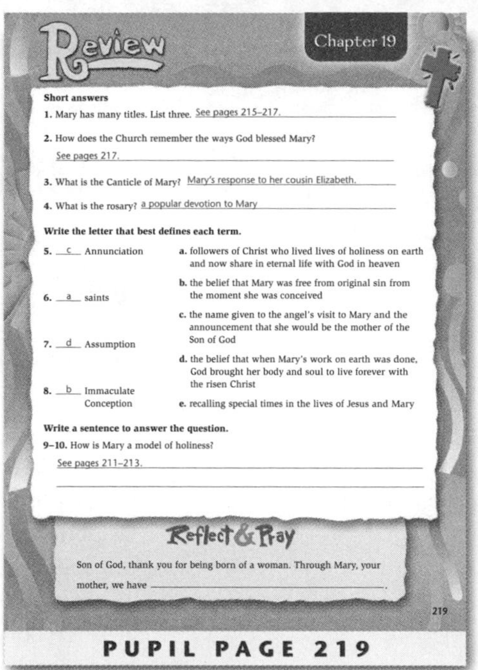

Review — Chapter 19

Short answers

1. Mary has many titles. List three. See pages 215–217.
2. How does the Church remember the ways God blessed Mary? See pages 217.
3. What is the Canticle of Mary? Mary's response to her cousin Elizabeth.
4. What is the rosary? a popular devotion to Mary

Write the letter that best defines each term.

5. c Annunciation
6. a saints
7. d Assumption
8. b Immaculate Conception

a. followers of Christ who lived lives of holiness on earth and now share in eternal life with God in heaven
b. the belief that Mary was free from original sin from the moment she was conceived
c. the name given to the angel's visit to Mary and the announcement that she would be the mother of the Son of God
d. the belief that when Mary's work on earth was done, God brought her body and soul to live forever with the risen Christ
e. recalling special times in the lives of Jesus and Mary

Write a sentence to answer the question.

9–10. How is Mary a model of holiness? See pages 211–213.

Reflect & Pray

Son of God, thank you for being born of a woman. Through Mary, your mother, we have ______.

219

PUPIL PAGE 219

We Respond and Share the Faith

_____ minutes

Remember Review the important ideas of the chapter by discussing the four statements. Write the four *We Believe* statements on the board. Form four groups. Give each group one of the statements. Ask the students to work individually and write one idea about their statement on a strip of paper. Collect the papers. Have them take turns drawing a slip and repeating the statement to which it relates.

Our Catholic Life Read aloud the text. Help the students realize that Mary has a very important role in the Catholic Church. The Church has members worldwide. The National Shrine of the Immaculate Conception in Washington, D.C., is a location where we can honor and celebrate Mary's special role as the patroness of the United States.

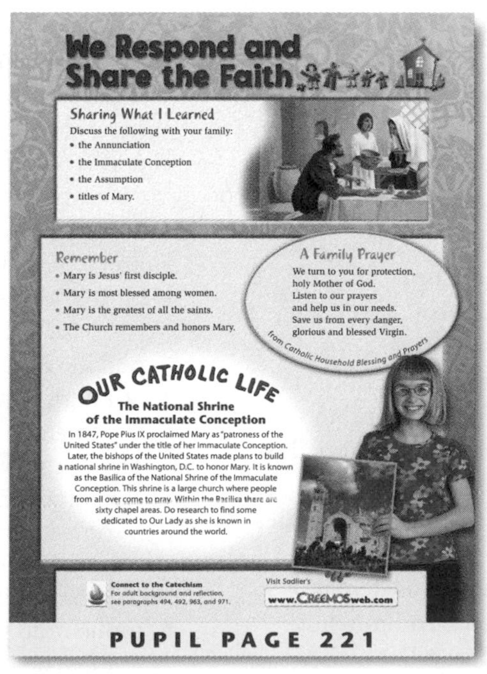

We Respond and Share the Faith

Sharing What I Learned

Discuss the following with your family:
- the Annunciation
- the Immaculate Conception
- the Assumption
- titles of Mary.

Remember
- Mary is Jesus' first disciple.
- Mary is most blessed among women.
- Mary is the greatest of all the saints.
- The Church remembers and honors Mary.

A Family Prayer

We turn to you for protection,
holy Mother of God.
Listen to our prayers
and help us in our needs.
Save us from every danger,
glorious and blessed Virgin.

from Catholic Household Blessing and Prayers

OUR CATHOLIC LIFE

The National Shrine of the Immaculate Conception

In 1847, Pope Pius IX proclaimed Mary as "patroness of the United States" under the title of her Immaculate Conception. Later, the bishops of the United States made plans to build a national shrine in Washington, D.C. to honor Mary. It is known as the Basilica of the National Shrine of the Immaculate Conception. This shrine is a large church where people from all over come to pray. Within the Basilica there are sixty chapel areas. Do research to find some dedicated to Our Lady as she is known in countries around the world.

Connect to the Catechism
For adult background and reflection, see paragraphs 494, 492, 963, and 971.

Visit Sadlier's www.CREEMOSweb.com

PUPIL PAGE 221

Activity Bank

Catholic Social Teaching

Call to Family, Community, and Participation

Catholic social teaching states that "the family is the central social institution that must be supported and strengthened, not undermined." In this lesson the students learn that Mary is often called the Blessed Mother. Mary is the caring, loving mother of Jesus. She also loves each of us as a mother. Encourage the students to show respect for women who nurture and nourish their families. Their motherhood is the foundation stone upon which the family rests and has its stability. Have them recognize the dignity of women as equal partners in marriage and worthy of our respect.

Home Connection

Sharing What I Learned

Remind the students to share with their families what they learned in this chapter.

For additional information and activities, encourage families to visit Sadlier's

www.CREEMOSweb.com

Plan Ahead for Chapter 22

Prayer Space: Bible; words *faith, hope,* and *love* on separate poster boards

Lesson Materials: books about saints, copies of Reproducible Master 22

Cuaresma

La razón de ser del tiempo de Cuaresma es la preparación para la Pascua: la liturgia cuaresmal prepara para celebrar el misterio pascual, tanto a los catecúmenos, haciéndolos pasar por los diversos grados de la iniciación cristiana, como a los fieles que rememoran el bautismo y hacen penitencia.

(Normas universales del Año litúrgico, 27)

Ojeada

En este capítulo los estudiantes aprenderán que el tiempo de la Cuaresma es tiempo de preparación para la gran celebración de la Pascua.

Para referencia vea los párrafos 559 y 1168 del *Catecismo de la Iglesia Católica*.

Referencia catequética

¿Cuál ha sido la reconciliación más importante que usted haya tenido con otra persona?

La Cuaresma es el tiempo en que la Iglesia se prepara para la gran celebración de la Pascua. Incluye oración litúrgica y personal, penitencia y obras de misericordia, justicia y paz. Dios llama a la comunidad de los fieles: "¡Vuélvanse ustedes al Señor su Dios, y desgárrense el corazón en vez de desgarrarse la ropa!" (Joel 2:13)

La Iglesia se centra en la preparación final de los catecúmenos quienes celebrarán los sacramentos de iniciación en la Vigilia Pascual, así como en la preparación de todos los creyentes para la renovación de su Bautismo.

Desde el Miércoles de Ceniza hasta la misa de la tarde de la Cena del Señor, el Jueves Santo, el pueblo de Dios fortalece su relación con Cristo. El Domingo de Ramos, la Iglesia celebra la entrada mesiánica de Jesús a la ciudad sagrada de Jerusalén. La Iglesia ora al unísono con aquellos que inicialmente le dieron la bienvenida con ramos de palma y "Hosanna". "Bendito el que viene en el nombre del Señor!" (Salmos 118:26).

Es el tiempo de reconciliación con Dios y los demás mientras nos preparamos para renovar nuestro Bautismo. Escuchamos el llamado de Jesús "Vuélvanse a Dios y acepten con fe sus buenas noticias" (Marcos 1:15).

¿Qué hará para fortalecer su relación con Cristo durante la Cuaresma?

Mirando la vida

Historia para el capítulo

Dimitri comenzó con el patinaje artístico a los cinco años. Había visto los juegos olímpicos de invierno en la televisión con sus padres. Se emocionaron tanto cuando un joven patinador de Rusia ganó la medalla de oro. "A los jóvenes en nuestra tierra nativa les encanta patinar", le dijeron a Dimitri. "Esperamos que a ti también te guste este maravilloso deporte".

Sus padres lo pusieron en clases de patinaje artístico con otros niños de su edad. A Dimitri le encantaba deslizarse con velocidad por el hielo, girando y saltando. Su instructor lo animó a inscribirse para recibir clases adicionales. Dimitri estuvo de acuerdo, aunque significara levantarse a las seis de la mañana para ir a las clases de patinaje antes de comenzar el día en la escuela.

A medida que fue creciendo, Dimitri observó que había menos varones en las clases de patinaje y se preguntaba por qué. Para cuando llegó al quinto curso, Dimitri comenzó a darse cuenta de que algunos de sus compañeros de clase consideraban que el patinaje artístico era estrictamente para niñas. Le ponían apodos a sus espaldas. Dimitri sentía que se le enrojecía el rostro y quería contestar con sus propios insultos a algunos de los insultos que recibía, pero se contenía y seguía de largo.

Más tarde, uno de los niños que se había burlado de Dimitri se le acercó en el pasillo. "Dimitri, siento haber hecho eso," se disculpó. "Simplemente le seguía la corriente a los demás chicos". Extendió la mano y continuó, "Avísame la próxima vez que vayas a competir. Me encantaría verte en acción".

Dimitri le dio la mano a su nuevo amigo. "Claro que lo haré", respondió, y se alejó caminando sintiéndose tan liviano como si acabara de hacer un doble giro en el aire.

¿Qué te indica sobre Dimitri su respuesta a la disculpa de su compañero de clase? ¿Y sobre su compañero de clase?

Lent is a preparation for the celebration of Easter. For the Lenten liturgy disposes both catechumens and the faithful to celebrate the Paschal Mystery: catechumens, through the several stages of Christian initiation; the faithful, through reminders of their own baptism and through penitential practices.

(Norms Governing Liturgical Calendars, 27)

Overview

In this chapter the students will learn that Lent is a season of preparation for the great celebration of Easter.

For Adult Reading and Reflection
You may want to refer to paragraphs 559 and 1168 of the *Catechism of the Catholic Church*.

Catechist Background

What has been your most meaningful experience of being reconciled with another person?

Lent is the season in which the Church prepares to celebrate the great feast of Easter. The process of preparation includes liturgical and personal prayer, penance, and the good works of mercy, justice, and peace. Through the voice of the prophet Joel, God calls the faith community to: "Rend your hearts, not your garments, / and return to the LORD, your God" (Joel 2:13).

The Church's focus during this penitential season includes the final preparation of catechumens, now called the elect, who will celebrate the sacraments of initiation at the Easter Vigil, as well as on the preparation of all believers for the renewal of their Baptism.

From Ash Wednesday until the Evening Mass of the Lord's Supper on Holy Thursday, the people of God strengthen their relationship with Christ. On Passion or Palm Sunday, the Church celebrates Jesus' messianic entry into the holy city of Jerusalem. In unison with those who first welcomed him with palm branches and "Hosanna," the Church prays, "Blessed is he / who comes in the name of the LORD" (Psalm 118:26).

Lent is the season of reconciliation with God and others as we prepare to renew our Baptism. We heed Jesus' insistent call: "Repent, and believe in the gospel" (Mark 1:15).

How will you help strengthen your relationship with Christ during Lent?

Focus on Life

Chapter Story

Dimitri began figure skating when he was five years old. He had watched the Winter Olympics on TV with his parents. They were so excited when a young skater from Russia won a gold medal. "Young people in our native land love to skate," they told Dimitri. "We hope you will love this wonderful sport, too."

His parents arranged for Dimiti to take figure skating lessons with other children his age. He loved flying across the ice, spinning, and jumping. His instructor encouraged him to sign up for extra lessons. Dimitri agreed, even though he would have to get up at 6 o'clock in the morning to fit the lesson in before the school day started.

As he grew older, Dimitri noticed that there were fewer boys in the skating classes. He wondered why. By the time he reached fifth grade, Dimitri began to realize that some of his classmates thought figure skating was strictly for girls. They called him names behind his back. Dimitri felt his face get red and he wanted to answer some of the insults with his own insults. Instead, he held his tongue and walked away.

Later, one of the boys who had laughed at Dimitri stopped him in the corridor. "Hey, I'm sorry I did that, Dimitri," he apologized. " I was just going along with the other guys." He stuck out his hand and added, "Let me know the next time you're competing. I'd like to see you in action."

Dimitri shook his new friend's hand. "O.K., I will," he replied, and walked away feeling almost as light as if he had completed a double axel!

What does Dimitri's response to his classmate's apology tell you about Dimitri? About the classmate?

Guía para planificar la lección

Pasos de la lección	Presentación	Materiales
1 NOS CONGREGAMOS		
pág. 222 **Introducción del tiempo**	• Leer la *Historia para el capítulo.* • Introducir el tiempo de Cuaresma. • Proclamar el verso de la bandera.	
pág. 222	• Hablar de la pregunta sobre autosuperación.	
2 CREEMOS		
pág. 222 *La Cuaresma es tiempo de preparación para la gran celebración de la Pascua.*	• Conversar sobre el tiempo de Cuaresma y su llamado a la oración, penitencia y obras de caridad. • Conversar sobre el Domingo de Ramos.	• fichas • tiza roja
3 RESPONDEMOS		
pág. 226	 Completar el plan de cuaresma.	• una rama de palma para cada niño (opcional) • tijeras (opcional)
pág. 226 **Respondemos en oración**	• Escuchar la lectura de la Escritura.  Responder cantando.	• artículos para el lugar de oración: una cruz, recipiente de agua bendita, recipiente con cenizas, vela morada o eléctrica, mantel violeta 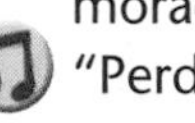 "Perdón Señor," 4–6 CD
pág. 228 **Respondemos y compartimos la fe**	• Explicar los proyectos individual y en grupo sobre la Cuaresma.	• copias del patrón 20 • lápices de colores

Planificación de la lección

Introducción del tiempo ____ minutos

• **Recen** la Señal de la Cruz y la oración *Espíritu Santo, ayúdanos a seguir a Cristo.*

• **Lea** en voz alta la *Historia para el capítulo* de la página 222A de la guía. Hable sobre la pregunta de seguimiento. Pida a voluntarios que identifiquen las cualidades que ven en ambos niños, por ejemplo: la valentía, humildad y voluntad de ser sinceros con ellos mismos. Pregunte: *¿Alguna vez han vivido una experiencia como la de Dimitri, en la que se sintieron bien con ustedes mismos después de perdonar a alguien o pedir que los perdonaran?*

• **Pida** a los estudiantes que abran sus textos a la página 222. Lea en voz alta el título del capítulo. Explique: *La Cuaresma es el tiempo de preparación para la Pascua. Es un tiempo de reconciliación con Dios y con los demás.*

• **Invite** a los estudiantes que compartan lo que saben sobre este tiempo.

• **Proclamen** juntos las palabras de la leyenda.

Lesson Planning Guide

Lesson Steps	Presentation	Materials
1 WE GATHER		
page 223 **Introduce the Season**	• Read the *Chapter Story.* • Introduce the season of Lent. • Proclaim the verse on the banner.	
page 223	• Discuss the question about self-improvement.	
2 WE BELIEVE		
page 223 *Lent is a season of preparation for the great celebration of Easter.*	• Discuss the season of Lent and its call to prayer, penance, and good works. • Discuss Passion (Palm) Sunday.	• index cards • red chalk
3 WE RESPOND		
page 227	Complete the Lenten plan.	• palm for each child (optional) • scissors (optional)
page 227 **We Respond in Prayer**	 • Listen to a reading from Scripture. Respond in song.	• for prayer space: cross; bowl of holy water; bowl of ashes; purple (or electric) candle, purple table covering "Sign Us with Ashes," #19, Grade 5 CD
page 229 **We Respond and Share the Faith**	• Explain the Lenten individual project. • Explain the Lenten group project.	• copies of Reproducible Master 20 • colored pencils

Lesson Plan

Introduce the Season ____ minutes

• **Pray** the Sign of the Cross and the prayer *Holy Spirit, help us to follow Christ.*

• **Read** aloud the Chapter Story on guide page 222B. Discuss the follow-up questions. Ask volunteers to identify qualities they see in both boys, such as courage, humility, and willingness to be true to themselves. Ask: *Have you ever had an experience like Dimitri's, when you felt good about yourself after forgiving someone or seeking forgiveness?*

• **Have** the students open their texts to page 223. Read aloud the chapter title. Explain: *Lent is our season of preparation for Easter. It is a time to be reconciled with God and with others.*

• **Invite** students to share what they know about the season of Lent.

• **Proclaim** together the words on the banner.

Meta catequética

• Enseñar que la Cuaresma es tiempo de preparación para la celebración de Pascua

Nuestra respuesta en la fe

• Escoger una forma de orar, ayunar o hacer obras de caridad en la Cuaresma

Materiales

• fichas, tiza roja, rama de palma para cada niño (opcional), tijeras (opcional), 4–6 CD, lápices de colores, copias del patrón 20

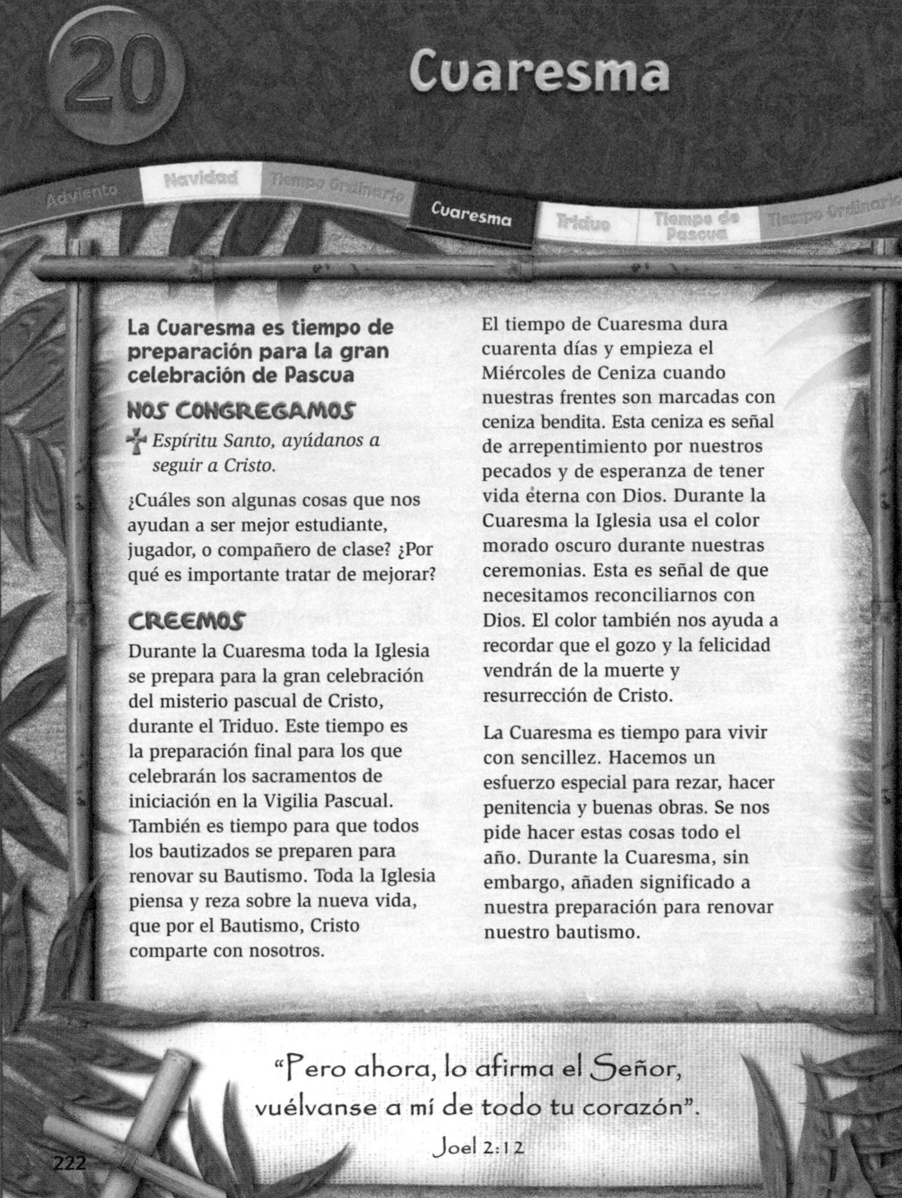

20
Cuaresma
Adviento
Navidad
Tiempo Ordinario
Cuaresma
Triduo
Tiempo de Pascua
Tiempo Ordinario
La Cuaresma es tiempo de preparación para la gran celebración de Pascua
NOS CONGREGAMOS
✝ Espíritu Santo, ayúdanos a seguir a Cristo.
¿Cuáles son algunas cosas que nos ayudan a ser mejor estudiante, jugador, o compañero de clase? ¿Por qué es importante tratar de mejorar?
CREEMOS
Durante la Cuaresma toda la Iglesia se prepara para la gran celebración del misterio pascual de Cristo, durante el Triduo. Este tiempo es la preparación final para los que celebrarán los sacramentos de iniciación en la Vigilia Pascual. También es tiempo para que todos los bautizados se preparen para renovar su Bautismo. Toda la Iglesia piensa y reza sobre la nueva vida, que por el Bautismo, Cristo comparte con nosotros.
El tiempo de Cuaresma dura cuarenta días y empieza el Miércoles de Ceniza cuando nuestras frentes son marcadas con ceniza bendita. Esta ceniza es señal de arrepentimiento por nuestros pecados y de esperanza de tener vida eterna con Dios. Durante la Cuaresma la Iglesia usa el color morado oscuro durante nuestras ceremonias. Esta es señal de que necesitamos reconciliarnos con Dios. El color también nos ayuda a recordar que el gozo y la felicidad vendrán de la muerte y resurrección de Cristo.
La Cuaresma es tiempo para vivir con sencillez. Hacemos un esfuerzo especial para rezar, hacer penitencia y buenas obras. Se nos pide hacer estas cosas todo el año. Durante la Cuaresma, sin embargo, añaden significado a nuestra preparación para renovar nuestro bautismo.
"Pero ahora, lo afirma el Señor, vuélvanse a mí de todo tu corazón".
Joel 2:12
222

RECURSOS ADICIONALES

Libro *¿Qué haré este año para la Cuaresma?* Paul Turner, Spanish Speaking Bookstore.

Para ideas, visite a Sadlier en

www.CREEMOSweb.com

Planificación de la lección

NOS CONGREGAMOS ____ minutos

Mirando la vida Pida a voluntarios que respondan con pantomimas a las preguntas en *Nos congregamos*. Haga una lista en la pizarra de algunas palabras que los estudiantes usaron para describir como mejorar o "ponerse en forma". Indique que sin importar en que actividad queremos mejorar, tenemos que dedicarnos a ciertos compromisos y cumplirlos fielmente.

• **Explique:** *Hoy investigaremos el tiempo de Cuaresma y descubriremos las actividades que nos ayudan a prepararnos para la fiesta de Pascua.*

CREEMOS ____ minutos

• **Pida** a un voluntario que lea en voz alta el enunciado *Creemos*. Pida a los estudiantes que lean y subrayen las frases importantes de los primeros 3 párrafos en *Creemos*. Pida a los estudiantes que expliquen por qué las eligieron. Señale que nos estamos preparando para celebrar el misterio pascual de Cristo en el Triduo de Pascua. Y para renovar nuestro Bautismo al orar, hacer penitencias (o ayunar) y obras de bien (hacer obras de caridad o dar dinero a los necesitados).

• **Forme** tres grupos, uno para cada actividad cuaresmal. Dé a cada grupo tres fichas. Pida a los estudiantes que escriban tres formas importantes de efectuar estas actividades durante la Cuaresma. Luego, invite a cada grupo a compartir lo que ha escrito sobre la oración, penitencia y obras de bien.

• **Escriba** en la pizarra con letras grandes rojas: Domingo de Ramos. Pida a los estudiantes que lean en silencio el primer párrafo para averiguar cuando celebramos este domingo y por qué lo celebramos. Pídales que lean en silencio la historia del evangelio (Mateo 21:1–11). Luego

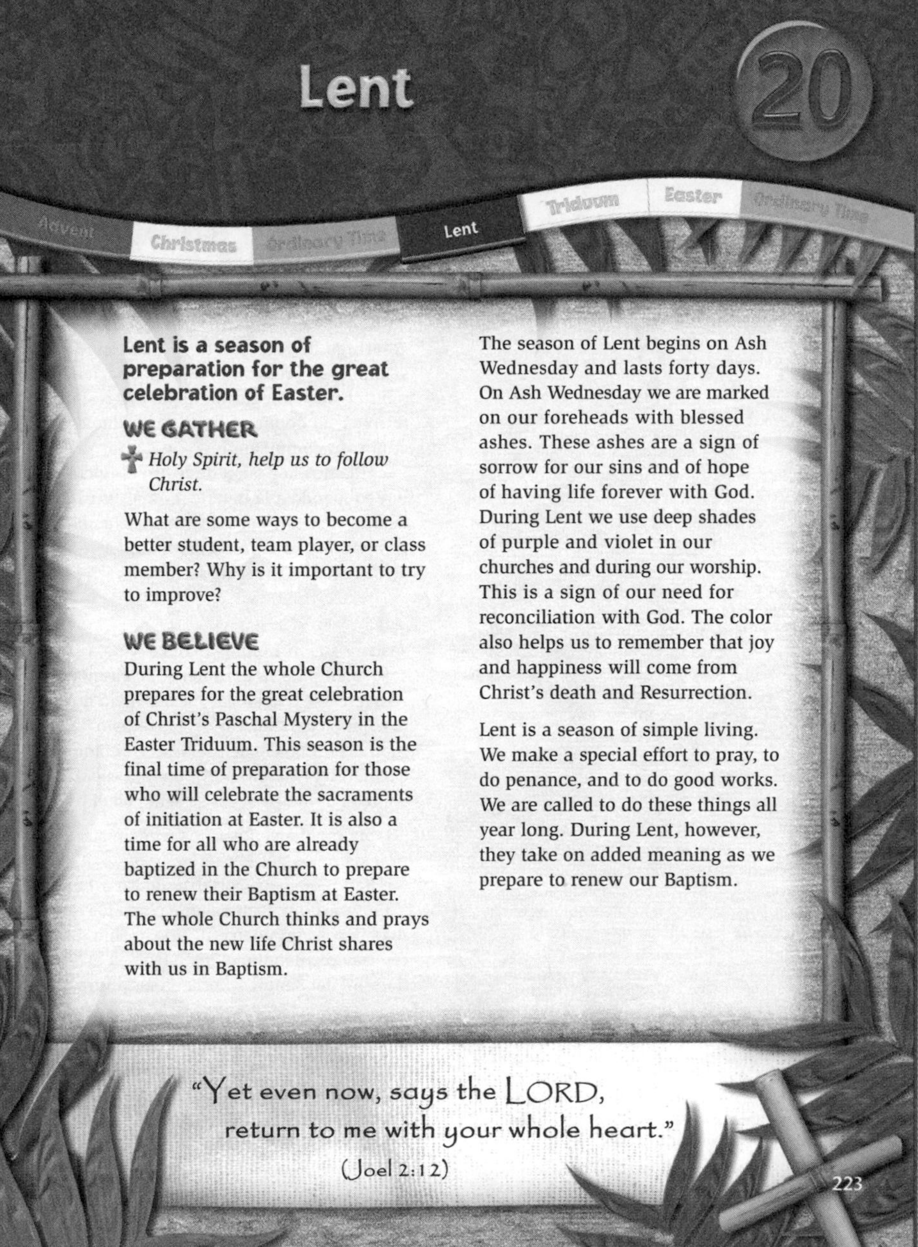

Lent
20
Advent
Christmas
Ordinary Time
Lent
Triduum
Easter
Ordinary Time
Lent is a season of preparation for the great celebration of Easter.
WE GATHER
Holy Spirit, help us to follow Christ.
What are some ways to become a better student, team player, or class member? Why is it important to try to improve?
WE BELIEVE
During Lent the whole Church prepares for the great celebration of Christ's Paschal Mystery in the Easter Triduum. This season is the final time of preparation for those who will celebrate the sacraments of initiation at Easter. It is also a time for all who are already baptized in the Church to prepare to renew their Baptism at Easter. The whole Church thinks and prays about the new life Christ shares with us in Baptism.
The season of Lent begins on Ash Wednesday and lasts forty days. On Ash Wednesday we are marked on our foreheads with blessed ashes. These ashes are a sign of sorrow for our sins and of hope of having life forever with God. During Lent we use deep shades of purple and violet in our churches and during our worship. This is a sign of our need for reconciliation with God. The color also helps us to remember that joy and happiness will come from Christ's death and Resurrection.
Lent is a season of simple living. We make a special effort to pray, to do penance, and to do good works. We are called to do these things all year long. During Lent, however, they take on added meaning as we prepare to renew our Baptism.
"Yet even now, says the LORD, return to me with your whole heart." (Joel 2:12)
223

Catechist Goal

- To teach that Lent is a season of preparation for the great celebration of Easter.

Our Faith Response

- To choose one way to pray, fast, or give alms during Lent

Lesson Materials

- index cards; red chalk; palm branch for each child (option); scissors (option); Grade 5 CD; colored pencils; copies of Reproducible Master 20

ADDITIONAL RESOURCES

Book *Bible Stories for the 40 Days,* Melissa Musick Nussbaum, Liturgy Training Publications, 1997. This book has a story for each day of Lent, from Ash Wednesday to Holy Thursday.

To find more ideas for books, videos, and other learning material, visit Sadlier's

www.CREEMOSweb.com

Lesson Plan

WE GATHER ____ minutes

Focus on Life Have volunteers pantomime various responses to the *We Gather* questions. List on the board some of the words used by the students to describe ways to improve. Point out that no matter what activity we want to improve at, we have to dedicate ourselves to certain practices and be faithful to them.

• **Explain:** *Today we will explore the season of Lent and discover what practices help us to prepare for the feast of Easter.*

WE BELIEVE ____ minutes

• **Have** a volunteer read aloud the *We Believe* statement. Have the students read and underline important sentences in the first three *We Believe* paragraphs. Ask the students to explain their choices. Point out that we are preparing to celebrate Christ's Paschal Mystery in the Easter Triduum. Also, we are getting ready to renew our Baptism by praying, doing penance (or fasting), and good works (including the giving of alms, or money, to those in need).

• **Form** three groups. Give each group three index cards. Have the students in each group read about all three Lenten practices and then write down three important ways we can carry out each practice during Lent. Invite each group to share what it has written about prayer, penance, and good works.

• **Print** in large red letters on the board: *Passion (Palm) Sunday.* Have students read silently the first paragraph to find out when we celebrate this Sunday and why we celebrate it. Have them silently read the gospel story (Matthew 21:1–11). Then have three volunteers serve as narrators and the rest of the group portray the crowd that greeted Jesus on the first Palm Sunday.

Capitulo 20 • Cuaresma

Banco de actividades

Conexión con el currículo

Arte

Materiales: ramas de palma y sauce, o papel de estraza, tijeras, pegamento, espigas, cinta roja o papel crepé

En preparación para leer el evangelio del Domingo de Ramos, forme grupos pequeños o para hacer ramas de palma que puedan llevar en la procesión. Si tienen disponible ramas de palma o sauce, pida a los estudiantes que las separen. Luego pídales que aten una de cada tipo con una cinta y peguen cintas decorativas. De lo contrario, pida a los estudiantes que corten frondas en forma de palma con papel verde doblado y péguelos en espigas. Cuelgue de las espigas cintas o tiras de papel crepé.

Ideas

Sacramentales de la Cuaresma

Entre los sacramentales de la Cuaresma están las cenizas, las palmas, el agua bendita, la cruz y el crucifijo. Exhiba estos objetos en el lugar de oración para que los estudiantes se familiaricen con ellos.

Penitencia La Cuaresma es tiempo de conversión, de volverse a Dios con todo el corazón. Dios constantemente nos llama a estar con él y a responder a su amor. La Cuaresma es tiempo especial para pensar acerca de las formas en que podemos cumplir la ley de Dios. Es tiempo para cambiar nuestras vidas para que podemos ser mejores discípulos de Cristo.

La penitencia es parte importante de esta conversión. Hacer penitencia nos ayuda a volver a Dios y a centrarnos en las cosas que son importantes en nuestras vidas de cristianos. Hacer penitencia es una forma de mostrar que estamos arrepentidos de nuestros pecados. Nuestra penitencia repara nuestra amistad con Dios y con el cuerpo de Cristo, la Iglesia.

Podemos hacer penitencia dejando de hacer cosas que nos gustan. Como dejar de hacer nuestra actividad favorita o comer nuestra comida favorita. También podemos ayunar. Los católicos adultos hacen penitencia ayunando el Miércoles de Ceniza y dejando de comer carne los viernes de Cuaresma.

Oración En la Cuaresma tratamos de dar más tiempo a Dios, y la oración nos ayuda. Podemos dedicar tiempo extra a la oración diaria y a la alabanza. Podemos pasar más tiempo leyendo y reflexionando en la Escritura. Podemos rezar especialmente por los que se están preparando para recibir los sacramentos de iniciación cristiana. Podemos reunirnos en nuestras parroquias para rezar el vía crucis (ver página 306) y para celebrar el sacramento de la Reconciliación.

Buenas obras En la Cuaresma también mostramos especial interés por los necesitados. Una forma de hacer penitencia es practicando una obra de misericordia o dando nuestro tiempo de manera especial. Seguimos el ejemplo de Jesús de dar de comer a los hambrientos y de cuidar de los enfermos. Tratamos de ayudar a otros a tener lo que necesitan y a asegurarnos de que la gente tiene lo que por ley le corresponde. Muchas parroquias recogen ropa y comida durante este tiempo. Familias se ofrecen de voluntarias para trabajar en las cocinas populares, visitar a los enfermos y practicar obras de misericordia. Recordamos que las buenas obras deben hacerse durante todo el año.

Domingo de Ramos Después de cinco semanas de preparación orando, haciendo penitencia y buenas obras, la Cuaresma termina. El domingo antes del Triduo es conocido como Domingo de Ramos. Recordamos la pasión de Jesús: el juicio que lo mandó a la muerte, que Jesús carga la cruz y su sufrimiento y muerte. También celebramos su entrada triunfante a Jerusalén días antes de su muerte.

Mateo 21:1–11

Jesús y sus discípulos iban camino a Jerusalén para la gran fiesta de Pascua. Al acercarse a la ciudad, Jesús envió dos discípulos para buscar un burro para montarse. Ellos hicieron los que él pidió. Cuando regresaron, pusieron una capa sobre el animal y Jesús se sentó en él.

"Había mucha gente. Unos tendían sus propias ropas por el camino, y otros tendían ramas que cortaban de los árboles. Y tanto los que iban delante como los que iban detrás, gritaban: "¡Gloria al Hijo del rey David! ¡Bendito el que viene en el nombre del Señor! ¡Gloria en las alturas!"

Cuando Jesús entró en Jerusalén, toda la ciudad se alborotó, y muchos preguntaban: ¿Quién es este? Y la gente contestaba: "Es el profeta Jesús, el de Nazaret de Galilea".
(Mateo 21:8–11).

224

Planificación de la lección

CREEMOS (continuación)

pida a tres voluntarios que sirvan de narradores y al resto del grupo que representen la multitud que daba la bienvenida a Jesús el primer Domingo de Ramos.

• **Pida** a voluntarios que escenifiquen una entrevista de una "persona en la calle". Escoja a un estudiante para el reportero y a otro para la "persona en la calle" que vio a Jesús entrando a Jerusalén. Indique al "reportero" que pregunte: *¿Qué pasó? ¿Qué vio y qué oyó? ¿Cómo reaccionó la multitud?*

Cotejo rápido

✔ *¿Qué hacemos durante el tiempo de la Cuaresma?* (Durante la Cuaresma nos preparamos para renovar nuestro bautismo en la gran fiesta de Pascua. Oramos y hacemos penitencias y obras de bien.)

✔ *¿Por qué hacemos una alegre procesión el Domingo de Ramos?* (El Domingo de Ramos nuestra alegre procesión recuerda la entrada de Jesús a Jerusalén unos días antes del inicio de su pasión.)

• **Invite** a voluntarios a leer en voz alta el resto del texto de *Creemos*. Pregunte: *¿Por qué es tan diferente el Domingo de Ramos?* Señale el alegre inicio de la misa y, en contraste, la sombría lectura de la pasión.

• **Converse** sobre las fotos. Pregunte: *¿Qué está ocurriendo en la misa? ¿Qué está ocurriendo en la foto de la procesión?*

• **Distribuya** ramas individuales de palma y tijeras. Pida a los estudiantes que hagan cruces simples de palma cortando dos tiras y haciendo dos pequeñas ranuras en una de las tiras a través de las cuales introducir la otra en forma de cruz. Comparta sobre la familia y las tradiciones y actividades de la parroquia para el Domingo de Ramos.

Penance. Lent is a time of conversion, of turning to God with all our hearts. God constantly calls us to be with him and to respond to his love. Lent is a special time to think about the ways we follow God's law. It is a time to change our lives so that we can be better disciples of Christ.

Penance is an important part of this conversion. Doing penance helps us to turn back to God and to focus on the things that are important in our lives as Christians. Doing penance is a way to show that we are sorry for our sins. Our penance restores our friendship with God and the Body of Christ, the Church.

We may do penance by giving up things we enjoy, like a favorite food or activity. We can also do without, or fast, from these things. Catholics of certain ages do penance by fasting from food on Ash Wednesday or not eating meat on the Fridays during Lent.

Prayer. During Lent we try to give more time to God, and prayer helps us to do this. In Lent we may devote extra time to daily prayers and worship. We can spend more time reading and reflecting on Scripture. We can pray especially for those who are preparing to receive the sacraments of Christian initiation. We can gather with our parishes for the stations of the cross (found on page 306) and for the celebration of the sacrament of Reconciliation.

Good Works. During Lent we also show special concern for those in need. A way to do penance is to practice a work of mercy or to give of our time in a special way. We follow Jesus' example of providing for the hungry and caring for the sick. We try to help other people get the things they need and to make sure that people have what is rightfully theirs. Many parishes have food and clothing drives during this time of year. Families may volunteer at soup kitchens, visit those who are sick, and practice other works of mercy. We remember that good works should happen all year long.

Passion (Palm) Sunday After five weeks of preparing through prayer, penance, and doing good works, Lent is nearly over. The Sunday before the Easter Triduum is known as Passion Sunday. This Sunday is also called Palm Sunday. We recall Jesus' passion: the judgment to put him to death, his carrying of the cross, and his suffering and dying on the cross. We also celebrate his joyous entrance into Jerusalem just days before he was to die.

Matthew 21:1–11

Jesus and his disciples were traveling to Jerusalem for the great feast of Passover. As they neared the city, Jesus sent two disciples ahead to find a mule on which he could ride. They did as Jesus ordered. When they returned they placed their cloaks upon the animal, and Jesus sat upon it.

"The very large crowd spread their cloaks on the road, while others cut branches from the trees and strewed them on the road. The crowds preceding him and those following kept crying out and saying:

'Hosanna to the Son of David;
blessed is he who comes in the
name of the Lord;
hosanna in the highest.'

225

LENT

Chapter 20 • Lent

Activity Bank

Curriculum Connection

Art

Activity Materials: palm and willow branches, or green construction paper, scissors, glue, dowels; strips of red ribbon or crepe paper

In preparation for reading the Palm Sunday gospel, have partners or small groups make palm branches to wave in a procession. If palm and willow branches are available, have students separate them. Then have them tie one of each to the other with ribbon and attach ribbon streamers. Otherwise, have students cut palm-shaped fronds from folded green paper and attach to dowels. Hang ribbon or crepe paper streamers from the dowels.

Teaching Tip

Lenten Sacramentals

Sacramentals of Lent are blessed ashes, palms, holy water, the cross, and the crucifix. Make these sacred objects evident in the prayer space so that the students become familiar with them.

Lesson Plan

We Believe (continued)

• **Ask** two volunteers to act out a "person in the street" interview. Have one student be a reporter and the other a "person in the street" who saw Jesus entering Jerusalem. Prompt the "reporter" to ask: *What happened? What did you see and hear? What was the reaction of the crowd?*

Quick Check

✔ *What do we do during the season of Lent?* (During Lent we prepare to renew our Baptism at the great feast of Easter. We pray, do penance, and good works.)

✔ *Why do we have a joyful procession on Passion (Palm) Sunday?* (On Palm Sunday our joyful procession recalls Jesus' entrance into Jerusalem a few days before his passion began.)

• **Invite** volunteers to read aloud the rest of the *We Believe* text. Ask: *What's so unusual about Palm Sunday?* Stress the joyful beginning of the Mass and then, in contrast, the somber reading of the Passion.

• **Discuss** the photos. Ask: *What is happening at Mass? What is happening in the procession photo?*

• **Distribute** single palm branches and scissors if possible. Have the students make simple palm crosses by cutting two strips and making a small slit in one strip through which the other may be inserted as a cross beam. Discuss family and parish palm traditions and practices.

Preparandose para orar

Los estudiantes responderán a la lectura bíblica con una canción.

- Escoja a un líder y a un lector quienes prepararán sus partes en este momento.
- Practique "Perdón, Señor", 4–6 CD.

El lugar de oración

- Pida a los estudiantes colocar algunas sacramentales en la mesa de oración.
- Si se permite, encienda la vela o use una vela eléctrica.

Conexion

Misión

Materiales: revistas de misiones

Invite a un misionero para que describa la vida de los jóvenes donde él trabaja. El misionero podría invitar a los estudiantes a ayunar durante la Cuaresma como acto de amistad.

El significado original en hebreo de la palabra hosanna es "Oh Señor, gran salvación". Pero se ha convertido en una exclamación de alegría y bienvenida. La multitud estaba contenta de ver a Jesús.

En el Domingo de Ramos, se hace una alegre procesión para celebrar la entrada de Jesús a Jerusalén. Nos reunimos afuera de la iglesia y se bendicen ramas de palma. Escuchamos la historia de la entrada de Jesús a Jerusalén y una corta homilía. La procesión se dirige a la iglesia. Todos cantamos hosanna y movemos nuestras palmas para alabar y dar la bienvenida a Jesús.

Cuando llegamos a la iglesia, se inicia la misa. Durante la Liturgia de la Palabra, en el evangelio se lee la pasión de nuestro Señor Jesucristo. Nos ayuda a preparar para la celebración del Triduo Pascual que se iniciará el Jueves Santo.

Las ramas de palma bendecidas el Domingo de Ramos nos recuerdan que la Cuaresma es tiempo de renovación y esperanza. Muchas personas ponen sus ramas cerca de una cruz o de un crucifijo en sus casas. Las ramas muchas veces se quedan ahí hasta el próximo Domingo de Ramos. Las ramas son quemadas antes de la Cuaresma para usar las cenizas el Miércoles de ceniza.

RESPONDEMOS

¿En qué formas puedes acercarte a Cristo y a otros durante la Cuaresma?

Rezaré

____

Regresaré a Dios

____

Cuidaré de los necesitados

____

Respondemos en oración

Líder: El Señor nos llama a hacer penitencia y a tener misericordia. Bendito sea el nombre del Señor.

Todos: Ahora y siempre.

Lector: Lectura del libro de Joel
"Pero ahora, lo afirma el Señor, vuélvanse a mí de todo corazón. ¡Ayunen, giten y lloren! Vuélvanse ustedes al Señor su Dios, y desgárrense el corazón en vez de desagarrarse la ropa! Porque el Señor es tierno y compasivo, paciente y todo amor" (Joel 2:12–13).

Palabra de Dios.

Todos: Demos gracias a Dios.

Perdón, Señor

Estribillo:
Perdón, Señor, perdón.

Misericordia, mi Dios, por tu bondad.
Por tu inmensa compasión borra mi culpa. (Estribillo)

Lava del todo mi
delito y limpia
todo mi pecado.
(Estribillo)

Planificación de la lección

RESPONDEMOS ____ minutos

Conexión con la vida Lea en voz alta las preguntas. Puede optar por poner música instrumental del tiempo mientras los estudiantes completan sus planes de Cuaresma. Pida a voluntarios que compartan sus planes.

Respondemos en oración ____ minutos

- **Reúnanse** en el lugar de oración. Dirija al grupo para que hagan el signo de la cruz en la frente con el pulgar derecho. Diga: *"Márquenos con cenizas, la señal de la cruz"*.
- **Comience** el servicio de oración con la invitación a orar del líder.
- **Después** de la lectura, canten juntos *"Márquenos con cenizas"*.
- **Concluya** invitando a los estudiantes, según salgan del lugar de oración, a poner el dedo dentro de un recipiente de cenizas o de agua bendita para bendecirse con la señal de la cruz.

And when he entered Jerusalem the whole city was shaken and asked, 'Who is this?' And the crowds replied, 'This is Jesus the prophet, from Nazareth in Galilee.'" (Matthew 21:8–11)

The original Hebrew meaning of the word *hosanna* is "O Lord, grant salvation." But it had come to be an acclamation of joy and welcome. The crowds were overjoyed to see Jesus.

On Passion Sunday, a joyful procession takes place to celebrate Jesus' entrance into Jerusalem. We may gather away from the church building, and palm branches are blessed with holy water. We listen to the story of Jesus' entrance into Jerusalem and a short homily. The procession then begins to the church. We all sing hosanna and wave our branches to praise and welcome Jesus.

When we arrive at the church, Mass begins. During the Liturgy of the Word the gospel reading is the Passion of our Lord Jesus Christ. This gospel reading helps to prepare us for the celebration of the Easter Triduum that will begin on Holy Thursday evening.

The palm branches that are blessed on Passion Sunday remind us that Lent is a time of renewal and hope. Many people place these branches near the cross or crucifix in their home. The palm branches often remain there until Passion Sunday the following year. These branches are also burned before Lent of the next year to make ashes for the Ash Wednesday celebration.

WE RESPOND

In what ways can you grow closer to Christ and others this Lent?

I will pray by

____

I will turn to God by

____

I will care for the needs of others by

____

LENT

We Respond in Prayer

Leader: The Lord calls us to days of penance and mercy. Blessed be the name of the Lord.

All: Now and for ever.

Reader: A reading from the Book of Joel

"Yet even now, says the LORD,
return to me with your whole heart,
with fasting, and weeping, and mourning;
Rend your hearts, not your garments,
and return to the LORD, your God.
For gracious and merciful is he,
slow to anger, rich in kindness."
(Joel 2:12–13)

The word of the Lord.

All: Thanks be to God.

Sign Us with Ashes

Refrain:
Sign us with ashes, the sign of your cross.
Give us the grace to know your mercy, Lord.
Renew our spirits and open our hearts.
Help us remember the love you gave us.
Help us pray so we might be closer to you and to God's family.
(Refrain)

227

PREPARING TO PRAY

The students will respond to Scripture by singing a seasonal song.

- Choose a leader and a reader who will prepare their parts at this time.
- Practice "Sign Us with Ashes," #19 on the Grade 5 CD.

The Prayer Space

- Have students place some sacramental on the prayer table.
- If allowed, light the candle or turn on an electric candle as a substitute.

CONNECTION

To Mission

Activity Materials: mission magazines

Invite a missioner to describe the life of the young people where he or she is working. The missioner might then invite the students to fast during Lent as an act of friendship. The money saved can be sent to the missioner.

Lesson Plan

WE RESPOND ____ minutes

Connect to Life Read aloud the question. You might choose to play seasonal instrumental music while students complete their Lenten plans. Ask volunteers to share their plans.

We Respond in Prayer ____ minutes

- **Gather** in the prayer space. Lead the group in making the sign of the cross on their foreheads with their right thumbs. Say: *"Sign us with ashes, the sign of your cross."*
- **Begin** the prayer service with the Leader's invitation to prayer.
- **After** the reading, sing "Sign Us with Ashes" together.
- **As** a conclusion, invite the students, as they leave the prayer space, to dip their fingers into *either* the bowl of ashes or the holy water and to bless themselves with the sign of the cross.

CONEXION CON EL HOGAR

Compartiendo lo aprendido

Recuérdele a los estudiantes compartir con sus familias lo aprendido en este capítulo.

Para más información y actividades adicionales, invite a las familias a visitar Sadlier en

www.CREEMOSweb.com

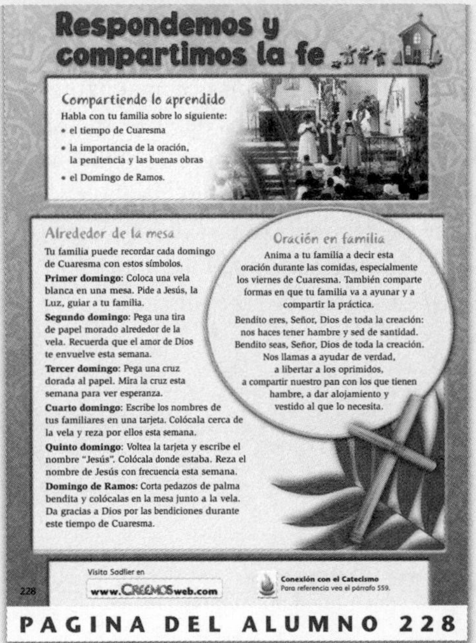

Respondemos y compartimos la fe

Compartiendo lo aprendido

Habla con tu familia sobre lo siguiente:

- el tiempo de Cuaresma
- la importancia de la oración, la penitencia y las buenas obras
- el Domingo de Ramos.

Alrededor de la mesa

Tu familia puede recordar cada domingo de Cuaresma con estos símbolos.

Primer domingo: Coloca una vela blanca en una mesa. Pide a Jesús, la Luz, guiar a tu familia.

Segundo domingo: Pega una tira de papel morado alrededor de la vela. Recuerda que el amor de Dios te envuelve esta semana.

Tercer domingo: Pega una cruz dorada al papel. Mira la cruz esta semana para ver esperanza.

Cuarto domingo: Escribe los nombres de tus familiares en una tarjeta. Colócala cerca de la vela y reza por ellos esta semana.

Quinto domingo: Voltea la tarjeta y escribe el nombre "Jesús". Colócala donde estaba. Reza el nombre de Jesús con frecuencia esta semana.

Domingo de Ramos: Corta pedazos de palma bendita y colócalas en la mesa junto a la vela. Da gracias a Dios por las bendiciones durante este tiempo de Cuaresma.

Oración en familia

Anima a tu familia a decir esta oración durante las comidas, especialmente los viernes de Cuaresma. También comparte formas en que tu familia va a ayunar y a compartir la práctica.

Bendito eres, Señor, Dios de toda la creación:
nos haces tener hambre y sed de santidad.
Bendito seas, Señor, Dios de toda la creación.
Nos llamas a ayudar de verdad,
a libertar a los oprimidos,
a compartir nuestro pan con los que tienen
hambre, a dar alojamiento y
vestido al que lo necesita.

Visita Sadlier en www.CREEMOSweb.com

Conexión con el Catecismo
Para referencia vea el párrafo 559.

228

PAGINA DEL ALUMNO 228

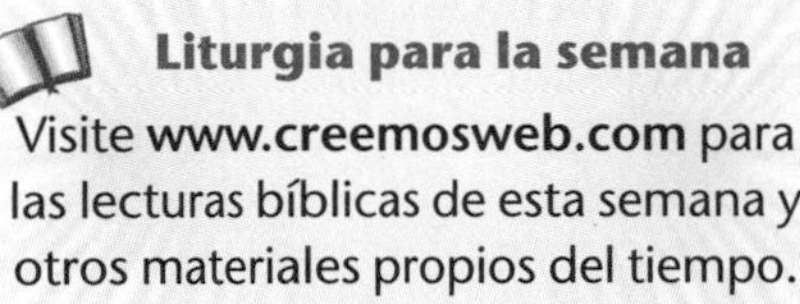

Liturgia para la semana

Visite **www.creemosweb.com** para las lecturas bíblicas de esta semana y otros materiales propios del tiempo.

Respondemos y compartimos la fe

Proyecto individual

Distribuya el patrón 20 y lápices de colores a los estudiantes que quieran agregar color a la calcomanía que escogieron. Explique que los estudiantes deben escoger sólo una calcomanía sobre la cual los entrevistará el reportero de televisión. Anímelos a reflexionar sobre como vivirán en base al lema escogido.

Recuerde a los estudiantes que los cuarenta días de Cuaresma son una oportunidad para mejorar espiritualmente y parecerse más a Jesucristo. Los lemas de las seis calcomanías son un resumen breve de como podemos practicar la oración, la penitencia y las obras de caridad (u orar, ayunar y hacer caridad). Cuando mostramos nuestra fidelidad a estas prácticas, realmente nos preparamos para la gran fiesta de Pascua.

Proyecto en grupo

Invite a los estudiantes a planificar y ofrecer la experiencia de oración cuaresmal a familias o a otros jóvenes. Escoja un tema de justicia y paz relacionado con los sucesos de actualidad. Ayude a los estudiantes a encontrar lecturas bíblicas, poesía, arte y música para expresar este tema. Ayúdelos a hacer invitaciones y preparar un ambiente de oración en el espacio seleccionado.

We Respond and Share the Faith

Individual Project

Distribute Reproducible Master 20, along with colored pencils for those students who want to add color to their chosen bumper sticker. Explain that students are to choose only *one* bumper sticker about which the TV reporter will interview them. Encourage the students to reflect about the way they will live by the slogan they have chosen.

Remind the students that the forty days of Lent are the opportunity to become more spiritually fit and more like Jesus Christ. The six bumper sticker slogans are a brief summary of ways we can practice prayer, penance, and good works (or pray, fast, and give alms). When we are faithful to these practices, we are truly preparing for the great feast of Easter.

Group Project

Involve the students in planning and hosting a Lenten prayer experience for families or for other young people. Choose a justice and peace theme related to current events. Help students in finding scriptural readings, poetry, art and music to express this theme. Help the students to make invitations and to prepare a prayerful environment in the chosen space.

Home Connection

Sharing What I Learned

Remind the students to share with their families what they have learned in this chapter.

Encourage the students to involve their families in a prayer activity for each week of Lent.

For additional information and activities, encourage families to visit Sadlier's

www.CREEMOSweb.com

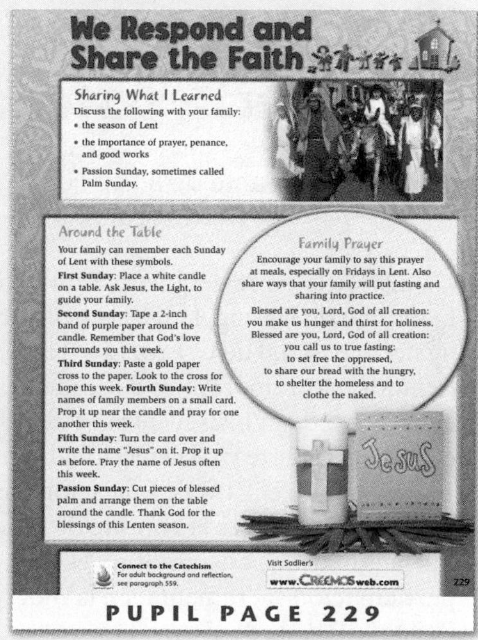

We Respond and Share the Faith

Sharing What I Learned

Discuss the following with your family:

- the season of Lent
- the importance of prayer, penance, and good works
- Passion Sunday, sometimes called Palm Sunday.

Around the Table

Your family can remember each Sunday of Lent with these symbols.

First Sunday: Place a white candle on a table. Ask Jesus, the Light, to guide your family.

Second Sunday: Tape a 2-inch band of purple paper around the candle. Remember that God's love surrounds you this week.

Third Sunday: Paste a gold paper cross to the paper. Look to the cross for hope this week. **Fourth Sunday**: Write names of family members on a small card. Prop it up near the candle and pray for one another this week.

Fifth Sunday: Turn the card over and write the name "Jesus" on it. Prop it up as before. Pray the name of Jesus often this week.

Passion Sunday: Cut pieces of blessed palm and arrange them on the table around the candle. Thank God for the blessings of this Lenten season.

Family Prayer

Encourage your family to say this prayer at meals, especially on Fridays in Lent. Also share ways that your family will put fasting and sharing into practice.

Blessed are you, Lord, God of all creation:
you make us hunger and thirst for holiness.
Blessed are you, Lord, God of all creation:
you call us to true fasting:
to set free the oppressed,
to share our bread with the hungry,
to shelter the homeless and to
clothe the naked.

Connect to the Catechism
For adult background and reflection, see paragraph 559.

Visit Sadlier's
www.CREEMOSweb.com

229

PUPIL PAGE 229

This Week's Liturgy

Visit **www.cremosweb.com** for this week's liturgical readings and other seasonal material.

Triduo

Jesucristo ha cumplido la obra de la redención de los hombres y de la glorificación perfecta de Dios principalmente por su misterio pascual, por el cual, al morir destruyó nuestra muerte y al resucitar reparó la vida, el triduo sagrado de Pascua, es decir, de la Pasión y la Resurrección del Señor, es el punto culminante de todo el año litúrgico.

(Normas universales del año litúrgico, 18)

Ojeada

En este capítulo los estudiantes aprenderán que el Triduo es la celebración más importante del misterio pascual.

Para referencia vea los párrafos 654 y 1164 del *Catecismo de la Iglesia Católica.*

Referencia catequética

Recuerde un acto de amor que algún amigo o familiar hizo por usted. ¿Cómo lo cambió?

Desde la tarde del Jueves Santo hasta la tarde del Domingo de Pascua, la Iglesia se centra en la celebración del misterio pascual de Cristo. Los tres días del Triduo son los tiempos más importantes del año de la Iglesia. Es el tiempo en el que toda la Iglesia entra en el misterio de salvación de la pasión, muerte y resurrección de Cristo.

Mediante el Rito de Iniciación Cristiana para Adultos, la Vigilia Pascual es la cumbre de su jornada de fe. “La iniciación de los cristianos no es otra cosa que la primera participación sacramental en la muerte y resurrección de Cristo” (RICA, 8).

El Jueves Santo, la Iglesia celebra la misa de la cena del Señor. El rito del lavado de los pies nos recuerda el compromiso bautismal de servir a los demás como lo hizo Jesús. El Viernes Santo, la Iglesia venera la santa cruz y proclama la pasión de Jesucristo. En nuestro Bautismo, morimos con Cristo para poder ascender con él a la nueva vida. El Sábado Santo, la Iglesia se llena de regocijo por la resurrección y celebra los sacramentos de iniciación. “Pues por el bautismo fuimos sepultados con Cristo, y morimos para ser resucitados y vivir una vida nueva, así como Cristo fue resucitado por el glorioso poder del Padre”. (Romanos 6:4).

¿Cómo participará en las celebraciones litúrgicas del Triduo Pascual de su comunidad parroquial?

Mirando la vida

Historia para el capítulo

La obra de Pascua de la parroquia de Saint James se hizo tan popular con los años que los estudiantes tuvieron que ofrecer dos funciones. Esa era la única forma para que todos los amigos y familiares cupieran en la iglesia.

Este año, Molly ansiaba desempeñar el papel de María Magdalena. Se imaginaba a sí misma vistiendo una túnica larga ondulante y luciendo tan angelical que el público susurraría, "Y ¿quién es esa adorable niña?"

Pero las cosas no resultaron como Molly las había planeado. El director escogió a Sarah Breck para el papel de María Magdalena. Molly estaba tan desilusionada que no intentó obtener otro papel en la obra. Sin embargo, sus amigos Christy y John le pidieron que formara parte del equipo del escenario con ellos. "Quizá no seamos estrellas", dijo Christy, "Pero la función no se puede hacer sin nosotros".

Los tres amigos fueron a todos los ensayos, ayudaban con los escenarios, vestuario y decorado. El hermano Xavier, el director, preguntó si uno de ellos quería ser su asistente. "¿Qué tendría que hacer?" pregunto Molly. No quería dejar de lado la oportunidad de tener otro papel importante.

"Necesito a alguien que haga diligencias al momento y que haga todo tipo de trabajitos como lavar las copas de la escena de la última cena y encontrar las sandalias o barbas perdidas", respondió el director.

Molly se dijo a sí misma, "Me pregunto lo que diría Sarah Breck a un trabajo como ese". Se preguntaba si su nombre aparecería en el programa. Quizá nadie más que el hermano Xavier notaría su gran esfuerzo. "Y posiblemente él esté muy ocupado como para notarlo", se dijo a sí misma.

¿Cómo piensas que terminará esta historia? ¿Por qué?

Christ redeemed us all and gave perfect glory to God principally through his paschal mystery: dying he destroyed our death and rising he restored our life. Therefore the Easter Triduum of the passion and resurrection of Christ is the culmination of the entire liturgical year.

(Norms Governing Liturgical Calendars, 18)

Overview

In this chapter students will learn that the Easter Triduum is our greatest celebration of the Paschal Mystery.

For Adult Reading and Reflection You may want to refer to paragraphs 654 and 1164 of the *Catechism of the Catholic Church*.

Catechist Background

Recall a loving act a friend or family member did on your behalf. How did it change you?

From the evening of Holy Thursday to the evening of Easter Sunday, the Church focuses on the celebration of Christ's Paschal Mystery. The three days of the Easter Triduum are the most important season of the Church year. At this time the entire Church enters into the saving mystery of Christ's passion, death, and Resurrection.

For those being welcomed into the Church through the Rite of Christian Initiation of Adults, the Easter Vigil is the high point of their faith journey. "The whole initiation must bear a markedly paschal character, since the initiation of Christians is the first sacramental sharing in Christ's dying and rising" (*RCIA*, 8).

On Holy Thursday the Church celebrates the Mass of the Lord's Supper. The washing of feet reminds us of our baptismal commitment to serve others as Jesus did. On Good Friday the Church venerates the holy cross and proclaims Christ's passion. We recall that in our Baptism we died with Christ so that we might rise with him to new life. On Holy Saturday the waters of Baptism flow as the Church rejoices in the Resurrection and celebrates the sacraments of initiation.

We rejoice with all the saints that "We were indeed buried with him through baptism into death, so that, just as Christ was raised from the dead by the glory of the Father, we too might live in newness of life" (Romans 6:4).

How will you enter into the Easter Triduum liturgical celebrations in your parish community?

Focus on Life

Chapter Story

The Saint James parish Easter pageant had become so popular over the years that the students had to put on two performances. That was the only way all the friends, families, and relatives could fit into the church.

This year Molly had her heart set on playing Mary Magdalene. She could just picture herself in a long flowing robe and looking so angelic that people in the audience would be whispering, "Who is that lovely girl, anyway?"

However, things did not turn out exactly as Molly planned. The director chose Sarah Breck to play the role of Mary Magdalene. Molly was so disappointed that she did not try out for any other part in the pageant. However, her friends Christy and John urged her to join the stage crew with them. "We might not be stars," said Christy. "But the show can't go on without us."

The three friends went to every rehearsal, helping out with scenery, costumes, and props. Brother Xavier, the director, asked if one of them would like to serve as his assistant. "What would I have to do?" asked Molly. She did not want to miss out on another important role.

"I need someone who can run errands on the spur of the moment and do all kinds of little jobs like washing the cups from the Last Supper scene and finding any lost sandals or beards," the director replied.

Molly thought to herself, "I wonder what Sarah Breck would say to a job like that?" She wondered whether her name would appear on the program. Perhaps no one but Brother Xavier would notice her hard work. "And maybe he'll be too busy to notice," she thought to herself.

How do you think this story might end? Why?

Guía para planificar la lección

Pasos de la lección	Presentación	Materiales
 **NOS CONGREGAMOS**		
pág. 230 **Introducción del tiempo**	• Leer la *Historia para el capítulo.* • Hacer una introducción del Triduo Pascual. • Proclamar las palabras de la leyenda.	
pág. 230	• Conversar sobre cómo demostrar amor.	
 **CREEMOS**		
pág. 230 *El Triduo es nuestra celebración más importante del misterio pascual.*	• Presentar el Jueves Santo, Viernes Santo, Sábado Santo y Domingo de Pascua y conversar sobre ellos.	
 **RESPONDEMOS**		
pág. 234	 Hablar del Triduo Pascual.	
pág. 234 **Respondemos en oración**	• Escuchar la Escritura. Responder cantando.	• artículos del lugar de oración: mantel blanco, tazón grande y jarra de agua, toalla blanca grande "Un mandamiento nuevo," 4–6 CD
pág. 236 **Respondemos y compartimos la fe**	• Explicar los proyectos sobre el Triduo.	• copias del patrón 21

Planificación de la lección

Introducción del tiempo ____ minutos

• **Recen** la Señal de la Cruz y la oración *Jesús, recuérdanos cuando estés en tu reino.*

• **Lea** en voz alta la *Historia para el capítulo* de la página 230A. Hable sobre los posibles finales sugeridos por los estudiantes. Pregunte a voluntarios si han tenido alguna experiencia similar de trabajar entre bastidores sin recibir reconocimiento del público.

• **Pida** a los estudiantes que abran sus textos en la página 230A. Lea en voz alta el título del capítulo. Explique: *El Triduo Pascual es la celebración más importante de la Iglesia en todo el año. Es un tiempo donde nos centramos en la oración y en la adoración del misterio pascual de la pasión, muerte y resurrección de Cristo.*

• **Invite** a los estudiantes a observar la ilustración de la página. Pregunte: *¿Qué les dice esta ilustración sobre el significado del Triduo Pascual?* Pida a voluntarios que compartan lo que saben acerca del significado del Triduo.

• **Proclamen** juntos las palabras de la leyenda.

Lesson Planning Guide

Lesson Steps	Presentation	Materials
1 WE GATHER		
page 231 **Introduce the Season**	• Read the *Chapter Story.* • Introduce the Easter Triduum. • Proclaim the verse on the banner.	
page 231	• Discuss ways of showing love.	
2 WE BELIEVE		
page 231 *The Easter Triduum is our greatest celebration of the Paschal Mystery.*	• Present and discuss Holy Thursday, Good Friday, Holy Saturday, and Easter Sunday.	
3 WE RESPOND		
page 235	Discuss the Easter Triduum liturgies.	
page 235 **We Respond in Prayer**	• Listen to Scripture. Respond in song.	• prayer space items: white tablecloth; large basin and pitcher of water, large white towel "This Is My Commandment," #20, Grade 5 CD
page 237 **We Respond and Share the Faith**	• Explain the individual Triduum project. • Explain the Triduum group project.	

Lesson Plan

Introduce the Season ____ minutes

• **Pray** the Sign of the Cross and the prayer *Jesus, remember us when you come into your kingdom.*

• **Read** aloud the *Chapter Story* on guide page 230B. Discuss the various possible endings suggested by the students. Ask volunteers whether they have ever had a similar experience of working behind the scenes without receiving public recognition.

• **Have** the students open their texts to page 231. Read aloud the chapter title. Explain: *The Easter Triduum is the Church's greatest celebration of the entire year. It is a time when we focus in prayer and worship on the paschal mystery of Christ's passion, death, and Resurrection.*

• **Invite** the students to study the on-page art. Ask: *How does this art help you to understand the meaning of the Easter Triduum?* Have volunteers share what they already know about the meaning of the Triduum.

• **Proclaim** together the words on the banner.

Meta catequética

- Presentar al Triduo Pascual como la celebración más importante de la Iglesia del misterio pascual

Nuestra respuesta en la fe

- Apreciar el significado del Triduo Pascual

Materiales

- 4–6 CD
- copias del patrón 21

RECURSOS ADICIONALES

Libro *¿Qué haré este año para el Triduo Pascual?* Paul Turner, Spanish Speaking Bookstore.

Para ideas visite Sadlier en

21 Triduo

Adviento · Navidad · Tiempo Ordinario · Cuaresma · **Triduo** · Tiempo de Pascua · Tiempo Ordinario

El Triduo es nuestra celebración más importante del misterio pascual.

NOS CONGREGAMOS

✝ *Jesús, recuérdanos cuando estés en tu reino.*

Piensa en alguien de tu familia a quien quieres mucho. ¿Cómo le mostrarías tu amor?

CREEMOS

Durante toda su vida, Jesús mostró su amor por sus discípulos. La mayor demostración de amor de Jesús fue morir por nuestros pecados. Sin embargo, la muerte de Jesús no fue el final de su amor por nosotros. Tres días después de su muerte, Jesús resucitó a una nueva vida. Su muerte y resurrección restauran nuestra relación con Dios. Eso hace posible que tengamos vida eterna con Dios. Celebramos el misterio pascual de Cristo, su muerte y resurrección a una nueva vida, durante el Triduo Pascual. Estos tres días son los días más santos del año.

Es una tradición judía empezar el día con el atardecer del día antes y terminarlo con el atardecer día siguiente. Como Jesús seguía esta tradición, la Iglesia también inicia los domingos y las solemnidades en la tarde. El Triduo se inicia en Jueves Santo en la tarde y termina el Domingo de Pascua en la tarde.

Jueves Santo Con la misa de la cena del Señor el Jueves Santo se inicia el Triduo Pascual. Esta celebración no es simplemente recordar los eventos de la última cena. Es una celebración de la vida que Jesús nos da en la Eucaristía. Damos las gracias por la unidad que tenemos debido a la Eucaristía. Celebramos el amor y el servicio que Cristo nos llama todos los días.

"Jesús sabía que había llegado la hora de que él dejara este mundo para ir a reunirse con el Padre. Él siempre había amado a los suyos que están en el mundo y así los amó hasta el fin".

Juan 13:1

230

Planificación de la lección

NOS CONGREGAMOS ____ minutos

Mirando la vida Pida a los estudiantes que conversen sobre la pregunta en *Nos congregamos*. Pida a voluntarios que compartan cómo muestran su amor mediante palabras y obras. Haga una lista de lo que comparten en la pizarra bajo el título *Amor en acción*.

• **Explique:** *Hoy investigaremos cómo Jesús mostró su amor por sus discípulos durante toda su vida. Sin embargo, su mayor acto de amor fue estar dispuesto a morir en la cruz por nuestros pecados.*

CREEMOS ____ minutos

• **Pida** a un estudiante que lea en voz alta el enunciado *Creemos*. Lea en voz alta los dos primeros párrafos de *Creemos.* Señale que los tres días del Triduo Pascual son los días más santos del año de la Iglesia porque celebramos el misterio pascual de Cristo, su muerte y resurrección a una nueva vida por nosotros. Indique que los tres días empiezan y terminan con el atardecer de acuerdo con una tradición judía en la que se empieza el día con el atardecer y se termina con el atardecer del día siguiente.

• **Lea** en voz alta los tres párrafos de *Creemos* sobre el **Jueves Santo**. Pida a los estudiantes que subrayen los puntos importantes de sus textos. Señale que en la misa de la cena del Señor celebramos su vida, amor y servicio al que Jesús nos llama mediante su propio ejemplo. Explique que la acción de Jesús lavando los pies de los discípulos ilustra el servicio de Cristo que debemos seguir. Explique que la reservación del Santísimo Sacramento también ofrece a los feligreses la oportunidad de orar y meditar sobre el misterio pascual de Cristo.

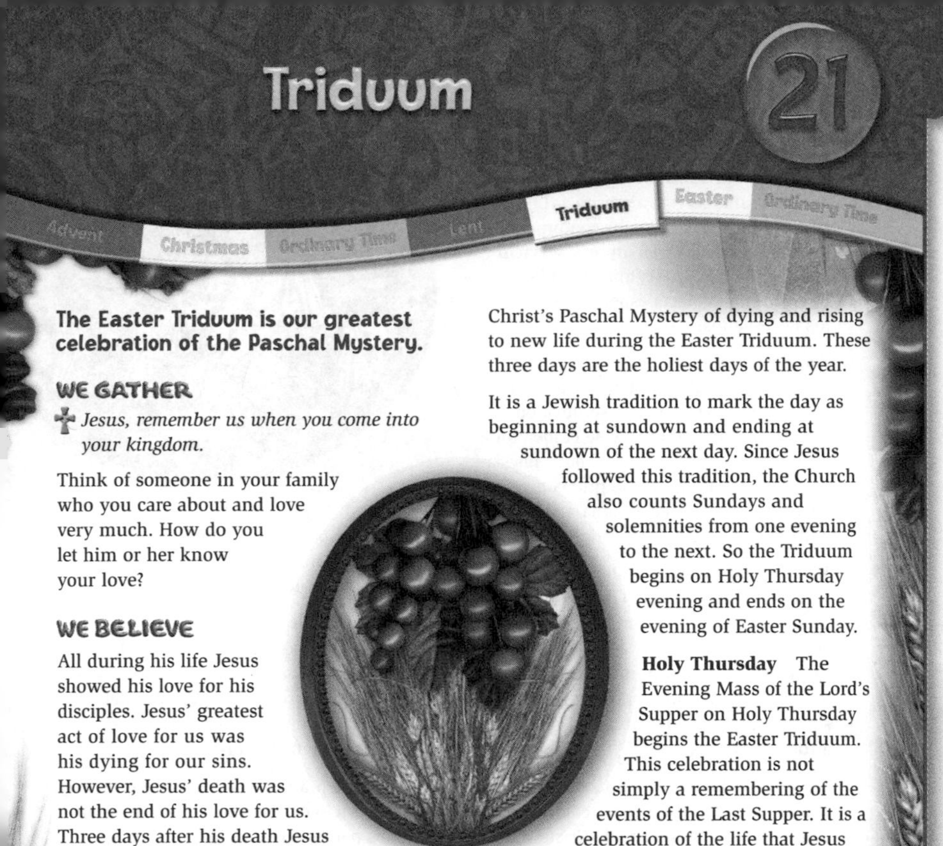

Triduum
21
Advent
Christmas
Ordinary Time
Lent
Triduum
Easter
Ordinary Time
The Easter Triduum is our greatest celebration of the Paschal Mystery.
WE GATHER
Jesus, remember us when you come into your kingdom.
Think of someone in your family who you care about and love very much. How do you let him or her know your love?
WE BELIEVE
All during his life Jesus showed his love for his disciples. Jesus' greatest act of love for us was his dying for our sins. However, Jesus' death was not the end of his love for us. Three days after his death Jesus rose to new life. His death and Resurrection restores our relationship with God. They make it possible for us to have life forever with God. We celebrate
Christ's Paschal Mystery of dying and rising to new life during the Easter Triduum. These three days are the holiest days of the year.
It is a Jewish tradition to mark the day as beginning at sundown and ending at sundown of the next day. Since Jesus followed this tradition, the Church also counts Sundays and solemnities from one evening to the next. So the Triduum begins on Holy Thursday evening and ends on the evening of Easter Sunday.
Holy Thursday The Evening Mass of the Lord's Supper on Holy Thursday begins the Easter Triduum. This celebration is not simply a remembering of the events of the Last Supper. It is a celebration of the life that Jesus gives us in the Eucharist. We are thankful for the unity that we have because of the Eucharist. We celebrate the love and service Christ calls us to everyday.
"Jesus knew that his hour had come to pass from this world to the Father. He loved his own in the world and he loved them to the end."
(John 13:1)
231

Catechist Goal

- To present that the Easter Triduum is the Church's greatest celebration of the Paschal Mystery

Our Faith Response

- To appreciate the meaning of the Easter Triduum

Lesson Materials

- Grade 5 CD
- copies of Reproducible Master 21

ADDITIONAL RESOURCES

Videos *Stations of the Cross for Children,* Twenty-Third Publications, 1997. Father Stan describes the stations in simple, clear terms, reflecting on their application to life today. (15 minutes)

To find more ideas for learning material, visit Sadlier's

www.CREEMOSweb.com

Lesson Plan

WE GATHER

____ minutes

Focus on Life Have the students discuss the *We Gather* question. Ask volunteers to share the ways in which they show their love by word and deed. List the ways on the board under the heading *Love in Action.*

• **Explain:** *Today we will explore how Jesus showed his love for his disciples throughout his life. However, his greatest act of love was his willingness to die on the cross for our sins.*

WE BELIEVE

____ minutes

• **Have** a student read aloud the *We Believe* statement. Read aloud the first two *We Believe* paragraphs. Stress that the three days of the Easter Triduum are the holiest days of the Church's year because during them we celebrate Christ's Paschal Mystery, his dying and rising to new life for us. Point out that the three days begin and end at sundown, following the Jewish tradition of marking the day as beginning at sundown and ending at sundown of the next day.

• **Read** aloud the three *We Believe* paragraphs about **Holy Thursday**. Have the students underline the important points in their texts. Stress that in the Mass of the Lord's Supper, we celebrate the life, love, and service to which Jesus called us by his own example. Point out the action of Jesus washing the feet of his disciples as an illustration of Christ's service that we should follow. Explain that the reservation of the Blessed Sacrament also gives parishioners the opportunity to pray and meditate on Christ's Paschal Mystery.

Banco de actividades

Liturgia

Veneración a la cruz

Materiales: un crucifijo grande, un tambor, la letra de "Perdona a tu pueblo", fichas con versos bíblicos

Pida a los estudiantes que planifiquen y lleven a cabo la veneración a la cruz. Pídales copiar en un ficha un verso de la lectura bíblica del Viernes Santo o los versos del evangelio de Juan (18:1–19) y que dos estudiantes sujeten un crucifijo grande. Los demás formarán un círculo alrededor de la cruz. Cante "Perdona a tu pueblo". Invite a cada persona del círculo a proclamar su verso. Luego indíqueles que avancen en silencio y hagan una venia, doblen la rodilla, en señal de reverencia o besen la cruz.

Ideas

Mantener los tres días

Comparta algunas de las historias bíblicas sobre la tradición de la Iglesia de "mantener los tres días". (Lea Jonás 2:1; Lucas 2:46; Mateo 15:32).

TRIDUO

En la última cena Jesús lavó los pies de sus discípulos como signo de su amor por ellos. Jesús llama a cada uno de nosotros a amar y servir a los demás. Durante la misa del Jueves Santo, tenemos una ceremonia especial del lavado de los pies. Esta nos compromete a seguir el ejemplo del amor y servicio de Jesús. Durante esta misa también hacemos una colecta especial para los necesitados.

Realmente no terminamos la liturgia. Después que todos reciben la comunión, el Santísimo Sacramento se lleva en procesión por la iglesia y se coloca en otra capilla. El altar principal de la iglesia se desviste y la iglesia se queda en silencio. Esto nos recuerda la relación entre el Jueves Santo y el Viernes Santo.

Viernes Santo Celebramos la pasión del Señor el Viernes Santo. Generalmente se celebra en la tarde. La cruz es la imagen central de la liturgia de este día. La cruz es un signo de la muerte y sufrimiento de Cristo. Es un signo de su victoria sobre la muerte y la salvación que trae a todo el mundo.

Entramos calladamente a la iglesia y el sacerdote o el diácono viste color rojo como signo de la muerte de Cristo. La Liturgia de la Palabra incluye la lectura de la pasión del Evangelio de Juan. Hay diez intercesiones generales que incluyen oraciones por todo el mundo. Algunas veces hay himnos para mostrar la importancia de esta liturgia.

También honramos la cruz con una procesión especial. Escuchamos las palabras: "Mirad el árbol de la Cruz donde estuvo clavado Cristo, el Salvador del mundo. Venid y adoremos". Después todos son invitados a reverenciar la cruz.

No se celebra misa en Viernes Santo. Hay un servicio de comunión. Al terminar todos parten en silencio.

Sábado Santo Durante el día pensamos y rezamos. Recordamos que Jesús murió para salvar a todo el mundo y damos gracias a Dios por su regalo. En la tarde nos reunimos en la parroquia para la celebración de la Vigilia Pascual.

232

CREEMOS (continuación)

• **Pida** a los estudiantes que lean en silencio los párrafos sobre el **Viernes Santo**. Enfatice los siguientes puntos:

• En Viernes Santo celebramos la pasión del Señor. Se proclama el evangelio según San Juan y se ora por todo el mundo.

• La liturgia del día se centra en la cruz. La honramos y veneramos.

• No se celebra la Eucaristía y se ofrece el servicio de comunión en su lugar.

Cotejo rápido

✔ *¿Qué es el Triduo Pascual?* (El Triduo Pascual es la celebración más importante de la Iglesia del misterio pascual de Cristo. Dura tres días.)

✔ *¿Cuándo celebramos el Triduo?* (Celebramos el Triduo desde el atardecer del Jueves Santo hasta el atardecer del Domingo de Pascua.)

• **Lea** en voz alta el primer párrafo de **Sábado Santo**. Señale la necesidad de pasar más tiempo reflexionando y orando durante este día. Pida a los estudiantes que lean en silencio y subrayen el párrafo que le sigue. Explique el simbolismo de la luz durante la vigilia. ¡Cristo es nuestra luz! Explique que muchas de las lecturas de la Liturgia de la Palabra recuerdan la historia de nuestra salvación. Finalmente, enfatice que la culminación de la celebración de la Vigilia Pascual es alegrarnos por la resurrección de Cristo. Cantamos con gran gozo Aleluya y damos la bienvenida a Cristo como la luz del mundo. Damos la bienvenida a los nuevos miembros de la Iglesia y renovamos nuestro Bautismo. Es la noche más importante del año.

At the Last Supper Jesus washed his disciples' feet as a sign of his love for them. Jesus calls each of us to love and serve others, too.

During the Mass on Holy Thursday, we have a special ceremony of the washing of the feet. This commits us to follow the example of Jesus' love and service. During this Mass we also take a special collection for those who are in need.

We do not actually end this liturgy. After everyone has received Holy Communion, the Blessed Sacrament is carried through the Church in procession. It is reserved in another chapel. Back in the main church the altar is stripped, and the church is silent. This reminds us of the connection between Holy Thursday and Good Friday.

Good Friday On Good Friday we have the Celebration of the Lord's Passion. This often takes place in the afternoon. The cross is the central image of this day's liturgy. The cross is a sign of Christ's suffering and death. It is also a sign of his victory over death and the salvation he brings to the whole world.

We enter the church quietly, and the priest and deacon wear the color red as a sign of Christ's death. The Liturgy of the Word includes the reading of the passion from the Gospel of John. There are ten general intercessions that include prayers for the whole world. They are sometimes sung to show their special importance in this liturgy.

We also honor the cross with a special procession. We hear the words: "This is the wood of the cross, on which hung the Savior of the world. Come, let us worship." Then all gathered are invited to give reverence to the cross.

The Mass is not celebrated on Good Friday. There is a communion service instead. After this, all depart in silence.

Holy Saturday During the day we spend time thinking and praying. We remember that Jesus died to save all people, and we thank God for this gift. In the evening we gather with our parish for the celebration of the Easter Vigil.

Activity Bank

Liturgy

Veneration of the Cross

Activity Materials: a large crucifix; a drum; lyrics for "Were You There?"; Bible verses on index cards

Have the students plan and carry out a veneration of the cross. Begin by having each person copy on an index card an assigned verse from the scriptural readings of Good Friday. Or choose the verses from John's Gospel only (18:1–19). Have two students hold the large crucifix between them. Invite the other students to form a circle around the cross. Sing "Were You There?" Invite each person in the circle to proclaim his or her verse. Then signal each to come forward in silence to bow, genuflect, or kiss the cross.

Teaching Note

Keeping the Three Days

Share with students a few of the Scripture stories on which the Church's tradition of "keeping the three days" is based. (Read Jonah 2:1; Luke 2:46; Matthew 15:32).

Lesson Plan

We Believe (continued)

• **Have** the students read silently the paragraphs about **Good Friday**. Emphasize the following points:

• On Good Friday we celebrate the Lord's Passion. The Gospel according to Saint John is proclaimed, and prayers for the whole world are prayed.

• The cross is the central focus of the day's liturgy. We honor it and give reverence to it.

• We do not have the celebration of the Eucharist. There is a Communion service instead.

Quick Check

✔ *What is the Easter Triduum?* (The Easter Triduum is the Church's greatest celebration of Christ's Paschal Mystery. It lasts for three days.)

✔ *When do we celebrate the Triduum?* (We celebrate the Triduum from the evening of Holy Thursday to the evening of Easter Sunday.)

• **Read** aloud the first paragraph under **Holy Saturday**. Stress the need to spend time thinking and praying during this day. Have the students read silently and underline the next paragraph. Point out the symbolism of light at the vigil. Christ is our Light! Explain that many readings in the Liturgy of the Word recall the history of our salvation. Finally, emphasize that the culmination of the Easter Vigil celebration is our rejoicing in the risen Christ. We sing out joyful Alleluias and greet Christ as the Light of the World. We welcome new members into the Church and renew our Baptism. This is the greatest night of the year!

PREPARANDOSE PARA ORAR

Los estudiantes escucharán la lectura bíblica y responderán con oración, cantando y rezando.

- Escoja a un líder y a dos lectores y pídales que preparen su participación en este momento.
- Practique "Perdón, Señor,"4–6 CD.
- Escoja a dos estudiantes para hacer una representación de Jesús lavando los pies de un discípulo durante la lectura de este pasaje.

El lugar de oración

- Ponga un mantel blanco sobre la mesa. Coloque un tazón grande y una jarra de agua. Tenga a mano una toalla blanca grande.

Empezamos en la oscuridad, esperando por la luz de Cristo. Cuando vemos la luz del cirio pascual, cantamos con gozo. En esta vigilia hay muchas lecturas en la Liturgia de la Palabra. Escuchamos de nuevo las maravillas que Dios ha hecho por su pueblo. No se ha cantado Aleluya desde que se inició la Cuaresma, ahora la cantamos con gran gozo. Jesús ha resucitado de la muerte. Un momento importante de la Liturgia es la celebración de los sacramentos de iniciación. Damos la bienvenida a la Iglesia a los nuevos miembros y alabamos a Dios por la nueva vida que hemos recibido en Cristo. Renovamos nuestras promesas bautismales y nos regocijamos en nuestra propia nueva vida. Continuamos compartiendo la vida de Cristo en la celebración de la Eucaristía.

El tercer día del Triduo se inicia el sábado en la tarde y sigue hasta el domingo en la tarde. Las parroquias se reúnen el Domingo de Pascua para celebrar la misa. Cantamos con gozo porque el Señor ha resucitado.

RESPONDEMOS

En grupo conversen sobre la celebración litúrgica de los días del Triduo.

TRIDUO

Respondemos en oración

Líder: La gracia de nuestro Señor Jesucristo esté siempre con nosotros.

Todos: Amén.

Lector: Lectura de la primera carta de Juan

"Debemos amarnos unos a otros, porque el amor vienes de Dios. . . Dios mostró su amor hacia nosotros al enviar a su Hijo único al mundo para que tengamos vida por él. . . Queridos hermanos, si Dios nos ha amado así nosotros también debemos amarnos unos a otros". (1 Juan 4:7, 9, 11)

Palabra de Dios.

Todos: Demos gracias a Dios.

Líder: El Señor Jesús, cuando comía con sus discípulos, puso agua en una vasija y empezó a lavarles los pies diciendo: Este ejemplo les doy.

Todos: Señor, ayúdanos a seguir tu ejemplo de amor y servicio.

Líder: Si yo, su Señor y Maestro, les he lavado los pies
ustedes también deben lavarse los pies unos a otros.

Todos: Ellos sabrán que somos sus discípulos si hay
amor entre nosotros.

Un mandamiento nuevo

(Estribillo)

Un mandamiento nuevo nos da el Señor
Que nos amemos todos como nos ama Dios. (estribillo)

La señal de los cristianos,
Es amarnos como hermanos. (estribillo)

234

Planificación de la lección

RESPONDEMOS ____ minutos

Conexión con la vida Recuerde a los estudiantes que al participar en las liturgias del Triduo Pascual nos unimos a la celebración más importante de la Iglesia del misterio pascual de Cristo. Al mantener los tres días fielmente, nos involucramos más profundamente en el misterio del asombroso amor que nos tiene Jesucristo.

- **Lea** en voz alta y escriba el nombre de cada uno de los Tres dias, en el mural. Invite algunos voluntarios a describir la celebración litúrgica, y aspectos relacionados con el nombre de cada uno de esos días. Explique: *Recuerden que cuando celebran el Triduo están participando en una liturgia continua que nos une con Jesús en la última cena, en su pasión y muerte y en su gloriosa resurrección de entre los muertos.*

Respondemos en oración ____ minutos

- **Reúnanse** en el lugar de oración cantando juntos "Un mandamiento nuevo".
- **Recen** la Señal de la Cruz.
- **Pida** al líder que comience la oración.
- **Indique** al primer lector que lea la lectura bíblica.
- **Pause** después de la respuesta.
- **Indique** al líder que empiece "El Señor Jesús . . ."
- **Mientras** el líder y el segundo lector describen el lavado de los pies, pida a los estudiantes que representan a Jesús y al discípulo que escenifiquen este ejemplo de servicio.
- **Canten** juntos la canción de cierre.
- **Concluya** la oración compartiendo la paz.

We begin in darkness, waiting for the light of Christ. When we see the light of the large paschal candle, we sing with joy. At this vigil there are many readings in the Liturgy of the Word. We hear again all the wonderful things God has done for his people. We have not sung the Alleluia since Lent began, but we sing it now with great joy. Jesus has indeed risen from the dead! One high point of this vigil is the celebration of the sacraments of initiation. We welcome new members into the Church and praise God for the new life we have all received in Christ. We renew our own baptismal promises and rejoice in the newness of our own lives. We continue to share in Christ's life in the celebration of the Eucharist that follows.

The third day of the Triduum begins Saturday evening and continues until the evening of Sunday. Parishes gather on Easter Sunday for the celebration of the Mass. We sing with joy that the Lord is risen!

WE RESPOND

Discuss the liturgical celebration for each day of the Triduum.

TRIDUUM

We Respond in Prayer

Leader: The grace of our Lord Jesus Christ be with us all, now and forever.

All: Amen.

Reader: A reading from the first Letter of John

"Beloved, let us love one another, because love is of God. . . . In this way the love of God was revealed to us: God sent his only Son into the world so that we might have life through him. . . . Beloved, if God so loved us, we also must love one another." (1 John 4:7, 9, 11)

The word of the Lord.

All: Thanks be to God.

Leader: The Lord Jesus, when he had eaten with his disciples, poured water into a basin and began to wash their feet saying: This example I leave you.

All: Lord, help us to follow your example of love and service.

Reader: If I, your Lord and Teacher, have washed your feet, then surely you must wash one another's feet.

All: They will know we are his disciples if there is love among us.

This Is My Commandment

This is my commandment,
that you love one another
that your joy may be full.

235

Chapter 21 • Triduum

PREPARING TO PRAY

The students will listen to a Scripture reading and respond in prayer, service, and song.

- Choose a leader and two readers. Have them prepare their parts.
- Practice "This Is My Commandment," #20 on the Grade 5 CD.
- Choose two students to pantomime the parts of Jesus and a disciple during the reading of the washing of the feet.

The Prayer Space

- Cover the prayer table with a white cloth. Place on it a large basin and a pitcher of water. Have a large white towel on hand.

Lesson Plan

WE RESPOND ____ minutes

Connect to Life Remind students that by participating in the flow of liturgies during the Easter Triduum we reunite ourselves with the Church's greatest celebration of Christ's Paschal Mystery. By keeping the three days faithfully, we enter more fully into the mystery of Jesus Christ's amazing love for us.

- **Read** aloud the *We Respond* text. As you write the name of each of the three days on the board, invite volunteers to describe its liturgical celebration. List key points under each day's name. Explain: *Remember that when you celebrate the Triduum, you are participating in one continuous liturgy uniting us with Jesus at the Last Supper, at his passion and death, and at his glorious rising from the dead.*

We Respond in Prayer ____ minutes

- **Gather** in the prayer space while singing together "This Is My Commandment."
- **Pray** the Sign of the Cross.
- **Have** the leader begin the prayer.
- **Signal** the first reader to read the Scripture reading.
- **Pause** after the response.
- **Signal** the leader to begin "The Lord Jesus . . . ."
- **As** the leader and second reader describe the washing of the feet, have the students playing Jesus and the disciple act out this example of service.
- **Sing** the closing song together.
- **Conclude** your prayer by sharing a sign of peace.

CONEXION CON EL HOGAR

Compartiendo lo aprendido

Recuérdele a los estudiantes compartir con sus familias lo aprendido en este capítulo.

Anime a los estudiantes a participar con sus familias en la casa en costumbres del Triduo.

Para información y actividades adicionales, anime a las familias a visitar Sadlier en

www.CREEMOSweb.com

Respondemos y compartimos la fe

Compartiendo lo aprendido

Habla con tu familia sobre lo siguiente:

- la misa de la cena del Señor
- la celebración de la pasión del Señor
- la Vigilia Pascual.

Alrededor de la mesa

Pide a tu familia pensar en formas de observar los días del Triduo en la casa. He aquí algunas sugerencias.

- Mantener el Viernes Santo simple y centrado en Jesús, comiendo sólo sopa (sin carne) y pan.
- Trata de mantener tu casa en silencio, no televisión, no radio, no música, ni siquiera en el carro.
- Busca recetas tradicionales para las celebraciones de pascua.
- Juntos limpien la casa antes de las celebraciones de pascua.
- Añade tus ideas.

Oración en familia

Invita a tu familia a rezar esta oración durante el Triduo, los tres grandes días:

Que nuestro único orgullo
sea la cruz de nuestro Señor Jesucristo,
porque en él tenemos la salvacion,
la vida y la resurreccion,
ye por él hemos sido salvado y redimidos.

(Misa vespertina, Jueves Santo)

236 Visita Sadlier en www.CREEMOSweb.com

Conexión con el Catecismo
Para referencia vea el párrafo 654.

PAGINA DEL ALUMNO 236

Liturgia para la semana

Visite **www.creemosweb.com** para las lecturas bíblicas de esta semana y otros materiales propios del tiempo.

Respondemos y compartimos la fe

Proyecto individual

Distribuya el patrón 21, los marcadores y lápices de colores. Explique que esta actividad se basa en la historia bíblica de la agonía de Jesús en el Jardín de Getsemaní antes de que lo arrestaran y condenaran. Indique que los estudiantes pueden planificar un tiempo en el cual acompañar a Jesús y orar con él, preferiblemente en la noche del Jueves Santo o el Viernes Santo. Las manillas del reloj deben fijarse en el cuarto de hora que el estudiante dedicará a cada segmento. Los cuartos se pueden completar en una hora o se pueden orar por separado.

Anime a los estudiantes a comprometerse firmemente con hacer esta actividad, ya sea el Jueves Santo o en cualquier momento del Triduo.

Proyecto en grupo

Consulte con el pastor y los miembros del comité de la liturgia sobre lo que pueden hacer los estudiantes para ayudar antes y durante el Triduo. Algunas posibilidades son: ayudar a limpiar la iglesia y la propiedad de la parroquía, ayudar con las decoraciones, servir de saludadores en las liturgias, servir con el grupo de hospitalidad después de la Vigilia Pascual o en la cocina para el séder, hacer una cartel con un aviso para la temporada del tiempo para la entrada de la iglesia.

We Respond and Share the Faith

Individual Project

Distribute Reproducible Master 21, along with markers and colored pencils. Explain that this activity is based on the biblical account of Jesus' agony in the Garden of Gethsemane before he was arrested and condemned. Point out that students may plan times to watch and pray with Jesus, preferably on the night of Holy Thursday or on Good Friday. The watch hands should be set for the quarter of an hour the student plans to spend on each segment. All four can be completed in one hour or they may be prayed at four separate times.

Encourage students to make a firm commitment to carry out this activity either on Holy Thursday or anytime during the Triduum.

Group Project

Consult the pastor and the members of the liturgy committee about ways in which the students may be of service before and during the Triduum. Possibilities might include assisting with cleaning the church or sprucing up the parish grounds, helping with decorations, serving as greeters at the liturgies, serving with the hospitality group after the Easter Vigil or in the kitchen at a Seder supper, or making a seasonal banner for the front of the church.

Home Connection

Sharing Faith with My Family

Remind the students to share with their families what they have learned in this chapter.

Encourage students to involve their families in at-home Triduum observances.

For additional information and activities, encourage families to visit Sadlier's

www.CREEMOSweb.com

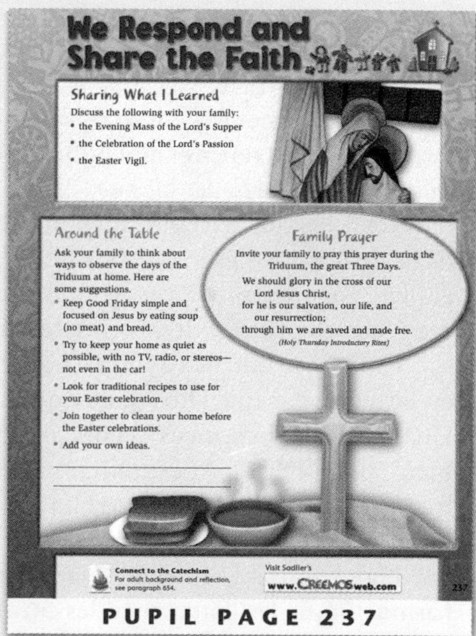

PUPIL PAGE 237

This Week's Liturgy

Visit www.creemosweb.com for this week's liturgical readings and other seasonal material.

Fe, esperanza y caridad

Ojeada

En este capítulo se explicarán las virtudes teologales de la fe, esperanza y caridad y como nos permiten amar a Dios y a los demás, como el ejemplo de los santos.

Contenido doctrinal	Para referencia del *Catecismo de la Iglesia Católica*
Los estudiantes aprenderán que:	párrafo
• Creemos en Dios y en todo lo que la Iglesia enseña	1814
• Confiamos en Dios, en su amor y su cuidado	1817
• Podemos amar a Dios y a los demás	1822
• Los santos son modelos para vivir una vida virtuosa	828

Referencia catequética

Nombre tres de sus hábitos. ¿Cómo estos lo describen?

Frecuentemente pensamos que los hábitos son negativos. Podemos tener el mal hábito o esperar hasta el último minuto antes de hacer las cosas. También podemos llamar hábitos a los que hacemos bien. Observar los aspectos positivos de nosotros es lo que nos motiva a continuar haciendo el bien. En nuestra vida espiritual es esencial para nuestro crecimiento notar el desarrollo de los buenos hábitos.

Un hábito que nos ayuda a hacer el bien y convertirnos en las personas que Dios quiere que seamos es una virtud. Una persona virtuosa es "el que practica libremente el bien" (*CIC* 1804). Al examinar nuestras acciones y escoger lo que es correcto, nos desarrollamos y crecemos como hijos de Dios.

Hay hábitos que tienen una función central en nuestra formación, se les llama virtudes cardinales: prudencia, justicia, fortaleza y templanza. Estas virtudes humanas se fundamentan en tres virtudes teologales: fe, esperanza y caridad. Las virtudes teologales se relacionan directamente con Dios y con nuestra relación con él: "Son infundidas por Dios en el alma de los fieles para hacerlos capaces de obrar como hijos suyos y merecer la vida eterna" (*CIC* 1813).

La mejor forma de entender la virtud es viéndola en acción. Se les llama santos a las personas que ponen estas virtudes en acción.

¿A qué santo admira? ¿Qué virtudes ve en la vida de ese santo que lo motiva a hacer el bien?

Mirando la vida

Historia para el capítulo

Para Raúl, jugar al fútbol lo era todo. Su entrenador pensaba que Raúl era una estrella.

El doctor del equipo citó a todos para un examen físico anual. El doctor Halberstein examinaba rutinariamente a los jugadores antes del inicio del año escolar.

Cuando Raúl fue al consultorio, el doctor Halberstein parecía necesitar un descanso. Oyó por el estetoscopio el sonido del pecho de Raúl como si fuera un ladrón de cajas fuertes.

—Raúl, "¿puedes decirle a tu mamá que me llame por teléfono?"

—"Claro. ¿Hay algún problema?" —preguntó Raúl nervioso.

—"Bueno, digamos que tenemos que reconsiderar unas cuantas cosas".

Cuando su mamá llegó del trabajo, Raúl le pidió que llamara al consultorio del Dr. Halberstein. Mientras su mamá hablaba por teléfono con el doctor, Raúl trató de distraerse con un juego de video. Apenas la oyó colgar el teléfono, fue casi corriendo a la sala. —¿Qué pasa? Estoy. . .

—"Raúl, parece que tienes un soplo cardiaco. Nada grave, pero no podrás jugar hasta visitar a un especialista en el Hospital de Saint John".

Raúl estaba aturdido y disgustado. Constantemente se decía a sí mismo, —"Dios, ¿por qué a mí?"

—"Raúl, tienes que confiar en el criterio del doctor Halberstein", —interrumpió su mamá. Como mi madre solía decirme, "Dios puede cerrarte una puerta, pero te abre otra".

Si estuvieras en la situación de Raúl, ¿qué tipo de confianza o fe necesitarías para afrontar este reto?

Overview

In this chapter the students will learn about the theological virtues of faith, hope, and love. They will also learn that these virtues enable us to love God and others, as exemplified in the lives of the saints.

Doctrinal Content	For Adult Reading and Reflection *Catechism of the Catholic Church*
The students will learn:	Paragraph
• We believe in God and all that the Church teaches	1814
• We trust in God and are confident in his love and care for us	1817
• We are able to love God and one another	1822
• The saints are models for living the life of virtue	828

Catechist Background

Name three habits you have. How do these help describe who you are?

Often we think of habits in negative terms. We might have a bad habit of biting our nails or putting things off until the last minute. Habits can be positive as well. Noticing the positive in ourselves helps to motivate us to continue doing good. In our spiritual life, noticing the development of good habits is essential for our growth.

A habit that helps us to do good and become the persons God intended us to be is called a virtue. A virtuous person is someone "who freely practices the good"(CCC 1804). By examining our actions and choosing what is right, we develop and grow as children of God. Four such habits play a pivotal role in shaping who we are. We call these the cardinal virtues: prudence, justice, fortitude, and temperance.

These four virtues are rooted in the three theological virtues: faith, hope, and love. The theological virtues relate directly to God and our relationship with him: "They are infused by God into the souls of the faithful to make them capable of acting as his children and of meriting eternal life" (CCC 1813). The best way to understand virtue is to see it in action. Persons who have put these virtues in action are known as saints.

Which saint do you admire? What virtues do you see in this saint's life that motivate you to do good?

Focus on Life

Chapter Story

For Raul, playing soccer was everything. His coach thought Raul was star material.

The team's doctor called in everyone for the annual physical. Doctor Halberstein routinely checked the players prior to the opening of the school year.

By the time Raul saw Dr. Halberstein, the physician looked like he needed a time-out. Like an old safecracker, the doctor listened as he pressed the stethoscope against Raul's chest.

"Raul, would you ask your mom to give me a call?"

"Sure. Is there anything wrong?" Raul asked nervously.

"Well, let's just say we have to reconsider a few things."

When his mom got home from work, Raul asked her to call Dr. Halberstein's office. While his mother was on the phone with the doctor, Raul tried to distract himself with a video game. When he heard her hang up the phone, Raul almost sprinted to the living room. "What's up? Am I . . ."

"Raul, you seem to have a heart murmur. Nothing serious, but you are sidelined until you can see a heart specialist at Saint John's Hospital."

Raul was stunned and angry. He kept saying to himself, "God, why me?"

"Raul, you have to trust in Doctor Halberstein's judgment," his mother's voice broke into his thoughts. "Like my mother used to say to me, 'God may close one door on you, but he opens another.'"

If you were in Raul's situation, what kind of trust or faith would you need to face this challenge?

Guía para planificar la lección

Pasos de la lección	Presentación	Materiales

NOS CONGREGAMOS

Pasos de la lección	Presentación	Materiales
pág. 238  **Oración**  **Mirando la vida**	• Escuchar la Escritura. ♫ Responder cantando. • Conversar sobre opciones y decisiones recientes y sus efectos.	Para el lugar de oración: una Biblia, las palabras *fe, esperanza* y *caridad* en cartulinas separadas ♫ "Amémonos unos a otros", 4–6 CD

CREEMOS

Pasos de la lección	Presentación	Materiales
pág. 238 *Creemos en Dios y en todo lo que la Iglesia enseña.*	• Leer y conversar sobre las tres virtudes teologales, especialmente la fe. Describir la fe y el crecimiento en la fe. • Orar un acto de fe.	• copias del patrón para reproducir 22
pág. 240 *Confiamos en Dios, en su amor y su cuidado.*	• Leer y conversar sobre las Bienaventuranzas y la virtud de esperanza. Identificar cosas que dan esperanza. • Orar un acto de esperanza. • Leer y conversar sobre *Como católicos.*	• copias del patrón 22
pág. 242 *Podemos amar a Dios y a los demás.*	• Leer y conversar sobre cómo nos enseño Jesús a amar a Dios y a los demás. Escenificar cómo ser reconocido como seguidor de Jesús. • Rezar un acto de caridad.	• copias del patrón 22
pág. 244 *Los santos son modelos para vivir una vida virtuosa.*	• Leer y conversar sobre el testimonio de la fe en las vidas de los mártires contemporáneos.	

3 RESPONDEMOS

Pasos de la lección	Presentación	Materiales
pág. 244	Hablar sobre cómo seguir el ejemplo de los santos.	• libros sobre santos
páginas 246 y 248 **Repaso**	• Completar las preguntas 1–10. Completar *Reflexiona y ora.*	
páginas 246 y 248 **Respondemos y compartimos la fe**	• Repasar el *Recuerda* y el *Vocabulario.* • Leer y conversar sobre *Nuestra vida católica.*	

Para ideas, actividades y otras oportunidades visite Sadlier en **www.CREEMOSweb.com**

Lesson Planning Guide

Lesson Steps	Presentation	Materials
1 WE GATHER		
page 239  	• Listen to Scripture. Respond in song. • Discuss recent choices, decisions, and their effects.	For the prayer space: a Bible, the words *faith*, *hope*, and *love* on separate poster boards "God's Greatest Gift," #21, Grade 5 CD
2 WE BELIEVE		
page 239 *We believe in God and all that the Church teaches.*	• Read about and discuss the three theological virtues, especially faith. Describe faith and growth in faith. • Pray an Act of Faith.	• copies of Reproducible Master 22
page 241 *We trust in God and are confident in his love and care for us.*	• Read and discuss the Beatitudes and the virtue of hope. Identify things that give hope. • Pray an Act of Hope. • Read and discuss *As Catholics*.	• copies of Reproducible Master 22
page 243 *We are able to love God and one another.*	• Read and discuss the ways Jesus showed us to love God and others. Act out ways to be recognized as Jesus' followers. • Pray an Act of Love.	• copies of Reproducible Master 22
page 245 *The saints are models for living the life of virtue.*	• Read and discuss the witness of faith in the lives of contemporary martyrs.	
3 WE RESPOND		
page 245	Discuss ways to follow the example of the saints.	• books about saints
pages 247 and 249 **Review**	• Complete questions 1–10. Complete *Reflect and Pray*.	
pages 247 and 249 **We Respond and Share the Faith**	• Review *Remember* and *Key Words*. • Read and discuss *Our Catholic Life*.	

For additional ideas, activities, and opportunities: Visit Sadlier's **www.CREEMOSweb.com**

Conexiones

Música litúrgica

Cuando los estudiantes investiguen las virtudes teologales, tenga disponibles himnarios y otros cancioneros litúrgicos. Invítelos a hacer un cuadro con canciones sobre la fe, la esperanza y la caridad. Ayúdelos a analizar como las letras de las canciones como "Digo sí, Señor" comunica el significado de estas virtudes.

Mayordomía

Explique a los estudiantes que practican ser buenos mayordomos en el cuidado y uso que hacen de los recursos naturales de la Tierra. Anímelos a aprender como conservar y no desperdiciar los recursos naturales como el agua. Señale que si somos conscientes al usar el agua, habrá suficiente para satisfacer las necesidades de los demás.

FE y MEDIOS

▶ Recuerde a los estudiantes que pueden leer más acerca de los mártires de Vietnam y otros santos en libros o en la Internet.

Diga a los estudiantes que las vidas de muchos santos populares se han representado en películas que están disponibles en video. Anímelos, con la supervisión de sus padres, a encontrar videos de hombres y mujeres cuyas vidas y santidad son de interés para todas las edades. Sugiera los clásicos *La canción de Bernadette* o *Romero* como punto de partida. Visite el sitio Web de Sadlier para encontrar recursos adicionales sobre las vidas de los santos.

Liturgia para la semana

Visite **www.creemosweb.com** para las lecturas bíblicas de esta semana y otros materiales propios del tiempo.

Necesidades individuales

Inglés como segundo idioma

Es posible que los estudiantes que están aprendiendo inglés requieran más tiempo para entender los textos. Lea el texto en voz alta a estos estudiantes y pídales que lo lean ellos después. En las actividades en grupo en que los estudiantes toman turnos para leer el texto en voz alta, seleccione los pasajes más cortos para estos estudiantes.

RECURSOS ADICIONALES

Video *Compartiendo la fe en el hemisferio.* Maryknoll *World Films.* Hombres y mujeres; sacerdotes, religiosos y laicos, comparten sus experiencias en sus misiones apostólicas en Estados Unidos y América Latina. (28 minutos).

Para ideas visite a Sadlier en

www.CREEMOSweb.com

Connections

To Liturgical Music

As the students explore the theological virtues, make available to them parish hymnals and other liturgical songbooks. Invite them to make a chart listing songs about faith, hope, and love. Help them analyze how the lyrics of songs like "I Say 'Yes,' My Lord" (Donna Peña) and "Building a City" (Rory Cooney) communicate the meaning of these virtues.

To Stewardship

Explain to the students that their care and use of the earth's natural resources is practicing good stewardship. Encourage them to learn ways to conserve and not waste a natural resource such as water. Stress that being careful how we use water might mean that other people will have enough to care for their needs.

FAITH and MEDIA

- Remind the students that they can read more about the martyrs of Vietnam and about other saints in books and on the Internet.

  Tell the students that many popular saints' lives have been produced as films and are available on video. Encourage them, under the supervision of their parents, to find videos of men and women whose lives and holiness are attractive to people of all ages. Suggest such classics as *The Song of Bernadette* or *Romero* as starting points. Visit Sadlier's Web site for additional resources about the lives of the saints.

This Week's Liturgy
Visit **www.creemosweb.com** for this week's liturgical readings and other seasonal material.

Meeting Individual Needs

English Language Learners

Students who are learning English might need more time to work through the text material. Read the text aloud to these students, and have them read it back to you. In the group activities in which the students take turns reading the text aloud, select shorter passages for them.

ADDITIONAL RESOURCES

Book *Saints to Lead Me: Feast Days Through the Year,* Hadley Ward, Hi-Time Pflaum, 2001. The feast day for May 17 tells of St. Josephine Bakhita in "Up from Slavery."

To find more ideas for books, videos, and other learning material visit Sadlier's

www.CREEMOSweb.com

Meta catequética

• Examinar las virtudes teologales de la fe, esperanza y caridad e investigar como los santos vivieron

Preparandose para orar

Los estudiantes leerán lo que dice San Pablo. Responderán cantando.

• Diga a los estudiantes que usted dirigirá, escoja un voluntario como lector.

• Practique la canción "Amimonos unos a otros", 4–6 CD.

El lugar de oración

• Ponga una Biblia en la mesa de oración.

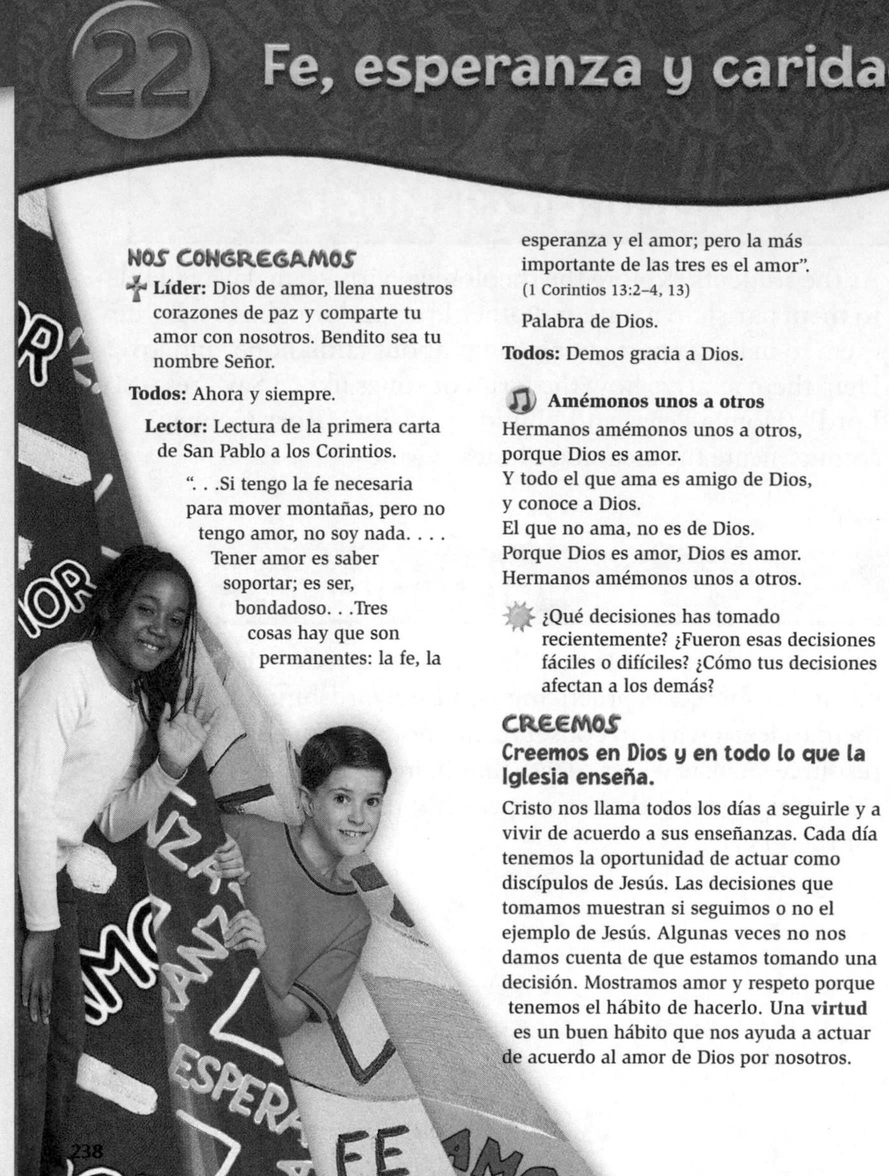

22 Fe, esperanza y caridad

Nos congregamos

Líder: Dios de amor, llena nuestros corazones de paz y comparte tu amor con nosotros. Bendito sea tu nombre Señor.

Todos: Ahora y siempre.

Lector: Lectura de la primera carta de San Pablo a los Corintios.

". . .Si tengo la fe necesaria para mover montañas, pero no tengo amor, no soy nada. . . . Tener amor es saber soportar; es ser, bondadoso. . .Tres cosas hay que son permanentes: la fe, la esperanza y el amor; pero la más importante de las tres es el amor".
(1 Corintios 13:2–4, 13)

Palabra de Dios.

Todos: Demos gracia a Dios.

Amémonos unos a otros

Hermanos amémonos unos a otros,
porque Dios es amor.
Y todo el que ama es amigo de Dios,
y conoce a Dios.
El que no ama, no es de Dios.
Porque Dios es amor, Dios es amor.
Hermanos amémonos unos a otros.

¿Qué decisiones has tomado recientemente? ¿Fueron esas decisiones fáciles o difíciles? ¿Cómo tus decisiones afectan a los demás?

Creemos

Creemos en Dios y en todo lo que la Iglesia enseña.

Cristo nos llama todos los días a seguirle y a vivir de acuerdo a sus enseñanzas. Cada día tenemos la oportunidad de actuar como discípulos de Jesús. Las decisiones que tomamos muestran si seguimos o no el ejemplo de Jesús. Algunas veces no nos damos cuenta de que estamos tomando una decisión. Mostramos amor y respeto porque tenemos el hábito de hacerlo. Una **virtud** es un buen hábito que nos ayuda a actuar de acuerdo al amor de Dios por nosotros.

238

Planificación de la lección

Nos congregamos ____ minutos

Oración

• Recen la Señal el Signo de la Cruz y dirija la oración inicial.

• Pida al lector que proclame la Escritura.

• Canten juntos la canción.

• Mencione que esta lectura de San Pablo a menudo se usa en los matrimonios para enfatizar la importancia de estas virtudes en las relaciones de amor. Indique que la fe, la esperanza y el amor nos acercan a Dios y aumentan nuestro deseo de estar con él por siempre.

Mirando la vida

• Comparta la *Historia para el capítulo* en la página 238A de la guía. Pida a los estudiantes que compartan sus respuestas a las preguntas. Diga a los estudiantes que aprenderán que la virtud de la fe nos permite creer en Dios y en las verdades que nos enseña la Iglesia.

Creemos ____ minutos

Pida a un voluntario que lea en voz alta el enunciado *Creemos*. Pida a los estudiantes que lean los primeros dos párrafos. Enfatice lo que Jesús nos pidió que hiciéramos. Haga que un voluntario lea en voz alta el resto del cuarto párrafo. Señale la importancia de la virtud de la fe para los cristianos. Nos permite creer en Dios y en todas las verdades que la Iglesia nos enseña. Explique que nuestra fe consta de las dimensiones individual y comunitaria. Es la fe de la Iglesia misma que nos guía y dirige. Como católicos, aprendemos de nuestros obispos y del papa y los escuchamos quienes poseen y enseñan la fe que vino de los apóstoles.

Faith, Hope, and Love

22

WE GATHER

Leader: Loving God, fill our hearts with peace and share your love with us. Blessed be the name of the Lord.

All: Now and for ever.

Reader: A reading from the first Letter of Saint Paul to the Corinthians

"If I have all faith so as to move mountains, but do not have love, I am nothing . . . Love is patient, love is kind . . . . Faith, hope, love remain, these three; but the greatest of these is love." (1 Corinthians 13:2–4, 13)

The word of the Lord.

All: Thanks be to God.

God's Greatest Gift

Love, love, Jesus is love.
God's greatest gift is the gift of love.
All creation sings together,
praising God for love.

What are some choices you have had to make recently? Were your decisions easy or difficult to make? How did your decisions affect you and others?

WE BELIEVE

We believe in God and all that the Church teaches.

Every day Christ calls us to follow him and to live by his teachings. Every day we have the opportunity to act as Jesus' disciples. The choices that we make show whether or not we follow Jesus' example. Sometimes we do not even realize that we are making a choice. We show love and respect because we are in the habit of doing it. A **virtue** is a good habit that helps us to act according to God's love for us.

239

Catechist Goal

• To examine the theological virtues of faith, hope, and love, and to explore how the saints are examples of these virtues

Preparing to Pray

The students will listen to Saint Paul's words and respond in song.

• Tell the students that you will be the prayer leader; choose a volunteer to be the reader.

• Practice the song "God's Greatest Gift," #21 on the Grade 5 CD.

The Prayer Space

• Place a Bible on the prayer table

Lesson Plan

WE GATHER

____ minutes

Pray

• Pray the Sign of the Cross and lead the opening prayer.

• Have the reader proclaim the Scripture.

• Sing the song together.

• Mention that this reading from Saint Paul is often used at weddings to emphasize the importance of these virtues in loving relationships. Point out that faith, hope, and love bring us closer to God and increase our desire to be with God forever.

Focus on Life

• Share the *Chapter Story* on guide page 238B. Have the students share their answers to the question. Tell the students that they will learn that the virtue of faith enables us to believe in God and in the truths the Church teaches.

WE BELIEVE

____ minutes

Ask a volunteer to read aloud the first *We Believe* statement. Have the students read the first two *We Believe* paragraphs. Point out what Jesus has asked us to do. Have volunteers read aloud the next four paragraphs. Stress the importance of the virtue of faith for Christians. It enables us to believe in God and all truths that the Church teaches us. Explain that our faith has both individual and communal dimensions to it. It is the faith of the Church itself that guides and leads us. As Catholics, we learn from and listen to our bishops and the pope who hold and teach the faith that has come from the apostles.

Nuestra respuesta en la fe

- Demostrar el significado de los valores teologales y practicarlos

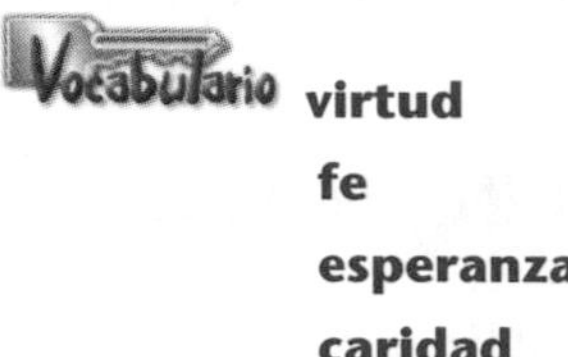

virtud
fe
esperanza
caridad

Materiales

- copias del patrón 22

Conexión con el hogar

Invite a los estudiantes a compartir con sus familias algunas formas de honrar a María.

Las *virtudes teologales*, fe, esperanza y caridad nos acercan a Dios y aumentan nuestro deseo de estar con él por siempre. Son llamadas teologales porque son dones de Dios, *teo* viene del griego y significa dios. Ellas hacen posible que tengamos una relación con Dios, Padre, Hijo y Espíritu Santo.

La virtud de la **fe** nos ayuda a vivir en Dios y todo lo que la Iglesia enseña. La fe nos ayuda a creer todo lo que Dios nos ha dicho sobre él y todo lo que ha hecho. El don de la fe nos ayuda a creer que Dios está con nosotros y actúa en nuestras vidas.

Dios hace posible la fe, pero la fe es una decisión que tomamos. Jesús dijo una vez: "¡Dichosos los que creen sin haber visto!" (Juan 20:29). Escogemos responder al regalo divino del don de la fe. Escogemos creer. La fe nos dirige a querer entender más sobre Dios y su plan para con nosotros, para que nuestra fe en él pueda fortalecerse.

Nuestra fe es la fe de la Iglesia. Es por medio de la comunidad de la Iglesia que creemos. Por esta comunidad de fe aprendemos lo que significa creer. Nuestra fe es guiada y fortalecida por la Iglesia.

Los seguidores de Jesús una vez le pidieron: "Danos más fe" (Lucas 17:5). Ellos entendieron que la fe podía crecer por el poder de Dios. Para que la fe aumente, necesitamos leer la Biblia, rezar a Dios para fortalecer nuestra fe y dar testimonio de nuestra fe con nuestra vida. Somos testigos de Cristo cuando hablamos y actuamos basado en la buena nueva. Como discípulos de Cristo somos llamados a mostrar a otros nuestra fe en Dios y ayudarles a creer.

Con un compañero usa cada una de las letras para describir la fe.

F ______________________

E ______________________

240

¿Cómo puedes aumentar tu fe?

Confiamos en Dios, en su amor y su cuidado.

La **esperanza** es una virtud que nos ayuda a confiar en la promesa de Dios de compartir su vida con nosotros por siempre. La esperanza hace que confiemos en el amor y el cuidado que Dios nos tiene. La esperanza nos protege del desaliento en tiempos difíciles. También nos ayuda a confiar en Cristo y la fortaleza del Espíritu Santo.

El esperanza es un don que nos ayuda a responder a la felicidad que Dios nos ofrece ahora y en el futuro. La esperanza nos ayuda a trabajar para predicar el reino de Dios aquí en la tierra y esperar ansiosos el reino en el cielo.

Planificación de la lección

CREEMOS (continuación)

Distribuya copias del patrón 22. Explique que completarán las hojas en grupo. Anímelos a leer sus textos otra vez para encontrar las verdades que necesitan saber sobre el significado de las virtudes de fe, esperanza y caridad. Pídales que escriban sus hallazgos sobre la fe en el círculo correspondiente.

Pida a los estudiantes que completen la actividad de describir la fe y que respondan la pregunta. Escriba sus sugerencias en la pizarra.

- Recen un acto de fe.

Invite a un voluntario a leer en voz alta el segundo enunciado *Creemos*. Pida a voluntarios que lean en voz alta los párrafos. Enfatice lo siguiente:

- Jesús brindó esperanza y paz a los que sanaba y perdonaba en nombre de Dios.
- Las Bienaventuranzas nos dan razón para tener esperanza en el reino de Dios.

Puede compartir las Bienaventuranzas con los estudiantes leyéndolas directamente de la Biblia en Mateo 5:3–10.

Pida a los estudiantes que continúen trabajando con el patrón, en el círculo de la virtud de esperanza. Pídales que lean y usen el texto *Creemos.*

Identifique cosas que den esperanza.

- Recen un acto de esperanza.

Jesus teaching the Beatitudes from the motion picture *Jesus of Nazareth.*

The *theological virtues* of faith, hope, and love bring us closer to God and increase our desire to be with God forever. They are called theological because *theo* means "God" and these virtues are gifts from God. They make it possible for us to have a relationship with God—the Father, the Son, and the Holy Spirit.

The virtue of **faith** enables us to believe in God and all that the Church teaches us. Faith helps us to believe all that God has told us about himself and all that he has done. The gift of faith helps us to believe that God is with us and is acting in our lives.

God makes faith possible, but faith is still a choice we make. Jesus once said, "Blessed are those who have not seen and have believed" (John 20:29). We choose to respond to God's gift of faith. We choose to believe. Faith leads us to want to understand more about God and his plan for us, so that our belief in him can grow stronger.

Our faith is the faith of the Church. It is through the community of the Church that we come to believe. Through this community of faith we learn what it means to believe. Our faith is guided and strengthened by the Church.

Jesus' followers once asked him to "increase our faith" (Luke 17:5). They understood that faith could grow by the power of God. To grow in faith, we need to read the Bible, pray to God to make our faith stronger, and give witness to our faith by the way we live. We give witness to Christ when we speak and act based upon the good news. As Christ's disciples we are called to show others our belief in God and to help them believe.

With a partner use each of the letters below to describe faith.

F ____________________

A ____________________

I ____________________

T ____________________

H ____________________

How can you grow in faith this week?

We trust in God and are confident in his love and care for us.

The virtue of **hope** enables us to trust in God's promise to share his life with us forever. Hope makes us confident in God's love and care for us. Hope keeps us from becoming discouraged or giving up when times are difficult. Hope helps us to trust in Christ and to rely on the strength of the Holy Spirit.

Hope is a gift that helps us to respond to the happiness that God offers us now and in the future. Hope helps us work to spread the Kingdom of God here on earth, and to look forward to the kingdom in heaven.

241

Our Faith Response

• To demonstrate the meaning of the theological virtues and to practice them

virtue
faith
hope
love

Lesson Materials

• copies of Reproducible Master 22

Home Connection Update

Invite the students to share the ways their families honor Mary.

Lesson Plan

WE BELIEVE (continued)

Distribute copies of Reproducible Master 22. Explain to the students that they will work in groups to complete the sheets. Encourage them to look in the *We Believe* text to find the truths they need to know about the meaning of the virtues of faith, hope, and love. Ask them to write their findings about faith in the appropriate circle.

Have the students complete the activity to describe faith, and then answer the question. Write their suggestions on the board.

• Pray an Act of Faith.

Invite a volunteer to read aloud the second *We Believe* statement. Have volunteers read aloud the *We Believe* paragraphs. Emphasize the following:

• Jesus brought hope and peace to the people whom he healed and forgave in God's name.

• The Beatitudes give us reason to hope in the Kingdom of God.

You may want to share the Beatitudes with the students by reading them directly from the Bible in Matthew 5:3–10.

Have the students resume working on Reproducible Master 22, working on the circle for the virtue of hope. Encourage them to use the *We Believe* text.

Identify things that give hope.

• Pray an Act of Hope.

Banco de actividades

Comunidad

Las Bienaventuranzas y las obras de misericordia

Pida a los estudiantes leer las Bienaventuranzas y las obras de misericordia. Pídales pensar en como la comunidad cristiana cumple las Bienaventuranzas y las obras de misericordia. Por ejemplo, "Dichosos los que están tristes, pues Dios les dará consuelo" encuentre una respuesta correspondiente en la obra espiritual de misericordia que dice "Consolar a los que sufren". Pida a los estudiantes continuar relacionando ambas.

Como católicos...

Las virtudes cardinales

Lea en voz alta el texto. Ayude a los estudiantes a entender que Dios nos da libre albedrío. Las virtudes cardinales nos permiten tomar decisiones a buenas. La palabra *cardinal* viene del latín *cardinali*; el resto de las virtudes provienen o dependen de ella.

Desde el inicio de su ministerio, Jesús dio a la gente una razón para confiar en la misericordia de Dios. Dios no ha olvidado a su pueblo. El envió a su único Hijo a compartir su amor y su vida con el pueblo. Jesús les trajo el perdón y la sanación de Dios. El le dio esperanza de paz y vida con Dios.

Las Bienaventuranzas, puedes encontrarlas en la página 309, son enseñanzas de Jesús muy importantes. Cada una empieza con la palabra *dichoso* que significa "feliz". En las Bienaventuranzas Jesús describe la felicidad que viene a los que siguen su ejemplo de vivir y confiar en el cuidado de Dios. Las Bienaventuranzas describen las formas en que los discípulos de Cristo deben actuar y pensar. Ellas son una promesa de las bendiciones de Dios. Nos dan una razón de esperar en el reino de Dios, también llamado reino de los cielos.

Comparte una cosa que te da esperanza.

____

____

Podemos amar a Dios y a los demás.
Durante su ministerio Jesús enseñó a la gente sobre el significado de los Diez Mandamientos. El les dio las Bienaventuranzas como modelo para vivir y trabajar para la felicidad futura. Jesús mostró al pueblo que la ley de Dios es la ley del amor.

Una vez le preguntaron a Jesús cual era el más importante de los mandamientos de Dios. El respondió diciendo: "Ama al Señor tu Dios, con todo tu corazón, con toda tu alma y con toda tu mente. Este es el más importante y el primero de los mandamientos. El segundo es parecido a este; dice: ama a tu prójimo como a ti mismo" (Mateo 22:37–39).

El amor es posible porque Dios nos amó primero. Todo el amor viene de Dios. El amor de Dios nunca termina. El siempre está ahí con nosotros, especialmente en la comunidad de la Iglesia. La virtud de la **caridad** nos permite amar a Dios y amar a nuestro prójimo. El amor es la mayor de todas las virtudes. Todas las demás vienen de ella y llevan a ella. El amor es la meta de nuestras vidas cristianas.

Antes de morir, Jesús dijo a sus discípulos: "Les doy este mandamiento nuevo: Que se amen los unos a los otros. Así como yo los amo a ustedes, así deben amarse ustedes los unos a los otros. Si se aman los unos a los otros, todo el mundo se dará cuenta de que son discípulos míos" (Juan 13:34–35).

Jesús nos mostró como amar. El mantuvo su promesa, vivió de acuerdo a las virtudes, cuidó de sus amigos y familiares y trató a todo el mundo con respeto. El escuchó a la gente y cuidó de sus necesidades, aun cuando estuviera cansado. El luchó por los derechos de los demás y los ayudó a encontrar paz y consuelo.

¿Cómo se reconocen los discípulos de Jesús? Trabaja en grupo y escenifiquen las maneras.

Como católicos...

Las virtudes teologales son la base de las virtudes humanas. Las virtudes humanas son hábitos que se forman por nuestro propio esfuerzo. Nos llevan a vivir una buena vida. Resultan de las decisiones que tomamos, una y otra vez, de cumplir la ley de Dios. Estas virtudes humanas guían la forma en que pensamos, sentimos y actuamos. Cuatro de esas virtudes son llamadas "cardinales": prudencia, justicia, fortaleza y templanza.

Averigua más sobre estas virtudes.

242

Planificación de la lección

CREEMOS (continuación)

Cotejo rápido

✔ *¿Cuáles son las virtudes teologales?* (fe, esperanza y caridad.)

✔ *¿Cómo es la esperanza un don?* (La esperanza es un don que nos permite responder a la felicidad que Dios nos ofrece ahora y en el futuro.)

Pida a un voluntario que lea en voz alta el tercer enunciado *Creemos*. Pida a los estudiantes que lean y resalten el texto *Creemos* con un compañero. Enfatice los siguientes puntos:

• En su ministerio, Jesús mostró al pueblo que los mandamientos de Dios se cumplen al amar a Dios y al prójimo. El nuevo mandamiento de Jesús es "Amense los unos a los otros".

• La virtud teologal de la caridad es la más importante de todas. Jesús nos mostró como amar.

Indique la diferencia entre los significados populares de la palabra amor y el ejemplo de amor de Jesús. Pregunte: *¿Dónde ha visto u oído sobre este tipo de amor en acción?* Invite a los estudiantes a dibujar o describir el significado del amor, como nos lo enseñó Jesús. Invite a los estudiantes a compartir sus trabajos: poemas, canciones o reflexiones.

Pida a los estudiantes que usen sus textos para llenar el círculo de la virtud de la caridad. Converse sobre el organizador gráfico completado. Enfatice que las virtudes teologales vienen de Dios y nos permiten actuar como pueblo de Dios.

Anime a los estudiantes a trabajar en la actividad en grupos pequeños. Escenifique algunos ejemplos.

From the beginning of his ministry, Jesus gave people a reason to hope in God's mercy. God had not forgotten his people. He had sent his only Son to be with them and to share his life and love with them. Jesus brought them God's forgiveness and healing. He gave them the hope of peace and life with God.

The Beatitudes, which can be found on page 321, are a very important teaching of Jesus. Each beatitude begins with the word *blessed* which means "happy." In the Beatitudes Jesus describes the happiness that comes to those who follow his example of living and trusting in God's care. The Beatitudes describe the ways Christ's disciples should think and act. They are a promise of God's blessings. They give us reason to hope in the Kingdom of God, also called the kingdom of heaven.

Share one thing that gives you hope.

____

____

As Catholics...

The theological virtues are the foundation of the human virtues. The human virtues are habits that come about by our own efforts. They lead us to live a good life. They result from our making the decision, over and over again, to live by God's law. These human virtues guide the way we think, feel, and behave. Four of these are called "cardinal" virtues: prudence, justice, fortitude, and temperance. Find out more about each of these virtues.

We are able to love God and one another.

During his ministry Jesus taught the people about the meaning of the Ten Commandments. He gave them the Beatitudes as a model for living and working toward future happiness. Jesus showed the people that God's law is a law of love.

Once Jesus was asked what commandment of God's law was the greatest. Jesus responded by saying "You shall love the Lord, your God, with all your heart, with all your soul, and with all your mind. This is the greatest and the first commandment. The second is like it: You shall love your neighbor as yourself" (Matthew 22:37–39).

Love is possible because God loves us first. All love comes from God. God's love for us never ends. He is always there for us, especially through the Church community. The virtue of **love** enables us to love God and to love our neighbor. Love is the greatest of all virtues. All the other virtues come from it and lead back to it. Love is the goal of our lives as Christians.

Before he died Jesus told his disciples, "I give you a new commandment: love one another. As I have loved you, so you also should love one another. This is how all will know that you are my disciples, if you have love for one another" (John 13:34–35).

Jesus showed us how to love. He kept his promises, lived by the virtues, took care of his family and friends, and treated all people with respect. He listened to people and cared for their needs, even when he was tired. He stood up for the rights of others and helped them to find peace and comfort.

How can you recognize Jesus' disciples? Work in groups and act out some ways.

243

Activity Bank

Community

The Beatitudes and the Works of Mercy

Have the students read the Beatitudes along with the Works of Mercy. Ask them to see ways the Christian community fulfills the Beatitudes in the Works of Mercy. For example, the Beatitude "Blessed are they who mourn, for they will be comforted" finds a fitting response in the Spiritual Work of Mercy that reads "Comfort those who suffer." Have the students continue to make these kinds of connections between the two.

As Catholics...

The Cardinal Virtues

Read aloud the text. Help the students understand that God has given all people the gift of free will. The cardinal virtues enable us to make balanced choices when faced with difficult decisions. The word *cardinal* comes from the Latin word *cardo*; all other virtues depend on these.

Lesson Plan

WE BELIEVE (continued)

Quick Check

✔ *What are the theological virtues?* (faith, hope, and love)

✔ *In what way is hope a gift?* (Hope is a gift that enables us to respond to the happiness God offers us now and in the future.)

Ask a volunteer to read aloud the third *We Believe* statement. Have the students work with partners to read and highlight the *We Believe* text. Emphasize the following points:

• In his ministry, Jesus showed people that God's commandments are fulfilled in loving God and our neighbors. Jesus' new commandment is, "Love one another."

• The theological virtue of love is the greatest of all virtues. Jesus showed us how to love.

Point out the difference between popular meanings of the word love and Jesus' example of love. Ask: *Where have you seen or heard about this kind of love in action?* Invite the students to draw or describe the meaning of love as Jesus showed it to us. Invite students to share their artwork, poems, songs, or reflections.

Ask the students to use their texts as they fill in the virtue of love circle. Discuss the completed graphic organizer. Emphasize that the theological virtues come from God and enable us to act as God's people.

Encourage the students to work in small groups to prepare the activity and act out some examples.

Ideas

Existe el amor

Las diversas definiciones de la palabra amor pueden obstaculizar la enseñanza de la virtud de la caridad (amor). Considere seguir usando la palabra *caridad* para referirse a esta virtud cristiana. Señale el motivo interior de la gracia de Dios que inspira a los cristianos a amar como Jesús nos amó.

Leyendo las vidas de los santos

Antes de presentar ningún dato biográfico de la vida de un santo, verifique la precisión del mismo y si la historia se ha modificado para el beneficio del lector. A veces los autores bien intencionados escriben biografías de los santos que los idealizan o alaban.

Los santos son modelos para vivir una vida virtuosa.

Desde el origen de la Iglesia, los discípulos de Cristo han sido testigos de su fe. Ellos predicaron la buena nueva de Jesucristo, siguieron las enseñanzas de los apóstoles y vivieron como una comunidad de creyentes.

Muchos de estos primeros discípulos fueron mártires, personas que prefirieron morir antes que negar su fe en Cristo. La palabra *mártir* viene de una palabra griega que significa "testigo". Recordamos y honramos a esos mártires y muchos otros que a través de la historia han dado sus vidas por nuestra fe.

En el siglo XVI, los misioneros cristianos llevaron la fe por primera vez a Vietnam. Durante los tres siguientes siglos los cristianos en Vietnam sufrieron por su fe. Muchos fueron martirizados, especialmente durante los años 1820 al 1840. En 1988, el Papa Juan Pablo II proclamó santos a un grupo de ciento diecisiete de estos mártires.

La mayoría de ellos eran laicos. También había sacerdotes, algunos obispos y hermanos y hermanas religiosos. Muchos de ellos eran misioneros. Andrew Dung-Lac era un sacerdote vietnamita que murió junto con el padre Peter Thi.

Andrew Trong Van Tram era un soldado y oficial de la armada. El había mantenido su fe en secreto. En el 1834 las autoridades descubrieron que Andrew, quien era católico, estaba ayudando a los misioneros. Fue destituido de posición de oficial y fue encarcelado. Se le dio la oportunidad de salir libre si renegaba de su fe. El se negó y por eso en 1835 fue asesinado por su fe.

Anthony Dich Nguyen era un rico granjero que contribuía con la Iglesia. El ayudaba a los misioneros de la Paris Foreign Missión Society que servía en Vietnan. El escondió a sacerdotes que trataban de escapar de la persecución del gobierno. Anthony fue arrestado y golpeado por su fe y por haber escondido a sacerdotes católicos.

Anthony Dich Nguyen

Estos santos hicieron posible que futuras generaciones vietnamitas conocieran a Cristo. La fiesta de estos mártires de Vietnam se celebra el 24 de noviembre. También recordamos y honramos a esos mártires en sus días de fiesta. Andrew Dung-Lac y Pedro Thi el 21 de diciembre y Andrew Trong van Tram el 28 de noviembre.

Vocabulario

virtud (pp 333)
fe (pp 332)
esperanza (pp 331)
caridad (pp 331)

RESPONDEMOS

Imitamos el ejemplo de los santos para vivir las virtudes de fe, esperanza y caridad. Escribe el nombre de un santo.

____

Con un compañero habla de las formas en que puedes seguir su ejemplo.

244

Planificación de la lección

CREEMOS (continuación)

Recen un acto de caridad.

Pida a un estudiante que lean en voz alta el cuarto enunciado. Pida a voluntarios que lean en voz alta los primeros dos párrafos. Enfatice los siguientes puntos:

- El testimonio de la fe empezó con la Iglesia.
- La palabra *mártir* viene de la palabra testigo en griego. La Iglesia honra a los mártires que dieron testimonio de su fe en Cristo al morir.

Invite a los estudiantes a trabajar con un compañero. Pídales que hagan una lista de las virtudes y otras características que mostraron los mártires de Vietnam. Pídales que escriban una o dos oraciones sobre lo siguiente: *Me gustaría ser como San* ______________ porque ______________. Comparta las frases terminadas.

Puede indicar que Santa Josephine Bakhita, nació en Sudán, Africa y fue esclavizada de niña. Eventualmente la acogió una familia que la llevó a Italia, donde se convirtió en hermana religiosa. Fue testigo de todo el amor de Dios. Murió en 1947.

Vocabulario Escriba las palabras en la pizarra. Pida a los estudiantes que las definan y den ejemplos o descripciones de cada una.

RESPONDEMOS ____ minutos

Lea en voz alta el texto de *Respondemos*. Comparta historias de los santos y converse en voz alta sobre algunas maneras de seguir su ejemplo. Responda las preguntas y comparta ideas. Anime a los estudiantes a leer sobre la vida de un santo durante el verano.

The saints are models for living the life of virtue.

From the very beginning of the Church, Christ's disciples have given witness to their faith in him.They spread the good news of Jesus Christ, followed the teaching of the apostles, and lived as a community of believers.

Many of these early disciples were martyrs, people who died rather than give up their belief in Christ. The word *martyr* comes from the Greek word for "witness." We remember and honor these martyrs, and the many others throughout history who have given their lives for their faith.

Andrew Trong Van Tram

In the sixteenth century, Christian missionaries first brought the faith to Vietnam. During the next three centuries, Christians in Vietnam suffered for their beliefs. Many were martyred, especially during the years of 1820 to 1840. In 1988, Pope John Paul II proclaimed a group of one hundred seventeen of these martyrs as saints.

The majority of those honored were lay people. There were also many priests, some bishops, and religious sisters and brothers. Many of them were missionaries. Andrew Dung-Lac was a Vietnamese priest who was martyred, along with Father Peter Thi.

Andrew Trong Van Tram was a soldier and later an officer in the army. He had to keep his faith a secret. In 1834 the authorities discovered that Andrew, who was Catholic, was helping the missionaries. His position as an officer was taken away from him, and he was put in prison. He was given the chance to be freed if he would stop practicing his faith. He refused to do so, and in 1835 he was killed for his belief.

Anthony Dich Nguyen was a wealthy farmer who contributed to the Church. He helped the missionaries of the Paris Foreign Mission Society who served in Vietnam. He hid priests who were trying to escape government persecution. Anthony was arrested and beaten because of his faith and because he sheltered these Catholic priests.

These holy people made it possible for future generations of Vietnamese to know Christ and learn the faith. The feast day of the martyrs of Vietnam is November 24. We also remember and honor some of these martyrs with their own feast days: Andrew Dung-Lac and Peter Thi on December 21 and Andrew Trong Van Tram on November 28.

WE RESPOND

We look to the saints as examples for living the virtues of faith, hope, and love. Name one saint that you know about.

____

With a partner talk about ways we can follow the example of the saints.

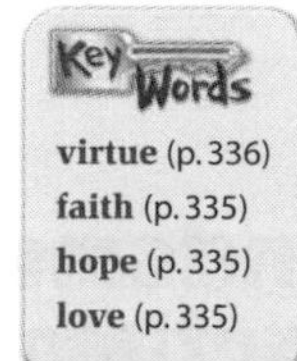

Key Words
virtue (p. 336)
faith (p. 335)
hope (p. 335)
love (p. 335)

245

Teaching Notes

There Is Love

The many definitions of the word *love* can get in the way of teaching about the virtue of love. Consider using the word *charity* in discussing the Christian virtue. Stress the interior motive and God's grace that moves Christians to love as Jesus loved us.

Reading Saints' Lives

Before presenting any biographical data on a saint's life, crosscheck the account for its accuracy and whether or not legend might have been woven into the material for the reader's edification. Sometimes a well-intentioned author writes a biography of a saint that may idealize or lionize the saint.

Lesson Plan

WE BELIEVE (continued)

Pray the Act of Love.

Have a student read aloud the fourth *We Believe* statement. Have volunteers read aloud the first two paragraphs. Emphasize the following points:

• Giving witness to the faith began from the very beginning of the Church.

• The word *martyr* is derived from the Greek word for witness. The Church honors martyrs who gave witness to Christ in undergoing death.

Invite the students to work with partners. Have them list virtues and other characteristics of the martyrs of Vietnam. Ask them to write one or two sentences on the following: *I would most like to be like Saint* _______________ because _______________. Share these completed statements.

You also may want to note that Saint Josephine Bakhita was born in the Sudan, in Africa, and was taken into slavery as a young child. She was eventually taken in by a kind family and brought to Italy, where she became a religious sister. She was a witness to all of God's love. She died in 1947.

Key Words Write the words on the board. Ask students to define the words and offer examples or descriptions of the words.

WE RESPOND _____ minutes

Read aloud the *We Respond* text. Share stories of saints and talk about ways to follow their example. Encourage the students to read the life of a saint during the summer.

BANCO DE ACTIVIDADES

Inteligencia múltiple

Relaciones personales

En esta era de los programas de autosuperación, invite a los estudiantes a planificar como las cuatro virtudes cardinales los pueden ayudar en sus relaciones personales. Por ejemplo, la virtud cardinal de fortaleza puede ayudarlos a evitar seguir al resto en ciertas situaciones. A veces los jóvenes necesitan tener la valentía de alejarse de una confrontación que no vale la pena. Pida a los estudiantes que indiquen formas prácticas en las que las virtudes cardinales los pueden ayudar.

Conexión con el currículo

Música

En todo el programa de *Creemos* la música y las canciones tienen una función especial en el desarrollo de la fe de los jóvenes. El tesoro de la música de la Iglesia alimenta la mente y el alma. Presente a los estudiantes el canto gregoriano, salmos y misas cantadas.

CONEXION CON EL HOGAR

Compartiendo lo aprendido

Anime a los estudiantes a compartir y completar lo que aparece en el patrón a reproducir con sus familiares.

Para más información y actividades adicionales visite a Sadlier

www.CREEMOSweb.com

Planifique por adelantado

Lugar de oración: una Biblia

Materiales: copias del patrón para reproducir 23, 4–6 CD material de dibujo

_____ minutos

Repaso del capítulo Pida a los estudiantes que completen las preguntas 1–10. Repáselas pidiendo las respuestas correctas y la explicación correspondiente.

Reflexiona y ora Lea en voz alta la primera frase. Invite a los estudiantes a completar la oración. Pida a voluntarios que compartan los nombres de los santos a los que pidieron ayuda.

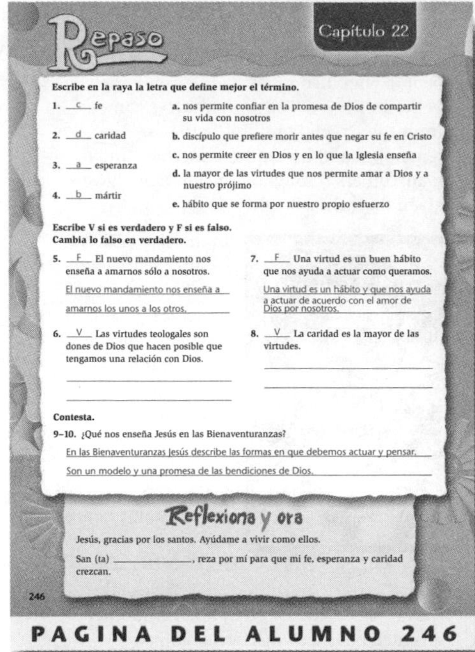

Repaso — Capítulo 22

Escribe en la raya la letra que define mejor el término.

1. _c_ fe
2. _d_ caridad
3. _a_ esperanza
4. _b_ mártir

a. nos permite confiar en la promesa de Dios de compartir su vida con nosotros
b. discípulo que prefiere morir antes que negar su fe en Cristo
c. nos permite creer en Dios y en lo que la Iglesia enseña
d. la mayor de las virtudes que nos permite amar a Dios y a nuestro prójimo
e. hábito que se forma por nuestro propio esfuerzo

Escribe V si es verdadero y F si es falso. Cambia lo falso en verdadero.

5. _F_ El nuevo mandamiento nos enseña a amarnos sólo a nosotros.
El nuevo mandamiento nos enseña a amarnos los unos a los otros.

6. _V_ Las virtudes teologales son dones de Dios que hacen posible que tengamos una relación con Dios.

7. _F_ Una virtud es un buen hábito que nos ayuda a actuar como queramos.
Una virtud es un hábito y que nos ayuda a actuar de acuerdo con el amor de Dios por nosotros.

8. _V_ La caridad es la mayor de las virtudes.

Contesta.

9–10. ¿Qué nos enseña Jesús en las Bienaventuranzas?
En las Bienaventuranzas Jesús describe las formas en que debemos actuar y pensar. Son un modelo y una promesa de las bendiciones de Dios.

Reflexiona y ora

Jesús, gracias por los santos. Ayúdame a vivir como ellos.

San (ta) ________, reza por mí para que mi fe, esperanza y caridad crezcan.

246

PAGINA DEL ALUMNO 246

Respondemos y compartimos la fe

_____ minutos

Recuerda Pida a voluntarios que lean en voz alta los enunciados de *Creemos*. Pídales que comparen su trabajo del patrón 22 con estos enunciados.

Nuestra vida católica Lea en voz alta el texto. Inicie una discusión del proceso mediante el cual se canoniza a las personas. Enfatice que a muchas personas que han vivido vidas de fe y santidad se les considera santos aunque la Iglesia no lo declare oficialmente.

Respondemos y compartimos la fe

Compartiendo lo aprendido

Habla con tu familia sobre lo siguiente:
- la virtudes de fe, esperanza y caridad
- las Bienaventuranzas
- el gran mandamiento de Jesús
- santos que vivieron vidas virtuosas.

Recuerda
- Creemos en Dios y en todo lo que la Iglesia enseña.
- Confiamos en Dios, en su amor y su cuidado.
- Podemos amar a Dios y a los demás.
- Los santos son modelos para vivir una vida virtuosa.

Rezando en familia

Señor,
Da la protección y la gracia a tu pueblo. Danos salud de cuerpo y alma, perfecto amor por cada uno y que siempre seamos fieles a ti. Te lo pedimos en nombre de nuestro Señor Jesucristo. Amén.

NUESTRA VIDA CATOLICA

Canonización

La Iglesia tiene un proceso especial para honrar a las personas que han vivido vidas muy santas como testigos de Jesucristo. Este proceso es la canonización. Durante este proceso los líderes de la Iglesia examinan la vida de cada persona propuesta para la santidad. Los líderes de la Iglesia reúnen pruebas de que esa persona vivió una vida de santidad. Cuando alguien es canonizado santo, la Iglesia oficialmente lo nombra como tal. Su nombre entra a la lista de los santos reconocidos por la Iglesia Católica. Recordamos y celebramos cada santo canonizado un día especial durante el año litúrgico.

248

Visita Sadlier en www.CREEMOSweb.com

Conexión con el Catecismo
Para referencia vea los párrafos 1814, 1817, 1822 y 828.

PAGINA DEL ALUMNO 248

_____ minutes

Chapter Review Have the students complete questions 1–10. Review by asking for the correct answers and why they are correct.

Reflect & Pray Read aloud the first sentence. Invite the students to complete the prayer. Have volunteers share the names of the saints they asked to intercede for them.

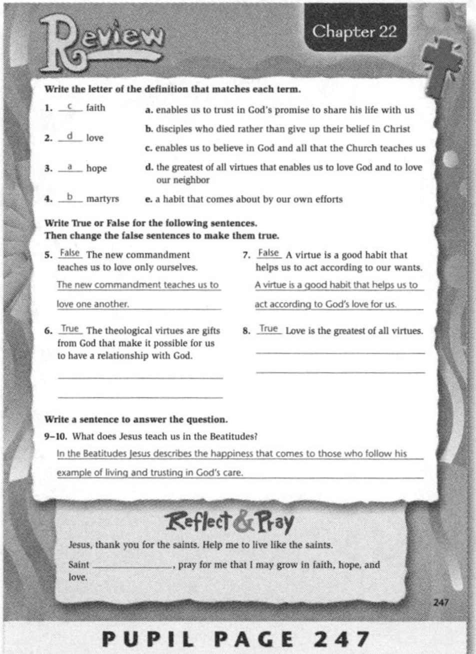

Review

Chapter 22

Write the letter of the definition that matches each term.

1. c faith
2. d love
3. a hope
4. b martyrs

a. enables us to trust in God's promise to share his life with us
b. disciples who died rather than give up their belief in Christ
c. enables us to believe in God and all that the Church teaches us
d. the greatest of all virtues that enables us to love God and to love our neighbor
e. a habit that comes about by our own efforts

Write True or False for the following sentences. Then change the false sentences to make them true.

5. False The new commandment teaches us to love only ourselves.
The new commandment teaches us to love one another.

6. True The theological virtues are gifts from God that make it possible for us to have a relationship with God.

7. False A virtue is a good habit that helps us to act according to our wants.
A virtue is a good habit that helps us to act according to God's love for us.

8. True Love is the greatest of all virtues.

Write a sentence to answer the question.

9–10. What does Jesus teach us in the Beatitudes?
In the Beatitudes Jesus describes the happiness that comes to those who follow his example of living and trusting in God's care.

Reflect & Pray

Jesus, thank you for the saints. Help me to live like the saints.

Saint ____________, pray for me that I may grow in faith, hope, and love.

247

PUPIL PAGE 247

We Respond and Share the Faith

_____ minutes

Remember Ask volunteers to read aloud the *We Believe* statements. Have them compare their work on Reproducible Master 22 with these belief statements.

Our Catholic Life Read aloud the text. Encourage discussion of the process by which persons are canonized. Emphasize that many individuals who have lived lives of faith and holiness are considered saints, although not officially declared so by the Church.

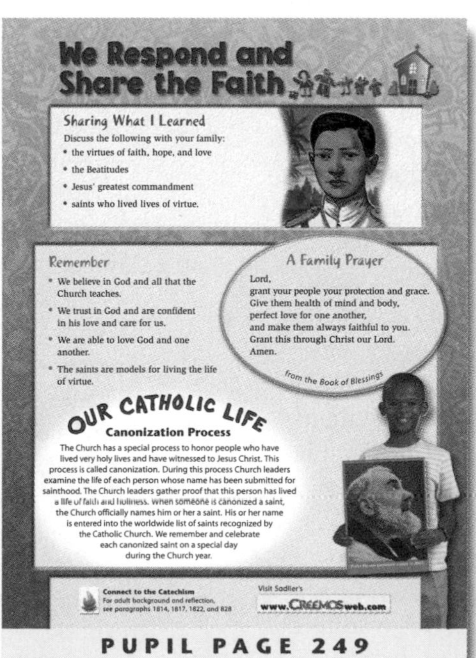

We Respond and Share the Faith

Sharing What I Learned

Discuss the following with your family:
- the virtues of faith, hope, and love
- the Beatitudes
- Jesus' greatest commandment
- saints who lived lives of virtue.

Remember
- We believe in God and all that the Church teaches.
- We trust in God and are confident in his love and care for us.
- We are able to love God and one another.
- The saints are models for living the life of virtue.

A Family Prayer

Lord,
grant your people your protection and grace.
Give them health of mind and body,
perfect love for one another,
and make them always faithful to you.
Grant this through Christ our Lord.
Amen.

from the Book of Blessings

OUR CATHOLIC LIFE

Canonization Process

The Church has a special process to honor people who have lived very holy lives and have witnessed to Jesus Christ. This process is called canonization. During this process Church leaders examine the life of each person whose name has been submitted for sainthood. The Church leaders gather proof that this person has lived a life of faith and holiness. When someone is canonized a saint, the Church officially names him or her a saint. His or her name is entered into the worldwide list of saints recognized by the Catholic Church. We remember and celebrate each canonized saint on a special day during the Church year.

Connect to the Catechism
For adult background and reflection, see paragraphs 1814, 1817, 1822, and 828

Visit Sadlier's www.CREEMOSweb.com

PUPIL PAGE 249

Activity Bank

Multiple Intelligences

Interpersonal

In this era of self-help programs, invite the students to map out ways the four cardinal virtues can help them in their personal relationships. For example, the cardinal virtue of fortitude might enable them to avoid going along with the crowd in certain situations. Sometimes young people need the courage to walk away from a confrontation that really is a no-win situation. Have the students develop practical ways the cardinal virtues can help them.

Curriculum Connection

Music

Throughout the *We Believe* program, music and song play important roles in the faith development of young people. The treasure of the Church's music is food for the mind and soul. Introduce the students to Gregorian chant, motets, and polyphonic Masses.

Home Connection

Sharing What I Learned

Encourage the students to share their completed reproducible masters with their families.

For additional information and activities, encourage families to visit Sadlier's

www.CREEMOSweb.com

Plan Ahead for Chapter 23

Prayer Space: a Bible

Lesson Materials: copies of Reproducible Master 23, Grade 5 CD

LLamado a vivir como discípulos de Jesús

Ojeada

En este capítulo los estudiantes aprenderán que Jesús nos llama a ser sus discípulos.

Contenido doctrinal	Para referencia del *Catecismo de la Iglesia Católica*
Los estudiantes aprenderán que:	párrafo
• Jesús llama a los bautizados a servirle en el sacerdocio de los fieles	1546
• Los laicos comparten la misión de llevar la buena nueva de Cristo al mundo	900
• Las mujeres y los hombres en la vida religiosa sirven a Cristo, a sus comunidades y a toda la Iglesia	917
• La amistad nos prepara para futuras vocaciones	959

Referencia catequética

¿Qué cosa no puede hacer sin la ayuda de otros?

Cuando Cristo resucitado ascendió al Padre, dejó establecido el inicio de la Iglesia. Al no tener más a Cristo en forma humana, la Iglesia, el cuerpo de Cristo, es ahora la señal tangible del amor de Dios por el mundo. San Pablo nos recuerda que este cuerpo está conformado de muchas partes y cada una es esencial para formar un sólo cuerpo.

Algunas personas son llamadas a servir a la Iglesia con una vida consagrada. Las mujeres y hombres que escogen esa vida hacen votos. Algunos viven en comunidades, otros trabajan. En algunas órdenes religiosas o congregaciones, algunos hombres son llamados a servir a la Iglesia como sacerdotes ordenados o diáconos mediante el sacramento del Orden.

La función de los laicos difiere de la función de los religiosos, pero la complementa. Laicos son todos los miembros bautizados, no ordenados ni comprometidos con la vida religiosa. También son llamados a compartir la misión de la Iglesia, "fuimos bautizados para formar un solo cuerpo por medio de un solo Espíritu; y a todos se nos dio a beber de ese mismo Espíritu" (1 Corintios 12:13). Los laicos pueden vivir su vocaciones como casados o solteros. Su vocación es llevar una vida sagrada dentro de la Iglesia y proclamar la buena nueva con su ejemplo.

¿Cuál es su función en la Iglesia?
¿Cómo ayuda a construir el reino de Dios?

Mirando la vida

Historia para el capítulo

Nacido en una pequeña granja belga en 1840, Joseph de Veuster, el futuro Padre Damián, no parecía estar destinado a una vida extraordinaria. Creció trabajando en la granja y parecía seguir los pasos de su papá. Sin embargo, cuando tenía como veinte años de edad, Joseph siguió a su hermano y se unió a los Padres del Sagrado Corazón de Jesús y María. Tomo el nombre Damián.

En 1864, enviaron al seminarista Damián como misionario a Hawai. Se ordenó en Honolulu ese mismo año.

En 1873, el Padre Damián se percató de las horribles condiciones de los leprosos que se enviaban a la isla de Molokai. En esta colonia de exilio, estas víctimas desfiguradas esperaban la muerte a causa de una enfermedad que no tenía cura. Los alejaban de todo contacto humano.

Los leprosos no tenían doctor, ni sacerdote, ni esperanza. El padre Damián se ofreció para ir a la colonia como su sacerdote. Por el resto de su vida, el padre Damián sirvió de ministro de las necesidades físicas y espirituales de su gente. Curaba sus heridas, enterraba a los muertos y construyó hogares, una clínica y una capilla. Sembró cultivos y les hizo llegar agua fresca de los manantiales de las montañas.

El padre Damián enseñó la fe y bautizó a la gente. Cada semana celebraba la misa y hablaba con los leprosos de la misericordia y cuidado de Dios. En 1885 comenzó una homilía de domingo con estas sorprendentes palabras, "Nosotros los leprosos". El padre Damián, su sacerdote, se había contagiado. También él era leproso.

Con amor y compasión, así como Cristo, el padre Damián continuó su trabajo hasta que no pudo seguir. Murió de lepra en 1889. El Papa Juan Pablo II beatificó—declaró bendito—al padre Damián, el 4 de junio de 1995.

¿Qué te impresionó más acerca de la vida y el trabajo del padre Damián? ¿Por qué?

Overview

In this chapter the students will learn that Jesus calls us to be his disciples.

Doctrinal Content	For Adult Reading and Reflection *Catechism of the Catholic Church*
The students will learn:	Paragraph
• Jesus calls the baptized to serve him in the priesthood of the faithful	1546
• The laity share in the mission to bring the good news of Christ to the world	900
• Women and men in religious life serve Christ, their communities, and the whole Church	917
• Friendships prepare us for future vocations	959

Catechist Background

What is something you cannot do without the help of others?

When the risen Christ ascended to the Father, he left in place the beginnings of the Church. No longer having Christ present in bodily form, the Church, the Body of Christ, is now the tangible sign of God's love for the world. Within this Body there are many parts, as Saint Paul reminds us. All of the parts are essential to make up the one Body.

Some people are called to serve the Church in the consecrated or religious life. Women and men who enter religious life take vows. Some may live in communities; others may work outside the community but are still very much members of the religious order or congregation. In some religious orders and congregations, some men are called to serve the Church as ordained priests or deacons through the sacrament of Holy Orders.

Different from the role of religious, but complementary to it, is the role of the laity. The laypeople of the Church are all of the baptized members who are not ordained or have not entered religious life. They, too, are called to share in the mission of the Church, "For in one Spirit we were all baptized into one body . . . and we were all given to drink of one Spirit" (1 Corinthians 12:13). Laypeople may live out their vocations in the married or single life. Their vocation is to become holy within the Church and to proclaim the good news in their lives and work.

What role do you play in the Church? How do you help build up the Kingdom of God?

Focus on Life

Chapter Story

Born Joseph de Veuster on a small Belgian farm in 1840, the future Father Damien did not seem to be destined for an extraordinary life. He grew up working on the farm and seemed to be following in his father's footsteps. However, when he was about twenty years old, Joseph followed his older brother's lead and joined the Fathers of the Sacred Hearts of Jesus and Mary. He took the name Damien.

In 1864 the seminarian Damien was sent as a missionary to Hawaii. He was ordained in Honolulu during that same year.

In 1873 Father Damien became aware of the horrible conditions of people with leprosy sent off to the island of Molokai. In this colony, or exile, these disfigured victims waited for death from the incurable disease. They were cut off from any form of human contact.

The lepers had no doctor, no priest, and no hope. Father Damien volunteered to go to the colony as their priest. For the rest of his life, Father Damien ministered to his people's physical needs as well as their spiritual ones. He dressed their wounds, buried their dead, and built homes, a clinic, and a chapel. He planted crops and brought fresh water from the mountain springs.

Father Damien taught the faith and baptized the people. Every week, he celebrated Mass and spoke to the lepers of God's mercy and care. In 1885 he began a Sunday homily with these startling words, "We lepers." Father Damien, their priest, had become one of them. He too was a leper.

With Christ–like love and compassion, Father Damien continued his work until he was unable to go on. He died from leprosy in 1889. Father Damien was beatified—declared blessed—by Pope John Paul II on June 4, 1995.

What impressed you the most about Father Damien's life and work? Why?

Guía para planificar la lección

Pasos de la lección	Presentación	Materiales
 **NOS CONGREGAMOS**		
pág. 250 **Oración**	• Escuchar la Escritura. • Responder orando.	Para el lugar de oración: una Biblia
Mirando la vida	• Compartir las experiencias de trabajar juntos en grupos.	
2 CREEMOS		
pág. 250 *Jesús llama a los bautizados a servirle en el sacerdocio de los fieles.*	• Leer y conversar sobre el sacerdocio de los fieles y como vivirlo. Diga como las personas pueden mostrar que son parte del sacerdocio de los fieles.	
pág. 252 *Los laicos comparten la misión de llevar la buena nueva de Cristo al mundo.*	• Leer y conversar sobre nuestra vocación común como laicos y nuestra función en la Iglesia. Identificar y escenificar como podemos participar en el trabajo de la Iglesia.	• copias del patrón 23
pág. 254 *Mujeres y hombres en la vida religiosa sirven a Cristo, sus comunidades y a toda la Iglesia.*	• Leer y conversar sobre la vida religiosa, sus votos y la vida comunitaria. Hablar sobre el servicio de las hermanas, hermanos y sacerdotes religiosos.	• 4–6 CD
pág. 256 *La amistad nos prepara para futuras vocaciones.*	• Hablar sobre la amistad y las vocaciones. • Conversar sobre *Como católicos.*	
3 RESPONDEMOS		
pág. 256	Reflexionar a través de la oración, sobre el llamado de Dios y nuestras vocaciones.	
páginas 258 y 260 **Repaso**	• Completar las preguntas 1–10. Completar *Reflexiona y ora.*	
páginas 258 y 260 **Respondemos y compartimos la fe**	• Repasar el *Recuerda* y el *Vocabulario.* • Leer y conversar sobre *Nuestra vida católica.*	

Para ideas, actividades y otras oportunidades visite Sadlier en **www.CREEMOSweb.com**

Lesson Planning Guide

Lesson Steps	Presentation	Materials
 **WE GATHER**		
page 251 **Prayer**	• Listen to Scripture. • Respond in prayer.	For the prayer space: a Bible
Focus on Life	• Share experiences of working together in groups.	
2 WE BELIEVE		
page 251 *Jesus calls the baptized to serve him in the priesthood of the faithful.*	• Read and discuss the priesthood of the faithful and ways of living it out. Name ways people can show they are part of the priesthood of the faithful.	
page 253 *The laity share in the mission to bring the good news of Christ to the world.*	• Read and discuss our common vocation as laypeople and our role in the Church. Identify and act out possible ways of taking part in the work of the Church.	• copies of Reproducible Master 23
page 255 *Women and men in religious life serve Christ, their communities, and the whole Church.*	• Read and discuss the religious life, its vows, and community life. Talk about ways religious sisters, brothers, and priests may serve.	"Prayer of Saint Francis/Oración de San Francisco," #22 and 23, Grade 5 CD (option)
page 257 *Friendships prepare us for future vocations.*	• Discuss friendship and vocations. • Discuss *As Catholics*.	
3 WE RESPOND		
page 257	Reflect on listening to God's call through prayer, advice from good people, and recognizing our talent.	
pages 259 and 261 **Review**	• Complete questions 1–10. Complete *Reflect & Pray*.	
pages 259 and 261 **We Respond and Share the Faith**	• Review *Remember* and *Key Words*. • Read and discuss *Our Catholic Life*.	

For additional ideas, activities, and opportunities: Visit Sadlier's **www.CREEMOSweb.com**

Conexiones

Doctrina social de la Iglesia

Solidaridad con la familia humana
La Escritura proclama que somos los guardianes de nuestros hermanos. Practicar la solidaridad es un aspecto integral en la vida del sacerdocio de los fieles. Anime a los estudiantes a mostrar su solidaridad con otros cristianos haciendo donaciones a las misiones, participando en la recolección de alimentos en la Navidad, Pascua y Día de Acción de Gracias, y trabajando con los feligreses adultos que buscan el bien común de la parroquia y del vecindario.

Vocaciones

Los estudiantes aprenderán que sus amistades los preparan para las vocaciones del futuro. A medida que avance en el capítulo, invite a los estudiantes a considerar como sirven a los demás mediante sus relaciones con ellos. Anímelos a reconocer que la Iglesia les pide a todos que usen sus cualidades y habilidades para responder a Dios durante toda la vida.

FE y MEDIOS

▶ En la sección *Como católicos* de esta semana, los estudiantes leerán sobre el trabajo de los misioneros católicos en Estados Unidos y en el extranjero. También se pedirá a los estudiantes que averigüen que oportunidades misioneras hay en sus parroquias y diócesis. Marque por adelantado algunas páginas Web de la parroquia o sitio Web de la diócesis. Use los sitios Web de organizaciones como Holy Childhood Association, Society for the Propagation of the Faith, y Committee on the Home Missions of the United States Conference of Catholic Bishops. Traiga a clase algunas copias de la revista *Maryknoll* y otras publicaciones católicas misioneras.

Liturgia para la semana
Visite **www.creemosweb.com** para las lecturas bíblicas de esta semana y otros materiales propios del tiempo.

Necesidades individuales

Estudiantes con necesidades visuales

Puede ser un reto responder a las necesidades de los estudiantes con miopía, hipermetropía o astigmatismo. Una de las formas más eficaces y simples de ayudar es preguntarles que les resulta mejor. Se puede ayudar a los estudiantes miopes ubicándolos en lugares específicos y a los hipermétropes con versiones del material con letra más grande. Los estudiantes con astigmatismo, quizá requieran un cambio en su ubicación en clase.

RECURSOS ADICIONALES

Video *Consagrados para ser testigos,* Oliva Gutiérrez y Yolanda Valero, Editorial Paulinas. Dedicado a jóvenes que se preparan para recibir el Sacramento de la Confirmación

Para ideas visite a Sadlier en

www.CREEMOSweb.com

Connections

To Catholic Social Teaching

Solidarity of the Human Family
The Scriptures proclaim that we are our brothers' and sisters' keepers. Practicing solidarity is an integral aspect of living out the priesthood of the faithful. Encourage the students to show their solidarity with other Christians by their donations to the missions, by participating in food drives at Christmas, Easter, and Thanksgiving, and by working with adult parishioners who seek the common good of the parish and neighborhood.

To Vocations

The students will learn that their friendships prepare them for the vocations they will pursue in the future. As you work through the chapter, invite the students to consider the ways their relationships with others help them to be of service to others. Encourage them to recognize that the Church asks each of them to use their skills and abilities to respond to God throughout their lives.

FAITH and MEDIA

▶ In this week's *As Catholics* the students will read about the work of Catholic missionaries in the United States and abroad. The students will also be asked to find out about missionary opportunities in your parish and your diocese. Bookmark in advance some appropriate pages on your parish and/or diocesan Web site. Use the Web sites of such organizations as the Holy Childhood Association, the Society for the Propagation of the Faith, and the Committee on the Home Missions of the United States Conference of Catholic Bishops. Bring to class some copies of *Maryknoll Magazine* and other Catholic missionary publications.

This Week's Liturgy
Visit **www.creemosweb.com** for this week's liturgical readings and other seasonal material.

Meeting Individual Needs

Students with Visual Needs

Answering the special needs of students with nearsightedness, farsightedness, or astigmatism can be a challenge. One of the most effective ways to help is the simplest: Ask them what arrangements work best for them. Nearsighted students may be helped by particular seating changes; farsighted students may benefit from large-type print versions of materials. Students with astigmatism may require different seating arrangements.

ADDITIONAL RESOURCES

Book *Saints to Lead Me: Feast Days Through the Year,* Hadley Ward, Hi-Time Pflaum, 2001. The feast day for April 15 tells of Blessed Damien of Molokai in "Among Outcasts."

To find more ideas for books, videos, and other learning material visit Sadlier's

www.CREEMOSweb.com

Llamado a vivir como discípulos de Jesús

Meta catequética

• Explicar que somos llamados a vivir como discípulos de Jesús

PREPARANDOSE PARA ORAR

Los estudiantes oirán algunas de las palabras de despedida de Jesús a sus apóstoles durante la última cena. Responderán orando.

• Actúe de líder de la oración.

• Escoja a un estudiante que proclame la Escritura.

El lugar de oración

• Ponga una Biblia en el lugar de oración

NOS CONGREGAMOS

Líder: Señor, que podamos seguir el llamado a hacer el bien en cualquier trabajo que hagamos.

Lector: Lectura del santo Evangelio según San Juan

"El que cree en mí hará también las obras que yo hago; y hará otras todavía más grandes, porque yo voy a donde está el Padre. Y todo lo que ustedes pidan en mi nombre, yo lo haré, para que por el Hijo se muestre la gloria del Padre" (Juan 14:12–13).

Palabra del Señor.

Todos: Gloria a ti, Señor Jesús.

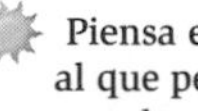

Piensa en una vez en que a un grupo al que pertenecías se le dio un trabajo para hacer. ¿Cuál fue el trabajo? ¿Cómo lo hizo el grupo?

CREEMOS

Jesús llama a los bautizados a servirle en el sacerdocio de los fieles.

Cuando Jesús fue bautizado en el Jordán, el Espíritu del Señor se posó sobre él. Esta unción del Espíritu Santo hace a Jesús sacerdote, profeta y rey. Nuestra unción en el Bautismo nos hace compartir en este papel de Cristo de sacerdote, profeta y rey.

Todo bautizado comparte en la misión sacerdotal de Jesús. Esto es conocido como **sacerdocio de los fieles**. En el sacerdocio de los fieles, todos somos llamados a servir, a alabar a Dios, a predicar la buena nueva de Jesucristo y a servir a los demás y a la Iglesia.

En el sacramento del Orden, sacerdotes y obispos se hacen miembros ordenados del sacerdocio. Ellos participan en la misión sacerdotal de Cristo de una forma especial. Ellos reciben la gracia para actuar en nombre de Jesús y en la persona de Cristo.

250

Planificación de la lección

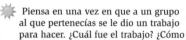

NOS CONGREGAMOS ____ minutos

Oración

• Rezar la Señal de la Cruz y la parte del líder.

• Pida al estudiante que proclame el pasaje bíblico.

• Indique que a través de Cristo podemos tornar una situación negativa en una positiva. Por ejemplo, podemos dar una esperanza al que la ha perdido, o decir una palabra alegre para aliviar la tristeza de alguien.

Mirando la vida

• Pida a los estudiantes que compartan sus respuestas a las preguntas. Dígales que en esta lección aprenderán que Jesús llama a los bautizados para que trabajen juntos y lo sirvan mediante el sacerdocio de los fieles.

CREEMOS ____ minutos

Pida a un voluntario que lea en voz alta el primer enunciado *Creemos*. Pida a voluntarios que lean en voz alta los párrafos. Hable de cada párrafo. Pida a los estudiantes resumir las ideas. Señale que el sacerdocio de los fieles no es lo mismo que sacerdocio ordenado. Más bien, tienen funciones complementarias en la Iglesia.

Invite a voluntarios a escenificar las siguientes situaciones para demostrar como vivir el sacerdocio de los fieles:

• Los nuevos vecinos son católicos pero aún no han asistido a las celebraciones de los sacramentos en la parroquia.

• El párroco necesita ayuda con un proyecto de paz y justicia pero cuenta con muy pocos voluntarios.

Pregunte a los estudiantes como se puede demostrar que se es parte del sacerdocio de los fieles.

Called to Live As Jesus' Disciples

WE GATHER

✝ **Leader:** Lord, may we follow your call to do good in whatever work we do.

Reader: A reading from the holy Gospel according to John

"Whoever believes in me will do the works that I do, and will do greater ones than these, because I am going to the Father. And whatever you ask in my name, I will do, so that the Father may be glorified in the Son." (John 14:12–13)

The Gospel of the Lord.

All: Praise to you, Lord Jesus Christ.

Think of a time when a group that you were part of was given a job to do. What was the job? How did the group get it done?

WE BELIEVE

Jesus calls the baptized to serve him in the priesthood of the faithful.

When Jesus was baptized at the Jordan, the Spirit of the Lord came upon him. This anointing by the Holy Spirit marked Jesus as priest, prophet, and king. Our anointing at Baptism makes us sharers in Christ's role as priest, prophet, and king.

So all those who are baptized share in Christ's priestly mission. This is known as the **priesthood of the faithful**. In the priesthood of the faithful, each and every one of us is called to worship God, spread the good news of Jesus Christ, and serve one another and the Church.

In the sacrament of Holy Orders, priests and bishops become members of the ordained priesthood. They participate in Christ's priestly mission in a unique way. They receive the grace to act in the name of and in the person of Christ.

251

Catechist Goal

• To explain that we are called to live as Jesus' disciples

PREPARING TO PRAY

The students will listen to some of Jesus' farewell words to his apostles at the Last Supper. They will respond in prayer.

• Take the role of prayer leader.

• Choose a student to proclaim the Scripture.

The Prayer Space

• Place a Bible in the prayer space.

Lesson Plan

WE GATHER ____ minutes

✝ Pray

• Pray the Sign of the Cross and pray the leader's part.

• Have the student proclaim the Scripture passage.

• Point out that through Christ we are enabled to bring the positive into a negative situation. For example, we can bring hope to someone who is in despair, or a joy-filled word to soften someone's sadness.

Focus on Life

• Have the students share their answers to the questions. Tell the students that in this lesson they will learn that Jesus calls the baptized to work together and to serve him in the priesthood of the faithful.

WE BELIEVE ____ minutes

Have a volunteer read aloud the first *We Believe* statement. Have volunteers read aloud the *We Believe* paragraphs. Discuss each paragraph. Ask the students to summarize the ideas that are presented in the text. Stress that the priesthood of the faithful is not to be seen as comparable to the ordained priesthood. Rather, the two should be seen as having complementary roles in the Church.

Invite volunteers to act out the following situations to demonstrate ways of living out the priesthood of the faithful:

• The new neighbors are Catholics, but they have not yet come to the parish's celebrations of the sacraments.

• The parish priest needs help on a peace and justice project, but he has few volunteers.

Ask the students to name ways people can show they are part of the priesthood of the faithful.

Nuestra respuesta en la fe

- Identificar lo que significa ser discípulos de Jesús y buscar la forma de servir a Dios y a la Iglesia

sacerdocio de los fieles
laicos
religiosa

Materiales

- copias del patrón 23, 4–6 CD

Conexión con el hogar

Pregunte: *¿Cuáles son los nombres de los santos preferidos de tu familia?*

Ser parte del sacerdocio de los fieles no es lo mismo que ser un sacerdote ordenado. Sin embargo, los miembros del sacerdocio de los fieles trabajan con los sacerdotes para dirigir y cuidar el pueblo de Dios. Estos hombres y mujeres nos ayudan a participar en la misión sacerdotal de Cristo. Ellos nos ayudan a enseñar la fe, a adorar y a cuidar de los necesitados.

Como miembros del sacerdocio de los fieles, continuamos aprendiendo sobre Jesús y las enseñanzas de la Iglesia. Tratamos de vivir cada uno de acuerdo a esas enseñanzas. Somos llamados a proteger los derechos de la gente y cuidar de los necesitados. Con la gracia de Dios y la ayuda de nuestra comunidad, podemos pensar en amar a Dios y a los demás.

Nombra una forma en que la gente puede mostrar que es parte del sacerdocio de los fieles.

Los laicos comparten la misión de llevar la buena nueva de Cristo al mundo.

Porque todo cristiano comparte el sacerdocio de los fieles, tenemos una vocación común. Esta vocación es crecer en santidad y predicar el mensaje de la vida y trabajo salvador de Jesús. Dios llama a cada uno de nosotros a vivir nuestra vocación común en una forma específica. Podemos hacerlo como laicos, religiosos o ministros ordenados.

Laicos son todos los bautizados, miembros de la Iglesia que comparten la misión de llevar la buena nueva de Cristo al mundo.

Los laicos son también llamados fieles cristianos. La mayoría de los católicos son laicos que escuchan el llamado de Dios para servir como solteros o casados.

Los solteros y los casados son personas que sirven a Dios y a la Iglesia de muchas formas. Ellos comparten el amor de Dios con sus familias y parroquias. Los esposos comparten el amor de Dios para formar una familia cristiana. La mayor parte de su tiempo es dedicado a cuidar de sus familias.

Los solteros comparten sus dones y talentos con otros por medio de su trabajo. Algunas veces cuidan de sus hermanos o toman la responsabilidad de cuidar de sus padres. Ellos pueden también dedicar su tiempo a sus parroquias y comunidades.

Perteneces a los fieles cristianos. Eres llamado a compartir la buena nueva en el hogar, la escuela y tu vecindario.

Puedes participar en las celebraciones de tu parroquia. Puedes vivir como Jesús enseñó. Puedes ser un ejemplo de cristiano para otros. Con tu familia y tu parroquia, puedes cuidar de las necesidades de los demás. Puedes defender lo que es correcto. Puedes ayudar a otros a ver el amor de Cristo y su presencia en el mundo.

Los laicos tienen una responsabilidad de llevar la buena nueva de Cristo a su lugar de trabajo y a sus comunidades. Ellos llevan a cabo esa misión tratando a los demás con justicia. También tienen la responsabilidad de actuar y tomar decisiones basadas en las enseñanzas de Jesús y su fe.

252

Planificación de la lección

CREEMOS (continuación)

Pida a un voluntario que lea en voz alta el segundo enunciado *Creemos*. Pida a los estudiantes que lean y subrayen las ideas importantes de los párrafos *Creemos*. Enfatice los siguientes puntos:

- Compartimos una vocación común. El sacerdocio de los fieles nos permite crecer en santidad.
- Los laicos casados o solteros llevan el evangelio a sus comunidades. Ellos trabajan por la justicia y la paz en sus parroquias y diócesis.

Invite a los estudiantes a imaginar lo que se ve haciendo en el futuro para participar en el trabajo de la Iglesia.

Trabaje en el patrón. Anime a los estudiantes a pensar en sí mismos. ¿Cuáles son mis dones y talentos? ¿Qué hago como discípulo de Jesús? ¿Qué quisiera cambiar de mí mismo? Recuérdeles que usen las ideas de sus textos (págs. 250–254) según sea necesario. Mientras trabajan, llámelos para hablar con ellos uno por uno. Tome unos momentos para hablar de sus ideas y animar sus esfuerzos.

Cotejo rápido

✔ *¿Qué comparten todos los bautizados?* (Todos los bautizados comparten la misión sacerdotal de Cristo.)

✔ *¿Cuál es la vocación común de todos los cristianos?* (crecer en santidad y predicar el mensaje de la vida y trabajo salvador de Jesús.)

Being part of the priesthood of the faithful is not the same thing as being an ordained priest. However, members of the priesthood of the faithful work with ordained priests to lead and care for God's people. These women and men help us to participate in Christ's priestly mission. They help us to learn the faith, to worship, and to care for the needs of others.

As members of the priesthood of the faithful, we continue to learn about Jesus and the teachings of the Church. We try to live by these teachings each day. We are called to protect people's rights and care for those in need. With God's grace and the help of our community, we can focus on loving God and others.

Name one way people can show they are part of the priesthood of the faithful.

The laity share in the mission to bring the good news of Christ to the world.

Because all Christians share in the priesthood of the faithful, we all share a common vocation, too. Our common vocation is to grow in holiness and spread the message of Jesus' life and saving work. God calls each of us to live out our common vocation in a particular way. We do this as lay people, religious, or ordained ministers.

Laypeople are all the baptized members of the Church who share in the mission to bring the good news of Christ to the world. Lay people are also known as the Christian faithful or the laity. Most Catholics are members of the laity and follow God's call either in the single life or in marriage.

Single people and married people serve God and the Church in many ways. They share God's love in their families and parishes. A husband and wife share God's love with each other and form a new Christian family. Much of their time is focused on loving and caring for their families.

Single people can share their gifts and talents with others through their work. Sometimes they care for their brothers or sisters or take on extra responsibility in caring for their parents. They may also dedicate their time to their parishes and communities.

You are a member of the Christian faithful. You are called to share the good news at home, in school, and in your neighborhood. You can take part in your parish celebrations. You can live as Jesus taught. You can be an example of Christian living for others. With your family and your parish, you can care for the needs of others. You can stand up for what is right. You can help others to see Christ's love and his presence in the world.

Lay people have a responsibility to bring the good news of Christ to their work and communities. They do this when they treat others fairly and justly. They also have a responsibility to act and make decisions based on the teachings of Jesus and on their faith.

253

Chapter 23 • Page 253

Our Faith Response

- To identify what it means to be Jesus' disciples and to explore ways to serve God and the Church

priesthood of the faithful

laypeople

religious

Lesson Materials

- Reproducible Master 23; Grade 5 CD

Home Connection Update

Ask: *What are the names of your family's favorite saints?*

Lesson Plan

WE BELIEVE (continued)

Have a volunteer read aloud the second *We Believe* statement. Have the students read and underline important ideas in the *We Believe* paragraphs. Emphasize the following points:

- We share a common vocation. The priesthood of the faithful enables us to grow toward holiness.
- Whether married or single, lay people bring the gospel to their communities. They work for justice and peace in their parishes and dioceses.

Invite the students to imagine and act out things you see yourself doing in the future to take part in the work of the Church.

Work on the Reproducible Master. Encourage the students to ask themselves: *What are my gifts and talents? How am I being a disciple of Jesus? What would I like to do in a different way?* Remind them to use ideas from their texts (pages 251–255) as needed. As students are working, call them to meet with you one by one. Take a few moments to review their thoughts and encourage their efforts.

Quick Check

✔ *In what do all those who are baptized share?* (All who are baptized share in Christ's priestly mission.)

✔ *What is the common vocation of all Christians?* (to grow in holiness and spread the message of Jesus' life and saving work)

Banco de actividades

Fe y medios

Lista de la misa Televisada.

Explique a los estudiantes que debido a enfermedades o debilidad, algunas personas no pueden ir a misa. Invite a los estudiantes a desarrollar un directorio de las celebraciones de la misa en la radio y la televisión. Con este horario, los confinados pueden ver o escuchar la celebración de la misa. Anímelos a ofrecer la lista para que se incluya en el sitio Web de la parroquia.

Ideas

Niveles de preguntas

Preguntar para dirigir el aprendizaje consiste en los siguientes seis pasos: comience con un tema; prepare una lista de preguntas que ayudarán a los estudiantes a aprender sobre el tema; evalúe sus preguntas, escoja las mejores y ordénelas secuencialmente; determine su meta; modifique las preguntas o añada más; evalúe la eficacia de las mismas.

Los fieles cristianos están llamados a ser activos en sus parroquias:

- participando en la celebración de los sacramentos y los programas parroquiales
- sirviendo en el consejo pastoral, en la parroquia, la escuela o la educación religiosa o en programas de jóvenes
- participando en diferentes ministerios litúrgicos durante al misa.

Los laicos también sirven en sus diócesis. Pueden trabajar en oficinas de educación, la liturgia y en otros ministerios.

Imagínate dentro de diez años. ¿En qué formas puedes verte participando en el trabajo de la Iglesia? Escenifícalo.

Mujeres y hombres en la vida religiosa sirven a Cristo, sus comunidades y a toda la Iglesia.

Dios llama a algunos hombres y mujeres a la vida religiosa. **Religioso** se refiere a la persona que pertenece a una comunidad que sirve a Dios y a la Iglesia. Ellos se conocen como hermanas, hermanos y sacerdotes. Ellos se dedican al trabajo de Cristo por medio del trabajo en sus comunidades.

Los religiosos hacen votos, o promesas a Dios. Al tomar esos votos tratan de seguir el ejemplo de Jesús de vivir todos los días para Dios. Los votos que generalmente hacen son:

Castidad Ellos escogen vivir una vida de amor y servicio a la Iglesia y a su comunidad. No se casan. Prometen dedicarse al trabajo de Dios y de la Iglesia como miembros de sus comunidades.

Pobreza Ellos prometen vivir una vida simple como la que vivió Jesús. Comparten sus pertenencias y no tienen propiedad personal.

Obediencia Ellos prometen escuchar con cuidado las direcciones de Dios en sus vidas obedeciendo a los líderes de la Iglesia y sus comunidades. Ellos sirven dondequiera que la Iglesia y sus comunidades los envíen. Los religiosos tratan de vivir de la forma en que vivió cristo y de cumplir la voluntad de Dios.

Muchos religiosos viven como una familia en una comunidad. Ellos rezan juntos, trabajan y comparten las comidas. Otros pueden vivir lejos de su comunidad y trabajan donde se necesitan.

Algunas comunidades se retiran de la sociedad. Esos religiosos generalmente viven en monasterios. Se dedican a la vida de oración por el mundo. Ya sea que trabajen en el campo, preparen comida para vender o trabajen en computadoras su trabajo es una forma de oración.

Otras comunidades combinan la oración con una vida de servicio fuera de sus comunidades. Estas hermanas, hermanos y sacerdotes pueden servir en diferentes ministerios parroquiales. Ellos también enseñan, son misioneros, médicos, enfermeras o trabajadores sociales. De esa forma pueden ayudar directamente a los pobres, los ancianos y los necesitados.

254

Planificación de la lección

Creemos (continuación)

Comparta la *Historia para el capítulo* de la página 250A de la guía. Diga a los estudiantes que en esta lección aprenderán que los hombres y mujeres que llevan vidas religiosas sirven a Cristo, sus comunidades y a toda la Iglesia.

Pida a un voluntario que lea en voz alta el tercer enunciado *Creemos*. Lea en voz alta el primer párrafo. Haga que los estudiantes se reúnan en grupos para leer y conversar sobre las preguntas del texto Creemos, recuérdeles que se ayudarán entre ellos a entender lo que significa ser llamados a la vida religiosa. (Si es posible, pida a una hermana o hermano religioso que hable con los estudiantes sobre la vida religiosa o planifique una visita a un convento o monasterio del área.)

Explique que un voto es una promesa que se hace a Dios de vivir el evangelio de acuerdo con el llamado de Dios.

Converse sobre las siguientes preguntas:

- ¿Cómo puede un voto de castidad ayudar a una hermana o hermano religioso a ser un discípulo más eficaz?
- ¿Por qué puede hacerse necesario un voto de pobreza en la vida religiosa?
- ¿Qué sería lo más difícil de mantener en un voto de obediencia?

Ayude a los estudiantes a considerar estos tres votos como promesas importantes de las hermanas y hermanos religiosos. Explique que los religiosos son una parte importante de los esfuerzos de la Iglesia para continuar desarrollando el reino de Dios.

Converse sobre como las hermanas y hermanos religiosos o los sacerdotes pueden servir a la comunidad.

The Christian faithful are called to be active in their parishes. We

- participate in the celebration of the sacraments and parish programs
- serve on the pastoral council, in the parish school or religious education program, or in youth ministry
- perform different liturgical ministries during the Mass.

The laity serve in their dioceses, too. They may work in offices for education, worship, youth, and social ministries.

Imagine yourself ten years from now. In what ways do you see yourself taking part in the work of the Church? Act these out.

Women and men in religious life serve Christ, their communities, and the whole Church.

God calls some women and men to the religious life. **Religious** refers to the women and men who belong to communities of service to God and the Church. They are known as religious sisters, brothers, and priests. They devote themselves to Christ's work through the work of their communities.

Religious make vows, or promises, to God. By taking these vows religious try to follow Jesus' example of living each day for God. The vows that religious sisters, brothers, and priests often make are:

Chastity They choose to live a life of loving service to the Church and their community. They do not marry. Instead they promise to devote themselves to the work of God and to the Church as members of their communities.

Poverty They promise to live simply as Jesus did. They agree to share their belongings and to own no personal property.

Obedience They promise to listen carefully to God's direction in their lives by obeying the leaders of the Church and of their communities. They serve wherever their community and the Church need them. Religious try to live the way Christ did and follow God's will.

Many religious live as a family in one community. They pray together, work together, and share their meals. Other religious may live away from their community and work where they are needed.

Some communities are set apart from the rest of society. These religious usually live in places called monasteries. They devote their lives to praying for the world. Whether they farm, prepare food to sell, or work on computers, their work is a way of prayer.

Other communities combine prayer with a life of service outside their communities. These religious sisters, brothers, and priests may serve in many different parish ministries. They may also be teachers, missionaries, doctors, nurses, or social workers. In these ways they can directly help those who are poor, elderly, suffering, or in any type of need.

255

Activity Bank

Faith and Media

Mass Broadcast Listings

Explain to the students that for reasons of illness or infirmity, some people in their community are unable to attend Mass. Invite the students to develop a directory of radio and television celebrations of Mass. With this schedule, shut-ins will be able to watch or listen to the celebration of Mass. Encourage them to offer their list for inclusion on the parish Web site.

Teaching Tip

Levels of Questions

One method of using questions to direct learning follows six steps: begin with a topic; assemble a list of questions that will help students learn about the topic; evaluate your questions, choose the best ones, and put the questions in sequence; determine your goal; revise or add to the questions; assess the effectiveness of the questions.

Lesson Plan

WE BELIEVE (continued)

Share the *Chapter Story* on guide page 250B. Tell the students that in this lesson they will learn that men and women in religious life serve Christ, their communities, and the whole Church.

Have a volunteer read aloud the third *We Believe* statement. Read aloud the first *We Believe* paragraph. Have the students separate into groups to read and discuss the rest of the *We Believe* text. Remind them that they will be helping one another to understand what it means to be called to the religious life. (If possible, have a religious brother or sister speak to the students about the religious life or make plans for your group to visit a convent or monastery in your area.)

At this time you may want to play the song "Prayer of Saint Francis/Oración de San Francisco," #22 and 23 on the Grade 5 CD.

Explain that a vow is a promise made to God to live the gospel in accordance with God's call. Discuss the following questions:

- How might the vow of chastity help a religious brother or sister to be a more effective disciple?
- Why might a vow of poverty be necessary in religious life?
- What might be the most difficult thing about keeping a vow of obedience?

Help students to see these three vows as meaningful promises for religious brothers and sisters. Explain that religious are an important part of the Church's efforts to continue to build God's Kingdom.

Discuss ways religious sisters, brothers, and priests may serve in the community.

Ideas

Ordenes religiosas y congregaciones

Los religiosos, ya sean las órdenes con miembros que profesan votos solemnes o congregaciones de mujeres y hombres que hacen votos simples y perpetuos, han cambiado y se han adaptado para servir al pueblo de Dios. Estas órdenes religiosas y congregaciones de mujeres y hombres consagran sus vidas con sus votos de castidad, pobreza y obediencia.

Como católicos...

Misioneros

Lea en voz alta el texto. Converse sobre lo que significa ser misionero. Pida a los estudiantes que identifiquen donde y en qué trabajan los misioneros. (Los misioneros trabajan en todo el mundo ayudando a las personas de diversas formas. Donde sea que estén los misioneros, comparten su amor con los demás y brindan la buena nueva de Cristo a los que necesitan su amor y consuelo.)

Juntos, laicos, religiosos y ministros ordenados, componen la Iglesia. Ningún grupo es más importante o especial que otro. La Iglesia necesita de todos sus miembros para poder continuar el trabajo de Jesús.

Habla sobre las formas en que las religiosas, los religiosos y los sacerdotes pueden servir en tu comunidad.

La amistad nos prepara para futuras vocaciones.

Para la mayoría de nosotros descubrir nuestra vocación es un proceso que toma muchos años. Se nos pide rezar y pensar en nuestros talentos y habilidades. El Espíritu Santo nos guiará y nos ayudará a rezar por nuestro futuro. Nuestra familia, nuestra parroquia y amigos también nos apoyan mientras tratamos de descubrir a que Dios nos llama.

Puede que no te des cuenta de esto pero ahora te estás preparando para tu futura vocación. Las formas en que estás respondiendo a Dios y a otras personas en tu vida te están preparando para responder a Dios en el futuro.

Ahora mismo estás descubriendo la importancia de la responsabilidad, la fidelidad y el amor propio. Estos valores son esenciales en todas tus relaciones. También estás aprendiendo, con tu familia y con tus amigos, sobre el amor y el servicio.

Vocabulario

sacerdocio de los fieles (pp 333)
laico (pp 332)
religioso (pp 333)

La amistad es parte importante para descubrir lo que significa ser fieles a Cristo y a los demás. Los buenos amigos son fieles unos a otros y a las promesas que se hacen. Son honestos y se ayudan. Sin embargo, algunas veces los amigos cometen errores. Ellos olvidan algo importante o se ofenden. Pero aprenden a perdonarse. Ellos se animan a ser justos y a amarse en el futuro.

Los buenos amigos nos ayudan a vivir como discípulos de Cristo en la casa, la escuela y el vecindario. Ellos también nos preparan para servir a Dios en cualquiera que sea nuestra vocación.

RESPONDEMOS

Dios nos llama a cumplir nuestra misión. He aquí algunas formas en que podemos escuchar el llamado de Dios: oración, consejos de personas buenas y reconociendo las habilidades y talentos que Dios nos ha dado.

Pon atención a cada una de estas formas. Escoge una para que te ayude a escuchar a Dios.

Como católicos...

Todos somos llamados a compartir la misión de la Iglesia. Podemos hacer eso rezando, con palabras y obras. Somos llamados a compartir la buena nueva de Cristo y a vivir vidas santas. Los laicos, los religiosos y los ministros ordenados también pueden hacer eso como misioneros.

Los misioneros sirven aquí en nuestro propio país y en lugares en todo el mundo. Ellos pueden pasar semanas, meses o años como misioneros. También viven con las personas a quienes sirven y comparten su amor con ellos. Algunos misioneros aprenden las costumbres y las tradiciones del pueblo al que sirven. Ellos muchas veces aprenden otros idiomas para poder enseñar sobre Jesús y la fe católica.

256

Planificación de la lección

CREEMOS (continuación)

Pida a un voluntario que lea en voz alta el cuarto enunciado *Creemos*. Pida a los estudiantes que lean en silencio los párrafos. Escriba en la pizarra *El futuro es ahora; Las amistades son para siempre* sin ningún comentario. Enfatice los siguientes puntos.

- El Espíritu Santo nos ayuda a reconocer y descubrir nuestra vocación.
- La responsabilidad, la fe y el respeto propio son esenciales para las relaciones. Las amistades son la clave de lo que significa ser fiel a Cristo y a los demás. (Apunte la frase *Las amistades son para siempre.*)

Vocabulario Escriba las palabras en la pizarra. Pida a los estudiantes definir la palabra primero y luego dar sinónimos o descripciones de cada una. Pida a los estudiantes que expresen el significado que las palabras tienen para ellos.

RESPONDEMOS ____ minutos

Lea en voz alta Respondemos. Desarrolle una conversación en clase para ayudar a los estudiantes con sus reflexiones sobre la vocación. Pregunte: *¿Has orado por tu vocación? ¿Has pedido consejos al respecto? ¿Te esfuerzas por desarrollar tus dones y talentos?* Anime a los estudiantes a reflejar en su oración a Dios el tema de sus vocaciones.

Together the laity, religious, and ordained ministers make up the Church. No one group is more important or special than another. The Church needs all its members to be able to continue Jesus' work.

Talk about the ways religious sisters, brothers, and priests may serve in your community.

Friendships prepare us for future vocations.

For most of us discovering our vocation is a process that takes many years. We are encouraged to pray and think about our talents and abilities. The Holy Spirit will guide and help us as we pray about our future. Our families, friends, and parish also support us as we try to find out what God is calling us to do.

You might not realize it, but you are actually preparing for your future vocation. The ways that you are responding to God and other people in your life right now are preparing you to respond to God in the future.

As Catholics...

All of us are called to share in the mission of the Church. We can do this by our prayers, words, and actions. We are called to share the good news of Christ and to live lives of holiness. Laypeople, religious, and ordained ministers can also do this as missionaries.

Missionaries serve here in our own country and in places all over the world. They may spend weeks, months, or even years doing mission work. They live with the people they serve and share their love with them. Some missionaries learn the customs and traditions of the people they serve. They may even learn a new language so that they can teach about Jesus and the Catholic faith.

Right now you are discovering the importance of responsibility, faithfulness, and self-respect. These values are essential in all of your relationships. You are also learning about love and service in your families and with your friends.

Friendships are an important part of finding out what it means to be faithful to Christ and one another. Good friends are true to each other. They are honest. They keep their promises. They stand up for each other. However, friends sometimes make mistakes. They may forget something important or hurt each other's feelings. But they learn to forgive each other. They encourage each other to be fair and loving in the future.

Good friends help us to live as disciples of Christ at home, in school, and in our neighborhood. They also prepare us to serve God in whatever vocation we accept and follow.

WE RESPOND

God calls us to our vocation. Here are three ways we can listen to God's call: through prayer, through advice from good people, and through recognizing our God-given abilities and talents.

Choose one of these ways to help you to listen to God's call.

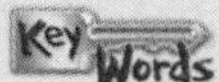

priesthood of the faithful (p. 336)
laypeople (p. 335)
religious (p. 336)

257

Teaching Note

Religious Orders and Congregations

Religious orders, whether orders with members who profess solemn vows or congregations of women and men who vow simple perpetual vows, have changed and adapted to serve God's people. These religious orders and congregations of women and men consecrate their lives with the vows of chastity, poverty, and obedience.

As Catholics...

Missionaries

Read aloud the text. Discuss what it means to be a missionary. Ask the students to identify where missionaries work and what they do. (Missionaries work throughout the world helping people in many different ways. Wherever missionaries are, they share their love with others and bring the good news of Christ to those who need his love and comfort.)

Lesson Plan

WE BELIEVE (continued)

Have a volunteer read aloud the fourth *We Believe* statement. Have the students read silently the *We Believe* paragraphs. Write on the board *The Future Is Now; Friendships Are Forever* without comment. Emphasize the following points.

• The Holy Spirit helps us to discern and discover our vocation.

• In relationships, responsibility, faithfulness, and self-respect are essential. Friendships are key to finding out what it means to be faithful to Christ and one another. (Point to the saying *Friendships Are Forever*.)

Key Words Write the words on the board. Ask volunteers first to define each word and then to offer synonyms or descriptions. Invite the students to express the meaning these words have for them.

WE RESPOND ____ minutes

Read aloud the *We Respond* text. Refer to class discussion to help the students begin their own reflections on vocations. Ask: *Have you prayed about your vocation? Have you asked advice about it? Do you develop your gifts and talents as best you can?* Encourage the students to reflect and pray often to God about their vocations.

BANCO DE ACTIVIDADES

Ministerio de los jóvenes

Apoyo a los compañeros

Diga a los estudiantes que sus conversaciones y análisis de la amistad se relacionan con el compañerismo. El apoyo entre amigos puede salvar a alguien de seguir el camino del mal. El ministerio de compoñerismo puede ocurrir en cualquier momento y circunstancia. Por ejemplo, la necesidad de ser aceptado es importante para los preadolescentes y jóvenes menores. Explique que ser aceptado significa tanto para los jóvenes que son capaces de hacer cualquier cosa para no sobresalir como alguien diferente. Pida a los estudiantes que conversen y hagan una lista de lo que pueden hacer para incluir a otros en sus grupos. Comparta las ideas y los pasos prácticos que sugieran los estudiantes.

CONEXION CON EL HOGAR

Compartiendo lo aprendido

Anime a los estudiantes a compartir con sus familias lo aprendido en este capítulo.

Para más información y actividades adicionales visite a Sadlier

www.CREEMOSweb.com

Planifique por adelantado

Lugar de oración: una Biblia, símbolos y fotos de matrimonio

Materiales: 4–6 CD, copias del patrón 24

_____ minutos

Repaso del capítulo Pida a los estudiantes que marquen con un círculo las respuestas a las preguntas 1–4. Pídales que escriban sus respuestas a las preguntas 5–10. Revise sus respuestas.

Reflexiona y ora Lea en voz alta el comienzo de la oración. Dé tiempo a los alumnos para completar sus oraciones. Recen juntos la Señal de la Cruz. Invite a voluntarios para que oren sus oraciones en voz alta.

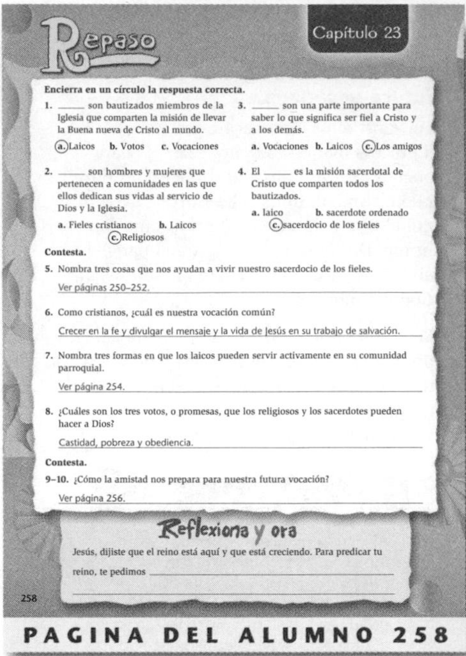

Repaso

Capítulo 23

Encierra en un círculo la respuesta correcta.

1. _____ son bautizados miembros de la Iglesia que comparten la misión de llevar la Buena nueva de Cristo al mundo.
   (a.) Laicos b. Votos c. Vocaciones
2. _____ son hombres y mujeres que pertenecen a comunidades en las que ellos dedican sus vidas al servicio de Dios y la Iglesia.
   a. Fieles cristianos b. Laicos (c.) Religiosos
3. _____ son una parte importante para saber lo que significa ser fiel a Cristo y a los demás.
   a. Vocaciones b. Laicos (c.) Los amigos
4. El _____ es la misión sacerdotal de Cristo que comparten todos los bautizados.
   a. laico b. sacerdote ordenado (c.) sacerdocio de los fieles

Contesta.

5. Nombra tres cosas que nos ayudan a vivir nuestro sacerdocio de los fieles.
   Ver páginas 250–252.
6. Como cristianos, ¿cuál es nuestra vocación común?
   Crecer en la fe y divulgar el mensaje y la vida de Jesús en su trabajo de salvación.
7. Nombra tres formas en que los laicos pueden servir activamente en su comunidad parroquial.
   Ver página 254.
8. ¿Cuáles son los tres votos, o promesas, que los religiosos y los sacerdotes pueden hacer a Dios?
   Castidad, pobreza y obediencia.

Contesta.

9–10. ¿Cómo la amistad nos prepara para nuestra futura vocación?
Ver página 256.

Reflexiona y ora

Jesús, dijiste que el reino está aquí y que está creciendo. Para predicar tu reino, te pedimos _______________

258

PAGINA DEL ALUMNO 258

Respondemos y compartimos la fe

_____ minutos

Recuerda Pida a los estudiantes que resalten o subrayen los cuatro enunciados doctrinales de sus textos.

Nuestra vida católica Lea en voz alta el texto. Converse sobre el trabajo de los administradores pastorales. Señale que el compromiso del administrador pastoral debe ser honrado y apreciado.

Respondemos y compartimos la fe

Compartiendo lo aprendido

Habla con tu familia sobre lo siguiente:

- el sacerdocio de los fieles
- los laicos
- la vida religiosa
- buenas amistades.

Recuerda

- Jesús llama a los bautizados a servirle en el sacerdocio de los fieles.
- Los laicos comparten la misión de llevar la buena nueva de Cristo al mundo.
- Mujeres y hombres en la vida religiosa sirven a Cristo, sus comunidades y a toda la Iglesia.
- La amistad nos prepara para futuras vocaciones.

Rezando en familia

Dios de amor,
nos diste un plan grande y amoroso
para mí y para el mundo.
Deseo participar totalmente,
con fe y con gozo.

NUESTRA VIDA CATOLICA

Administradores pastorales

Algunas hermanas, hermanos religiosos y laicos sirven como administradores pastorales. Cuando una parroquia no tiene un sacerdote para servir a los feligreses, el obispo nombra un administrador pastoral para ayudar. Esta persona es responsable de la vida y los negocios de la parroquia. También se asegura que la comunidad parroquial ofrezca educación religiosa, culto y programas de justicia social. El administrador dirige a la comunidad de fe en la oración y servicio a la comunidad. El obispo asigna a un sacerdote para la celebración de la misa y otros sacramentos en la parroquia.

Visita Sadlier en www.CREEMOSweb.com

Conexión con el Catecismo
Para referencia vea los párrafos 1546, 900, 917 y 959.

260

PAGINA DEL ALUMNO 260

_____ minutes

Chapter Review Have the students circle the answers to questions 1–4. Have them write their answers to questions 5–10. Review their answers.

Reflect & Pray Read aloud the beginning of the prayer. Allow the students time to complete their prayers. Pray together the Sign of the Cross. Invite volunteers to pray aloud their prayers.

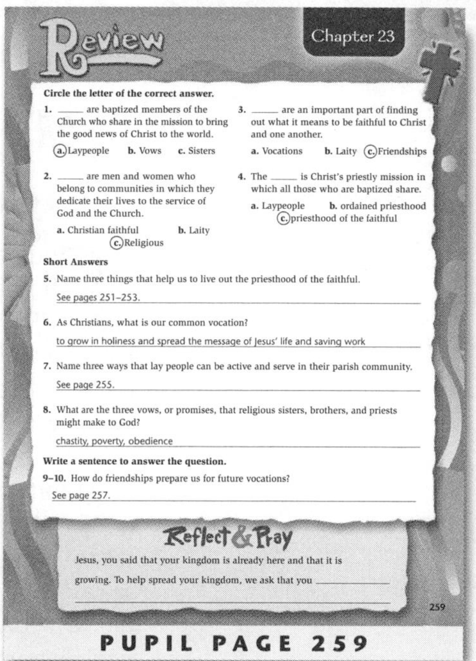

Review — Chapter 23

Circle the letter of the correct answer.

1. _____ are baptized members of the Church who share in the mission to bring the good news of Christ to the world.
   (a.) Laypeople b. Vows c. Sisters
2. _____ are men and women who belong to communities in which they dedicate their lives to the service of God and the Church.
   a. Christian faithful b. Laity (c.) Religious
3. _____ are an important part of finding out what it means to be faithful to Christ and one another.
   a. Vocations b. Laity (c.) Friendships
4. The _____ is Christ's priestly mission in which all those who are baptized share.
   a. Laypeople b. ordained priesthood (c.) priesthood of the faithful

Short Answers

5. Name three things that help us to live out the priesthood of the faithful.
   See pages 251–253.
6. As Christians, what is our common vocation?
   to grow in holiness and spread the message of Jesus' life and saving work
7. Name three ways that lay people can be active and serve in their parish community.
   See page 255.
8. What are the three vows, or promises, that religious sisters, brothers, and priests might make to God?
   chastity, poverty, obedience

Write a sentence to answer the question.

9–10. How do friendships prepare us for future vocations?
   See page 257.

Reflect & Pray

Jesus, you said that your kingdom is already here and that it is growing. To help spread your kingdom, we ask that you _____

259

PUPIL PAGE 259

We Respond and Share the Faith

_____ minutes

Remember Have the students highlight or underline the four doctrinal statements in their texts.

Our Catholic Life Read aloud the text. Discuss the work of pastoral administrators. Stress that the commitment of a pastoral administrator is to be honored and appreciated.

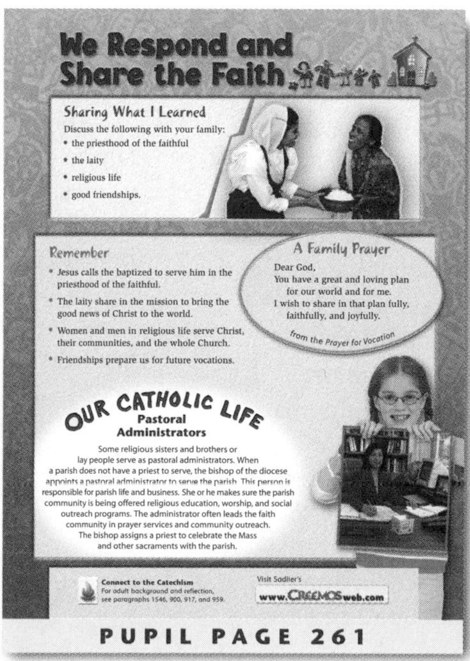

We Respond and Share the Faith

Sharing What I Learned

Discuss the following with your family:
- the priesthood of the faithful
- the laity
- religious life
- good friendships.

Remember
- Jesus calls the baptized to serve him in the priesthood of the faithful.
- The laity share in the mission to bring the good news of Christ to the world.
- Women and men in religious life serve Christ, their communities, and the whole Church.
- Friendships prepare us for future vocations.

A Family Prayer

Dear God,
You have a great and loving plan for our world and for me.
I wish to share in that plan fully, faithfully, and joyfully.

from the Prayer for Vocation

OUR CATHOLIC LIFE

Pastoral Administrators

Some religious sisters and brothers or lay people serve as pastoral administrators. When a parish does not have a priest to serve, the bishop of the diocese appoints a pastoral administrator to serve the parish. This person is responsible for parish life and business. She or he makes sure the parish community is being offered religious education, worship, and social outreach programs. The administrator often leads the faith community in prayer services and community outreach. The bishop assigns a priest to celebrate the Mass and other sacraments with the parish.

Connect to the Catechism
For adult background and reflection, see paragraphs 1546, 900, 917, and 959.

Visit Sadlier's
www.CREEMOSweb.com

PUPIL PAGE 261

Activity Bank

Youth Ministry

Peer Support

Tell the students that their discussions and examination of friendship flow into peer ministry. Peer support among friends can help someone from following the wrong path. Peer-to-peer ministry can occur at anytime and under any circumstance. For example, the need to belong is important to pre-adolescents and teens. Explain to the students that fitting in means so much to young people that they will do almost anything to not stand out. Have the students discuss and list what they can do to be more inclusive of people in their groups. Share insights and practical steps suggested by the students.

Home Connection

Sharing What I Learned

Encourage the students to talk with family members about ways to share in the priesthood of the faithful.

For additional information and activities, encourage families to visit Sadlier's

www.CREEMOSweb.com

Plan Ahead for Chapter 24

Prayer Space: a Bible, symbols and/or photos of Matrimony

Lesson Materials: Grade 5 CD, copies of Reproducible Master 24, drawing paper and markers

Matrimonio: una promesa de fidelidad y amor

Ojeada

En este capítulo los estudiantes aprenderán que el matrimonio se basa en el amor de Cristo por su Iglesia.

Contenido doctrinal	Referencia del *Catecismo de la Iglesia Católica*
Los estudiantes aprenderán que:	párrafo
• El Matrimonio fue parte del plan de Dios desde el principio	1605
• La alianza matrimonial está construida en el amor de Cristo por su Iglesia	1616
• En el sacramento del Matrimonio, un hombre y una mujer se comprometen a amarse y a ser fieles uno al otro toda la vida	1644
• Las familias son parte importante de las comunidades	1657

Referencia catequética

¿Cuál es la promesa más importante que ha hecho?

En un mundo lleno de promesas rotas y divorcio, ¿por qué la Iglesia enseña que el matrimonio es un sacramento? La respuesta se encuentra en el fondo de nuestras raíces. En la Escritura, la imagen del vínculo y alianza matrimonial el amor de Dios por su pueblo. Esto ha permitido a las personas imaginar el amor eterno de Dios por su pueblo y su confianza en él.

En el Nuevo Testamento y en los trabajos de los antiguos escritores cristianos, el vínculo matrimonial se usaba para simbolizar el amor de Cristo por su Iglesia. La Iglesia considera a Cristo el novio que nunca abandonará a su novia. La alianza, que comenzó con Abraham y culminó con la obediencia amorosa de Cristo, continúa siendo una señal firme de la fidelidad de Dios.

En el sacramento del Matrimonio las parejas prometen ser fiel. Se fundamentan en la fe y el amor. Las parejas "Se va acercando cada vez más a su propia perfección y mutua santificación". (*La Iglesia en el mundo de hoy, 48*). Son un signo visible y eficaz del sacramento de la fidelidad de Dios a su pueblo y su amor por él.

Piense en una pareja que glorifica a Dios con su matrimonio. Ore por ella.

Mirando la vida

Historia para el capítulo

Thomas More es conocido como "el hombre de todos los tiempos". Su vida y logros en estudios y política lo hicieron amigo de los sabios y reyes así como de la gente común de Inglaterra y Europa. Pero fue la vida familiar de Moro la que le dio la felicidad y le facilitó el camino a la santidad.

Thomas disfrutaba del compañerismo de la vida casada. El y su primera esposa tuvieron cuatro hijos. Cuando su esposa murió, Tomás se caso con Alicia Middleton. En su matrimonio, la piedad y el amor por el aprendizaje era de gran importancia en su hogar. El hogar de los Moro estaba lleno de conversaciones alegres y reuniones sociales. Thomas y Alice atraían a muchos visitantes a su hogar debido a su simpatía y hospitalidad.

Cuando Thomas More estuvo en conflicto con el Rey Enrique VIII, su familia lo apoyó. Lo que más preocupó a Thomas durante el conflicto, juicio y eventualmente encarcelamiento, fue la seguridad de su familia. Se mantuvo en silencio para proteger a su familia y seguir su conciencia.

Thomas More siempre le fue fiel a su familia y a Dios. Murió con la conciencia limpia y con el amor de su esposa y su familia en el corazón. En realidad, Thomas More fue primero un buen servidor de Dios y luego del rey. La Iglesia honra a Santo Thomas More como un mártir y un hombre que amó a su familia.

¿Qué encontró Thomas More en su esposa y vida familiar que lo ayudó a convertirse en santo?

Matrimony: A Promise of Faithfulness and Love

Overview

In this chapter the students will learn that Matrimony is built on Christ's love for his Church.

Doctrinal Content	For Adult Reading and Reflection *Catechism of the Catholic Church*
The students will learn:	Paragraph
• Marriage was part of God's plan from the very beginning	1605
• The marriage covenant is built on Christ's love for the Church	1616
• In the sacrament of Matrimony a man and woman promise to always love and be true to each other	1644
• Families are very important communities	1657

Catechist Background

What is the most important promise you have ever made?

In a world filled with broken promises and divorce, why does the Church still teach that marriage is a sacrament? The answer lies deep in our roots. Throughout the Scriptures, the image of the marriage bond and covenant was a metaphor for God's love for his chosen people. The metaphor enabled the people to imagine the enduring love and trust God had in his people. The deep love between a man and a woman symbolized the depths of God's love for us.

In the New Testament and works of early Christian writers, the marriage bond was used to symbolize the love of Christ for his Church. The Church has Christ as the bridegroom who will never abandon his bride. The covenant, begun with Abraham and fulfilled in the loving obedience of the crucified but risen Christ, remains the steadfast sign of God's faithfulness to us.

In the sacrament of Matrimony couples pledge their fidelity. They become rooted in faith and love. They "increasingly further their own perfection and their mutual sanctification . . . [and] render glory to God" *(The Church in the Modern World, 48)*. They are a visible and effective sign, a sacrament of God's fidelity and love for his people.

Think of a husband and wife who give glory to God through their marriage. Pray for them.

Focus on Life

Chapter Story

Thomas More is known as a "man for all seasons." His life and accomplishments in scholarship and politics made him a friend to scholars and kings as well as to ordinary people in England and in Europe. But it was More's family life that brought him happiness and the way to sainthood.

Thomas enjoyed the companionship of married life. He and his first wife had four children. When his wife died, Thomas married Alice Middleton. In their life together, piety and a love of learning held an important place in their home. The More household was one filled with happy conversation and social gatherings. Thomas and Alice attracted many visitors to their home because of their warmth and hospitality.

When Thomas More clashed with King Henry VIII, his family stood by his side. What worried Thomas the most during the ordeal, trial, and eventually his imprisonment was the safety of his family. He kept silent in order to protect his family and to follow his conscience.

Thomas More remained faithful to his family and to God. He went to death with a good conscience and the love of his wife and family in his heart. In truth, Thomas More was God's good servant first and then his king's. Saint Thomas More is honored by the Church as a martyr and a man who loved his family.

What did Thomas More find in his wife and family life that helped him to become a saint?

Guía para planificar la lección

1 NOS CONGREGAMOS

Pasos de la lección	Presentación	Materiales
pág. 262 **Oración**	• Escuchar la Escritura. • Responder orando.	Para el lugar de oración: una Biblia, símbolo o fotos de matrimonio
Mirando la vida	• Conversar sobre la fidelidad y los amigos fieles.	

2 CREEMOS

Pasos de la lección	Presentación	Materiales
pág. 262 *El Matrimonio fue parte del plan de Dios desde el principio.*	• Hablar sobre el matrimonio como parte del plan de Dios y su importancia como sacramento. Conversar sobre la importancia de cumplir las promesas.	
pág. 264 *La alianza matrimonial está construida en el amor de Cristo por su Iglesia.*	• Hablar de las alianzas del Antiguo y Nuevo Testamento y del matrimonio. Identificar como ser un familiar, amigo o vecino fiel.	
pág. 266 *En el sacramento del Matrimonio, un hombre y una mujer se comprometen a amarse y ser fieles uno al otro toda la vida.* *Rito del Matrimonio*	• Hablar sobre la preparación matrimonial, el rito del Matrimonio y la fidelidad. Indicar como las parejas casadas pueden ejemplificar la vida cristiana.	• copias del patrón 24
pág. 268 *Las familias son parte importante de las comunidades.*	• Hablar sobre las responsabilidades familiares de los padres y los hijos. • Leer y conversar sobre *Como católicos.*	

3 RESPONDEMOS

Pasos de la lección	Presentación	Materiales
pág. 269	Diseñe una cartelera.	• Papel de dibujar, marcadores
páginas 270 y 272 **Repaso**	• Completar las preguntas 1–10. Completar la actividad de *Reflexiona y ora.*	
páginas 270 y 272 **Respondemos y compartimos la fe**	• Repasar el *Recuerda* y el *Vocabulario.* • Leer y conversar sobre *Nuestra vida católica.*	

Para ideas, actividades y otras oportunidades visite Sadlier en **www.CREEMOSweb.com**

Lesson Planning Guide

Lesson Steps	Presentation	Materials
 **WE GATHER**		
page 263 **Prayer**	• Listen to Scripture. • Respond in prayer.	For the prayer space: a Bible, symbol and/or photos of Matrimony
Focus on Life	• Discuss faithfulness and faithful friends.	
2 WE BELIEVE		
page 263 *Marriage was part of God's plan from the very beginning.*	• Discuss marriage as part of God's plan and its importance as a sacrament. Discuss the importance of keeping promises.	
page 265 *The marriage covenant is built on Christ's love for the Church.*	• Discuss the new covenant and the marriage covenant. Identify ways to be a loyal family member, friend, or neighbor.	"Love Is Colored Like a Rainbow," #24, Grade 5 CD (option)
page 267 *In the sacrament of Matrimony, a man and a woman promise to always love and be true to each other.* *Rite of Marriage*	• Discuss marriage preparation, the Rite of Marriage, and fidelity. Name ways married couples can be an example of Christian life.	• copies of Reproducible Master 24
page 269 *Families are very important communities.*	• Discuss family responsibilities of parents and children. • Read and discuss *As Catholics.*	
3 WE RESPOND		
page 269	Design a billboard.	• drawing paper and markers
pages 271 and 273 **Review**	• Complete questions 1–10. Complete *Reflect & Pray.*	
pages 271 and 273 **We Respond and Share the Faith**	• Review *Remember* and *Key Words* • Read and discuss *Our Catholic Life.*	

For additional ideas, activities, and opportunities: Visit Sadlier's **www.CREEMOSweb.com**

Conexiones

Doctrina social de la Iglesia

Llamado a la familia, a la comunidad y a la participación
La Iglesia nos llama a la familia, a la comunidad y a la participación. Proclama que cada uno de nosotros tiene una dimensión sagrada y social. La Iglesia cree que la familia es una unidad central de la sociedad y que debe apoyarse y fortalecerse. Ayude a los estudiantes a entender la importancia de la familia y las cualidades del amor, perdón y fe que son el cimiento de familias fuertes y, por ende, sociedades fuertes.

Familia

Presente el ideal de lo que una pareja casada brinda a su matrimonio. Fundamentan su amor y relación en el respeto y amor mutuo. Confían el uno en el otro para apoyar y mantener la relación. La familia que forman refleja lo que cada uno le ha brindado al matrimonio. Cada familia tiene una forma única de vivir su vocación.

FE y MEDIOS

▶ Puede explorar algunas de las imágenes del matrimonio que los estudiantes hayan encontrado en los medios de comunicación. Hable sobre estas imágenes dentro del contexto de la doctrina de la Iglesia sobre el matrimonio y la alianza de los novios. Como ayuda, prepare una lista de ejemplos positivos y negativos de películas populares, programas de televisión o libros.

Liturgia para la semana
Visite **www.creemosweb.com** para las lecturas bíblicas de esta semana y otros materiales propios del tiempo.

Necesidades individuales

Estudiantes con padres divorciados

Al hablar del ideal del matrimonio como alianza permanente, nos damos cuenta de que algunos estudiantes se ven afectados por el divorcio de sus padres. Trate de señalar que el amor de cada uno de los padres hacia sus hijos permanece, aún si el amor entre los padres mismos ha cambiado.

RECURSOS ADICIONALES

Libro *El matrimonio feliz*, Ignacio Larrañaga, Liturgicall Press.
Nos vamos a casar, Autores varios, Sadlier.

Para ideas visite a Sadlier en

www.CREEMOSweb.com

Connections

To Catholic Social Teaching

Call to Family, Community, and Participation
The Church calls each of us to family, community, and participation. It proclaims that each call has not only a sacred dimension but also a social one. The Church holds that the family is the central social unit that must be supported and strengthened. Help the students understand the importance of family, and the qualities of love, forgiveness, and faith that support strong families and, by extension, strong societies.

To Family

Present the ideal of what a married couple brings into their marriage. A wife and husband base their love and relationship upon mutual respect and love. They trust each other to support and sustain this relationship. The family they form reflects what they have brought to it. Each family has a unique way of living out its vocation.

FAITH and MEDIA

- You might explore some of the images of marriage the students have encountered in the media. Discuss these images in the context of the Church's teachings about the sacrament of Matrimony and the covenant made by the bride and groom. To aid in this discussion, prepare a list of examples, both positive and negative, taken from popular movies, television programs, or books.

This Week's Liturgy
Visit **www.creemosweb.com** for this week's liturgical readings and other seasonal material.

Meeting Individual Needs

Students from Situations of Divorce

In presenting the ideal of marriage as permanent covenant, we realize that some students experience the effects of their parents' divorce. Try to stress to the students that each parent's love for them remains, even though the love between the mother and father has changed.

ADDITIONAL RESOURCES

Video *The Wedding at Cana,* CCC of America, 1997. From the *A Kingdom Without Frontiers* series, this video shows Jesus attending the wedding ceremony at Cana and helping out. (30 minutes)

To find more ideas for books, videos, and other learning material visit Sadlier's

www.CREEMOSweb.com

Matrimonio: una promesa de fidelidad y amor

Meta catequética

• Explicar que la alianza matrimonial se fundamenta en el amor de Cristo por la Iglesia y enfatizar que las familias son comunidades muy importantes

PREPARANDOSE PARA ORAR

Los estudiantes oirán las palabras que llaman a los israelitas a ser fieles a la alianza. Responderán orando.

• Actúe de líder, escoja a un lector que proclame la Escritura.

El lugar de oración

• Ponga una Biblia y símbolos o fotos de matrimonio en el lugar de oración.

NOS CONGREGAMOS

Líder: Bendigamos al Señor, de quien procede toda bondad y por cuya gracia nos amamos unos a otros. Bendito seas por siempre, Señor.

Todos: Bendito seas por siempre, Señor.

Lector: Lectura del Libro de Deuteronomio

"Oye Israel: El Señor nuestro Dios es el único Señor. Ama al Señor tu Dios con todo tu corazón, con toda tu alma y con todas tus fuerzas. Grábate en la mente todas las cosas que hoy te he dicho, y enséñaselas continuamente a tus hijos; háblales de ellas tanto en tu casa como en el camino, y cuando te acuestes y cuando te levantes". (Deuteronomio 6:4–7)

Palabra de Dios

Todos: Demos gracias a Dios.

¿Qué palabras usas para explicar el significado de fidelidad? ¿Cómo describes al amigo fiel?

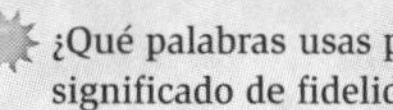

CREEMOS

El matrimonio fue parte del plan de Dios desde el principio.

Cuando Dios creó a los primeros humanos, los creó hombre y mujer. Dios los creó iguales pero diferentes y dijo que era muy bueno. Las diferencias entre niños y niñas, hombres y mujeres son buenas. Estas diferencias son parte del plan de Dios. Compartimos la misma dignidad humana porque somos creados a imagen de Dios.

Dios dijo a los primeros humanos: "Tengan muchos, muchos hijos." (Génesis 1:28). De esta forma Dios bendijo a los primeros humanos para traer nueva vida al mundo. El quería que ellos tuvieran hijos y compartieran su plan para la creación con la familia humana.

Aprendemos en el Antiguo Testamento que el matrimonio es parte del plan de Dios desde el inicio. "Es por eso que dejará el hombre a su padre y a su madre y escogerá a su mujer y los dos serán una sola carne". (Génesis 2:24)

262

Planificación de la lección

NOS CONGREGAMOS ____ minutos

Oración

• Recen la Señal de la Cruz y dirija la oración inicial.

• Pida al lector que proclame el pasaje bíblico.

• Enfatice que el "Shema" sólo era una oración, también un mandato para que los padres educaran a sus hijos. La lección fundamental era la fidelidad a Dios y la alianza en base al amor.

Mirando la vida

• Pida a los estudiantes que compartan sus respuestas sobre la fidelidad y los amigos fieles. Dígales que aprenderán que el matrimonio es una promesa de fidelidad y amor.

CREEMOS ____ minutos

Pida a un voluntario que lea en voz alta el primer enunciado *Creemos*. Pida a los estudiantes que lean en silencio los primeros tres párrafos. Enfatice que se creó a los seres humanos para que sean diferentes pero iguales en términos de dignidad humana y que el matrimonio es parte del plan de Dios. El ha bendecido la unión del hombre y la mujer con el regalo de los hijos.

Señale que el plan de Dios continuó en el ministerio público de Jesús. Pida a un voluntario que lea en voz alta el siguiente párrafo. Pregunte: *¿Qué hizo Jesús en la boda de Caná?* (Leímos en el evangelio de Juan (2:1–11) que Jesús, a petición de su madre, María, convirtió el agua en vino. Esta fue la primera de sus grandes señales.) Pida a los estudiantes terminar la lectura en voz alta. Señale que la pareja declara su amor ante los miembros de la Iglesia.

Matrimony: A Promise of Faithfulness and Love

WE GATHER

✝ **Leader:** Let us bless the Lord,
by whose goodness we live
and by whose grace we love one another.
Blessed be God for ever.

All: Blessed be God for ever.

Reader: A reading from the Book of Deuteronomy

"Hear, O Israel! The LORD is our God, the LORD alone! Therefore, you shall love the LORD, your God, with all your heart, and with all your soul, and with all your strength. Take to heart these words which I enjoin on you today. Drill them into your children. Speak of them at home and abroad, whether you are busy or at rest." (Deuteronomy 6:4–7)

The word of the Lord.

All: Thanks be to God.

What words would you use to explain what faithfulness means? How would you describe faithful friends?

WE BELIEVE

Marriage was part of God's plan from the very beginning.

When God created the first humans, he made them male and female. God created them to be different but equal, and he found this very good. The differences between girls and boys, women and men are good. These differences are part of God's plan. Even though we are different, we are equal. We share the same human dignity that comes from being made in God's image.

God told the first man and woman to "be fertile and multiply" (Genesis 1:28). In this way God blessed the first man and woman to bring new life into the world. He wanted them to have children and to share in his plan for creating the human family.

We learn from the Old Testament that marriage was part of God's plan from the very beginning: "That is why a man leaves his father and mother and clings to his wife, and the two of them become one body" (Genesis 2:24).

263

Catechist Goal

• To explain that the marriage covenant is built on Christ's love for the Church and to emphasize that families are very important communities

Preparing to Pray

The students will listen to words that call the Israelites to be faithful to the covenant. They will respond in prayer.

• Take the role of leader; choose a reader to proclaim the Scripture.

The Prayer Space

• Place a Bible and symbols or photos of Matrimony in the prayer space.

Lesson Plan

WE GATHER ____ minutes

✝ Pray

• Pray the Sign of the Cross and lead the opening prayer.

• Have the reader proclaim the Scripture passage.

• Emphasize that the prayer, the Shema, is not only a prayer but also a mandate to fathers and mothers to teach their children the fundamental lesson to be faithful to God and to his covenant based on love.

Focus on Life

• Have the students share their answers about faithfulness and faithful friends. Tell them that they will learn that marriage is a promise of faithfulness and love.

WE BELIEVE ____ minutes

Ask a volunteer to read aloud the first *We Believe* statement. Have the students read silently the first three paragraphs. Emphasize that human beings were created to be different but equal in human dignity and that marriage is part of God's plan. He has blessed the union of a man and a woman with the gift of children.

Stress that God's plan continued in Jesus' public ministry. Have a volunteer read aloud the next paragraph. Ask: *What did Jesus do at the wedding in Cana?* (We read in John 2:1–11 that Jesus, at his mother's request, changed water into wine. This was the first of his great signs.) Have students read aloud the next two paragraphs. Stress that the couple declare their love before the members of the Church.

Nuestra respuesta en la fe

• Alegrarse de que el amor matrimonial cumple con el plan de Dios y dar gracias por las familias

Matrimonio
alianza matrimonial
fidelidad

Materiales

• 4–6 CD
• copias del patrón 24
• papel de dibujar, marcadores

También aprendemos en el Nuevo Testamento que Jesús mostró la importancia del matrimonio asistiendo a una boda en Caná y ayudando a la pareja que se casaba. Desde ese tiempo el matrimonio ha sido un signo festivo del amor y la presencia de Jesús. El amor de Jesús se hace presente por medio del amor de los esposos. Es por eso que la Iglesia celebra el sacramento del Matrimonio.

En el sacramento del **Matrimonio**, un hombre y una mujer se casan. Ellos prometen ser fieles uno al otro por el resto de sus vidas. Ellos prometen: amarse y ser fieles uno al otro, amar y aceptar a los hijos como un regalo de Dios y fortalecerse con la gracia de Dios para vivir sus promesas a Cristo y uno al otro.

Como miembros de la comunidad de la Iglesia presente, su amor es bendecido y fortalecido con la gracia de este sacramento.

Hablen del por qué es importante mantener nuestras promesas. Después recen en silencio pidiendo a Dios que ayude a todo el mundo a cumplir con lo que le han prometido y prometido a otros.

La alianza matrimonial está construida en el amor de Cristo por su Iglesia.

Los cristianos creen que hay una nueva alianza entre Jesucristo y la Iglesia. Esto se basa en el amor total del Hijo de Dios por su Iglesia. Jesús promete amarnos y estar con nosotros siempre. A cambio, nosotros, la Iglesia promete amar a Jesús y a los demás. Prometemos seguir y ser fieles a sus enseñanzas y a las enseñanzas de la Iglesia.

La Iglesia ve el matrimonio como una alianza. La **alianza matrimonial** es un compromiso de toda la vida entre un hombre y una mujer para vivir como fieles y amorosos compañeros. La alianza matrimonial nos recuerda la alianza de Cristo con su Iglesia.

El amor entre esposos es un signo del amor de Cristo por su Iglesia. El amor entre esposos debe ser generoso, fiel y total. Una pareja casada promete compartir y expresar su amor sólo uno al otro.

Cristo siempre nos ama. El mantendrá siempre su promesa de compartir la vida y el amor de Dios con nosotros. Así que el amor de Cristo por su Iglesia es permanente. De la misma forma, la alianza matrimonial es para siempre.

Una vez Jesús estaba enseñando sobre el matrimonio, y dijo: "Lo que Dios ha unido no lo desate el hombre" (Mateo19:6). Cristo y la Iglesia nos enseñan que la alianza matrimonial no se debe romper.

Los casados pueden pedir a la Iglesia y a la comunidad oración y apoyo. Ellos pueden celebrar el sacramento de la Eucaristía y la Reconciliación para fortalecer y sanar su relación.

264

Conexión con el hogar

Invite a los estudiantes a conversar con su familia sobre el sacerdocio en los seguidores de la fe.

Planificación de la lección

CREEMOS (continuación)

Escriba la palabra *matrimonio* en un círculo en el centro de la pizarra. Use la palabra como punto de partida para organizar una red de palabras. Invite a los estudiantes a identificar palabras o frases que se relacionen con el matrimonio.

Converse sobre la importancia de cumplir las promesas. Dé tiempo para orar en silencio.

Lea en voz alta el segundo enunciado *Creemos*. Pida a los estudiantes que trabajen en parejas y se turnen leyendo y resaltando las ideas principales de los primeros seis párrafos *Creemos*. Enfatice lo siguiente:

• Para la Iglesia la alianza matrimonial es un compromiso de toda la vida entre un hombre y una mujer.

• El amor y la fidelidad entre esposos es una señal del amor de Dios por su pueblo.

• Las parejas de casados pueden recurrir a los sacramentos de Reconciliación y Eucaristía para obtener fortaleza y sanación.

Lea el párrafo final. Sea consciente de la sensibilidad de los estudiantes con padres divorciados o separados.

Identifique cómo ser un familiar, amigo o vecino leal y confiable.

We learn from the New Testament that Jesus showed the importance of marriage by attending a wedding in Cana and helping the couple who had been married. Since that time marriage has been an effective sign of Jesus' love and presence. Jesus' love is made present through the love of a husband and wife. This is what the Church celebrates in the sacrament of Matrimony.

In the sacrament of **Matrimony**, a man and woman become husband and wife. They promise to be faithful to each other for the rest of their lives. They promise to love and be true to each other always, lovingly accept their children as a gift from God, and are strengthened by God's grace to live out their promises to Christ and each other.

With members of the Church community present, their love is blessed and strengthened by the grace of this sacrament.

Discuss why it is important to keep our promises. Then quietly pray and ask God to help all people live out their promises to him and to one another.

The marriage covenant is built on Christ's love for the Church.

Christians believe there is a new covenant between Jesus Christ and the Church. It is based on the Son of God's complete love for his Church. Jesus promises to love us always and be with us. In return, we, the Church, promise to love Jesus and one another. We promise to follow and be faithful to his teachings and the teachings of the Church.

The Church sees marriage as a covenant, too. The **marriage covenant** is the life-long commitment between a man and woman to live as faithful and loving partners. The marriage covenant reminds us of Christ's covenant with the Church.

The love between a husband and a wife is a sign of Christ's love for his Church. The love between a husband and wife is meant to be generous, faithful, and complete. A married couple promises to share and express this love only with each other.

Christ will always love us. He will forever keep his promise to share God's life and love with us. So Christ's love for the Church is permanent. In the same way, the marriage covenant is meant to be permanent, too.

Once Jesus was teaching about marriage, and he said "what God has joined together, no human being must separate" (Matthew 19:6). Christ and the Church teach us that the marriage covenant is not to be broken.

Married couples can turn to their family and parish community for prayer and support. They can turn to the sacraments of Eucharist and Reconciliation to strengthen and heal their relationship.

265

Our Faith Response

- To rejoice that married love fulfills God's plan and to express gratitude for families

Matrimony
marriage covenant
fidelity

Lesson Materials

- Grade 5 CD
- copies of Reproducible Master 24
- drawing paper and markers

Home Connection Update

Invite the students to share their family talks about the priesthood of the faithful.

Lesson Plan

WE BELIEVE (continued)

Write the word *marriage* in a circle in the center of the board. Use the word as the starting point for a word web organizer. Invite students to suggest words or phrases that relate to marriage.

Discuss the importance of keeping promises. Allow time for silent prayer.

Read aloud the second *We Believe* statement. Have the students work with partners and take turns reading to each other and highlighting the main ideas in the first six *We Believe* paragraphs. Emphasize the following:

- The Church sees the marriage covenant as a lifelong commitment between a man and a woman.
- The love and faithfulness between a husband and wife is a sign of God's love for all his people.
- Married couples can turn to the sacraments of Reconciliation and the Eucharist for strength and healing.

Read aloud the final paragraph. Be mindful of sensitivities of students whose parents have divorced or are separated.

Identify ways to be a loyal and trustworthy family member, friend, or neighbor.

At this time you may want to play the song "Love Is Colored Like a Rainbow," #24, Grade 5 CD.

Banco de actividades

Inteligencia múltiple

Lingüística verbal

Anime a los estudiantes a recopilar historias familiares. En muchas familias hay un narrador de historias, ya sea un tío o tía, abuelo o primo lejano. Digales que pidan a sus familiares recordar historias interesantes para contar en el futuro. En muchas culturas las historias orales y la habilidad de transmitir a las siguientes generacionesson muy preciadas. Sugiera que los estudiantes cuenten una de ellas en sus propias palabras. Muchos pueden incluso sorprenderse al ver que dan más detalles a la historia al contarla.

Doctrina social de la Iglesia

Dignidad de la persona humana

Recuerde a los estudiantes que la Iglesia enseña que se debe tratar a todo miembro de la familia con respeto, amor y cariño. Invítelos a indicar como cumplir esta enseñanza con sus propias familias. Comparta sus ideas.

Con frecuencia durante tiempos difíciles los niños no entienden lo que pasa con sus padres. Ellos pueden que estén confusos y tristes. Es importante que entiendan que no son culpables de esas dificultades. Ellos no son responsables de la separación de sus padres. Aun cuando la separación y el divorcio son muy dolorosos, Dios sigue ofreciendo su sanación a todo el que lo necesite.

Escribe dos formas en la que puedes ser fiel y confiable miembro de tu familia, amigo y vecindario.

_______________ _______________

En el sacramento del Matrimonio, un hombre y una mujer se comprometen a amarse y ser fieles uno al otro toda la vida.

En todos los demás sacramentos Jesús actúa a través de un ministro ordenado para ofrecer la gracia del sacramento. En el sacramento del Matrimonio, los novios son los celebrantes. Jesús actúa por medio de la pareja y su promesa de amarse y ser fieles siempre. El sacerdote o el diácono es sólo un testigo oficial del sacramento y bendice la unión que Dios ha permitido.

Con frecuencia la celebración del sacramento del Matrimonio tiene lugar dentro de una misa. Cuando así sucede, la Liturgia de la Palabra incluye lecturas seleccionadas por la pareja. El Rito del Matrimonio tiene lugar después de la proclamación del evangelio.

El diácono o el sacerdote hace tres preguntas importantes a la pareja. ¿Son libres de darse en matrimonio? ¿Se amarán y honrarán como esposos durante toda la vida? ¿Aceptarán los hijos que Dios les mande y los criarán en la fe?

Después de contestar esas preguntas, los novios intercambian sus votos. Pueden decir algunas palabras como las siguientes: "Yo te recibo a ti como esposo (esposa) y prometo serte fiel, en lo favorable y en lo adverso, con salud o enfermedad, y, así, amarte y respetarte todos los días de mi vida".

El diácono o el sacerdote recibe las promesas de los esposos y pide a Dios fortalezca su amor y fidelidad y los llene de bendiciones. Los anillos son bendecidos, y la pareja intercambia como señal de amor y fidelidad. **Fidelidad** es ser leal a una persona, un deber, una obligación o una promesa. En el matrimonio, fidelidad es lealtad y voluntad de siempre ser fiel el uno al otro por toda la vida.

Toda la asamblea reza las intercesiones generales y la misa continúa con la Liturgia de la Eucaristía. Después del Padrenuestro, el sacerdote mira a la pareja y hace una oración especial pidiendo el favor de Dios para el nuevo matrimonio. Los novios, si son católicos, reciben la comunión. Su comunión es señal de su unión con Jesús quien es la fuente de su amor.

En el rito del Matrimonio el sacerdote reza: "que su vida sea ejemplo para todos". Nombra algunas formas en que los esposos pueden mostrarse lo que significa ser un ejemplo de vida cristiana.

266

Planificación de la lección

Creemos (continuación)

Cotejo rápido

- ✔ *¿Cómo se hace evidente en el Matrimonio el amor de Jesús?* (a través del amor de esposo y esposa; por la gracia del sacramento)
- ✔ *¿Cuál es la alianza matrimonial?* (el compromiso de toda la vida entre un hombre y una mujer de vivir como pareja fiel que se ama)

Pida a un voluntario que lea en voz alta el tercer enunciado *Creemos*. Pida a los estudiantes que trabajen en parejas para subrayar y resaltar los puntos del párrafo. Reitere que en el sacramento del Matrimonio, los novios son los celebrantes y el sacerdote o diácono, los testigos oficiales del sacramento. Enfatice la palabra *fidelidad*. Explique que la pareja acepta libremente la responsabilidad de honrarse y ser fiel el uno al otro. Su intercambio de votos es su promesa pública de ser fieles y sinceros el uno al otro. La bendición nupcial es un llamado a que Dios mantenga comprometida a la pareja de casados.

Distribuya copias del patrón para reproducir 24. Pida a los estudiantes que hagan la actividad ahora o en casa.

Identifique como las parejas de casados muestran a los demás lo que significa ejemplificar la vida cristiana.

Pida a un voluntario que lea en voz alta el cuarto enunciado *Creemos*. Pida a los estudiantes que lean en silencio los dos primeros párrafos. Pregunte: *¿Cómo sirven a la Iglesia las parejas casadas?* (al vivir su fidelidad a Dios y entre ellos en el hogar, sus trabajos y vecindarios).

Often during difficult times children do not understand what is happening to their parents. They may be confused and sad. So it is important for them to understand that they are not to blame for these difficulties. And they are not responsible if their parents get separated or divorced. Though separation and divorce are very painful, God continues to offer his healing to all who need it.

Write two ways you can be a loyal and trustworthy family member, friend, or neighbor.

______________ ______________

In the sacrament of Matrimony, a man and woman promise to always love and be true to each other.

In all the other sacraments, Jesus acts through his ordained ministers to offer the grace of the sacrament. But in the sacrament of Matrimony, the bride and groom are the celebrants. Jesus acts through the couple and through their promise to always love and be true to each other. The priest or deacon is the official witness of the sacrament, and he blesses the union that God has joined together.

The celebration of the sacrament of Matrimony often takes place within the Mass. When it does, the Liturgy of the Word includes readings selected by the couple themselves. The Rite of Marriage takes place after the gospel is proclaimed.

The deacon or priest asks the couple three important questions. Are they free to give themselves in marriage? Will they love and honor each other as husband and wife for the rest of their lives? Will they lovingly accept children from God and raise them in the faith?

After answering these questions, the bride and groom then pledge their love for each other by exchanging their vows. They may say words such as these: "I take you to be my husband (or wife). I promise to be true to you in good times and in bad, in sickness and in health. I will love you and honor you all the days of my life."

The deacon or priest receives the couple's promises and asks God to strengthen their love and faithfulness and to fill them with many blessings. The rings are then blessed and the couple exchanges them as a sign of their love and fidelity. **Fidelity** is faithfulness to a person and to duties, obligations, or promises. In marriage, fidelity is loyalty and the willingness to be true to each other always.

The whole assembly prays the general intercessions, and the Mass continues with the Liturgy of the Eucharist. After the Lord's Prayer, the priest faces the couple and prays a special prayer asking for God's favor on this new marriage. The bride and groom, if they are Catholic, receive Holy Communion. Their communion is a sign of their union with Jesus who is the source of their love.

In the Rite of Marriage the priest prays "Let them be living examples of Christian life." Name some ways that married couples can show others what it means to be an example of Christian life.

267

Activity Bank

Multiple Intelligences

Verbal-Linguistic

Encourage the students to collect family stories. Many families have a storyteller—perhaps an uncle or aunt, a grandparent, or a distant cousin. Have the students ask family members to recall a story worth retelling. Suggest that they tape the tale as the person is recounting it. In many cultures oral histories and the ability to pass along family stories are highly prized. After the stories have been recorded, suggest to the students that they retell the stories in their own words. Many might even surprise themselves as their retold stories grow in details.

Catholic Social Teaching

Dignity of the Human Person

Remind the students that the Church teaches that every member of the family should be treated with respect, love, and care. Invite the students to name some ways they can fulfill this teaching in their own families. Share ideas.

Lesson Plan

WE BELIEVE (continued)

Quick Check

✔ *How is Jesus' love made present in Matrimony?* (through the love of a husband and wife; by the grace of the sacrament)

✔ *What is the marriage covenant?* (the life-long commitment between a man and a woman to live as faithful and loving partners)

Have a volunteer read aloud the third *We Believe* statement. Have the students work with a partner to underline or highlight the main points in the *We Believe* paragraphs. Stress that in the sacrament of Matrimony the bride and groom are the celebrants, and the priest or deacon is the official witness of the sacrament. Stress the word *fidelity.* Explain that the couple freely accepts the responsibility of honoring and being faithful to one another. Their exchange of vows is their public pledge to remain faithful and true to one another. The nuptial blessing calls upon God to keep the married couple committed to each other.

Distribute copies of Reproducible Master 24. Have the students do the activity now or at home.

Identify ways married couples show others what it means to be examples of Christian life.

Have a volunteer read aloud the fourth *We Believe* statement. Have the students read silently the first two *We Believe* paragraphs. Ask: *In what ways does a married couple serve the Church?* (by living out their fidelity to God and to each other at home, in their jobs, and in their neighborhoods)

Ideas

Preparación sacramental para el matrimonio

El sacramento del Matrimonio no se celebra sin referirse a los demás sacramentos. El poder y la fortaleza del amor del matrimonio se fundamenta y apoya en las raíces de la fe y en los sacramentos de la Iglesia.

Como católicos...

Iglesia doméstica

Lea en voz alta el texto. Inicie una conversación sobre como cada familia puede ser una iglesia doméstica. Anime a los estudiantes a hacer un plan de acción que puedan seguir en casa para acercar más a su familia a la imagen de lo que es la iglesia doméstica.

Las familias son comunidades importantes.

El sacramento del Matrimonio es un sacramento de servicio. Los que lo celebran son fortalecidos para servir a Dios y a la Iglesia. Ellos son llamados para vivir su fidelidad a Dios y ellos mismos en su hogar, su trabajo y su vecindario. Al tener una familia llena de amor, los esposos expresan su amor. Cuando comparten la bondad de su amor con otros, crece el amor entre ellos y el amor a Cristo.

Ser parte de una familia significa tener deberes y responsabilidades. Los padres y tutores tratan de ofrecer un hogar seguro y lleno de amor a sus hijos. Ellos protegen y cuidan de sus hijos. Los padres y tutores son los primeros maestros de sus hijos. Ellos también son llamados vivir su fe y compartirla con sus hijos. Los hijos aprenden lo que significa ser un discípulo de Cristo y miembro de la Iglesia por el ejemplo de sus padres, tutores y familiares.

Los niños también tienen responsabilidades y deberes. Ellos son llamados a honrar a sus padres y tutores amándolos y obedeciéndolos. Ellos deben hacer las cosas justas y buenas que se les pide hacer y cooperar con sus padres y tutores. Ellos deben tratar de ayudar en la casa para mostrar el aprecio que tienen por los miembros de la familia.

Vocabulario

Matrimonio (pp 332)
alianza matrimonial (pp 331)
fidelidad (pp 332)

Al crecer los niños, la forma de mostrar amor y aprecio cambia. Pero el amor entre los hijos y los padres o tutores debe seguir creciendo.

RESPONDEMOS

Diseña un aviso que muestre a otros las cosas bellas que pasan en familias donde se ama a Dios y a los demás.

Como católicos...

Las familias cristianas son llamadas a ser comunidades de fe, esperanza y amor. Cada familia es llamada a ser una iglesia doméstica, o una "iglesia en el hogar". Es en la familia que podemos sentir el amor y la aceptación por primera vez. Podemos vivir el amor de Jesús cuando nuestros familiares nos aman y nos cuidan. Podemos aprender a perdonar y a ser perdonados cuando crecemos en la fe, rezamos y adoramos juntos. En la familia podemos aprender a ser discípulos de Jesús y a ayudar y consolar a los que sufren.

Habla con tu familia sobre las formas en que pueden ser una iglesia doméstica.

268

Planificación de la lección

CREEMOS (continuación)

Pida a voluntarios que lean en voz alta los párrafos restantes del texto *Creemos*. Enfatice que estas responsabilidades vienen del cuarto mandamiento. Explique que los niños deben honrar a sus padres y a tutores y a adultos. Haga dos columnas en la pizarra, una titulada *Responsabilidades de los adultos* y otra *Responsabilidades de los niños.* Pida a los estudiantes que se refieran al texto y den sus ideas mientras usted llena las dos columnas. Señale que tanto los adultos como los niños de las familias tienen que demostrar amor y respeto mutuo.

Comparta la *Historia para el capítulo* de la página 262A de la guía. Pregunte: *¿ Les hace pensar en sus familias, la familia de Santo Thomas More? ¿Cómo superó los tiempos difíciles la familia More?* (Le fueron fieles a Dios y a ellos mismos.)

Vocabulario Escriba las palabras en la pizarra. Pida a los estudiantes que las definan y den ejemplos y descripciones de cada una.

RESPONDEMOS ____ minutos

Pida a los estudiantes que dibujen y diseñen una cartelera que ilustre los resultados del amor de una familia. Exhiba sus trabajos en un lugar notable.

Families are very important communities.

The sacrament of Matrimony is a sacrament of service. Those who celebrate this sacrament are strengthened to serve God and the Church. They are called to live out their fidelity to God and each other in their home, in their jobs, and in their neighborhoods. By creating a loving family, married couples express their love. When they share the goodness of their love with others, their own love for each other and for Christ grows.

Being part of a family means having duties and responsibilities. Parents and guardians try to provide a safe, loving home for the children. They protect and care for their children. Parents and guardians are the first teachers of their children. They are called to live by their faith and to share their belief with their children. Children learn what it means to be a disciple of Christ and member of the Church by the example of their parents, guardians, and family members.

Children have many duties and responsibilities, too. They are called to honor their parents and guardians by loving and obeying them. They are to do the just and good things that are asked of them, and to cooperate with their parents and guardians. They try to help out around the house by doing chores and showing their appreciation for their family members and all of their relatives.

Matrimony (p. 336)
marriage covenant (p. 335)
fidelity (p. 335)

As children grow older, the ways they show their love and appreciation often change. But the love between children and their parents and guardians is meant to stay strong and to continue to grow.

WE RESPOND

Design a billboard to show others what wonderful things can happen in families where there is love for God and one another.

As Catholics...

Christian families are called to be communities of faith, hope, and love. Every family is called to be a domestic church, or a "church in the home." It is in the family that we can first feel love and acceptance. We can experience Jesus' love when our family members love and care for us. We can learn to forgive and be forgiven, to grow in faith as we pray and worship together. In our families we can learn to be disciples of Jesus and to help and comfort those in need.

Talk with your family about the ways that you can be a domestic church.

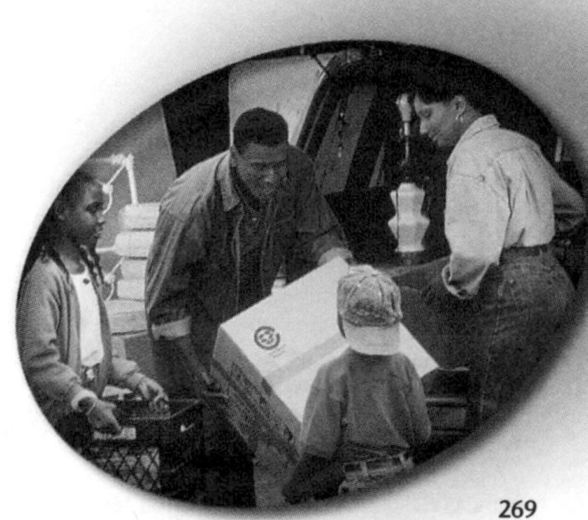

Teaching Note

Sacramental Preparation for Marriage

The sacrament of Matrimony is not celebrated without reference to the other sacraments. The power and strength of married love is supported and sustained in its roots of faith, the sacraments of the Church.

As Catholics...

Domestic Church

Read aloud the text. Invite discussion of the ways in which every family can be a domestic church. Encourage the students to make an action plan that they can follow at home to bring their families closer to the image of the family as a domestic church.

Lesson Plan

WE BELIEVE (continued)

Have volunteers read aloud the remaining paragraphs. Emphasize that children's responsibilities flow from the fourth commandment. Explain that children should honor their parents and adult guardians. On the board, make two columns, one titled *Adult Responsibilities,* the other *Children's Responsibilities.* Ask the students to refer to the text and make suggestions as you fill in the two columns. Stress that both adults and children in families need to show mutual love and respect.

Share the *Chapter Story* on guide page 262B. Ask: *Does Saint Thomas More's family remind you of your family? How? How did the More family get through hard times?* (They were faithful to God and to one another.)

Key Words Write the words on the board. Have the students define each word and offer examples or descriptions of each.

WE RESPOND ____ minutes

Have the students use drawing paper and markers to design a billboard to illustrate results of a family's love. Display their work in a prominent place.

BANCO DE ACTIVIDADES

Familia

Los desamparados son familias

Enfatice que la salud y el bienestar de las familias dependen del apoyo y las acciones de la Iglesia y de la sociedad. Al examinar la condición de los desamparados, los medios de comunicación a veces se centran en las personas y sus problemas personales. Diga a los estudiantes que los desamparados a menudo son familias en situaciones desesperadas. Pida a los estudiantes que investiguen, con la ayuda de los bibliotecarios y de sus padres, la realidad acerca de las familias en riesgo que han quedado desamparadas. Pídales que averigüen lo que se está haciendo para alojar, alimentar y proteger a estas familias frágiles. Pídales que escriban un breve informe sobre sus hallazgos. Comparta la información.

CONEXION CON EL HOGAR

Compartiendo lo aprendido

Anime a los estudiantes a hablar con su familia sobre el sacramento del Matrimonio.

Para más información y actividades adicionales visite a Sadlier

www.CREEMOSweb.com

Planifique por adelantado

Lugar de oración: una Biblia, símbolos y fotos del Orden Sagrado

Materiales: copias del patrón 25, creyones o marcadores

_____ minutos

Repaso del capítulo Explique a los estudiantes que van a repasar el contenido de la lección con estas preguntas. Pídales que completen las preguntas 1–10. Repáselas pidiéndoles que digan en voz alta las respuestas correctas. Asegúrese de que expliquen bien las respuestas de las preguntas 2 y 3.

Reflexiona y ora Lea en voz alta el texto. Pida a los estudiantes que escriban sus oraciones. Invite a voluntarios a compartir sus oraciones.

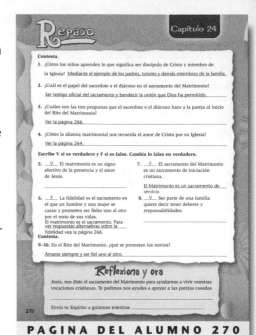

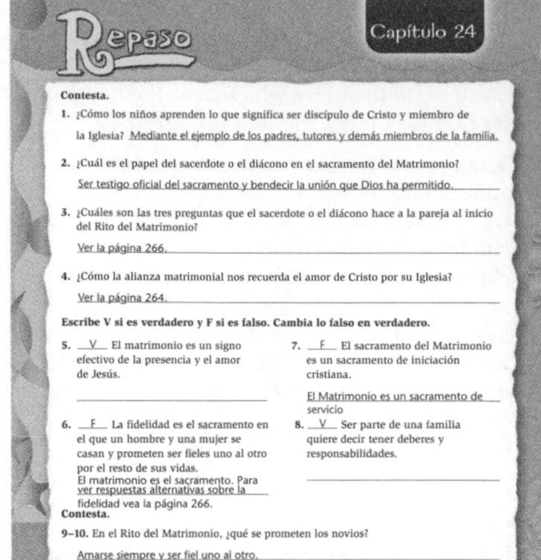

Repaso — Capítulo 24

Contesta.

1. ¿Cómo los niños aprenden lo que significa ser discípulo de Cristo y miembro de la Iglesia? Mediante el ejemplo de los padres, tutores y demás miembros de la familia.
2. ¿Cuál es el papel del sacerdote o el diácono en el sacramento del Matrimonio? Ser testigo oficial del sacramento y bendecir la unión que Dios ha permitido.
3. ¿Cuáles son las tres preguntas que el sacerdote o el diácono hace a la pareja al inicio del Rito del Matrimonio? Ver la página 266.
4. ¿Cómo la alianza matrimonial nos recuerda el amor de Cristo por su Iglesia? Ver la página 264.

Escribe V si es verdadero y F si es falso. Cambia lo falso en verdadero.

5. V El matrimonio es un signo efectivo de la presencia y el amor de Jesús.
6. F La fidelidad es el sacramento en el que un hombre y una mujer se casan y prometen ser fieles uno al otro por el resto de sus vidas. El matrimonio es el sacramento. Para ver respuestas alternativas sobre la fidelidad vea la página 266.
7. F El sacramento del Matrimonio es un sacramento de iniciación cristiana. El Matrimonio es un sacramento de servicio
8. V Ser parte de una familia quiere decir tener deberes y responsabilidades.

Contesta.

9–10. En el Rito del Matrimonio, ¿qué se prometen los novios? Amarse siempre y ser fiel uno al otro.

Reflexiona y ora

Jesús, nos diste el sacramento del Matrimonio para ayudarnos a vivir nuestras vocaciones cristianas. Te pedimos nos ayudes a apoyar a las parejas casadas

Envía tu Espíritu a guiarnos mientras

270

PAGINA DEL ALUMNO 270

Respondemos y compartimos la fe

_____ minutos

Recuerda Lea en voz alta los cuatro enunciados de *Creemos*. Céntrese en las palabras "plan de Dios". Señale que el plan de Dios debe efectuarse a través de las personas.

Nuestra vida católica Lea en voz alta el texto. Enfatice que Santa Margarita vivió su vocación como esposa, madre y amiga de otros, especialmente de la población de Escocia.

Respondemos y compartimos la fe

Compartiendo lo aprendido

Habla con tu familia sobre lo siguiente:

- el sacramento del Matrimonio
- la alianza matrimonial
- la fidelidad
- responsabilidades y obligaciones de la familia.

Recuerda

- El Matrimonio fue parte del plan de Dios desde el principio.
- La alianza matrimonial está construida en el amor de Cristo por su Iglesia.
- En el sacramento del Matrimonio, un hombre y una mujer se comprometen a amarse y ser fieles uno al otro toda la vida.
- Las familias son comunidades importantes.

Rezando en familia

Que el Espíritu Santo no cese nunca de derramar su amor en vuestros corazones.

Rito del Matrimonio

NUESTRA VIDA CATOLICA

Santa Margarita

Margarita era una princesa inglesa que nació en 1045. Cuando creció, se mudó con su madre a Escocia donde eventualmente se casó con el Rey Malcom. Como reina de Escocia, Margarita trabajó para hacer del país un mejor lugar. Ella dio sabios consejos a su esposo para ayudarlo a vivir una vida virtuosa. Ella se dedicó a su familia, su fe y su pueblo. Ella hizo grandes esfuerzos para buscar buenos maestros y construir iglesias para que el pueblo pudiera aprender y practicar su fe. Honramos a Santa Margarita el 16 de noviembre.

Visita Sadlier en www.CREEMOSweb.com

Conexión con el Catecismo

Para referencia del Catecismo vea los párrafos 1605, 1616, 1644 y 1657.

272

PAGINA DEL ALUMNO 272

_____ minutes

Chapter Review Explain to the students that they are going to review the contents of this lesson through these questions. Have the students complete questions 1–10. Review by asking the students to say aloud each of the correct answers. Make sure the answers to questions 2 and 3 are explained fully.

Reflect & Pray Read aloud the start of the prayer. Have the students complete their prayers. Invite volunteers to share their prayers.

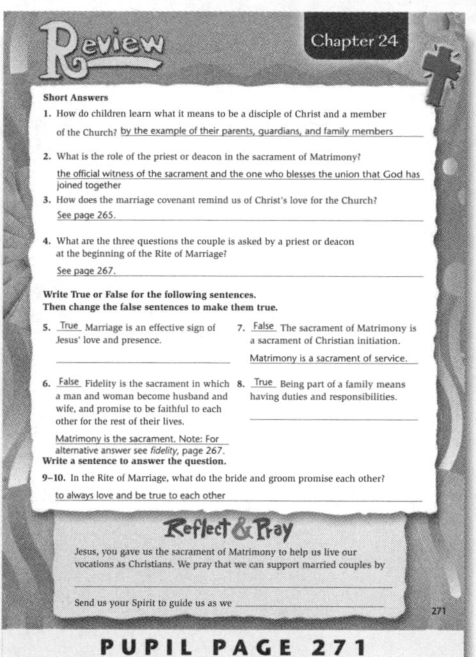

Review Chapter 24

Short Answers

1. How do children learn what it means to be a disciple of Christ and a member of the Church? by the example of their parents, guardians, and family members
2. What is the role of the priest or deacon in the sacrament of Matrimony? the official witness of the sacrament and the one who blesses the union that God has joined together
3. How does the marriage covenant remind us of Christ's love for the Church? See page 265.
4. What are the three questions the couple is asked by a priest or deacon at the beginning of the Rite of Marriage? See page 267.

Write True or False for the following sentences. Then change the false sentences to make them true.

5. True Marriage is an effective sign of Jesus' love and presence.
6. False Fidelity is the sacrament in which a man and woman become husband and wife, and promise to be faithful to each other for the rest of their lives. Matrimony is the sacrament. Note: For alternative answer see *fidelity*, page 267.
7. False The sacrament of Matrimony is a sacrament of Christian initiation. Matrimony is a sacrament of service.
8. True Being part of a family means having duties and responsibilities.

Write a sentence to answer the question.

9–10. In the Rite of Marriage, what do the bride and groom promise each other? to always love and be true to each other

Reflect & Pray

Jesus, you gave us the sacrament of Matrimony to help us live our vocations as Christians. We pray that we can support married couples by ______

Send us your Spirit to guide us as we ______

271

PUPIL PAGE 271

We Respond and Share the Faith

_____ minutes

Remember Read aloud each of the four *We Believe* statements. Focus on the words "God's plan." Stress that God's plan needs to be worked out through people.

Our Catholic Life Read aloud the text. Emphasize that Saint Margaret lived her vocation as wife, mother, and friend to others, especially the people of Scotland.

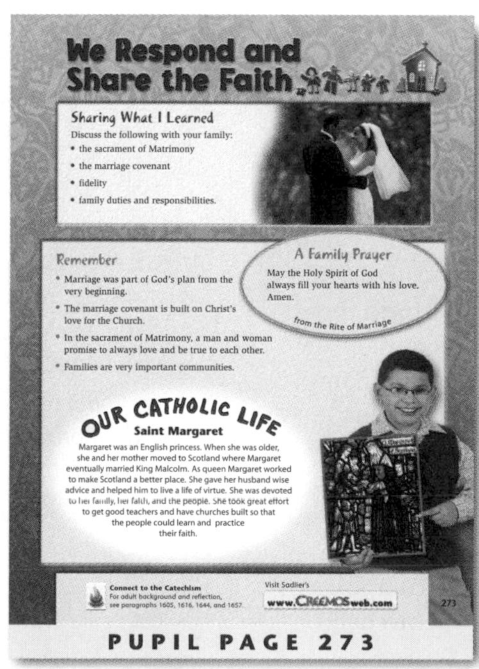

We Respond and Share the Faith

Sharing What I Learned

Discuss the following with your family:
- the sacrament of Matrimony
- the marriage covenant
- fidelity
- family duties and responsibilities.

Remember
- Marriage was part of God's plan from the very beginning.
- The marriage covenant is built on Christ's love for the Church.
- In the sacrament of Matrimony, a man and woman promise to always love and be true to each other.
- Families are very important communities.

A Family Prayer

May the Holy Spirit of God always fill your hearts with his love. Amen.

from the Rite of Marriage

OUR CATHOLIC LIFE

Saint Margaret

Margaret was an English princess. When she was older, she and her mother moved to Scotland where Margaret eventually married King Malcolm. As queen Margaret worked to make Scotland a better place. She gave her husband wise advice and helped him to live a life of virtue. She was devoted to her family, her faith, and the people. She took great effort to get good teachers and have churches built so that the people could learn and practice their faith.

Connect to the Catechism: For adult background and reflection, see paragraphs 1605, 1616, 1644, and 1657.

Visit Sadlier's www.CREEMOSweb.com

273

PUPIL PAGE 273

Activity Bank

Family

The Homeless Are Families

Emphasize that the health and welfare of families depend upon the support and actions of the Church and society. When examining the plight of those who are homeless, the media sometimes seem focused on individuals and their personal problems. Tell the students that the homeless are often families in desperate situations. Have the students research, with the help of librarians or their parents, the facts about families at risk who have become homeless. Ask them to find out what is being done to house, feed, and protect these fragile families. Ask them to write a brief report of their findings. Share information.

Home Connection

Sharing What I Learned

Encourage the students to talk with their families about the sacrament of Matrimony.

For additional information and activities, encourage families to visit Sadlier's

www.CREEMOSweb.com

Plan Ahead for Chapter 25

Prayer Space: a Bible, symbols and/or photos of Holy Orders

Lesson Materials: copies of Reproducible Master 25, paper and crayons or markers

Capítulo 25 Orden Sagrado: una promesa de servir al pueblo de Dios

Ojeada

En este capítulo los estudiantes aprenderán sobre el sacramento del Orden Sagrado y que los ordenados prometen servir al pueblo de Dios.

Contenido doctrinal	Referencia del *Catecismo de la Iglesia Católica*
Los estudiantes aprenderán que:	párrafo
• Jesús comparte su ministerio en una forma especial con sus apóstoles	551
• El Orden Sagrado es el sacramento por medio del cual la Iglesia continúa la misión de los apóstoles	1562
• Los obispos, los sacerdotes y los diáconos sirven a la Iglesia en diferentes formas	1554
• La imposición de las manos y la oración de consagración son las partes principales del sacramento del Orden	1573

Referencia catequética

¿Cómo los líderes ordenados por la Iglesia le han ayudado a crecer?

Con el sacramento del Orden, se ordenan líderes en el sacerdocio ministerial que está "al servicio del sacerdocio común" (*CIC* 1547). Ellos sirven a la Iglesia de manera especial. Su función empieza en el tiempo de Cristo y los apóstoles.

Jesús escogió doce hombres, llamados apóstoles, a quienes les dio una misión: continuar su ministerio. Los doce apóstoles se confirmaron en esta misión en Pentecostés, cuando recibieron el don del Espíritu Santo. Se les dio el valor de seguir adelante y predicar la buena nueva. Mediante la prédica, la enseñanza y el Bautismo en nombre de Cristo, los apóstoles ayudaron a construir la Iglesia. Estos hombres designaron a otros que los sucedieran y su autoridad continuó mediante el sacramento del Orden. El sacerdocio ministerial continúa el trabajo de los apóstoles de la Iglesia. Existen tres grados en el sacramento del Orden: obispos, sacerdores y diáconos.

Esta semana rece por los obispos, los sacerdotes, los diáconos y los seminaristas.

Mirando la vida

Historia para el capítulo

Después de una vida entera de servicio en favor de la justicia social para los trabajadores, monseñor George Higgins fue honrado con la medalla presidencial de la libertad. Este "sacerdote laboral" fue el lider de la preocupación de la Iglesia por la justicia económica de todos.

Monseñor Higgins estudió para el sacerdocio en la arquidiócesis de Chicago y se vio absorto por la doctrina social de la Iglesia. Continuó sus estudios y obtuvo un doctorado en economía.

Pronto puso en marcha lo aprendido sobre la doctrina social y la misión de la Iglesia junto con otros sacerdotes y laicos. Proclamaba incansablemente en sus artículos y acciones la doctrina de la Iglesia sobre los derechos de los trabajadores.

Monseñor Higgins siempre trató de llevar la justicia a las negociaciones entre los empleadores y los sindicatos. En la década de los sesenta, ayudó a César Chávez y a los agricultores a conciliar la huelga con los viñeros de California. Los obispos de Estados Unidos le pidieron mediar en la disputa, por lo que fue elogiado por ambas partes.

El 1 de mayo de 2002, justamente el día de San José obrero, murió. Por encima de todo fue un sacerdote. Su trabajo de brindar al mundo mercantil la doctrina social de la Iglesia fue una forma singular de vivir su ministerio sacerdotal.

¿Cómo te ayuda a apreciar la vida y ministerio del monseñor Higgins la vocación de un sacerdote?

Holy Orders: A Promise of Service for the People of God

Chapter 25

Overview

In this chapter the students will learn about the sacrament of Holy Orders and that the ordained make a promise of service for the people of God.

Doctrinal Content	For Adult Reading and Reflection *Catechism of the Catholic Church*
The students will learn:	Paragraph
• Jesus shares his ministry in a special way with the apostles	551
• Holy Orders is the sacrament through which the Church continues the apostles' mission	1562
• Bishops, priests, and deacons serve the Church in different ways	1554
• The laying on of hands and prayer of consecration are the main parts of the sacrament of Holy Orders	1573

Catechist Background

How have ordained Church leaders helped you to grow?

Through the sacrament of Holy Orders, leaders are ordained to the ministerial priesthood, which is "at the service of the common priesthood" (CCC 1547). These men serve the Church in a special way. Their role goes back to the time of Christ and his apostles.

Jesus surrounded himself with twelve men, called apostles, to whom he gave a mission: to continue his ministry after he had left them. The twelve apostles were confirmed in this mission on Pentecost when they received the Gift of the Holy Spirit. They were given the courage to go forth and spread the good news. Through preaching, teaching, and baptizing in Christ's name, the apostles helped to build the Church. These men appointed others to succeed them, and their authority was continued through the sacrament of Holy Orders. The ministerial priesthood continues the Church's work of teaching, preaching, and administering the sacraments.

There are actually three orders, or degrees, of the sacrament of Holy Orders: bishops, priests, and deacons.

Pray for bishops, priests, deacons, and seminarians this week.

Focus on Life

Chapter Story

After a lifetime of serving the cause of social justice for workers, Monsignor George Higgins was honored with the Presidential Medal of Freedom. This dedicated "labor priest" championed the Church's concern for economic justice for all.

Monsignor Higgins studied for the priesthood in the Archdiocese of Chicago and became absorbed in the Church's social teachings. He went on to get a doctorate in economics.

He quickly put into action, with other priests and laypeople, what he had learned about the social teachings and mission of the Church. He tirelessly proclaimed the Church's teaching on the rights of working men and women in his writings and his actions.

Monsignor Higgins always tried to bring fairness to the negotiations between management and labor unions. In the 1960s, he helped César Chávez and the Farm Workers settle their strike with grape growers in California. The United States bishops asked him to mediate the dispute. He did and won praise from both sides of the picket line.

Fittingly, it was on May 1, 2002, the feast of Saint Joseph the Worker, that Monsignor Higgins died. He was always a priest first. His work in bringing the Church's social teachings to the marketplace was his unique way of living out his priestly ministry.

In what way does Monsignor Higgins's life and ministry help you to appreciate the vocation of a priest?

Guía para planificar la lección

NOS CONGREGAMOS

Pasos de la lección	Presentación	Materiales
pág. 274 **Oración**  **Mirando la vida**	• Escuchar la Escritura. Responder cantando. • Identificar a personas y las formas en que fomentan la fe.	Para el lugar de oración: una Biblia, símbolos o fotos del Orden Sagrado "Pescadores de hombres", 4–6 CD

2 CREEMOS

Pasos de la lección	Presentación	Materiales
pág. 274 *Jesús comparte su ministerio en una forma especial con sus apóstoles.*	• Conversar sobre Jesús compartiendo su ministerio con los apóstoles. Hacer la actividad sobre el servicio a la familia y a los compañeros de clase.	
pág. 276 *El Orden Sagrado es el sacramento por medio del cual la Iglesia continúa la misión de los apóstoles.*	• Leer sobre los líderes originales de la Iglesia. Indicar como los sacerdotes, diáconos y feligreses trabajan juntos.	
pág. 278 *Obispos, sacerdotes y diáconos sirven a la Iglesia en diferentes*	• Hablar sobre el servicio que los obispos, sacerdotes y diáconos ofrecen al pueblo de Dios. Conversar sobre el ministerio de la Iglesia	
pág. 280 *La imposición de las manos y la oración de consagración son las partes principales del sacramento del Orden.* *Ritos de la ordenación*	• Conversar sobre la celebración del sacramento del Orden. • Leer y conversar sobre *Como católicos.*	• copias del patrón 25

3 RESPONDEMOS

Pasos de la lección	Presentación	Materiales
pág. 280	Diseñar signos de servicio.	• papel y creyones o marcadores
páginas 282 y 284 **Repaso**	• Completar las preguntas 1–10. Completar *Reflexiona y ora.*	
páginas 282 y 284 **Respondemos y compartimos la fe**	• Repasar el *Recuerda* y el *Vocabulario.* • Leer y conversar sobre *Nuestra vida católica.*	

Para ideas, actividades y otras oportunidades visite Sadlier en **www.CREEMOSweb.com**

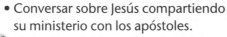

Lesson Planning Guide

Lesson Steps	Presentation	Materials
 **WE GATHER**		
page 275  **Prayer**	• Listen to Scripture. Respond in song.	For the prayer space: a Bible, symbols and/or photos of Holy Orders "Come, Follow Me," #25, Grade 5 CD
Focus on Life	• Identify people who nurture faith and ways that these people do so.	
2 WE BELIEVE		
page 275 *Jesus shares his ministry in a special way with the apostles.*	• Discuss Jesus' sharing his ministry with the apostles. Do the activity about service to family and classmates.	
page 277 *Holy Orders is the sacrament through which the Church continues the apostles' mission.*	• Read about the early Church leaders. Identify ways priests, deacons and parishioners work together.	
page 279 *Bishops, priests, and deacons serve the Church in different ways.*	• Discuss the service that bishops, priests, and deacons offer God's people. Talk about parish ministries.	
page 281 *The laying on of hands and prayer of consecration are the main parts of the sacrament of Holy Orders.* *Rites of Ordination*	• Discuss the celebration of the sacrament of Holy Orders. • Read and discuss *As Catholics*.	• copies of Reproducible Master 25
3 WE RESPOND		
page 281	Design signs of service.	• paper and crayons or markers
pages 283 and 285 **Review**	• Complete questions 1–10. Complete *Reflect & Pray*.	
pages 285 and 283 **We Respond and Share the Faith**	• Review *Remember* and *Key Words*. • Read and discuss *Our Catholic Life*.	

For additional ideas, activities, and opportunities: Visit Sadlier's **www.CREEMOSweb.com**

Conexiones

Doctrina social de la Iglesia

Opción para los pobres e indefensos
La Iglesia enseña que una prueba moral básica de cualquier sociedad es la forma en que se cuida y protege a los miembros más vulnerables. Busque oportunidades de elogiar los esfuerzos de los obispos, sacerdotes y diáconos católicos en nombre de los pobres e indefensos. Enfatice que podemos seguir su ejemplo a nuestra manera como miembros del sacerdocio de los fieles.

Vocaciones

Aproveche esta semana como una oportunidad para ayudar a los estudiantes a entender que Dios nos llama a todos para servirlo a él y a los demás de formas singulares y personales. Los que reciben el Orden Sagrado han sido llamados por Dios para servir al pueblo de Dios en la Iglesia. Anime a los estudiantes a pensar en como pueden responder al llamado de Dios.

FE Y MEDIOS

- En la actividad de evaluación se pedirá a los estudiantes que hagan una lista de las preguntas más frecuentes sobre el sacramento del Orden Sagrado. Prepare información sobre vocaciones y formación sacerdotal ofrecida en el sitio Web de la Conferencia de Obispos Católicos de Estados Unidos.
- Si es posible traiga copias de artículos del diario diocesano que describan la ordenación y que tengan información sobre los sacerdotes y diáconos recién ordenados que resalten la vida y formación seminaria. En muchos casos estos artículos se encuentran archivados en el sitio Web del diario.

Liturgia para la semana
Visite **www.creemosweb.com** para las lecturas bíblicas de esta semana y otros materiales propios del tiempo.

Necesidades individuales

Su respuesta a los estudiantes con necesidades físicas o incapacidades dependerá en los retos que estén enfrentando. A continuación algunos ajustes o adaptaciones generales que puede efectuar: ubique a los estudiantes en un escritorio o mesa cuya altura se pueda ajustar a la altura de la silla de ruedas; pídale a los estudiantes que usen lapiceros con la punta de fieltro, pues requieren menos presión de la mano; pídales que escriban en cuadernos en vez de hojas sueltas.

RECURSOS ADICIONALES

Libro *El Señor me ha tocado,* John Powell, Liturgicall Press.

Para ideas visite a Sadlier en

www.CREEMOSweb.com

Connections

To Catholic Social Teaching

Option for the Poor and Vulnerable
The Church teaches that a basic moral test of any society is the way its most vulnerable members are cared for and protected. Look for opportunities to praise the efforts of Catholic bishops, priests, and deacons on behalf of the poor and vulnerable. Emphasize that we can follow their example in our own way as members of the priesthood of the faithful.

To Vocations

Use this week as an opportunity to help the students understand that God calls each one of us to serve him and others in unique and personal ways. Those who receive Holy Orders have been called by God to serve the people of God in the Church. Encourage the students to think about ways they can answer God's call.

FAITH and MEDIA

- In the Assessment activity the students will be asked to make a list of frequently asked questions about the sacrament of Holy Orders. Bookmark some of the information on vocations and priestly formation offered on the Web site of the United States Conference of Catholic Bishops.
- If possible, bring copies of articles from your diocesan newspaper describing an ordination, profiling newly ordained priests and deacons, or highlighting seminary life and formation. In many cases such articles are archived on the newspaper's Web site.

This Week's Liturgy
Visit **www.creemosweb.com** for this week's liturgical readings and other seasonal material.

Meeting Individual Needs

Students with Physical Needs

Your response to students with physical needs or disabilities will depend on what kinds of challenges they face. Here are some general accommodations or adaptations you might make: Seat the students at desks or tables that adjust to the height of a wheelchair; have the students use felt tip pens, because these require less hand pressure; have them write on a bound pad of paper rather than on loose-leaf paper.

ADDITIONAL RESOURCES

Book *Exploring the Sacraments: Celebrating with Jesus*, Hi-Time Pflaum, 2000. The section on "Holy Orders" covers activities on "Degrees," "Ministry," and "Terms" about the sacrament.

Video *We Commit: Marriage and Holy Orders*, Ikonographics, St. Anthony Messenger Press, 2002. From *The Sacraments* series, this video presents both married life and life as a priest. (15 minutes)

To find more ideas for books, videos, and other learning material, visit Sadlier's

www.CREEMOSweb.com

25 Orden Sagrado: una promesa de servir al pueblo de Dios

Meta catequética

• Explicar la importancia del sacramento del Orden y describir como los obispos, sacerdotes y diáconos sirven a la Iglesia

PREPARANDOSE PARA ORAR

Los estudiantes oirán las palabras de Jesús llamando a sus apóstoles para compartir su misión. Responderán orando.

• Actúe de líder y escoja a estudiantes que proclamen la Escritura.

• Practique la canción "Pescadores de hombres", 4–6 CD.

El lugar de oración

• Ponga una Biblia en la mesa y símbolos o fotos del Orden Sagrado.

NOS CONGREGAMOS

Líder: Cristo, nos has llamado a seguirte todos los días de nuestras vidas. Danos el valor de confiar en ti como lo hicieron tus primeros discípulos.

Lector: Lectura del santo Evangelio según San Mateo.

"Jesús iba caminando por la orilla del lago de Galilea cuando vio a dos hermanos: uno era Simón, también llamado Pedro, y el otro Andrés. Eran pescadores y estaban echando la red al agua. Jesús les dijo: "Síganme y yo los haré pescadores de hombres". Al momento dejaron sus redes y se fueron con él". (Mateo 4:18–20)

Palabra del Señor.

Todos: Gloria a ti, Señor Jesús.

Pescadores de hombres

Tú has venido a la orilla,
no has buscado ni a sabios ni a ricos,
tan sólo quieres que yo te siga.

Señor, me has mirado a los ojos,
sonriendo has dicho mi nombre,
en la arena he dejado mi barca,
junto a ti buscaré otro mar.

¿Cuáles son algunas personas que te ayudan a crecer en la fe? ¿Cómo te ayudan a creer y a seguir a Cristo?

CREEMOS

Jesús comparte su ministerio en una forma especial con sus apóstoles.

Desde el inicio de su ministerio, Jesucristo invitó a todo tipo de personas a ser sus discípulos. Después de una noche de oración, Jesús: "Llamó a sus discípulos y escogió a doce de ellos a quienes llamó apóstoles" (Lucas 6:13). Jesús escogió a los apóstoles para compartir su ministerio de manera especial.

Jesús envió a los apóstoles a compartir su mensaje. El los envió a predicar y a curar en su nombre. El les dijo: "El que recibe al que yo envío me recibe a mí" (Juan 13:20).

274

Planificación de la lección

NOS CONGREGAMOS ____ minutos

Oración

• Ore la Señal de la Cruz y dirija la oración de apertura.

• Pida a los lectores que proclamen los pasajes bíblicos.

• Cante "Pescadores de hombres".

• Señale que los primeros seguidores de Jesús lo siguieron inmediatamente cuando los llamó. Desde nuestro llamado en el sacramento del Bautismo, hemos estado siguiendo a Jesús. En nuestro discipulado, necesitamos tiempo para crecer en nuestra vocación de amor y servicio a los demás en nombre de Cristo.

Mirando la vida

• Pida a los estudiantes que hablen sobre sus respuestas a las preguntas. Dígales que aprenderán que el sacramento del Orden Sagrado permite a la Iglesia continuar con la misión de los apóstoles.

CREEMOS ____ minutos

Pida a un voluntario que lea en voz alta el primer enunciado *Creemos.* Pida a los estudiantes que lean y resalten los primero tres párrafos. Haga una lista en la pizarra de sus ideas sobre cómo Jesús pedía a sus discípulos que compartieran su ministerio. Señale que el liderazgo de Jesús se fundamentaba en servir a los demás. Puede compartir Marcos 6:7 con los estudiantes.

Pida a los estudiantes que lean los demás párrafos de *Creemos.* Diga: *Los apóstoles recibieron el don del Espíritu Santo. ¿Cómo ayudó el Espíritu Santo a los apóstoles?* (El Espíritu Santo los ayudó a predicar la buena nueva y a

Holy Orders: A Promise of Service for the People of God

WE GATHER

✝ **Leader:** Christ, you call us to follow you every day of our lives. Give us the courage to trust in you as your first disciples did.

Reader A reading from the holy Gospel according to Matthew

"As he was walking by the Sea of Galilee, he saw two brothers, Simon who is called Peter, and his brother Andrew, casting a net into the sea; they were fishermen. He said to them, 'Come after me, and I will make you fishers of men.' At once they left their nets and followed him." (Matthew 4:18–20)

The Gospel of the Lord.

All: Praise to you, Lord Jesus Christ.

♫ **Come, Follow Me**

Refrain:

Come, follow me, come, follow me.
I am the way, the truth, and the life.
Come, follow me, come, follow me.
I am the light of the world, follow me.

You call us to serve with a generous heart;
in building your kingdom each one has a part.
Each person is special in your kingdom of love.
Yes, we will follow you, Jesus!
(Refrain)

Who are some people who help you to grow in faith? How do they help you to believe in and follow Christ?

WE BELIEVE

Jesus shares his ministry in a special way with the apostles.

From the beginning of his ministry, Jesus Christ invited all types of people to be his disciples. After a night of prayer, Jesus "called his disciples to himself, and from them he chose Twelve, whom he also named apostles" (Luke 6:13). Jesus chose the apostles to share in his ministry in a special way.

Jesus sent the apostles out to share his message. He sent them to preach and to cure people in his name. He told them, "Whoever receives the one I send receives me" (John 13:20).

275

Catechist Goal

• To explain the importance of the sacrament of Holy Orders and to describe the ways bishops, priests, and deacons serve the Church

PREPARING TO PRAY

The students will listen to the words of Jesus calling his first apostles to share in his mission. They will respond in prayer.

• Take the role of leader; choose a student to proclaim the Scripture.

• Practice the song "Come, Follow Me," #25 on the Grade 5 CD.

The Prayer Space

• On the table place a Bible and symbols or photos of Holy Orders.

Lesson Plan

WE GATHER ____ minutes

✝ Pray

• Pray the Sign of the Cross and lead the opening prayer.

• Have the reader read aloud the Scripture passage.

• Sing "Come, Follow Me."

• Note that the first followers of Jesus followed him immediately when he called. Since our own call in the sacrament of Baptism, we have been following Jesus. In our discipleship, we need time to grow into our vocation to love and serve others in Christ's name.

Focus on Life

• Have the students discuss their answers to the questions. Tell them that they will learn that the sacrament of Holy Orders enables the Church to continue the apostles' mission.

WE BELIEVE ____ minutes

Ask a volunteer to read aloud the first *We Believe* statement. Have the students read the first three *We Believe* paragraphs and highlight the main points. List on the board their ideas about the ways that Jesus was asking his disciples to share in his ministry. Stress that Jesus' leadership was based upon serving others. You may also want to share Mark 6:7 with the students.

Have the students read the remaining *We Believe* paragraphs. Say: *The apostles received the Gift of the Holy Spirit. In what way did the Holy Spirit help the apostles?* (The Holy Spirit helped them to preach the good news and share

Nuestra respuesta en la fe

- Entender la misión especial de los que reciben el Orden Sagrado

Orden Sagrado
obispos
sacerdotes
diáconos

Materiales

- copias del patrón 25
- papel y creyones o marcadores

Una vez los apóstoles hablaban sobre quien era el más grande entre ellos. Jesús les dijo que el que quería ser el más grande debía servir a los demás: "Estoy entre ustedes como el que sirve" (Lucas 22:27). Jesús quería que sus apóstoles siguieran su ejemplo de guiar sirviéndolos.

Antes de ir a su Padre, Jesús prometió a sus apóstoles que recibirían el don del Espíritu Santo. El Espíritu Santo les ayudaría a recordar todo lo que Jesús había dicho y hecho.

Después de su muerte y resurrección, el Cristo resucitado dio a los apóstoles la autoridad de continuar su trabajo. El los comisionó, o envió, diciendo: "¡Paz a ustedes! Como el Padre me envió a mí, así yo los envío a ustedes". Y sopló sobre ellos, y les dijo: "Reciban el Espíritu Santo". (Juan 20:21–22).

Con esas palabras Jesús confió su trabajo a los apóstoles. Jesús los envió a ir por todo el mundo a dirigir su comunidad y llevar el reino de Dios a la gente. Ellos debían enseñar y bautizar a la gente. El Espíritu Santo fortalecería a los apóstoles para cumplir su misión.

En grupos hablen sobre las formas en que los miembros de la familia pueden servirse unos a otros y como los vecinos pueden servir a la comunidad. Escribe algunas ideas sobre como sirves a tu familia y a tus compañeros.

____

____

El Orden Sagrado es el sacramento por medio del cual la Iglesia continúa la misión de los apóstoles.

Los apóstoles reunían creyentes en comunidades locales en todos los lugares donde iban. Con la ayuda de cada iglesia local, escogían líderes y ministros para la comunidad. Los apóstoles imponían las manos en los escogidos y los comisionaban.

Algunos de esos líderes actuaban en nombre de los apóstoles predicando la buena nueva de Jesucristo y compartiendo las enseñanzas de los apóstoles. Ellos continuaron el ministerio de los apóstoles y los sucedieron. Eventualmente llegaron a ser los que hoy conocemos como obispos.

Los líderes locales que trabajaron con los obispos fueron los sacerdotes y los que los ayudaban en el culto y el servicio a la comunidad eran diáconos.

La Iglesia continuó creciendo y los obispos, los sucesores de los apóstoles, enviaron a otros a continuar el ministerio de los apóstoles. De esa forma, el liderazgo de la Iglesia a través de la historia se originó con los apóstoles.

276

Conexión con el hogar

Invite a los estudiantes a conversar sobre el Matrimonio con sus familias.

Planificación de la lección

CREEMOS (continuación)

compartir el reino de Jesús. Con el poder del Espíritu Santo, enseñaron y bautizaron al pueblo.)

Pida a los estudiantes que formen grupos para la actividad. Camine entre los grupos y responda cualquier pregunta. Invite a voluntarios a compartir sus ideas.

Pida a un voluntario que lea en voz alta el segundo enunciado *Creemos*. Pida a los estudiantes que trabajen con un compañero y que tomen turnos leyendo los primeros cuatro párrafos. Enfatice los siguientes puntos:

- Los apóstoles escogieron y facultaron a líderes locales mediante la imposición de las manos.
- Los obispos son los sucesores de los apóstoles y continúan la misión de los apóstoles.

Invite a los estudiantes a trabajar en pequeños grupos para completar los siguientes tres párrafos. Pídales subrayar las ideas principales de cada párrafo. Pida a un representante de cada grupo que presente las ideas principales subrayadas. Escríbalas en la pizarra.

Identifique cómo los miembros de la parroquia trabajan con los sacerdotes y diáconos para servir a los demás.

Cotejo rápido

✔ *¿Cuáles son los elementos esenciales en la celebración del sacramento del Orden?* (Se ordena hombres mediante la imposición de las manos y la oración de consagración.)

✔ *¿Cuál es la misión especial de los que reciben el Orden Sagrado?* (Los que reciben el Orden Sagrado asumen la misión de dirigir y servir al pueblo de Dios.)

Once the apostles argued among themselves about who was the greatest. Jesus told them that whoever wanted to be great must be a servant to the others. He told them, "I am among you as the one who serves" (Luke 22:27). Jesus wanted his apostles to follow his example and to lead others by serving them.

Before he returned to his Father, Jesus promised his apostles that they would receive the gift of the Holy Spirit. The Holy Spirit would help them to remember all that Jesus had said and done.

After his death and Resurrection, the risen Jesus gave the apostles the authority to continue his work. He commissioned them, or sent them out, saying, "'Peace be with you. As the Father has sent me, so I send you.' And when he had said this, he breathed on them and said to them, 'Receive the holy Spirit'" (John 20:21-22).

With these words Jesus trusted the apostles with his own work, and they received their mission. Jesus sent them out to all parts of the world to lead his community and to bring people to share in his kingdom. They were to teach and to baptize people. The Holy Spirit strengthened the apostles to carry out their mission.

In groups talk about the ways family members serve one another and the ways members of a neighborhood serve their community. Then write one way that you serve your family and your classmates.

___

___

Holy Orders is the sacrament through which the Church continues the apostles' mission.

Everywhere they went the apostles gathered believers into local Church communities. With the help of each local Church, they chose leaders and ministers for the community. The apostles laid hands on those chosen and commissioned them.

Some of these leaders acted on behalf of the apostles by preaching the good news of Jesus Christ and sharing the teachings of the apostles. They continued the apostles' ministry and were the successors of the apostles. They eventually became known as bishops.

The local leaders who worked with the bishops became known as priests. And those who assisted in the worship and service of the community were called deacons.

As the Church continued to grow, the bishops, the successors of the apostles, commissioned others to continue the ministry of the apostles. In this way, the leadership of the Church throughout history can be traced back to the apostles.

277

Our Faith Response

- To understand the special mission of those who receive Holy Orders

Holy Orders
bishops
priests
deacons

Lesson Materials

- copies of Reproducible Master 25
- paper and crayons or markers

Home Connection Update

Invite the students to share their family discussions about Matrimony.

Lesson Plan

WE BELIEVE (continued)

Jesus' Kingdom. By the power of the Holy Spirit, they taught and baptized people.)

Have the students form groups for the activity. Circulate among the groups and answer any questions. Invite volunteers to share their ideas.

Have a volunteer read aloud the second *We Believe* statement. Have the students work with partners and take turns reading the first four *We Believe* paragraphs. Emphasize the following points:

- The apostles chose and commissioned local leaders by the laying on of hands.
- Bishops are the successors of the apostles and continue the apostles' ministry.

Invite the students to work together in small groups to read the next three paragraphs. Have them underline or highlight the main ideas in each paragraph. Ask a representative from each group to report the main ideas underlined. Record these on the board.

Identify ways that members of the parish work with the priests and deacons in serving others.

Quick Check

✔ *What are the essential elements in the celebration of the sacrament of Holy Orders?* (Men are ordained by the laying on of hands and the prayer of consecration.)

✔ *What is the special mission of those who receive Holy Orders?* (Those who receive Holy Orders take on a special mission to lead and serve the people of God.)

Banco de actividades

Parroquia

Relación con el obispo local

El pastor de una parroquia es designado por el obispo para dirigir y servir al pueblo de Dios en una diócesis. El párroco, junto con otros sacerdotes y diáconos designados de la parroquia, se esfuerza por proporcionar buenas experiencias litúrgicas, especialmente durante la celebración de la Eucaristía. Aunque el párroco debe servir a sus feligreses en la parroquia, siempre los anima a ver más allá de los límites de la parroquia local señalando las necesidades de toda la diócesis. A veces hay una carta del obispo que se lee en toda misa para que los feligreses estén enterados de los problemas que afectan a la diócesis y a la Iglesia en el mundo. Anime a los estudiantes a informarse de como las parroquias locales contribuyen al bien común de la diócesis. Pídales que averigüen como los obispos mantienen las escuelas, hospitales, hospicios para los ancianos u otros servicios sociales que benefician a los necesitados. Comparta sus hallazgos.

Orden Sagrado es el sacramento por medio del cual hombres son ordenados para servir a la Iglesia, como diáconos, sacerdotes y obispos. Este es un sacramento de servicio a los demás. Aun cuando hay muchos ministerios en la Iglesia, los únicos ordenados son los diáconos, los sacerdotes y los obispos. Los que reciben el Orden Sagrado tienen la misión especial de dirigir y servir al pueblo de Dios.

En el sacramento del Orden:

- hombres son ordenados por la imposición de las manos del obispo y la oración de la consagración.
- Los ordenados reciben la gracia necesaria para llevar a cabo su ministerio con los fieles.
- La Iglesia, por medio de estos ministros ordenados, continúa la misión que Jesucristo dio a los primeros apóstoles.

obispo

Algunos hombres, casados o solteros, son ordenados como diáconos permanentes. Ellos comparten la misión de Cristo y son diáconos por toda la vida. Pueden trabajar para mantenerse y mantener a su familia. Otros son ordenados diáconos como un paso en la preparación para el sacerdocio. Esos hombres no se casan y continúan estudiando para ordenarse sacerdotes.

Con un compañero hablen de las formas en que los miembros de tu parroquia trabajan con los sacerdotes y diáconos.

Obispos, sacerdotes y diáconos sirven a la Iglesia en diferentes formas.

Los **obispos** son los sucesores de los apóstoles. Ellos son llamados a seguir la misión de los apóstoles de dirigir y servir en la Iglesia. Los obispos son los principales maestros, líderes y sacerdotes de la Iglesia.

Un obispo generalmente tiene a cargo una diócesis. Una diócesis es una comunidad local de fieles cristianos. Una diócesis está compuesta de comunidades parroquiales, escuelas, universidades y hospitales.

Aunque los obispos son completamente responsables del cuidado de toda la Iglesia, ellos no trabajan solos. El obispo de una diócesis asigna sacerdotes para que lo representen y lleven a cabo su ministerio en las parroquias. El obispo asigna diáconos, religiosos y laicos para trabajar con los sacerdotes en el cuidado de la gente de su diócesis.

Los **sacerdotes** son ordenados por sus obispos y son llamados a servir en la comunidad de los fieles dirigiendo, enseñando y especialmente celebrando la Eucaristía y otros sacramentos. Los sacerdotes trabajan juntos con los obispos.

Los obispos asignan a un sacerdote para servir como párroco de una parroquia. El párroco es responsable de velar por el crecimiento de la vida de la parroquia. Es especialmente responsable de la celebración de la liturgia, la oración, la educación y el cuidado de los necesitados. EL párroco no trabaja solo. Hay otros sacerdotes y muchos hombres y mujeres de la parroquia que trabajan con él.

sacerdote

278

Planificación de la lección

CREEMOS (continuación)

Lea la *Historia para el capítulo* de la pág. 274A de la guía. Pida a los estudiantes que compartan y hablen sobre sus ideas. Dígales que aprenderán que los obispos, sacerdotes y diáconos sirven a la Iglesia de diversas formas.

Invite a un voluntario a leer en voz alta el tercer enunciado *Creemos*. Pida a los estudiantes que lean en silencio los párrafos sobre los obispos, sacerdotes y diáconos. Enfatice los siguientes puntos:

- Los obispos, como sucesores de los apóstoles, son los líderes, sacerdotes y maestros principales de sus diócesis. Los obispos nombran a los sacerdotes, diáconos y laicos para que trabajen por el bien de los fieles de su diócesis.
- Los sacerdotes trabajan con los obispos en la celebración de los sacramentos y en la enseñanza a los fieles. Los obispos nombran a ciertos sacerdotes como pastores. Estos hombres se encargan de que la vida parroquial se fortalezca.
- Los diáconos no son sacerdotes pero son ordenados por los obispos para servir a las necesidades de la Iglesia diocesana. Pueden servir en varias celebraciones litúrgicas y dar servicio a los necesitados de la comunidad parroquial.

Pida a voluntarios nombrar ministros parroquiales. Escriba los nombres y ministerios en la pizarra. Pida una breve descripción del servicio de cada persona.

Holy Orders is the sacrament in which men are ordained to serve the Church as deacons, priests, and bishops. It is a sacrament of service to others. While there are many ministries in the Church, deacons, priests, and bishops are the only ordained ministers. Those who receive Holy Orders take on a special mission in leading and serving the People of God.

In the sacrament of Holy Orders:

- Men are ordained by the bishop's laying on of hands and prayer of consecration.
- Those ordained receive the grace necessary to carry out their ministry to the faithful.
- The Church, through its ordained ministers, continues the mission that Jesus Christ first gave to his apostles.

missionary priest

Some men, single or married, are ordained permanent deacons. They share in Christ's mission and remain deacons for life. They may work to support themselves and their families. Other men are ordained deacons as a step in their preparation for the priesthood. These men remain unmarried and continue their study to become ordained priests.

With a partner discuss ways that the members of your parish work with the priests and deacons who serve you.

Bishops, priests, and deacons serve the Church in different ways.

The **bishops** are the successors of the apostles. They are called to continue the apostles' mission of leadership and service in the Church. The bishops are the chief teachers, leaders, and priests of the Church.

A bishop usually leads and cares for a diocese. A diocese is a local community of Christian faithful. A diocese is made up of parish communities, schools and colleges, and even hospitals.

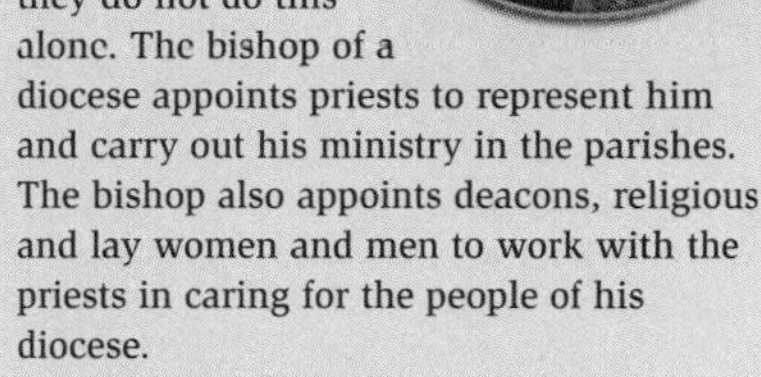
deacon

While bishops are fully and completely responsible for the care of the whole Church, they do not do this alone. The bishop of a diocese appoints priests to represent him and carry out his ministry in the parishes. The bishop also appoints deacons, religious and lay women and men to work with the priests in caring for the people of his diocese.

Priests are ordained by their bishops and are called to serve the Christian faithful by leading, teaching, and most especially celebrating the Eucharist and other sacraments. Priests are coworkers with their bishops.

Bishops usually appoint one priest to serve as the pastor of a parish. The pastor is responsible to see that the life of the parish grows stronger. He is especially responsible for the celebration of the liturgy, prayer, education, and care for those in need. The pastor does not work alone. There may be other priests and many women and men of the parish who work with him.

279

Activity Bank

Parish

Relationship to the Local Bishop

The pastor of a parish is appointed by the bishop to lead and serve God's people in a certain locale within a diocese. The pastor, along with any priests or deacons assigned to the parish, strives to provide good liturgical experiences, especially in the celebration of the Eucharist. Although the pastor must tend to his people in the parish, he is always leading them to see beyond the boundaries of the local parish to the needs of the entire diocese. Sometimes there is a letter from the bishop that is read at every Mass to keep parishioners abreast of issues affecting the diocese as well as the Church worldwide. Encourage the students to find out the ways their local parishes contribute to the common good of the diocese. Have them investigate the means by which the bishop maintains schools, hospitals, nursing homes for the elderly, or other social services that benefit the needy. Share the information the students gather.

Lesson Plan

WE BELIEVE (continued)

Read the *Chapter Story* on Guide page 274B. Have the students share and discuss their ideas. Tell the students that they will learn that bishops, priests, and deacons serve the Church in different ways.

Invite a volunteer to read aloud the third *We Believe* statement. Then have the students read silently the paragraphs on bishops, priests, and deacons. Emphasize the following points:

- The bishops, as successors of the apostles, are chief leaders, priests, and teachers in their dioceses. The bishops appoint priests, deacons, and lay people to work for the good of all the faithful in their dioceses.
- Priests work with the bishops in celebrating the sacraments and teaching the faithful. Bishops appoint certain priests to be pastors. These men see that the life of the parish grows stronger.
- Deacons are men who are not priests but are ordained by bishops to serve the needs of the diocesan Church. They may serve in various liturgical celebrations, and reach out in service to those in need in the parish community.

Ask volunteers to name parish ministers. Write the names and ministries on the board. Ask for a brief description of each person's service.

Ideas

Estrategia para trabajar en pareja y compartir

Considere seguir esta estrategia simple y eficaz de presentar nuevos conceptos a los estudiantes. Usualmente llamada pensar-pareja-compartir (PPC), la estrategia de trabajar en pareja y compartir consiste en cuatro pasos. Primero haga una o dos preguntas a los estudiantes sobre el material que va a presentar. Segundo paso es dar tiempo a los estudiantes para pensar sus respuestas, y animarlos a tomar notas. Tercero, pedir a los estudiantes que trabajen con un compañero para hablar sobre sus respuestas. Cuarto, pedir a los estudiantes que compartan sus respuestas.

Como católicos...

El buen pastor

Lea en voz alta el texto. Señale que el papa ha aceptado voluntariamente la gran responsabilidad de cuidar de la Iglesia y liderarla con sus hermanos los obispos.

Diáconos son hombres, no sacerdotes, ordenados por los obispos para trabajar sirviendo a la Iglesia. Ellos tienen un importante papel en la adoración, liderazgo y ministerios sociales.

Los diáconos son llamados a servir a la comunidad en el culto. Predican la palabra de Dios y bautizan. Pueden ser testigos de matrimonios y presidir los funerales. En la misa, pueden proclamar la palabra, predicar, preparar el altar, distribuir la comunión y enviar a la comunidad a servir a los demás cuando termina la misa.

Los diáconos ayudan a la parroquia. Tienen a la responsabilidad especial de cuidar de los que sufren y los necesitados.

Muchas personas son ministros en tu parroquia. En grupo, nombren algunos y expliquen sus ministerios.

La imposición de las manos y la oración de consagración son las partes principales del sacramento del Orden.

El sacramento del Orden es una maravillosa celebración de la Iglesia. Toda la comunidad de la diócesis se reúne para la celebración. Un obispo celebra siempre el sacramento. Sólo un obispo puede ordenar a otros obispos, sacerdotes y diáconos.

La celebración siempre tiene lugar durante una misa. La ordenación de diáconos, sacerdotes y obispos es similar. La Liturgia de la Palabra incluye lecturas sobre el ministerio y servicio. Después de la lectura del evangelio, los que van a ser ordenados son presentados al obispo celebrante. El celebrante habla sobre el papel que esos hombres tienen en la Iglesia. Reflexiona en las formas en que ellos son llamados a dirigir y servir en el nombre de Jesús. Habla sobre sus responsabilidades de enseñar, dirigir y rendir culto.

La imposición de las manos y la oración de la consagración son las partes principales del sacramento del Orden. Es por esas dos acciones que los candidatos o el obispo elegido son ordenados. Durante la imposición de las manos, el obispo celebrante reza en silencio. Después el obispo hace la oración de consagración. Por medio de esta oración esos hombres son consagrados o dedicados de forma especial a servir en la Iglesia. El obispo celebrante extiende sus manos y por el poder del Espíritu Santo consagra a los candidatos o al obispo electo para seguir el ministerio de Jesús. Los nuevos ordenados son marcados con el Orden Sagrado por toda su vida.

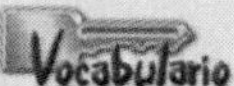

Orden Sagrado (pp 332)
obispos (pp 332)
sacerdotes (pp 333)
diáconos (pp 331)

280

RESPONDEMOS

Diseña un aviso para mostrar que sigues a Cristo y eres miembros de la Iglesia.

Como católicos...

El papa es el obispo de Roma porque él es el sucesor del apóstol San Pedro, quien fue el primer líder de la Iglesia de Roma. Como obispo de Roma, el papa tiene la responsabilidad especial de cuidar y dirigir la Iglesia. Los obispos son llamados a trabajar con el papa para dirigir y guiar a toda la Iglesia. Los obispos, con el papa a la cabeza, están llamados a vigilar a todos los que están bajo su mando, especialmente los necesitados.

Planificación de la lección

CREEMOS (continuación)

Pida a un voluntario que lea en voz alta el cuarto enunciado *Creemos*. Pida a voluntarios que lean en voz alta los párrafos. Pregunte:

- *La ordenación de obispos y sacerdotes siempre ocurre durante la celebración de la misa. ¿Cuáles son los temas de las lecturas en la Liturgia de la Palabra?* (Las lecturas son sobre el ministerio y el servicio.)
- *¿Qué significa la oración de consagración que reza el obispo?* (Significa que estos hombres están dedicados a un servicio particular en la Iglesia. Deben continuar el ministerio de Jesús.)

Señale que toda la asamblea es testigo de estas ordenaciones. El obispo, sacerdote y diácono son ordenados para servir al pueblo de Dios.

Distribuya el patrón 25. Pida a los estudiantes que repasen sus textos y luego llenar los círculos.

Vocabulario Pida a cuatro estudiantes que vayan a la pizarra. Pídales que escriban frases usando correctamente las palabras del *Vocabulario*. Repita el proceso varias veces más para repasar el significado de las palabras.

RESPONDEMOS ____ minutos

Complete la actividad de *Respondemos*. Los estudiantes pueden imaginarse esos signos como méritos de insignias o distintivos. Primero pueden aportar ideas para expresar la manera en que siguen a Jesús. Comparta los proyectos terminados. Si es posible, invite a un diácono o sacerdote de la parroquia para hablar sobre sus trabajos.

Deacons are men who are not priests but are ordained by their bishops to the work of service for the Church. They have an important role in worship, leadership, and social ministries.

Deacons are called to serve the community in worship. They may preach the word of God and baptize. They may witness marriages and preside at Christian burials. At Mass they proclaim the gospel, preach, prepare the altar, distribute Holy Communion, and send the gathered community out to serve others.

Deacons help the parish to reach out to people in the community. They have a special responsibility to care for those who are suffering or who are in need.

As a class name people who minister to and lead the members of your parish community. Explain their ministries.

The laying on of hands and prayer of consecration are the main parts of the sacrament of Holy Orders.

The sacrament of Holy Orders is a wonderful celebration for the Church. The whole community in the diocese gathers for the celebration. A bishop is always the celebrant of this sacrament. Only a bishop can ordain another bishop, a priest, or a deacon.

The celebration of Holy Orders always takes place during the celebration of the Mass. The ordination of deacons, priests, and bishops is similar. The Liturgy of the Word includes readings about ministry and service. After the gospel reading, those to be ordained are presented to the bishop celebrant. The celebrant speaks about the roles these men will have in the Church. He reflects on the ways they are called to lead and serve in Jesus' name. He talks about their responsibilities to teach, to lead, and to worship.

The laying on of hands and the prayer of consecration are the main parts of the sacrament of Holy Orders. It is through these two actions that the candidates or the bishop-elect are ordained. During the laying on of hands, the bishop celebrant prays in silence. The bishop celebrant then prays the prayer of consecration. Through this prayer these men are consecrated or dedicated for a particular service in the Church. The bishop celebrant extends his hands, and by the power of the Holy Spirit consecrates the candidates or the bishop-elect to continue Jesus' ministry. The newly ordained are forever marked by Holy Orders.

WE RESPOND

Design a sign of service to show others that you are a follower of Christ and member of the Church.

Key Words

Holy Orders (p. 335)
bishops (p. 334)
priests (p. 336)
deacons (p. 334)

As Catholics...

The pope is the bishop of Rome because he is the successor of the apostle Peter, who was the first leader of the Church of Rome. As the bishop of Rome, the pope has a special responsibility to care for and lead the Church. The bishops are called to work with the pope to lead and guide the whole Church. The bishops, with the pope as their head, are called to watch over all those under their care, especially those who are in need in any way.

281

Teaching Tip

Pair and Share Strategy

Consider using this simple but effective strategy to introduce the students to new concepts. Usually called think-pair-share (TPS) or pair and share, the process involves four steps. The first step is a preview: Ask the students one or two questions that preview the material. Second, allow the students time to think about their answers (one minute per question), and encourage them to jot down notes. Third, have the students work with a partner to discuss their answers. Fourth, have the students share answers.

As Catholics...

The Good Shepherd

Read aloud the text. Stress that the pope has willingly accepted the great responsibility of caring for and leading the Church with his brother bishops.

Lesson Plan

WE BELIEVE (continued)

Have a volunteer read aloud the fourth *We Believe* statement. Have volunteers read aloud the *We Believe* paragraphs. Ask:

- *The ordination of bishops and priests always takes place during the celebration of the Mass. What are the themes of the readings in the Liturgy of the Word?* (The readings are about ministry and service.)
- *What does the prayer of consecration prayed by the bishop celebrant signify?* (It signifies that these men are dedicated for particular service in the Church. They are to continue Jesus' ministry.)

Stress that the whole assembly is a witness to these ordinations. The bishop, priest, and deacon are ordained to serve God's people.

Distribute Reproducible Master 25. Encourage the students to review their texts as they fill in the circles.

Key Words Have four students go to the board. Have them write sentences that correctly use the *Key Words*. Repeat this process several more times as a way to review the meanings of the words.

WE RESPOND ____ minutes

Complete the *We Respond* activity. The students may want to envision their signs of service as merit badges or patches. First brainstorm ideas to explore ways they might express their following of Christ. Share the completed projects. If possible, invite a deacon or priest from the parish to look over their work.

BANCO DE ACTIVIDADES

Conexión multicultural

Misioneros en Estados Unidos

Explique a los estudiantes que la Iglesia Católica de Estados Unidos tiene una gran deuda con los sacerdotes misioneros de los países europeos. Dígales que un hecho notable es que Estados Unidos se consideró un país misionero hasta 1908. Pida a los estudiantes que investiguen sobre los sacerdotes misioneros de Europa que fueron verdaderos pioneros de la fe y de la predicación del evangelio. Mencione algunos países y nombres para ayudarlos a comenzar su trabajo de investigación, por ejemplo, Junípero Sierra (España); Issac Jogues (Francia); John Hughes (Irlanda).

CONEXION CON EL HOGAR

Compartiendo lo aprendido

Anime a los estudiantes a conversar con sus familias sobre el trabajo de los diáconos.

Para más información y actividades adicionales visite a Sadlier

www.CREEMOSweb.com

Planifique por adelantado

Lugar de oración: una Biblia, un globo terrestre y un crucifijo

Materiales: copias del patrón 26, tubos de cartón como rollos de toallas de papel, hojas pequeñas de cartón, papel de estracilla

_____ minutos

Repaso del capítulo Pida a los estudiantes que completen las preguntas 1–10. Repáselas pidiendo a los estudiantes que digan en voz alta las respuestas correctas.

Reflexiona y ora Pida a los estudiantes que completen las oraciones. Anímelos a fundamentar sus respuestas en la información que aprendieron en este capítulo. Comparta sus respuestas.

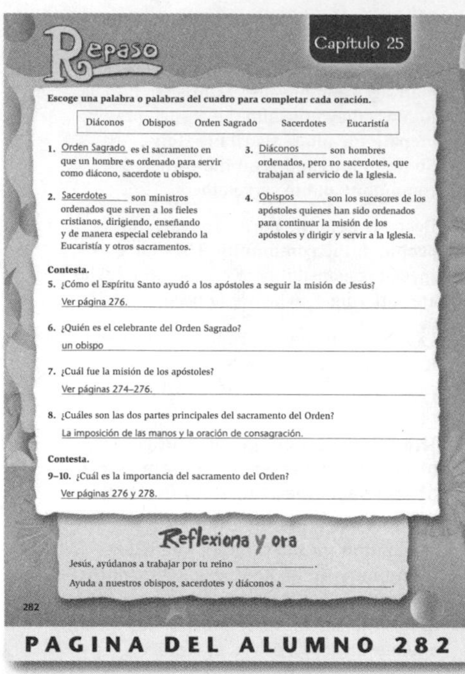

Repaso

Capítulo 25

Escoge una palabra o palabras del cuadro para completar cada oración.

Diáconos Obispos Orden Sagrado Sacerdotes Eucaristía

1. Orden Sagrado es el sacramento en que un hombre es ordenado para servir como diácono, sacerdote u obispo.
2. Sacerdotes son ministros ordenados que sirven a los fieles cristianos, dirigiendo, enseñando y de manera especial celebrando la Eucaristía y otros sacramentos.
3. Diáconos son hombres ordenados, pero no sacerdotes, que trabajan al servicio de la Iglesia.
4. Obispos son los sucesores de los apóstoles quienes han sido ordenados para continuar la misión de los apóstoles y dirigir y servir a la Iglesia.

Contesta.

5. ¿Cómo el Espíritu Santo ayudó a los apóstoles a seguir la misión de Jesús?
Ver página 276.
6. ¿Quién es el celebrante del Orden Sagrado?
un obispo
7. ¿Cuál fue la misión de los apóstoles?
Ver páginas 274–276.
8. ¿Cuáles son las dos partes principales del sacramento del Orden?
La imposición de las manos y la oración de consagración.

Contesta.

9–10. ¿Cuál es la importancia del sacramento del Orden?
Ver páginas 276 y 278.

Reflexiona y ora

Jesús, ayúdanos a trabajar por tu reino ______________.

Ayuda a nuestros obispos, sacerdotes y diáconos a ______________.

282

PAGINA DEL ALUMNO 282

Respondemos y compartimos la fe

_____ minutos

Recuerda Repase los enunciados doctrinales pidiendo a voluntarios que los presenten en sus propias palabras.

Nuestra vida católica Lea en voz alta el texto. Enfatice las contribuciones de los sacerdotes durante las persecuciones de los católicos en muchos países. Sugiera a los estudiantes que investiguen cómo los inmigrantes coreanos y de otros países de Asia, África y Latinoamérica han fortificado la Iglesia Católica en Estados Unidos en los últimos años.

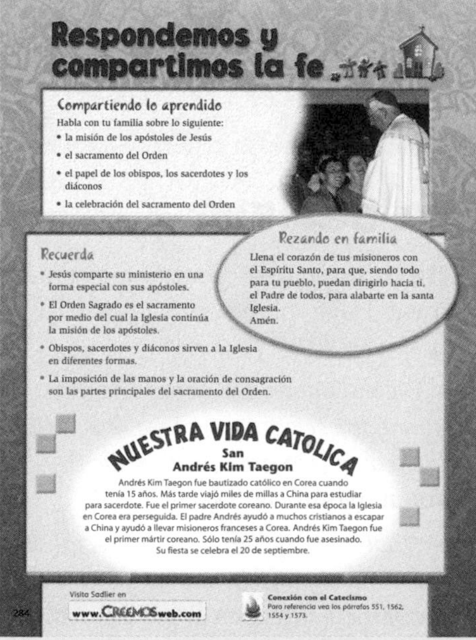

Respondemos y compartimos la fe

Compartiendo lo aprendido

Habla con tu familia sobre lo siguiente:

- la misión de los apóstoles de Jesús
- el sacramento del Orden
- el papel de los obispos, los sacerdotes y los diáconos
- la celebración del sacramento del Orden

Recuerda

- Jesús comparte su ministerio en una forma especial con sus apóstoles.
- El Orden Sagrado es el sacramento por medio del cual la Iglesia continúa la misión de los apóstoles.
- Obispos, sacerdotes y diáconos sirven a la Iglesia en diferentes formas.
- La imposición de las manos y la oración de consagración son las partes principales del sacramento del Orden.

Rezando en familia

Llena el corazón de tus misioneros con el Espíritu Santo, para que, siendo todo para tu pueblo, puedan dirigirlo hacia ti, el Padre de todos, para alabarte en la santa Iglesia.
Amén.

NUESTRA VIDA CATOLICA

San Andrés Kim Taegon

Andrés Kim Taegon fue bautizado católico en Corea cuando tenía 15 años. Más tarde viajó miles de millas a China para estudiar para sacerdote. Fue el primer sacerdote coreano. Durante esa época la Iglesia en Corea era perseguida. El padre Andrés ayudó a muchos cristianos a escapar a China y ayudó a llevar misioneros franceses a Corea. Andrés Kim Taegon fue el primer mártir coreano. Sólo tenía 25 años cuando fue asesinado. Su fiesta se celebra el 20 de septiembre.

Visita Sadlier en www.CREEMOSweb.com

Conexión con el Catecismo
Para referencia vea los párrafos 551, 1562, 1554 y 1573.

284

PAGINA DEL ALUMNO 284

_____ minutes

Chapter Review Have the students complete questions 1–10. Review by asking the students to say aloud each of the correct answers.

Reflect & Pray Have the students complete the prayers. Encourage them to base their responses on information they have learned in this chapter. Share answers.

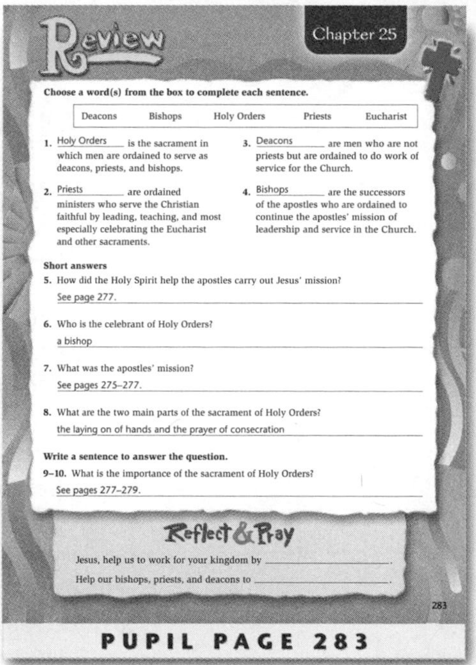

Review — Chapter 25

Choose a word(s) from the box to complete each sentence.

Deacons	Bishops	Holy Orders	Priests	Eucharist

1. Holy Orders is the sacrament in which men are ordained to serve as deacons, priests, and bishops.
2. Priests are ordained ministers who serve the Christian faithful by leading, teaching, and most especially celebrating the Eucharist and other sacraments.
3. Deacons are men who are not priests but are ordained to do work of service for the Church.
4. Bishops are the successors of the apostles who are ordained to continue the apostles' mission of leadership and service in the Church.

Short answers

5. How did the Holy Spirit help the apostles carry out Jesus' mission? See page 277.
6. Who is the celebrant of Holy Orders? a bishop
7. What was the apostles' mission? See pages 275–277.
8. What are the two main parts of the sacrament of Holy Orders? the laying on of hands and the prayer of consecration

Write a sentence to answer the question.

9–10. What is the importance of the sacrament of Holy Orders? See pages 277–279.

Reflect & Pray

Jesus, help us to work for your kingdom by ______.

Help our bishops, priests, and deacons to ______.

283

PUPIL PAGE 283

We Respond and Share the Faith

_____ minutes

Remember Review the doctrinal statements by asking volunteers to present each in their own words.

Our Catholic Life Read aloud the text. Emphasize the contributions of priests during the persecutions of Catholics in many countries. Suggest to the students that they find out the ways in which immigrants from Korea and from other countries in Asia, Africa, and Latin America have invigorated the Catholic Church in the United States in recent years.

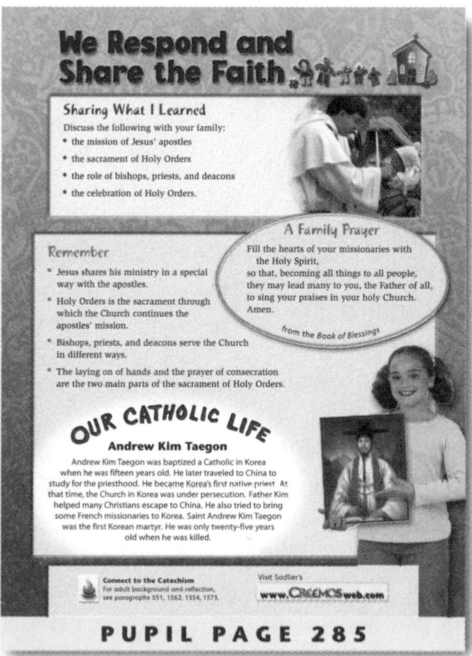

We Respond and Share the Faith

Sharing What I Learned

Discuss the following with your family:

- the mission of Jesus' apostles
- the sacrament of Holy Orders
- the role of bishops, priests, and deacons
- the celebration of Holy Orders.

A Family Prayer

Fill the hearts of your missionaries with the Holy Spirit, so that, becoming all things to all people, they may lead many to you, the Father of all, to sing your praises in your holy Church. Amen.

from the Book of Blessings

Remember

- Jesus shares his ministry in a special way with the apostles.
- Holy Orders is the sacrament through which the Church continues the apostles' mission.
- Bishops, priests, and deacons serve the Church in different ways.
- The laying on of hands and the prayer of consecration are the two main parts of the sacrament of Holy Orders.

OUR CATHOLIC LIFE

Andrew Kim Taegon

Andrew Kim Taegon was baptized a Catholic in Korea when he was fifteen years old. He later traveled to China to study for the priesthood. He became Korea's first native priest. At that time, the Church in Korea was under persecution. Father Kim helped many Christians escape to China. He also tried to bring some French missionaries to Korea. Saint Andrew Kim Taegon was the first Korean martyr. He was only twenty-five years old when he was killed.

Connect to the Catechism
For adult background and reflection, see paragraphs 551, 1562, 1554, 1573.

Visit Sadlier's www.CREEMOSweb.com

PUPIL PAGE 285

ACTIVITY BANK

Multicultural Connections

Missionary Priests to the United States

Explain to the students that the Catholic Church in the United States owes a great debt to missionary priests from European countries. Tell them the remarkable fact that the United States was still considered a missionary country until 1908. Have the students investigate missionary priests from Europe who were real pioneers for the faith and spreading the gospel. Mention some countries and names to help the students begin their research. These might include Junipero Serra (Spain); Isaac Jogues (France); and John Hughes (Ireland).

HOME CONNECTION

Sharing What I Learned

Encourage the students to talk with their families about the work of deacons.

For additional information and activities, encourage families to visit Sadlier's

www.CREEMOSweb.com

Plan Ahead for Chapter 26

Prayer Space: a Bible, a globe, and a crucifix

Lesson Materials: copies of Reproducible Master 26, cardboard tubes cut from paper-towel rolls, small cardboard sheets, butcher paper

Una, santa, católica y apostólica

Ojeada

En este capítulo los estudiantes aprenderán que la Iglesia es una, santa, católica y apostólica, que respeta a todos y trabaja por la justicia y la paz.

Contenido doctrinal	Referencia del *Catecismo de la Iglesia Católica*
Los estudiantes aprenderán:	párrafo
• La Iglesia es una y santa	813, 823
• La Iglesia es católica y apostólica	830–831, 857
• La Iglesia respeta a todo el mundo	855
• La Iglesia trabaja por la justicia y la paz	2442

Referencia catequética

Indique cuatro características de su familia. ¿Cómo se hacen evidentes?

¿Cómo describe a la Iglesia? Hay una forma antigua, profesada en el Credo de Nicea, llamadas las cuatro características de la Iglesia: una, santa, católica y apostólica.

Decimos que la Iglesia es una porque la fuente de ella es la Santísima Trinidad, un Dios en tres personas. La fundó Cristo y la sostuvo y guió el Espíritu Santo. Aunque existen muchas divisiones entre los cristianos, como creemos que la Iglesia es una, nos esforzamos por superar cualquier división. Ecumenismo es la tarea de dialogar con otras denominaciones.

La Iglesia es santa. Sabemos que Dios en sí es santo. Como Cristo amó a la Iglesia como su esposa y la santificó mediante su muerte y resurrección, la Iglesia también es santa. Es por eso que llamamos "santos" a sus miembros.

La Iglesia es católica o universal. Es católica porque la envió Cristo a "todo el mundo" (Marcos 16:15).

La Iglesia también es apostólica porque se fundamenta en las enseñanzas y ministerio de los apóstoles. Se construyó sobre el cimiento de los apóstoles y su enseñanza se ha transmitido por los papas y obispos.

Estos atributos, como señala el Catecismo: "La Iglesia no los tiene por ella misma; es Cristo, quien, por el Espíritu Santo, da a la Iglesia el ser una, santa, católica y apostólica, y él es también quien la llama a ejercitar cada una de estas cualidades" (*CIC* 811).

¿Cómo se hacen evidentes los atributos de la Iglesia en su enseñanza?

Mirando la vida

Historia para el capítulo

Se llamaba Kateri Tekakwitha. También la conocían como Lily de los Mohawks. Nació en 1656 cerca del actual pueblo de Auriesville del Estado de New York. Su papá era jefe de los mohawks y su mamá era una algonquina cristiana capturada.

Cuando Kateri tenía cuatro años, perdió a sus padres durante una epidemia de viruela. La enfermedad le dejó cicatrices en la cara y parcialmente ciega. Siempre fue frágil y débil. El tío de Kateri, quien odiaba a los cristianos y sus creencias, la alojó en su hogar.

Cuando Kateri tenía aproximadamente once años de edad, los franceses derrotaron a los mohawks en una batalla. Se firmó un tratado de paz que permitía que los misioneros jesuitas visitaran a los pueblos de los indios para predicar la buena nueva de Cristo entre los mohawks. El tío de Katerí le prohibió oír a los jesuitas.

Cuando Katerí cumplió la mayoría de edad rehusó casarse. En respuesta a este desafío, sus tíos la comenzaron a tratar como esclava. Kateri sufrió del abuso y humillación en manos de otros miembros de su tribu.

Ella buscó la instrucción de los jesuitas. Un Domingo de Pascua, a los 21 años, Kateri fue bautizada y recibió el nombre Kateri. Su bautismo empeoró su sufrimiento en casa y en la tribu.

Se escapó a un pueblo canadiense donde recibió por primera vez la comunión. Se hizo conocida por su devoción a Jesús. Su debilidad, ocasionada por los efectos de la viruela así como por su estilo de vida austero, la llevó a la muerte a los 24 años de edad, en 1680.

Fue la primera americana nativa a la que se propuso canonizar. Kateri Tekakwitha fue beatificada el 22 de junio de 1980 por el Papa Juan Pablo II.

¿Cómo demostró Kateri su fe?

Overview

In this chapter the students will learn that the Church is one, holy, catholic, and apostolic, that it respects all people, and that it works for justice and peace.

Doctrinal Content	For Adult Reading and Reflection *Catechism of the Catholic Church*
The students will learn:	Paragraph
• The Church is one and holy	813, 823
• The Church is catholic and apostolic	830–831, 857
• The Church respects all people	855
• The Church works for justice and peace	2442

Catechist Background

Name four characteristics of your family. How are these characteristics evident?

How would you describe the Church? We have an ancient way, professed in the Nicene Creed, called the four marks of the Church: one, holy, catholic, and apostolic.

We say that the Church is one because the source of the Church is the Holy Trinity, the one God in three divine Persons. It was founded by Christ and sustained and guided by the Holy Spirit. Of course, in practice we find many divisions among Christians. Because we believe that the Church is one, we work hard to overcome any division. Ecumenism is the important task of dialogue with other denominations.

The Church is also holy. We know that God alone is holy. Because Christ loved the Church as his bride and sanctified the Church through his death and Resurrection, the Church, too, is holy. That is why we call its members "saints."

The Church is catholic or universal. It is catholic because it has been sent out by Christ to "the whole world" (Mark 16:15). The Church is also apostolic, because it is rooted in the teachings and ministry of the apostles. It is built on the foundation of the apostles, whose teaching has been handed down by popes and bishops.

Of these characteristics the *Catechism* says: "The Church does not possess them of herself; it is Christ who, through the Holy Spirit, makes his Church one, holy, catholic, and apostolic, and it is he who calls her to realize each of these qualities" (CCC 811).

How are the marks of the Church evident in your catechizing?

Focus on Life

Chapter Story

Her name was Kateri Tekakwitha. She has also been called the Lily of the Mohawks. She was born in 1656 near what is today the town of Auriesville, in New York State. Her father was a Mohawk chief, and her mother was a captured Algonquin Christian.

When Kateri was four years old, she lost her mother and father during a smallpox epidemic. The disease scarred her face and caused her to become partially blind. She was permanently frail and weak. Kateri was taken into the household of her uncle, who hated the Christians and their beliefs.

When Kateri was about eleven years old, the French defeated the Mohawks in battle. A peace treaty was signed that allowed the Jesuit missionaries to visit Native American villages to spread the good news of Christ among the Mohawks. Kateri was forbidden by her uncle to listen to the Jesuits.

When Kateri came of age, she refused to marry. Because of her defiance, her uncle and aunt began to treat her like a slave. Kateri suffered abuse and humiliation at the hands of others in her tribe.

She sought instruction from the Jesuits. On Easter Sunday, at the age of twenty-one, Kateri was baptized and given the name Kateri. Her baptism made her sufferings at home and in the tribe worse.

She escaped to a Canadian village where she received her First Holy Communion. She became known for her devotion to Jesus. Her weakness, due to the effects of smallpox as well as her austere lifestyle, led to her death at the age of twenty-four in 1680.

She was the first Native American proposed for canonization. Kateri Tekakwitha was beatified on June 22, 1980, by Pope John Paul II.

In what ways did Kateri demonstrate her faith?

Guía para planificar la lección

Pasos de la lección	Presentación	Materiales
 **NOS CONGREGAMOS**		
pág. 286 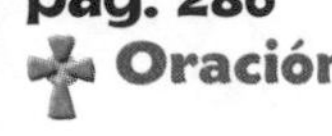 **Oración**	• Escuchar la Escritura. • Responder orando.	Para el lugar de oración: una Biblia, un globo terráqueo y un crucifijo
 **Mirando la vida**	• Describir las cualidades personales que ayudan a fortalecer los vínculos entre la familia y la comunidad.	
2 CREEMOS		
pág. 286 *La Iglesia es una y santa.*	• Repasar las cuatro características de la Iglesia. Identificar una cosa que pueda resultar en la santidad personal.	• copias del patrón 26
pág. 288 *La Iglesia es católica y apostólica.*	• Conversar sobre el significado de las palabras *católica* y *apostólica.* Indicar como dar la bienvenida a otros y compartir la fe con ellos. • Leer y conversar sobre *Como católicos.*	• tubos de cartón • hojas pequeñas de cartón
pág. 290 *La Iglesia respeta a todo el mundo.*	• Conversar sobre el trabajo del ecumenismo y el respeto por toda fe. Responder las preguntas a Jesús sobre la fe en el mundo.	• copias del patrón 26 • papel de estracilla
pág. 292 *La Iglesia trabaja por la justicia y la paz.*	• Conversar sobre el significado de la justicia y su relación con la mayordomía de la creación.	• copias del patrón 26
3 RESPONDEMOS		
pág. 292	• Identificar cosas que las familias pueden hacer para mostrar respeto por los derechos de los demás.	
páginas 294 y 296 **Repaso**	• Completar las preguntas 1–10. Completar *Reflexiona y ora.*	
páginas 294 y 296 **Respondemos y compartimos la fe**	• Repasar el *Recuerda* y el *Vocabulario.* • Leer y conversar sobre *Nuestra vida católica.*	

Para ideas, actividades y otras oportunidades visite Sadlier en **www.CREEMOSweb.com**

Guía para planificar la lección

Lesson Steps	Presentation	Materials
1 WE GATHER		
page 287 **Prayer**	• Listen to Scripture. • Respond in prayer.	For the prayer space: a Bible, a globe, and a crucifix
Focus on Life	• Describe personal qualities that help you grow closer to family and community.	
2 WE BELIEVE		
page 287 *The Church is one and holy.*	• Review the four marks of the Church. Identify one thing that can lead to personal holiness.	• copies of Reproducible Master 26
page 289 *The Church is catholic and apostolic.*	• Discuss the meaning of the words *catholic* and *apostolic.* Identify ways to welcome others and share our faith with them. • Read and discuss *As Catholics.*	• cardboard tubes • small cardboard sheets
page 291 *The Church respects all people.*	• Discuss the work of ecumenism and respect for all faiths. Ask Jesus a question about faith in the world.	• butcher paper
page 293 *The Church works for justice and peace.*	• Discuss the meaning of justice and its relationship to the stewardship of creation.	• copies of Reproducible Master 26
3 WE RESPOND		
page 293	• Identify things that families can do to show respect for the rights of others.	
pages 295 and 297 **Review**	• Complete questions 1–10. Complete *Reflect & Pray.*	
pages 295 and 297 **We Respond and Share the Faith**	• Review *Remember* and *Key Words.* • Read and discuss *Our Catholic Life.*	

For additional ideas, activities, and opportunities: Visit Sadlier's **www.CREEMOSweb.com**

Conexiones

Doctrina social de la Iglesia

Solidaridad de la familia humana
A medida que trabaja con el capítulo, enfatice el tema de la solidaridad. La Iglesia enseña que somos una familia humana sin importar nuestro origen nacional, racial, étnico, económico ni ideológico. Ayude a los estudiantes a entender que el amor al prójimo tiene una dimensión mundial además de local.

Evangelización

Apostólica es la cuarta característica de la Iglesia. Se fundamenta en la misión de los apóstoles. Ellos predicaron la buena nueva de Jesucristo y continuaron su ministerio. Una parte integral de la misión de la Iglesia es continuar con la proclamación del evangelio. Ayude a los estudiantes a entender que todos los cristianos son llamados a predicar la buena nueva de Jesús y a ayudar a los necesitados.

FE y MEDIOS

▶ En la actividad de *Respondemos* se pedirá a los estudiantes que hagan un plan de justicia para la familia o parroquia para los venideros meses de verano. Sugiera que pueden buscar lo que se necesita hacer en los medios de comunicación católicos, que además los pueden ayudar a decidir lo que sus familias pueden hacer para ayudar. Estos medios de comunicación pueden incluir los boletines y sitios Web de la parroquia, los diarios y sitios Web diocesanos, las revistas y periódicos y sitios Web católicos, el sitio Web de United States Conference of Catholic Bishops y los sitios Web de organizaciones católicas que trabajan por la justicia y la paz.

Liturgia para la semana
Visite **www.creemosweb.com** para las lecturas bíblicas de esta semana y otros materiales propios del tiempo.

Necesidades individuales

Estudiantes con problemas de salud

Facilite a sus administradores una lista de los estudiantes con problemas de salud. Esta lista es estrictamente confidencial y debe incluir los nombres de los padres o tutores, sus números de teléfono y demás información pertinente para ayudar a estos estudiantes a progresar con su educación.

RECURSOS ADICIONALES

Libros *Esta es nuestra iglesia*, James A. Comiskey, Liturgicall Press.

Para ideas visite a Sadlier en

www.CREEMOSweb.com

Connections

To Catholic Social Teaching

Solidarity of the Human Family
As you work through the chapter, emphasize the theme of solidarity. The Church teaches that we are one human family, whatever our national, racial, ethnic, economic, or ideological origins. Help the students to see that loving our neighbor has a global dimension as well as a local one.

To Evangelization

The fourth mark of the Church is that it is apostolic. It is rooted in the mission of the apostles. They spread the good news of Jesus Christ and continued his ministry. An integral part of the Church's mission is to continue to proclaim the gospel. Help the students understand that all Christians are called to spread the good news of Jesus and to help others in need.

FAITH and MEDIA

▶ In the *We Respond* activity the students will be asked to make a family justice plan for the upcoming summer months. Suggest that the students turn to Catholic media to find out what needs to be done and to aid them in deciding what they and their families might do to help. These media might include parish bulletins and Web sites, diocesan newspapers and Web sites, national Catholic newspapers, magazines, and Web sites, the Web site of the United States Conference of Catholic Bishops, and the Web sites of Catholic organizations working for justice and peace.

This Week's Liturgy
Visit **www.creemosweb.com** for this week's liturgical readings and other seasonal material.

Meeting Individual Needs

Students with Medical Challenges

Make available to your administrators a list of students with medical needs and challenges. This list is strictly confidential and should contain the names of parents or guardians, their phone numbers, and any other pertinent information to help these students move forward in their education.

ADDITIONAL RESOURCES

Books *Knowing My Church: What Makes Us Catholic,* Susan C. Benson, Hi-Time Pflaum, 2001. The section on "Living Church" speaks of worshipping, serving, and evolving Church.

Sacred Myths: Stories of World Religions, Marilyn McFarlane, Sibyl Productions, 1996. Aware that all religions have sacred myths, these 35 stories are dear to various religions.

To find more ideas for books, videos, and other learning material, visit Sadlier's

www.CREEMOSweb.com

Una, santa, católica y apostólica

Meta catequética

- Explicar que la Iglesia es una, santa, católica y apostólica, y que la Iglesia trabaja por la paz y la justicia

Preparandose para orar

Los estudiantes oirán las palabras San Pablo sobre los orígenes de la Iglesia. Responderán orando.

- Actúe como líder de la oración.
- Escoja a un estudiante que proclame la Escritura.

El lugar de oración

- Ponga una Biblia, un globo terráqueo y un crucifijo en la mesa.

Nos congregamos

Líder: Bendito sea el nombre del Señor.

Todos: Ahora y siempre.

Lector: Lectura de la Carta de San Pablo a los Efesios.

". . . ustedes ahora comparten con el pueblo de Dios los mismos derechos, y son miembros de la familia de Dios. Ustedes son como un edificio levantado sobre los fundamentos que son los apóstoles y los profetas, y Jesucristo mismo es la piedra que corona el edificio". (Efesios 2:19, 20)

Palabra de Dios.

Todos: Demos gracias a Dios.

¿Cuáles son algunas cualidades o características que te describen? ¿Cómo pueden esas cualidades y características acercarte a tu familia y tu comunidad?

Creemos

La Iglesia es una y santa.

Profesamos nuestra fe en los sacramentos. En la celebración de la Eucaristía lo hacemos cuando rezamos el Credo de Nicea. En este credo afirmamos que "creemos en una Iglesia santa, católica y apostólica". Estas son las cuatro **características de la Iglesia**. La Iglesia es una, santa, católica y apostólica.

La primera característica es que la Iglesia es una. La Iglesia es una porque todos sus miembros creen en un solo Señor, Jesucristo. La Iglesia es una porque compartimos el mismo Bautismo y juntos somos el cuerpo de Cristo.

286

Planificación de la lección

Nos congregamos ____ minutos

Oración

- Recen la Señal de la Cruz y dirija la oración inicial.
- Pida al lector que proclame el pasaje bíblico.
- Mencione que toda la estructura de la Iglesia depende de la dirección de Jesucristo y el Espíritu Santo, quienes nos guían al reino de Dios Padre.

Mirando la vida

- Pida a los estudiantes que compartan sus respuestas a las preguntas. Dígales que aprenderán lo que significa decir que la Iglesia es una, santa, católica y apostólica. Aprenderán que la Iglesia trabaja por la paz y la justicia en nuestro mundo.

Creemos ____ minutos

Pida a un voluntario que lea en voz alta el primer enunciado *Creemos*. Luego pida a un voluntario que lea en voz alta el primer párrafo. Repase el significado de *características de la Iglesia*. Pida a los estudiantes que lean en silencio el resto del texto. Acérquese a los estudiantes para responder cualquier pregunta. Señale que estas características de la Iglesia se hacen evidentes cuando damos testimonio de ellas mediante nuestras palabras y acciones.

Distribuya copias del patrón 26. Explique que hoy aprenderemos los cuatro enunciados de la fe que aparecen en la parte superior. Llame atención a la sección K. Pida a los estudiantes que escriban lo que *saben* sobre cada enunciado en las cuatro líneas marcadas "Día 1", hasta el "Día 4". En la sección W, pídales que escriban lo que *quieren saber* sobre cada enunciado en las líneas de los

One, Holy, Catholic, and Apostolic

WE GATHER

✝ **Leader:** Blessed be the name of the Lord.

All: Now and for ever.

Reader: A reading from the Letter of Saint Paul to the Ephesians

"You are fellow citizens with the holy ones and members of the household of God, built upon the foundation of the apostles and prophets, with Christ Jesus himself as the capstone." (Ephesians 2:19, 20)

The word of the Lord.

All: Thanks be to God.

What are some characteristics or qualities that describe you? How can these qualities and characteristics help you to grow closer to your family and community?

WE BELIEVE

The Church is one and holy.

In the sacraments we profess our faith. In the celebration of the Eucharist, we do this when we pray the Nicene Creed. In the Nicene Creed we state that "we believe in one holy catholic and apostolic Church." These four characteristics are the **marks of the Church**. The Church is one, holy, catholic, and apostolic.

The first mark is that the Church is one. The Church is one because all its members believe in the one Lord, Jesus Christ. The Church is one because we all share the same Baptism, and together are the one Body of Christ.

287

Catechist Goal

• To explain that the Church is one, holy, catholic, and apostolic, and that the Church works for peace and justice

Preparing to Pray

The students will listen to Saint Paul's message about the foundations of the Church. They will respond in prayer.

• Assume the role of prayer leader.

• Choose a student to proclaim the Scripture.

The Prayer Space

• Place a Bible, globe, and crucifix on the table.

Lesson Plan

WE GATHER ____ minutes

✝ **Pray**

• Pray the Sign of the Cross and lead the opening prayer.

• Have the reader proclaim the scriptural passage.

• Mention that the entire structure of the Church is dependent upon Jesus Christ and the Holy Spirit, who guide us toward the Kingdom of God the Father.

Focus on Life

• Have the students share their answers to the questions. Tell them that they will learn what it means to say that the Church is one, holy, catholic, and apostolic. They will learn that the Church works for peace and justice in our world.

WE BELIEVE ____ minutes

Ask a volunteer to read aloud the first *We Believe* statement. Then ask a volunteer to read aloud the first *We Believe* paragraph. Review the meaning of *marks of the Church*. Have the students read silently the rest of the *We Believe* text. Circulate among the students to answer any questions. Stress that these marks or characteristics of the Church come alive when we give witness to them in our words and actions.

Distribute copies of Reproducible Master 26. Explain that the four faith statements at the top are the ones we will be discussing in this lesson. Draw attention to the K section. Ask the students to write down what they *know* about each statement on the four lines marked "Day 1" through "Day 5." For the W section, ask them to write down what they *want to know* about each statement on

Nuestra respuesta en la fe

• Buscar formas de crecer en santidad y trabajar por la paz y la justicia

características de la Iglesia, ecumenismo

mayordomos de la creación

Materiales

• copias del patrón 26, tubos y hojas de cartón, papel

Conexión con el hogar

Pregunte: *¿Qué dijeron sus familiares que era importante sobre el Orden Sagrado?*

Como católicos...

Las leyes de la Iglesia

Converse sobre como nos ayudan las leyes de la Iglesia. Anime a los estudiantes a leerlas en sus textos. Hable sobre como pueden cumplirlas.

La Iglesia es una porque estamos guiados y unidos a un Espíritu Santo. La Iglesia es una porque el liderazgo del papa y los obispos, los sacramentos que celebramos y las leyes de la Iglesia nos ayudan a vivir como miembros de la Iglesia.

La segunda característica es que la Iglesia es santa. Sólo Dios es bueno y santo. Cristo comparte la santidad de Dios con nosotros hoy por medio de la Iglesia, donde primero somos santificados en el Bautismo. Durante toda la vida Dios y la Iglesia nos llaman a la santidad. Nuestra santidad viene del don de la gracia que recibimos en los sacramentos, de los dones del Espíritu Santo y de practicar las virtudes. Nuestra santidad crece al responder al amor de Dios en nuestras vidas y del vivir como Cristo nos pide.

No somos perfectos. No siempre vivimos de acuerdo al ejemplo de Cristo o de acuerdo a las leyes de Dios. Sin embargo, siempre tenemos la oportunidad de empezar de nuevo. Los sacramentos nos ayudan a volvernos a Dios y su amor. Cuando seguimos el ejemplo de Jesús, orando, respetando, viviendo justamente y trabajando por la justicia y la paz, nuestra santidad aumenta.

Escribe algo que puedes hacer esta semana que te lleve a la santidad.

____

____

La Iglesia es católica y apostólica.

La tercera característica es que la Iglesia es católica. La palabra católica quiere decir "universal". La Iglesia está en todo el mundo y está abierta a todos en todas partes. La Iglesia ha sido universal desde sus inicios.

Algunos de los apóstoles viajaron a diferentes partes del mundo que conocían. Ellos predicaron el mensaje del evangelio. La Iglesia sigue creciendo y hoy hay católicos en todas partes del mundo.

La Iglesia es verdaderamente católica, o universal. Está compuesta de personas de todas partes del mundo. Con frecuencia, los católicos tienen diferentes formas de vivir, vestir y celebrar. Estas costumbres diferentes son parte de la vida de la Iglesia. Añaden belleza a la Iglesia. Con todas nuestras diferencias somos una. Estamos unidos por nuestra fe en Jesús y por nuestra membresía a la Iglesia. Somos el cuerpo de Cristo y el pueblo de Dios.

Como católicos...

Las leyes de la Iglesia están en la página 316. Ellas son llamadas preceptos de la Iglesia. Esas leyes nos recuerdan que somos llamados a crecer en santidad y servir a la Iglesia. Nos ayudan a conocer y cumplir nuestras responsabilidades como miembros de la Iglesia y nos une como seguidores de Jesucristo. Ellas guían nuestro comportamiento y nos enseñan a actuar como miembros de la Iglesia.

Juntos lean las leyes de la Iglesia y comenten formas de cumplirlas.

288

Planificación de la lección

CREEMOS (continuación)

días. (Puede hacer un cuadro de la clase en la pizarra.) Al final de la lección, ellos llenarán en la sección L lo que *aprendieron* sobre cada enunciado.

Identifique una cosa que pueda llevarlos a la santidad personal esta semana.

Invite a un voluntario a que lea en voz alta el segundo enunciado *Creemos*. Pida a los estudiantes que lean en silencio los primeros cinco párrafos que se centran en la palabra *católica* como característica de la Iglesia. Luego pida a voluntarios que lean en voz alta los dos párrafos que describen y explican la palabra *apostólica* como característica de la Iglesia.

Dé a cada estudiante cuatro tubos y hojas pequeñas de cartón. Pida a cada estudiante que construya una estructura con las cuatro características de la Iglesia como su base. Escriba en cada uno de los cuatro tubos una característica diferente de la Iglesia y decoren o ilustren cada una de las características. Una alternativa podría consistir en un diseño con plataformas pequeñas. Las cuatro características de la Iglesia formarían una base a la que se le pondría un cartón encima. Otros estudiantes pueden hacer postes totémicos con las características de la Iglesia. Anime a los estudiantes a usar su imaginación.

Indique como dar la bienvenida a los demás y compartir la fe con ellos.

The Church is one because we are guided and united by the one Holy Spirit. The Church is one because of the leadership of the pope and bishops, the sacraments we celebrate, and the laws of the Church that help us to live as members of the Church.

The second mark of the Church is that it is holy. God alone is good and holy. Christ shares God's holiness with us today through the Church, where we are first made holy in Baptism. Throughout our lives God and the Church call us to holiness. Our holiness comes from the gift of grace that we receive in the sacraments. It comes from the gifts of the Holy Spirit and from the practice of the virtues. Our holiness grows as we respond to God's love in our lives, and from living as Christ asks us to live.

We are not perfect. We do not always live according to Christ's example or God's law for us. Yet we always have the chance to begin again. The sacraments help us to turn to God and his love. When we follow Jesus' example to pray, respect all people, live fairly, and work for justice and peace, we grow in holiness.

Write one thing you can do this week that will lead you to holiness.

____

____

The Church is catholic and apostolic.

The third mark of the Church is that it is catholic. The word *catholic* means "universal." The Church is world wide, and it is open to all people everywhere. The Church has been universal since its very beginning.

Some of the apostles traveled to different parts of the world they knew. They preached the gospel message. The Church continued to grow, and today there are Catholics all across the world.

The Church is truly catholic, or universal. It is made up of people from all over the world. Often Catholics have different ways of living, dressing, and celebrating. These different customs are part of the Church's life. They add beauty and wonder to the Church. Yet with all of our differences, we are still one. We are united by our faith in Jesus and by our membership in the Church. We are the Body of Christ and the People of God.

As Catholics...

The laws of the Church are found on page 329. They are also called the precepts of the Church. These laws remind us that we are called to grow in holiness and serve the Church. They help us to know and fulfill our responsibilities as members of the Church and to unite us as followers of Jesus Christ. They guide our behavior and teach us how we should act as members of the Church.

Read the laws of the Church together and discuss ways you can follow them.

289

Our Faith Response

- To seek ways to grow in holiness and to work for peace and justice

marks of the Church
ecumenism
stewards of creation

Lesson Materials

- Reproducible Master 26, cardboard tubes and sheets
- butcher paper

Home Connection Update

Ask: *What did family members say was important about Holy Orders and the work of deacons?*

As Catholics...

The Laws of the Church

Discuss the ways in which the laws of the Church help us. Encourage the students to read them on page 329. Discuss ways the students can follow them.

Lesson Plan

WE BELIEVE (continued)

the "Day" lines. (You may want to make a class chart on the board.) At the end of the lesson have them fill in the L section—what they have *learned* about each statement.

Identify one thing that can lead to personal holiness this week.

Invite a volunteer to read aloud the second *We Believe* statement. Have the students read silently the first five *We Believe* paragraphs that focus on the word *catholic* as a mark of the Church. Then have volunteers read aloud the two *We Believe* paragraphs that describe and explain the word *apostolic* as a mark of the Church.

Give each student four short cardboard tubes and a small cardboard sheet. Ask each student to build a structure with the four marks of the Church as its foundation. Have the students label each of the four tubes with a different mark of the Church and decorate or illustrate each of the marks. One possible design would be tablelike, with the "marks" as legs, topped by the sheet of cardboard. Students might also make totem poles of the marks of the Church, using the cardboard sheet as a base. Encourage the students to use their imaginations.

Name ways to welcome others and to share faith with them.

Banco de actividades

Conexión multicultural

Nuevos inmigrantes en la Iglesia

Explique a los estudiantes que la Iglesia católica de Estados Unidos creció en número y diversidad debido a los millones de inmigrantes que vinieron de Europa. Dígales que la Iglesia actualmente tiene un influjo de culturas diversas por los nuevos católicos inmigrantes de Asia, África, Latinoamérica e India. Anime a los estudiantes a averiguar como estos grupos nuevos y diversos contribuyen con la naturaleza universal de la Iglesia en América. Mencione los nombres de algunos grupos de inmigrantes nuevos que están comenzando a formar parte de sus diócesis o parroquias, por ejemplo, filipinos, coreanos, haitianos, chinos, vietnamitas, nigerianos y muchos más de los países centro y suramericanos. Los estudiantes pueden comunicarse con la oficina local de Society for the Propagation of the Faith y con oficinas individuales que sirven de ministros a los nuevos inmigrantes de las diócesis. Comparta informes breves orales o escritos.

Vivimos la Iglesia extendida en nuestras parroquias. En esta familia de fe nos unimos a católicos que pueden ser muy diferentes a nosotros. Juntos crecemos y celebramos nuestra fe.

Porque la Iglesia es católica y misionera. La Iglesia acoge a todos como lo hizo Jesús. Debemos contar a todos sobre el amor salvador de Cristo y su Iglesia.

La cuarta característica de la Iglesia es apostólica. La palabra apostólica viene de la palabra *apóstol*. La Iglesia es *apostólica* porque está basada en la fe de los apóstoles. La fe que profesamos y practicamos está basada en el credo de los apóstoles, que rezamos aún hoy.

La Iglesia es apostólica porque la vida y liderazgo de la Iglesia está basada en la de los apóstoles. Jesús escogió a los apóstoles para cuidar y dirigir a la comunidad de creyentes. Hoy el papa y los obispos continúan la misión de los apóstoles y todo bautizado católico comparte ese trabajo.

En grupos hablen de formas en que, como Iglesia, podemos acoger a otros y compartir nuestra fe con ellos.

La Iglesia respeta a todo el mundo.

Cristianos son personas de fe que creen y siguen a Jesucristo. Dentro de los cristianos están los católicos, cristianos ortodoxos y los episcopales. También hay luteranos, metodistas, presbiterianos, bautistas y muchos otros.

A pesar de tantas diferencias entre los cristianos, hay muchas cosas importantes en común. Los cristianos son bautizados, creen que Jesús es divino y humano. Creen que Jesús murió y resucitó para salvarnos del pecado. Los cristianos también comparten la creencia de que la Biblia fue inspirada por el Espíritu Santo.

La Iglesia Católica es la Iglesia fundada por Cristo mismo. Sin embargo, respetamos a todos los cristianos y vemos la bondad en otras comunidades cristianas. Trabajamos con otras comunidades cristianas para lograr la unidad en la Iglesia. Este trabajo de promover la unidad de todos los cristianos es llamado **ecumenismo.**

Las diferencias entre los cristianos son serias, pero la Iglesia se ha comprometido a trabajar por el ecumenismo. Todos los años en enero, la Iglesia celebra la semana de oración por la unidad cristiana. Rezamos para que todos los cristianos sean uno. Se hacen oraciones y se tienen conversaciones. Juntos los cristianos tratan de que su amor y entendimiento crezca.

No todos en el mundo creen en Jesús como creen los cristianos, pero eso no quiere decir que no sean personas de fe. Respetamos el derecho de otros a practicar y vivir su fe en forma diferente.

La fe cristiana tiene un lazo especial con la fe judía. Jesús mismo creció como judío. El pueblo judío es nuestro antepasado en la fe. Muchas creencias y prácticas cristianas vienen de la fe judía. Hoy el pueblo judío en todas partes del mundo sigue viviendo la fe en un solo y verdadero Dios.

Imagina que estás pidiendo a Jesús que dé una conferencia sobre "Fe en nuestro mundo". ¿Qué preguntas le harías?

____

290

Planificación de la lección

CREEMOS (continuación)

Cotejo rápido

✔ *¿A que nos llaman Dios y la Iglesia durante todas nuestras vidas?* (a la santidad)

✔ *¿Por qué se le llama católica a la Iglesia?* (Es universal y abre sus puertas a las personas en todas partes.)

Comparta la *Historia para el capítulo* de la pág. 286A de la guía. Diga a los estudiantes que aprenderán que la Iglesia respeta a todas las personas. Pida a un voluntario que lea en voz alta el tercer enunciado *Creemos*. Pida a los estudiantes que lean con un compañero los párrafos. Enfatice lo siguiente:

• A pesar de la desunión, los cristianos comparten creencias muy importantes: el Bautismo, Jesús es divino y humano, y resucitó para salvarnos del pecado.

• La Iglesia católica fue fundada por Cristo y respeta todas las comunidades cristianas.

• El ecumenismo es promover la unidad de todos los cristianos. Requerirá mucha oración, trabajo y tiempo.

Pregunte: *¿Por qué la fe judía se honra y respeta entre los cristianos?* (Jesús creció como judío. Muchas de nuestras creencias y prácticas vienen de la fe judía.) *¿Cómo pueden trabajar por la paz y justicia mundial los cristianos, musulmanes, budistas e hindúes?* (Señale que toda religión y fe pueden promover respeto y medios no violentos de mejorar la humanidad y el mundo.)

Pida a los estudiantes que formen grupos para hacer carteles con papel de estracilla. Sus carteles deben mostrar cómo estamos unidos a otros cristianos y a todos los demás. Pídales que representen varios pueblos y religiones.

We experience the Church as world-wide in our parishes, too. In this family of faith we are joined with Catholics who may be very different from us. Together we grow and celebrate our faith.

Because the Church is catholic, and missionary, we are to welcome all people as Jesus Christ did. We are to tell everyone about the saving love of Christ and the Church.

The fourth mark of the Church is that it is apostolic. The word *apostolic* comes from the word *apostle.* The Church is apostolic because it is built on the faith of the apostles. The faith we profess and practice is based on the Apostles' Creed, which we still pray today.

The Church is apostolic because the life and leadership of the Church is based on that of the apostles. Jesus chose the apostles to care for and lead the community of believers. Today the pope and bishops carry out the apostles' mission, and all baptized Catholics share in this work.

In groups discuss ways that as the Church we can welcome others and share our faith with them.

The Church respects all people.

Christians are people of faith who believe in and follow Jesus Christ. Among Christians there are Catholics, Orthodox Christians, and Episcopalians. There are Lutherans, Methodists, Presbyterians, Baptists, and many others.

Yet despite the many differences among Christians, there are some very important things that we have in common. Christians are baptized and believe that Jesus is both divine and human. They believe that he died and rose to save us from sin. Christians also share the belief that the Bible was inspired by the Holy Spirit.

The Catholic Church is the Church founded by Christ himself. We respect all Christians and see the goodness in other Christian communities. We are working with other Christian communities to bring about the unity of the Church. This work to promote the unity of all Christians is called **ecumenism**.

The differences among Christians are serious, but the Church is committed to the work of ecumenism. Each year in January the Church celebrates a week of prayer for Christian unity. We pray that all Christians may be one. Prayer services and discussion groups are held. Together Christians try to grow in love and understanding.

Not everyone in the world believes in Jesus as Christians do, but that does not mean that they are not people of faith. We respect the right of others to practice and live their faith in different ways.

The Christian faith has a special connection to the Jewish faith. Jesus himself grew up as a Jew. So the Jewish people are our ancestors in faith. Many Christian beliefs and practices come from the Jewish faith. Today Jewish people everywhere continue to live their faith in the one true God.

Imagine that you are writing an invitation to Jesus asking him to come and give a talk on "Faith in Our World." What is one question you would ask him?

____

Activity Bank

Multicultural Connection

New Immigrant Groups in the Church

Explain to the students that the Catholic Church in the United States grew in size and diversity because millions of immigrants came from Europe. Tell them that today the Church is growing and diversifying again because of new immigrant Catholics from Asia, Africa, Latin America, and India. Encourage the students to find out the ways these new and diverse groups are adding to the universal nature of the Church in America. Mention the names of some of the immigrant Catholic groups that might be entering their diocese and parishes, such as Filipino, Korean, Haitian, Chinese, Vietnamese, Nigerian, and Central and South American Catholics. Have the students contact the local office of the Society for the Propagation of the Faith and individual offices that minister to new immigrants within a diocese. Share brief written or oral reports.

Lesson Plan

WE BELIEVE (continued)

Quick Check

✔ *To what do God and the Church call us throughout our lives?* (to holiness)

✔ *Why is the Church called catholic?* (It is universal, world-wide, and open to all people everywhere.)

Share the *Chapter Story* on guide page 286B. Tell the students they will learn that the Church respects all people. Ask a volunteer to read aloud the third *We Believe* statement. Have the students read with partners the *We Believe* paragraphs. Emphasize the following:

• Despite their disunity, Christians share very important beliefs: Baptism, the truth that Jesus is divine and human, and the truth that he rose from the dead to save us from sin.

• The Catholic Church was founded by Christ and respects all Christian communities.

• Ecumenism is the work to promote unity for all Christians. It will take much prayer, work, and time.

Ask: *Why is the Jewish faith held in honor and respect among Christians?* (Jesus grew up as an observant Jew. Many of our beliefs and practices come from the Jewish faith.) *In what ways can Christians, Muslims, Buddhists, and Hindus work toward world peace and justice?* (Stress that all religions and faiths can promote respect and nonviolent ways of bettering the human race and the world.)

Have the students work in groups to make posters, using butcher paper. The posters should show the ways we are united to other Christians and to all others. Ask the students to show various peoples and religions.

Ideas
Evaluación

A medida que termina el año escolar, tome tiempo para evaluar el trabajo que usted ha realizado. La autoevaluación es una herramienta que ayuda a los maestros para ver si se pueden hacer cambios en la forma de enseñar. Pida a su supervisor o a un colega que le proporcione sus observaciones para ayudarlo a perfeccionar su estilo.

Ideas
Compartiendo la Escritura

Puede compartir con los estudiantes los siguientes pasajes bíblicos que también se relacionan con este capítulo.

- Efesios 4:4, 5–6 (un Dios, una fe)
- Mateo 28:19 (ve y forma discípulos)
- Juan 17:20–21 (que todos se hagan uno)

La Iglesia trabaja por la justicia y la paz.

Justicia quiere decir respetar los derechos de los demás. Cuando somos justos damos a los demás lo que les pertenece. La justicia está basada en el simple hecho de que todos tenemos la misma dignidad humana. Todo el mundo tiene el valor que viene de ser creado a imagen de Dios.

Jesús respetó la dignidad de los demás y protegió sus derechos. El empezó su ministerio diciendo:

"El espíritu del Señor está sobre mí, porque me ha consagrado para llevar buena noticia a los pobres; me ha enviado a anunciar libertad a los presos y a dar vista a los ciegos; a poner en libertad a los oprimidos; a anunciar el año favorable del Señor".
(Lucas 4:18–19)

Jesús hizo todas esas cosas. El trabajó para satisfacer las necesidades del mundo. El sanó a los enfermos y dio de comer al que tenía hambre. El escuchó a los que tenían necesidades. Jesús habló por los ignorados y abandonados por la sociedad.

Toda la Iglesia continúa la misión de Jesús de trabajar por la justicia. El papa y nuestros obispos nos recuerdan respetar los derechos de todos. Podemos trabajar para cambiar cosas en la sociedad que permiten comportamientos y situaciones injustas. Juntos podemos visitar a los enfermos y los ancianos. Podemos ofrecernos de voluntarios en cocinas populares y albergues para desamparados. Podemos ayudar a los extranjeros a encontrar casas y trabajos y a aprender el idioma. Podemos escribir a los líderes de los estados y del país pidiéndoles leyes que protejan a los niños y a los necesitados.

Justicia es compartir los recursos de la creación de Dios con los que no tienen. Dios nos pide proteger y cuidar de la creación, personas, animales y los recursos del mundo. El nos pide ser mayordomos de la creación. **Mayordomos de la creación** son todos los que cuidan de todo lo que Dios les ha dado. Dios quiere que todos usemos los bienes de su creación.

Justicia es usar los recursos que tenemos en forma responsable. No podemos usar más comida, agua o energía de la que necesitamos. El mundo no es un regalo de Dios sólo para nosotros. Es también un regalo para las generaciones futuras. Debemos trabajar juntos para proteger nuestro medio ambiente y la bondad de toda la creación de Dios.

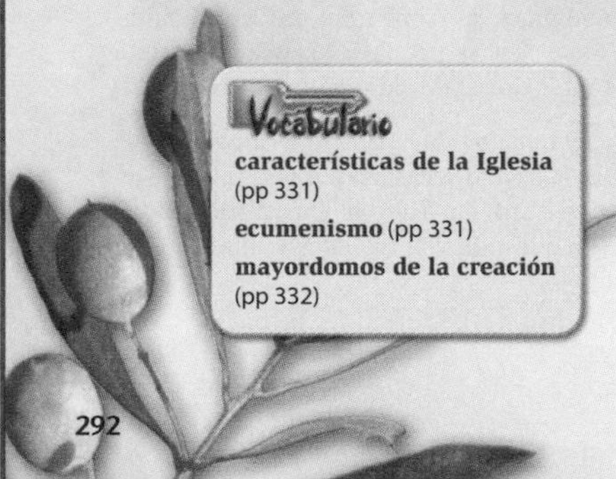

Vocabulario

características de la Iglesia (pp 331)
ecumenismo (pp 331)
mayordomos de la creación (pp 332)

RESPONDEMOS

Hablen sobre lo que tú y tu familia pueden hacer durante los meses de verano para mostrar respeto por los derechos de los otros en la casa, el vecindario y el mundo.

292

Planificación de la lección

CREEMOS (continuación)

Imagínese invitar a Jesús como orador. Formule preguntas para hacerle sobre la fe en nuestro mundo.

Pida a un voluntario que lea en voz alta el cuarto enunciado *Creemos.* Lea en voz alta el primer párrafo. Luego, lea en voz alta el pasaje bíblico, Lucas 4:18–19. Pida a voluntarios que lean los siguientes tres párrafos. Pregunte: *¿Cómo cumplió Jesús en su ministerio público el pasaje bíblico leído?* (respetó y protegió los derechos y dignidad de todas las personas; hizo obras de misericordia) *¿Cómo podemos continuar hoy el ministerio de Jesús como sus discípulos?* (Señale que somos llamados a respetar los derechos y la dignidad de todas las personas.)

Invite a un voluntario a leer en voz alta el párrafo sobre la mayordomía. Escriba *mayordomos de la creación* en la pizarra. Pida a voluntarios que lean en voz alta los siguientes párrafos. Enfatice lo siguiente: Dios quiere que todos compartamos la creación; la justicia acarrea compartir los recursos responsablemente; los dones de la creación de Dios se nos confían ahora para que las generaciones futuras las disfruten.

Use el patrón 26 para repasar la lección. Pida a los estudiantes que completen la sección L para cada enunciado. Pida a voluntarios que compartan sus respuestas.

Vocabulario Escriba las palabras en la pizarra. Pida a los estudiantes definirlas y dar ejemplos que expliquen más su significado.

RESPONDEMOS ____ minutos

Pida a los estudiantes compartir sus ideas en actividades familiares. Explique que el pueblo de Dios trabaja unido en beneficio de todos los demás.

The Church works for justice and peace.

Justice means respect for the rights of others. When we are just we give people the things that are rightfully theirs. Justice is based on the simple fact that all people have human dignity. All people have the value and worth that come from being created in God's image.

Jesus respected the dignity of others and protected their rights. He began his ministry by saying,

"The Spirit of the Lord is upon me,
because he has anointed me
to bring glad tidings to the poor.
He has sent me to proclaim liberty to captives
and recovery of sight to the blind,
to let the oppressed go free,
and to proclaim a year acceptable to
the Lord." (Luke 4:18–19)

Jesus then did all these things. He worked to be sure that people had what they needed. He healed the sick and fed the hungry. He listened to people when they told him about their needs. Jesus stood up for those who were neglected or ignored by society.

The whole Church continues Jesus' work for justice. The pope and our bishops remind us to respect the rights of all people. We can work to change the things in society that allow unjust behaviors and conditions to exist. Together we can visit those who are sick or elderly. We can volunteer in soup kitchens or homeless shelters. We can help those from other countries to find homes and jobs and to learn the language. We can write to the leaders of our state and country asking them for laws that protect children and those in need.

Justice is sharing the resources that come from God's creation with those who do not have them. God asks us to protect and take care of creation—people, animals, and the resources of the world. He asks us to be stewards of creation. **Stewards of creation** are those who take care of everything that God has given them. God intended all people to use the goods of his creation.

Justice is using the resources we have in a responsible way. We cannot use so much food, water, and energy that there is not enough for others. The world is not only God's gift to us. It is also his gift for the generations of people to come. We must work together to protect our environment and the good of all God's creation.

WE RESPOND

Discuss what you and your families can do during the summer months to show your respect for the rights of others at home, in your neighborhood, and around the world.

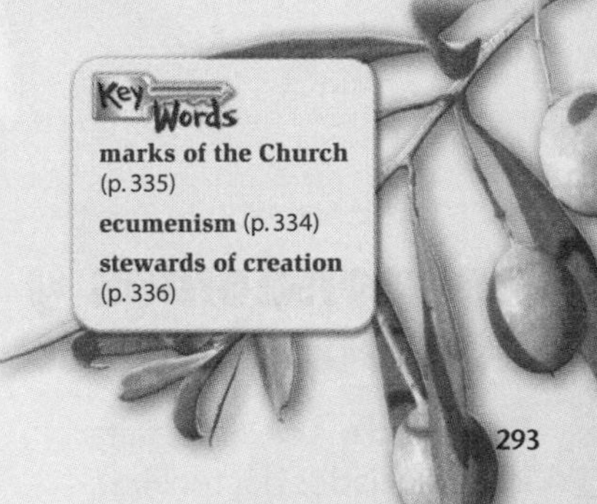

Key Words

marks of the Church (p. 335)

ecumenism (p. 334)

stewards of creation (p. 336)

293

Teaching Tip

Evaluation

As the year draws to a close, take the time to evaluate the work you have accomplished. Self-evaluation is a useful tool to help you see whether any changes might be made in your teaching style. Invite feedback from your supervisor or a colleague to assist you in refining your style.

Teaching Note

Sharing Scripture

The following Scripture passage(s) also relate to this chapter. You may want to share them with the students.

- Ephesians 4:4, 5–6 (one Lord, one faith)
- Matthew 28:19 (go and make disciples)
- John 17:20–21 (may all be one)

Lesson Plan

WE BELIEVE (continued)

Imagine inviting Jesus to be a guest speaker. Develop questions to ask him about faith in our world.

Have a volunteer read aloud the fourth *We Believe* statement. Read aloud the first *We Believe* paragraph. Then read aloud the Scripture passage, Luke 4:18–19. Have volunteers read the next two *We Believe* paragraphs. Ask: *In what ways did Jesus in his public ministry fulfill the Scripture passage just read?* (respected and protected the rights and dignity of all people; did works of mercy) *In what ways can we, as Jesus' disciples, continue his ministry today?* (Stress that we are called to respect the rights and dignity of all people.)

Invite volunteers to read aloud the paragraphs on stewardship. Write *stewards of creation* on the board. Emphasize: God wants all people to have a share in creation; justice entails sharing resources responsibly; the gifts of God's creation are entrusted to us now so that future generations will enjoy them.

Use Reproducible Master 26 to review the lesson. Ask the students to complete the L section for each statement. Ask volunteers to share their answers.

Key Words Write the words on the board. Ask the students to define each word and offer examples or descriptions that add to the word's meaning.

WE RESPOND ____ minutes

Have the students share ideas for summer family activities. Explain that the people of God work together for the benefit of all other human beings.

Banco de actividades

Fe y medios

Justicia y paz: un trabajo en progreso

El trabajo por la justicia y la paz entre los católicos y creyentes de otras comunidades de fe es un esfuerzo en progreso. Explique a los estudiantes que en 1983, los obispos de Estados Unidos publicaron *The Challenge of Peace: God's Promise and Our Response*. Anime a los estudiantes a desarrollar un plan de acción personal por la justicia y la paz. Refiéralos a la actividad de *Respondemos*.

Inteligencia multiple

Naturalista

Anime a los estudiantes a disfrutar de la creación de Dios este verano. Recuérdeles que a donde sea que vayan de vacaciones—podrán apreciar los recursos naturales y usarlos con cuidado.

Conexion con el hogar

Compartiendo lo aprendido

Anime a los estudiantes a rezar en familia la oracion un la página 296.

Para más información y actividades adicionales visite a Sadlier

www.CREEMOSweb.com

_____ minutos

Repaso del capítulo Explique a los estudiantes que ahora repasarán lo que han aprendido y que las preguntas verificarán su entendimiento de las lecciones de la semana. Pida a los estudiantes que completen las preguntas 1–10. Repáselas pidiendo a los estudiantes que digan en voz alta las respuestas correctas.

Reflexiona y ora Lea en voz alta el texto. Pida a los estudiantes que escriban sus oraciones. Comparta sus respuestas.

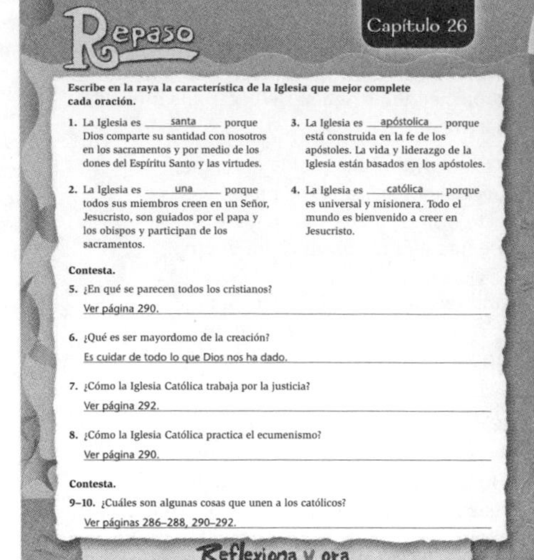

Repaso

Capítulo 26

Escribe en la raya la característica de la Iglesia que mejor complete cada oración.

1. La Iglesia es __santa__ porque Dios comparte su santidad con nosotros en los sacramentos y por medio de los dones del Espíritu Santo y las virtudes.
2. La Iglesia es __una__ porque todos sus miembros creen en un Señor, Jesucristo, son guiados por el papa y los obispos y participan de los sacramentos.
3. La Iglesia es __apóstolica__ porque está construida en la fe de los apóstoles. La vida y liderazgo de la Iglesia están basados en los apóstoles.
4. La Iglesia es __católica__ porque es universal y misionera. Todo el mundo es bienvenido a creer en Jesucristo.

Contesta.

5. ¿En qué se parecen todos los cristianos?
Ver página 290.
6. ¿Qué es ser mayordomo de la creación?
Es cuidar de todo lo que Dios nos ha dado.
7. ¿Cómo la Iglesia Católica trabaja por la justicia?
Ver página 292.
8. ¿Cómo la Iglesia Católica practica el ecumenismo?
Ver página 290.

Contesta.

9–10. ¿Cuáles son algunas cosas que unen a los católicos?
Ver páginas 286–288, 290–292.

Reflexiona y ora

¿Cómo crees que sea un año agradable al Señor? ¿Cómo puedes continuar el trabajo de justicia de Jesús en el mundo?

Señor, sé que el Espíritu Santo está en mí. Puedo trabajar con otros para ayudar a los pobres, dirigir a los perdidos y llevar paz a todo el mundo.

Ayúdanos a __________

294

PAGINA DEL ALUMNO 294

Respondemos y compartimos la fe

_____ minutos

Recuerda Lea en voz alta los enunciados doctrinales. Pregunte a los estudiantes lo que las frases significan para ellos. Converse sobre cada enunciado.

Nuestra vida católica Pida a los estudiantes que reflexionen sobre el significado de ser católicos. ¿Cómo han experimentado la vida de Cristo este año? ¿Cómo la han compartido? Pídales que "cuenten sus historias". Pida a voluntarios que las compartan.

Respondemos y compartimos la fe

Compartiendo lo aprendido

Habla con tu familia sobre lo siguiente:

- las cuatro características de la Iglesia
- ecumenismo
- la llamada a trabajar por la justicia y la paz
- mayordomos de la creación.

Recuerda

- La Iglesia es una y santa.
- La Iglesia es católica y apostólica.
- La Iglesia respeta a todo el mundo.
- La Iglesia trabaja por la justicia y la paz.

Rezando en familia

Señor,
te pedimos por tu pueblo que cree en ti.
Que goce del don de tu amor y lo comparta con otros en todas partes.
Te lo pedimos en nombre de Jesús, el Señor.
Amén.

NUESTRA VIDA CATOLICA

Cuenta tu propia historia.

Pega tu foto aquí.

Visita Sadlier en www.CREEMOSweb.com

Conexión con el Catecismo
Para referencia vea los párrafos 813, 823, 830, 831, 857, 855 y 2442.

296

PAGINA DEL ALUMNO 296

_____ minutes

Chapter Review Explain to the students that they are now going to review what they have learned and that the questions will check their understanding of the lesson. Have the students complete questions 1–10. Review by asking the students to say aloud each of the correct answers.

Reflect & Pray Read aloud the questions and invite responses. Then read aloud the first part of the prayer. Have the students silently read and complete the "Help us to" prayer. Invite volunteers to share their responses.

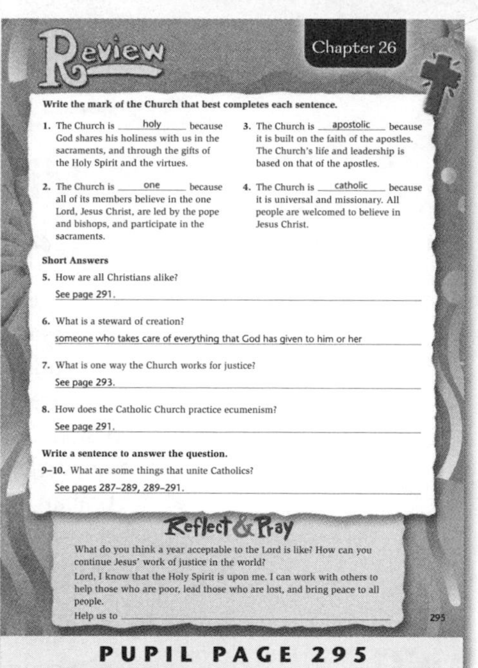
Review

Chapter 26

Write the mark of the Church that best completes each sentence.

1. The Church is __holy__ because God shares his holiness with us in the sacraments, and through the gifts of the Holy Spirit and the virtues.
2. The Church is __one__ because all of its members believe in the one Lord, Jesus Christ, are led by the pope and bishops, and participate in the sacraments.
3. The Church is __apostolic__ because it is built on the faith of the apostles. The Church's life and leadership is based on that of the apostles.
4. The Church is __catholic__ because it is universal and missionary. All people are welcomed to believe in Jesus Christ.

Short Answers

5. How are all Christians alike?
See page 291.
6. What is a steward of creation?
someone who takes care of everything that God has given to him or her
7. What is one way the Church works for justice?
See page 293.
8. How does the Catholic Church practice ecumenism?
See page 291.

Write a sentence to answer the question.

9–10. What are some things that unite Catholics?
See pages 287–289, 289–291.

Reflect & Pray

What do you think a year acceptable to the Lord is like? How can you continue Jesus' work of justice in the world?

Lord, I know that the Holy Spirit is upon me. I can work with others to help those who are poor, lead those who are lost, and bring peace to all people.
Help us to ______________

295

PUPIL PAGE 295

We Respond and Share the Faith

_____ minutes

Remember Read aloud the doctrinal statements. Ask the students what the sentences mean to them. Discuss each statement.

Our Catholic Life Ask the students to reflect on what it means to be Catholic. Ask: *How have you experienced the life of Christ this year? How have you shared it?* Ask the students to "tell their stories." Invite volunteers to share.

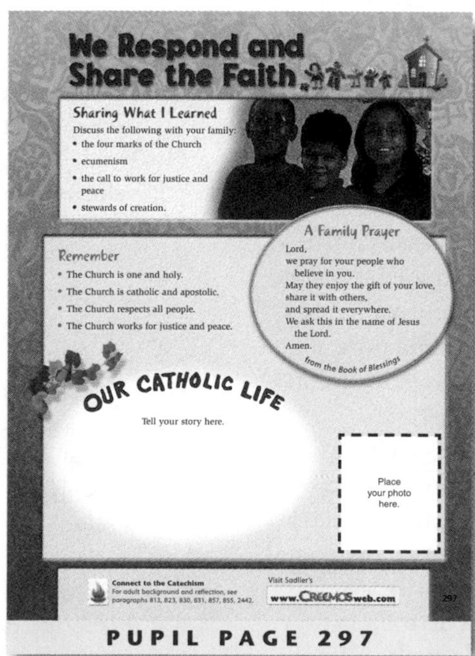
We Respond and Share the Faith

Sharing What I Learned

Discuss the following with your family:
- the four marks of the Church
- ecumenism
- the call to work for justice and peace
- stewards of creation.

Remember
- The Church is one and holy.
- The Church is catholic and apostolic.
- The Church respects all people.
- The Church works for justice and peace.

A Family Prayer

Lord,
we pray for your people who
believe in you.
May they enjoy the gift of your love,
share it with others,
and spread it everywhere.
We ask this in the name of Jesus
the Lord.
Amen.
from the Book of Blessings

OUR CATHOLIC LIFE

Tell your story here.

Place your photo here.

Connect to the Catechism
For adult background and reflection, see paragraphs 813, 823, 830, 831, 857, 855, 2442.

Visit Sadlier's
www.CREEMOSweb.com

297

PUPIL PAGE 297

Activity Bank

Faith and Media

Justice and Peace: A Work in Progress

The work for justice and peace among Catholics and believers of other faith communities is a work in progress. Explain to the students that in 1983 the Bishops of the United States issued *The Challenge of Peace: God's Promise and Our Response.* Encourage the students to map out a personal action plan for justice and peace. Refer them to the *We Respond* activity.

Multiple Intelligences

Naturalist

Encourage the students to enjoy God's creation this summer. Remind them that wherever they might go on vacation, they can appreciate the natural resources and use them with care.

Home Connection

Sharing What I Learned

Encourage the students to pray with their families the prayer on page 297.

For additional information and activities, encourage families to visit Sadlier's

www.CREEMOSweb.com

Tiempo de Pascua

Los cincuenta días que median entre el domingo de Resurrección y el Domingo de Pentecostés se han de celebrar con alegría y júbilo, como si se tratara de un sólo y único día festivo.

(Normas universales sobre el año litúrgico, 22)

Ojeada

En este capítulo se explica que la Pascua es tiempo de regocijo por la nueva vida que tenemos en Cristo.

Para reflexión vea los párrafos 655 y 1169 del Catecismo de la Iglesia Católica.

Referencia catequética

¿Qué recuerdos personales vienen a su memoria al oír la frase "acontecimiento alegre"?

Pascua en un tiempo de gran alegría en el que la Iglesia celebra la resurrección de Cristo. Empieza el Domingo de Pascua, dura 50 días hasta el Pentecostés y se conoce como la "fiesta de las fiestas" o el "gran domingo". Cristo superó la muerte y su nueva vida ha tenido un efecto profundo en el pueblo de Dios.

"En El los cristianos 'saborean los prodigios del mundo futuro' y su vida es transportada por Cristo al seno de la vida divina para que ya no vivan para sí los que viven, sino para aquél que murió y resucitó por ellos" (*CIC* 655).

Con su resurrección, Cristo confirma todas sus obras y enseñanzas. Se muestra como el cumplimiento de las promesas mesiánicas del Antiguo Testamento y definitivamente prueba su autoridad divina. La Iglesia se regocija porque "por su muerte nos libera del pecado, por su Resurrección nos abre el acceso a una nueva vida" (*CIC* 654).

En el transcurso del tiempo de Pascua, se celebran varias festividades del Señor, María y los santos. Entre otras, la Ascensión, Visitación y la fiesta de San José el trabajador. El tiempo termina con el regocijo por la venida del Espíritu Santo y la fundación de la Iglesia.

"Canten a Dios con alegría, habitantes de toda la tierra", cantamos con el salmista, "den rienda suelta a su alegría y cántenle himnos" (Salmos 98:4).

¿Qué señales y símbolos de pascua usará para celebrar este tiempo de regocijo de la Iglesia?

Mirando la vida

Historia para el capítulo

El yeso de la pierna izquierda de Jack parecía pesar 50 libras. Durante los partidos finales de los regionales de hockey, Jack se fracturó los huesos de la pierna en una colisión. Su equipo ganó el partido y el campeonato, y mientras sus compañeros de equipo celebraban la victoria, Jack estaba en el hospital.

—"Los chicos vinieron a verme" —dijo Jack a su padre—, "pero me perdí la celebración".

—"No te preocupes"—dijo el Sr. Petropulos—. "Habrá mucho tiempo para celebrar cuando te quiten el yeso".

Jack sabía que su padre estaba tratando de animarlo, pero Jack se sentía solo sin sus amigos y compañeros de clase. Deprimido, Jack encendió el televisor y comenzó a cambiar los canales.

Cuando dieron las tres y media, sentía pena por sí mismo. —"¿Por qué me tuvo que pasar esto a mí?" —dijo en voz alta, aún cuando no había nadie que lo oyera. Oyó un rugido de carcajadas y a gente que corría fuera de su cuarto. Luego la puerta se abrió bruscamente y entró una multitud de compañeros de clase Traían pizzas, bebidas, flores, ositos de peluche y globos de colores.

—"¿Qué pasa?" —preguntó Jack.

—"Bueno, Jack" —dijo Roger, el capitán del equipo—, "no lograste asistir a nuestra fiesta para celebrar la victoria, así que te la trajimos a ti".

—Entonces sigan adelante —rió Jack. La música en el toca de CD que alguien trajo llenó el ambiente. Varias de las chicas de su clase querían firmarle el yeso. Cuando levantó la pierna, Jack se sorprendió de lo ligera que se sentía.

Cuando todos se fueron, Jack se estaba quedando dormido y pensó: "Que buen día resulto ser éste. La segunda parte de la celebración de la victoria se había llevado a cabo".

Indique todas las señales de celebración que cambiaron el día de Jack y su estado de ánimo.

The fifty days from Easter Sunday to Pentecost are celebrated in joyful exultation as one feast day . . . These above all others are the days for the singing of the Alleluia.

(Norms Governing Liturgical Calendars, 22)

Overview

In this chapter the Easter season will be explained as a special time to rejoice over the new life we have in Christ.

For Adult Reading and Reflection See paragraphs 655 and 1169 of the Catechism of the Catholic Church.

Catechist Background

What personal memories does the term "joyous event" bring to mind?

The Easter season is a time of great joy in which the Church celebrates the Resurrection of Christ. Lasting fifty days from Easter Sunday evening through Pentecost, this season of rejoicing is known as the "Feast of feasts" or "the great Sunday." Christ has conquered death, and his new life permeates the people of God. "In Christ, Christians 'have tasted . . . the powers of the age to come' and their lives are swept up by Christ into the heart of divine life, so that they may 'live no longer for themselves but for him who for their sake died and was raised'" (*CCC* 655).

By his Resurrection Christ confirms all his works and teachings. He shows himself to be the fulfillment of the Old Testament messianic promises and proves his divine authority. The Church rejoices that "by his death, Christ liberates us from sin; by his Resurrection, he opens for us the way to a new life" (*CCC* 654).

During the Easter season we celebrate various feasts of the Lord, of Mary, and of the saints. Among these are the Ascension, the Visitation, and the feast of Saint Joseph the Worker. The season ends with rejoicing at the descent of the Holy Spirit and the foundation of the Church: "Shout with joy to the LORD, all the earth; / break into song; sing praise" (Psalm 98:4).

What signs and symbols of Easter will you use to rejoice in this joyful season of the Church?

Focus on Life

Chapter Story

The cast on Jack's leg felt as though it weighed fifty pounds. During the regional hockey finals, Jack had broken some bones in his leg in a collision. His team won the game and the championship. While his teammates were celebrating the victory, Jack was in the hospital.

"The guys came to see me," Jack told his father. "But I missed out on all the celebrating."

"Don't worry," said Mr. Petropulos. "Once you get out of that cast, there will be plenty of time for celebrating."

Jack knew his father was trying to cheer him up, but Jack felt lonesome for his friends and classmates. Feeling down in the dumps, Jack flipped on the TV and began channel surfing.

By three-thirty Jack was feeling sorry for himself. "Why did this have to happen to me?" he said in a loud voice, even though no one was there to listen. Outside his room he heard a roar of laughter and people running. Then the door burst open, and in rushed a crowd of his classmates! They were carrying pizzas, soda, flowers, teddy bears, and bright balloons.

"What's going on? " Jack asked.

"Well, Jack," said Roger, the team captain, "you didn't make it to our first victory party. So we brought this one to you!"

"Then bring it on!" Jack laughed. Music filled the room from someone's CD player. Several girls in his class wanted to sign his cast. When he lifted his leg, Jack was surprised to find how light the cast felt.

After the crowd had gone and Jack was dozing off, he thought, "What a great day this turned out to be!" Victory celebration, part two, had gotten under way.

Name all the signs of celebration that changed Jack's day and his mood.

Guía para planificar la lección

Pasos de la lección	Presentación	Materiales
 **NOS CONGREGAMOS**		
pág. 298 **Introducción del tiempo**	• Leer la *Historia para el capítulo.* • Introducir el tiempo de Pascua. • Proclamar las palabras en la bandera.	
pág. 298	• Hablar de acontecimientos alegres.	
 **CREEMOS**		
pág. 298 *El tiempo de Pascua es un tiempo especial de regocijo por la nueva vida que tenemos en Cristo.*	• Conversar sobre la resurrección de Jesús y los testigos de este acontecimiento. Escenificar la tumba vacía. • Continuar el texto sobre honrar a María y a los santos en este tiempo.	• huevo de plástico, tiras de papel
 **RESPONDEMOS**		
pág. 302	• Considerar las preguntas.	
pág. 302 **Respondemos en oración**	• Escuchar la Escritura. Responder cantando y una coronación de mayo.	• artículos del lugar de oración: estatua de María, flores, corona de flores "Santa María del camino", 4–6 CD
pág. 304 **Respondemos y compartimos la fe**	• Explicar los proyectos individual y en grupo sobre la Pascua. • Hablar sobre **Respondemos y compartimos la fe**.	• copias del patrón 27

Planificación de la lección

Introducción del tiempo ____ minutos

• **Recen** la Señal de la Cruz y la oración *Señor, te alabamos con todo nuestro corazón y voces.*

• **Lea** en voz alta la *Historia para el capítulo* de la página 298A de la guía. Converse sobre las señales de celebración que cambiaron el día de Jack y su estado de ánimo. Escríbalas en la pizarra. Señale la importancia de los amigos, refrigerios, música, flores y risa que levantaron el espíritu de Jack e hicieron de la reunión una celebración verdadera.

• **Pida** los estudiantes que abran sus textos en la página 298. Lea en voz alta el título del capítulo. Explique: *La Pascua es un tiempo de celebración y regocijo de la Iglesia porque tenemos nueva vida en Cristo.*

• **Invite** a los estudiantes a observar la foto de la página. Pregunte: *¿Qué les dice la ilustración del espíritu sobre la Pascua y la nueva vida?*

• **Proclamen** juntos las palabras de la leyenda debajo de la foto.

Lesson Planning Guide

Lesson Steps	Presentation	Materials

page 299 **Introduce the Season**	• Read the *Chapter Story.* • Introduce the Easter season. • Proclaim the words on the banner.	
page 299	• Discuss joyful events.	
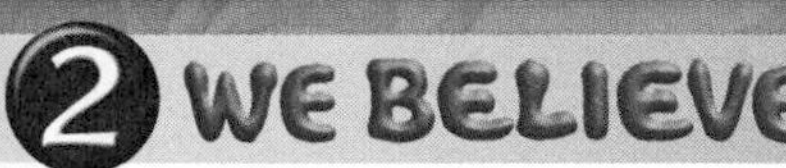		
page 299 *The Easter season is special time to rejoice over the new life we have in Christ.* *Mark 16:1–10*	• Discuss the Resurrection of Jesus and the witnesses to this event. • Act out the scene at the empty tomb. Talk about the other disciples, their feelings, and their belief. • Discuss Pentecost and honoring Mary and the saints.	• plastic egg and slips of paper
3 WE RESPOND		
page 303	• Consider the questions.	
page 303 **We Respond in Prayer**	• Listen to Scripture. Respond with song and a May crowning.	• prayer space items: statue of Mary, flowers, crown of flowers "Holy Mary," #26, Grade 5 CD
page 305 **We Respond and Share the Faith**	• Explain the individual Easter season project. • Explain the group Easter season project. • **We Respond and Share the Faith**	• copies of Reproducible Master 27 • markers, colored pencils

Lesson Plan

Introduce the Season ____ minutes

• **Pray** the Sign of the Cross and the prayer, *Lord, we praise you with our hearts and voices.*

• **Read** aloud the *Chapter Story* on guide page 298B. Discuss the signs of celebration that changed Jack's day and mood. List these on the board. Stress the importance of friends and the refreshments, music, flowers, and laughter that lifted Jack's spirits and made this gathering a true celebration.

• **Have** students open their texts to page 299. Read aloud the chapter title. Explain: *Easter is a season of celebration and rejoicing in the Church because we have new life in Christ.*

• **Proclaim** together the words on the banner.

Meta catequética

- Enfatizar que el tiempo de Pascua es un tiempo especial
- Regocijarnos de la nueva vida que tenemos en Cristo

Nuestra respuesta en la fe

- Expresar nuestra fe en Jesús resucitado y honrar a María

Materiales

- huevo de plástico, tiras de papel
- 4–6 CD
- copias del patrón 27

RECURSOS ADICIONALES

Libro *¿Qué haré este año para el Triduo Pascual?* Paul Turner, Spanish Speaking Bookstore.

Para ideas, visite a Sadlier en

www.CREEMOSweb.com

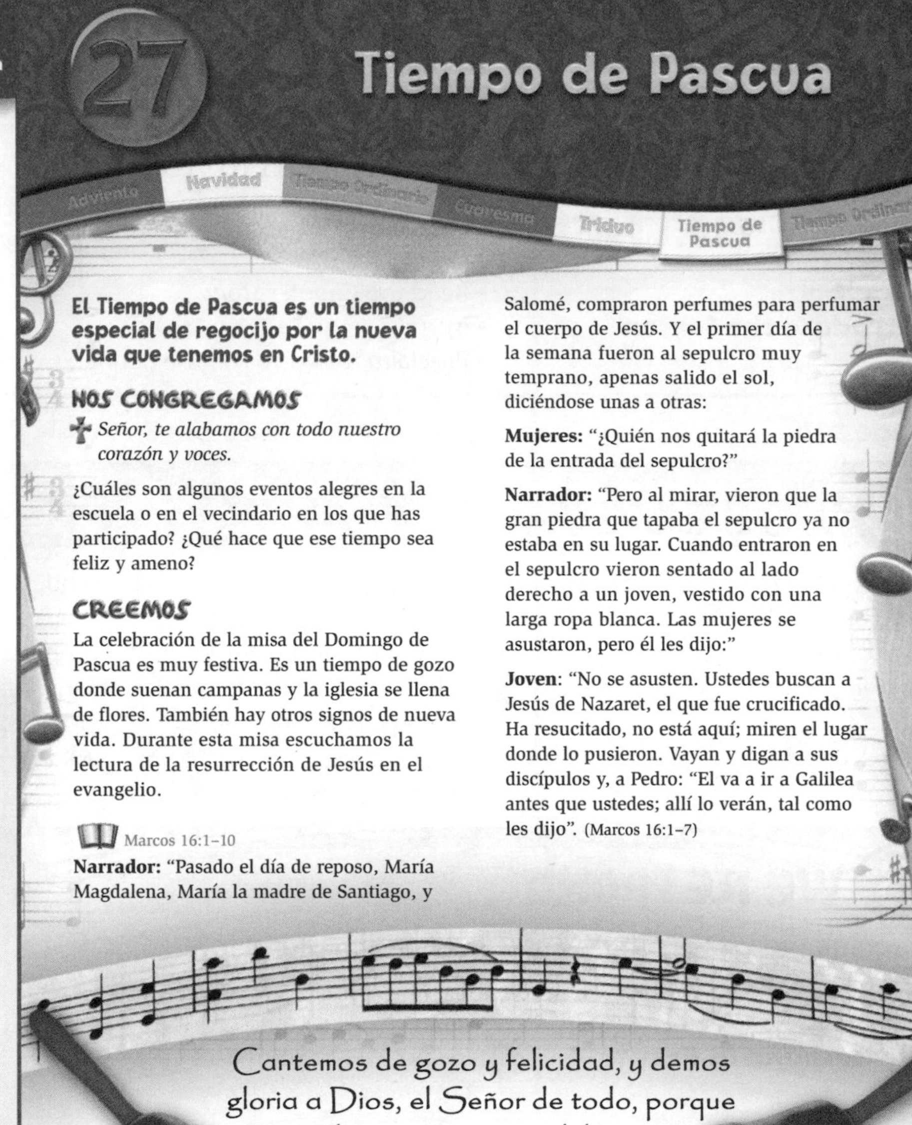

27 Tiempo de Pascua

El Tiempo de Pascua es un tiempo especial de regocijo por la nueva vida que tenemos en Cristo.

NOS CONGREGAMOS

✝ *Señor, te alabamos con todo nuestro corazón y voces.*

¿Cuáles son algunos eventos alegres en la escuela o en el vecindario en los que has participado? ¿Qué hace que ese tiempo sea feliz y ameno?

CREEMOS

La celebración de la misa del Domingo de Pascua es muy festiva. Es un tiempo de gozo donde suenan campanas y la iglesia se llena de flores. También hay otros signos de nueva vida. Durante esta misa escuchamos la lectura de la resurrección de Jesús en el evangelio.

Marcos 16:1–10

Narrador: "Pasado el día de reposo, María Magdalena, María la madre de Santiago, y Salomé, compraron perfumes para perfumar el cuerpo de Jesús. Y el primer día de la semana fueron al sepulcro muy temprano, apenas salido el sol, diciéndose unas a otras:

Mujeres: "¿Quién nos quitará la piedra de la entrada del sepulcro?"

Narrador: "Pero al mirar, vieron que la gran piedra que tapaba el sepulcro ya no estaba en su lugar. Cuando entraron en el sepulcro vieron sentado al lado derecho a un joven, vestido con una larga ropa blanca. Las mujeres se asustaron, pero él les dijo:"

Joven: "No se asusten. Ustedes buscan a Jesús de Nazaret, el que fue crucificado. Ha resucitado, no está aquí; miren el lugar donde lo pusieron. Vayan y digan a sus discípulos y, a Pedro: "El va a ir a Galilea antes que ustedes; allí lo verán, tal como les dijo". (Marcos 16:1–7)

Cantemos de gozo y felicidad, y demos gloria a Dios, el Señor de todo, porque él es nuestro rey, aleluya.

298

Planificación de la lección

NOS CONGREGAMOS ____ minutos

Mirando la vida Converse sobre las preguntas de *Nos congregamos*. Invite a los estudiantes a ver las similitudes entre sus celebraciones alegres y la *Historia para el capítulo*. Señale: *Así como la fiesta de Jack y sus amigos, estos eventos nos hacen sentir llenos de vida y alegría de vivir.*

Explique: *Hoy investigaremos por qué todo el tiempo de Pascua es un tiempo de regocijo para todos los que pertenecen a nuestra familia de la Iglesia.*

CREEMOS ____ minutos

- **Lea** en voz alta el enunciado *Creemos* y el primer párrafo. Pida a tres voluntarios que escenifiquen las partes de la lectura del evangelio según San Marcos. Dé a los participantes tiempo para preparar sus partes.
- **Lea** en voz alta las instrucciones de la actividad. Forme grupos pequeños y pida a los estudiantes que saquen de un huevo plástico tiras de papel con los siguientes nombres: María Magdalena, María, Salomé, Pedro o Juan. Pida a los grupos que compartan la actividad y se preparen para informar cómo hubieran reaccionado a la tumba vacía o a la imagen de Jesús resucitado. Invite a todos los grupos a hacer un listado en la pizarra de quién o que los ayuda a creer en Cristo resucitado.

Pida a los estudiantes que lean los siguientes cinco párrafos y que subrayen los signos del tiempo de Pascua en la Iglesia (vestimenta blanca y dorada, Aleluyas, primeras lecturas de Hechos de los Apóstoles, 50 días de regocijo que terminan en Pentecostés).

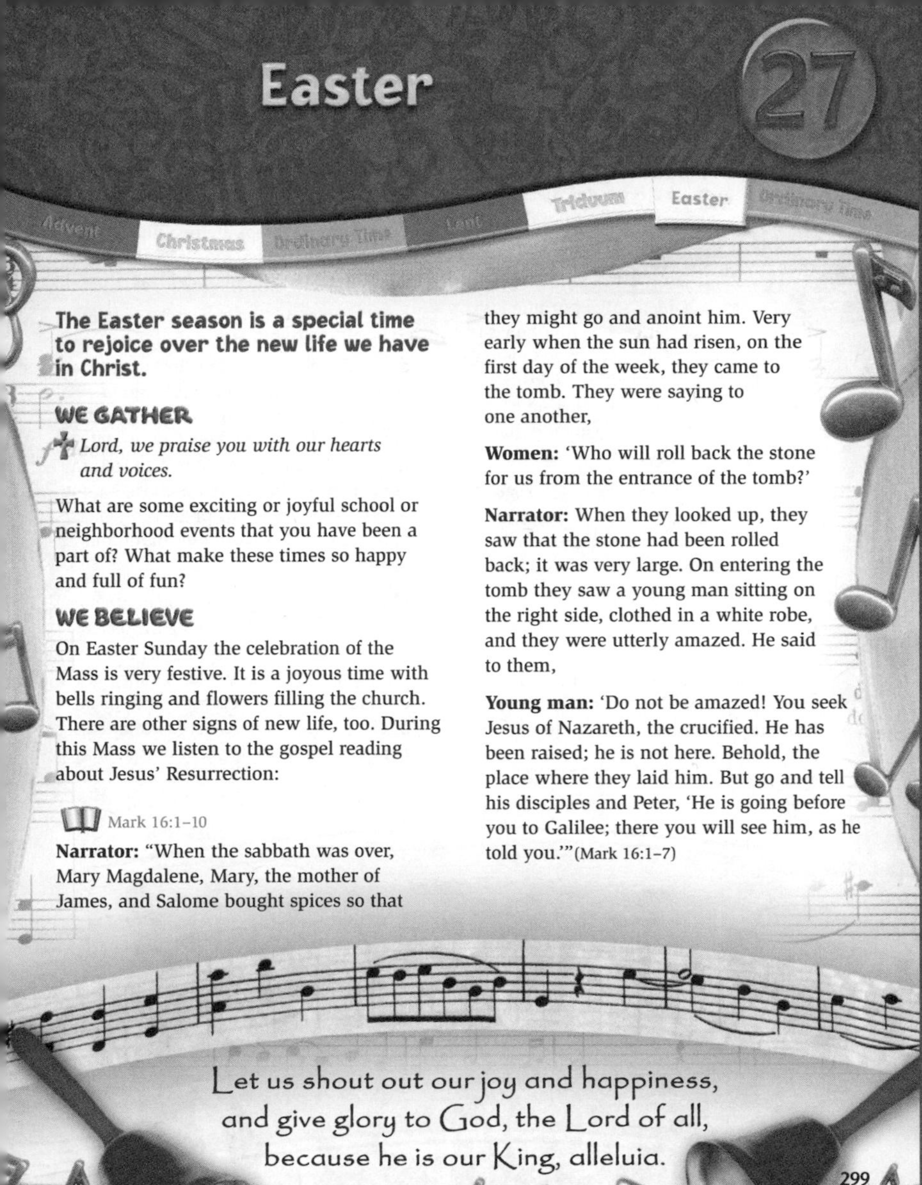

Easter 27

The Easter season is a special time to rejoice over the new life we have in Christ.

WE GATHER

Lord, we praise you with our hearts and voices.

What are some exciting or joyful school or neighborhood events that you have been a part of? What make these times so happy and full of fun?

WE BELIEVE

On Easter Sunday the celebration of the Mass is very festive. It is a joyous time with bells ringing and flowers filling the church. There are other signs of new life, too. During this Mass we listen to the gospel reading about Jesus' Resurrection:

Mark 16:1–10

Narrator: "When the sabbath was over, Mary Magdalene, Mary, the mother of James, and Salome bought spices so that they might go and anoint him. Very early when the sun had risen, on the first day of the week, they came to the tomb. They were saying to one another,

Women: 'Who will roll back the stone for us from the entrance of the tomb?'

Narrator: When they looked up, they saw that the stone had been rolled back; it was very large. On entering the tomb they saw a young man sitting on the right side, clothed in a white robe, and they were utterly amazed. He said to them,

Young man: 'Do not be amazed! You seek Jesus of Nazareth, the crucified. He has been raised; he is not here. Behold, the place where they laid him. But go and tell his disciples and Peter, 'He is going before you to Galilee; there you will see him, as he told you.'" (Mark 16:1–7)

Let us shout out our joy and happiness,
and give glory to God, the Lord of all,
because he is our King, alleluia.

299

Catechist Goal

- To emphasize that the Easter season is a special time
- to rejoice over the new life we have in Christ

Our Faith Response

- To express our faith in the risen Jesus, and to honor Mary

Lesson Materials

- plastic egg, slips of paper
- Grade 5 CD
- copies of Reproducible Master 27

ADDITIONAL RESOURCES

Videos *The Fourth Wise Man,* Gateway Films/Vision Video, 1989. The fourth wise man misses Jesus at every turn for 33 years, finally meeting him on Easter. (72 minutes)

To find more ideas for books, videos, and other learning material, visit Sadlier's

www.CREEMOSweb.com

Lesson Plan

WE GATHER

____ minutes

Focus on Life Discuss the *We Gather* questions. Invite the students to see the similarities between their joyous celebrations and the *Chapter Story*. Point out: *Like Jack's party with his friends, these events make us feel full of life and happy to be alive.*

• **Explain:** *Today we will explore why the entire Easter season is a time of great rejoicing for all in our Church family.*

WE BELIEVE

____ minutes

• **Read** aloud the *We Believe* statement and the first paragraph. Have three volunteers act out the parts in the gospel reading from Saint Mark. Give the actors time to prepare their parts.

• **Read** aloud the directions to the activity. Form small groups. Have each group draw out from a plastic egg a slip of paper on which one of these names appears: Mary Magdalene, Mary, Salome, Peter, or John. Have the groups work together on the activity as each group prepares to report on how its disciple would have responded to the empty tomb or the sight of the risen Jesus. Invite all groups to add to a list on the board of who or what helps them to believe in the risen Christ.

• **Have** the students read the next five *We Believe* paragraphs and underline the signs of the Easter season in the Church (white and gold vestments, Alleluias, first readings from Acts of the Apostles, fifty days of rejoicing that end on Pentecost).

Ideas

Festividades de Pascua

Cuando sea posible durante el tiempo de Pascua, refleje a través de varias celebraciones la alegría de la nueva vida en Cristo. Enseñe a los estudiantes el *Regina Caeli* (Reina del Cielo), la oración que se ora en la Iglesia durante el tiempo de Pascua. Con el permiso de la administración, pida a padres voluntarios que visiten la clase con refrigerios inesperados. Invite a los estudiantes a compartir sus talentos contando chistes, cantando, bailando y haciendo malabarismos o trucos de magia. Organice un concurso de pintura de caras con símbolos de la Pascua. Cante aleluya frecuentemente.

TIEMPO DE PASCUA

Narrador: Las mujeres corrieron sin saber que pensar. Más tarde esa mañana, el Cristo resucitado se apareció a María Magdalena y ella fue a contar a los otros discípulos. Pero ellos no le creyeron. Cristo se apareció a otros dos discípulos y tampoco creyeron. Cuando el Cristo resucitado se apareció a los apóstoles, ellos finalmente creyeron.

En grupo hablen sobre por qué los discípulos no creyeron. Imagina que estás entre los primeros discípulos que vieron la tumba vacía y que vieron a Jesús resucitado. ¿Qué pensarías? ¿Cuáles serían tus sentimientos? ¿Quién o qué te hace creer en el Cristo resucitado?

Celebramos la resurrección de Cristo todos los domingos. El Cristo resucitado está entre nosotros y hay signos de nueva vida a nuestro alrededor. Sin embargo, el tiempo de Pascua es un tiempo especial para recordar y regocijarnos en la nueva vida que tenemos en Cristo.

El morado oscuro usado durante la Cuaresma es cambiado por un blanco brillante y dorado. Blanco y dorado son los colores de la luz, la vida y la resurrección. El dorado es el metal más precioso y usado frecuentemente como señal de Dios en el cielo.

Cantamos "aleluya". La palabra *aleluya* quiere decir "alaba a Dios". Durante la Cuaresma, no cantamos ni decimos Aleluya en la liturgia.

Ahora, durante el tiempo de Pascua, cantamos o decimos aleluya una y otra vez. Jesús ha resucitado, ¡aleluya! Él ha conquistado la muerte, ¡aleluya!

En el tiempo de Pascua la primera lectura de la misa es tomada de Hechos de los apóstoles, no del Antiguo Testamento. Los Hechos de los Apóstoles registran la vida de los apóstoles después de la ascensión de Jesús a los cielos. Nos hablan del inicio de la Iglesia. Durante esta lectura escuchamos la forma maravillosa en que los primeros cristianos predicaron la buena nueva de Cristo y formaron una comunidad de fe.

El tiempo de Pascua dura cincuenta días y termina el domingo de Pentecostés. Como en todos los tiempos del año, recordamos a María y a los santos por su creencia en Cristo y el testimonio de su buena nueva. Algunas veces durante este tiempo se extiende hasta el mes de mayo.

300

Planificación de la lección

CREEMOS (continuación)

Cotejo rápido

✔ *¿Qué celebra la Iglesia durante el tiempo de Pascua?* (Durante el tiempo de Pascua, nos regocijamos de la nueva vida que tenemos en Cristo.)

✔ *¿Por qué se usan los colores blanco y dorado en la Pascua?* (Son los colores de la luz, vida y resurrección. El dorado es un signo de Dios y el cielo.)

• **Pida** a un voluntario que lea en voz alta el párrafo de la parte superior de la página. Señale que honramos a María y a otros santos en el mes de mayo y durante el tiempo de Pascua. Invite a los estudiantes a compartir sus recuerdos de las coronaciones de mayo en las que hayan participado.

• **Continúe** con la sección de **Honrando a María**. Recuerde que María se reunió con Jesús cuando él cargaba la cruz y estuvo con él en el Calvario. Pregunte: *¿Cómo creen que se sintió María en la Pascua, cuando Jesús resucitó?* (Acepte las respuestas apropiadas.)

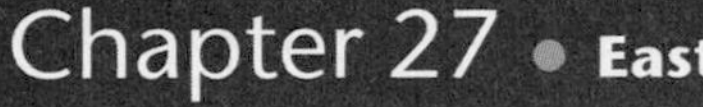

Narrator: The women ran from the tomb not knowing what to think. Later that morning the risen Christ appeared to Mary Magdalene, and she went and told his other disciples. But they did not believe. Christ appeared to two other disciples, and still the others did not believe. But when the risen Christ appeared to the apostles, the apostles and disciples finally believed.

In groups talk about why the other disciples might not have believed. Imagine you are among the first disciples to see the empty tomb or to see the risen Jesus. What might you be thinking? What might you be feeling? Who or what helps you to believe in the risen Christ?

We celebrate Christ's Resurrection every Sunday. The risen Christ is among us, and there are signs of new life all around us. However, the Easter season is a special time to remember and rejoice over the new life we have in Christ.

The deep purple used during Lent is changed to a brilliant white and joyous gold. White and gold are the colors of light, life, and Resurrection. Gold is the most precious metal there is, and we often use it as a sign of God and heaven.

We sing, "Alleluia!" The word *alleluia* means "Praise God!" All during Lent, we did not sing or say alleluia in the liturgy. Now during the Easter season, we say it and sing it over and over again! Jesus is risen, alleluia! He has conquered death forever, alleluia!

In the Easter season the first reading during the Mass is from the Acts of the Apostles, not the Old Testament. The Acts of the Apostles records the life of the apostles after Jesus' Ascension into heaven. It tells of the beginning of the Church. During this reading we hear of the wonderful way the first Christians spread the good news of Christ and formed a community of faith.

The season of Easter lasts fifty days and ends on Pentecost Sunday. As in all the seasons of the year, we remember Mary and the saints for their belief in Christ and witness to his good news. We enter into the month of May sometime during the Easter season.

EASTER

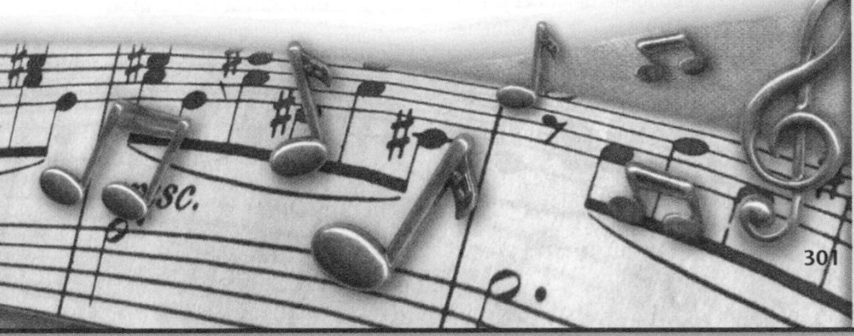

301

Chapter 27 • Easter

Teaching Tip

Easter Festivities

Whenever possible during the Easter season, make the joy of Christ's new life in us visible through various celebrations. Teach the students the *Regina Cæli* (Queen of Heaven), the prayer prayed by the Church during the Easter season. With the permission of the school or parish office, have parent volunteers arrive with unexpected refreshments. Invite students to share their talents by telling jokes, singing, dancing, juggling, or doing magic tricks. Have a face painting contest in which Easter symbols are employed. Sing Alleluias often.

Lesson Plan

WE BELIEVE (continued)

Quick Check

✔ *What does the Church celebrate during the Easter season?* (During the Easter season, we rejoice over the new life we have in Christ.)

✔ *Why are white and gold the colors of Easter?* (They are the colors of light, life, and Resurrection. Gold is a sign of God and heaven.)

• **Have** a volunteer read aloud the paragraphs about honoring Mary. Stress that we honor Mary during May, as well as other saints during the Easter season. Invite the students to share memories of May crowning ceremonies.

• **Recall** that Mary met Jesus as he carried his cross and was with him at Calvary. Ask: *How do you think Mary felt at Easter, when Christ was risen?* (Accept appropriate responses.)

PREPARANDOSE PARA ORAR

Los estudiantes escucharán la lectura bíblica y responderán con una oración y una canción en honor a María.

• Escoja a un líder y a un lector y pídales que preparen sus partes.

• Practique "Santa María del camino", 4–6 CD.

El lugar de oración

• Ponga una estatua de María en la mesa.

• Si es posible, traiga flores para que se lleve en la procesión y se pongan a los pies de la estatua de María.

• Prepare una corona de flores para coronar a María.

CONEXION

Conexión con el currículo

Arte

Materiales: flores, materiales surtidos

Invítelos a diseñar una corona para María.

Honrando a María En muchas partes del mundo, mayo es un mes especial de devoción a María. Honramos y celebramos a María porque ella es la madre del Hijo de Dios. Su confianza y fe en Dios nos enseña como ser discípulos y le pedimos que rece por nosotros. Hay muchas devociones populares en honor a María. Para muchas personas el mes de mayo es tiempo para coronar estatuas de nuestra señora. Llamamos a María, reina, porque su hijo, Jesús, es el Rey de reyes y cuyo reino nunca terminará. De hecho, a todos los seguidores de Cristo se les ha prometido que "Recibirán la corona de la gloria" (1 Pedro 5:4) y "la vida que es la corona" (Santiago 1:12)

En una coronación en mayo, una estatua de María es coronada con flores. La ceremonia de una coronación es con frecuencia celebrada en grutas o jardines. No tiene lugar durante la liturgia y muchas veces es acompañada de una procesión, cantando o leyendo la Escritura y de peticiones a María para que ruegue por nosotros. Nos regocijamos con ella de que un día, también nosotros, recibiremos la "corona de la gloria".

RESPONDEMOS

¿Cómo puedes seguir los ejemplos de María y de los santos? ¿Qué harás esta semana para dar testimonio de Jesús?

Respondemos en oración

Líder: Te alabamos, Señor, en tu hija de Israel.

Todos: María, fiel a ti y nuestra madre.

Lector:: Lectura del santo Evangelio según Lucas.

"Cuando Isabel oyó el saludo de Maria, la criatura se le movió en el vientre, y ella quedó llena del Espíritu Santo. Entonces con voz muy fuerte dijo: "¡Dios te ha bendecido más que a todas las mujeres, y ha bendecido a tu hijo". ¿Quién soy yo, para que venga a visitarme la madre de mi Señor?" (Lucas 1:41–43)

Palabra del Señor.

Todos: Gloria a ti, Señor Jesús.

Líder: Ruega por nosotros Santa Madre de Dios.

Todos: Para que seamos dignos de alcanzar las promesas de Cristo.

Santa María del camino

Mientras recorres la vida tú nunca solo estás;
contigo por el camino, Santa María va.
Ven con nosotros al caminar; Santa María, ven.
Ven con nosotros al caminar;
Santa María, ven.

302

Planificación de la lección

RESPONDEMOS ____ minutos

Conexión con la vida Recuerde a los estudiantes que los 50 días del tiempo de Pascua es un tiempo de regocijo por la nueva vida que tenemos en Cristo. Durante el mes de mayo celebramos a María de una forma especial, y durante todo el tiempo honramos a los santos cuyas fiestas se celebran en este tiempo de alegría.

• **Lea** las instrucciones de la actividad *Respondemos*. Pida a los estudiantes que respondan por escrito antes de compartir sus ideas sobre dar testimonio de Jesús y seguir los ejemplos de María y los santos.

Respondemos en oración ____ minutos

• **Reúnanse** en la parte de atrás del aula. Si se han hecho las coronas, escoja una para coronar a María. Si no, facilite una.

• **Si** los estudiantes saben el himno "Dios te salve María", pueden cantarlo al ir en procesión al lugar de oración.

• **Recen** la Señal de la Cruz

• **Pida** al líder que comience la oración.

• **Dé** una indicación al lector en el momento apropiado.

• **Canten** juntos la canción. La corona se puede colocar cuando se canta por primera vez el estribillo.

• **Concluya** recordando a los estudiantes buscar a María, su madre y compañera en su peregrinaje de fe.

Honoring Mary In many areas of the world, May is a special month of devotion to Mary. We honor and celebrate Mary because she is the mother of the Son of God. Her trust and faith in God teach us how to be disciples, and we ask her to pray with and for us. There are many popular devotions to Mary, and the month of May has for many people been a time for the crowning of Our Lady's statue. We call Mary queen because her Son Jesus is the King of Kings whose kingdom will never end. In fact, all followers of Christ are promised the "crown of glory" (1 Peter 5:4) and "the crown of life" (James 1:12).

In a May crowning, a statue of Mary may be crowned with a wreath of flowers or a simple crown. The May crowning ceremony, which does not take place during the liturgy, is often celebrated in grottos, outdoor shrines, or parish gardens. Many times there is a procession accompanied by singing, Scripture readings, and requests for Mary to pray for us. We rejoice with her that one day we, too, may receive the "crown of glory."

WE RESPOND

How can you follow the examples of Mary and the saints? What will you do this week to give witness to Jesus?

EASTER

We Respond in Prayer

Leader: We praise you, Lord, in this daughter of Israel,

All: Mary, your faithful one and our mother.

Reader: A reading from the holy Gospel according to Luke

"When Elizabeth heard Mary's greeting, the infant leaped in her womb, and Elizabeth, filled with the holy Spirit, cried out in a loud voice and said, 'Most blessed are you among women, and blessed is the fruit of your womb. And how does this happen to me, that the mother of my Lord should come to me?'" (Luke 1:41–43)

The Gospel of the Lord.

All: Praise to you, Lord Jesus Christ.

Leader: Pray for us, holy Mother ofGod.

All: That we may become worthy of the promises of Christ.

Holy Mary

Holy Mary, we come to honor you.
We crown you this day,
the queen of our hearts.
Mary, you are filled with the Lord's own grace.
Salve Regina, Holy Mary.

303

Chapter 27 • Easter

PREPARING TO PRAY

The students will respond to a scripture reading with prayer and song.

- Choose a leader and a reader and give them time to prepare.
- Practice "Holy Mary," #26 on the Grade 5 CD.

The Prayer Space

- Place a statue of Mary on the table.
- If possible, provide flowers to be carried in procession and placed around the feet of the statue. Prepare a crown of flowers to be placed on the statue.

CONNECTION

Curriculum Connection

Art

Activity Materials: flowers, craft materials

Invite the students to design a crown for Mary.

Lesson Plan

WE RESPOND ____ minutes

Connect to Life Remind students that the fifty days of the Easter season are a time to rejoice in the new life we have in Christ. During the month of May we celebrate Mary in a special way, and throughout the season we honor the saints whose feasts occur in this time of joy.

- **Read** the *We Respond* questions. Have students respond in writing before sharing their ideas about giving witness to Jesus and following the examples of Mary and the saints.

We Respond in Prayer ____ minutes

- **Gather** in the back of the room. If Marian crowns have been made, choose one to be placed on the statue. If not, provide a crown. Distribute flowers.
- **If** students know the traditional hymn "Immaculate Mary," they might sing it as they process to the prayer space.
- **Pray** the Sign of the Cross.
- **Have** the leader begin the prayer.
- **Signal** the reader at the appropriate time.
- **Sing** the song "Holy Mary" together. Place the crown on the statues as the song is sung.
- **Conclude** by reminding students to turn to Mary as their mother and companion on their journeys of faith.

CONEXION CON EL HOGAR

Compartiendo lo aprendido

Anime a los estudiantes a participar con sus familias en una bendición del hogar durante la octava de Pascua.

Para más información y actividades adicionales, invite a las familias a visitar Sadlier en

www.CREEMOSweb.com

Respondemos y compartimos la fe

Compartiendo lo aprendido

Habla con tu familia sobre lo siguiente:

- el significado del tiempo de Pascua
- los signos de Pascua en nuestra Iglesia y liturgia
- en mayo honramos a María.

Alrededor de la mesa

Pide a tu familia tratar una de las siguientes actividades durante el tiempo de Pascua. Dibuja una cruz. Escribe las fechas en que vas a hacer las actividades con tu familia.

_______ Dar juguetes y ropa a un mercado de pulgas en beneficio de una causa justa.

_______ Visita a una persona en un asilo y llévale flores.

_______ Tomen tiempo para buscar signos de nueva vida.

_______ Hablen sobre formas en que la familia va a cuidar del mundo a su alrededor.

Oración en familia

La octava de Pascua es los primeros ocho días de Pascua, incluyendo el domingo de Pascua. Es también llamada semana de pascua. Cada uno de estos días es celebrado como una solemnidad, o como otro día de pascua. En un sentido es una semana de domingo.

Durante la semana de pascua bendice tu hogar con la siguiente oración:

Líder: Dios, llena nuestros corazones y nuestro hogar de paz.

Todos: Ahora y siempre

Líder: Cristo, resucita de la muerte, es nuestra esperanza, gozo y fortaleza. Que todo el que entre en este hogar encuentre la luz y el amor de Cristo.

Visita Sadlier en www.CREEMOSweb.com

Conexión con el Catecismo
Para referencia vea el párrafo 655.

304

PAGINA DEL ALUMNO 304

Liturgia para la semana

Visite **www.creemosweb.com** para las lecturas bíblicas de esta semana y otros materiales propios del tiempo.

Respondemos y compartimos la fe

Proyecto individual

Distribuya el patrón 27, los marcadores y lápices de colores. Explique que cada una de las preguntas de "¿Qué pasa si...?" Deben responderse con una caricatura original o tira cómica corta. La caricatura o tira cómica debe incluir un dibujo y burbujas de diálogo o descripción en la parte inferior.

Indique que aunque esta actividad es graciosa, se basa en la importancia del don de la fe. Jesús contaba con que sus amigos superaran sus temores y dudas. Confiaba en ellos. Ellos creían en él y formaron la comunidad de fe a la que ahora pertenecemos.

Comparta y exhiba sus trabajos terminados.

Proyecto en grupo

Los 50 días del tiempo de Pascua son un tiempo de mistagogía, una exploración más profunda de los misterios de la fe por los recién bautizados y neófitos (nuevas luces) a los que se dio la bienvenida a la Iglesia durante la Vigilia de Pascua. El proceso catequístico incluye celebrar la Eucaristía, reflexionar sobre el evangelio y hacer obras de caridad. Pida a los estudiantes que decidan como honrarán a estos nuevos cristianos o como los ayudarán a seguir su jornada en la fe. Algunas posibilidades son: ofrecer una recepción para los recién bautizados, presentar una escenificación del evangelio del tiempo o invitar a los neófitos a servir con ellos en un comedor de beneficencia o refugio local.

We Respond and Share the Faith

Individual Project

Distribute Reproducible Master 27 along with markers and colored pencils. Explain that each of the three "What if?" questions is to be answered with an original cartoon or short comic strip. The cartoon or comic strip should include a sketch and dialogue balloons or a descriptive caption at the bottom.

Point out that although this is a humorous activity, it is based on the importance of the gift of faith. Jesus relied on his friends to overcome their fears and doubts. He trusted them. They believed in him and went about forming the community of faith to which we now belong.

Share and display the completed cartoons.

Group Project

The fifty days of the Easter season are a time of mystagogy, a deeper exploration of the mysteries of the faith by the newly baptized or *neophytes* (new lights) who were welcomed into the Church at the Easter Vigil. The catechetical process includes celebrating the Eucharist, reflecting on the gospel, and doing works of charity. Have the students decide how they will honor these new Christians or assist them in their ongoing journey of faith. Possibilities might include hosting a reception for the newly baptized, presenting a seasonal gospel skit, or inviting the neophytes to join them in serving at a soup kitchen or a local shelter.

Home Connection

Sharing What I Learned

Encourage the students to involve their families in a home blessing during the Easter season.

For additional information and activities, encourage families to visit Sadlier's

www.CREEMOSweb.com

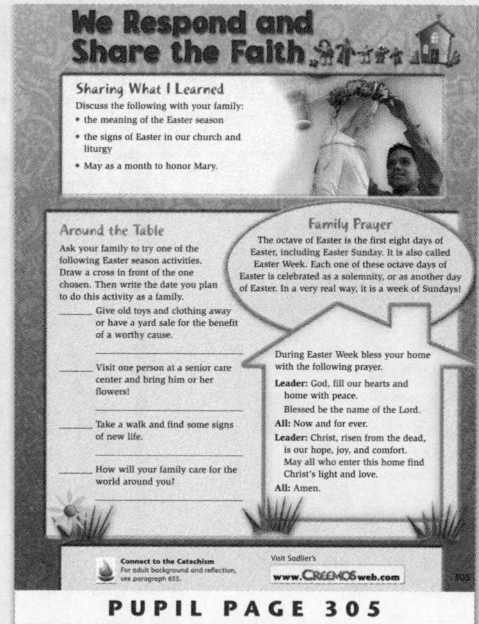

We Respond and Share the Faith

Sharing What I Learned

Discuss the following with your family:
- the meaning of the Easter season
- the signs of Easter in our church and liturgy
- May as a month to honor Mary.

Around the Table

Ask your family to try one of the following Easter season activities. Draw a cross in front of the one chosen. Then write the date you plan to do this activity as a family.

_____ Give old toys and clothing away or have a yard sale for the benefit of a worthy cause. _____

_____ Visit one person at a senior care center and bring him or her flowers! _____

_____ Take a walk and find some signs of new life. _____

_____ How will your family care for the world around you? _____

Family Prayer

The octave of Easter is the first eight days of Easter, including Easter Sunday. It is also called Easter Week. Each one of these octave days of Easter is celebrated as a solemnity, or as another day of Easter. In a very real way, it is a week of Sundays!

During Easter Week bless your home with the following prayer.

Leader: God, fill our hearts and home with peace.
Blessed be the name of the Lord.

All: Now and for ever.

Leader: Christ, risen from the dead, is our hope, joy, and comfort.
May all who enter this home find Christ's light and love.

All: Amen.

Connect to the Catechism
For adult background and reflection, see paragraph 655.

Visit Sadlier's www.CREEMOSweb.com

305

PUPIL PAGE 305

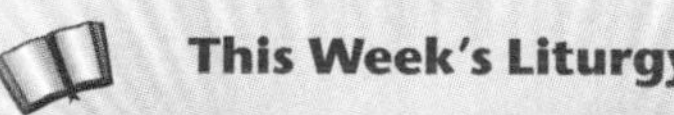

This Week's Liturgy

Visit www.creemosweb.com for this week's liturgical readings and other seasonal material.

Vía crucis

En el vía crucis seguimos los pasos de Jesús durante su pasión y muerte en la cruz.

Stations of the Cross

In the stations we follow in the footsteps of Jesus during his passion and death on the cross.

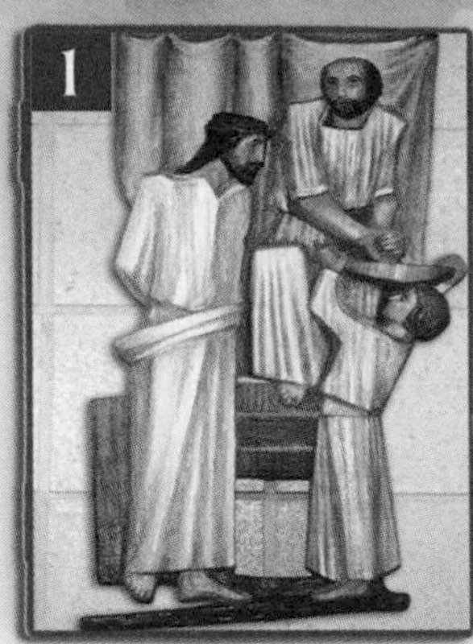

Jesús es condenado a muerte.
Jesus is condemned to die.

Jesús carga con la cruz.
Jesus takes up his cross.

Jesús cae por primera vez.
Jesus falls the first time.

Jesús encuentra a su madre.
Jesus meets his mother.

Simón ayuda a Jesús a cargar la cruz.
Simon helps Jesus carry his cross.

Verónica enjuga el rostro de Jesús.
Veronica wipes the face of Jesus.

Jesús cae por segunda vez.
Jesus falls the second time.

Jesús encuentra a las mujeres de Jerusalén.
Jesus meets the women of Jerusalem.

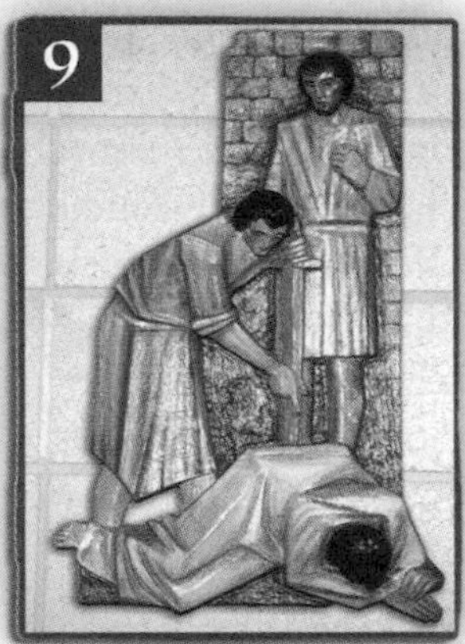

Jesús cae por tercera vez.
Jesus falls the third time.

Jesús es despojado de sus vestidura
Jesus is stripped of his garments.

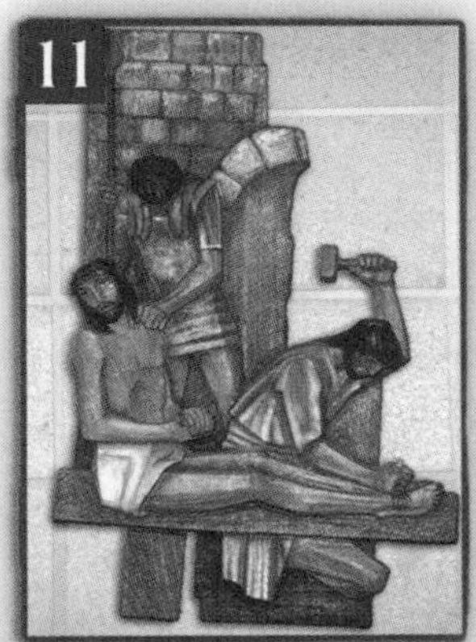

Jesús es clavado en la cruz.
Jesus is nailed to the cross.

Jesús muere en la cruz.
Jesus dies on the cross.

Jesús es bajado de la cruz.
Jesus is taken down from the cross.

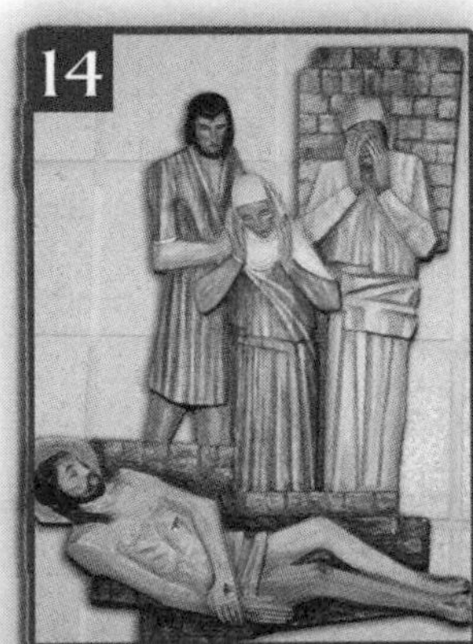

Jesús es dejado en un sepulcro.
Jesus is laid in the tomb.

Oraciones y devociones católicas

Ave María

Dios te salve María, llena eres de gracia;
el Señor es contigo;
bendita tú eres entre todas las mujeres,
y bendito es el fruto de tu vientre, Jesús.
Santa María, Madre de Dios,
ruega por nosotros pecadores,
ahora y en la hora
de nuestra muerte. Amén.

El angelus

El ángel del Señor anunció a María.
Y concibió del Espíritu Santo.
Dios te salve María . . .

He aquí la esclava del Señor.
Hágase en mí según tu palabra.
Dios te salve María. . .

El Hijo de Dios se hizo hombre.
Y habitó entre nosotros para la redención del mundo.
Dios te salve María . . .

Ruega por nosotros, santa Madre de Dios.
Para que seamos dignos de alcanzar las promesas de Cristo.

Oremos:
Derrama Señor, tu gracia sobre nosotros, que, por el anuncio del ángel, hemos conocido la encarnación de tu Hijo, para que lleguemos, por su pasión y su cruz, a la gloria de la resurrección.

Por Jesucristo nuestro Señor.

Amén.

Memorare

Acuérdate, oh piadosísima Virgen María, que jamás se ha oído decir que uno solo de cuantos han acudido a tu protección e implorado tu socorro, haya sido desamparado.

Yo, pecador, animado con tal confianza acudo a ti, oh Madre, Virgen de las vírgenes, a ti vengo, delante de ti me presento gimiendo. No quieras, oh Madre de Dios, despreciar mis súplicas, antes bien, óyelas benignamente y cúmplelas. Amén.

Magnificat

Proclama mi alma la grandeza del Señor,
se alegra mi espíritu en Dios, mi salvador;
porque ha mirado la humillación de su esclava.
Desde ahora me felicitarán todas las generaciones,
porque el Poderoso ha hecho obras grandes en mí:
su nombre es santo,
y su misericordia llega a sus fieles de generación en generación.
El hace proezas con su brazo:
Dispersa a los soberbios de corazón,
derriba del trono a los poderosos
y enaltece a los humildes,
a los hambrientos los colma de bienes
y a los ricos los despide vacíos.
Auxilia a Israel, su siervo,
acordándose de la misericordia,
como lo había prometido a nuestros padres,
a favor de Abrahán y su descendencia
por siempre.
Gloria al Padre, y al Hijo y al Espíritu Santo.
Como era en el principio, ahora y siempre, por los siglos de los siglos. Amén.

La Salve

Dios te salve, Reina y Madre de misericordia,
vida, dulzura y esperanza nuestra; Dios te salve.
A ti llamamos los desterrados hijos de Eva;
a ti suspiramos, gimiendo y llorando en este
valle de lágrimas.
Ea, pues, Señora, abogada nuestra,
vuelve a nosotros esos tus ojos misericordiosos,
y después de este destierro,
muéstranos a Jesús, fruto bendito de tu vientre.
Oh clementísima, oh piadosa, oh dulce
Virgen María.

Señal de la Cruz

En el nombre del Padre, y del Hijo, y del Espíritu Santo. Amén.

Gloria

Gloria al Padre, y al Hijo y al Espíritu Santo.
Como era en el principio, ahora y siempre, por los siglos de los siglos. Amén.

Oración para la mañana

Mi Dios, te ofrezco todas mis oraciones, trabajos y sufrimientros de este día por todas las intenciones de tu sacratísimo corazón. Amén.

Oración para la noche

Dios de amor,
antes de irme a dormir quiero darte las gracias
por este día lleno de tu bondad y de tu gozo.
Cierro mis ojos para descansar
seguro de tu amor.

Misterios del rosario

Misterios gozosos

La anunciación
La visitación
El nacimiento de Jesús
La presentación de Jesús en el Templo
El niño Jesús es encontrado en el Templo

Misterios dolorosos

La agonía de Jesús en el Jardín
Jesús es azotado en una columna
Jesús es coronado de espinas
Jesús carga con la cruz
La crucifixión y muerte de Jesús

Misterios gloriosos

La resurrección
La ascensión
La venida del Espíritu Santo
La asunción de María al cielo
La coronación de María en el cielo

Misterios de Luz

El bautismo de Jesús en el Jordán
El milagro de las bodas de Caná
Jesús anuncia el reino de Dios
La transfiguración de Jesús
La institución de la Eucaristía

Las Bienaventuranzas

Mateo 5:3–10

Las Bienaventuranzas	Viviendo la Bienaventuranza
Dichosos lo que reconocen su necesidad espiritual, pues el reino de Dios les pertenece.	Somos "pobres de espíritu" cuando dependemos de Dios y hacemos de Dios lo más importante en nuestras vidas.
Dichosos los que están tristes, pues Dios les dará consuelo.	Estamos "tristes" por la forma egoísta en que se trata a la gente.
Dichosos los de corazón humilde, pues recibirán la tierra que Dios les ha prometido.	Somos "humildes" cuando somos pacientes, amables y respetuosos con todo el mundo.
Dichosos los que tienen hambre y sed de hacer lo que Dios exige, pues él hará que se cumplan sus deseos.	Tenemos "hambre y sed de justicia" cuando buscamos la justicia y tratamos justamente a todos.
Dichosos los que tienen compasión de otros, pues Dios tendrá compasión de ellos.	Somos "compasivos" cuando perdonamos y no buscamos la venganza.
Dichosos los de corazón limpio, pues ellos verán a Dios.	Somos "limpios de corazón" cuando somos fieles a las enseñanzas de Dios y tratamos de ver a Dios en todo el mundo y todas las situaciones.
Dichosos los que procuran la paz, pues Dios los llamará hijos suyos.	Somos "pacificadores" cuando tratamos a otros con amor y respeto y cuando ayudamos a los demás a buscar la paz.
Dichosos los que sufren persecución por hacer lo que Dios exige, pues el reino de Dios les pertenece.	Somos "perseguidos por hacer lo correcto" cuando otros nos faltan al respeto como discípulos de Jesús y porque seguimos su ejemplo.

Acto de fe

)h, Dios! Creeemos en todo lo ue Jesús nos ha enseñado cerca de ti. Ponemos uestra confianza en ti, porque ú nos amas grandemente.

Acto de esperanza

¡Oh Dios! No dudamos de tu amor. Esperamos y trabajaremos por tu reino y por la vida eterna contigo en el cielo.

Acto de caridad

¡Oh Dios! Te amamos sobre todas las cosas. Ayúdanos a amarnos y a amar a los demás como Jesús nos pide.

Celebración de la Eucaristía
la misa

Ritos Iniciales

Procesión/himno de entrada Los acólitos, lectores, el diácono y el sacerdote proceden hacia el altar. La asamblea canta. El sacerdote y el diácono besan el altar haciendo una genuflexión.

Saludos El sacerdote y la asamblea hacen la señal de la cruz y el sacerdote nos recuerda que estamos en la presencia de Jesús.

Acto penitencial Reunida en la presencia de Dios, la asamblea reconoce sus pecados y proclama el misterio del amor de Dios. Pedimos a Dios que sea misericordioso.

Yo confieso ante Dios todopoderoso,
y ante ustedes, hermanos,
que he pecado mucho
de pensamiento, palabra, obra y omisión.
Por mi culpa, por mi culpa, por mi gran culpa.
Por eso ruego a Santa María, siempre Virgen,
a los ángeles, a los santos
y a ustedes, hermanos,
que intercedan por mí ante Dios, nuestro Señor.

El Gloria Algunos domingos cantamos o rezamos este antiguo himno.

Oración inicial Esta oración expresa el tema de la celebración, las necesidades y esperanzas de la asamblea.

Liturgia de la Palabra

Primera lectura Esta lectura es generalmente tomada del Antiguo Testamento. Escuchamos sobre el amor y la misericordia de Dios para su pueblo antes de la venida de Cristo. Escuchamos historias de esperanza y valor, poder y maravilla. Aprendemos la alianza de Dios con su pueblo y las formas en que vivieron esa alianza.

Salmo responsorial Después de reflexionar en silencio en la palabra de Dios, damos gracias a Dios por la palabra escuchada.

Segunda lectura Esta lectura es tomada generalmente de las cartas de los apóstoles, Hechos de los apóstoles o el Apocalipsis en el Nuevo Testamento. Escuchamos sobre los primeros discípulos, las enseñanzas de los apóstoles y el inicio de la Iglesia.

Proclamación del evangelio Nos ponemos de pie y cantamos Aleluya u otras palabras de alabanza. Esto muestra que estamos listos para escuchar la buena nueva de Jesucristo.

Lectura del evangelio Esta lectura siempre es tomada de los evangelios de Mateo, Marcos, Lucas y Juan. Proclamada por el diácono o el sacerdote, esta lectura es sobre la misión y el ministerio de Jesús. Las palabras y acciones de Jesús que escuchamos hoy nos ayudan a vivir como sus discípulos.

Homilía El sacerdote o el diácono nos hablan sobre las lecturas. Estas palabras nos ayudan a entender el significado de la palabra de Dios hoy. Aprendemos lo que significa creer y ser miembros de la Iglesia. Nos acercamos a Dios y a los demás.

El credo Toda la asamblea reza el Credo de Nicea (pp 318) o el Credo de los Apóstoles (pp 318). Nos ponemos de pie y en voz alta expresamos lo que creemos como miembros de la Iglesia.

Intercesiones generales Rezamos por las necesidades del pueblo de Dios. Esta es también llamada oración de los fieles.

Liturgia de la Eucaristía

Preparación de las ofrendas Durante la preparación de las ofrendas, el diácono y los acólicos preparan el altar. Ofrecemos nuestros dones. Estos incluyen el pan, el vino y la colecta para la Iglesia y los necesitados. Como miembros de la asamblea, cantando llevamos el pan y el vino en procesión hacia el altar. El pan y el vino se colocan en el altar y el sacerdote pide a Dios que los bendiga y acepte nuestros regalos. Respondemos: "Bendito seas por siempre, Señor".

Oración eucarística La oración eucarística es verdaderamente la oración más importante de la Iglesia. Esta es nuestra mayor oración de adoración y acción de gracias. Nos unimos a Cristo y a los demás. Esta oración consiste en:

- adorar y dar gracias a Dios. Levantamos nuestros corazones al Señor. Alabamos y damos gracias a Dios por su obra de salvación y cantamos: "Santo, Santo, Santo".
- invocamos al Espíritu Santo para que bendiga los regalos de pan y vino que serán cambiados en el Cuerpo y la Sangre de Cristo. Rezamos para que también nosotros seamos cambiados en el cuerpo de Cristo en la tierra.
- recordamos las palabras y las acciones de Jesús en la última cena. Por el poder del Espíritu Santo y las palabras y acciones del sacerdote, el pan y el vino se convierten en el Cuerpo y la Sangre de Cristo. Esta parte de la oración es llamada consagración.
- recordamos la pasión, muerte, resurrección y ascensión de Jesús.
- recordamos que la Eucaristía es ofrecida por la Iglesia en el cielo y en la tierra. Rezamos por las necesidades de la Iglesia. Rezamos por la unidad de todos los que reciben el Cuerpo y la Sangre de Cristo.
- alabamos a Dios rezando el gran "Amén" en amor a Dios: Padre, Hijo y Espíritu Santo. Nos unimos en esta gran oración de acción de gracia rezada por el sacerdote en nuestro nombre y el nombre de Cristo.

Rito de la comunión El rito de la comunión es la tercera parte de la Liturgia de la Eucaristía. Rezamos en voz alta o cantamos el Padrenuestro. Pedimos que la paz de Cristo esté siempre con nosotros. Nos damos el saludo de la paz para mostrar que estamos unidos en Cristo.

Rezamos en voz alta el Cordero de Dios, pedimos a Jesús misericordia, perdón y paz. El sacerdote parte la Hostia y somos invitados a compartir la Eucaristía. Se nos muestra la Hostia y escuchamos: "El Cuerpo de Cristo". Se nos muestra la copa y escuchamos: "La Sangre de Cristo". Cada persona responde: "Amén" y recibe la comunión.

Mientras se recibe la comunión todos cantamos. Trabajamos por la unidad de los cristianos. Sin embargo, algunas personas no católicas no deben recibir la comunión en la misa salvo casos especiales. Después, reflexionamos en el don de Jesús y la presencia de Dios en nosotros. El sacerdote reza para que el don de Jesús nos ayude a vivir como discípulo de Jesús.

Rito de Conclusión

Saludos el sacerdote ofrece la oración final. Sus palabras son una promesa de que Jesús estará con nosotros siempre.

Bendición el sacerdote nos bendice en el nombre del Padre, del Hijo, y del Espíritu Santo. Hacemos la señal de la cruz mientras él nos bendice.

Despedida el diácono o el sacerdote nos envía a amar y a servir a los demás.

Himno de despedida el sacerdote o el diácono besan el altar. Ellos, junto con los que han servido en la misa, hacen una genuflexión y salen cantando.

Confiteor

Durante la misa confesamos que hemos pecado. Rezamos:

Yo confieso ante Dios todopoderoso y ante ustedes, hermanos, que he pecado mucho de pensamiento, palabra, obra y omisión. Por mi culpa, por mi culpa, por mi gran culpa. Por eso ruego a santa María, siempre Virgen, a los ángeles, a los santos y a ustedes, hermanos, que intercedan por mí ante Dios, nuestro Señor.

Los Diez Mandamientos

1. Yo soy el Señor, tu Dios. No tendrás otros dioses rivales míos.
2. No pronunciarás el nombre del Señor, tu Dios, en vano.
3. Guarda el día del sábado, para santificarlo.
4. Honra a tu padre y a tu madre.
5. No matarás.
6. No cometerás adulterio.
7. No robarás.
8. No darás falso testimonio contra tu prójimo.
9. No pretenderás la mujer de tu prójimo.
10. No codiciarás los bienes de tu prójimo ni nada de él.

Examen de conciencia

En silencio examina tu conciencia. Usa estas preguntas para ayudarte a reflexionar en tu relación con Dios y con los demás.

¿Hay cosas más importantes para mí que Dios? ¿He leído la Biblia y he rezado?

¿He respetado el nombre de Dios y el de Jesús?

¿Participo en la misa y mantengo el domingo santo con lo que hago y digo?

¿Obedezco a Dios obedeciendo a mis padres, maestros y tutores?

¿He ofendido a otros con mis palabras y acciones? ¿He ayudado a los necesitados?

¿Me he faltado al respeto? ¿Cuido mi cuerpo y muestro respeto a los demás? ¿Respeto la dignidad de todos los que conozco?

¿He sido egoísta o he tomado lo que pertenece a otro sin su permiso? ¿He compartido mis pertenencias?

¿He sido honesto? ¿He mentido o engañado a alguien?

¿He hablado, actuado o vestido en forma que muestra respeto a los demás y a mí?

¿Me he alegrado cuando alguien ha logrado lo que quiere o necesita?

Penitencia y Reconciliación

Rito de reconciliación con varios penitentes.

Ritos introductorios

Nos reunimos en asamblea y cantamos un himno. El sacerdote nos saluda y rezamos una oración.

Celebración de la palabra de Dios

La asamblea escucha la proclamación de la palabra de Dios, seguida de una homilía. Por medio de sus palabras Dios nos llama al arrepentimiento y a regresar a él. Las lecturas nos ayudan a reflexionar en la reconciliación ganada con la vida y la muerte de Jesús. Nos recuerdan la misericordia de Dios y nos prepara para juzgar la bondad de nuestros pensamientos y acciones. Después examinamos nuestras conciencias.

Rito de reconciliación

La asamblea reza un acto de contrición para mostrar que estamos arrepentidos de los pecados cometidos. Podemos hacer otra oración o cantar un himno y rezar un Padrenuestro. Pedimos a Dios que nos perdone como perdonamos a los demás.

Nos reunimos individualmente con el sacerdote y confesamos nuestros pecados. El sacerdote nos aconseja sobre como amar a Dios y a los demás. Nos da una penitencia.

El sacerdote extiende sus manos y nos da la absolución.

Después que todos se han confesado individualmente con el sacerdote, nos reunimos para terminar la celebración. La asamblea alaba a Dios por su misericordia. El sacerdote ofrece una oración de acción de gracia para terminar.

Rito de conclusión

El sacerdote nos bendice y despide la asamblea diciendo "El Señor te ha librado de tus pecados. Vete en Paz". Respondemos: "Demos gracias a Dios".

Rito de reconciliación individual

Examinamos nuestra conciencia antes de ir a ver al sacerdote.

Bienvenida

El sacerdote nos saluda y hace la señal de la cruz. El sacerdote nos pide confiar en la misericordia de Dios.

Lectura de la palabra de Dios

El sacerdote puede leer algo de la Biblia.

Confesión y penitencia

Confesamos nuestros pecados. El sacerdote nos habla sobre amar a Dios y a los demás.

Oración de penitencia y absolución

Rezamos un acto de contrición. El sacerdote extiende su mano y nos da la absolución.

Proclamación de alabanza y despedida

El sacerdote dice: "Demos gracia a Dios, porque es bueno". Respondemos: "Su misericordia dura toda la vida". El sacerdote nos despide diciendo: "El Señor te ha librado de tus pecados. Vete en paz".

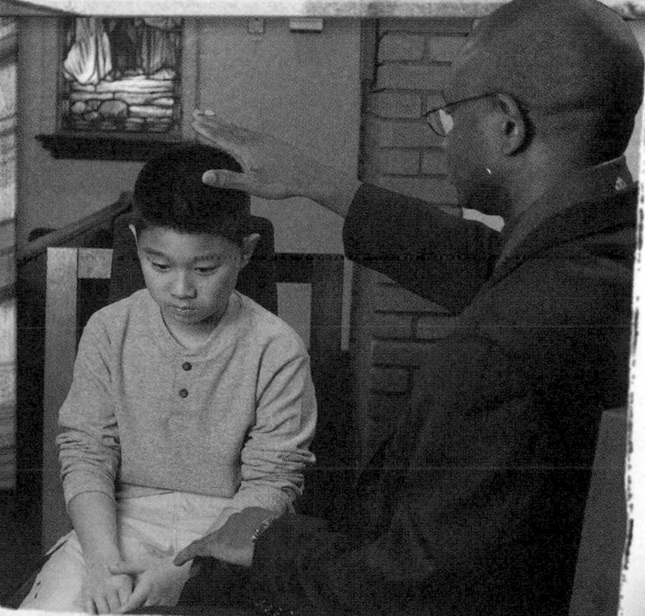

Sacramento del Orden

obispo

Los obispos son los maestros de la Iglesia. Ellos son llamados a asegurar que los fieles reciban las enseñanzas de Jesús y las creencias de nuestra fe. Los obispos nos ayudan a entender y a vivir esas enseñanzas.

Los obispos son los líderes y pastores de la Iglesia. Ellos tienen la autoridad sobre diócesis y juntos con el papa son los pastores de toda la Iglesia. Los obispos dirigen al pueblo y supervisan el trabajo de sus diócesis. En los Estados Unidos, los obispos se reúnen dos veces al año para tomar decisiones que afectan a la Iglesia en nuestro país.

Los obispos son los jefes de los sacerdotes de sus diócesis. Ellos aseguran que los fieles cristianos en sus diócesis tengan la oportunidad de participar en la celebración de los sacramentos, especialmente en la Eucaristía. Al velar por la liturgia de la diócesis, el obispo ayuda a todos los fieles a vivir vidas cristianas y crecer en santidad.

Hay dos tipos de sacerdotes: diocesanos y religiosos. Los sacerdotes religiosos pertenecen a una comunidad.

Los sacerdotes diocesanos son ordenados para servir en una diócesis. Ellos generalmente sirven en parroquias pero también pueden servir en hospitales, escuelas, la milicia, cárceles y otras instituciones.

sacerdote

Los sacerdotes religiosos sirven en cualquier comunidad donde sean enviados. Ellos generalmente hacen votos de castidad, pobreza y obediencia. Pueden ser párrocos o misioneros, maestros, doctores, escritores o trabajar en cualquier área donde se necesite su servicio. Ellos pueden pasar su tiempo en oración y trabajar en sus comunidades. Todos los sacerdotes son llamados a orar, especialmente en la misa, el centro de su ministerio. Esto los fortalece para ayudar a la Iglesia a crecer en fe por medio de la oración y el culto.

Los diáconos son llamados a servir en la comunidad alabando. Ellos son llamados al ministerio de servicio en la diócesis.

diácono

Grados del Orden

En el sacramento del Orden, a los nuevos ordenados se les presenta los signos de su servicio y ministerio en la Iglesia.

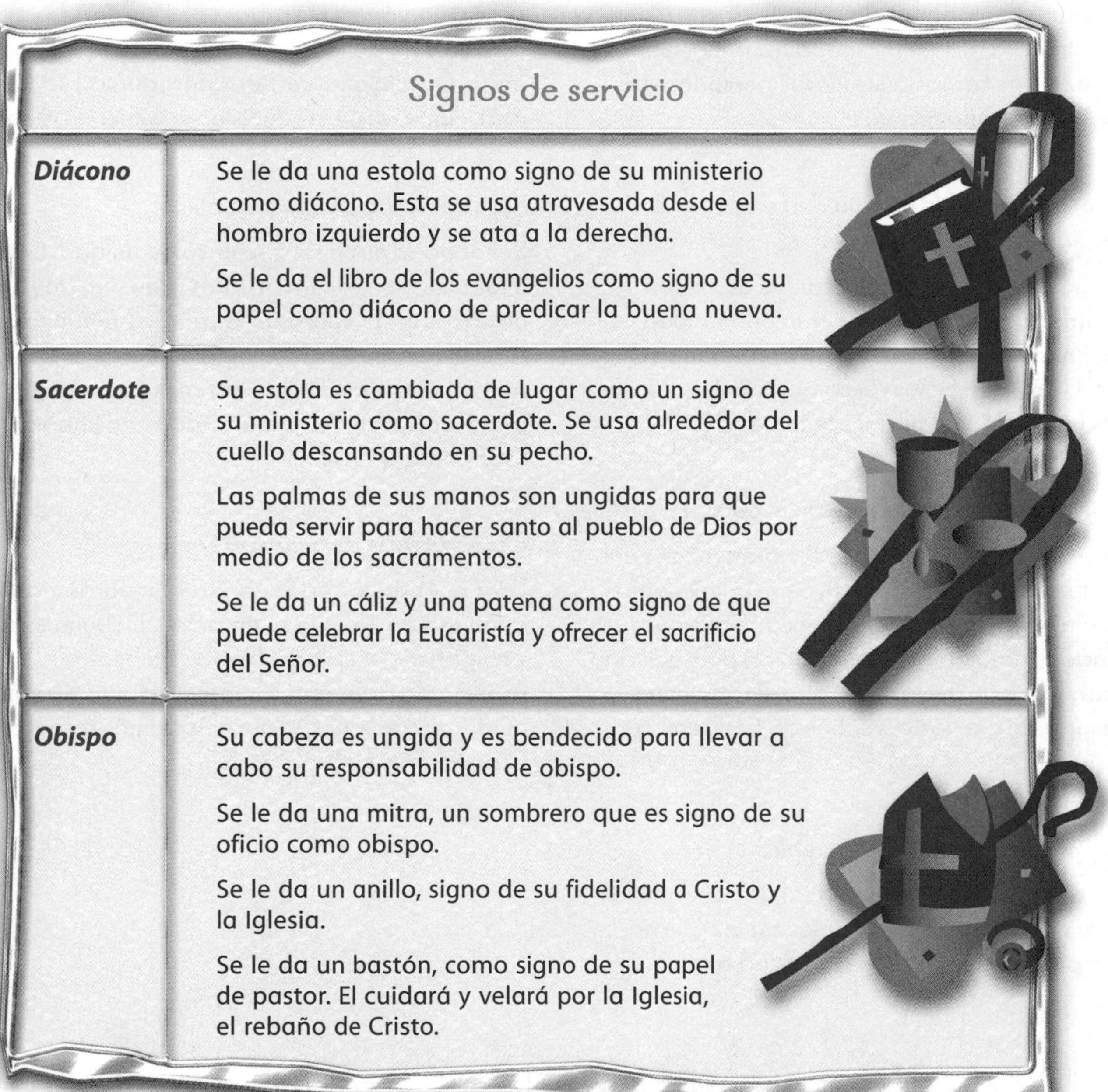

Signos de servicio	
Diácono	Se le da una estola como signo de su ministerio como diácono. Esta se usa atravesada desde el hombro izquierdo y se ata a la derecha. Se le da el libro de los evangelios como signo de su papel como diácono de predicar la buena nueva.
Sacerdote	Su estola es cambiada de lugar como un signo de su ministerio como sacerdote. Se usa alrededor del cuello descansando en su pecho. Las palmas de sus manos son ungidas para que pueda servir para hacer santo al pueblo de Dios por medio de los sacramentos. Se le da un cáliz y una patena como signo de que puede celebrar la Eucaristía y ofrecer el sacrificio del Señor.
Obispo	Su cabeza es ungida y es bendecido para llevar a cabo su responsabilidad de obispo. Se le da una mitra, un sombrero que es signo de su oficio como obispo. Se le da un anillo, signo de su fidelidad a Cristo y la Iglesia. Se le da un bastón, como signo de su papel de pastor. El cuidará y velará por la Iglesia, el rebaño de Cristo.

Doctrina Social de la Iglesia

Hay siete temas de la doctrina social de la Iglesia.

Vida y dignidad de la persona

La vida humana es sagrada porque es un don de Dios. Porque somos hijos de Dios, todos compartimos la misma dignidad humana. Como cristianos respetamos a todas las personas aun cuando no las conozcamos.

Llamada a la familia, la comunidad y a la participación

Somos entes sociales. Necesitamos estar con otros para crecer. La familia es la comunidad básica. En la familia crecemos y aprendemos valores. Como cristianos estamos involucrados en la vida de nuestra familia y comunidad.

Derechos y responsabilidades de la persona

Toda persona tiene derechos fundamentales en la vida. Estos incluyen las cosas que necesitamos para vivir: fe y familia, trabajo y educación, salud y vivienda. También tenemos una responsabilidad para con los demás y la sociedad. Trabajamos para asegurar que los derechos de todos sean protegidos.

Opción por los pobres y vulnerables

Tenemos una obligación especial de ayudar a los pobres y necesitados. Esto incluye a los que no pueden protegerse debido a su edad o salud.

Dignidad del trabajo y derecho de los trabajadores

Nuestro trabajo es un signo de nuestra participación en el trabajo de Dios. Todos tenemos derecho a un trabajo decente, justa paga, condiciones seguras de trabajo y participación en las decisiones sobre el trabajo.

Solidaridad de la familia humana

Solidaridad es un sentimiento de unidad. Esto une a los miembros de un grupo. Cada uno de nosotros es miembro de la familia humana. La familia humana incluye a personas de todas las razas y culturas. Todos sufrimos cuando una parte de la familia humana sufre, no importa si está cerca o lejos.

Cuidado de la creación de Dios

Dios nos creó a todos para ser mayordomos, administradores, de su creación. Debemos cuidar y respetar el medio ambiente. Debemos protegerlo para futuras generaciones. Cuando cuidamos de la creación, mostramos respeto a Dios, el creador.

Días de precepto en los Estados Unidos

Estos son los días en que la Iglesia Católica celebra la Eucaristía al igual que los domingos.

1. María, Madre de Dios (primero de enero)
2. La Ascensión (durante el tiempo de Pascua)
3. La Asunción de María (15 de agosto)
4. Día de todos los santos (primero de noviembre)
5. Inmaculada Concepción (8 de diciembre)
6. Navidad (25 de diciembre)

Preceptos de la Iglesia

El papa y los obispos han establecido leyes para ayudarnos a conocer y cumplir nuestras responsabilidades como miembros de la Iglesia. Estas leyes son llamadas preceptos de la Iglesia.

Es bueno pensar que los preceptos son reglas o principios cuya intención es guiar nuestro comportamiento. Ellas nos enseñan como debemos actuar como miembros de la Iglesia. Estos preceptos también aseguran que la Iglesia tenga lo que necesita para servir a sus miembros y crecer.

1. Celebrar la resurrección de Jesús todos los domingos (o sábado en la tarde) y los días de preceptos, participando en la misa y evitando trabajos innecesarios.
2. Vivir una vida sacramental. Recibir la comunión frecuentemente y el sacramento de la Reconciliación con regularidad. Debemos comulgar por lo menos una vez al año entre el primer domingo de Cuaresma y el domingo de la Santísima Trinidad. Debemos celebrar la Reconciliación por lo menos una vez al año si hemos cometido pecado mortal, o pecado serio.
3. Estudiar las enseñanzas católicas toda la vida, especialmente en la preparación de los sacramentos, para continuar creciendo en la fe.
4. Observar las leyes del matrimonio de la Iglesia y dar instrucción y formación religiosa a los hijos.
5. Contribuir al sostenimiento de la Iglesia, su parroquia, los sacerdotes, toda la Iglesia y el papa.
6. Hacer penitencia, incluyendo no comer carne y ayunar durante ciertos días.
7. Unirse al trabajo misionero de la Iglesia.

Formas de orar

Estos son los tipos de oración. Se ofrece un ejemplo para cada tipo.

Bendición

"Que la gracia del Señor Jesucristo, el amor de Dios y la presencia constante del Espíritu Santo estén con todos ustedes". (2 Corintios 13:14)

Petición

"Oh Dios, ten compasión de mí, que soy pecador". (Lucas 18:13)

Intercesión

"Pido en oración que lleguen a tener más amor todavía y mucha sabiduría y entendimiento". (Filipenses 1:9)

Acción de gracia

"Padre, te doy gracias porque me has escuchado". (Juan 11:41)

Alabanzas

"Alabaré al Señor mientras yo viva; cantaré himnos a mi Dios mientras yo exista". (Salmo 146:2)

Padrenuestro

Padre nuestro, que estás en el cielo,
santificado sea tu nombre;
venga a nosotros tu reino;
hágase tu voluntad en la tierra como en el cielo.
Danos hoy nuestro pan de cada día;
perdona nuestras ofensas,
como también nosotros perdonamos a los que nos ofenden;
no nos dejes caer en la tentación,
y líbranos del mal.

Credo de los apóstoles

Creo en Dios, Padre todopoderoso,
Creador del cielo y de la tierra.
Creo en Jesucristo, su único Hijo, nuestro Señor,
que fue concebido por obra y gracia del Espíritu Santo,
nació de santa María Virgen,
padeció bajo el poder de Poncio Pilato,
fue crucificado, muerto y sepultado,
descendió a los infiernos,
al tercer día recitó de entre los muertos,
subió a los cielos
y está sentado a la derecha de Dios, Padre todopoderoso.
Desde allí ha de venir a juzgar a vivos y muertos.
Creo en el Espíritu Santo,
la santa Iglesia católica,
la comunión de los santos,
el perdón de los pecados,
la resurrección de la carne
y la vida eterna. Amén.

Acto de Contrición

Dios mío,
con todo mi corazón me arrepiento
de todo el mal que he hecho
y de todo lo bueno que he dejado de hacer.
Al pecar, te he ofendido a ti,
que eres el supremo bien
y digno de ser amado sobre todas las cosas.
Propongo firmemente, con la ayuda de tu gracia,
hacer penitencia, no volver a pecar
y huir de las ocasione de pecado.
Señor, por los méritos de la pasión de
nuestro Salvador Jesucristo,
apiádate de mí. Amén.

Credo de Nicea

Creo en un solo Dios,
Padre todopoderoso,
creador del cielo y de la tierra,
de todo lo visible y lo invisible.

Creo en un solo Señor, Jesucristo,
Hijo único de Dios,
nacido del Padre antes de todos los siglos:
Dios de Dios, Luz de Luz, Dios verdadero de Dios
verdadero, engendrado, no creado,
de la misma naturaleza del Padre,
por quien todo fue hecho;
que por nosotros, los hombres,
y por nuestra salvación bajó del cielo,
y por obra del Espíritu Santo
se encarnó de María la Virgen
y se hizo hombre;
y por nuestra causa fue crucificado
en tiempos de Poncio Pilato;
padeció y fue sepultado,
y resucitó al tercer día, según las Escrituras
y subió al cielo,
y está sentado a la derecha del Padre;
y de nuevo vendrá con gloria
para juzgar a vivos y muertos,
y su reino no tendrá fin.

Creo en el Espíritu Santo,
Señor y dador de vida,
que procede del Padre y del Hijo,
que con el Padre y el Hijo
recibe una misma adoración y gloria,
y que habló por los profetas.

Creo en la Iglesia,
que es una, santa, católica y apostólica.
Confieso que hay un solo bautismo
para el perdón de los pecados.
Espero la resurreción de los muertos
y la vida del mundo futuro. Amén.

Prayers and Practices

Hail Mary

Hail Mary, full of grace,
the Lord is with you!
Blessed are you among women,
and blessed is the fruit
of your womb, Jesus.
Holy Mary, Mother of God,
pray for us sinners,
now and at the hour of our death.
Amen.

The Angelus

The angel spoke God's message to Mary,
and she conceived of the Holy Spirit.
Hail, Mary. . . .

"I am the lowly servant of the Lord:
let it be done to me according to your word."
Hail, Mary. . . .

And the Word became flesh
and lived among us.
Hail, Mary. . . .

Pray for us, holy Mother of God,
that we may become worthy of the promises of Christ.

Let us pray.
Lord,
fill our hearts with your grace:
once, through the message of an angel
you revealed to us the incarnation of your Son;
now, through his suffering and death
lead us to the glory of his resurrection.
We ask this through Christ our Lord.
Amen.

Memorare

Remember, most loving Virgin Mary,
never was it heard
that anyone who turned to you for help
was left unaided.

Inspired by this confidence,
though burdened by my sins,
I run to your protection
for you are my mother.
Mother of the Word of God,
do not despise my words of pleading
but be merciful and hear my prayer.
Amen.

The Magnificat

"My soul proclaims the greatness of the Lord;
my spirit rejoices in God my savior,
For he has looked upon his handmaid's lowliness;
behold, from now on all ages will call me blessed.
The Mighty One has done great things for me,
and holy is his name.
His mercy is from age to age
to those who fear him.
He has shown might with his arm,
dispersed the arrogant of mind and heart.
He has thrown down the rulers from their thrones
but lifted up the lowly.
The hungry he has filled with good things;
the rich he has sent away empty.
He has helped Israel his servant,
remembering his mercy,
according to his promise to our fathers,
to Abraham and to his descendants forever."

(Luke 1:46–55)

Hail, Holy Queen

Hail, holy Queen, mother of mercy,
hail, our life, our sweetness, and our hope.
To you we cry, the children of Eve;
to you we send up our sighs,
mourning and weeping in this land of exile.
Turn, then, most gracious advocate,
your eyes of mercy toward us;
lead us home at last
and show us the blessed fruit of your womb, Jesus:
O clement, O loving, O sweet Virgin Mary.

Sign of the Cross

In the name of the Father,
and of the Son,
and of the Holy Spirit. Amen.

Glory to the Father

Glory to the Father,
and to the Son,
and to the Holy Spirit:
as it was in the beginning,
is now, and will be for ever. Amen.

Morning Offering

Jesus, I offer you all my prayers, works,
and sufferings of this day for all the
intentions of your most Sacred Heart. Amen.

Evening Prayer

Dear God,
before I sleep
I want to thank you for this day,
so full of your kindness
and your joy.
I close my eyes to rest
safe in your loving care.

Mysteries of the Rosary

Joyful Mysteries

The Annunciation
The Visitation
The Birth of Jesus
The Presentation of Jesus in the Temple
The Finding of the Child Jesus in the Temple

Sorrowful Mysteries

The Agony in the Garden
The Scourging of the Pillar
The Crowning with Thorns
The Carrying of the Cross
The Crucifixion and Death of Jesus

Glorious Mysteries

The Resurrection
The Ascension
The Descent of the Holy Spirit upon the Apostles
The Assumption of Mary into Heaven
The Coronation of Mary as Queen of Heaven

The Mysteries of Light

Jesus' Baptism in the Jordan
The Miracle at the Wedding at Cana
Jesus Announces the Kingdom of God
The Transfiguration
The Institution of the Eucharist

The Beatitudes

Matthew 5:3–10

The Beatitudes	Living the Beatitudes
"Blessed are the poor in spirit, for theirs is the kingdom of heaven.	We are "poor in spirit" when we depend on God and make God more important than anyone or anything else in our lives.
Blessed are they who mourn, for they will be comforted.	We "mourn" when we are sad because of the selfish ways people treat one another.
Blessed are the meek, for they will inherit the land.	We are "meek" when we are patient, kind, and respectful to all people, even those who do not respect us.
Blessed are they who hunger and thirst for righteousness, for they will be satisfied.	We "hunger and thirst for righteousness" when we search for justice and treat everyone fairly.
Blessed are the merciful, for they will be shown mercy.	We are "merciful" when we forgive others and do not take revenge on those who hurt us.
Blessed are the clean of heart, for they will see God.	We are "clean of heart" when we are faithful to God's teachings and try to see God in all people and in all situations.
Blessed are the peacemakers, for they will be called children of God.	We are "peacemakers" when we treat others with love and respect and when we help others to stop fighting and make peace.
Blessed are they who are persecuted for the sake of righteousness, for theirs is the kingdom of heaven."	We are "persecuted for the sake of righteousness" when others disrespect us for living as disciples of Jesus and following his example.

Act of Faith

Oh God, we believe in all that Jesus has taught us about you.
We place all our trust in you because of your great love for us.

Act of Hope

O God, we ever give up on your love.
We have hope and will work for your kingdom to come and for a life that last forever with you in heaven.

Act of Love

Oh God, we love you above all things.
Help us to love ourselves and one another as Jesus taught us to do

The Celebration of the Eucharist
The Mass

Introductory Rites

Procession/Opening Song Altar servers, readers, the deacon, and the priest celebrant process forward to the altar. The assembly sings as this takes place. The priest and deacon kiss the altar and bow out of reverence.

Greeting The priest and assembly make the sign of the cross, and the priest reminds us that we are in the presence of Jesus.

Penitential Rite Gathered in God's presence the assembly sees its sinfulness and proclaims the mystery of God's love. We ask for God's mercy in our lives.

Gloria On some Sundays we sing or say this ancient hymn.

Opening Prayer This prayer expresses the theme of the celebration and the needs and hopes of the assembly.

Liturgy of the Word

First reading This reading is usually from the Old Testament. We hear of God's love and mercy for his people before the time of Christ. We hear stories of hope and courage, wonder and might. We learn of God's covenant with his people and of the ways they lived his law.

Responsorial psalm After reflecting in silence as God's word enters our hearts, we thank God for the word just heard.

Second reading This reading is usually from the New Testament letters, the Acts of the Apostles, or the Book of Revelation. We hear about the first disciples, the teachings of the apostles, and the beginning of the Church.

Gospel acclamation We stand to sing the Alleluia or other words of praise. This shows we are ready to hear the good news of Jesus Christ.

Gospel reading This reading is always from the Gospel of Matthew, Mark, Luke, or John. Proclaimed by the deacon or priest, this reading is about the mission and ministry of Jesus. Jesus' words and actions speak to us today and help us know how to live as his disciples.

Homily The priest or deacon talks to us about the readings. His words help us understand what God's word means to us today. We learn what it means to believe and be members of the Church. We grow closer to God and one another.

Profession of faith The whole assembly prays together the Nicene Creed (p. 330) or the Apostles' Creed (p. 330). We are stating aloud what we believe as members of the Church.

General intercessions We pray for the needs of all God's people. This is also called the prayer of the faithful.

Liturgy of the Eucharist

Preparation of the Gifts During the preparation of the gifts the altar is prepared by the deacon and the altar servers. We offer the gifts. These gifts include the bread and wine and the collection for the Church and for those in need. As members of the assembly carry the bread and wine in a procession to the altar, we sing. The bread and wine are placed on the altar, and the priest asks God to bless and accept our gifts. We respond "Blessed be God for ever."

Eucharist Prayer The eucharistic prayer is truly the most important prayer of the Church. It is our greatest prayer of praise and thanksgiving. It joins us to Christ and to one another. This prayer consists of

- offering God thanksgiving and praise. We lift up our hearts to the Lord. We praise and thank God for the good work of salvation by singing "Holy, Holy, Holy."
- calling on the Holy Spirit to bless the gifts of bread and wine that will be changed into the Body and Blood of Christ. We pray that we, too, will be changed into the Body of Christ on earth.
- recalling Jesus' words and actions at the Last Supper. By the power of the Holy Spirit and through the words and actions of the priest, the bread and wine become the Body and Blood of Christ. This part of the prayer is called the consecration.
- recalling Jesus' passion, death, Resurrection, and Ascension.
- remembering that the Eucharist is offered by the Church in heaven and on earth. We pray for the needs of the Church. We pray that all who receive the Body and Blood of Christ will be united.
- praising God and praying a great "Amen" in love of God: Father, Son, and Holy Spirit. We unite ourselves to this great prayer of thanksgiving which is prayed by the priest in our name and in the name of Christ.

Communion Rite The communion rite is the third part of the Liturgy of the Eucharist. We pray aloud or sing the Lord's Prayer. We pray that Christ's peace be with us always. We offer one another a sign of peace to show that we are united in Christ.

We say aloud or sing the Lamb of God, asking Jesus for his mercy, forgiveness, and peace. The priest breaks apart the Host, and we are invited to share in the Eucharist. We are shown the Host and hear "The body of Christ." We are shown the cup and hear "The blood of Christ." Each person responds "Amen" and receives Holy Communion.

While people are receiving Holy Communion, we sing as one. We are working for Christian unity. However, people who are not Catholic may not receive Holy Communion at Mass, except in special cases. After this we silently reflect on the gift of Jesus and God's presence with us. The priest then prays that the gift of Jesus will help us live as Jesus' disciples.

Concluding Rite

Greeting The priest offers the final prayer. His words serve as a farewell promise that Jesus will be with us all.

Blessing The priest blesses us in the name of the Father, Son, and Holy Spirit. We make the sign of the cross as he blesses us.

Dismissal The deacon or priest sends us out to love and serve God and one another.

Closing song The priest and deacon kiss the altar. They, along with others serving at the Mass, bow to the altar, and process out as we sing.

Confiteor

During Mass the whole assembly confesses that we have sinned. We often pray:

I confess to almighty God,
and to you, my brothers and sisters,
that I have sinned through my own fault
in my thoughts and in my words,
in what I have done,
and in what I have failed to do;
and I ask blessed Mary, ever virgin,
all the angels and saints,
and you, my brothers and sisters,
to pray for me to the Lord our God.

The Ten Commandments

1. I am the LORD your God: you shall not have strange gods before me.
2. You shall not take the name of the LORD your God in vain.
3. Remember to keep holy the LORD's day.
4. Honor your father and your mother.
5. You shall not kill.
6. You shall not commit adultery.
7. You shall not steal.
8. You shall not bear false witness against your neighbor.
9. You shall not covet your neighbor's wife.
10. You shall not covet your neighbor's goods.

Examination of Conscience

Quietly sit and examine your conscience. Use these questions to help you reflect on your relationship with God and others.

Do I make anyone or anything more important to me than God? Have I read from the Bible and prayed?

Do I respect God's name and the name of Jesus?

Do I participate in Mass and keep Sunday holy by what I say and do?

Do I show obedience to God by my obedience to parents, guardians, and teachers?

Have I hurt others by my words and actions? Have I helped those in need?

Do I respect myself? Do I take good care of my body and show respect to others? Do I respect the dignity of everyone I meet?

Have I been selfish or taken the belongings of others without their permission? Have I shared my belongings?

Have I been honest? Have I lied or cheated?

Do I speak, act, and dress in ways that show respect for myself and others?

Have I been happy for others when they have the things they want or need?

Penance and Reconciliation

Rite for Reconciliation of Several Penitents

Introductory Rites

We gather as an assembly and sing an opening hymn. The priest greets us and prays an opening prayer.

Celebration of the Word of God

The assembly listens to the proclamation of the word of God. This is followed by a homily. Through his word God calls his people to repentance and leads them back to him. The readings help us to reflect on the reconciliation that Jesus' life and death have made possible. They remind us of God's mercy and prepare us to judge the goodness of our thoughts and actions. Then we examine our conscience.

Rite of Reconciliation

The assembly prays together an act of contrition to show their sorrow for sinning. We may say another prayer or sing a song, and then pray the Our Father. We ask God to forgive us as we forgive others.

I meet individually with the priest and confess my sins. The priest talks to me about loving God and others. He gives me a penance.

The priest extends his hand and gives me absolution.

After everyone has met with the priest, we join together to conclude the celebration. The assembly praises God for his mercy. The priest offers a concluding prayer of thanksgiving.

Concluding Rite

The priest blesses us, and dismisses the assembly saying, "The Lord has freed you from your sins. Go in peace." We respond, "Thanks be to God."

Rite for Reconciliation of Individual Penitents

I examine my conscience before meeting with the priest.

Welcoming

The priest greets me and I make the sign of the cross. The priest asks me to trust in God's mercy.

Reading of the Word of God

The priest or I may read something from the Bible.

Confession and Penance

I confess my sins. The priest talks to me about loving God and others. He gives me a penance.

Prayer of Penitent and Absolution

I pray an act of contrition. The priest extends his hand and gives me absolution.

Proclamation of Praise and Dismissal

The priest says, "Give thanks to the Lord, for he is good." I respond, "His mercy endures for ever." The priest sends me out saying, "The Lord has freed you from your sins. Go in peace."

Bishop

The bishops are the chief teachers of the Church They are called to make sure that the faithful receive the teachings of Jesus and the beliefs of our faith. The bishops help us to understand and live out these teachings.

The bishops are the chief leaders and pastors of the Church. They have authority in their dioceses, and together with the pope they are the pastors of the whole Church. The bishops lead their people and oversee the work of their dioceses. In the United States, the bishops meet twice a year to make decisions that affect the Church in our country.

The bishops are the chief priests in their dioceses. They make sure that the Christian faithful in the diocese have the opportunity to participate in the celebration of the sacraments, most especially the Eucharist. By providing for the liturgy of the diocese, the bishop helps all the faithful to live Christian lives and to grow in holiness.

There are two kinds of priests: diocesan priests and religious priests. Religious priests are those who belong to religious communities.

Diocesan priests are ordained to serve in a diocese. They usually serve in parishes. But diocesan priests may also serve in hospitals, schools, the military, prisons, or other institutions.

Priest

Religious priests serve wherever their communities send them. They usually take the vows of chastity, poverty, and obedience. They might be pastors of parishes, or they might be missionaries, teachers, doctors, writers, or work in any field where their service is needed. They might spend their time in prayer and work within their community. All priests are called to make prayer, most especially the Mass, the heart of their ministry. This strengthens them to help the Church grow in faith through prayer and worship.

Deacons are called to serve the community in worship. They are called to the ministry of service in the diocese.

Deacon

Holy Orders

In the sacrament of Holy Orders, the newly ordained are presented with signs of their service and ministry in the Church.

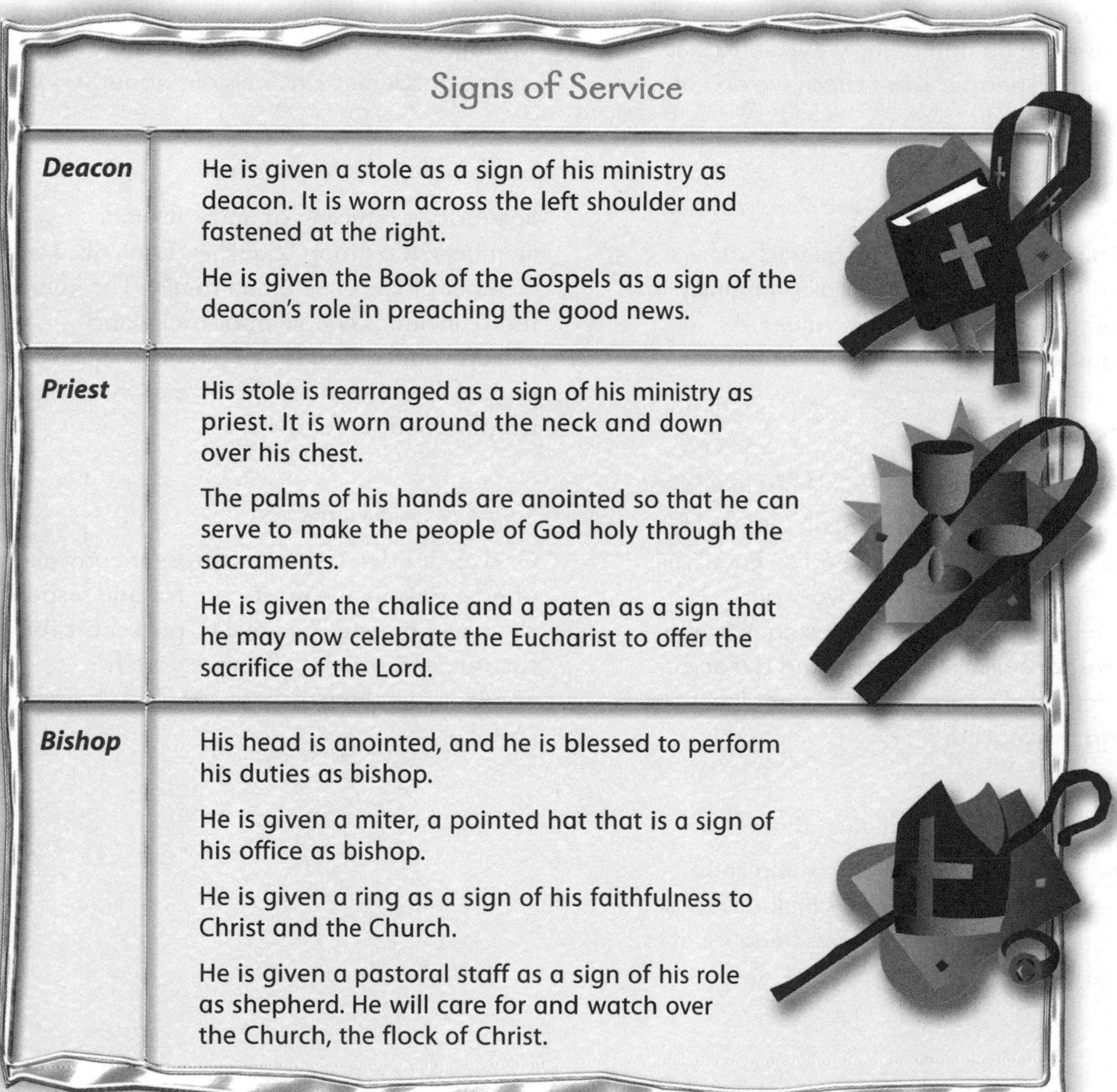

Signs of Service	
Deacon	He is given a stole as a sign of his ministry as deacon. It is worn across the left shoulder and fastened at the right. He is given the Book of the Gospels as a sign of the deacon's role in preaching the good news.
Priest	His stole is rearranged as a sign of his ministry as priest. It is worn around the neck and down over his chest. The palms of his hands are anointed so that he can serve to make the people of God holy through the sacraments. He is given the chalice and a paten as a sign that he may now celebrate the Eucharist to offer the sacrifice of the Lord.
Bishop	His head is anointed, and he is blessed to perform his duties as bishop. He is given a miter, a pointed hat that is a sign of his office as bishop. He is given a ring as a sign of his faithfulness to Christ and the Church. He is given a pastoral staff as a sign of his role as shepherd. He will care for and watch over the Church, the flock of Christ.

Catholic Social Teaching

There are seven themes of Catholic social teaching.

Life and Dignity of the Human Person

Human life is sacred because it is a gift from God. Because we are all God's children, we all share the same human dignity. As Christians we respect all people, even those we do not know.

Call to Family, Community, and Participation

We are all social. We need to be with others to grow. The family is the basic community. In the family we grow and learn values. As Christians we are involved in our family life and community.

Rights and Responsibilities of the Human Person

Every person has a fundamental right to life. This includes the things we need to have a decent life: faith and family, work and education, health care and housing. We also have a responsibility to others and to society. We work to make sure the rights of all people are being protected.

Option for the Poor and Vulnerable

We have a special obligation to help those who are poor and in need. This includes those who cannot protect themselves because of their age or their health.

Dignity of Work and the Rights of Workers

Our work is a sign of our participation in God's work. People have the right to decent work, just wages, safe working conditions, and to participate in decisions about work.

Solidarity of the Human Family

Solidarity is a feeling of unity. It binds members of a group together. Each of us is a member of the one human family. The human family includes people of all racial and cultural backgrounds. We all suffer when one part of the human family suffers whether they live near or far away.

Care for God's Creation

God created us to be stewards, or caretakers, of his creation. We must care for and respect the environment. We have to protect it for future generations. When we care for creation, we show respect for God the Creator.

Holy Days

Here are the holy days of obligation that the Church in the United States celebrates:

Solemnity of Mary, Mother of God (January 1)

Ascension (during the Easter season)

Assumption of Mary (August 15)

All Saints Day (November 1)

Immaculate Conception (December 8)

Christmas (December 25)

The Precepts of the Church

The pope and bishops have established some laws to help us know and fulfill our responsibilities as members of the Church. These laws are called the **precepts of the Church**.

It is helpful to think of the precepts as rules or principles intended as a guide for behavior. They teach us how we should act as members of the Church. These precepts also make sure that the Church has what it needs to serve its members and to grow.

1. Celebrate Christ's Resurrection every Sunday (or Saturday evening) and on holy days of obligation by taking part in Mass and avoiding unnecessary work.
2. Lead a sacramental life. Receive Holy Communion frequently and the sacrament of Reconciliation regularly. We must receive Holy Communion at least once a year between the first Sunday of Lent and Trinity Sunday. We must celebrate Reconciliation once a year if we have committed mortal, or serious, sin.
3. Study Catholic teaching throughout life, especially in preparing for the sacraments, and continue to grow in faith.
4. Observe the marriage laws of the Church and give religious instruction and formation to one's children.
5. Contribute to the support of the Church: one's own parish community, priests, the whole Church, and the pope.
6. Do penance, including not eating meat and fasting from food on certain days.
7. Join in the missionary work of the Church.

Forms of Prayers

These are the forms of prayer. An example of each form is given.

Blessing

"The grace of the Lord Jesus Christ and the love of God and the fellowship of the holy Spirit be with all of you." (2 Corinthians 13:13)

Petition

"O God, be merciful to me a sinner."
(Luke 18:13)

Intercession

"And this is my prayer that your love may increase ever more and more in knowledge."
(Philippians 1:9)

Thanksgiving

"Father, I thank you for hearing me."
(John 11:41)

Praise

"I shall praise the LORD all my life,
sing praise to my God while I live."
(Psalm 146:2)

Our Father

Our Father, who art in heaven,
hallowed be thy name;
thy kingdom come;
thy will be done on earth
as it is in heaven.
Give us this day our daily bread;
and forgive us our trespasses
as we forgive those
who trespass against us;
and lead us not into temptation,
but deliver us from evil. Amen.

Apostles' Creed

I believe in God, the Father Almighty,
creator of heaven and earth.
I believe in Jesus Christ,
his only Son, our Lord.
He was conceived by the power
of the Holy Spirit
and born of the Virgin Mary.
He suffered under Pontius Pilate,
was crucified, died, and was buried.
He descended to the dead.
On the third day he rose again.
He ascended into heaven,
and is seated at the right hand
of the Father.
He will come again to judge
the living and the dead.

I believe in the Holy Spirit,
the holy catholic Church,
the communion of saints,
the forgiveness of sins,
the resurrection of the body,
and the life everlasting. Amen.

Act of Contrition

My God,
I am sorry for my sins with all my heart.
In choosing to do wrong
and failing to do good,
I have sinned against you
whom I should love above all things.
I firmly intend, with your help,
to do penance,
to sin no more,
and to avoid whatever leads me to sin.
Our Savior Jesus Christ
suffered and died for us.
In his name, my God, have mercy.

Nicene Creed

We believe in one God,
the Father, the Almighty,
maker of heaven and earth,
of all that is seen and unseen.

We believe in one Lord, Jesus Christ
the only Son of God,
eternally begotten of the Father,
God from God, Light from Light,
true God from true God,
begotten, not made, one in Being
with the Father.
Through him all things were made.
For us men and for our salvation
he came down from heaven:
by the power of the Holy Spirit
he was born of the Virgin Mary,
and became man.

For our sake he was crucified
under Pontius Pilate;
he suffered, died, and was buried.
On the third day he rose again
in fulfillment of the Scriptures;
he ascended into heaven
and is seated at the right hand
of the Father.
He will come again in glory to judge
the living and the dead,
and his kingdom will have no end.

We believe in the Holy Spirit, the Lord,
the giver of life,
who proceeds from the Father and the Son.
With the Father and the Son he is
worshiped and glorified.
He has spoken through the Prophets.

We believe in one holy catholic
and apostolic Church.
We acknowledge one baptism for the
forgiveness of sins.
We look for the resurrection of the dead,
and the life of the world to come.
Amen.

Glosario

acto de contrición (pp 178)
oración que nos permite expresar nuestro arrepentimiento y donde prometemos tratar de no pecar de nuevo

alianza matrimonial (pp 264)
el compromiso entre un hombre y una mujer de vivir como fiel es y amorosos compañeros durante toda la vida

anunciación (pp 210)
nombre dado a la visita del ángel a María anunciándole que ella iba a ser la madre del Hijo de Dios

apóstoles (pp 16)
hombres escogidos por Jesús para compartir su misión de forma especial

asunción (pp 214)
la creencia de que cuando María terminó su trabajo en la tierra su cuerpo y alma fueron llevados al cielo para vivir eternamente con Cristo resucitado

Bautismo (pp 48)
sacramento en el que se nos libera del pecado, nos hacemos hijos de Dios y somos bienvenidos a la Iglesia

características de la Iglesia (pp 286)
las cuatros características de la Iglesia: una, santa, católica y apostólica

caridad (pp 242)
la mayor de todas las virtudes que nos permite amar a Dios y a nuestro prójimo

catecumenado (pp 60)
período de formación para la iniciación cristiana que incluye oraciones y liturgia, instrucción religiosa y servicios comunitarios

conciencia (pp 176)
nuestra habilidad de ver la diferencia entre lo bueno y lo malo, lo correcto y lo incorrecto

Confirmación (pp 90)
el sacramento en que recibimos el don del Espíritu Santo de manera especial

consagración (pp 126)
la parte de la oración eucarística cuando, por el poder del Espíritu Santo y por las palabras y acciones del sacerdote, el pan y el vino se convierten en el Cuerpo y la Sangre de Cristo

conversión (pp 164)
volverse a Dios con todo el corazón

crisma (pp 64)
aceite perfumado bendecido por un obispo

diáconos (pp 280)
hombres ordenados por los obispos para trabajar al servicio de la Iglesia pero que no son sacerdotes

días de precepto (pp 138)
día en que estamos obligados a participar de la misa para celebrar un evento especial en la vida de Jesús, María y los santos

dones del Espíritu Santo (pp 102)
sabiduría, inteligencia, consejo, fortaleza, ciencia, piedad y temor de Dios

ecumenismo (pp 290)
el trabajo de promover la unidad entre todos los cristianos

encarnación (pp 50)
la verdad de que el Hijo de Dios se hizo hombre

esperanza (pp 240)
la virtud que nos ayuda a confiar en la promesa de Dios de compartir su vida con nosotros por siempre; nos da confianza en el amor y el cuidado de Dios por nosotros

Eucaristía (pp 112)
el sacramento del cuerpo y la Sangre de Cristo. Jesús está verdaderamente presente bajo las apariencias de pan y vino

evangelización (pp 24)
proclamar la buena nueva de Cristo con lo que hacemos y decimos

Glosario

fe (pp 240)
la virtud que nos ayuda a creer en Dios y todo lo que la Iglesia nos enseña; nos ayuda a creer todo lo que Dios nos ha dicho sobre él y todo lo que ha hecho por nosotros

fidelidad (pp 266)
lealtad a una persona, a las obligaciones, las responsabilidades y las promesas; en el matrimonio, la lealtad y la voluntad de ser fieles toda la vida

gracia santificante (pp 36)
el don de compartir la vida de Dios que recibimos en los sacramentos

Iglesia (pp 16)
todos los que creen en Jesucristo, han sido bautizados en su nombre y siguen sus enseñanzas

iniciación cristiana (pp 40)
proceso de hacerme miembro de la Iglesia por medio de los sacramentos del Bautismo, la Confirmación y la Eucaristía

inmaculada concepción (pp 214)
la creencia de que María fue libre de pecado desde el momento de su concepción

juicio final (pp 28)
la venida de Jesucristo al final de los tiempos a juzgar a todo el mundo

laico (pp 252)
todo bautizado, miembro de la Iglesia, que comparte la misión de llevar la buena nueva de Cristo al mundo

liturgia (pp 24)
la oración oficial y pública de la Iglesia

Liturgia de la Eucaristía (pp 126)
la parte de la misa en la que la muerte y resurrección de Cristo se hacen presentes nuevamente. Nuestras ofrendas de pan y vino se convierten en el Cuerpo y la Sangre de Cristo, que recibimos en la comunión

Liturgia de la Palabra (pp 124)
parte de la misa en la que escuchamos y respondemos a la palabra de Dios; profesamos nuestra fe y rezamos por todos los necesitados

Liturgia de las Horas (pp 136)
oración pública de la Iglesia compuesta por salmos, lecturas de la Escritura y las enseñanzas de la Iglesia, oraciones e himnos y que se reza varias veces al día

matrimonio (pp 264)
sacramento en que un hombre y una mujer se hacen esposos y se prometen fidelidad por el resto de sus vidas

mayordomos de la creación (pp 292)
los que cuidan de todo lo que Dios le ha dado

misión de Jesús (pp 14)
compartir la vida de Dios con todo el mundo y salvarlos del pecado

misterio pascual (pp 26)
la pasión, muerte, resurrección y ascensión de Cristo al cielo

obispos (pp 278)
los sucesores de los apóstoles quienes son ordenados para continuar la misión de los apóstoles y dirigir y servir a la Iglesia

obras corporales de misericordia (pp 28)
actos de amor que nos ayudan a cuidar de las necesidades físicas y materiales de los demás

obras espirituales de misericordia (pp 28)
actos de amor que nos ayudan a cuidar de las necesidades de los corazones, las mentes y las almas de los demás

Orden Sagrado (pp 278)
el sacramento en el que se ordenan hombres para servir a la Iglesia como diáconos, sacerdotes y obispos

pascua (pp 110)
la fiesta con la que el pueblo judío conmemora la forma milagrosa en que Dios lo salvó de la muerte y la esclavitud de Egipto

Glosario

pecado (pp 166)
pensamiento, palabra, obra u omisión contra la ley de Dios

presencia real (pp 114)
Jesús está verdaderamente presente en la Eucaristía

profeta (pp 50)
alguien que habla en nombre de Dios, defiende la verdad y trabaja por la justicia

Reconciliación (pp 166)
sacramento en el que nuestra relación con Dios y la Iglesia es fortalecida o reparada y nuestros pecados son perdonados

reino de Dios (pp 14)
el poder del amor de Dios activo en nuestras vidas y el mundo

religiosos (pp 254)
mujeres y hombres que pertenecen a comunidades de servicio a Dios y a la Iglesia

Rito de Conclusión (pp 128)
la última parte de la misa en la que se nos bendice y se nos envía a servir a Cristo en el mundo y amar a lo demás como él nos ama

Ritos Iniciales (pp 124)
la parte de la misa que nos une como comunidad. Nos prepara para escuchar la palabra de Dios y para celebrar la Eucaristía

sacerdocio de los fieles (pp 250)
la misión sacerdotal de Cristo que todo bautizado comparte

sacerdotes (pp 278)
ministros ordenados que sirven a los fieles cristianos dirigiendo, enseñando y especialmente celebrando la Eucaristía y otros sacramentos

sacramentales (pp 138)
bendiciones, acciones y objetos que nos ayudan a responder a la gracia de Dios recibida en los sacramentos

sacramento (pp 36)
signo efectivo dado por Jesús por medio del cual compartimos la vida de Dios

sacrificio (pp 112)
ofrenda a Dios por un sacerdote en nombre de todo el pueblo

salvación (pp 50)
el perdón de los pecados y la reparación de la amistad con Dios

santidad (pp 38)
compartir la bondad de Dios y responder a su amor con la forma en que vivimos; nuestra santidad viene por medio de la gracia

Santísima Trinidad (pp 12)
tres personas en un solo Dios: Dios el Padre, Dios el Hijo y Dios el Espíritu Santo

santos (pp 52)
seguidores de Cristo que han vivido vidas santas en la tierra y ahora comparten la vida eterna con Dios en el cielo

Unción de los enfermos (pp 190)
sacramento en el cual la gracia y el consuelo de Dios son dados a los que están seriamente enfermos o debido a su avanzad edad

vida eterna (pp 52)
vivir feliz con Dios por siempre

virtud (pp 238)
buen hábito que nos ayuda a actuar de acuerdo al amor de Dios en nosotros

vocación común (pp 38)
llamado a la santidad y a la evangelización que comparte todo cristiano

Glossary

act of contrition (p. 179)
a prayer that allows us to express our sorrow and promise to try not to sin again

Annunciation (p. 211)
the name given to the angel's visit to Mary at which the announcement was made that she would be the mother of the Son of God

Anointing of the Sick (p. 191)
the sacrament by which God's grace and comfort are given to those who are seriously ill or suffering because of their old age

apostles (p. 17)
men chosen by Jesus to share in his mission in a special way

Assumption (p. 215)
the belief that when Mary's work on earth was done, God brought her body and soul to live forever with the risen Christ

Baptism (p. 49)
the sacrament in which we are freed from sin, become children of God, and are welcomed into the Church

bishops (p. 279)
the successors of the apostles who are ordained to continue the apostles' leadership and service in the Church

Blessed Trinity (p. 13)
the three Persons in one God: God the Father, God the Son, and God the Holy Spirit

catechumenate (p. 61)
a period of formation for Christian initiation that includes prayer and liturgy, religious instruction, and service to others

chrism (p. 65)
perfumed oil blessed by the bishop

Christian initiation (p. 41)
the process of becoming a member of the Church through the sacraments of Baptism, Confirmation, and Eucharist

Church (p. 17)
all those who believe in Jesus Christ, have been baptized in him, and follow his teachings

common vocation (p. 39)
the call to holiness and evangelization that all Christians share

Concluding Rite (p. 129)
the last part of the Mass in which we are blessed and sent forth to be Christ's servants in the world and to love others as he has loved us

Confirmation (p. 91)
the sacrament in which we receive the gift of the Holy Spirit in a special way

conscience (p. 177)
the ability to know the difference between good and evil, right and wrong

consecration (p. 127)
the part of the eucharistic prayer when, by the power of the Holy Spirit and through the words and actions of the priest, the bread and wine become the Body and Blood of Christ

conversion (p. 165)
a turning to God with all one's heart

Corporal Works of Mercy (p. 29)
acts of love that help us care for the physical and material needs of others

deacons (p. 281)
ordained ministers who have an important role in worship, leadership, and social ministries

ecumenism (p. 291)
the work to promote unity among all Christians

eternal life (p. 53)
living in happiness with God forever

Eucharist (p. 113)
the sacrament of the Body and Blood of Christ, Jesus is truly present under the appearances of bread and wine

evangelization (p. 25)
proclaiming the good news of Christ by what we say and do

faith (p. 241)
the virtue that enables us to believe in God and all that the Church teaches us; it helps us to believe all that God has told us about himself and all that he has done

fidelity (p. 267)
faithfulness to a person and to duties, obligations, and promises; in marriage, the loyalty and the willingness to be true to each other always

gifts of the Holy Spirit (p. 103)
wisdom, understanding, right judgment, courage, knowledge, reverence, and wonder and awe

holiness (p. 39)
sharing in God's goodness and responding to his love by the way we live; our holiness comes through grace

holy day of obligation (p. 139)
a day we are obliged to participate in the Mass to celebrate a special event in the life of Jesus, Mary, or the saints

Holy Orders (p. 279)
the sacrament in which men are ordained to serve the Church as deacons, priests, and bishops

hope (p. 241)
the virtue that enables us to trust in God's promise to share his life with us forever; it makes us confident in God's love and care for us

Immaculate Conception (p. 215)
the belief that Mary was free from original sin from the moment she was conceived

Incarnation (p. 51)
the truth that the Son of God became man

Introductory Rites (p. 125)
the part of the Mass that unites us as a community; it prepares us to hear God's word and to celebrate the Eucharist

Jesus' mission (p. 15)
to share the life of God with all people and to save them from sin

Kingdom of God (p. 15)
the power of God's love active in our lives and in the world

last judgment (p. 29)
Jesus Christ coming at the end of time to judge all people

laypeople (p. 253)
all the baptized members of the Church who share in the mission to bring the good news of Christ to the world

liturgy (p. 25)
the official public prayer of the Church

Liturgy of the Eucharist (p. 127)
the part of the Mass in which the death and Resurrection of Christ are made present again. Our gifts of bread and wine become the Body and Blood of Christ, which we receive in Holy Communion

Liturgy of the Hours (p. 137)
public prayer of the Church made up of Bible readings, prayers, hymns, and psalms and celebrated at various times during the day

Liturgy of the Word (p. 125)
the part of the Mass in which we listen and respond to God's word; we profess our faith and pray for of all people in need

love (p. 243)
the greatest of all virtues that enables us to love God and to love our neighbor

marks of the Church (p. 287)
the four characteristics of the Church: one, holy, catholic, and apostolic

marriage covenant (p. 265)
the life-long commitment between a man and a woman to live as faithful and loving partners

Glossary

Matrimony (p. 265)
the sacrament in which a man and woman become husband and wife and promise to be faithful to each other for the rest of their lives

Paschal Mystery (p. 27)
Christ's passion, death, Resurrection from the dead, and Ascension into heaven

Passover (p. 111)
the feast on which Jewish people remember the miraculous way that God saved them from death and slavery in ancient Egypt

priesthood of the faithful (p. 251)
Christ's priestly mission in which all those who are baptized share

priests (p. 279)
ordained ministers who serve the Christian faithful by leading, teaching, and most especially celebrating the Eucharist and other sacraments

prophet (p. 51)
someone who speaks on behalf of God, defends the truth, and works for justice

real presence (p. 115)
Jesus really and truly present in the Eucharist

Reconciliation (p. 167)
the sacrament by which our relationship with God and the Church is restored and our sins are forgiven

religious (p. 255)
women and men who belong to communities of service to God and the Church

sacrament (p. 37)
an effective sign given to us by Jesus through which we share in God's life

sacramentals (p. 139)
blessings, actions, and objects that help us respond to God's grace received in the sacraments

sacrifice (p. 113)
a gift offered to God by a priest in the name of all the people

saints (p. 53)
followers of Christ who lived lives of holiness on earth and now share in eternal life with God in heaven

salvation (p. 51)
the forgiveness of sins and the restoring of friendship with God

sanctifying grace (p. 37)
the gift of sharing in God's life that we receive in the sacraments

sin (p. 167)
a thought, word, or deed against God's law

Spiritual Works of Mercy (p. 29)
acts of love that help us care for the needs of people's hearts, minds, and souls

stewards of creation (p. 293)
those who take care of everything that God has given them

virtue (p. 239)
a good habit that helps us to act according to God's love for us

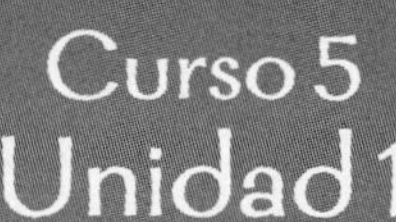

Nombre ______________________________

Rellena el círculo al lado de la respuesta correcta.

1. El _____ es el poder del amor de Dios activo en nuestras vidas y en el mundo.

○ reino de Dios ○ liturgia ○ encarnación

2. La _____ son todos los que creen en Jesucristo, han sido bautizados en él y siguen sus enseñanzas.

○ vocación común ○ Iglesia ○ catequesis

3. El regalo de compartir la vida de Dios que recibimos en los sacramentos es _____.

○ crisma ○ Iniciación cristiana ○ gracia santificante

4. Todos los cristianos comparten _____, un llamado a la santidad y la evangelización.

○ el catecumenado ○ una vocación común ○ el pecado original

5. Actos de amor con los que ayudamos a cuidar de las necesidades del espíritu, la mente y el alma de la gente, son _____.

○ sacramentos ○ obras corporales de misericordia ○ obras espirituales de misericordia

6. _____ son tres personas en un Dios: Dios Padre, Dios Hijo y Dios Espíritu Santo.

○ Reino de Dios ○ Santísima Trinidad ○ Iniciación cristiana

7. La pasión, muerte y resurrección de Jesús, su ascensión al cielo es _____.

○ la misión de Jesús ○ la encarnación ○ el misterio pascual

8. _____ es el perdón de los pecados y la restauración de la amistad con Dios.

○ Salvación ○ Evangelización ○ Vida eterna

Escoge una palabra del cuadro para completar cada oración.

liturgia	Bautismo	crisma	vocación	encarnación	santidad
sacramento	evangelización	Eucaristía	catecumenado		

9. Proclamando la buena nueva de Cristo por lo que decimos y hacemos es ________________.

10. Compartir las bondades de Dios y responder a su amor por la forma en que vivimos es ________________.

11. El tiempo de formación de la iniciación cristiana, que incluye oración y liturgia, instrucción religiosa, y servicio a los otros es el ________________.

12. La oración pública y oficial de la Iglesia es la ________________.

13. La verdad de que el Hijo de Dios se hizo hombre es la ________________.

14. Un signo efectivo que nos dio Jesús y por el que compartimos la vida de Dios es un ________________.

15. ________________ es aceite perfumado bendecido por el obispo.

16. ________________ es el sacramento por el que somos liberados del pecado, transformados en hijos de Dios y recibidos en la Iglesia.

Responde las preguntas.

17–18. ¿Cómo puede un joven de quinto curso proclamar la buena nueva a los que todavía no han escuchado el mensaje de Jesús, o ayudar a los que le han oído pero que necesitan ser animados para pasar su don de la fe?

19-20. ¿Cómo puedes explicar a uno más joven la importancia del agua, el significado del crisma, la vestidura blanca y la luz de una vela en el Bautismo?

Name ______________________________

Fill in the circle beside the correct answer.

1. The _____ is the power of God's love active in our lives and in the world.

○ Kingdom of God ○ liturgy ○ Incarnation

2. The _____ is all those who believe in Jesus Christ, have been baptized in him, and follow his teachings.

○ common vocation ○ Church ○ catechumenate

3. The gift of sharing in God's life that we receive in the sacraments is _____.

○ chrism ○ Christian initiation ○ sanctifying grace

4. All Christians share _____, a call to holiness and evangelization.

○ the catechumenate ○ a common vocation ○ original sin

5. Acts of love that help us care for the needs of people's hearts, minds, and souls are _____.

○ sacraments ○ Corporal Works of Mercy ○ Spiritual Works of Mercy

6. The _____ is the three persons in one God: God the Father, God the Son, and God the Holy Spirit.

○ Kingdom of God ○ Blessed Trinity ○ Christian initiation

7. Christ's passion, death, Resurrection from the dead, and Ascension into heaven is _____.

○ Jesus' mission ○ the Incarnation ○ the Paschal Mystery

8. _____ is the forgiveness of sins and the restoring of friendship with God.

○ Salvation ○ Evangelization ○ Eternal life

Choose a word from the box to complete each sentence.

liturgy	Baptism	chrism	vocation	Incarnation	holiness
sacrament	evangelization	Eucharist	catechumenate		

9. Proclaming the good news of Christ by what we say and do is ________________.

10. Sharing in God's goodness and responding to his love by the way we live is ________________.

11. The period of formation for Christian initiation, that includes prayer and liturgy, religious instruction, and service to others is the ________________.

12. The official public prayer of the Church is the ________________.

13. The truth that the Son of God became man is the ________________.

14. An effective sign given to us by Jesus through which we share God's life is a ________________.

15. ________________ is perfumed oil blessed by the bishop.

16. ________________ is the sacrament in which we are freed from sin, become children of God, and are welcomed into the Church.

Answer the questions.

17–18. How can a fifth grader proclaim the good news to those who have not yet heard Jesus' message, or help those who have heard but who need encouragement to live out their gift of faith?

19–20. How would you explain to a young child the importance of water, the significance of chrism, the wearing of a white garment, and the lighting of a candle at Baptism?

Prueba

Curso 5
Unidad 1

Nombre ______

Rellena el círculo al lado de la respuesta correcta.

1. El ____ es el poder del amor de Dios activo en nuestras vidas y en el mundo.
   - ● reino de Dios ○ liturgia ○ encarnación
2. La ____ son todos los que creen en Jesucristo, han sido bautizados en él y siguen sus enseñanzas.
   - ○ vocación común ● Iglesia ○ catequesis
3. El regalo de compartir la vida de Dios que recibimos en los sacramentos es ____.
   - ○ crisma ○ Iniciación cristiana ● gracia santificante
4. Todos los cristianos comparten ____, un llamado a la santidad y la evangelización.
   - ○ el catecumenado ● una vocación común ○ el pecado original
5. Actos de amor con los que ayudamos a cuidar de las necesidades del espíritu, la mente y el alma de la gente, son ____.
   - ○ sacramentos ○ obras corporales de misericordia ● obras espirituales de misericordia
6. ____ son tres personas en un Dios: Dios Padre, Dios Hijo y Dios Espíritu Santo.
   - ○ Reino de Dios ● Santísima Trinidad ○ Iniciación cristiana
7. La pasión, muerte y resurrección de Jesús, su ascensión al cielo es ____.
   - ○ la misión de Jesús ○ la encarnación ● el misterio pascual
8. ____ es el perdón de los pecados y la restauración de la amistad con Dios.
   - ● Salvación ○ Evangelización ○ Vida eterna

Escoge una palabra del cuadro para completar cada oración.

liturgia	Bautismo	crisma	vocación	encarnación	santidad
sacramento	evangelización		Eucaristía		catecumenado

9. Proclamando la buena nueva de Cristo por lo que decimos y hacemos es evangelización.
10. Compartir las bondades de Dios y responder a su amor por la forma en que vivimos es santidad.
11. El tiempo de formación de la iniciación cristiana, que incluye oración y liturgia, instrucción religiosa, y servicio a los otros es el catecumenado.
12. La oración pública y oficial de la Iglesia es la liturgia.
13. La verdad de que el Hijo de Dios se hizo hombre es la encarnación.
14. Un signo efectivo que nos dio Jesús y por el que compartimos la vida de Dios es un sacramento.
15. Crisma es aceite perfumado bendecido por el obispo.
16. Bautismo es el sacramento por el que somos liberados del pecado, transformados en hijos de Dios y recibidos en la Iglesia.

Responde las preguntas.

17–18. ¿Cómo puede un joven de quinto curso proclamar la buena nueva a los que todavía no han escuchado el mensaje de Jesús, o ayudar a los que le han oído pero que necesitan ser animados para pasar su don de la fe?
Ver páginas 22 y 24.

19-20. ¿Cómo puedes explicar a uno más joven la importancia del agua, el significado del crisma, la vestidura blanca y la luz de una vela en el Bautismo?
Ver páginas 62 y 64.

Assessment

Grade 5
Unit 1

Name ____________________

Fill in the circle beside the correct answer.

1. The _____ is the power of God's love active in our lives and in the world.

● Kingdom of God ○ liturgy ○ Incarnation

2. The _____ is all those who believe in Jesus Christ, have been baptized in him, and follow his teachings.

○ common vocation ● Church ○ catechumenate

3. The gift of sharing in God's life that we receive in the sacraments is _____.

○ chrism ○ Christian initiation ● sanctifying grace

4. All Christians share _____, a call to holiness and evangelization.

○ the catechumenate ● a common vocation ○ original sin

5. Acts of love that help us care for the needs of people's hearts, minds, and souls are _____.

○ sacraments ○ Corporal Works of Mercy ● Spiritual Works of Mercy

6. The _____ is the three persons in one God: God the Father, God the Son, and God the Holy Spirit.

○ Kingdom of God ● Blessed Trinity ○ Christian initiation

7. Christ's passion, death, Resurrection from the dead, and Ascension into heaven is _____.

○ Jesus' mission ○ the Incarnation ● the Paschal Mystery

8. _____ is the forgiveness of sins and the restoring of friendship with God.

● Salvation ○ Evangelization ○ Eternal life

Choose a word from the box to complete each sentence.

liturgy	Baptism	chrism	vocation	Incarnation	holiness
sacrament	evangelization		Eucharist	catechumenate	

9. Proclaming the good news of Christ by what we say and do is evangelization.

10. Sharing in God's goodness and responding to his love by the way we live is holiness.

11. The period of formation for Christian initiation, that includes prayer and liturgy, religious instruction, and service to others is the catechumenate.

12. The official public prayer of the Church is the liturgy.

13. The truth that the Son of God became man is the Incarnation.

14. An effective sign given to us by Jesus through which we share God's life is a sacrament.

15. Chrism is perfumed oil blessed by the bishop.

16. Baptism is the sacrament in which we are freed from sin, become children of God, and are welcomed into the Church.

Answer the questions.

17–18. How can a fifth grader proclaim the good news to those who have not yet heard Jesus' message, or help those who have heard but who need encouragement to live out their gift of faith? See pages 23 and 25.

19–20. How would you explain to a young child the importance of water, the significance of chrism, the wearing of a white garment, and the lighting of a candle at Baptism? See pages 63 and 65.

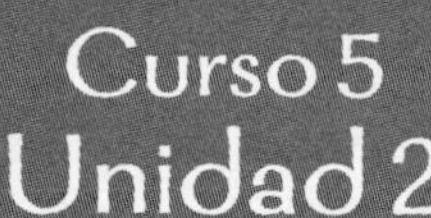

Nombre ______________________________

Escribe Verdadero o Falso en las siguientes oraciones.
Después cambia las oraciones falsas en verdaderas.

1. ________ En el sacramento de la Confirmación somos sellados con el regalo de los apóstoles.

____

2. ________ Sabiduría, inteligencia, consejo, fortaleza, piedad, reverencia y temor de Dios son los frutos del Espíritu Santo.

____

3. ________ Las estaciones de vía crucis son un memorial, una comida y un sacrificio.

____

4. ________ Hay cuatro partes de la misa: los Ritos Iniciales, la Liturgia de la Palabra, la Liturgia de la Eucaristía y el Rito de Conclusión.

____

5. ________ Imposición de las manos y la unción son signos de la presencia del Espíritu Santo.

____

6. ________ En la misa, la iglesia se reúne como el pan de vida.

____

7. ________ Después de la resurrección, Jesús resucitado se manifestaba a sus discípulos cuando partía el pan con ellos.

____

8. ________ Consagración es un día que nos obliga a participar en la misa para celebrar un evento especial en la vida de Jesús, de María o de los santos.

____

Escribe en la raya la letra que mejor define cada término.

9. ______ consagración
10. ______ sacramental
11. ______ Ritos Ininiciales
12. ______ Confirmación
13. ______ presencia real
14. ______ Liturgia de la Palabra
15. ______ sacrificio
16. ______ Liturgia de la Horas

a. un regalo ofrecido a Dios en nombre de todo el pueblo

b. Jesús está realmente y verdaderamente presente en la Eucaristía

c. la parte de la misa en la que escuchamos y respondemos a la palabra de Dios; profesamos nuestra fe y rezamos por todos los necesitados

d. oración pública de la Iglesia sacada de los salmos, lecturas de la Escritura y enseñanzas de la Iglesia; himnos y oraciones

e. la parte de la oración eucarística cuando, por el poder del Espíritu santo y por las palabras y acciones del sacerdote, el pan y el vino se transforman en el Cuerpo y la Sangre de Cristo

f. una bendición, acción u objeto que nos ayuda a responder a la gracia de Dios recibida en los sacramentos

g. el sacramento por el que recibimos el regalo del Espíritu Santo de una manera especial

h. la parte de la misa que nos une como comunidad y nos prepara para escuchar la palabra de Dios y celebrar la Eucaristía

Responde las preguntas.

17–18. ¿Por qué la preparación es una parte importante de la Confirmación?

19–20. Nombra tres sacramentales. ¿Cómo estos sacramentales nos ayudan a crecer en santidad?

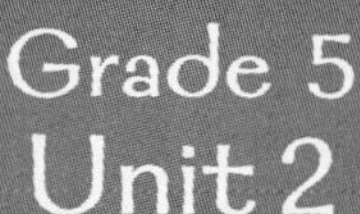

Name ______________________________________

Write True or False for the following sentences.
Then change the false sentences to make them true.

1. ______ In the sacrament of Confirmation we are sealed with the gift of the apostles.

____

2. ______ Wisdom, understanding, right judgment, courage, knowledge, reverence, and wonder and awe are the fruits of the Holy Spirit.

____

3. ______ The stations of the cross is a memorial, a meal, and a sacrifice.

____

4. ______ There are four parts to the Mass: the Introductory Rites, the Liturgy of the Word, the Liturgy of the Eucharist, and the Concluding Rite.

____

5. ______ Laying on of hands and anointing are signs of the Holy Spirit's presence.

____

6. ______ In the Mass, the Church gathers as the Bread of Life.

____

7. ______ After his Resurrection, the risen Jesus was made known to his disciples when he broke bread with them.

____

8. ______ Consecration is a day we are obliged to participate in the Mass to celebrate a special event in the life of Jesus, Mary, or the saints.

____

Write the letter that best defines each term.

9. ______ consecration
10. ______ sacramental
11. ______ Introductory Rites
12. ______ Confirmation
13. ______ real presence
14. ______ Liturgy of the Word
15. ______ sacrifice
16. ______ Liturgy of the Hours

a. a gift offered to God by the priest in the name of all the people

b. Jesus really and truly present in the Eucharist

c. the part of the Mass in which we listen and respond to God's word; we profess our faith and pray for all people in need

d. public prayer of the Church made up of psalms, readings from Scripture and Church teaching, prayers and hymns

e. the part of the eucharistic prayer when, by the power of the Holy Spirit and through the words and actions of the priest, the bread and wine become the Body and Blood of Christ

f. a blessing, action, or object that helps us respond to God's grace received in the sacraments

g. the sacrament in which we receive the Gift of the Holy Spirit in a special way

h. the part of the Mass that unites us as a community and prepares us to hear God's word and celebrate the Eucharist

Answer the questions.

17–18. Why is preparation an important part of Confirmation?

19–20. Name three sacramentals. How do these sacramentals help us grow in holiness?

Curso 5
Unidad 2

Nombre ______________________

Escribe Verdadero o Falso en las siguientes oraciones.
Después cambia las oraciones falsas en verdaderas.

1. Falso En el sacramento de la Confirmación somos sellados con el regalo de los apóstoles.
   En el sacramento de la Confirmación somos sellados con el don del Espíritu santo.

2. Falso Sabiduría, inteligencia, consejo, fortaleza, piedad, reverencia y temor de Dios son los frutos del Espíritu Santo.
   Sabiduría, inteligencia, consejo, fortaleza, piedad, reverencia y temor de Dios son los dones del Espíritu Santo.

3. Falso Las estaciones de vía crucis son un memorial, una comida y un sacrificio.
   La Eucaristía es un memorial, una comida y un sacrificio.

4. Verdad Hay cuatro partes de la misa: los Ritos Iniciales, la Liturgia de la Palabra, la Liturgia de la Eucaristía y el Rito de Conclusión.

5. Verdad Imposición de las manos y la unción son signos de la presencia del Espíritu Santo.

6. Falso En la misa, la iglesia se reúne como el pan de vida.
   En la misa, la Iglesia se reúne como cuerpo de Cristo.

7. Verdad Después de la resurrección, Jesús resucitado se manifestaba a sus discípulos cuando partía el pan con ellos.

8. Falso Consagración es un día que nos obliga a participar en la misa para celebrar un evento especial en la vida de Jesús, de María o de los santos.
   Día de precepto es aquel en que estamos obligados a participar de la misa para celebrar eventos especiales en la vida de Jesús, María y los santos.
   Nota: Para otra respuesta vea la *consagración* (página 126).

Escribe en la raya la letra que mejor define cada término.

9. e consagración
10. f sacramental
11. h Ritos Ininiciales
12. g Confirmación
13. b presencia real
14. c Liturgia de la Palabra
15. a sacrificio
16. d Liturgia de la Horas

a. un regalo ofrecido a Dios en nombre de todo el pueblo
b. Jesús está realmente y verdaderamente presente en la Eucaristía
c. la parte de la misa en la que escuchamos y respondemos a la palabra de Dios; profesamos nuestra fe y rezamos por todos los necesitados
d. oración pública de la Iglesia sacada de los salmos, lecturas de la Escritura y enseñanzas de la Iglesia; himnos y oraciones
e. la parte de la oración eucarística cuando, por el poder del Espíritu santo y por las palabras y acciones del sacerdote, el pan y el vino se transforman en el Cuerpo y la Sangre de Cristo
f. una bendición, acción u objeto que nos ayuda a responder a la gracia de Dios recibida en los sacramentos
g. el sacramento por el que recibimos el regalo del Espíritu Santo de una manera especial
h. la parte de la misa que nos une como comunidad y nos prepara para escuchar la palabra de Dios y celebrar la Eucaristía

Responde las preguntas.

17–18. ¿Por qué la preparación es una parte importante de la Confirmación?
Ver página 92.

19–20. Nombra tres sacramentales. ¿Cómo estos sacramentales nos ayudan a crecer en santidad? Ver páginas 138 y 140.

Grade 5
Unit 2

Name ________________

Write True or False for the following sentences.
Then change the false sentences to make them true.

1. False In the sacrament of Confirmation we are sealed with the gift of the apostles.
In the sacrament of Confirmation we are sealed with the Gift of the Holy Spirit.

2. False Wisdom, understanding, right judgment, courage, knowledge, reverence, and wonder and awe are the fruits of the Holy Spirit.
Wisdom, understanding, right judgment, courage, knowledge, reverence, and wonder and awe are the gifts of the Holy Spirit.

3. False The stations of the cross is a memorial, a meal, and a sacrifice.
The Eucharist is a memorial, a meal, and a sacrifice.

4. True There are four parts to the Mass: the Introductory Rites, the Liturgy of the Word, the Liturgy of the Eucharist, and the Concluding Rite.

5. True Laying on of hands and anointing are signs of the Holy Spirit's presence.

6. False In the Mass, the Church gathers as the Bread of Life.
In the Mass, the Church gathers as the Body of Christ.

7. True After his Resurrection, the risen Jesus was made known to his disciples when he broke bread with them.

8. False Consecration is a day we are obliged to participate in the Mass to celebrate a special event in the life of Jesus, Mary, or the saints.
A holy day of obligation is a day we are obliged to participate in the Mass to celebrate a special event in the life of Jesus, Mary, or the saints.
Note: For alternate answer, see *consecration* (page 127).

Write the letter that best defines each term.

9. e consecration
10. f sacramental
11. h Introductory Rites
12. g Confirmation
13. b real presence
14. c Liturgy of the Word
15. a sacrifice
16. d Liturgy of the Hours

a. a gift offered to God by the priest in the name of all the people

b. Jesus really and truly present in the Eucharist

c. the part of the Mass in which we listen and respond to God's word; we profess our faith and pray for all people in need

d. public prayer of the Church made up of psalms, readings from Scripture and Church teaching, prayers and hymns

e. the part of the eucharistic prayer when, by the power of the Holy Spirit and through the words and actions of the priest, the bread and wine become the Body and Blood of Christ

f. a blessing, action, or object that helps us respond to God's grace received in the sacraments

g. the sacrament in which we receive the Gift of the Holy Spirit in a special way

h. the part of the Mass that unites us as a community and prepares us to hear God's word and celebrate the Eucharist

Answer the questions.

17–18. Why is preparation an important part of Confirmation? See page 93.

19–20. Name three sacramentals. How do these sacramentals help us grow in holiness? See pages 139 and 141.

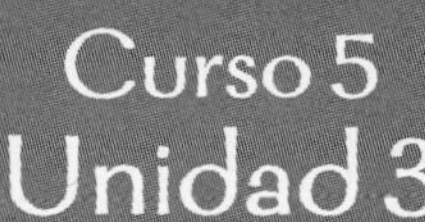

Nombre ____

Usa una palabra o frase del cuadro para completar cada oración.

asunción	inmaculada concepción	conciencia	contrición
Unción de los enfermos	Reconciliación	rosario	conversión	pecado

1. Cuando examinamos nuestra ________________ decidimos si las decisiones que hemos tomado mostraron amor a Dios, a nosotros mismos, y a otros.

2. Dios constantemente nos llama a volvernos a él. Volvernos a Dios de todo corazón se llama ________________.

3. ____________________ es el sacramento por el que la gracia y el consuelo de Dios se da a los que están seriamente enfermos o sufriendo por su vejez.

4. Los misterios del ________________nos recuerdan tiempos importantes en la vida de Jesús y María.

5. Un acto de ________________ es una oración que nos permite expresar nuestro arrepentimiento y promesa para tratar de no pecar de nuevo.

6. Un pensamiento, palabra, acto u omisión contra la ley de Dios es un ________________.

7. En el sacramento de la ________________ nuestra relación con Dios y con la Iglesia es fortalecida o restaurada y nuestros pecados son perdonados.

8. La creencia de que María estuvo exenta del pecado original desde el momento en que fue concebida es llamada la ____________________.

Rellena el círculo al lado de la respuesta correcta.

9. Una oración, una obra de misericordia o un acto de servicio que muestren que estamos arrepentidos de nuestros pecados es llamada _____ .

○ una confesión ○ absolución ○ una penitencia

10. La Reconciliación, la Unción de los enfermos y la Eucaristía como _______ son generalmente celebrados juntos para los enfermos.

○ letanía ○ viático ○ iniciación

11. Situaciones injustas y condiciones sociales tales como perjuicio, pobreza y violencia son ejemplos de_______.

○ pecado mortal ○ pecado venial ○ pecado social

12. Por _______, el sacerdote no puede decir a nadie lo que hemos confesado en el sacramento de la Reconciliación.

○ absolución ○ el secreto de confesión ○ el acto de contrición

13. El _______ es también conocido como el cántico de María.

○ Magnificat ○ anunciación ○ asunción

14. In la Unción de los enfermos proclamamos nuestra fe en la _______ de Dios.

○ justice ○ misericordia ○ litany

15. Las partes importantes de la Unción de los enfermos son la oración de fe, la _______ y la unción con aceite.

○ imposición de las manos ○ absolución ○ examen de conciencia

16. Escuchamos muchos de los títulos de María cuando rezamos _______.

○ el Padrenuestro ○ una letanía ○ un acto de contrición

Responde las preguntas.

17–18. ¿Cómo nos ayuda la celebración del sacramento de la Reconciliación a crecer como cuerpo de Cristo?

19–20. ¿Cómo el sacramento de la Unción de los enfermos ofrece la gracia y el consuelo de Dios a los que están enfermos, y sus familiares y a los que cuidan de ellos?

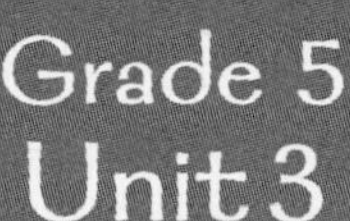

Name ______________________________

Choose a word or phrase from the box to complete each sentence.

Assumption	Immaculate Conception	conscience	contrition	
Anointing of the Sick	Reconciliation	rosary	conversion	sin

1. When we examine our ________________, we determine whether the choices we have made showed love for God, ourselves, and others.

2. God constantly calls us to turn back to him. A turning to God with all one's heart is called ________________.

3. ________________ is the sacrament by which God's grace and comfort are given to those who are seriously ill or suffering because of their old age.

4. The mysteries of the ________________ recall special times in the lives of Jesus and Mary.

5. An act of ________________ is a prayer that allows us to express our sorrow and promise to try not to sin again.

6. A thought, word, deed, or omission against God's law is a ________________.

7. In the sacrament of ________________ our relationship with God and the Church is strengthened or restored and our sins are forgiven.

8. The belief that Mary was free from original sin from the moment she was conceived is called the ________________.

Fill in the circle beside the correct answer.

9. A prayer, a work of mercy, or an act of service that shows we are sorry for our sins is called ______.

   ○ a confession ○ absolution ○ a penance

10. Reconciliation, the Anointing of the Sick, and the Eucharist as ______ are often celebrated together by those who are sick.

   ○ litany ○ viaticum ○ initiation

11. Unjust situations and conditions in society such as prejudice, poverty, and violence are examples of ______.

   ○ mortal sin ○ venial sin ○ social sin

12. Because of ______, the priest cannot tell anyone what we have confessed in the sacrament of Reconciliation.

   ○ absolution ○ the seal of confession ○ the act of contrition

13. The ______ is also known as the Canticle of Mary.

   ○ Magnificat ○ Annunciation ○ Assumption

14. In the Anointing of the Sick we proclaim our faith in God's ______.

   ○ justice ○ mercy ○ litany

15. The main parts of the Anointing of the Sick are the prayer of faith, the ______, and the anointing with oil.

   ○ laying on of hands ○ absolution ○ examination of conscience

16. We hear many of the titles for Mary when we pray ______.

   ○ the Our Father ○ a litany ○ an act of contrition

Answer the questions.

17–18. How does celebrating the sacrament of Reconciliation help us to grow as the Body of Christ?

19–20. What are some ways that the sacrament of the Anointing of the Sick offers God's grace and comfort to those who are ill, and to those who love and care for them?

Prueba

Curso 5
Unidad 3

Nombre

Usa una palabra o frase del cuadro para completar cada oración.

asunción	inmaculada concepción		conciencia	contrición
Unción de los enfermos	Reconciliación	rosario	conversión	pecado

1. Cuando examinamos nuestra __conciencia__ decidimos si las decisiones que hemos tomado mostraron amor a Dios, a nosotros mismos, y a otros.

2. Dios constantemente nos llama a volvernos a él. Volvernos a Dios de todo corazón se llama __conversión__.

3. __Unción de los enfermos__ es el sacramento por el que la gracia y el consuelo de Dios se da a los que están seriamente enfermos o sufriendo por su vejez.

4. Los misterios del __rosario__ nos recuerdan tiempos importantes en la vida de Jesús y María.

5. Un acto de __contrición__ es una oración que nos permite expresar nuestro arrepentimiento y promesa para tratar de no pecar de nuevo.

6. Un pensamiento, palabra, acto u omisión contra la ley de Dios es un __pecado__.

7. En el sacramento de la __Reconciliación__ nuestra relación con Dios y con la Iglesia es fortalecida o restaurada y nuestros pecados son perdonados.

8. La creencia de que María estuvo exenta del pecado original desde el momento en que fue concebida es llamada la __inmaculada concepción__.

349

Rellena el círculo al lado de la respuesta correcta.

9. Una oración, una obra de misericordia o un acto de servicio que muestren que estamos arrepentidos de nuestros pecados es llamada ____.
   ○ una confesión ○ absolución ● una penitencia

10. La Reconciliación, la Unción de los enfermos y la Eucaristía como ________ son generalmente celebrados juntos para los enfermos.
    ○ letanía ● viático ○ iniciación

11. Situaciones injustas y condiciones sociales tales como perjuicio, pobreza y violencia son ejemplos de________.
    ○ pecado mortal ○ pecado venial ● pecado social

12. Por ________, el sacerdote no puede decir a nadie lo que hemos confesado en el sacramento de la Reconciliación.
    ○ absolución ● el secreto de confesión ○ el acto de contrición

13. El ________ es también conocido como el cántico de María.
    ● Magnificat ○ anunciación ○ asunción

14. In la Unción de los enfermos proclamamos nuestra fe en la ________ de Dios.
    ○ justice ● misericordia ○ litany

15. Las partes importantes de la Unción de los enfermos son la oración de fe, la ________ y la unción con aceite.
    ● imposición de las manos ○ absolución ○ examen de conciencia

16. Escuchamos muchos de los títulos de María cuando rezamos ________.
    ○ el Padrenuestro ● una letanía ○ un acto de contrición

Responde las preguntas.

17–18. ¿Cómo nos ayuda la celebración del sacramento de la Reconciliación a crecer como cuerpo de Cristo? Ver páginas 166 y 168.

19–20. ¿Cómo el sacramento de la Unción de los enfermos ofrece la gracia y el consuelo de Dios a los que están enfermos, y sus familiares y a los que cuidan de ellos? Ver página 190.

Assessment

Grade 5
Unit 3

Name ______________________

Choose a word or phrase from the box to complete each sentence.

Assumption	Immaculate Conception	conscience	contrition	
Anointing of the Sick	Reconciliation	rosary	conversion	sin

1. When we examine our __conscience__, we determine whether the choices we have made showed love for God, ourselves, and others.

2. God constantly calls us to turn back to him. A turning to God with all one's heart is called __conversion__.

3. __Anointing of the Sick__ is the sacrament by which God's grace and comfort are given to those who are seriously ill or suffering because of their old age.

4. The mysteries of the __rosary__ recall special times in the lives of Jesus and Mary.

5. An act of __contrition__ is a prayer that allows us to express our sorrow and promise to try not to sin again.

6. A thought, word, deed, or omission against God's law is a __sin__.

7. In the sacrament of __Reconciliation__ our relationship with God and the Church is strengthened or restored and our sins are forgiven.

8. The belief that Mary was free from original sin from the moment she was conceived is called the __Immaculate Conception__.

Fill in the circle beside the correct answer.

9. A prayer, a work of mercy, or an act of service that shows we are sorry for our sins is called ______.
   - ○ a confession
   - ○ absolution
   - ● a penance

10. Reconciliation, the Anointing of the Sick, and the Eucharist as ______ are often celebrated together by those who are sick.
    - ○ litany
    - ● viaticum
    - ○ initiation

11. Unjust situations and conditions in society such as prejudice, poverty, and violence are examples of ______.
    - ○ mortal sin
    - ○ venial sin
    - ● social sin

12. Because of ______, the priest cannot tell anyone what we have confessed in the sacrament of Reconciliation.
    - ○ absolution
    - ● the seal of confession
    - ○ the act of contrition

13. The ______ is also known as the Canticle of Mary.
    - ● Magnificat
    - ○ Annunciation
    - ○ Assumption

14. In the Anointing of the Sick we proclaim our faith in God's ______.
    - ○ justice
    - ● mercy
    - ○ litany

15. The main parts of the Anointing of the Sick are the prayer of faith, the ______, and the anointing with oil.
    - ● laying on of hands
    - ○ absolution
    - ○ examination of conscience

16. We hear many of the titles for Mary when we pray ______.
    - ○ the Our Father
    - ● a litany
    - ○ an act of contrition

Answer the questions.

17–18. How does celebrating the sacrament of Reconciliation help us to grow as the Body of Christ? See pages 167 and 169.

19–20. What are some ways that the sacrament of the Anointing of the Sick offers God's grace and comfort to those who are ill, and to those who love and care for them? See page 191.

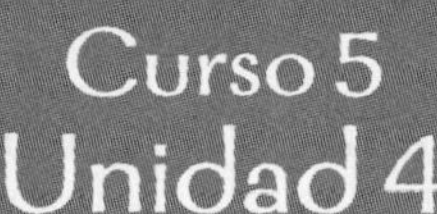

Nombre ____

Escribe verdadero o falso en las siguientes oraciones. Después cambia las oraciones falsas en verdaderas

1. ________ Existen tres características de la Iglesia. Es una, santa y católica.

____

2. ________ Los diáconos son los sucesores de los apóstoles, ordenados para continuar la misión del liderazgo de los apóstoles y el servicio a la Iglesia.

____

3. ________ Los santos son modelos para vivir una vida virtuosa.

____

4. ________ El amor entre esposos es un signo del amor de Dios por todo su pueblo y del amor de Cristo por su Iglesia.

____

5. ________ Los laicos son todos los miembros bautizados de la Iglesia que comparten la misión de llevar la buena nueva de Cristo al mundo.

____

6. ________ En el sacramento del matrimonio lo novios son los celebrantes. Jesús actúa a través de ellos y sus promesas de amarse siempre siendo fieles el uno al otro.

____

7. ________ La imposición de las manos y la oración de consagración son las partes importantes del sacramento del Matrimonio.

____

8. ________ Amar es la mayor las virtudes; esta es la finalidad de nuestras vidas como cristianos.

____

Escribe la letra que mejor define cada término.

9. ______ católica

10. ______ Orden Sagrado

11. ______ mayordomos de la creación

12. ______ fidelidad

13. ______ sacerdocio de los fieles

14. ______ religioso

15. ______ virtud

16. ______ fe

a. mujeres y hombres que pertenecen a comunidades al servicio de Dios y de la Iglesia

b. misión sacerdotal de Cristo en la que todos los bautizados participan

c. la virtud que nos capacita a creer en Dios y en todo lo que la Iglesia nos enseña, nos ayuda a creer todo lo que Dios nos ha dicho sobre sí mismo y en todo lo que hizo

d. el sacramento en el que los hombres son ordenados para servir a la Iglesia como diáconos, sacerdotes y obispos

e. los que cuidan de todas las cosas que Dios les ha dado

f. un buen hábito que nos ayuda a actuar de la forma en que Dios nos ama

g. universal, mundial, abierta a todos

h. fidelidad a una persona o responsabilidad, obligación y promesas; en el matrimonio la lealtad y la voluntad de ser fieles uno al otro

i. la promesa de vivir sencillamente como lo hizo Jesús

Responde las preguntas.

17–18. Las amistades nos preparan para futuras vocaciones. ¿Qué quisieras decir a un buen amigo que te pregunta que le hable sobre todas las vocaciones posibles?

17–18. Como estudiante de quinto curso, ¿Cómo puedes mostrar que has sido llamado a vivir como un discípulo de Jesús?

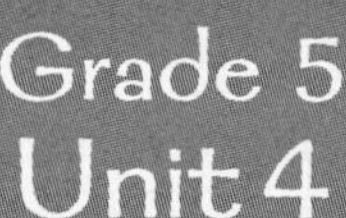

Grade 5
Unit 4

Name ______________________________

Write True or False for the following sentences. Then change the false sentences to make them true.

1. ______ There are three marks of the Church. It is one, holy, and catholic.

____

2. ______ Deacons are the successors of the apostles who are ordained to continue the apostle's mission of leadership and service in the Church.

____

3. ______ The saints are models for living a life of virtue.

____

4. ______ The love between a husband and wife is a sign of God's love for all his people and of Christ's love for his Church.

____

5. ______ Laypeople are all the baptized members of the Church who share in the mission to bring the good news of Christ to the world.

____

6. ______ In the sacrament of Matrimony the bride and groom are the celebrants. Jesus acts through them and through their promise to always love and be true to each other.

____

7. ______ The laying on of hands and prayer of consecration are the main parts of the sacrament of Matrimony.

____

8. ______ Love is the greatest of all virtues; it is the goal of our lives as Christians.

____

Write the letter that best defines each term.

9. ______ catholic

10. ______ Holy Orders

11. ______ stewards of creation

12. ______ fidelity

13. ______ priesthood of the faithful

14. ______ religious

15. ______ virtue

16. ______ faith

a. women and men who belong to communities of service to God and the Church

b. Christ's priestly mission in which all those who are baptized share

c. the virtue that enables us to believe in God and all the Church teaches us, it helps us to believe all that God has told us about himself and all that he has done

d. the sacrament in which men are ordained to serve the Church as deacons, priests, and bishops

e. those who take care of everything God has given them

f. a good habit that helps us to act according to God's love for us

g. universal, worldwide, open to all people

h. faithfulness to a person and to duties, obligations, and promises; in marriage the loyalty and the willingness to be true to each other always

i. the promise to live simply as Jesus did

Answer the questions.

17–18. Friendships prepare us for future vocations. What would you tell a good friend who asks you to tell him or her about all the possible vocations?

19–20. As a fifth grader, how can you show that you have been called to live as a disciple of Jesus?

Curso 5
Unidad 4

Nombre

Escribe verdadero o falso en las siguientes oraciones. Después cambia las oraciones falsas en verdaderas

1. Falso Existen tres características de la Iglesia. Es una, santa y católica.
   La Iglesia tiene cuatro características. Es una, santa, católica y apostólica.

2. Falso Los diáconos son los sucesores de los apóstoles, ordenados para continuar la misión del liderazgo de los apóstoles y el servicio a la Iglesia.
   Los obispos son los sucesores de los apóstoles.

3. Verdad Los santos son modelos para vivir una vida virtuosa.

4. Verdad El amor entre esposos es un signo del amor de Dios por todo su pueblo y del amor de Cristo por su Iglesia.

5. Verdad Los laicos son todos los miembros bautizados de la Iglesia que comparten la misión de llevar la buena nueva de Cristo al mundo.

6. Verdad En el sacramento del matrimonio lo novios son los celebrantes. Jesús actúa a través de ellos y sus promesas de amarse siempre siendo fieles el uno al otro.

7. Falso La imposición de las manos y la oración de consagración son las partes importantes del sacramento del Matrimonio.
   Son las partes importantes del sacramento del Orden.

8. Verdad Amar es la mayor las virtudes; esta es la finalidad de nuestras vidas como cristianos.

355

Escribe la letra que mejor define cada término.

9. g católica
10. d Orden Sagrado
11. e mayordomos de la creación
12. h fidelidad
13. b sacerdocio de los fieles
14. a religioso
15. f virtud
16. c fe

a. mujeres y hombres que pertenecen a comunidades al servicio de Dios y de la Iglesia

b. misión sacerdotal de Cristo en la que todos los bautizados participan

c. la virtud que nos capacita a creer en Dios y en todo lo que la Iglesia nos enseña, nos ayuda a creer todo lo que Dios nos ha dicho sobre sí mismo y en todo lo que hizo

d. el sacramento en el que los hombres son ordenados para servir a la Iglesia como diáconos, sacerdotes y obispos

e. los que cuidan de todas las cosas que Dios les ha dado

f. un buen hábito que nos ayuda a actuar de la forma en que Dios nos ama

g. universal, mundial, abierta a todos

h. fidelidad a una persona o responsabilidad, obligación y promesas; en el matrimonio la lealtad y la voluntad de ser fieles uno al otro

i. la promesa de vivir sencillamente como lo hizo Jesús

Responde las preguntas.

17–18. Las amistades nos preparan para futuras vocaciones. ¿Qué quisieras decir a un buen amigo que te pregunta que le hable sobre todas las vocaciones posibles? Ver página 256.

17–18. Como estudiante de quinto curso, ¿Cómo puedes mostrar que has sido llamado a vivir como un discípulo de Jesús?

356

Assessment

Grade 5
Unit 4

Name

Write True or False for the following sentences. Then change the false sentences to make them true.

1. False There are three marks of the Church. It is one, holy, and catholic.
   There are four marks of the Church. It is one, holy, catholic, and apostolic.

2. False Deacons are the successors of the apostles who are ordained to continue the apostle's mission of leadership and service in the Church.
   Bishops are the successors of the apostles.

3. True The saints are models for living a life of virtue.

4. True The love between a husband and wife is a sign of God's love for all his people and of Christ's love for his Church.

5. True Laypeople are all the baptized members of the Church who share in the mission to bring the good news of Christ to the world.

6. True In the sacrament of Matrimony the bride and groom are the celebrants. Jesus acts through them and through their promise to always love and be true to each other.

7. False The laying on of hands and prayer of consecration are the main parts of the sacrament of Matrimony.
   They are the main parts of the sacrament of Holy Orders.

8. True Love is the greatest of all virtues; it is the goal of our lives as Christians.

357

Write the letter that best defines each term.

9. g catholic
10. d Holy Orders
11. e stewards of creation
12. h fidelity
13. b priesthood of the faithful
14. a religious
15. f virtue
16. c faith

a. women and men who belong to communities of service to God and the Church

b. Christ's priestly mission in which all those who are baptized share

c. the virtue that enables us to believe in God and all the Church teaches us, it helps us to believe all that God has told us about himself and all that he has done

d. the sacrament in which men are ordained to serve the Church as deacons, priests, and bishops

e. those who take care of everything God has given them

f. a good habit that helps us to act according to God's love for us

g. universal, worldwide, open to all people

h. faithfulness to a person and to duties, obligations, and promises; in marriage the loyalty and the willingness to be true to each other always

i. the promise to live simply as Jesus did

Answer the questions.

17–18. Friendships prepare us for future vocations. What would you tell a good friend who asks you to tell him or her about all the possible vocations?
See page 257.

19–20. As a fifth grader, how can you show that you have been called to live as a disciple of Jesus?

358

Nombre ______________________________

Una iglesia es un edificio que adquiere su verdadero significado cuando nosotros, el pueblo de Dios, se reúne para adorar y celebrar. Como pueblo de Dios somos la Iglesia con "I" mayúscula.

Haz que el edificio de esta iglesia cobre vida. ¿Qué quieres dibujar para mostrar que esta iglesia es realmente el lugar donde se reúne el pueblo de Dios?
Usa la imaginación.

Name ____

A church is a building that takes on real meaning when we, God's people, gather to worship and celebrate. For as God's people we are the Church with a capital "C".

Make this church building come alive! What would you draw to show this church is truly a gathering of God's people? Be imaginative!

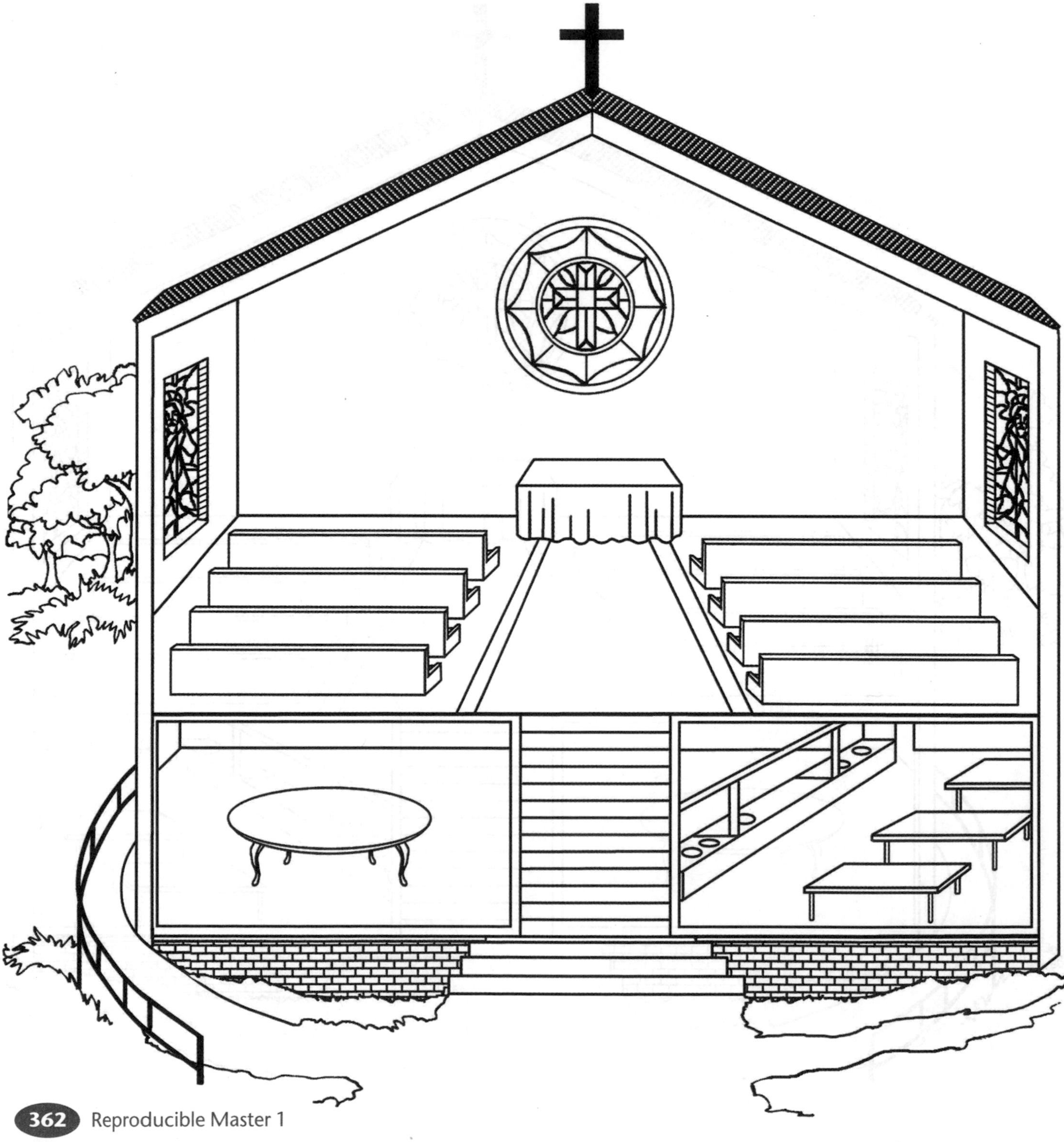

Nombre ____

Recorta los números. Dóblalos y colócalos en un sombrero. Pinta y recorta los marcadores. Con un compañero, juega el juego. Escoge un número, avanza los espacios indicados por el número, y sigue las indicaciones del cuadro. Después pon el número en el sombrero. Continúen hasta que alguien llegue al final.

Empieza

Llama a tu abuela. **AVANZA 2**

Ayuda a tu hermanita a amarrarse los zapatos. **AVANZA 2**

Tira la ropa vieja en la basura. **REGRESA 3**

Ve a misa el domingo. **AVANZA 3**

En el bus ofrece tu asiento a un anciano. **AVANZA 2**

Envía una tarjeta a un enfermo. **AVANZA 3**

Se amable con alguien. **AVANZA 2**

Da dinero a los pobres. **AVANZA 2**

Dona comida a los que tienen hambre. **AVANZA 3**

Olvida ayudar a tu hermano con la tarea. **REGRESA 2**

Juega con un compañero excluido. **AVANZA 3**

Eres insolente con tu padre. **REGRESA 2**

Reza por alguien que ha muerto. **AVANZA 3**

Grita a alguien en vez de hablarle suavemente. **REGRESA 2**

Perdona a tu amigo después de pelear. **AVANZA 2**

Haz una obra de misericordia. **AVANZA 2**

Guarda rencor contra tu amigo. **REGRESA 2**

Habla con tu primo cuando está fastidiado. **AVANZA 2**

Reza por los que amas. **AVANZA 3**

Fastidia a tu hermana o hermano. **REGRESA 2**

Fin

Has sido atento con Jesús sirviendo a otros.

1	2	3	4	Azul	Rojo

Name ____

Cut out the numbers. Fold and place them in a hat. Color and cut out the markers. With a partner, play the game. Choose a number, move that number of spaces, and follow the directions on the square. Then put the number back in the hat. Continue until someone reaches Finish.

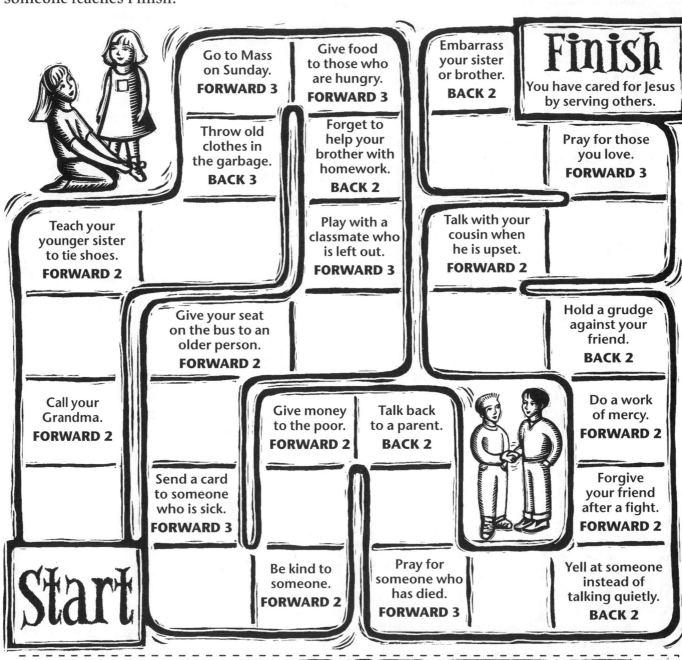

Start

Teach your younger sister to tie shoes. **FORWARD 2**

Call your Grandma. **FORWARD 2**

Go to Mass on Sunday. **FORWARD 3**

Give food to those who are hungry. **FORWARD 3**

Throw old clothes in the garbage. **BACK 3**

Forget to help your brother with homework. **BACK 2**

Play with a classmate who is left out. **FORWARD 3**

Give your seat on the bus to an older person. **FORWARD 2**

Send a card to someone who is sick. **FORWARD 3**

Give money to the poor. **FORWARD 2**

Talk back to a parent. **BACK 2**

Be kind to someone. **FORWARD 2**

Pray for someone who has died. **FORWARD 3**

Yell at someone instead of talking quietly. **BACK 2**

Forgive your friend after a fight. **FORWARD 2**

Do a work of mercy. **FORWARD 2**

Hold a grudge against your friend. **BACK 2**

Talk with your cousin when he is upset. **FORWARD 2**

Pray for those you love. **FORWARD 3**

Embarrass your sister or brother. **BACK 2**

Finish
You have cared for Jesus by serving others.

1	2	3	4	Blue	Red

CAPÍTULO 3
CURSO 5

Nombre ____

Descifra los nombres de los siete sacramentos. Identifica cada uno como un sacramento de iniciación, sanción, o servicio a la comunidad. Después descifra las letras de los círculos para responder a la pregunta al final de la página.

1	A
2	B
3	C
4	D
5	E
6	F
7	G
8	H
9	I
10	J
11	K
12	L
13	M
14	N
15	O
16	P
17	Q
18	R
19	S
20	T
21	U
22	V
23	W
24	X
25	Y
26	Z

___ ___ ___ ___ ___   ___ ___ (◯) ___ ___ ___ ___

15 18 4 5 14   19 1 7 18 1 4 15

es un sacramento de ________________________________.

___ (◯) ___ ___ ___ ___ ___ ___ ___ ___

13 1 20 18 9 13 15 14 9 15

es un sacramento de ________________________________.

___ ___ ___ ___ ___ ___ ___ ___ ___ (◯) ___ ___

3 15 14 6 9 18 13 1 3 9 15 14

es un sacramento de ________________________________.

(◯) ___ ___ ___ ___ ___ ___ ___ ___ ___ (◯) ___ ___ ___

18 5 3 15 14 3 9 12 9 1 3 9 15 14

es un sacramento de ________________________________.

___ ___ ___ ___ ___ ___   ___ ___   ___ ___ ___   ___ ___ ___ ___ ___ ___ ___ ___

21 14 3 9 15 14   4 5   12 15 19   5 14 6 5 18 13 15 19

es un sacramento de ________________________________.

___ (◯) ___ ___ ___ ___ ___ ___

2 1 21 20 9 19 13 15

es un sacramento de ____________________.

___ ___ ___ ___ ___ ___ ___ ___ ___ ___

5 21 3 1 18 9 19 20 9 1

es un sacramento de ____________________.

Escribe aquí las letras de los círculos ◯ ◯ ◯ ◯ ◯ ◯

Después descifra estas letras y responde la pregunta.

¿Qué compartimos cuando recibimos los sacramentos? ___ ___ ___ ___ ___ ___

CHAPTER 3 GRADE 5

Name ____

Unscramble the names of the seven sacraments below. Identify each as a sacrament of initiation, healing, or service to others. Then unscramble the letters in the circles to answer the question at the bottom of the page.

1	2	3	4	5	6	7	8	9	10	11	12	13	14	15	16	17	18	19	20	21	22	23	24	25	26
A	B	C	D	E	F	G	H	I	J	K	L	M	N	O	P	Q	R	S	T	U	V	W	X	Y	Z

___ ___ ___ ___   ___ ___ ◯ ___ ___ ___

8 15 12 25   15 18 4 5 18 19

is a sacrament of ______________________.

___ ___ ___ ___ ___ ___ ___ ___ ___

13 1 20 18 9 13 15 14 25

is a sacrament of ______________________.

___ ___ ___ ___ ___ ___ ___ ___ ___ ___ ◯ ___

3 15 14 6 9 18 13 1 20 9 15 14

is a sacrament of ______________________.

___ ◯ ___ ___ ___ ___ ◯ ___ ___ ___ ___ ___ ___ ___

18 5 3 15 14 3 9 12 9 1 20 9 15 14

is a sacrament of ______________________.

___ ___ ___ ___ ___ ___ ___ ___ ◯   ___ ◯   ___ ___ ___   ___ ___ ___ ___

1 14 15 9 14 20 9 14 7   15 6   20 8 5   19 9 3 11

is a sacrament of ______________________.

___ ___ ___ ___ ◯ ___ ___

2 1 16 20 9 19 13

is a sacrament of ______________________.

___ ___ ___ ___ ___ ___ ___ ◯ ___

5 21 3 8 1 18 9 19 20

is a sacrament of ______________________.

Write the circled letters here. 

Then unscramble these letters to find the phrase that answers the question.

What do we share in when we receive the sacraments? ___ ___ ___ ’ ___   ___ ___ ___ ___

Nombre ____

Mientras aprendes las afirmaciones de fe en *Creemos* escríbelas en la fuente bautismal. Con tu grupo decidan el símbolo que dibujarán para cada afirmación. Cuando hayan completado el trabajo, recórtenlo siguiendo la línea fuerte de afuera. Doblen y peguen como se muestra en la parte superior derecha de esta página.

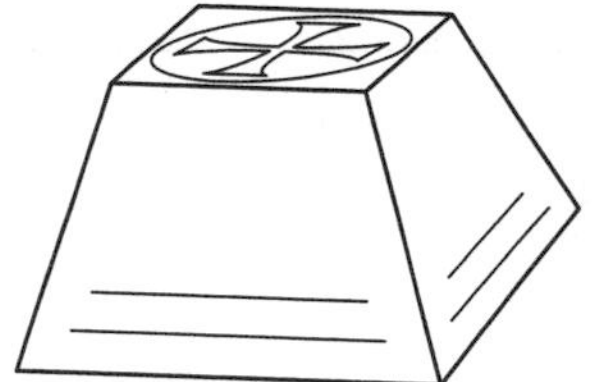

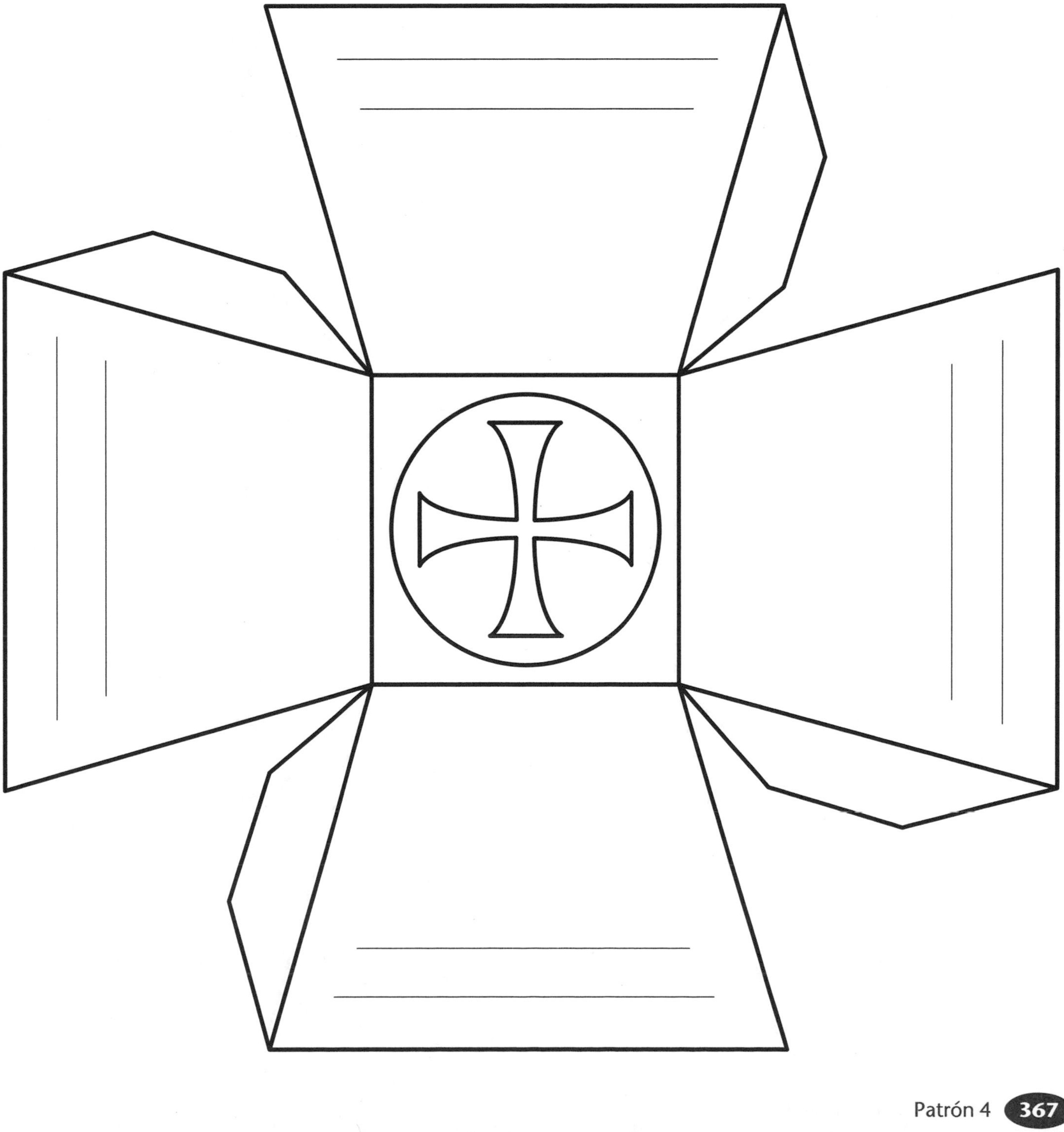

Name ____

As you learn about each *We Believe* statement, write it on the baptismal font. With your group decide on the symbol you will draw for each faith statement. When you have completed the work for each statement, cut on the solid outside lines. Fold and tape as shown at right to put the font together.

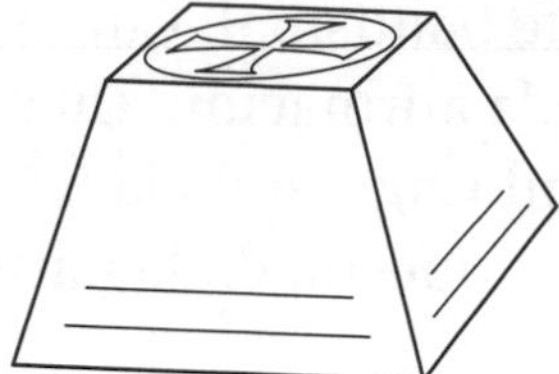

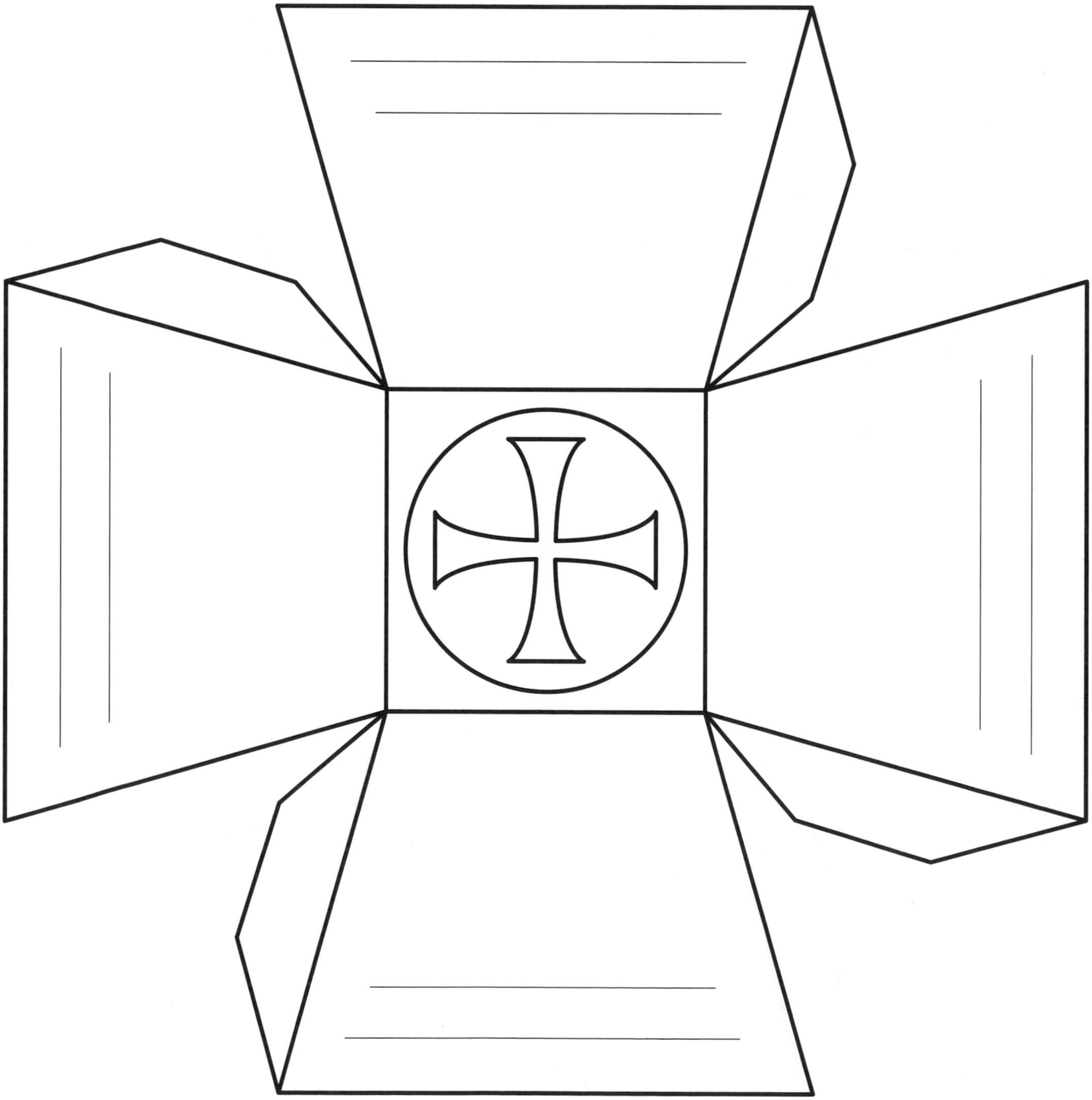

Nombre ____

Llena los recuerdos de tu bautismo basado en la información que conoces.

Mis Comienzos

Mi nombre es ______________________________.

Nací en ______________________________.

Fui bautizado en ______________________________

En la iglesia ______________________________.

Fui ayudado en mi peregrinaje bautismal por mis padrinos

______________________________ y

______________________________.

Cada día hago brillar la luz de Cristo que se me dio en

el Bautismo al ______________________________

____

____

Name ____

Fill out the baptismal remembrance based on information you know of your own Baptism.

My Beginnings

My name is ______________________________________.

I was born on ____________________________________.

I was baptized on _________________________________

at ____.

I was helped on my baptismal journey by my godparents

____ and

____.

Each day I shine the light of Christ given to me at Baptism by

____

____

____

Nombre ____

Imagina que eres el salmista que escribió “Mi vida está en tus manos” (Salmo 31:15) Describe en que forma responderías a cada una de las siguientes situaciones para mostrar que sabes que Dios está contigo todo el tiempo.

Situación #1

Estás apresurado por terminar de guardar los platos y así poder mirar tu programa de televisión favorito. Tu mamá se sienta en la mesa de la cocina y dice: “Estoy muy cansada. Este día ha sido realmente pesado para mí”. ¿Qué dices o haces?

____

____

Situación #2

Cuando vas caminando por el pasillo, te das cuenta que a una compañera de clase se le cayó su libro de matemáticas. Cuando trata de recogerlo, se le cae la lonchera. Unos niños que están en el pasillo se ríen de ella. ¿Qué dices o haces?

____

____

Situación #3

Es la semana antes de Navidad. Fuera de la librería ves a un ciego tocando el acordeón. Algunas personas le ponen dinero en la canasta. Tú llevas dinero para las compras de Navidad. ¿Qué dices o haces?

____

____

CHAPTER 6 GRADE 5

Name ____

Imagine that you are the psalmist who wrote "My times are in your hands" (Psalm 31:15a). Describe in what way you would respond to each of the following situations to show you know that God is with you at all times.

Situation #1

You are in a hurry to finish putting the dishes away so you can watch your favorite TV show. Your mother sits down at the kitchen table and says, "I'm so tired. Today was really hard on me."
What do you say or do?

____

____

Situation #2

As you are walking down the hallway, you notice that a classmate has dropped her math book. While trying to pick it up, she drops her lunch bag. Other kids in the hall are laughing at her.
What do you say or do?

____

____

Situation #3

It is the week before Christmas. Outside the bookstore you see a blind person playing the accordion. A few people are dropping coins in his basket. You have your Christmas shopping money with you.
What do you say or do?

____

____

CAPITULO 7 CURSO 5

Nombre ______________________________

Escribe en las rayas lo que puedes hacer para mostrar que has entendido las siguientes enseñanzas de Jesús y los santos.

1. "Perdonen, y Dios los perdonará". (Lucas.6:37)

____

____

____

2. "Hagan ustedes con los demás como quieran que los demás hagan con ustedes". (Mateo.7:12)

____

____

____

3. "Justicia. . . es la virtud que da a cada uno lo que le es debido". (San Agustín de Nipona)

____

____

____

4. "Dios habita en ti, y allí debes de morar con él". (Santa Teresa de Avila)

____

____

____

____

Name ____

Write in the spaces provided what you can do to show that you have understood the following teachings from Jesus and the saints.

1. “Forgive and you will be forgiven.” (Luke 6:37)

____

____

____

2. “Do to others whatever you would have them do to you.” (Matthew 7:12)

____

____

____

3. “Justice . . . is the virtue that gives to each his due.” (Saint Augustine of Hippo)

____

____

____

4. “God dwells within you, and there you should dwell with him.” (Saint Teresa of Avila)

____

____

____

____

Nombre ______________________________

Escribe en cada flor columbina un evento importante ocurrido en Pentecostés. Después pon los eventos en el orden correcto numerándolos del 1 al 5 en el círculo pequeño de la hoja de cada flor.

La paloma es un símbolo del Espíritu Santo. Estas flores se llaman *columbinas* porque parecen palomas pequeñas. *Columbina* significa "como una paloma" en latín. Las columbinas son también símbolos del Espíritu Santo.

Name ____

In each columbine, write a main event that occurred on Pentecost. Then put the events in correct order by numbering them from 1 to 5 in the small circle on the leaf of each flower.

The dove is a symbol of the Holy Spirit. These flowers are called *columbines* because they look like little doves. *Columbine* means "like a dove" in Latin. Columbines are also symbols of the Holy Spirit.

Nombre ____

Escribe en la raya la letra al lado de la definición del don del Espíritu Santo.

1. _____ Sabiduría
2. _____ Inteligencia
3. _____ Consejo
4. _____ Fortaleza
5. _____ Ciencia
6. _____ Piedad
7. _____ Temor de Dios

a. nos ayuda a amar a los otros como Jesús nos llama hacerlo.

b. hace posible que amemos y respetemos todo lo que Dios ha creado.

c. nos ayuda a ver la presencia de Dios a tratar su creación con amor.

d. nos lleva a aprender más sobre Dios, su plan, y nos conduce a la sabiduría e inteligencia.

e. nos ayuda a tomar buenas decisiones.

f. nos fortalece para ser testigos nuestra fe en Jesucristo.

g. nos ayuda a ver y seguir la voluntad de Dios en nuestras vidas.

Name ____

Write the letter of the description that matches each gift of the Holy Spirit.

1. _____ Wisdom

2. _____ Understanding

3. _____ Right Judgment

4. _____ Courage

5. _____ Knowledge

6. _____ Reverence

7. _____ Wonder and awe

a. helps us to love others as Jesus calls us to do.

b. makes it possible for us to love and respect all that God has created.

c. help us see God's presence and love filling all creation.

d. brings us to learn more about God and his plan, and leads us to wisdom and understanding.

e. aids us in making good choices.

f. strengthens us to give witness to our faith in Jesus Christ.

g. helps us to see and follow God's will in our lives.

Nombre ____

Usa el organizador gráfico presentado abajo para compartir lo que aprendiste en este capítulo sobre la Eucaristía. Puedes agregar más círculos si lo deseas.

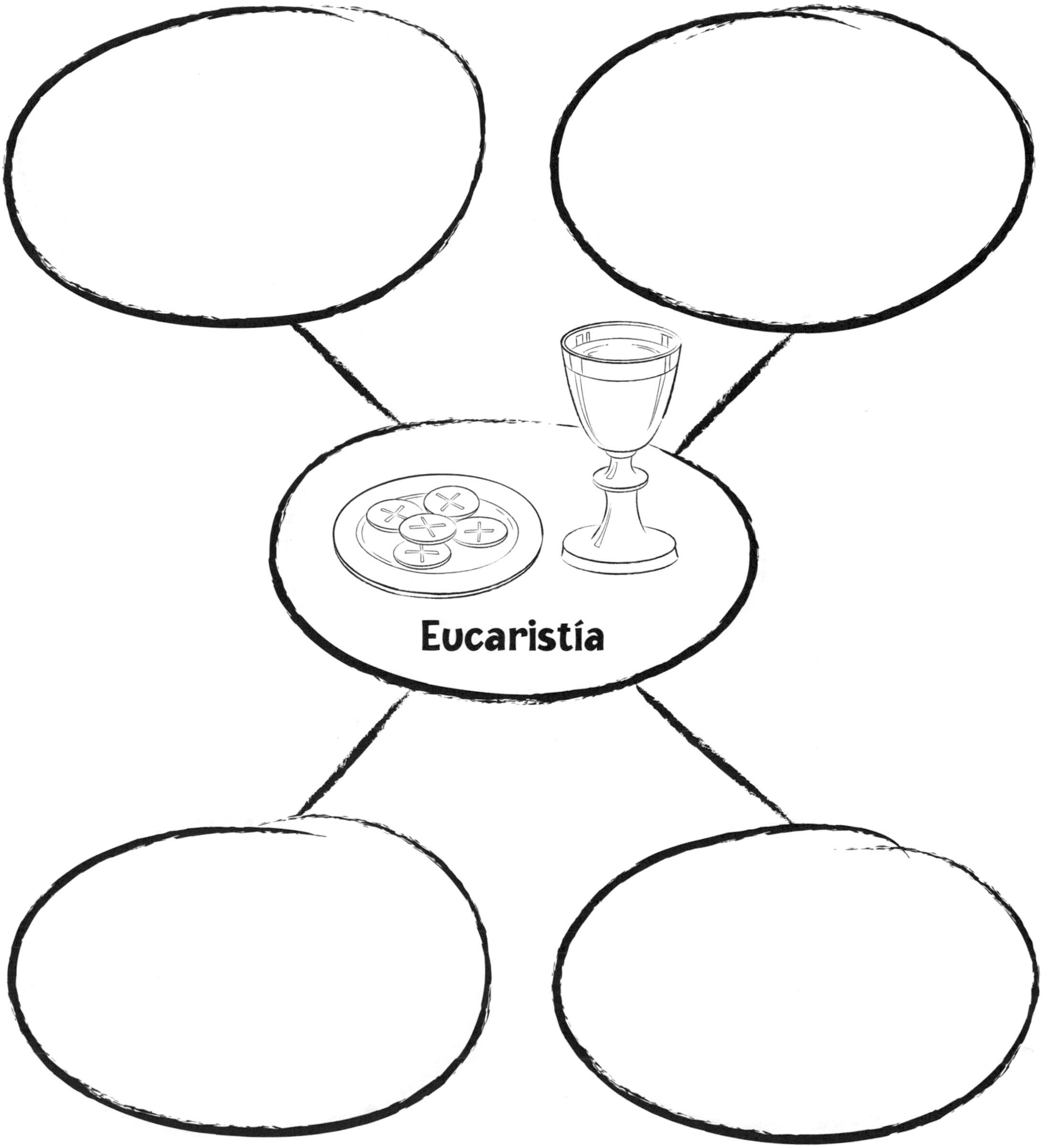

Eucaristía

Name ______________________________

Use the graphic organizer below to share what you learned about the Eucharist in this chapter. You can add more circles if you wish.

Eucharist

Nombre ____

Jesucristo libremente se da a sí mismo en la Eucaristía y nos envía a proclamar la buena nueva de salvación a los otros.

Una forma de mostrar que soy discípulos de Cristo es

____

____

____

____

Dibuja tu idea.

Otra forma de mostrar que yo soy discípulos de Cristo es

____

____

____

____

Dibuja tu idea.

He aquí algunas formas en que podemos mostrar que somos discípulos de Cristo:

1. ____

2. ____

3. ____

4. ____

5. ____

CHAPTER 11 GRADE 5

Name ______________________________

Jesus Christ gives himself freely to us in the Eucharist and sends us forth to proclaim the good news of salvation to others.

One way that I show that I am Christ's disciple is

____

____

____

____

Draw your idea.

Another way to show that I am Christ's disciple is

____

____

____

____

Draw your idea.

Here are some ways we can show that we are Christ's disciples:

1. ______________________________

2. ______________________________

3. ______________________________

4. ______________________________

5. ______________________________

Nombre ____

Organiza tus tiempos de oración para la próxima semana. Empieza ahora.

DIA	Cuando rezaré	Lo que voy a rezar
Domingo		
Lunes		
Martes		
Miércoles		
Jueves		
Viernes		
Sábado		

Name ______________________________

Plan your prayer times for the coming week. Start with today!

DAY	When Will I Pray	What Will I Pray
Sunday		
Monday		
Tuesday		
Wednesday		
Thursday		
Friday		
Saturday		

CAPÍTULO 13 CURSO 5

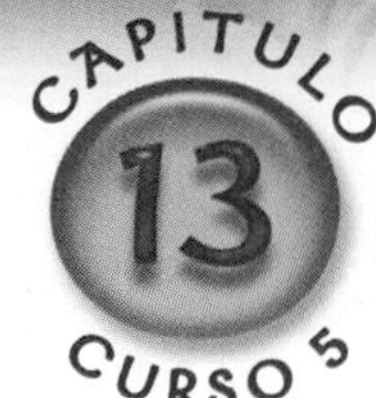

Nombre ____

Mira los siguientes versículos sobre Adviento en la Escritura. Escoge una palabra de cada pasaje. Copia e ilustra cada palabra o frase en un bloque del conjunto. Construye tu propia reflexión de Adviento.

- Mateo 24:44
- Isaías 35:4
- Santiago 5:7
- Filipenses 4:4
- Salmo 24:10
- Salmo 122:8

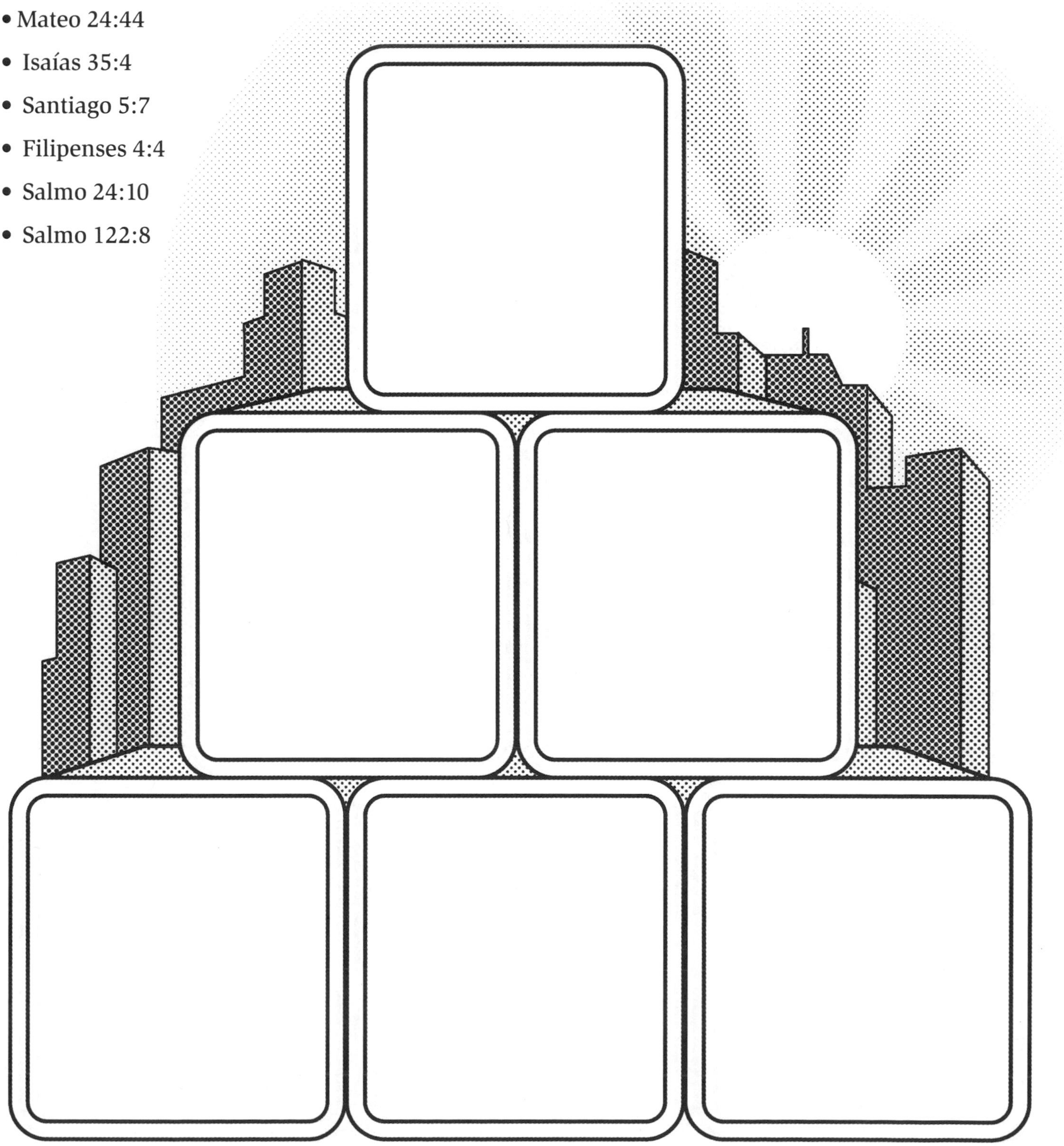

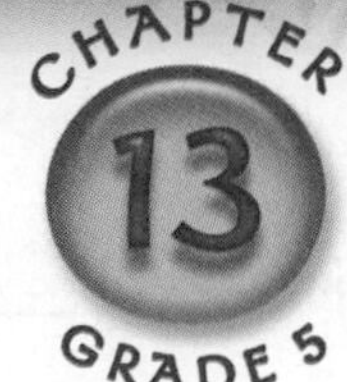

Name ______________________________

Look up the following Advent scriptural verses. Choose a word or phrase from each passage. Print and illustrate each word or phrase in a building block. Construct your own Advent reflection.

- Matthew 24:44
- Isaiah 35:4
- James 5:7
- Philippians 4:4
- Psalm 24:10
- Psalm 122:8

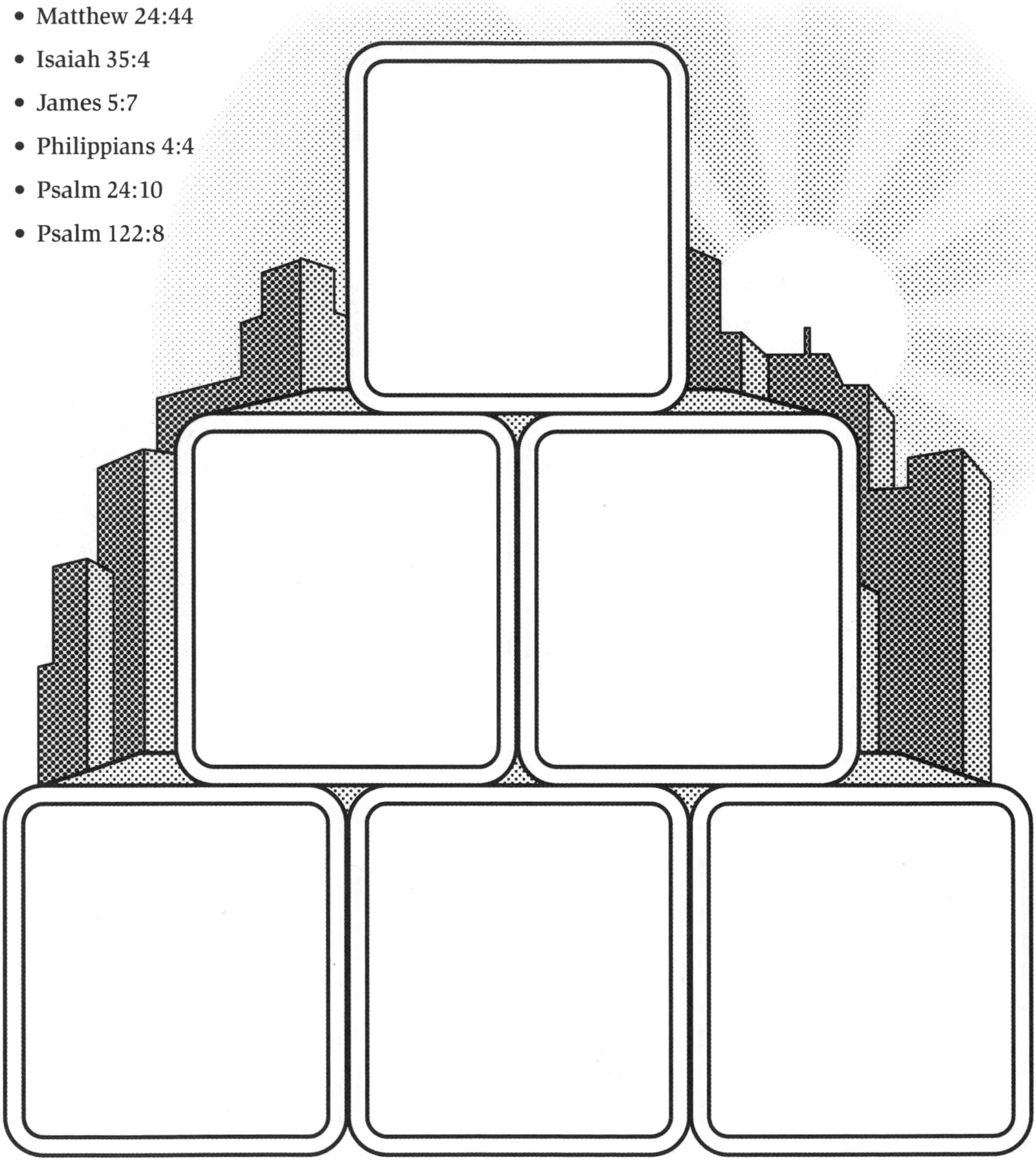

Nombre ______________________________

Usando la melodía de un villancico conocido, escribe una canción que comunique una verdad sobre la Navidad.

____
(título)

Name ____

Using the melody of any familiar Christmas carol, compose a song that communicates any truth about Christmas.

____
(title)

Nombre ____

Los acrósticos se forman cuando las palabras o frases son ampliadas de las letras de otra palabra. Por ejemplo:

Día y noche

Irá conmigo ya esté

Orando o en

Silencio

Escribe un acróstico con la palabra PERDON. Usa palabras o frases que ilustren el significado de perdón.

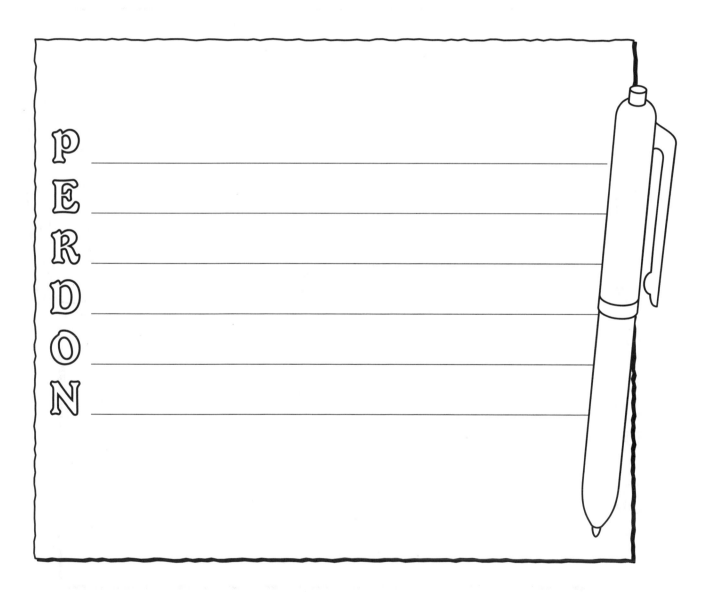

P ______________________________________

E ______________________________________

R ______________________________________

D ______________________________________

O ______________________________________

N ______________________________________

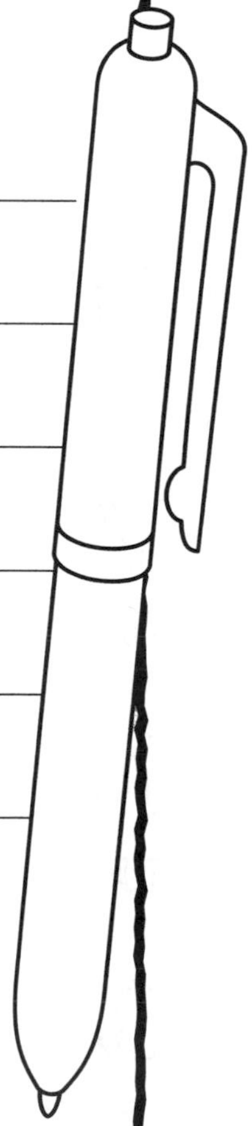

Name ____

Acrostic poems are formed when words or phrases are extended from the letters in another word. For example:

Doctor

Adventurous

Dear to my heart

Write an acrostic poem for the word FORGIVENESS. Use words and phrases that illustrate the meaning of forgiveness.

F ____

O ____

R ____

G ____

I ____

V ____

E ____

N ____

E ____

S ____

S ____

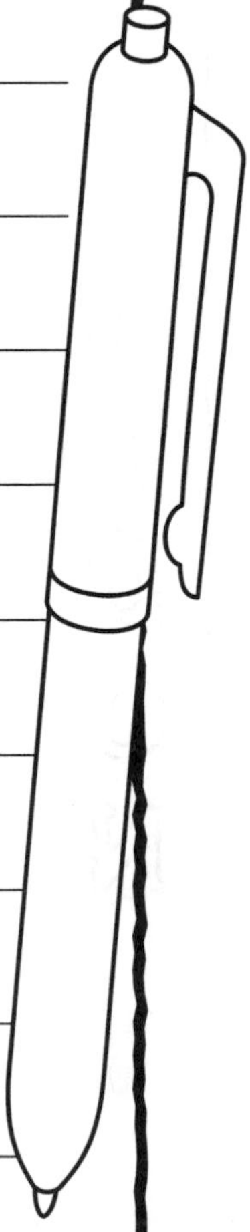

Nombre ____

Busca las palabras *absolución, contrición, confesión, y penitencia* en el cuadro de letra que se ofrece abajo. Después completa el crucigrama usándolas palabras.

Verticales

1. tener pena por nuestros pecados
2. perdonar los pecados en nombre de Cristo

Horizontales

1. confesar nuestros pecados al sacerdote
3. una acción que muestra arrepentimiento por nuestros pecados

Name ____

Find the words *absolution, contrition, confession,* and *penance* in the letter grid below. Then complete the crossword puzzle using the same words.

T	K	U	C	Y	I	M	L	C	A
A	B	S	O	L	U	T	I	O	N
G	N	Z	N	J	O	E	D	N	B
O	S	K	T	A	V	I	H	F	X
L	A	W	R	F	B	Q	W	E	J
H	M	C	I	P	X	D	E	S	C
I	D	P	T	B	N	Q	G	S	E
J	C	S	I	E	F	Y	O	I	Z
Q	R	D	O	G	T	F	H	O	U
K	P	E	N	A	N	C	E	N	V

Across

1. having sorrow for our sins
2. forgiveness of sins through Christ

Down

1. confessing our sins to a priest
3. an action that shows sorrow for our sins

Nombre ____

Decide si las afirmaciones son verdaderas o falsas. Escribe *Verdadero* o *Falso* en la línea al lado de la firmación.

1. _____ Los comienzos del sacramento de la Unción de los enfermos fueron mencionados primero en la Carta de San Pedro.

2. _____ El sacramento de la Unción de los enfermos siempre sanará a las personas seriamente enfermas.

3. _____ Durante el sacramento de la Unción de los enfermos, las son ungidas con aceite.

4. _____ La gente recibe la gracia y la fortaleza de Dios en el de la Unción de los enfermos.

5. _____ Por medio del sacramento de Unción de los enfermos, consolamos a los enfermos y los animamos a luchar contra la enfermedad.

En el espacio de abajo dibuja a alguien recibiendo el sacramento de la Unción de los enfermos. Incluye un título, palabras, o pensamientos efusivos.

Unción de los enfermos

Name ____

Decide whether each statement is true or false. Write *True* or *False* on the line provided.

1. ______ The beginnings of the sacrament of the Anointing of the Sick were first mentioned in the Letter of Saint Peter.

2. ______ The sacrament of the Anointing of the Sick will always heal people who are seriously ill.

3. ______ During the sacrament of the Anointing of the Sick, people are anointed with oil.

4. ______ People receive God's grace and comfort in the sacrament of the Anointing of the Sick.

5. ______ Through the Anointing of the Sick, we support those who are sick and encourage them to fight against illness.

In the space below, draw a picture of someone receiving the sacrament of the Anointing of the Sick. Include a caption, words, or thought bubbles.

CAPÍTULO 18 CURSO 5

Nombre ______________________________

Piensa en las diferentes formas en que podemos mostrar nuestro amor y cuidado por los enfermos y ancianos. Escribe tus ideas en el espacio correcto. Después completa la promesa en el cuadro que se encuentra en la parte de abajo de la página.

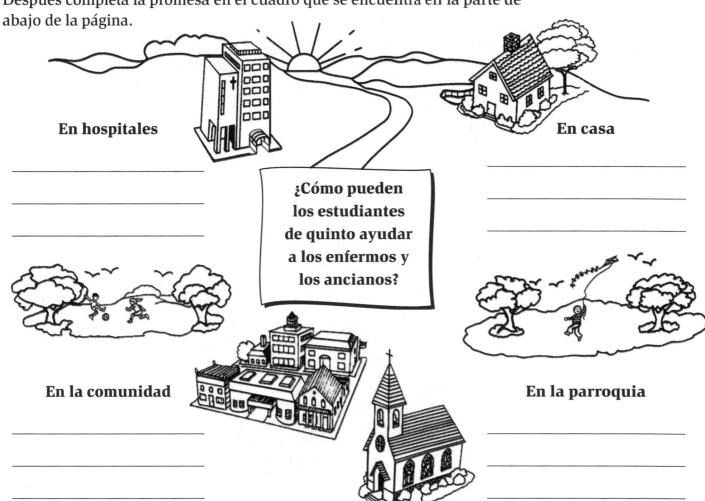

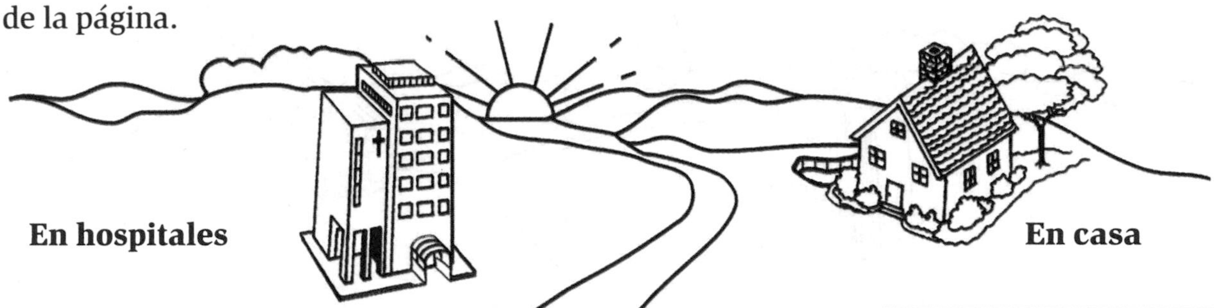

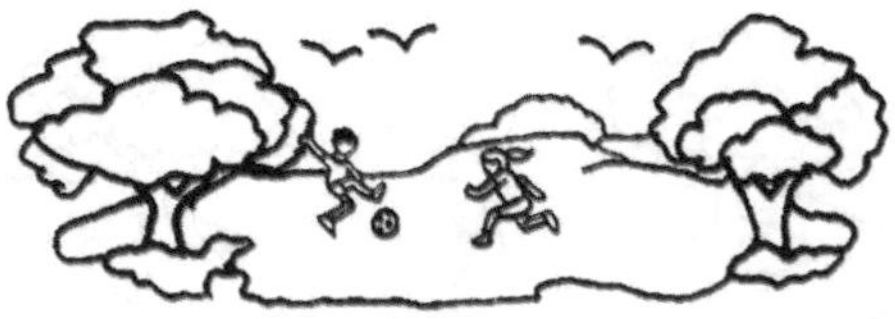

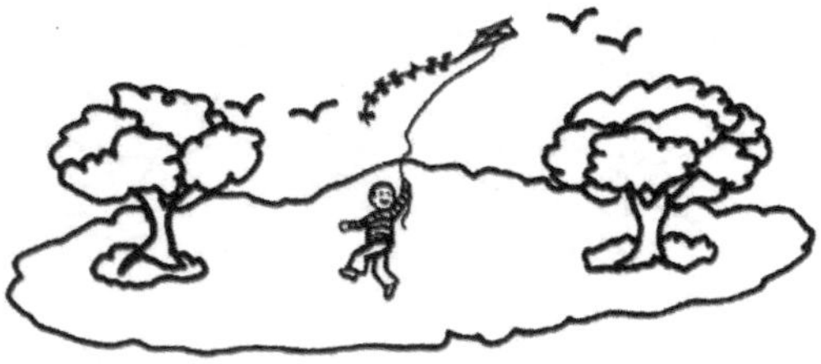

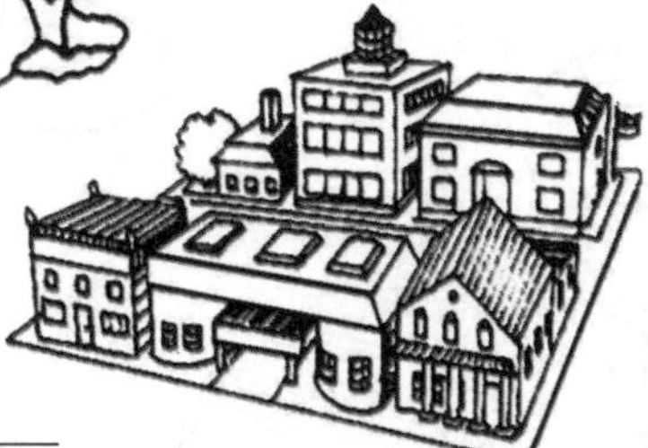

En hospitales

____

____

____

En casa

____

____

____

¿Cómo pueden los estudiantes de quinto ayudar a los enfermos y los ancianos?

En la comunidad

____

____

____

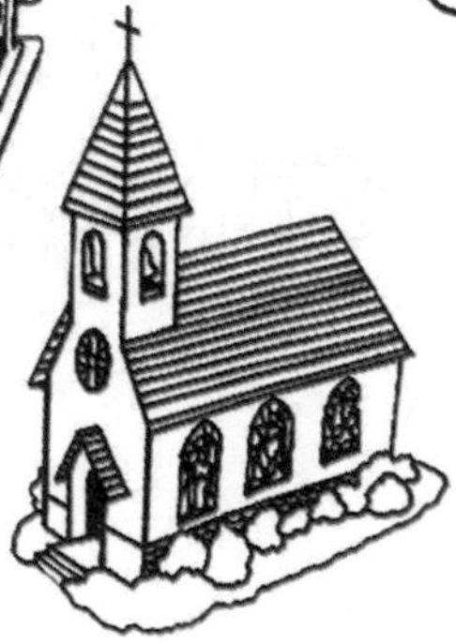

En la parroquia

____

____

____

Piensa en las formas en que puedes ayudar a los enfermos esta semana. Muestra tu deseo de ayudar a los enfermos como Jesús lo hizo completando este compromiso:

Yo, ______________________________,

Prometo ayudar a los enfermos como Jesús lo hizo. Esta

semana, deseo ______________________________

______________________ para servir a los enfermos.

Name ______________________________

Think of different ways that we can show our love and care for the sick and elderly. Write your ideas in the correct box below. Then complete the pledge in the box at the bottom of the page.

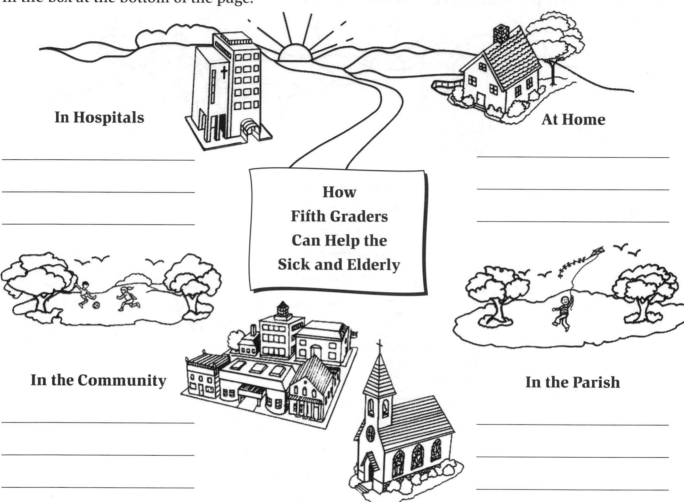

How Fifth Graders Can Help the Sick and Elderly

In Hospitals

____
____
____

At Home

____
____
____

In the Community

____
____
____

In the Parish

____
____
____

Think about ways you can help the sick this week. Show your willingness to help the sick as Jesus did by completing this pledge:

I, ______________________________,

promise to help the sick as Jesus did. This week, I will

____

to give service to the sick.

Nombre ______________________________

Nos gusta recordar a personas y eventos especiales. Los días de fiesta nos ayudan a honrar, recordar, y celebrar a personas y eventos importantes para la Iglesia.

En los espacios de abajo, pon la fecha de un día de fiesta que conoces y cuenta lo que se celebra y se recuerda. ¿Por qué piensas que es importante para la Iglesia? ¿Por qué es importante para ti?

Nombre del día de la fiesta ______________________________

Día en que la fiesta es celebrada ______________________________

Este día de fiesta es importante para la Iglesia porque

____

____

____

____

____

____

Este día de fiesta es importante para mí porque

____

____

____

____

____

____

Name ____

We like to remember special people and events. Feast days help us to honor, remember, and celebrate people and events important to the Church.

In the space provided, give the date of a feast day that you know of, and tell what it celebrates and remembers. Why do you think it is important to the Church? Why is it important to you?

Name of feast day ______________________________

Day feast day is celebrated ______________________

This feast day is important to the Church because

____

____

____

____

____

____

This feast day is important to me because

____

____

____

____

____

____

Nombre ____

Escoge una de estas etiquetas. Coloréala. Escribe tus respuestas a las preguntas a un reportero de televisión sobre tu etiqueta.

Renueva el Bautismo

Reconcíliate

Vive sencillamente

Reza constantemente

Haz penitencia

Sé misericordioso

Reportero: ¿Cuál es el significado de las palabras en la etiqueta?

Tú: ____

____

Reportero: ¿Cómo sigues ese consejo?

Tú: ____

____

Reportero: ¿Hacen ustedes los cristianos eso durante la Cuaresma?

Tú: ____

____

Reportero: ¿Qué diferencia hace?

Tú: ____

____

CHAPTER 20 GRADE 5

Name ______________________________

Choose one of the bumper stickers below. Color it in. Write your responses to a TV reporter's questions about your sticker.

Renew Baptism

Be Reconciled

Live Simply!

Pray Often

Do Penance!

Be Merciful

Reporter: What does your bumper sticker mean?

You: ______________________________

____

Reporter: How do you follow this advice?

You: ______________________________

____

Reporter: Why would Christians do this during Lent?

You: ______________________________

____

Reporter: What difference does it make?

You: ______________________________

____

Nombre ____

Después de la ultima cena, Jesús pidió a sus amigos que se quedaran y rezaran con él en el jardín de Getsemani. Ellos se durmieron. Jesús se sintió desilusionado porque no pudieron mantenerse vigilantes con él por una hora. ¿Y tú? Inténtalo.

Esta hora de oración está dividida en cuatro segmentos de 15 minutos. Lee cada segmento. Trata de hacer las cuatro oraciones sugeridas. Al final de los quince minutos, continúa con el siguiente segmento. No te preocupes si no tienes tiempo para todas las sugerencias, pero trata de escribir una oración a Jesús al final de cada segmento. En los relojes, completa los tiempos para cada segmento en que rezarás con Jesús. Puedes rezar los segmentos en una hora corrida o, puedes rezar cada segmento individualmente, en tiempo separado.

Primer segmento

A. Lee Mateo 26:36–46 (la agonía en el jardín).
B. Reza el Padrenuestro y piensa en su significado.
C. Siéntate y reza silenciosamente.

My Prayer: ____

____

Segundo segmento

A. Lee Mateo 27:15–26 (Jesús es sentenciado a muerte).
B. Escribe a Jesús una oración por los prisioneros que serán ejecutados.
C. Reza un acto de contrición por ti y por toda la gente.

My Prayer: ____

____

Tercer segmento

A. Lee Juan 19:16–30 (la crucifixión de Jesús).
B. Reza en silencio el nombre de Jesús frente a un crucifijo.
C. Reza un Ave María por los que están muriendo en este momento.

My Prayer: ____

____

Cuarto segmento

A. Lee Juan 19:38–42 (Jesús es sepultado).
B. Escribe un poema o un canto sobre el Triduo incluyendo la Pascua.
C. Haz una tarjeta del Triduo o de Pascua, o un cartel para tu familia.

My Prayer: ____

____

Name ____

After the Last Supper, Jesus asked his friends to stay and pray with him in the Garden of Gethsemane. They fell asleep. He was disappointed because they could not keep watch with him for one hour. Will you? Try it!

The hour of prayer below is divided into four 15-minute segments. Read each segment. Try to do all four prayer suggestions. At the end of fifteen minutes, move to the next segment. Do not worry if you do not have time for all of the suggestions, but try to write a prayer to Jesus at the end of each segment. Fill in the watch faces with the times that you will watch and pray each segment with Jesus. You can pray the segments in one straight hour, or you can pray each segment individually at a separate time.

First Segment

A. Read Matthew 26:36–46 (the agony in the garden).
B. Pray the Our Father and think about what it means.
C. Sit quietly in prayerful silence.

My Prayer: ____

____

Second Segment

A. Read Matthew 27:15–26 (Jesus is sentenced to death).
B. Write a prayer to Jesus for prisoners on death row.
C. Pray an act of contrition for yourself and all people.

My Prayer: ____

____

Third Segment

A. Read John 19:16–30 (the crucifixion of Jesus).
B. Pray the name of Jesus quietly before a crucifix.
C. Pray a Hail Mary for those who are dying right now.

My Prayer: ____

____

Fourth Segment

A. Read John 19:38–42 (the burial of Jesus).
B. Write a Triduum poem or song that includes Easter.
C. Make a Triduum or Easter card or poster for your family.

My Prayer: ____

____

Cada día, llena uno de los "círculos de virtudes" con el que has aprendido sobre las virtudes teologales de fe, esperanza y caridad. Conversa sobre el por qué la caridad está al centro de todas.

Name ____

Each day, fill in one of the "virtue circles" with what you learned about the theological virtues of faith, hope, and love. Discuss why love is at the very center.

DAY 1:

FAITH

DAY 2:

HOPE

DAY 3:

LOVE

Nombre ______________________________

Jesús nos llama a vivir como sus discípulos. Responde a estas preguntas sobre la lección de hoy.

¿Qué se me pide que haga?

____
____
____

¿Qué estoy haciendo bien?

____
____
____

¿Si fuera a cambiar algo de lo que hago, ¿qué sería?

____
____
____

¿Qué ayuda necesito yo?

____
____
____

Name ______________________________

Jesus calls us to live as his disciples. Answer these questions about today's lesson.

What am I asked to do?

____

____

____

What am I doing well?

____

____

____

If I were to change something I do, what would it be?

____

____

____

What help do I need?

____

____

____

CAPITULO 24 CURSO 5

Nombre ____

Imagina que eres un acólito en la celebración de una boda. Usa las siguientes preguntas para reportar lo que viste y oiste durante la celebración del sacramento del Matrimonio.

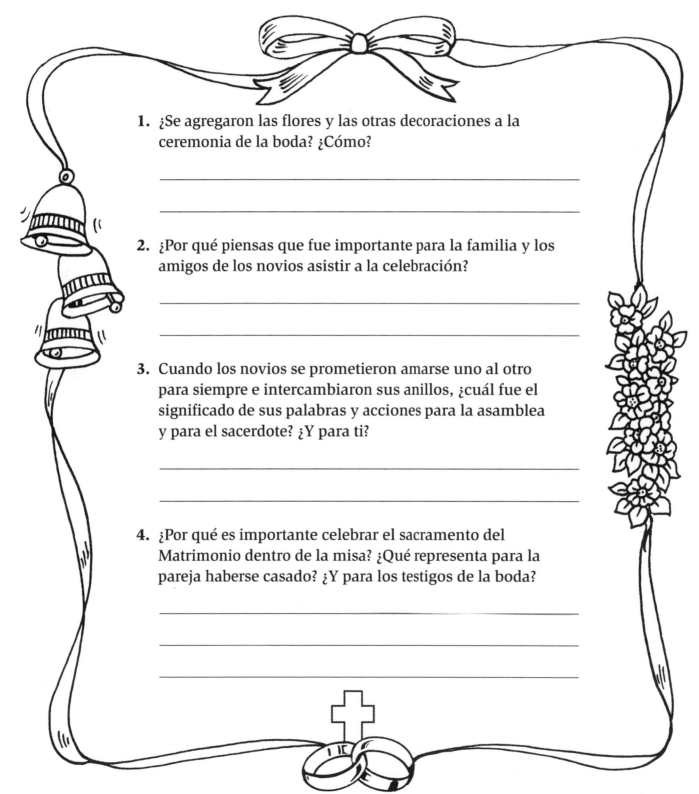

1. ¿Se agregaron las flores y las otras decoraciones a la ceremonia de la boda? ¿Cómo?

____

____

2. ¿Por qué piensas que fue importante para la familia y los amigos de los novios asistir a la celebración?

____

____

3. Cuando los novios se prometieron amarse uno al otro para siempre e intercambiaron sus anillos, ¿cuál fue el significado de sus palabras y acciones para la asamblea y para el sacerdote? ¿Y para ti?

____

____

4. ¿Por qué es importante celebrar el sacramento del Matrimonio dentro de la misa? ¿Qué representa para la pareja haberse casado? ¿Y para los testigos de la boda?

____

____

____

Name ______________________________

Imagine that you are an altar server at the celebration of a wedding. Use the following questions to report on what you saw and heard during the celebration of the sacrament of Matrimony.

1. Did the flowers and the other decorations add to the wedding ceremony? How?

____

____

2. Why do you think it was important for the family and friends of the bride and groom to attend the celebration?

____

____

3. When the bride and groom promised to love one another always and exchanged rings, what did these words and actions mean to the assembly and the priest? to you?

____

____

4. Why is it important to celebrate the sacrament of Matrimony within the Mass? What does it offer the couple getting married? to those witnessing the marriage?

____

____

____

Nombre ____

Los hombres que reciben el sacramento del Ordene sirven a la Iglesia en manera especial. Completa los círculos haciendo un listado de las responsabilidades de los diáconos, los sacerdotes y los obispos.

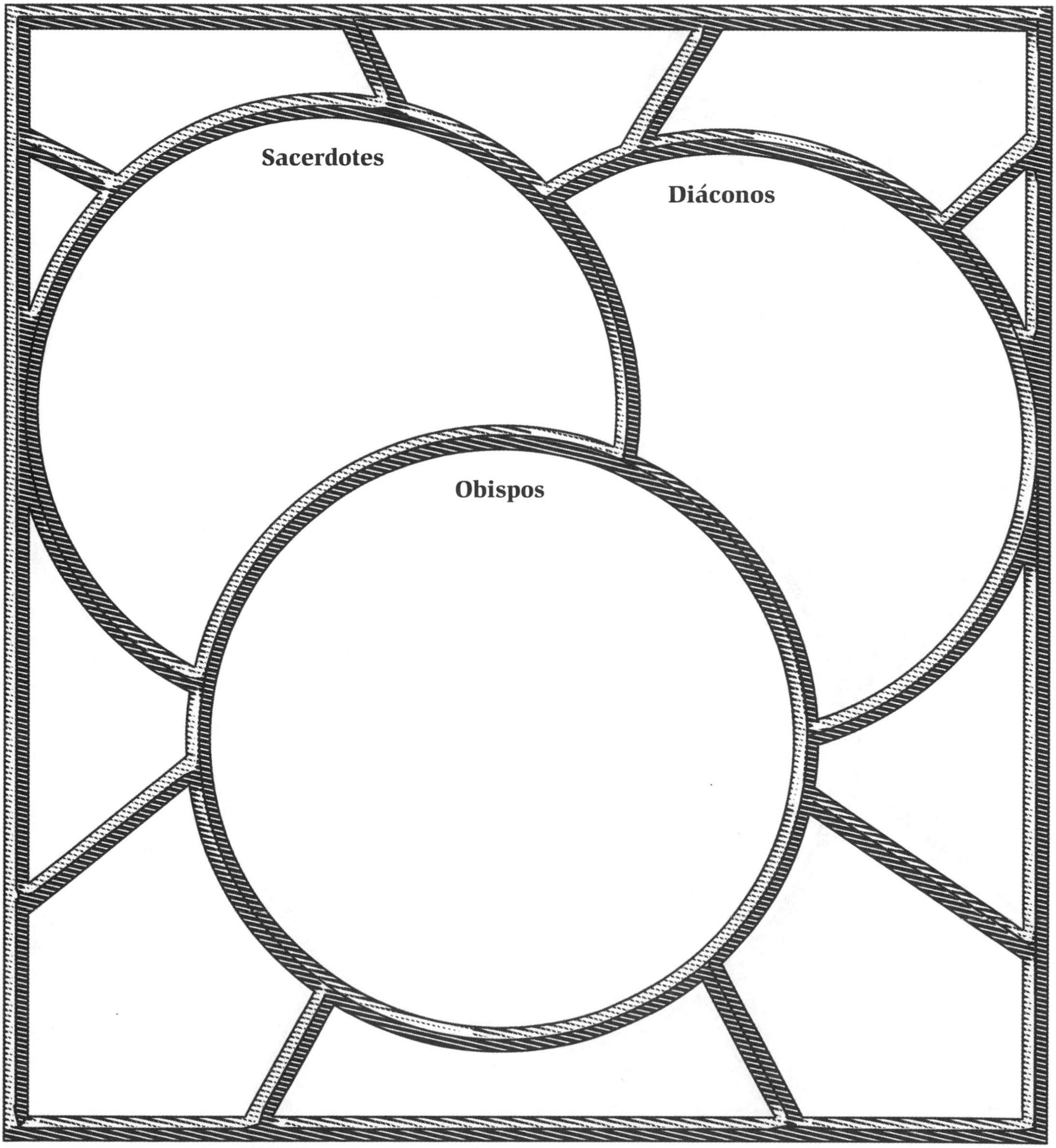

Sacerdotes

Diáconos

Obispos

Name ______________________________

Men who receive the sacrament of Holy Orders serve the Church in special ways. Complete the circles by listing the responsibilities of deacons, priests, and bishops.

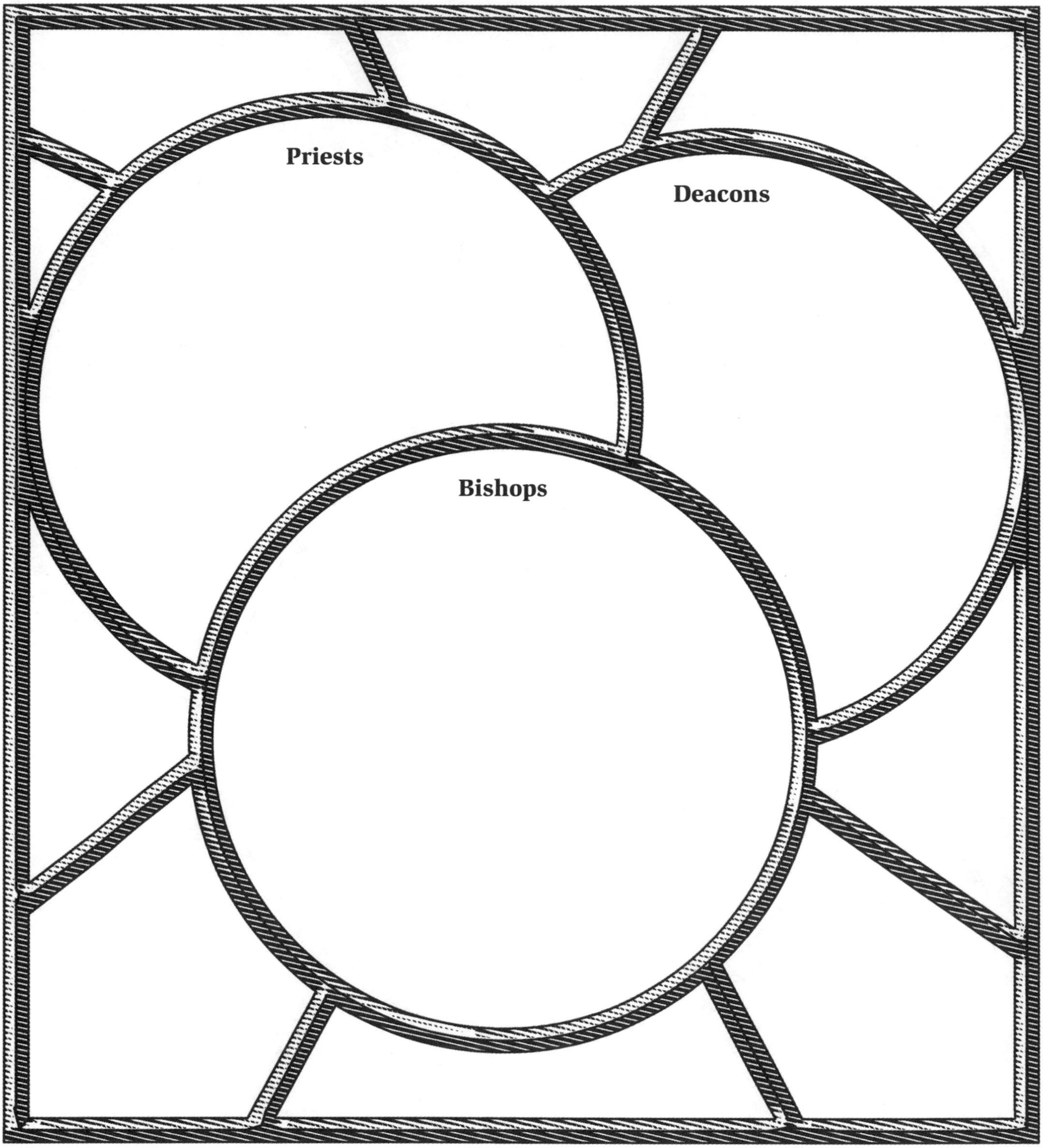

Priests

Deacons

Bishops

Nombre ______________________________

La Iglesia es una y santa. **La Iglesia es católica y apostólica.**

La Iglesia respeta a todos. **La Iglesia trabaja por la justicia y la paz**

Este C-Q-A organizador te ayudará a recordar las lecciones de esta semana.
Las letras significan:

- lo que ya **C**onocemos. **(C)**
- lo que **Q**ueremos conocer **(Q)**
- lo que hemos **A**prendido. **(A)**

Primero, encierra en un círculo el título de arriba que representa la idea principal de la lección de hoy. Después, escribe abajo lo que ya conoces sobre la Iglesia bajo ese título. Luego, escribe abajo lo que quieres conocer sobre la Iglesia. Al final de la lección de hoy, escribe abajo lo que has aprendido sobre la Iglesia.

C

¿Qué es lo que ya conocemos?

____

____

____

____

Q

¿Qué es lo que queremos conocer?

____

____

____

____

A

¿Qué es lo que hemos aprendido?

____

____

____

____

Name ____

The Church is one and holy.

The Church is catholic and apostolic.

The Church respects all people.

The Church works for justice and peace.

This K-W-L organizer will help you remember this week's lessons. The letters stand for:

- what we already **K**now. **(K)**
- what we **W**ant to know. **(W)**
- what we have **L**earned. **(L)**

First, circle the heading above that is the main idea of today's lesson. Next, write down what you already know about the Church under this heading. Then, write down what you want to know about the Church. At the end of today's lesson, write down what you have learned about the Church.

K **What do we already know?**

____

____

____

____

W **What do we want to know?**

____

____

____

____

L **What have we learned?**

____

____

____

____

Nombre ____

Por cada "¿Qué habría pasado si?" haz una caricatura ilustrando tu respuesta imaginaria.

1. ¿Qué habría pasado si María Magdalena, María y Salomé hubieran salido corriendo llenas de miedo cuando vieron que la piedra había sido removida de la tumba?

2. ¿Qué habría pasado si el ángel no hubiera estado allí para explicar por que la tumba estaba vacía?

3. ¿Qué habría pasado si el Señor resucitado sólo hubiera aparecido a las tres mujeres?

Name ______________________________

For each "What If?" below, draw a cartoon illustrating your imaginative response.

1. What if Mary Magdalene, Mary, and Salome had run off in fear when they saw that the stone had been rolled back from the tomb?

2. What if the angel had not been there to explain the empty tomb?

3. What if the risen Lord had appeared only to the three women?

UNIDAD 1 COMPARTIENDO LA FE en familia

¿Qué lugar ocupa Dios en su familia?

¿De qué manera describiría la presencia de Dios en su hogar? ¿Cuándo fue la última vez que usted o alguien de su familia se detuvo a contemplar algo maravillado? Podría ser la luz dorada del sol sobre la mesa del desayuno o la sonrisa de un pequeño. No es necesario viajar a lugares exóticos para disfrutar de las maravillas de la creación de Dios.

Es posible que el trajín de nuestra vida diaria nos impida desarrollar nuestra capacidad de ser agradecidos. En el núcleo familiar, por ejemplo, suele suceder que no valoramos a los demás miembros porque damos por descontado su existencia. Sin embargo, todos tienen buenas cualidades y destrezas particulares. Cuando nos concentramos en los rasgos positivos de los miembros de nuestra familia, nos sentimos agradecidos por sus vidas. Y si tomamos conciencia de todas nuestras bendiciones, reconocemos la presencia constante de Dios en nuestras vidas.

La oración es el nexo o conexión que nos mantiene unidos a la presencia permanente de Dios en nuestra vida. No es necesario que la oración sea larga o formal; la oración puede ser parte de nuestra vida cotidiana, en especial si estamos más atentos a esos destellos de gracia que se manifiestan todo el tiempo.

Lo que aprenderá su hijo en la unidad 1

El libro de quinto grado del programa Creemos se centra en los siete sacramentos de la Iglesia Católica. La primera unidad comienza con Jesucristo. Los niños reconocerán a Jesús como el Hijo de Dios que nos muestra el amor de Dios. Además, tomarán conciencia de que ellos proclaman la buena nueva de Jesús con sus palabras y acciones. La liturgia se presenta como una forma de celebrar el misterio pascual de Cristo: su pasión, muerte, resurrección y ascensión al cielo. A través del misterio pascual, Jesús nos salva del pecado y nos da nueva vida. Los niños aprenden a reconocer la presencia de Jesús en la Iglesia y descubren que ellos son llamados a dar testimonio y a servir de la misma manera en que lo hizo Jesús. La primera unidad también describe el sacramento del Bautismo. Este sacramento que es la base o fundamento de la vida cristiana nos inicia en la vida de la Iglesia, el cuerpo de Cristo, el pueblo de Dios. La unidad finaliza con una presentación del rito del Bautismo que describe el papel de los padres y padrinos en el Bautismo.

Cita para recordar

"La familia que reza unida permanece unida".

Padre Patrick Peyton,
Siervo de Dios, CSC
(Eslogan del rosario en familia, ministerio de Holy Cross Family Ministries)

Del Catecismo

"Jesús nos da el ejemplo de la santidad en la vida cotidiana de la familia y del trabajo".

(Catecismo de la Iglesia Católica, 564)

Meditación

Busque en su casa un lugar tranquilo, preferentemente su sofá o silla favorita. Póngase cómodo. Comience a relajarse cerrando los ojos. Respire profundo varias veces. Inspire y retenga el aire durante tres segundos, luego exhale lentamente. Mientras respira, permita que entre en su interior lo bueno del amor de Dios y expulse todo lo que sea negativo en su vida.

Finalice sintiendo su cuerpo flojo y relajado con los ojos cerrados. Rece en silencio la siguiente oración:

Gloria al Padre,
y al Hijo,
y al Espíritu Santo.
Como era en el principio,
ahora y siempre por los siglos
de los siglos. Amén.

UNIT 1 SHARING FAITH as a Family

Where Does God Fit in Your Family?

How would you assess the presence of God in your home? When was the last time you, or someone in your family, stopped to marvel at something? It might be the beauty of the sunlight spilling across the breakfast table or the smile of a small child. It isn't necessary to travel to exotic places to experience the wonders of God's creation.

Our busy lives can dull our ability to be thankful. In family life, it is common to take those around us for granted. Yet everyone has good qualities and specific skills.

Concentrating on the positive traits of our family members helps us to be more thankful for them. Becoming mindful of all of our blessings helps us to be aware of God's continual presence in our lives.

Prayer is our lifeline to God's continual presence in our lives. Prayer does not need to be lengthy or formalized. It can become a part of each day, especially as we become more attentive to those glimpses of grace that happen all the time.

What Your Child Will Learn in Unit 1

Grade 5 of the *We Believe* program focuses on the seven sacraments of the Catholic Church. Unit 1 begins with Jesus Christ. The children will recognize Jesus as the Son of God who shows us God's love. The children will become more aware that they proclaim the good news of Christ by what they say and do. The liturgy is presented as a way we celebrate Christ's Paschal Mystery—his passion, death, Resurrection from the dead, and Ascension into heaven. It is by his Paschal Mystery that Jesus saves us from sin and gives us new life. The children recognize Jesus' presence in the Church, and their call to give witness and serve as Jesus did is explained. Unit 1 also focuses on the sacrament of Baptism. As the foundation of Christian life, this sacrament initiates us into the Church, the Body of Christ, the people of God. The unit concludes with a presentation of the Rite of Baptism and includes the roles of parents and godparents in Baptism.

Note the Quote

"The family that prays together stays together."

Servant of God
Father Patrick Peyton, CSC
(Slogan for Family Rosary, a ministry of Holy Cross Family Ministries)

From the Catechism

"Jesus gives us the example of holiness in the daily life of family and work."

(Catechism of the Catholic Church, 564)

Meditation Exercise

Find a quiet place in your home, preferably a favorite sofa or chair. Rest comfortably. Begin to relax by closing your eyes. Now take a few deep breaths. Breathe in and hold for three seconds, then slowly breathe out. As you are breathing, take in the positive spirit of God's love and breathe out all the negatives in your life.

End with your body relaxed and your eyes closed. Say this prayer quietly to yourself.

Glory to the Father,
and to the Son,
and to the Holy Spirit:
as it was in the beginning,
is now, and will be for ever.
Amen.

UNIDAD 2 COMPARTIENDO LA FE en familia

Tres razones porque las familias necesitan ritos

Podemos definir un rito como una manera preestablecida de hacer algo. El rito incluye símbolos, gestos y palabras y tiene sus raíces en nuestra historia. Otras dos características sobresalientes de los ritos son la repetición y la regularidad. Las familias *necesitan* ritos por las siguientes tres razones:

1. **Los ritos *enseñan*.** Todo rito posee una historia que nos dice algo acerca de quienes somos, de donde venimos y las cosas que son importantes para nosotros.
2. **Los ritos *unen*.** Participar de un rito familiar significa pertenencia. Ese acto nos dice que somos parte de algo más grande que nosotros mismos. Las tradiciones familiares que recordamos y respetamos nos conectan con nuestro pasado y nuestro presente como miembros de una familia.
3. **Los ritos *sanan*.** Los ritos nos reconfortan y nos dan estabilidad. Después de una situación traumática o una pérdida, el restablecimiento de ciertas rutinas trae alivio. En esos momentos, "volver a la normalidad" nos permite recuperar la esperanza de que todo está o llegará a estar bien.

Su hijo ahora en al quinto grado, aprenderá acerca de los sacramentos. Una manera en la que entienda los sacramentos como ritos sagrados es a través de su participación en ciertos ritos cotidianos que sean parte integral de la vida familiar.

Lo que su hijo aprenderá en la unidad 2

La segunda unidad se centra en el sacramento de la Confirmación y el sacramento de la Eucaristía como sacramentos que completan la iniciación a la vida cristiana que comenzó con nuestro Bautismo. En primer lugar, los niños comprenderán el origen del sacramento de la Confirmación en la Biblia con el relato de Pentecostés y el gesto de la imposición de manos. Luego, conocerán el rito o celebración del sacramento de la Confirmación. La Eucaristía se presenta como un memorial, una comida y un sacrificio y se pone especial énfasis en la presencia de Cristo en el sacramento. Un capítulo completo está dedicado a dar explicaciones detalladas de la celebración de la Eucaristía: los Ritos Iniciales, la Liturgia de la Palabra, la Liturgia de la Eucaristía y el Rito de Conclusión. Los niños experimentarán que cuando celebramos la Eucaristía, somos fortalecidos para responder al llamado del discipulado. El último capítulo de la segunda unidad explica la importancia de la oración en la vida del cristiano.

¿Sabías?

Una encuesta reciente de Pew Internet & American Life Project mostró como resultado que 25% de los usuarios del Internet, alrededor de 28 millones de personas, visitan sitios religiosos en busca de materiales espirituales.

(Pew Internet & American Life Project)

Del Catecismo

"La familia cristiana es una comunión de personas, reflejo e imagen de la comunión del Padre y del Hijo en el Espíritu Santo".

(Catecismo de la Iglesia Católica, 2205)

Biblia P y R

P: Mi hijo está aprendiendo los sacramentos de la Eucaristía y la Confirmación. ¿Qué pasaje bíblico podemos leer para aprender sobre su el origen?

–Chapel Hill, North Carolina

R: Con relación a la Eucaristía, lea el relato de la última cena en Marcos 14:22-25. Para la Confirmación, lea Hechos de los apóstoles 2:1–4.

Rincón de oración

Designe un lugar en su casa para rezar. Una mesa cubierta con un mantel, la Biblia y algunas láminas y tarjetas de oración para invitar a orar y reflexionar.

Un padre cuyo hijo usa el programa *Creemos* nos envió una carta sugiriendo colocar sobre la mesa un cuaderno con el título "Seamos agradecidos". Cuando un miembro de la familia quiera agradecer algo a Dios, lo escribe en el cuaderno. Al finalizar el año, la familia lee todo lo escrito. Este padre decía: "No se imaginan como esto ha enriquecido nuestra celebración del año nuevo. Se ha convertido en una tradición familiar. Ahora mi hermana y su familia también han comenzado a hacerlo".

UNIT 2 SHARING FAITH as a Family

Three Reasons Families Need Rituals

A ritual is defined as a patterned way of doing something that includes symbols, movement, and words and is rooted in a common history. It is characterized by repetition and regularity. Families *need* rituals for the following reasons.

1. **Rituals** ***teach.*** Every ritual has a story attached to it, one that tells something about who we are, where we have come from, and what is important to us.
2. **Rituals** ***connect.*** Participating in a family ritual signifies belonging. It tells us that we are part of something bigger than ourselves. Cherished family traditions link us with our past and present as members of a family.
3. **Rituals** ***heal.*** Rituals can provide comfort and stability. It is a relief when routines are reestablished after a trauma or loss. At such times, "getting back to normal" also conveys a sense of hope that all is—or will be—well.

Your fifth grader will be learning about the sacraments. A way for him or her to understand the sacraments as sacred rituals is by taking part in the everyday rituals that are integral to your family.

What Your Child Will Learn in Unit 2

Unit 2 concentrates on the sacrament of Confirmation and the sacrament of the Eucharist as completing our Christian initiation begun at our Baptism. The children first will understand the origin of sacrament of Confirmation in Scripture with the story of Pentecost and the sign of the laying on of hands. Next, the children will become aware of the rite, or celebration, of the sacrament of Confirmation. The Eucharist is seen as a memorial, a meal, and a sacrifice with emphasis placed on the real presence of Christ in the sacrament. An entire chapter is devoted to full explanations of the celebration of the Eucharist: the Introductory Rites, the Liturgy of the Word, the Liturgy of the Eucharist, and the Concluding Rite. The children will feel that when we celebrate the Eucharist we are strengthened to answer our call to discipleship. The last chapter of Unit 2 concentrates on the importance of prayer in the Christian life.

Did You Know?

In a recent survey, the Pew Internet & American Life Project found that 25% of the Internet population, approximately 28 million people, visit religious Web sites seeking spiritual material.

(Pew Internet & American Life Project)

From the Catechism

"The Christian family is a communion of persons, a sign and image of the communion of the Father and the Son in the Holy Spirit."

(Catechism of the Catholic Church, 2205)

Bible Q & A

Q: My child is learning about the sacraments of the Eucharist and Confirmation. What can we read in the Bible to learn about the origins of these sacraments?

–Chapel Hill, North Carolina

A: For the Eucharist, read about the Lord's Supper in Mark 14:22–25. For Confirmation, read the Acts of the Apostles 2:1–4.

Family Prayer Corner

Set aside a space in your home for a Family Prayer Corner. A sturdy table covered with a pretty tablecloth sets the tone. Place your family Bible on a stand, if possible. Prayer cards and pictures add to the theme of prayer and reflection.

A *We Believe* parent sent us a letter. She suggests placing a "Being Thankful" notebook on the table. Anytime a family member wishes to thank God for something, he or she writes about it in the notebook. At the end of the year, the family reads what they have written all year long. This parent says, "You can't imagine how this adds to our joyful celebration of the new year. It's become a family tradition, and I've even got my sister's family doing it!"

UNIDAD 3

COMPARTIENDO LA FE en familia

El poder de la palabra

"A palabras necias, oídos sordos".

Cualquiera que haya soportado la burla o el ridículo, reconoce que este refrán plantea algo absurdo. Las palabras tienen un enorme poder. En la tradición judía, se las compara con las flechas porque una vez lanzadas, ya no es posible volverse atrás. Las palabras pueden atravesar el corazón provocando un gran dolor o pueden enternecerlo colmándolo de afecto. La decisión está en manos de quien habla.

Las familias tienen una gran capacidad de usar las palabras para herir o sanar. Los niños aprenden mediante el ejemplo. Si un niño crece en un ambiente de crítica y cinismo, aprenderá un lenguaje cargado de desprecio, sarcasmo y chismes. Por otro lado, las palabras que se originan en un lugar donde se practica el amor y el respeto, le enseñarán al niño a ser solidario y a preocuparse por los demás, a ofrecer empatía y a cultivar el deseo de comprender a los demás.

Una manera de aprender a controlar nuestro uso de las palabras es midiendo el impacto que causa en los demás. Antes de decir algo que podría llegar a lastimar a otra persona, pregúntese: Lo que estoy a punto de decir: ¿Es verdad? ¿Es necesario que lo diga? ¿Es amable?

Si la respuesta es "No" tan sólo a una de estas preguntas, pues entonces las palabras que iba a decir, ¡no merecen ser pronunciadas!

Lo que aprenderá su hijo en la unidad 3

La tercera unidad presenta los sacramentos de sanación: el sacramento de la Reconciliación y el sacramento de la Unción de los enfermos. Los niños aprenderán las distintas partes del sacramento de la Reconciliación: contrición, confesión, penitencia y absolución. Aprenderán cuando y donde se celebra el sacramento, que papel tienen el sacerdote y el penitente, de que manera se administra el rito a un solo penitente y a un grupo de penitentes. Al comenzar a estudiar el sacramento de la Unción de los enfermos, los niños aprenden a reconocer en la obra sanadora y salvífica de Jesús un signo de su divinidad. Jesús continúa su trabajo de sanación a través de la Iglesia. Los niños aprenderán donde y cuando se celebra este sacramento, su significado y propósito. Analizarán las distintas partes de la Unción de los enfermos y luego, aprenderán el significado de la eucaristía como viático, el último sacramento de la vida del cristiano. El último capítulo de la tercera unidad presenta el lugar que ocupa María en el plan salvífico de Dios. Los niños entenderán por qué la Iglesia nos enseña que María es la más grande de todos los santos.

Biblia P y R

P: Hace poco tiempo, un miembro de la familia estuvo gravemente enfermo, pero gracias a Dios se ha recuperado por completo. ¿En dónde podría encontrar historias de Jesús sanando y reconfortando a las personas para compartir con mis hijos?

–Athens, Texas

R: No tenemos suficiente espacio para nombrarlas a todas. Fíjese en Lucas, capítulos 8 y 9 y allí encontrará ocho historias sobre Jesús curando a las personas.

Del Catecismo

"La familia debe vivir de manera que sus miembros aprendan el cuidado y la responsabilidad respecto de los pequeños y mayores, de los enfermos o disminuidos, y de los pobres".

(Catecismo de la Iglesia Católica, 2208)

Los medios importan

Con frecuencia nos dirigimos a nuestro párroco, líderes políticos y a nuestros padres si necesitamos recibir palabras de sanación en tiempos de sufrimiento.

Durante los próximos días, ponga en práctica este ejercicio con su familia. Cada miembro de la familia se encargará de un medio de comunicación: televisión, periódicos, revistas, radio, Internet. Pida a cada uno de ellos que vea, lea o escuche historias con un mensaje que tenga la capacidad de lastimar o sanar a la audiencia a quien está dirigido.

Reúnanse como familia diariamente mientras practica este ejercicio y comenten de que manera creen que estas historias lastimaron o sanaron y como se sintieron ustedes, individualmente y como familia.

UNIT 3 SHARING FAITH as a Family

The Power of Words

"Sticks and stones may break my bones, but names can never hurt me."

Anyone who has been teased or ridiculed knows the absurdity of this well-worn proverb. Words have tremendous power. In Jewish tradition they are likened to arrows which, once shot, cannot be retracted. Words can pierce the heart with painful hurt or penetrate it with soothing kindness. The choice lies in the one who speaks.

Families hold great potential to use words in hurtful or healing ways. Children learn by example. If children grow up in an atmosphere of criticism and cynicism, they will learn a language that includes put-downs, sarcasm, and gossip. On the other hand, words that come from a place of mutual love and respect teach care and concern. They offer empathy and a desire to understand.

One way to help gauge the use of our words is to consider their impact on others. Before saying something that is potentially hurtful, ask yourself: Is what I am about to say true? necessary? kind?

If the answer to even one of these is "No," then the words are not worth saying!

What Your Child Will Learn in Unit 3

Unit 3 presents the sacraments of healing: the sacrament of Reconciliation and the sacrament of the Anointing of the Sick. The children learn the various parts of the sacrament of Reconciliation: contrition, confession, penance, and absolution. They find out about when and where the sacrament is celebrated, the roles of the priest and the penitent, the breakdown of the Rites for individual penitents and for several penitents. As the discussion of the sacrament of the Anointing of the Sick begins, the healing and saving work of Jesus is seen as a sign of his divinity. Through the Church, Jesus continues his healing work. The children learn where and when the sacrament is celebrated as well as its meaning and purpose. The parts of the Rite of Anointing are examined and the Eucharist as viaticum, the last sacrament of Christian life, is explained. The last chapter of Unit 3 presents Mary's role in God's plan of salvation. The children learn why the Church tells us that Mary is our greatest saint.

Bible Q & A

Q: Recently, a family member was seriously ill but thankfully has now fully recovered. Where can I find stories of Jesus healing and comforting to share with my children?

–Athens, Texas

A: There is not enough room to list them all. Try Luke Chapters 8 and 9 in which you will find eight stories of Jesus healing others.

From the Catechism

"The family should live in such a way that its members learn to care and take responsibility for the young, the old, the sick, the handicapped, and the poor."

(Catechism of the Catholic Church, 2208)

Media Matters

Often, we look toward our pastor, political leaders, and parents for words to heal us during times of sorrow.

Over the next several days, participate in this exercise with your family. Assign each member of your family a different outlet of the media (TV, newspapers, magazines, radio, Internet). Ask each person to look, read, or listen for stories whose message either has the ability to hurt or the ability to heal its intended audience.

Gather as a family periodically throughout this exercise to discuss how these stories either hurt or healed and how they made you feel individually and as a family.

UNIDAD 4

COMPARTIENDO LA FE en familia

Virtudes para nuestro tiempo

Prudencia, templanza, fortaleza y justicia. Es posible que algunas personas piensen que estas palabras han pasado de moda, pero estas cuatro virtudes cardinales continúan siendo muy importantes en el mundo moderno y en la tarea de construir familias sanas.

La **prudencia** invita a vivir una vida basada en la sabiduría y el discernimiento. La persona prudente es cuidadosa a la hora de tomar decisiones y evita cursos de acción que puedan resultar perjudiciales o destructivos.

La **templanza** es la capacidad de controlarse y evitar caer en excesos. En una época en que las familias se encuentran abrumadas por exceso de actividades y preocupaciones, esta virtud resulta a la vez práctica y deseable.

La **fortaleza** está claramente relacionada con la palabra fuerza, algo que los padres y tutores sin duda necesitan y en gran escala, mientras se dedican a la crianza de los niños. La fortaleza es también una virtud que debemos fomentar en los más jóvenes a fin de que permanezcan cimentados en valores y creencias positivas.

La **justicia** está arraigada en los evangelios, se la menciona, en promedio, cada diez líneas de texto. El discipulado cristiano significa solidarizarse con los pobres, los dolientes y desvalidos.

Lo que aprenderá su hijo en la unidad 4

La última unidad de quinto grado del programa Creemos invita a los niños a vivir su vida como discípulos de Jesús. Estudiarán las virtudes teológicas: fe, esperanza y caridad, y aprenderán las Bienaventuranzas. Esta unidad presenta el sacramento del Matrimonio. Los niños aprenderán acerca de la celebración del sacramento y la importancia de la familia. La presentación del sacramento del Orden comienza a partir de la persona de Jesús y en la forma en que él compartió su ministerio de un modo especial con los discípulos. Los niños aprenderán más sobre la manera en que los obispos, sacerdotes y diáconos sirven a la Iglesia. El último capítulo de la unidad tiene un título muy apropiado: "Una, santa, católica, y apostólica". Estas son las cuatro características de la Iglesia. Creemos que la mejor manera de resumir el énfasis de este año en la enseñanza de los sacramentos es a través del estudio de la propia naturaleza de la Iglesia que celebra estos signos tan especiales del amor y el perdón de Dios.

Una historia de fe

Catherine A. Nardella

El simple hecho de estar en compañía de Catherine Nardella hacía que uno sintiera que el día era más luminoso o que en la vida había muchísimas cosas para disfrutar. Sin embargo, fue precisamente en un día luminoso y soleado de septiembre cuando Catherine perdió la vida. Era consultora de seguros para una compañía en Nueva York y sus oficinas estaban en lo alto del Centro Mundial de Comercio. No pudo salir de allí el 11 de septiembre de 2001 cuando los terroristas estrellaron dos aviones contra los edificios.

"Administradora de Dios" son quizás las palabras más apropiadas para describir a Cathy. Ella era quien impulsaba y animaba a los feligreses que querían ofrecer su tiempo y dones al servicio de otras personas. De este modo, Cathy y las personas que participaban del programa de administración o mayordomía personificaban ente la hospitalidad de Jesús. Otra palabra muy adecuada para describir a Cathy es "hospitalidad"; nadie más cálido y amable que ella, ya fuera para recibir a un amigo o un desconocido.

Durante el servicio fúnebre, la recordaron sus amigos, familiares, sus compañeros de trabajo y feligreses. Además, recordaron la vida que había vivido: su dedicación y su sentido del humor. El padre Peter Funesti, un sacerdote de su parroquia, expresó en palabras lo que todos sentían: "Jesús trataba a todos con respeto y sabía como responder a sus necesidades. Así era Cathy. Siempre la extrañaremos".

Del Catecismo

"El hogar cristiano es el lugar donde los hijos reciben el primer anuncio de la fe".

(Catecismo de la Iglesia Católica 1666)

UNIT 4 SHARING FAITH as a Family

Virtues for Our Time

"Prudence, temperance, fortitude, and justice. These words might sound outdated to some, but these four cardinal virtues are still very important in modern life and in the building of healthy families.

Prudence calls for a way of living based on wisdom and discernment. Being prudent means choosing carefully and avoiding paths that are harmful or destructive.

Temperance can be defined as holding back and refraining from overindulgence. At a time when families find themselves overwhelmed by too much to do and too much to take care of, this virtue is both practical and desirable.

Fortitude denotes strength, something parents and caregivers need in great measure as they raise their children. Fortitude is also a virtue to foster in young people in order to help them stay grounded in positive values and beliefs.

Justice is so rooted in the four gospels that it is mentioned, on average, in every tenth line. Christian discipleship means standing in solidarity with those who are poor, those who suffer, and those who are powerless.

From the Catechism

"The Christian home is the place where children receive the first proclamation of the faith."

(Catechism of the Catholic Church, 1666)

What Your Child Will Learn in Unit 4

Unit 4, the last unit of the year, celebrates the ways we can live out our faith in Jesus Christ. The meaning and order of the Mass and the celebration of the Eucharist are explained in terms first graders can understand and accept. After this presentation, the children will grow in their commitment to live out the Mass at home with your family. One way to enrich our experience of faith is to honor Mary, the Mother of God, and all the saints. The children will pray the Hail Mary as well as becoming aware of the ways the Church honors the saints. The last chapter of Unit 4 calls on the children to become more aware of our role as caretakers of God's creation.

A Story in Faith

Catherine A. Nardella

It was impossible to be around Catherine A. Nardella and not feel that any day was a little brighter, or that there was a lot more to enjoy in life. Yet it was on a bright, sunny day in September that Catherine lost her life. She was an insurance consultant for a firm in New York City and worked high up in the World Trade Center. There was no chance of escape when the terrorists flew into the buildings on September 11, 2001, with two hijacked planes.

"Steward" perhaps best describes Cathy. She was a driving force of the group of people in her parish who wanted to give more of their time and talents in service to others. In doing so, Cathy and those involved in the stewardship program embodied the hospitality of Jesus. "Hospitality" is another good word to describe Cathy. No one was more warm and gracious to friend and stranger alike.

At a memorial service, her friends, family, coworkers, and parishioners remembered her and the life that she lived. So many of them remembered her sense of dedication and her sense of fun. Father Peter Funesti, a priest in her parish, said it best. "Jesus gave people respect by the way he treated them. He responded to people out of their need. So did Cathy. We will miss her always."

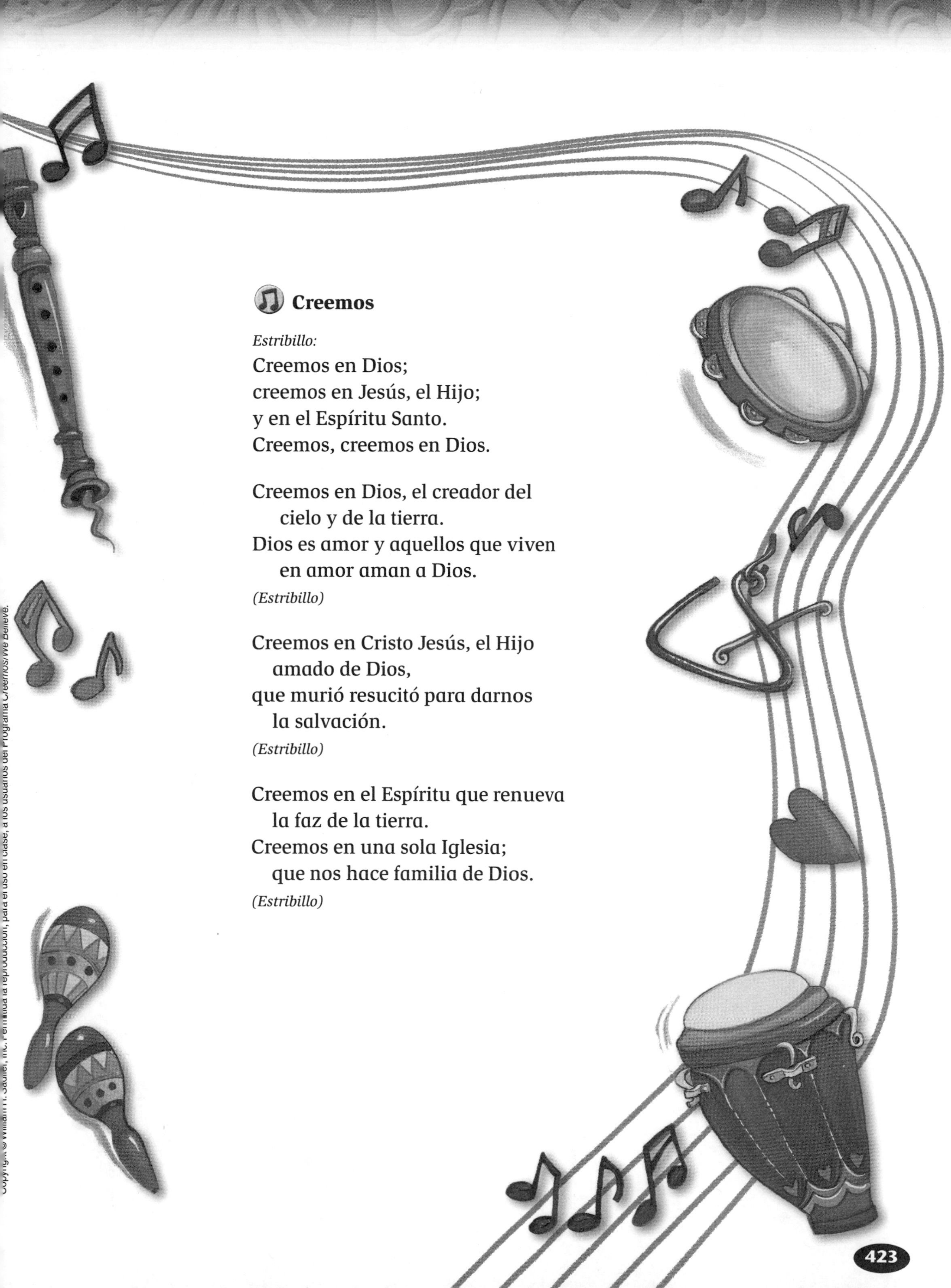

Creemos

Estribillo:

Creemos en Dios;
creemos en Jesús, el Hijo;
y en el Espíritu Santo.
Creemos, creemos en Dios.

Creemos en Dios, el creador del
cielo y de la tierra.
Dios es amor y aquellos que viven
en amor aman a Dios.
(Estribillo)

Creemos en Cristo Jesús, el Hijo
amado de Dios,
que murió resucitó para darnos
la salvación.
(Estribillo)

Creemos en el Espíritu que renueva
la faz de la tierra.
Creemos en una sola Iglesia;
que nos hace familia de Dios.
(Estribillo)

We Believe, We Believe in God

Refrain:
We believe in God;
we believe, we believe in Jesus;
we believe in the Spirit who gives us life.
We believe, we believe in God.

We believe in God, our creator,
the maker of heaven and earth.
God is love, and those who live in love
live in God, and God in them.
(Refrain)

We believe in Jesus Christ, our Lord,
the beloved Son of God.
Jesus died for us, then rose again,
and forever is God with us.
(Refrain)

We believe in the Holy Spirit,
who renews the face of earth.
We believe we are part of a living Church,
and forever we will live with God.
(Refrain)

Equipo de desarrollo

Rosemary K. Calicchio
Vice Presidenta de Publicaciones

Melissa D. Gibbons
Directora de Investigaciones y Desarrollo

Blake Bergen
Director, Editorial

Alberto Batista

Erik Bowie

Joanna Dailey

Thelma Delgado

Maureen Gallo

Mary Ellen Kelly

Ruby Norfolk

Dignory Reina

Mary Ann Trevaskiss

Joanne Winne

Equipo consultor de Sadlier

Patricia Andrews
Directora, Educación Religiosa
Iglesia Nuestra Señora de Lourdes
Slidell, LA

Eleanor Ann Brownell, D.Min.
Vice Presidenta, Religión

Michaela M. Burke
Directora, Servicios de Consultoría

Judith A. Devine
Consultora Nacional de Ventas

Hermana Helen Hemmer, IHM
Consultora de Religión
Formación Espiritual

William M. Ippolito
Director Ejecutivo de Proyectos

Saundra Kennedy, Ed.D.
Consultora y Especialista en Entrenamiento

Marie Murphy, Ph.D.
Consultora Nacional de Religión e Investigación

Equipo de edición y operaciones

Deborah Jones
Vice Presidenta de Publicaciones y Operaciones

Vince Gallo
Director Creativo

Francesca Moore

Jim Saylor

Eileen Gewirtzman

Barbara Brown

Douglas Labidee

Photo Credits

Children's Uniforms: Courtesy of Greene Uniform Co. Cover Photography: Ken Karp: *anointing oil bottle & children reading*; PictureQuest/Digital Vision: *ivy vine*; Solus Images/Brian Fraunfelter: *water splash*. Alamy Images/Petter Oftedal: 140–141. Alexian Brothers Hospital Network: 209 *inset*. Suzanne Plunkett: 186–187. Art Resource/Scala: 277. Jane Bernard: 37 *bottom left*, 38, 41, 60–61, 64, 69 *inset*, 111, 113 *top center*, 120, 124, 125, 139 *left*, 178, 266 *left*. Gary Bogdon: 254 *bottom left*. Bridge Building Images/Father John Guiliani: 44–45 *Native American Jesus*; Robert Lentz: 44 *center*, 133 *inset*, 173 *inset*. Bridgeman Art Library: 200. Karen Callaway: 37 *bottom*, 44 *top*, 63, 92, 100, 101, 108, 138, 300. The Claretians: 44 *inset*. Comstock Images: 266–267 *right*, 272–273 *top*. Jon P. Yeager: 46–47 *background*; Kenna Ward: 56–57 *center*; Liba Taylor: 82; Reuters NewMedia Inc: 109 *inset*; Archivo Iconographico, S.A.: 114; Jonathan Blair: 121 inset; Kurt-Michael Westermann: 156, 161 top; AFP/Musa Al-Shaer: 169 left; Ed Bock: 174; Dave Bartuff: 216; Richard Cummins: 221 *inset*; Nancy Ney: 251–252; Ted Horowitz: 251–252; Anthony Redpath: 251–252, LWA/Dann Tardif: 251–252; Rolf Bruderer: 251–252; Ariel Skelley: 262–263; Tom & Dee Ann McCarthy: 269; Peter Beck: 288 *top left*; AFP/Mosista Pambudi: 308; Wolfgang Kaehler: 292–293; SABA/Mark Peterson: 293 *top*. Fabian Cevallos: 249 *inset*. Crosiers/Gene Plaisted, OSC: 36, 39 *bottom*, 52–53, 57 *inset*, 62, 83, 112–113, 126 *chalice & paten*, 127, 202, 224, 232 *right*, 265, 273 *inset*, 276. Gerald Cubitt: 225 *left*. Joseph Dawley: 21 *inset*. Neal Farris: 21, 23, 32–33, 33, 34–35, 39 *top*, 45, 46–47, 57, 58–59, 69, 86–87, 92, 93, 96, 97, 109, 110, 121, 123, 133, 134–135, 136, 162–163, 173, 176, 177, 180, 181, 185, 192–193, 197, 198–199, 209, 221, 219, 238–239, 249, 261, 273, 274, 274–275, 285, 286. Getty Images: 62–63 *waves*, 68–69, 110, 111 *background*, 129 *top*, 146, 153 *bottom*, 154 *bottom*, 162 *bottom*, 167–168 *background*, 192–193 *background*, 198–199 *background*, 226, 251–252, 264, 266–267. Anne Hamersky: 70 *bottom*. The Image Works/Peter Hvizdak: 278 *right*; Jack Kurtz: 279 *left*. Index Stock Imagery/Tom Stillo: 85 *bottom*; Jeff Greenberg: 128–129; David Richardson: 147. Jesuit Volunteer Corp. of America: 33 *inset*. Ken Karp: 10–11, 22, 18, 78–79, 80–81, 85 *top*, 145, 152 *bottom*, 155, 268 *top*, 288 *top right*, 289 *top left*, 415–416. The Kobal Collection: 240–241. Eugene Llacuna: 128. Greg Lord: 217. Masterfile/J. A. Kraulis: 86 *bottom*, 134–135 *background*. Odyssey Productions, Inc./Robert Frerck: 225 *right*. PhotoEdit/A. Ramey: 145 *inset*; Cathy Melloan: 158–159 *bottom*; Spencer Grant: 226. PhotoZion.com: 303. PictureQuest/Burke/Triolo/Brand X Pictures: 12–13; Creatas: 34–35 *brick background*; Banana Stock: 57 *top right*; Digital Vision: 180–181 *background*; Stockbyte: 242–243 *carnation*; Corbis Images: 250–251; Arthur Tilley/i2I Images: 250–251; Rubberball Productions: 250–251; Mel Curtis/PhotoDisc: 250–251. PolarisImages/Evelyn Hockstein: 28 *bottom*; Allan Tannenbaum: 168 *right*, 293 *bottom*. Questar, Inc.: 230. Salesians of Don Bosco: 97 *inset*. Ellen Senisi: 112 *top left*. Chris Sheridan: 140–141. Susan Spann: 197 *inset*. SuperStock: 266–267 *top right*. TimePix/Cindy Karp: 26 *center*; Reuters/Peter Andrews: 137; Reuters/Jayanta Shaw: 255. W. P. Wittman: 40, 50 *top left & top center*, 51 *top right & top left*, 64, 70 *center*, 71, 77 *top & bottom*, 104–105, 139 *center*, 140, 181 *right*, 185 *inset*, 203, 209 *top*, 232–233, 236–237 *top*, 278.

Illustrator Credits

Cover Design: Kevin Ghiglione. Diane Bennett: 124–125, 315–316. Harvey Chan: 136–137, 138–139. Gwen Connelly: 200–201. Margaret Cusack: 256–257. David Dean: 14–15. Rob Dunlavey: 24–25. Suzanne Duranceau: 22–23. Luigi Galente: 90–91. Stephanie Garcia: 176–177. Janell Genovese: 252–253. Alex Gross: 244–245. Peter Gunther: 385, 386, 401, 402, 409, 410. W. B. Johnston: 38–39, 100–101, 214–215. Lydia Hess: 363, 364, 369, 370. Rita Lascaro: 381, 382, 389, 390, 393, 394, 399, 400, 411, 412. Martin Lemelman: 405, 406. Angela Martini: 23. David McGlynn 98–99. Deborah Melmon: 407–408. Cliff Neilson: 204–205. Billy Renkl: 64–65. Zina Saunders: 375, 376, 391, 392, 397, 398. Jane Sterrett: 48–49. Kristina Swarner: 16–17. Elisabeth Trostli: 361, 362, 373, 374, 387, 388, 395, 396, 407, 408. Amanda Warren: 70–85, 146–161, 222–237, 298–305. Andrew Wheatcroft: 12, 80–81, 88–89, 116–117, 164–165, 188–189, 190–191, 212–213, 224–225.

Acknowledgments

Excerpts from the English translation of the *Catechism of the Catholic Church* for the United States of America. © 1994, United States Catholic Conference, Inc.—Libreria Editrice Vaticana. English translation of the *Catechism of the Catholic Church: Modifications from the Editio Typica* © 1997, United States Catholic Conference, Inc.—Libreria Editrice Vaticana. Used with permission.

Excerpts from *Catecismo de la Iglesia Católica* © 1992 Traducción al español de *Catecismo de la Iglesia Católica: Modificaciones basadas en la Editio Typica,* © 1997, United States Catholic Conference, Inc.—Libreria Editrice Vaticana.

Scripture excerpts are taken from the *New American Bible with Revised New Testament and Psalms* © 1991, 1986, 1970, Confraternity of Christian Doctrine, Inc., Washington, DC. Used with permission. All rights reserved. No part of the *New American Bible* may be reproduced by any means without permission in writing from the owner.

Excerpts from *La Biblia con Deuterocanonicos,* version popular, © 1966, 1970, 1979, 1983, William H. Sadlier, Inc. Distribuido con permiso de la Sociedad Biblica Americana. All rights reserved.

Excerpts from the English translation of *Rite of Marriage* © 1969, International Committee on English in the Liturgy, Inc. (ICEL); excerpts from the English translation of *Rite of Baptism for Children* © 1969, ICEL; excerpts from the English translation of *Rite of Holy Week* © 1972, ICEL; excerpts from the English translation of *The Roman Missal* © 1973, ICEL; excerpts from the English translation of *The Liturgy of the Hours* © 1974, ICEL; excerpts from the English translation of *Holy Communion and Worship of the Eucharist Outside Mass* © 1974, ICEL; excerpts from the English translation of *Rite of Penance* © 1974, ICEL; excerpts from the English translation of *Rite of Confirmation* (2nd edition) ©1975, ICEL; excerpts from the English translation of *Pastoral Care of the Sick* © 1982, ICEL; excerpts from the English translation of *A Book of Prayers* © 1982, ICEL; excerpts from the English translation of *Order of Christian Funerals* © 1985, ICEL; excerpts from the English translation of *Book of Blessings* © 1988, ICEL; excerpt from the *Opening Prayers for Experimental Use at Mass* © 1986, ICEL; excerpts from the English translation of *Rite of Christian Initiation of Adults* © 1985, ICEL; excerpts from the English translation of the "Norms for the Liturgical Year and the Calendar" from *Documents on the Liturgy, 1963–1979: Conciliar, Papal, and Curial Texts* © 1982, ICEL. All rights reserved.

Excerpts from the *Misal Romano,* © 1993, Conferencia Episcopal Mexicana, Obra Nacional de la Buena Prensa, A.C., Apartado M-2181, 06000 México, D.F. All rights reserved.

Excerpts from the *Ritual conjunto de los sacramentos* © 1976, CELAM, Departmento de Liturgia, Apartado aereo 5278, Bogotá, Colombia. All rights reserved.

Excerpts from *Sharing the Light of Faith* © 1978, United States Conference of Catholic Bishops, Inc. (USCCB), Washington, DC. Used with permission. All rights reserved (*Sharing* excerpt, footnote 1: General Decree and Instruction, *Maxima Redemptionis Nostrae Mysteriis,* Sacred Congregation of Rites, November 16, 1955, A.A.S. 47).

Excerpts from *Catholic Household Blessings and Prayers* © 1988, USCCB, Washington, DC. Used with permission. All rights reserved. No part of this document may be reproduced in any way without permission in writing from the holder.

The seven themes of Catholic Social Teaching are taken from *Sharing Catholic Social Teaching, Challenges and Directions: Reflections of the U.S. Catholic Bishops* © 1998, United States Catholic Conference, Inc., Washington, DC. All rights reserved.

Excerpts from *Compartiendo la Enseñanza Social Católica: Desafios y rumbos,* © 1988, United States Catholic Conference, Inc., Washington, DC. All rights reserved.

English translation of the Lord's Prayer, the Apostles' Creed, the Nicene Creed, the Kyrie, the Gloria in excelsis, the Sanctus/Benedictus, the Agnus Dei, and the Gloria Patri by the International Consultation on English Texts (ICET).

Excerpt from *A Dictionary of Quotes from the Saints,* by Paul Thigpen. © 2001 by Paul Thigpen. Published by Servant Publications, P.O. Box 8617, Ann Arbor, Michigan 48107. www.servantpub.com. Used with permission.

Excerpts from *Catechesi Tradendae, On Catechesis in Our Time*, Apostolic Exhortation, Pope John Paul II, October 16, 1979.

Excerpts from *Evangelii Nuntiandi, On Evangelization in the Modern World,* Apostolic Exhortation, Pope Paul VI, December 8, 1975.

Excerpts from *Lumen Gentium, Dogmatic Constitution on the Church*, Pope Paul VI, November 21, 1964.

Excerpt from *Ethics in Communications,* Pontifical Council for Social Communications, June 4, 2000.

Excerpts from *Communio et Progressio, Pastoral Instruction, On the Means of Social Communication,* written by order of the Second Vatican Council, May 23, 1971.

Excerpt from *Vita Consecrata,* Post-Synodal Apostolic Exhortation, Pope John Paul II, March 25, 1996.

Excerpts from *Gaudium et Spes, Pastoral Constitution of the Church in the Modern World,* Pope Paul VI, December 7, 1965.

Excerpt from *Populorum Progressio, On the Development of Peoples*, Encyclical, Pope Paul VI, March 26, 1967.

Excerpts from *Concilio Vaticano II: Documentos completos,* © San Pablo, 1993, Departamento de Divulgación, Carrera 46, No.22A-90, Calle 170 No. 23-31, Santafé de Bogotá, D.C., Colombia. All rights reserved.

"Cerca está el Señor/The Lord Is Near" Letra: Salmo 144 (145), 18. letra en español: © 1982, SOBICAIN. Derechos reservados. Con las debidas licencias. Letra en inglés: © 1969, 1981, 1997, ICEL. Derechos reservados. Con las debidas licencias. Música: Eleazar Cortés, © 1998, Eleazar Cortés. Obra publicada por OCP Publications, 5536 NE Hassalo, Portland, OR 97213. Derechos reservados. Usada con permisu. "Somos el Cuerpo de Cristo/We Are the Body of Christ" © 1994, Jaime Cortez. Obra publicada por OCP Publications, 5536 NE Hassalo, Portland, OR 97213. Derechos reservados. Usada con permiso. "Somos Todos el Pueblo de Dios/We Are All the People of God" Peter Rubalcava, © 1989, NALR. Obra publicada por OCP Publications, 5536 NE Hassalo, Portland, OR 97213. Derechos reservados. Usada con permisu. "Santos del Señor" © 1993, Jaime Cortez. Obra publicada por OCP Publications, 5536 NE Hassalo, Portland, OR 97213. Derechos reservados. Usada con permisu. "Saints of God" (Enter the Journey Collection) © 2000, Mark Friedman and Janet Vogt. Published by OCP Publications, 5536 NE Hassalo, Portland, OR 97213. All rights reserved. Used with permission. "Ven, Espíritu Santo" Estribillo, Jaime Cortez, © 1995, Jaime Cortez. Obra publicada por OCP Publications. Derechos reservados. Música: © Jaime Cortez. Obra publicada por OCP Publications, 5536 NE Hassalo, Portland, OR 97213. Derechos reservados. Usada con permiso. "We Belong to God's Family" © 1992, OCP Publications, 5536 NE Hassalo, Portland, OR 97213. All rights reserved. Used with permission. "Pan de Vida" © 1988, 1995, 1999, Bob Hurd y Pia Moriarty. Obra publicada por OCP Publications, 5536 NE Hassalo, Portland, OR 97213. Derechos reservados. Usada con permiso. "I Am the Bread of Life" Suzanne Toolan, RSM, © 1970, G.I.A. Publications, Inc. All rights reserved. Used with permission. "Calling the Children" © 1991, Christopher Walker and Matthew Wooten. Published by OCP Publications, 5536 NE Hassalo, Portland, OR 97213. All rights reserved. Used with permission. "With Open Hands/Abierto está mi corazón" © 1999, Robert F. O'Connor, SJ. Published by OCP Publications, 5536 NE Hassalo, Portland, OR 97213. All rights reserved. Used with permission. "El Señor es mi pastor" Letra: Salmo 22, © 1982, SOBICAIN. Derechos reservados. Con las debidas licencias. Musica: Alberto Taulé, © 1996, Centro de Pastoral Litúrgica, Barcelona. Derechos reservados. Administradora exclusiva en EE.UU. y Canadá: OCP Publications, 5536 NE Hassalo, Portland, OR 97213. Derechos reservados. Usada con permisu. "The Lord Is My Shepherd" © Carey Landry. Published by OCP Publications, 5536 NE Hassalo, Portland, OR 97213. All rights reserved. Used with permission. The English translation of the psalm response for Psalm 23 from *Lectionary for Mass* © 1969, 1981, 1997, International Committee on English in the Liturgy, Inc. (ICEL). All rights reserved. "El pan de vida" © 1994, Eleazar Cortés. Obra publicada por OCP Publications, 5536 NE Hassalo, Portland, OR 97213. Derechos reservados. Usada con permisu. "Lucas 1: Canto de María" Letra: De Lucas 1, 46–55, Lambert Joseph Luna; Música: Lambert Joseph Luna. Letra y musica © 1986, OCP Publications, 5536 NE Hassalo, Portland, OR 97213. Derechos reservados. Usada con permisu. "Canticle of Mary" © 1993, Owen Alstott and Bernadette Farrell. Published by OCP Publications, 5536 NE Hassalo, Portland, OR 97213. All rights reserved. Used with permission. "Perdón, Señor" © 1972, Juan A. Espinosa. Obra publicada por OCP Publications, 5536 NE Hassalo, Portland, OR 97213. Derechos reservados. Usada con permisu. "Sign Us with Ashes" (Enter the Journey Collection), © 2000, Mark Friedman and Janet Vogt. Published by OCP Publications, 5536 NE Hassalo, Portland, OR 97213. All rights reserved. Used with permission. "God's Greatest Gift" © 1999, Owen Alstott. Published by OCP Publications, 5536 NE Hassalo, Portland, OR 97213. All rights reserved. Used with permission. "Pescador de hombres" Letra y música © 1979, 1987, Cesáreo Gabaráin. Obra publicado por OCP Publications, 5536 NE Hassalo, Portland, OR 97213. Derechos reservados. Usada con permisu. "Come, Follow Me" © 1992, Barbara Bridge. Published by OCP Publications, 5536 NE Hassalo, Portland, OR 97213. All rights reserved. Used with permission. "Santa María del camino" © 1973, Juan A. Espinosa. Obra publicada por OCP Publications, 5536 NE Hassalo, Portland, OR 97213. Derechos reservados. Usada con permisu. "Holy Mary" (Enter the Journey Collection) © 2000, Mark Friedman and Janet Vogt. Published by OCP Publications, 5536 NE Hassalo, Portland, OR 97213. All rights reserved. Used with permission.

"Creemos" (traducción, "We Believe, We Believe in God" © 1995, Carey Landry. Obra publicada por OCP Publications, 5536 NE Hassalo, Portland, OR 97213) Derechos reservados. Usado con permiso. "We Believe, We Believe in God" © 1979, North American Liturgy Resources (NALR), 5536 NE Hassalo Portland, OR 97213. All rights reserved. Used with permission.

Planificando el año

Planning Your Year

Notas / Notes